BOUQUINS

COLLECTION DIRIGÉE PAR

GUY SCHOELLER

DU MEME AUTEUR

Aux éditions Gallimard

Les Deux Étendards, roman, 2 vol., édition 1952 (épuisée). Nouvelle édition brochée, 2 vol. 1977.
Les Deux Étendards, « Collection Soleil », 1 vol., texte intégral, 1971.
Les Épis mûrs, roman, 1954.

Aux éditions Robert Laffont

Une histoire de la musique, 1969, (épuisée). Nouvelle édition corrigée et reliée, 1973.

Aux éditions Jean-Jacques Pauvert

Les Mémoires d'un fasciste, tome I : *Les Décombres, 1938-1940*, Nouvelle édition corrigée par l'auteur, 1976.
Les Mémoires d'un fasciste, tome II, *1941-1947*, 1976.

Aux éditions René Kister, Genève

Traduction de l'anglais :

Histoire de la musique espagnole de Walter Starkie, 2 vol. 1959.

LUCIEN REBATET

Une histoire de la musique

Bouquins

ROBERT LAFFONT

et

COMPAGNIE FRANÇAISE DE LIBRAIRIE

Première édition 1979
Première réimpression 1981
Deuxième réimpression 1982
Troisième réimpression 1983
Quatrième réimpression 1984
Cinquième réimpression 1985
Sixième réimpression 1987
Septième réimpression 1988
Huitième réimpression 1990
Neuvième réimpression 1992

ISBN 2-221-03591-7

AVANT-PROPOS

Les histoires de la musique sont des encyclopédies collectives, ou bien des manuels dus à un seul signataire d'une réputation confirmée.

Dans le premier cas, les différents chapitres sont répartis entre des spécialistes pleins de savoir, fort passionnants dans le détail de leur érudition, mais plus ou moins déformés par leurs travaux, dont les thèses se heurtent les unes les autres avec des discordances déroutantes pour le lecteur, qui voit le même musicien exalté ou dénigré selon les rubriques où son nom paraît.

Dans le second cas, l'auteur unique, lié au monde musical qui est à la fois fermé et très divisé, épouse presque fatalement les vues d'un parti, dont les préjugés remontent quelquefois très haut dans le passé. Pour parler des artistes contemporains, qui sont les gens de son milieu, il est tenu à des précautions et des politesses assez comiques, surtout lorsqu'elles font suite à des pages où les plus grandes œuvres ont été soumises au crible.

La musicographie devient ainsi une activité redoutable pour ceux qui l'exercent. Au bout de vingt ans, leurs écrits, sous les apparences de synthèses objectives et définitives, révèlent des lacunes et des erreurs qui ont troublé, rapetissé, dévoyé le goût de milliers d'auditeurs. Un musicien d'une immense information et que l'on consultera toujours avec fruit, un grand humaniste, comme Jules Combarieu se croyait obligé de traiter sur le même pied que Bizet un compositeur aujourd'hui aussi dévalué que Massenet, mais qui avait occupé à la surface de Paris une situation considérable. Le rôle joué chez nous par César Franck et ses disciples trompait l'historien sur leur vraie place, beaucoup plus modeste, dans la musique européenne. Mais il accumulait les sévérités sur Bruckner, Mahler, Richard Strauss, qui, les deux premiers surtout, et du fait que maints chroniqueurs et compilateurs gagent leur vie à démarquer quelques ouvrages de base, ont subi dans notre pays un préjudice qui s'efface à peine. Les docteurs allemands, ces gouffres de science, ne furent du reste pas plus équitables, jusqu'à ces derniers temps, envers Ravel et Debussy.

Déçu par ces lectures, notre éditeur a voulu faire l'essai de confier la présente *Histoire* à un mélomane qui a consacré toute une partie de sa vie à la musique, mais ne l'a jamais eue pour métier.

L'expérience n'a paru digne d'être tentée à ce mélomane que si son livre, tout en ne cachant point dans quels sens, très divers − heureusement ! − vont les prédilections de l'auteur, visât moins à situer des centaines de musiciens dans une hiérarchie prétendument inamovible qu'à être un miroir aussi fidèle qu'il se peut d'une époque de la sensibilité musicale. Époque curieusement attachante sous cet angle, puisqu'elle est celle d'un syncrétisme qui réconcilie Brahms et Wagner, Verdi et Schœnberg, interroge tous les continents, redécouvre son bien dans les archives de vingt siècles, en même temps qu'elle voit s'affirmer l'une des révolutions les plus ambitieuses et les plus radicales qui aient secoué l'art des sons. Notre ouvrage n'étant donc pas un manuel classique, nous avons emprunté son titre à Kléber Haedens, écrivant naguère *Une Histoire de la Littérature.*

Avant d'aller plus loin, l'auteur voudrait exposer à ses lecteurs quelques principes qui l'ont guidé dans son travail.

Plus qu'un panorama général de toutes les musiques, son livre est essentiellement l'histoire d'une musique, celle de l'Occident. Ce n'est pas dédain, mais respect, pour les musiques exotiques. Des formes d'art aussi riches que l'opéra chinois, les orchestres balinais, les rythmes des Indes, méritent des études exclusives et très longues, une véritable vocation de la part des chercheurs, des savants qui s'y consacrent. Un homme seul ne peut pas se substituer à eux. On trouvera donc ici, sur l'Afrique et l'Asie, des repères plutôt que des chapitres dans lesquels les musiques de ces pays ne se rangent d'ailleurs qu'assez arbitrairement, à cause de leur immobilité séculaire dans les systèmes particuliers qui les régissent et des divergences de leurs chronologies. D'autre part, il n'a jamais été plus logique de considérer l'Europe comme la branche maîtresse du grand arbre musical. Sous les dehors des nouveaux nationalismes, nous assistons à une occidentalisation accélérée de la planète, conséquence inattendue de la fin des empires coloniaux, dont témoignent l'extension à la Chine du marxisme, des dictatures fascisantes au Maghreb, au Moyen-Orient, à l'Indonésie, de toutes nos méthodes industrielles et intellectuelles au Tiers monde. L'art obéit aussi à ce mouvement unitaire. Lorsqu'elles ne sont pas directement combattues par les nouveaux régimes comme le vieil opéra chinois qualifié de réactionnaire, les musiques exotiques traditionnelles cèdent partout du terrain aux musiques occidentales et pseudo-occidentales, gigantesquement diffusées. Elles tentent de se marier avec notre harmonie. Ces métissages sont rarement encourageants, tout à fait hideux aux Indes par exemple. On peut déplorer ce phénomène, rétrécissant brusquement l'aire musicale, alors que les ethnographes s'émerveillent encore des domaines ignorés qu'ils viennent de lui adjoindre. Mais phénomène inévitable, et qui confirme que seule la musique d'Occident a bien su atteindre à l'universalité.

Les musiques exotiques amènent à parler des primitifs. Le terme est aujourd'hui honni, frappé de censure, pour des mobiles beaucoup plus idéologiques qu'esthétiques. Il est dérisoire en effet de songer qu'il recouvrit si longtemps une épaisse ignorance de nos origines artistiques, qu'il servait jusqu'au début de ce siècle pour désigner les Giotto de Padoue, *L'Agneau mystique* de Van Eyck, le *Miserere* de Josquin des Prés. Mais la réaction contre cette sottise a été non moins déraisonnable. On peut lire dans la dernière encyclopédie musicale parue en France que « l'existence aujourd'hui bien attestée d'une polyphonie immémoriale, spontanément pratiquée dans le monde entier par les représentants de diverses civilisations archaïques, Pygmées, Indiens d'Amérique etc., réduit à néant la thèse classique et constamment reprise dans les manuels, qui porte au crédit de l'Europe occidentale et d'elle seule le principe de cette association de voix concurrentes sur quoi repose tout l'édifice de la musique européenne ». Faudra-t-il donc toujours que l'abus succède à l'abus ? Que la polyphonie existe dans la nature, il n'est pour s'en convaincre que d'entendre comment la pratiquent soir et matin les rainettes et les oiseaux. Il n'est sûrement pas indifférent d'apprendre que les Pygmées de la forêt africaine et ceux aussi de Malacca, de Bornéo — soit l'une des races les plus arriérées du monde — émettent dans leurs chants collectifs des accords de quintes et de quartes alternées, que les mélopées des Boschimans s'organisent à sept parties; d'observer comme beaucoup de films le permettent, que plusieurs

instrumentistes Baoulé ou Dogon jouant ensemble fuient instinctivement l'unisson — preuve en faveur de la parenté musicale des
Noirs et des Blancs —, de se rappeler encore que les gongs, métal-
lophones, xylophones, flûtes, violons à deux cordes du gamelan
balinais produisent une savoureuse hétérophonie. La polyphonie
est vraiment partout.

Mais ce qui compte, dans l'histoire d'un art, n'est-ce pas le parti
qui a été tiré de cette tendance naturelle ? Les manuels ont toujours
raison d'enseigner que le développement sur dix siècles de la
polyphonie en Europe a été une des grandes œuvres humaines,
une des grandes aventures de l'art. Il est aberrant de se figurer
que cette notion monumentale doit disparaître parce qu'on a
découvert des embryons d'accords chez les nègres sylvestres et les
Indiens sauvages de l'Amazone. Plus loin du reste, dans l'encyclopédie que l'on vient de citer, un autre musicographe constate qu'il
est impossible de relever le moindre trait d'union entre la polyphonie des primitifs et celle des civilisés. Les Pygmées chantent les
mêmes quartes depuis un millénaire sans doute. Durant ce même
millénaire, la polyphonie occidentale est allée du faux-bourdon à
la *Messe en si mineur*, au *Sacre du printemps*, aux *Gruppen* de
Stockhausen. Confondre ces deux ordres de faits, c'est vouloir
mettre en parallèle les rondes des Negrito et Bach, la hutte du Papou
et Chartres. Que les Pygmées, qui nous sont très supérieurs à la
chasse, voient naître dans le millénaire prochain leur Bach, fort différent du nôtre, c'est une hypothèse magnifique, l'espèce humaine
a certainement connu des mutations encore plus surprenantes. Mais
le musicologue doit laisser à Teilhard de Chardin les rêveries
grandioses sur le Point Oméga. Il travaille sur des réalités connues.
Bien beau lorsque le proche avenir ne dément pas cruellement les
prévisions qu'il hasarde pour un modeste demi-siècle devant lui...

On vient de tracer un autre mot malsonnant à l'heure actuelle :
celui de « développement ». Toute idée de progrès dans la marche de
la musique scandalise à la fois le pur conservateur, le paléographe
choyant ses vieux textes, et le progressiste, qui ne l'est qu'au sens
politique, qui subodore aussitôt dans tout éloge d'un développement le mépris pour le mal-développé.

Le progrès, naturellement, ne peut s'entendre dans l'art comme
dans la science et l'industrie. Une ballade de Guillaume de Machaut,
dans sa fraîche subtilité, n'est pas une œuvre moins belle, moins
émouvante que les grands chœurs de *Parsifal*. Certains la jugeront
même bien plus belle que *Parsifal*. Mais si nous ne reconnaissons

pas l'évidence d'une évolution propre à la musique occidentale, il devient superflu d'écrire son histoire.

Nous disons bien : propre à la musique. Vraisemblablement le plus ancien des arts, elle a été aussi le plus attardé. C'est qu'elle n'existe qu'à l'état rudimentaire dans la nature, qui fournissait aux arts plastiques, dès leurs origines, un répertoire inépuisable de formes à interpréter. Elle a dû se créer à la fois et peu à peu sa substance et son matériel, celui-ci déterminant souvent celle-là. Elle a été tributaire d'opérations intellectuelles, de recherches scientifiques sur la hauteur, l'ordre, la notation des sons, qui supposaient des sociétés parvenues à un niveau déjà très élevé de la pensée et de la culture. Ajoutons que de tous les sens l'ouïe est le moins affiné chez beaucoup d'individus, chez presque tous le plus « conservateur », le plus lent à s'éduquer, à s'accommoder de sensations nouvelles, et même à les percevoir. Il y a donc bien moins loin des superbes idoles farouchement sexuées de la Mélanésie au *David* de Michel-Ange dont elles sont peut-être contemporaines, que des chansons des mêmes îles aux chœurs à douze voix de la Renaissance. La statuaire égyptienne des premières dynasties (2900 à 2500 av. J.-C.) atteignait à une perfection plastique qui n'a jamais été surpassée. Nous ne connaissons la musique des mêmes temps et des mêmes lieux que par quelques instruments, mais qui nous suffisent pour constater qu'elle était encore très élémentaire. Riemann, l'auteur du célèbre *Dictionnaire*, avait à la fois tort et raison quand il estimait que l'histoire de la musique est indépendante de celle des arts plastiques et de la littérature. Ces histoires se sont rejointes, à une date relativement récente, mais il avait d'abord fallu que la musique cheminât seule, avec d'étranges lenteurs, pour se constituer son langage.

Les ressources matérielles et théoriques, les procédés d'écriture dont la musique s'est enrichie au cours des âges ne sont pas tout — sinon Chostakovitch devrait être un bien plus grand compositeur que Monteverdi — mais il serait absurde de contester qu'elles sont liées à la naissance et à l'épanouissement de ses formes les plus parfaites, qu'elles ont prodigieusement étendu son champ d'expression. Il y avait beaucoup d'étroitesse, de fatuité et les pires germes d'académisme dans la thèse longtemps traditionnelle qui faisait commencer la musique digne de ce nom avec le système majeur-mineur, en rejetant tout le reste à l'enfance et à la barbarie, et pour soupçonner la décadence dans chaque dérogation au système tonal : la critique musicale des journaux et l'enseignement officiel se sont réglés pendant près de deux siècles sur ces principes. Mais toute figuration non évolutive de la musique qui prétend rendre compte cependant de son histoire depuis Pérotin, et a fortiori depuis le folklore des primitifs jusqu'à Webern, joue sur un paradoxe insoutenable, et que l'on ne prendrait pas la peine de réfuter s'il n'était aussi répandu parmi les philosophes et les esthéticiens divagants. Aussi bien, toute la jeune école formée à la discipline sérielle, qui porte aujourd'hui nos espoirs, reproche au passé sa lenteur et sa timidité, ne parle que de conquêtes, prospections, progrès sans limites.

L'évolution musicale, cela va de soi, n'a pas suivi la trajectoire régulière et majestueuse que dessinaient les historiens du XIXᵉ siècle. On la traduirait plutôt par un diagramme en dents de scie. Mais ce qu'elle perd, soit par des excès de complications et de virtuosité — les jongleries avec les rythmes à la fin du Moyen-Age — soit par recul dans le mièvre et le poncif, se retrouve toujours tôt ou tard, ou bien est compensé par des découvertes, des raffinements nouveaux. Le très érudit André Schaeffner regrette que la constitution de l'orchestre classique ait fait disparaître tant d'instruments anciens pleins de saveur. Mais au moment de cette grande hécatombe, la chaleureuse et lyrique clarinette faisait son entrée dans la symphonie, les progrès de la lutherie assouplissaient les instruments conservés, les nouveaux procédés d'orchestration allaient multiplier leurs combinaisons. Aujourd'hui, les innombrables sociétés de musique ancienne ont exhumé les flûtes à bec, les charmantes vielles, les violes et hautbois d'amour, les cors de basset, l'on récrira pour eux de la musique, comme on en récrit pour le clavecin triomphalement réhabilité. Dans les ensembles modernes, les compositeurs libérés de la tonalité ont commencé d'utiliser les timbres et les percussions exotiques.

Une dernière observation. Le disque et la radio, dont les bienfaits sont incomparables, ont cependant le désavantage, par leur facilité, d'avoir créé une foule d'auditeurs passifs, plus renseignés que jadis au temps des pianos familiaux et des rares concerts, mais beaucoup plus superficiellement aussi. L'auteur de ce livre voudrait contribuer à restaurer l'écoute active de la musique. Il cherchera donc à pousser autant que possible l'étude des œuvres, des formes, des styles, sans s'armer cependant d'un trop lourd appareil technique. Cette tâche malaisée réclame une certaine collaboration du lecteur. On ne saurait assez l'engager, s'il bute contre certains termes, certains exposés, à consulter quelque traité ou méthode de musique simplement scolaire. Un texte d'histoire, même s'il fait une large place aux définitions, ne peut les donner toutes, avec les exemples à l'appui. De même qu'une histoire de la littérature ne peut pas être un abécédaire.

Si ces différents exercices réclament de nos lecteurs quelques efforts, nous n'en serons pas autrement affligé. Car l'effort a toujours été nécessaire pour pénétrer dans la musique, pour la vivre; c'est à ce prix seulement qu'elle révèle ses beautés.

L.R

N.B. Nous n'avons pas cru nécessaire d'insérer dans cette édition des exemples musicaux, trop fragmentaires comme chez presque tous les auteurs. Il nous a paru plus intéressant de donner aux analyses la place qu'ils auraient occupée.

termes, certains exposés, à consulter quelque traité ou méthode de musique simplement scolaire. Un texte d'histoire, même s'il fait une large place aux définitions, ne peut les donner toutes, avec les exemples à l'appui. De même qu'une histoire de la littérature ne peut pas être un abécédaire.

Si ces différents exercices réclament de nos lecteurs quelques efforts, nous n'en serons pas autrement affligé. Car l'effort a toujours été nécessaire pour pénétrer dans la musique, pour la vivre : c'est à ce prix seulement qu'elle révèle ses beautés.

N. V. L. R.

N.B. Nous n'avons pas cru nécessaire, d'insérer dans cette édition des exemples musicaux, trop fragmentaires connue chez presque tous les auteurs. Il nous a paru plus intéressant de donner aux analyses la place qu'ils auraient occupée.

L'Antiquité • Le Moyen-Age La Renaissance

LES ANTIQUITÉS MUSICALES D'ASIE

L'origine de la musique a suscité des hypothèses innombrables, tirées d'indices fragiles, et contredites, dès qu'on a voulu les mettre en système, par quelque découverte paléontologique, également précaire d'ailleurs. Attribuant l'antériorité au chant sur la parole, ou l'inverse, faisant du rythme l'essence primordiale, optant pour la monogénèse ou la polygénèse de la musique, ces hypothèses divergent comme à plaisir, se combattent, s'emmêlent, s'annulent.

Dans ce taillis, on peut établir cependant un certain nombre de repères. Les premiers instruments de musique ont été selon toute vraisemblable la voix et les mains frappées pour scander les rythmes. L'émission vocale a dû passer progressivement du son répété et instable à un embryon de dessin mélodique, se développant plus tard et se fixant sur les différents degrés d'une gamme instinctive. Il est difficile de trancher si cette première évolution a été ou non déterminée par la découverte des instruments proprement dits, d'abord simples objets sonores, façonnés ensuite — il s'agissait surtout de flûtes —, de manière à produire une échelle musicale plus ou moins grossière. Mais il est à peu près certain que l'imitation de ces instruments a guidé très tôt beaucoup de chanteurs, les a incités à émettre des sons nouveaux.

En tout cas, presque aussi loin que l'on puisse remonter dans la préhistoire humaine, on y rencontre la musique. Nous savons qu'elle était associée aux danses rituelles qui ont très probablement précédé la sculpture et le dessin. Et l'on retrouve des flûtes aurignaciennes, qui datent d'environ 60 000 ans av. J.-C.

Au début de notre siècle, toutes les histoires de la musique, influencées par *Le Rameau d'or* de Frazer et les travaux de Lévy-Bruhl, alors en pleine vogue, s'ouvraient sur un chapitre consacré à la magie, source de l'art musical. Les thèses de Lévy-Bruhl sur la mentalité primitive sont aujourd'hui dépassées. Puisque la musique est tout jeu avec des sons déterminés, selon la définition du folkloriste allemand Walter Wiora, c'est bien sous cette forme qu'elle a dû se manifester d'abord. C'est ensuite que son caractère mystérieux, qui émerveille encore de nos jours les bambins lorsqu'ils collent leur oreille derrière un piano, lui a fait attribuer des pouvoirs magiques, pour le succès à la chasse, la guérison des maladies, l'évocation des Esprits. Le son du fifre improvisé par un sorcier avec l'os d'un animal devenait l'esprit de cet animal. De ces incantations dériveraient plus tard, dans les sociétés constituées, les musiques de rites religieux, qui ont été la seule expression musicale de certains peuples.

Les premiers instruments furent à vent, d'abord simples fifres en os puis flûtes. L'arc de chasse, qui garde encore chez les Boschimans sa double fonction d'arme et d'objet musical, a été, par les sons qu'il émettait, l'ancêtre des instruments à cordes. Durant la période néolithique, des tambours à membrane tendue s'ajoutèrent au matériel disparate de la percussion primitive.

Les échelons harmoniques les plus simples, quartes, quintes, octaves, étaient sans doute déjà connus dans une époque reculée de la préhistoire. Ils représentent les « structures naturelles », que nous retrouvons à tout instant autour de nous chez des individus sans aucune formation musicale, et qui se sont gravés dans la conscience, dit Wiora, « de la même façon que le cercle, l'angle droit et autres figures significatives du monde visible ». Ils ont été à l'origine des anciennes échelles tétratoniques et pentatoniques (gammes ne comprenant que quatre ou cinq sons), constituées bien avant l'écriture et transmises par coutume ou à cause de leur sens religieux.

Aux mêmes époques préhistoriques, des formes spontanées de la polyphonie étaient certainement pratiquées.

La science actuelle est peu favorable aux hypothèses polygénistes, qui font apparaître la musique en diverses régions du globe n'ayant aucun contact entre elles. Affaire peut-être de tournure d'esprits, de modes intellectuelles. Si la musique est née d'un seul endroit, d'un seul peuple, d'où elle a essaimé à la surface de la terre, la localisation de ce lieu de naissance est naturellement aussi mythique que celle du Jardin d'Eden. De toute façon, qu'ils aient ou non trouvé leur origine dans une tradition unique, les phénomènes musicaux ont dû se reproduire et évoluer presque identiquement chez des peuples aussi éloignés les uns des autres que chez les chasseurs d'éléphants de l'Afrique australe et les Lapons d'au-delà du cercle polaire.

C'est à la veille ou à l'aube des temps historiques que les cosmogonies et les théogonies, interprétant les rites et les magies primitives, ont attribué la création du monde à un chant des dieux, nés eux-mêmes d'un souffle sonore. Les Immortels sortis de la bouche de Brahma étaient des chants. Shiva, le dieu indigène, crée les rythmes de l'univers sur son tambour. La mythologie chinoise est remplie de dieux ayant une activité toute musicale. D'innombrables divinités asiatiques, javanaises, africaines, américaines, ont leur demeure dans l'instrument, flûte, cloche, tambour dont le son les a engendrés.

La musique, telle que la pratiquent les hommes, est partout d'origine divine, don du dieu Thor pour les Egyptiens, de la déesse Nina pour les Sumériens, d'Istar pour les Assyriens, pour les Grecs d'Apollon, porteur à la fois de la lyre et de l'arc sonore du chasseur. Comme tout prend en Grèce figure humaine, Apollon est aussi le prototype des conservateurs intolérants, des compositeurs jaloux que nous rencontrerons si souvent dans cette histoire, puisqu'il n'hésite pas à punir de mort son fils Linos, qui a remplacé sur la lyre de son père les cordes de lin par des cordes de boyau plus harmonieuses.

Les Juifs, monothéistes, ont été le seul peuple de l'Antiquité qui ait fait de la musique une intervention humaine, celle de Jubal, descendant de Caïn à la septième génération, « le père de tous ceux qui jouent de la harpe et du chalumeau ».

LES ORCHESTRES DE SUMER

Dans notre ignorance presque complète des civilisations de l'Indus, c'est Sumer qui pour nous, ouvre les temps historiques.

La société sumérienne reposait tout entière sur sa monarchie d'essence divine et sa religion cosmique aux cultes méticuleusement réglés, qui s'étendaient à presque tous les actes de la vie. La musique était étroitement associée à ces cultes. A défaut d'une notation déchiffrable qui n'a probablement jamais existé, nous la connaissons par les textes poétiques en écriture cunéiforme et par la sculpture montrant de nombreuses représentations des instruments, dont quelques exemplaires originaux ont été retrouvés dans la nécropole royale d'Ur. Ces instruments étaient d'une grande variété, harpes, lyres, petits luths à long manche enrubanné, flûtes simples ou doubles, flûtes de Pan, sistres (ces sortes de sonnettes que l'on secouait pour faire tinter leurs tiges métalliques, comme il est dit dans la Chanson Bohème de *Carmen*), trompes, peut-être trompettes, cymbales, tambourins, tambours, grosses caisses de plus d'un mètre de diamètre et que l'on faisait rouler pour les déplacer. Sumer a été le premier atelier connu de lutherie, ayant fourni de prototypes instrumentaux toute l'Antiquité classique et au-delà d'elle l'Occident des temps modernes.

Les musiques des civilisations mésopotamiennes ont-elles obéi à une théorie arrêtée ? Nous n'en avons aucun indice sûr. Ces civilisations auraient-elles réglé leurs instruments, les hauteurs et les intervalles de leurs sons selon leurs conceptions astrologiques et cosmologiques ? L'hypothèse est séduisante mais indémontrable. On a cherché à interpréter comme une notation musicale les signes insolites d'une tablette assyrienne, donc postsumérienne, mais qui doit prolonger une tradition de Sumer, puisqu'elle porte le texte de l'un de ses hymnes. Ces travaux n'ont donné aucun résultat.

Il est plus vraisemblable de penser que ces musiques de l'Ancien Orient en étaient encore au stade des structures naturelles, des intervalles instinctifs, mais enrichis par la variété des timbres, la qualité des instruments, et où l'on commençait à désigner les degrés sonores par des syllabes (début de solmisation).

La musique sumérienne ne dépendait pas non plus aussi exclusivement du culte religieux qu'on l'a cru pendant longtemps. Des concerts profanes égayaient les banquets, accompagnaient les compétitions sportives. Les musiciens formaient une classe honorée et prospère, point seulement à cause de leurs fonctions sacerdotales, mais aussi de leur talent sur des instruments de plus en plus luxueux. Bien qu'il eût toujours la charge de maintes formules incantatoires, accompagnant les sacrifices, les rites agricoles, le musicien cessait d'être le sorcier pour devenir un artiste, dont certaines tablettes ont transmis le nom jusqu'à nous.

Les documents les plus directs sur la musique de Sumer nous sont fournis par les textes des hymnes. Ces hymnes portent comme différents psaumes de la Bible l'indication des instruments – chant à la harpe, chant aux timbales – qui devaient les accompagner et désignaient le genre littéraire du poème et sa place dans le culte. Les textes mêmes de certains psaumes, à strophes de deux vers suivis d'un refrain, présentent de curieuses analogies avec les plus vieilles hymnes et litanies chrétiennes. Analogies encore plus étroites si l'on admet avec certains musicographes que d'anciennes mélodies juives, conservées dans des communautés orientales très fermées, évoquant le chant grégorien par leurs mélismes assez brefs et leurs intervalles courts, remontent aux traditions des musiques de la Mésopotamie. Ce ne serait point d'ailleurs le seul de nos liens lointains mais continus avec Sumer.

Entre la musique de l'ancienne Egypte et celle de Sumer les ressemblances sont nombreuses : instruments voisins, la harpe se perfectionnant sous des formes de plus en plus élégantes, même rôle capital dans le gigantesque édifice de la religion. Les musiciens du culte et de la cour sont également des personnages importants dont les noms sont cités, plus souvent qu'à Sumer. Il existe encore des musiciens d'une caste inférieure, en général chanteurs et harpistes aveugles, admis au temple, mais jouant aussi dans les banquets et les fêtes rustiques.

C'est la sculpture égyptienne, comme la sumérienne, qui nous fournit sur la musique les renseignements les plus précieux. Grâce à son abondance, à son admirable esprit d'observation, surtout dans les reliefs consacrés aux scènes familières, on a pu reconstituer en partie la chironomie des Egyptiens, c'est-à-dire les signes du bras et de la main correspondant à certains degrés des sons et à certains rythmes qui étaient en usage chez les maîtres de musique et aussi chez les chanteurs pour guider les instrumentistes moins exercés qu'eux (technique reprise de nos jours par les restaurateurs du chant grégorien). L'interprétation de cette « gestique », si elle a échoué à rétablir des mélodies organisées, nous permet du moins d'avoir une idée de la grande variété chez les Egyptiens des rythmes, rendus certainement avec le même génie de la précision que celui manifesté par ce peuple dans ses arts plastiques.

GAMMES ET THÉORICIENS DE LA CHINE

Musicalement, les grandes civilisations de l'Asie appartiennent à la fois aux temps antiques pour l'ancienneté de leurs origines et aux époques modernes par leur immobilité.

La civilisation chinoise est moins vieille qu'on ne l'imagina longtemps d'après des chronologies fabuleuses. On n'y a pas retrouvé d'instruments remontant au-delà du Xe siècle av. J.-C., alors que les orchestres sumériens étaient constitués depuis plus de quinze cents ans.

La première gamme fixée était pentatonique, gamme de cinq sons, fa, sol, la, do, ré. Elle donna naissance à cinq modes ayant successivement pour fondamentale chacune des cinq notes : mode de fa ou de *kong*, fa sol la do ré, mode de sol ou de *chang*, sol la do ré fa; etc. Chaque note avait une signification symbolique, la première représentant le prince, la seconde le ministre, la troisième le peuple, les deux dernières les affaires et les objets. L'adjonction ultérieure, peut-être vers le VIIe siècle av. J.-C., d'un do et d'un fa bémolisés donna une gamme heptatonique. Au IIIe siècle av. J.-C., un système de douze demi-tons (*liu*) fournissait par combinaison avec les modes 60 puis 84 tons, mais qui ne constituaient pas des gammes chromatiques. Ils étaient plutôt, selon la définition de Wiora, « un réservoir de sons possibles ».

La musique avait une part prépondérante dans les cérémonies religieuses, les fêtes impériales avec les danses rituelles souvent accompagnées de chœurs. Mais à côté de cette musique officielle s'était formé un répertoire de mélodies, beaucoup plus intime et très vaste.

Les instruments, pour la plupart d'origine vénérable, mais certains importés de l'étranger, étaient nombreux dans les trois familles des cordes, des vents et de la percussion.

Les spéculations chinoises sur la musique remontent aux grands philosophes, Lao-Tseu (VIe siècle av. J.-C.), Confucius (dates traditionnelles : 551-479), ou plus exactement aux écrits bien postérieurs, interpolés et remaniés qui ont été mis sous les noms de ces sages presque mythiques. Confucius, dont les homélites lénitives nous cachent la férocité de son époque, celle des royaumes combattants, est un aristocrate très conservateur, un penseur officieux, enseignant au peuple le respect du prince, des sages qui l'entourent, des parents et des traditions établies. Il plaide pour une musique distinguée, modérée, qui aide selon lui à maintenir les bonnes mœurs et l'ordre social. Deux siècles plus tard, Tchouang-Tseu persifle ce moralisme confucéen. Mais il est lui-même très philistin. C'est l'éternel bonhomme qui n'aime que *Les Cloches de Corneville* et la « Méditation » de *Thaïs*, et soupçonne toujours d'insincérité les admirateurs de Bach, de Wagner ou de Debussy. Il vitupère les musiques savantes qui selon lui violent les lois naturelles, il assure qu'elles échappent même aux musiciens et aux théoriciens qui affectent de s'y plaire.

La plupart des spécialistes pensent aujourd'hui que les Chinois se sont inspirés des Grecs dans leurs théories musicales. Cette opinion s'appuie sur tout ce que nous savons des rapports entre le monde grec et l'Asie centrale pendant et après les conquêtes d'Alexandre sur l'itinéraire de l'art gréco-bouddhique, depuis le Gandhâra jusqu'aux oasis septentrionales et purement chinoises du désert de Gobi qui ont eu elles aussi leurs fresques et leurs sculptures hellénisantes. Plusieurs auteurs enseignent à présent que l'introduction de normes fixes dans la musique chinoise, l'application des principes de la philosophie et de la cosmologie chinoises aux théories musicales se sont accomplies sous des influences occidentales, c'est-à-dire hellénistiques durant la dynastie Han (206 av. J.-C. à 220 apr. J.-C.). Cependant, on ne doit pas oublier, comme l'écrivait déjà le sinologue Louis Laloy en 1910, que s'il est vraisemblable que la Chine se soit instruite à l'école de la Grèce, « elle ne lui a emprunté que des principes, qu'elle a appliqués à sa manière ».

Au VIIIe siècle de notre ère, sous la brillante dynastie Tang, apogée de la culture chinoise, un système de notation musicale par petits caractères, sans signes de mesures, fit place à l'antique tradition orale. Les premiers neumes, signes simplement mnémo-techniques, n'apparaissent sur les manuscrits européens qu'au milieu du IXe siècle. Même s'ils ont été lointainement inspirés par le système grec, l'antériorité sur l'Occident revient donc aux Chinois dans cette innovation si précieuse. Aucune métropole occidentale du temps n'aurait pu rivaliser du reste en raffinements et en richesses avec Pékin. Mais ce fut alors, sembla-t-il bien, le sommet de la musique chinoise, qui dans la suite ne se développa plus guère, sauf dans l'opéra qui débuta au XVIIe. Une notation populaire, très fruste, inventée au XIe siècle, est encore en usage de nos jours.

Nous ajouterons que les musicologues chinois publiés en Europe, qui devraient faire autorité en la matière, sont des guides assez décevants. Mandarins imbus de tradition, ils accueillent toutes les fables sans la moindre velléité critique, leurs chronologies sont sereinement fantaisistes. Quant aux musiciens de Mao Tsé-toung, qui écrivent des chants de guerre dans les tonalités les plus occidentales, ils paraissent bien se soucier fort peu de l'histoire des *liu*, balayés avec tant d'autres vestiges du passé.

LE FOUILLIS DES MODES INDIENS

C'est peut-être dans l'Inde, ce continent à la fois immobile et grouillant, lié malgré les catastrophes, les invasions et la servitude à ses religions décadentes qui n'en finissent pas de pourrir, que l'on retrouve par bribes les plus vieilles mélodies du globe, issues de la musique liturgique védique, près de trois fois millénaire.

Ces mélodies furent des créations des envahisseurs aryens. Dès les premières études qui leur ont été consacrées au XIXᵉ siècle, on a constaté leurs analogies formelles avec la musique modale d'Occident. On pourrait presque confondre par exemple les récitatifs des poèmes chantés védiques avec les psalmodies ambrosiennes de notre IVᵉ siècle. D'autre part, on ne met plus en doute les contacts qui ont existé entre les civilisations grecque et indienne à l'époque où leurs musiques s'organisaient.

En revanche, les rythmes, la grande originalité de la musique indienne, sont tout à fait étrangers aux principes occidentaux, ce qui explique leur intérêt pour des compositeurs européens de notre temps, dans leurs recherches de formes plus libres, irréductibles à nos traditions. Ils proviennent des autochtones, Dravidiens et autres races à peau sombre, ce qu'exprime légendairement le mythe de Shiva.

On est encore loin d'avoir fait toute la lumière sur la théorie indienne, extraordinairement touffue, avec ses correspondances symboliques, théologiques, ses illogismes, ses variantes, ses adjonctions. Il n'est guère possible que d'en donner une idée générale. Les chants védiques (entre 1 500 et 800 avant notre ère), destinés à accompagner les rites sacrificiels et considérés comme l'œuvre de Brahma lui-même, s'écartaient peu à l'origine d'une récitation monotone sur l'étendue très réduite d'une tierce, approximativement do, ré, mi, qui se développa ensuite sur cinq notes, puis sept en ordre descendant. Le système le plus élaboré, celui de Bharata, au début de notre ère, comporte une gamme ascendante de sept sons, trois majeurs, deux mineurs, deux demi-tons. Ses sept degrés, *sa, ri, ga, ma, pa, dha, ni*, sont partagés eux-mêmes en micro-intervalles appelés *scruti* (22 *scruti* pour toute la gamme). Une gamme secondaire, *ma-grâma*, part du quatrième degré de la gamme primaire, dont elle ne diffère que par la tierce initiale. Une troisième gamme, *ga-grâma*, partant du troisième degré, a été imaginée plus tard par les théoriciens. Mais comme c'est une gamme qui ne se joue que chez les dieux, elle a peu d'importance parmi les mortels..

Chacune des deux gammes usuelles donne naissance à sept gammes secondaires (*mûrcchanas*). Ces quatorze gammes peuvent revêtir elles-mêmes quatre formes différentes, à cinq, six ou sept notes. Elles peuvent aussi se transformer en modes, *jâtis*, caractérisés par des particularités affectant tel ou tel de leurs degrés (l'analogue de nos « accidents ») ou portant sur la plus ou moins grande fréquence de certains sons. Le système de Bharata distingue sept modes purs et onze altérés, qu'il est difficile de matérialiser par nos bémols et nos dièses ou de comparer aux modes grecs et médiévaux, la musique indienne n'attribuant pas de hauteur absolue à ses notes. Les dix-huit *jâtis* dérivent des deux gammes fondamentales. Chaque gamme secondaire peut se prêter à différents jâtis, ce qui introduit autant de modes nouveaux. En principe, le nombre des combinaisons est donc immense.

Ce système restait cependant relativement simple auprès de celui des *râgas*, inauguré au cours du Xᵉ siècle par le théoricien Mataga et qui allait encore se compliquer pendant près de cinq cents ans, l'ère proprement dite de la musique classique indienne.

Les *râgas* sont des modes expressifs qui prennent place dans chacune des *jâtis*. Il y a presque autant de râgas que de sentiments exprimables selon l'heure de la journée, la saison, les paysages, les états d'âme évoqués. C'est là que l'Inde, après avoir subi l'empreinte du génie grec des nombres, lui substitue son génie des symboles. Les musicographes anglais, qui sont les spécialistes les plus compétents sur ce chapitre, avouent qu'ils s'égarent dans l'enchevêtrement des râgas. A vrai dire, ces râgas débordent toute théorie. Il est aussi impossible de les codifier que les mille nuances d'interprétations de nos grands pianistes. C'est surtout dans le nord de l'Inde, que mêlés aux influences islamiques ils ont atteint à leur point extrême de subtilité.

Dans le Sud, les genres sont davantage mêlés, moins figés, la musique de tradition classique y est plus vivante. Elle se plie aussi à un système moins irrationnel, celui des soixante-douze *mélakartas*, refonte des *râgas* classés régulièrement selon la progression de leurs notes altérées.

Comme nous l'avons déjà vu, le Sud a été le plus grand générateur des rythmes, dont les chants védiques aryens avaient si peu l'instinct qu'ils ignoraient l'alternance des temps forts et faibles. Les temps des rythmes indiens sont répartis par périodes d'un nombre d'unités donné, selon le genre de la pièce, divisées en groupes correspondant à nos mesures, mais des mesures sans cesse variables, comme aujourd'hui dans les œuvres de Messiaen ou de Boulez. Les cymbales marquent les accents et les divisions, ou si l'on préfère les « barres de mesure ». Une phrase rythmique est le plus souvent de quatre périodes à l'intérieur desquelles chanteur, tambour et cymbalier exécutent de libres variations rythmiques, mais à la condition de se rejoindre au premier temps de la phrase suivante. Ce premier temps est marqué par le coup de cymbale appelé *sam*, « ensemble » (on retrouve ici la racine du mot latin, *simul*, de l'allemand *sammeln*). Les trois exécutants, le tambour jouant d'ordinaire de deux instruments, déroulent ainsi d'habiles contrepoints rythmiques, sur quatres lignes différentes. Les groupes classiques indiens, qui se sont produits à diverses reprises en Europe, nous ont laissé le souvenir de véritables récitals de tambours, aussi insolites et attachants par leur variété que par leur impeccable précision.

La musique indienne paraît avoir été durant de longs siècles avant tout vocale, les instruments n'y occupant qu'une place de modestes accompagnateurs. Ils n'ont pris un rôle indépendant qu'à partir de la domination islamique. C'est ce qui explique qu'ils soient souvent d'origine étrangère, égyptienne pour la vinâ, musulmane pour la flûte, les hautbois, le sitar à touches et à cordes. La famille la plus riche et la plus typique est celle des tambours, de formes et de matières très variées. Ils ont la même importance que les chanteurs. On les frappe tantôt avec la main tantôt avec une baguette, parfois avec les deux ensemble, la main gauche tenant la baguette. Les plus célèbres sont les *tablas*, d'origine arabe, paire de tambours, l'un en métal, placé entre les genoux de l'exécutant et frappé de la main gauche, l'autre en bois, devant le musicien, frappé de la main droite.

Les musiques d'Asie ont passé longtemps pour former un monde clos, entièrement étranger à nos conceptions et à nos sensibilités. Elles surprennent beaucoup moins nos oreilles depuis que celles-ci se sont accoutumées aux musiques atonales du XXᵉ siècle. Les musicographes sont à la recherche des ressemblances — tant de sons, d'intervalles, de procédés, de timbres appartenant en effet au fonds commun de l'espèce humaine — là où il y a cinquante ans ils ne voyaient que disparités. Ils constatent que l'on s'était beaucoup exagéré, en ne travaillant que dans les bibliothèques, la singularité des systèmes exotiques, qu'il y entre toute une part de calculs abstraits, irréalisables. Beaucoup d'illusions sont ainsi tombées sur la faculté des Orientaux à entendre des micro-intervalles qui ne nous seraient pas perceptibles. Inscrits dans les théories, ces intervalles n'ont pratiquement pas été en usage; il est exceptionnel en tout cas d'en rencontrer plusieurs se faisant suite dans une œuvre orientale.

C'est par sa destinée que la musique de l'Orient – Islam, Chine et Inde – est le plus éloignée de nous. Il s'agit là d'un phénomène asiatique, qui s'étend aux races, aux époques, aux climats les plus dissemblables et confirme les vues des géographes sur les grands espaces. De la mer Rouge à Pékin, durant des dizaines de siècles, un continent a mis tout son art et tous ses délices dans le culte de la mélodie linéaire, le son « tréfilé », selon l'image ingénieuse de Vuillermoz. Les musiques de toutes ces terres désertiques ou surpeuplées, glacées ou tropicales, réalistes ou idéalistes, sont de la même famille par leur aversion des grands intervalles, leur indifférence aux agrégations harmoniques – aucune trace d'harmonie chez les Chinois, une tentative de théorie des accords chez les Arabes du Xe siècle resta sans lendemain, l'Inde pour sa part n'ayant découvert que dans les rythmes un principe de pluralité sonore.

Cette vocation monodique ne tient pas à une infériorité dans la pensée et les aptitudes techniques. Elle répond à une préférence de la sensibilité, prenant sans aucun doute ses racines dans les dispositions d'esprit, dans les mœurs des peuples qui la pratiquent. Quant à nous, nous ne l'avons jamais mieux compris qu'au cours d'une longue conversation nocturne, dans un hôtel perdu de l'Inde, avec un jeune lettré mélomane de New Delhi, défenseur passionné et d'autant plus convaincant des chants de son pays qu'il était aussi un admirateur très intelligent de Bach, de Mozart et de Schœnberg. Nous aurions été tout près d'admettre que seul le carcan de notre éducation européenne nous empêchait de participer aux nuances infinitésimales d'un solo de flûte indienne et de l'égaler aux plus grands chefs-d'œuvre.

Cependant, il faut bien se tenir à une sorte d'objectivité historique, voir les limites des musiques qui n'ont pas ou ont été à peine fixées, qui n'ont voulu d'autre ressource que le déroulement mélodique par inflexions minuscules. Elles ont été stoppées dans leur développement, elles ont raffiné sur place. La prolifération des râgas semble répondre à un penchant irrésistible de l'Inde, qui se libère aussi dans les gigantesques bourgeonnements, la luxuriance tropicale de ses temples. Mais si l'on a pu qualifier de symphoniques l'architecture et la sculpture de l'Inde, toute sa musique, malgré la virtuosité et les délicatesses de ses exécutants, se ramène à la variation et à l'air par couplets et refrains. Cela est court, en regard du répertoire des grandes formes musicales.

Ce n'est pas dans sa musique que l'on doit aller chercher l'expression profonde et multiple de l'Asie, non plus que les œuvres, comme l'admirable sculpture Wei et Souei des Chinois, où elle rejoint l'universel.

CHAPITRE II

THÉORIE ET RÉALITÉS
DE LA MUSIQUE GRECQUE

La musique a été quotidiennement mêlée à la vie grecque depuis les temps de la Crète jusqu'à la décadence hellénistique. Elle entre dans tous les mythes. Les fouilles ont mis à jour dans les couches les plus anciennes des exemplaires relativement perfectionnés de ses instruments favoris, l'aulos apparenté au hautbois et qui pouvait avoir deux tuyaux (aulos double), la lyre à sept cordes dont la cythare est dérivée.

L'évolution de cette Grèce musicale séduit l'esprit. Elle s'est élevée rapidement de la magie primitive à l'art personnel. Ses premiers compositeurs, Terpandre (VIIIe siècle), Archiloque, Tyrtée (VIIe siècle) ont pris place dans la légende aussi glorieusement qu'Homère. Bien que toujours liée à un texte poétique, elle embrassa tous les genres. Elle eut sa musique de troubadours avec les aèdes psalmodiant les épopées, ses oratorios avec les grands chants choraux des hymnes religieux, sa musique d'apparat avec les odes de Pindare, musicien tout autant que poète, ses lieder avec les chansons d'amour de Sappho accompagnées sur la lyre orientale, ses musiques de table avec les chansons de banquets, son opéra avec la tragédie, presque entièrement musicale à l'origine, réunissant sur la scène à son apogée le chant choral, la danse, la récitation accompagnée et les soli chantés. Nos notions sur ce point sont claires, puisque nous savons à quels mètres poétiques du texte correspondait chaque partie du spectacle, et que les parties purement musicales étaient plus développées chez Eschyle que chez Euripide, les trois grands poètes tragiques ayant été aussi musiciens. La Grèce eut même son opéra comique avec la comédie antique qui comportait, outre les danses, des strophes chorales et des ariettes d'origine populaire, des parodies de la musique grave, des ensembles où le chœur commentait avec ironie le débit accéléré des personnages en train de se chamailler ou de lamenter burlesquement leur sort.

Mais à quoi ce brillant inventaire correspondait-il réellement ? Notre connaissance directe de la musique grecque se borne à une vingtaine de morceaux : certains auteurs disent seize, d'autres trente, selon leur opinion sur l'authenticité de telle pièce et leur manière de compter par sources ou par fragments. Le tout tiendrait à l'aise sur une face de nos microsillons. Outre que la plupart de ces vestiges datent de la basse époque et que les trois ou quatre vraiment anciens ne sont que des bribes, leur substance musicale est très modeste. Ce sont de grêles mélodies, fort peu expressives, sans aucune indication d'accompagnement. Échantillons bien insignifiants et bien courts pour juger de tout un art. Mais nous possédons aussi une bonne partie des innombrables écrits que la musique a suscités chez les Grecs. Ils nous permettent d'avoir sur elle une opinion assez solidement fondée.

Cette musique nous apparaît sous la forme d'une mélodie simple jusqu'à la pauvreté, accompagnée, quand elle était vocale, par des instruments assez frustes que l'on ne songea guère à perfectionner, et qui se contentaient de la reproduire avec parfois de légers écarts. Elle ne s'interdisait pas en principe les grands intervalles, mais se mouvait à l'ordinaire dans un espace ou ambitus aussi étroit que les mélodies asiatiques, sans y atteindre à la même finesse des passages et des dégradés. Dans les œuvres qui réclamaient de nombreux exécutants, comme les chœurs, la bonne règle était de chanter et de jouer à l'unisson. Les choristes, dépourvus de tout rudiment musical, aux voix incultes, n'ayant quelque sûreté que dans un registre très restreint, auraient été incapables d'ailleurs d'une tâche un peu délicate.

Dès le XVIIIᵉ siècle, on a cherché dans cette musique des éléments de polyphonie. La discussion a été souvent rouverte et inutilement compliquée pour appuyer des thèses modernes passablement spécieuses. En fait, des instruments comme l'aulos à double tuyau et double anche, d'origine égyptienne, pouvaient accompagner par un bourdon leur mélodie principale. Dans les chœurs mixtes d'enfants et d'hommes, l'unisson parfait était impossible, les voix chantaient à la distance d'une octave, ce qui ne représente pas pour nous un intervalle polyphonique, mais l'était pour les Grecs sous le nom d'antiphonie. Certains accords intervenaient, mais isolément. D'autre part, les quelques variantes à la mélodie chantée que s'autorisaient les instrumentistes accompagnateurs restaient embryonnaires.

Cette hétérophonie, selon le terme grec, demeura épisodique, hasardeuse, faute d'une organisation harmonique dont les Anciens n'avaient pas le sens, et de ce fait aussi souvent rugueuse, dissonante. Elle déplaisait à Platon, qui l'écartait de l'enseignement musical. Aucune règle n'avait été prévue pour elle, et sa pratique ne s'étendit jamais au-delà des petits cercles de curieux et de virtuoses.

Les Grecs furent les premiers à imaginer, dès le VIᵉ siècle av. J.-C., un système de notation relativement précis, utilisant pour signes les caractères d'un alphabet archaïque, droits, renversés ou couchés, selon qu'ils répondaient au son naturel, à un demi-ton, ou à l'élévation d'un quart de ton. Mais ils l'utilisaient assez peu — et compte tenu des destructions c'est une des raisons du petit nombre des fragments que nous avons retrouvés — parce que leurs compositeurs travaillaient constamment sur des prototypes consacrés, les *nomes*, schémas mélodiques d'origine souvent très ancienne, traditionnellement adoptés, et que le public aimait à retrouver, plus ou moins développés, enrichis de variations. Nous possédons maints témoignages des philosophes justifiant cette routine des auditeurs, parce que, disent-ils, rien n'est plus délectable que de découvrir de nouvelles finesses dans un air que l'on connaît déjà et de s'attacher aux nuances de son exécution.

La musique grecque était faite pour ces paresseux mélomanes. Durant des siècles, et les siècles les plus brillants du classicisme, elle ne s'écarta pas d'une coupe strophique très simplette, tantôt avec une strophe se répétant indéfiniment sur un rythme et une mélodie identiques, tantôt avec deux strophes symétriques et une troisième strophe différente, *l'épode*, les deux couplets et cette sorte de refrain constituant une triade. Vers le milieu du Vᵉ siècle, sous les gouvernements démocratiques, apparurent cependant les compositions *anaboliques,* faites de strophes dissemblables par leur mélodie et leur longueur. Ces libertés assez modestes divisèrent d'ailleurs violemment le public. Platon, Aristophane, archiconservateurs, étaient dans le camp des protestataires. Aristote, en revanche, approuvait, et Euripide adoptait le genre anabolique pour ses tragédies. Mais dès la génération suivante, Athènes, tête et cœur de l'Hellade, allait voir s'amorcer son déclin.

La disparition presque complète de la musique grecque n'est donc en rien comparable à celle de la peinture d'Attique et d'Ionie, qui fut un désastre pour l'héritage humain. Art attardé que la musique, avons-nous dit, le premier né peut-être, mais le plus lent dans sa croissance. Même dans une société aussi évoluée et créatrice qu'Athènes, elle n'avait pu trouver les conditions physiques, psychologiques, morales indispensables à son essor.

LA THÉORIE GRECQUE

D'où vient donc l'immense prestige qui entoura la Grèce musicale dans tout le monde antique, dont nous avons relevé des traces jusqu'en Chine, et qui s'est prolongé jusqu'à nous ?

C'est que les Grecs, ces incomparables rhéteurs, avaient spéculé, disserté sur la musique en soi plus abondamment et subtilement que personne, distingué ses rapports avec les sciences exactes, deviné à travers ses manifestations encore très naïves ses effets intérieurs sur l'être humain : « Le rythme et l'harmonie, dit Platon dans *La République,* ont au suprême degré la puissance de pénétrer dans l'âme, de s'en emparer, d'y introduire le beau et de la soumettre à son empire. »

De là le rôle que toute la Grèce des grands siècles attribuait à la musique dans l'éducation, et que Platon poussait jusqu'à une véritable étatisation de cet art. Le musicien grec, bien qu'il fût dans l'histoire de l'esthétique un apprenti en comparaison avec les architectes et les sculpteurs de son pays, occupait un rang social très supérieur au leur. Une certaine pratique de la musique était indispensable à l'homme distingué.

Les Grecs sont restés pour nous ceux qui ont donné à la musique occidentale son nom même (*musiké*) et les premiers termes de son vocabulaire : rythme, mélodie, harmonie, ce dernier mot ne désignant pas comme chez nous la science des accords, mais un ordre heureux dans la succession des sons, de même que nous disons : une phrase, une démarche harmonieuse.

Le peuple qui inventa la dialectique ne pouvait manquer d'assortir l'art qu'il plaçait si haut d'une théorie très élaborée.

Les Pythagoriciens avaient été les premiers à découvrir les rapports entre les sons et les nombres. Ils avaient observé qu'en faisant vibrer deux cordes, l'une deux fois plus longue que l'autre, on obtenait deux sons à l'octave l'un de l'autre, la corde la plus courte émettant le son le plus aigu. Si l'une des cordes était d'un tiers plus longue que l'autre, les sons donnaient un intervalle de quinte. Un rapport de quatre à trois entre les cordes donnait une quarte. L'intervalle de tierce était négligé et devait le rester pendant des siècles.

Avec les sons de la gamme pythagoricienne, les Grecs formèrent sept modes. Le mode est l'échelle constituée par une série de notes diatoniques et adoptant pour finale une note qui change l'ordre des tons et des demi-tons. Chez les Grecs, à l'inverse de notre gamme, la succession des sons est descendante. Le mode centrale est le dorien, partant de mi jusqu'au mi de l'octave inférieure. On trouve au-dessus de lui le mode hypolydien, de fa à fa, le mode hypophrygien de sol à sol, le mode hypodorien de la à la; au-dessous, le mode phrygien de ré à ré, le mode lydien d'ut à ut, le mode myxolydien de si à si. Plusieurs de ces noms indiquent une origine orientale, c'est-à-dire barbare aux yeux des Grecs.

Les *genres* concernent les altérations possibles de certains degrés de l'échelle modale. Le genre diatonique comporte les sons sans altération. Dans le genre chromatique, interviennent au deuxième et au troisième degrés des demi-tons que nous figurons dans notre notation par des dièses. Le genre enharmonique désigne des intervalles d'un quart de ton au troisième et au septième degrés.

Les *nuances* permettent encore de modifier la hauteur des sons, selon le principe divisant l'octave en vingt-quatre quarts de ton au lieu des douze demi-tons de notre gamme chromatique. Dans la pratique, les exécutants abaissaient certaines notes d'un peu moins d'un demi-ton en allégeant la pression des doigts sur la corde de la lyre ou en bouchant partiellement les trous correspondant à la note sur les instruments à vent.

Les Grecs attribuaient à chaque mode une valeur expressive et morale, son *ethos*. Le mode dorien, cœur de leur système, le plus ancien, le plus pur, pensait-on, de toute influence étrangère, était par excellence le mode national, mâle, noble, majestueux, répondant à la perfection dépouillée de l'ordre dorique dans l'architecture. Le mode hypodorien possédait lui aussi des qualités d'énergie, mais dans un esprit moins solennel, davantage porté à la joie. Les autres modes étaient plus ou moins entachés d'asiatisme, soupçonnés de contribuer au relâchement des mœurs par leur caractère trop voluptueux. Le puriste Platon admettait cependant le phrygien, le mode dionysiaque par excellence et qui servait au dithyrambe. Le myxolydien passait pour pathétique.

La plupart de ces finesses échappent aujourd'hui à nos oreilles; les mélodies composées selon l'échelle modale grecque nous semblent à peine différenciées, d'un contenu expressif fort pauvre. Sans doute, notre éducation harmonique, nos habitudes nous ont créé une sensibilité auditive totalement différente de celle d'un Athénien du vᵉ siècle. Nous avons cependant quelques raisons de nous étonner que l'échelle hypodorienne, rendant pour nous un son assez plaintif, eut été du temps de Platon le mode de la gaieté résolue. Nous savons aussi que le mode dorien, considéré par les Grecs comme leur bien propre, une création foncièrement autochtone, a été depuis des époques reculées le plus universellement répandu, chez des races qui n'avaient avec l'Hellade aucun contact.

En fait, il entrait dans la théorie expressive des modes une part considérable de littérature, avec toutes les contradictions habituelles en pareil cas. Le phrygien, que Platon admet pour chanter la tranquillité patriarcale, devient chez Aristote le mode du mouvement passionné, de l'enthousiasme bruyant. Nous savons encore que l'on attachait traditionnellement différents modes à tel ou tel genre de composition, chœurs des tragédies, hymnes, chansons éoliennes. Il était donc assez naturel que dans l'esprit des auditeurs ces modes fussent associés à des sentiments dramatiques, lyriques ou idylliques. Le musicographe français Jacques Chailley, faisant la synthèse de nombreuses études, a démontré que les modes étaient des schémas abstraits, ne rendant aucun compte de la hauteur absolue des sons, et que dans leur travail les compositeurs grecs se fondaient sur le *tétracorde,* suite de quatre sons qui offrait des repères fixes. Mais ces procédés de métier étaient moins suggestifs pour les philosophes que les attributs moraux dont ils paraient les modes, selon leur irrésistible penchant aux catégories éthiques et en perpétuant sans le savoir de très vieilles notions de magie musicale.

Cependant, la gloire et l'inépuisable crédit de la littérature grecque devaient conduire les siècles futurs à méditer sur les modes aussi longuement que confusément. Méditations qui deviendraient une source de malentendus et de contresens, comme nous le verrons plus loin.

Un élément plus direct, plus fécond de la musique grecque, et codifié d'une façon beaucoup plus cohérente, ce fut le rythme dont nous n'avons presque encore rien dit.

Il ne pouvait manquer de jouer un rôle essentiel dans un art musical inséparable de la poésie. Notre connaissance de la prosodie, ainsi que des textes du grand métricien Aristoxène de Tarente, disciple d'Aristote (ɪvᵉ siècle) nous ont permis une restitution assez exacte de la métrique grecque. En règle générale – une règle qui devait souffrir toutefois maintes exceptions dans la période hellénistique – à une syllabe brève du poème chanté correspondait un son bref, à une syllabe longue un son long, la durée réelle des sons dépendant bien entendu de *l'agogé* ou vitesse de l'exécution du morceau : nous dirions aujourd'hui le *tempo*. Un autre principe fondamental des Grecs, et qui s'est prolongé jusqu'à nous avec le grégorien, était l'indivisibilité des temps premiers. Comprenons par là que la plus petite unité rythmique d'une pièce pouvait être multipliée mais non divisée. Dans notre terminologie : si l'unité rythmique choisie était une croche, on pouvait en tirer par multiplication des noires, des blanches, des rondes, mais non la décomposer en doubles ou triples croches.

Les sons se groupaient en pieds, tenant lieu de notre mesure, aux temps forts marqués en frappant le sol de la chaussure (*thésis*) et aux temps faibles correspondant à la levée de la chaussure ou de la main (*arsis*). Le pied le plus court était à trois temps premiers, correspondant au trochée ou à l'iambe de la poésie selon qu'il débutait par un temps fort ou un temps faible. Les autres pieds étaient à quatre temps premiers (dactyle ou anapeste), cinq temps premiers (péon et bacchius), six temps premiers (ionique majeur et mineur). On obtenait de nombreuses variantes à ces formes fondamentales en les renversant, en contractant ou décomposant les temps.

Le groupement d'un certain nombre de pieds constituait un membre de phrase, le *kolon,* correspondant habituellement à un vers entier du texte poétique. Entre chaque kolon, on marquait une brève pause, la césure. Lorsque les vers chantés sur deux *kola* successifs donnaient un sens complet, on avait une phrase. La réunion de trois kola ou davantage formait une période, et une longue période ou une suite de périodes formait la strophe.

Nous avons vu plus haut l'organisation symétrique et monotone des strophes. On peut donc dire que les Grecs avaient inventé d'instinct une grande variété de cellules rythmiques, mais que faute d'une technique musicale plus avancée ils ne savaient pas en tirer de vrais développements. Il n'empêche que leur système rythmique a été leur plus précieuse contribution à la musique occidentale, que l'on en retrouve les formes chez la plupart de nos grands classiques, Wagner inclus. Le musicographe italien Ottavio Tiby a pu très justement noter que Tristan dans son exaltation, à la seconde scène de l'acte III du drame, chante sur une suite de mesures à trois, quatre, cinq temps mêlés, épousant admirablement les sautes désordonnées d'un cœur prêt de se rompre et reproduisant, sans bien entendu que Wagner l'eût cherché, le rythme le plus fiévreux et le plus irrégulier des Grecs, le *dochmiaque*, celui qu'ils réservaient aux mouvements extrêmes de la passion. Le rythme est bien, comme cet exemple le suggère à Ottavio Tiby, l'élément universel de la musique, ayant sa racine au plus simple et au plus profond de la nature humaine.

LA MUSIQUE HELLÉNISTIQUE

Sous les rois macédoniens, durant la période hellénistique, la musique grecque se répandit dans tous les pays méditerranéens, toute l'Asie Mineure. Mais tandis qu'elle triomphait ainsi en surface, de graves signes de détérioration apparaissaient chez elle. On voyait se défaire l'union de la poésie, de la musique et de la danse, à qui l'on devait les chefs-d'œuvre du théâtre. Les poètes n'apprenaient plus la musique et confiaient celle de leurs strophes à des *mélographes,* peu versés dans la poésie, et dont le nom est assez justement évocateur de leur besogne artisanale. Les spéculations se multipliaient, les détails les plus spécieux et les plus abstraits du système musical grec datent de l'époque hellénistique. C'est au IIIe siècle que s'ouvrit la grande querelle – elle dure encore de nos jours – entre les « harmonistes par calcul », successeurs des abstracteurs pythagoriciens, et les « harmonsites par l'oreille », qui se recommandaient d'Aristoxène. Les grands genres classiques subsistaient toujours, mais figés ou étiolés. La musique disparaissait presque entièrement de la comédie, descendait aux trivialités des spectacles de farces et des parodies produites en série. On prenait de plus en plus de goût à la virtuosité; les exécutants, surtout les aulètes et les citharistes, de plus en plus habiles sur des instruments mieux conçus, devenaient des vedettes internationales, avaient le pas sur les compositeurs.

A partir de la domination romaine, les Grecs, devenus les « Graeculi », continuèrent à philosopher plus voluptueusement que jamais sur la « méta-musique » des néopythagoriciens, pratiquèrent les « retours » à leurs Bach et leurs Haendel, s'attachèrent à des restaurations comme celles des hymnes delphiques; leurs virtuoses ramassaient des fortunes à l'étranger. Mais tout nous porte à croire que cette activité n'était plus qu'une creuse imitation des grands siècles.

LES ROMAINS ET LA MUSIQUE

On sait que de nos jours il n'est plus guère de thèse paradoxale qui ne trouve ses défenseurs, lesquels accèdent assez souvent par ce moyen à la notoriété.

Quelques musiciens ont entrepris ainsi la réhabilitation musicale de Rome. Cela nous a valu différents monuments d'érudition, surtout allemande, riches en présomptions et en conjectures ingénieuses dérivées des moindres traces, mais fort indigentes, et pour cause, quant à leurs références documentaires.

Dans l'attente très incertaine de sources plus précises, on s'en tiendra aux notions habituelles, traitées de lieux communs par nos érudits, mais qui demeurent les seules plausibles.

Comme tous les peuples, ceux de l'Italie antique ont eu leurs chants folkloriques ou religieux, mais aux formes très frustes, à en juger par les quelques descriptions que nous possédons.

Une fois la Grèce occupée par les légions, presque toute la musique qui se fit à Rome procéda de l'engouement pour les mœurs et l'art des vaincus. Mais cette hellénisation fut loin d'avoir les mêmes effets que dans les lettres latines. Au contraire des Grecs, les poètes, les intellectuels romains ne savaient pas la musique, d'où la place infime qu'elle occupe dans leurs écrits, celle d'un divertissement accessoire, d'un accompagnement aux fêtes privées ou aux cérémonies et réjouissances populaires.

Importée de Grèce, la tragédie n'était guère qu'une adaptation ou un pastiche des modèles athéniens eux-mêmes sclérosés. Elle comportait, au moins jusqu'à la période impériale, une partie chantée, les *cantica*, mais qui semble bien avoir été traitée comme un hors-d'œuvre assez négligeable. Les dramaturges latins ignoraient tout de la composition, leur prosodie ne se réglait plus sur un rythme musical. Comme chez les Grecs, le seul instrument admis au théâtre était la flûte (*tibia*), qui servait surtout à marquer la mesure pour les chanteurs.

Une élite de citoyens communiait à Athènes dans les représentations de la tragédie et dans les souvenirs des cultes qui s'y rattachaient. La tragédie latine s'adressait à un public « de masse », qui se plaisait beaucoup plus aux attractions visuelles qu'au texte poétique. La mise en scène y devint de plus en plus envahissante, avec cavalerie, éléphants, athlètes, défilés militaires, filles ondulantes, qui en faisaient l'équivalent des superproductions «antiques» d'Hollywood et de Cinecitta. Les lettrés romains, nourris de grec classique, en parlaient avec la même ironie qu'aujourd'hui les fervents de Shakespeare de la *Cléopâtre* tournée en cinémascope pour Mme Liz Taylor.

Sous l'Empire, les singularités musicales, les fanfares de cent trompettes, les chorales de deux mille chanteurs relevaient plutôt du cirque où elles se déroulaient. Si les Grecs avaient toujours été discrets, laissant aux Orientaux les percussions et les cuivres, les Romains aimaient le bruit, ils avaient amplifié le volume sonore de tous les instruments, y compris la flûte.

Mais dans le moment où les foules applaudissaient ce vacarme, des dilettantes romains découvraient les charmes de la mélodie grecque accompagnée. Des chanteurs, des citharistes, des flûtistes célèbres, amenés à grands frais des cités helléniques, apportaient dans les palais le répertoire des chansons d'amour éoliennes. On adopta ce lyrisme intime aux odes d'Horace, aux vers d'Ovide et de Catulle, et il est vraisemblable que la musique latine atteignit là son plus haut point de raffinement. Mais la décadence devait frapper même ce genre réservé, qui se dégrada en virtuosité mécanique, en cabotinage.

Le principal mérite de Rome avait été de maintenir plus ou moins l'héritage grec. Mais les vestiges de celui-ci allaient être dispersés ou engloutis dans la décomposition du Bas-Empire, supplantés par un monde nouveau. Quand le Wisigoth Alaric fit son entrée dans Rome en 410, la musique était devenue chrétienne dans l'Empire d'Occident comme dans l'Empire d'Orient, et son histoire allait se confondre pendant des siècles avec celle de l'Église.

CHAPITRE III

LA MONODIE CHRÉTIENNE
LE GRÉGORIEN

C'est l'influence juive qui a dominé sur les premiers temps de la musique chrétienne. Même si nous n'en avions aucune autre preuve, nous discernerions encore aujourd'hui la parenté entre les chants des liturgies hébraïque et catholique, qui nous rappelle que le christianisme est né au sein du judaïsme, que durant la période apostolique il se répandit d'abord parmi les juifs de la « diaspora » et que Jérusalem demeurait alors sa capitale.

Les premiers offices chrétiens se modelèrent sur le culte hébraïque. Ils avaient le même fond, les textes, les psaumes de l'Ancien Testament. Philon a noté les analogies entre les chants des chrétiens du Ier siècle et ceux des sectateurs juifs nombreux parmi les Esséniens, les Thérapeutes. La *cantillation* de l'officiant catholique, psalmodie à peine chantée, ne marquant un contour mélodique qu'à la fin des phrases (par exemple dans la Préface de la messe), les chants *antiphoniques* où le soliste chantait un psaume que les fidèles interrompaient après chaque verset par un bref refrain ou une acclamation, procèdent directement du judaïsme. Du reste, les deux caractéristiques essentielles de la musique juive, monodique et modale, se retrouvent dans toute la musique du haut Moyen Age chrétien.

Les emprunts directs au vocabulaire hébreu, qui n'ont jamais été traduits et demeurent dans les chants de l'Église comme des symboles de l'héritage judaïque, Hosanna, Amen, Alleluia, datent bien entendu des premières années de la prédication.

Les trompettes, les harpes, les flûtes avaient rehaussé, brillamment les cérémonies du Temple de Jérusalem. Mais lorsque les synagogues furent créées, après l'exil à Babylone, les instruments s'en trouvèrent bannis, sauf le primitif *shofar,* la corne de bélier, qui n'émet que deux ou trois notes, et dont on sonne toujours pour les grandes fêtes juives. Là encore, l'Église continua la tradition juive, et durant dix siècles n'admit dans ses sanctuaires que la voix humaine. Tous les instruments étaient suspects pour elle de paganisme.

Les historiens du XIXᵉ siècle, élevés dans les humanités classiques, enseignaient l'origine purement grecque de la musique chrétienne. Ils n'avaient pas songé que la théorie grecque était beaucoup trop compliquée pour les chrétiens primitifs. Plus près de nous, Henry Prunières, dans sa *Musique du Moyen Age et de la Renaissance*, publiée en 1934, donne pour preuve « irréfutable » de la filiation hellénique un célèbre papyrus qui remonte à la fin du IIIᵉ siècle et porte une hymne[1] à la Sainte Trinité en langue et en notation grecques. Prunières ignorait que l'on était parvenu depuis peu à déchiffrer un grand nombre de textes musicaux byzantins, pour observer leur étroite parenté avec l'hymne de la Sainte Trinité qui n'a conservé du système grec que sa notation.

Il ne faudrait cependant pas, en réaction contre ces erreurs, pousser jusqu'au système le parallèle entre la synagogue et l'Église. En s'éloignant de son berceau juif, le christianisme épousait certaines traditions musicales des pays où il apportait l'évangile. Dans l'Orient méditerranéen, où l'hellénisme était resté vivace, les acclamations des fidèles, les doxologies (formules de louanges au Seigneur à la fin des psaumes, telles que le *Gloria Patri*) empruntaient aux hymnes grecs, mais en remplaçant les louanges des divinités païennes par celles du Seigneur. D'autres influences plus obscures, plus localisées, celtiques par exemple en Gaule, durent encore jouer sans aucun doute, bien qu'elles soient difficiles à déterminer : nous possédons très peu de documents authentiques sur les quatre premiers siècles de l'ère chrétienne.

LES HYMNES

On s'est souvent demandé pourquoi une religion aussi intérieure, aussi détachée du monde que le christianisme des premiers âges avait admis dans son culte le chant, que les premiers mystiques, les premiers contemplatifs, les Pères du désert jugeaient superflu, voire scandaleux.

---

1. Nous respectons la tradition qui met au féminin le mot « hymne » pour désigner un chant des liturgies chrétiennes, tout en estimant avec Littré que rien dans l'étymologie ni l'historique du terme ne justifie cet usage.

Les anciens théologiens s'étaient aussi posé la question et n'y répondaient guère qu'en invoquant la coutume, que les sociologues, vingt siècles plus tard, interpréteraient comme la survivance, indéracinable dans toutes les religions, des magies et des exorcismes primitifs, du pouvoir miraculeux attribué aux incantations, un mot dont la forme même rappelle le sens initial : paroles chantées.

L'Église, à vrai dire, sacrifia d'abord le moins possible à cette coutume et entreprit de la régler strictement. Si musique il y avait dans le récitatif à peine infléchi du prêtre lisant les textes de l'Ancien et du Nouveau Testament ou prononçant les paroles sacrées, et dans les répons psalmodiés de l'assistance, c'était bien la musique à son plus humble état. Aucune velléité artistique, mais le seul souci de mieux souligner et graver dans les mémoires les paroles sacrées. La beauté de la voix était indifférente, il ne fallait surtout pas chercher à la cultiver. On chantait pour prier, et d'abord dans son cœur.

Cependant, le peuple avait le besoin, qui fut très vite reconnu, de chanter sa foi en dehors de la liturgie. Ce furent les hymnes ou *compositions ecclésiastiques* qui y répondirent. Leurs textes n'étaient plus tirés de l'Écriture, mais composés par les prêtres pour l'enseignement des fidèles.

L'existence des hymnes, d'origine orientale, est attestée dès le Ier siècle, mais nous ne sommes renseignés sur leur contenu qu'à partir du IVe. Nous savons que les hymnes syriaques de saint Ephrem, le prédicateur d'Edesse (vers 306-378), les hymnes grecques de son contemporain saint Grégoire de Nazianze furent des moyens de contre-propagande, destinés à faire pièce aux chants des ariens et des gnostiques, qui étaient remplis de formules hérétiques. Il en allait de même pour les hymnes latines, dont nous possédons quelques fragments, de saint Hilaire de Poitiers, qui avait ramené d'un séjour forcé en Orient le goût de ces chants plus vivants et mélodieux. En outre, des paroles pieuses furent souvent placées sur de vieilles mélodies païennes qui faisaient partie des folklores. Saint Césaire, un homme réaliste, recommandait de faire chanter les hymnes pour occuper les fidèles durant les longs offices auxquels ils ne comprenaient pas grand-chose.

Composées en grec, en syriaque, en latin, puis presque exclusivement dans cette dernière langue à partir du milieu du IVe siècle, les hymnes abandonnaient la métrique par longues et brèves, sur laquelle avait été fondée toute la musique des Anciens, mais que les chrétiens de la masse populaire ne distinguaient plus. Elles étaient écrites en vers rimés, et leur rythme s'établissait suivant le nombre de leurs syllabes et l'alternance de celles qui étaient ou non marquées d'un accent tonique. D'autre part, les demi-tons de l'échelle chromatique qu'elles tenaient souvent de leur naissance orientale furent très vite prohibés par les autorités ecclésiastiques, à cause des souvenirs du paganisme, des « impressions mondaines et voluptueuses » qui s'y attachaient. Sur ce point, durant tout le Moyen Age, la sévérité de l'Église devait peu se relâcher. Cette police des intervalles musicaux, qui a excité l'ironie de maints historiens, ne nous étonne plus guère. En Russie soviétique, il existe un vrai règlement des dissonances, des formes nouvelles d'écriture permises ou interdites aux compositeurs. Et si l'on songe à la merveilleuse sensualité que les romantiques feraient exprimer un jour au chromatisme, on doit reconnaître que l'Église, pour ce qui concernait son éthique, avait l'oreille vigilante.

LES INNOVATIONS LOCALES. AMBROSIEN ET MOZARABE

Du IVe au VIe siècle, le christianisme, officiellement reconnu par Constantin, multiplie ses conquêtes. Mais son extension coïncide avec la ruée des Barbares, avec la prolifération des hérésies, arienne, monophysite, nestorienne, pélagienne, qui attirent des quantités de néophytes, gagne des peuples entiers.

Cette confusion s'étend aux rites et à leurs chants. Rome, dont l'autorité est précaire, avec des papes souvent contestés, possède sa propre liturgie, mais qui demeure régionale. Sur les côtes de Provence, où subsiste l'empreinte phénicienne, les prêtres officient en latin et les fidèles leur répondent en grec. A l'intérieur de la Gaule, la population, rétive aux tournures orientales, pratique les chants de la liturgie gallicane, probablement des mélodies brèves, syllabiques, très rythmées, d'une allure plutôt tonale que modale, se rapprochant de notre ut majeur.

Milan devient le berceau du plus intéressant et du plus vivace de ces particularismes. Son archevêque, saint Ambroise, (vers 340-397) favorise pour instruire et distraire ses ouailles la diffusion d'hymnes faciles à retenir et à chanter, sur des mélodies très simples, d'une carrure populaire, en strophes de quatre vers du même mètre, et auxquelles son nom restera attaché. Il en compose lui-même quatre au moins, dont l'*Æterne rerum conditor* et le *Veni Redemptor* sont certainement de sa main. Le Moyen Age lui en attribuera près de deux cents. Alors qu'il ne subsiste rien des chants gallicans et de la première liturgie romaine, le répertoire ambrosien a été conservé par de nombreux manuscrits, qui lui sont postérieurs de plusieurs siècles, mais en fournissant des versions apparemment assez fidèles. Nous savons que ces hymnes, dont le rythme épouse celui du pas de l'homme, étaient chantées par des chœurs se répondant ou alternant avec l'officiant et la maîtrise. Elles gardent un charme naïf, d'une facilité déjà italienne. Cet accent de terroir dit suffisamment que la musique continuait d'exister hors de l'Église, et que celle-ci s'autorisait maints emprunts aux airs profanes. Sur ce répertoire profane, nous possédons un curieux témoignage, cité par Romain Rolland, celui de l'historien latin Ammien Marcellin, contemporain de saint Ambroise : « Ce pays (l'Italie) est un lieu de plaisir. On n'y endend que des musiques, et dans tous les coins des tintements de cordes. Au lieu de penseurs, on n'y rencontre que des chanteurs; et la vertu a cédé la place aux virtuoses. » On voit par là que la frivolité si souvent reprochée à la musique italienne ne date pas de Rossini...

L'Église espagnole avait aussi ses chants particuliers, ceux de la liturgie mozarabe, révisée et consacrée au VIIe siècle par saint Isidore de Séville.

Plusieurs auteurs hispanisants voient une parenté entre l'ambrosien et le mozarabe. D'autres soulignent que le mozarabe fut introduit en Espagne par les envahisseurs Wisigoths, qui étaient ariens. Si les deux thèses sont exactes — et la seconde semble peu contestable —, les Wisigoths auraient donc fait la liaison entre le Milanais et la péninsule ibérique.

La résonance exotique du terme « mozarabe » est fallacieuse. Le mot désigne les chrétiens qui pendant la longue occupation maure restèrent « parmi les Arabes » et coupés de la catholicité conservèrent le rite qu'ils tenaient de saint Isidore. Aucune influence islamique n'a été relevée dans leurs chants. A vrai dire, nous ne connaissons ces chants que par des versions du XVe siècle, sans savoir jusqu'à quel point elles sont fidèles aux recueils plus anciens, dont la notation neumatique est restée indéchiffrable. Frappé d'interdits pontificaux, le rite mozarabe fut restauré au XVIe siècle par le cardinal Ximénès de Cisneros, le grand inquisiteur d'Isabelle la Catholique, trop violent ennemi des Maures pour qu'on ne lui passât pas cette fantaisie en faveur d'une sorte de folklore qui sentait plus ou moins le fagot. En l'honneur de ce prélat guerrier, qui commandait les troupes espagnoles à la prise d'Oran, on célèbre encore tous les jours le rite mozarabe dans une chapelle de la cathédrale de Tolède où son chapeau rouge est suspendu. Les chants que l'on y entend diffèrent assez peu du grégorien sinon par leurs mouvements encore plus lents.

GRÉGOIRE LE GRAND ET LE CHANT ROMAIN

Durant presque tout le vi⁰ siècle, Rome avait vu se succéder des papes de faible envergure, obligés de faire face à une situation lamentable, louvoyant entre les rois ostrogoths et ariens d'Italie avec lesquels ils collaboraient, et les exigences, les intrigues des empereurs de Constantinople qui suscitèrent plusieurs antipapes, accaparés ensuite par les malheurs d'un pays que ravageait l'invasion lombarde.

En 590 cependant, un homme exceptionnel, Grégoire Iᵉʳ le Grand montait sur le trône de Pierre. Il était romain, de famille noble, ancien haut fonctionnaire, moine de vocation, ayant fondé plusieurs couvents dans la nouvelle règle de saint Benoît, porté contre son gré aux honneurs. Dès le début de son pontificat, qui devait durer quatorze années, il mit génialement à profit son expérience d'administrateur et de diplomate, tira de la misère Rome qui depuis les invasions était tombée d'un million à cinquante mille habitants, jeta les bases du futur État pontifical, usa d'une habile souplesse avec l'empereur, d'une fermeté paternelle avec les rois barbares qu'il s'efforça de regrouper autour d'un Saint-Siège par une prescience de ce que serait la chrétienté dans les siècles à venir, fit entreprendre l'évangélisation de l'Angleterre, accomplit encore un travail doctrinal et liturgique dont l'influence s'étendit à tout le Moyen Age. Il fut le premier grand pape chez qui revivait le sentiment de la romanité, qui voyait dans l'Église la continuatrice de l'Empire. Il mérita bien le titre de « Consul Dei » gravé sur sa tombe.

En musique et en liturgie, comme dans les autres domaines, son œuvre a tendu à l'unité des chants et des rites, sous l'autorité de Rome. Matériellement, elle n'a pas l'ampleur légendaire que le Moyen Age lui a attribuée, selon son habitude de placer des réformes et des textes très divers sous un patronage illustre. On lui doit en fait un *ordo* (règlement de la liturgie pour chaque date du calendrier), la rédaction d'un sacramentaire (les oraisons de la messe pour les différentes fêtes), sans doute un antiphonaire (recueil des chants de la messe). Il a très vraisemblablement réagi, étant porté à l'ascèse, contre les cantilènes orientales trop chromatiques, les mélismes trop exubérants. Il ordonna de choisir les chantres parmi les sous-diacres, qui se trouvaient ainsi spécialisés, capables d'acquérir une expérience musicale que l'on ne pouvait exiger de tous les prêtres. Ces dispositions concernaient le *chant romain*, purifié, régularisé, destiné à supplanter dans tout l'Occident les liturgies régionales. On ne commença à parler du *chant grégorien* que plus d'un siècle après la mort du grand pontife. Cependant, le terme est historiquement et moralement exact. Il désigne un immense travail théorique, pratique, qui continua fidèlement pendant quatre siècles celui de Grégoire Ier, et les innombrables mélodies placées sous ce vocable portent bien l'empreinte spirituelle du saint homme.

Dès le VIIe siècle, grâce à l'impulsion donnée par Grégoire, les papes qui lui succédaient parvinrent à constituer un ensemble liturgique fixe, encore assez restreint. Un grand pas vers l'unité fut accompli par Pépin le Bref et son fils Charlemagne, tous deux grands admirateurs du chant romain, et qui l'introduisirent dans les églises gallo-franques. Il semble y avoir reçu certaines modifications qui furent bien accueillies à Rome. Ce chant romano-gallican serait la base du grégorien proprement dit.

PLAIN-CHANT OU GRÉGORIEN. LES PREMIERS NEUMES

On lit chez différents musicographes disparus mais dont les manuels célèbres sont encore très répandus, des propos écœurés sur « le triste, le banal plain-chant », dégénérescence du grégorien, « qui reste malheureusement en usage dans un trop grand nombre d'églises ».

Cette manière d'opposer plain-chant et grégorien bouscule l'histoire et brouille le vocabulaire. Le terme *plain-chant* a pu recouvrir les naïfs et grossiers braiments des chorales villageoises : il n'en désigne pas moins le style le plus pur et le plus vénérable du chant catholique.

Fortunat, évêque de Poitiers et poète latin, parlait déjà au VIe siècle du *cantus planus* aux paisibles mélodies, contrastant avec l'animation profane, le *fremitus* et le *gemitus* des intruments. Nous retiendrons que ces termes de *plane*, planus ont qualifié pendant au moins huit siècles (du VIe au XIVe) un chant *simple*, aux voix *égales,* ce qui signifie qu'aucune dans le chœur n'empiète sur les autres, ne s'en détache par une émission plus puissante, plus élevée, un chant enfin d'un mouvement uniforme, sauf des accélérations ou des ralentissements du débit en quelque sorte rituels.

Le *cantus planus* trouvait son idéal dans un unisson qu'il ne devait pas être si facile d'obtenir des chantres, d'où maintes recommandations d'ordre pratique, dont les commentateurs ont abusivement élargi le sens. Mais aucune considération esthétique n'entrait dans cette recherche de l'unisson. Selon la tradition héritée de l'Église du premier âge, il favorisait le recueillement, exhalait une pieuse sérénité, coupait court aux tentatives de lyrisme personnel, d'abandon au plaisir purement vocal, à la virtuosité de l'exécutant.

Durant huit siècles – autant d'années que celles écoulées de Philippe-Auguste jusqu'à nous – la musique chrétienne s'était transmise uniquement par tradition orale. Les chantres apprenaient de courtes phrases mélodiques qu'ils reliaient entre elles selon des principes à peu près fixes comme cela se pratiquait et se pratique encore en Orient. Cette mnémotechnie, malgré les risques d'altérations qu'elle comportait, était suffisante pour des formules simples, assez peu nombreuses, voisines les unes des autres.

Ce fut l'enrichissement et la complication progressive du répertoire qui conduisit à la nécessité d'une notation. On en découvre la première ébauche avec les *neumes,* suites de barres et de points qui apparaissent dans certains fragments de manuscrits au milieu du XIᵉ siècle, et dérivent sans doute des accents de l'écriture littéraire.

Les barres, inclinées, correspondent aux notes aiguës, les points aux notes graves. Ces signes, superposés aux syllabes du texte à chanter ne donnent aucune indication sur les intervalles et la hauteur absolue des sons. Ils ne constituent qu'un « aide-mémoire » destiné à rappeler au chantre si la mélodie qu'il connaît déjà plus ou moins monte ou descend.

Vers le milieu du Xᵉ siècle, les neumes, dont l'utilité a été peu à peu reconnue, se multiplient, accompagnent des manuscrits entiers, des livres de liturgie. Des indications rythmiques ou plutôt dynamiques s'y ajoutent. Les barres s'ornent ensuite à leur extrémité d'un renflement, première figuration de nos notes, destinés à localiser le son, qui se transformera en point, puis en carré. Des signes de nuances surchargent encore certains neumes, lettres de l'alphabet latin ou petits traits horizontaux appelés *épisèmes*. Leur interprétation, très litigieuse, a provoqué de nos jours d'interminables controverses.

Dans le courant du Xe siècle, un moine resté inconnu eut l'idée de tracer une ligne représentant un son fixe, au-dessus et au-dessous de laquelle les neumes s'ordonnaient. Cinquante ans plus tard, on se servait de deux lignes, l'une rouge correspondant au degré du fa, l'autre jaune correspondant à l'ut. Naguère, cette page de l'histoire musicale était dominée par un nom, Gui d'Arezzo (vers 995-1050). Ce bénédictin, peut-être Parisien de naissance, mais dont toute la vie se déroula en Italie, n'a pas eu de chance avec la critique moderne. Elle lui a retiré presque toutes les inventions que l'on faisait sortir miraculeusement de son génial cerveau. La solmisation (désignation des notes par les premières syllabes de l'hymne à saint Jean-Baptiste, *Ut* queant laxis *Re* sonare fibris) qu'on lui attribuait universellement, semble bien être postérieure d'une soixantaine d'années à sa mort. Pour la portée, pas plus que l'alphabet ou le moteur à explosion, elle n'a été la découverte d'un seul homme. Gui d'Arezzo a toutefois éminemment contribué à la perfectionner en y ajoutant deux lignes, l'une noire pour le la, la quatrième tantôt rouge tantôt noire, et en les espaçant régulièrement. Il préconisa encore un système assez malaisé de notation alphabétique, dont on retrouve le souvenir dans la terminologie anglo-saxonne et allemande, où *A* signifie la, *B* si bémol, *C* ut etc.

Dès le XIe siècle, la portée de quatre lignes se répandait dans toute l'Italie, le pays le plus avancé dans ce domaine, de là passait en France. La portée de cinq lignes apparut en Espagne dès le XIIIe siècle. Dans le même temps, pour indiquer les valeurs de durée, négligées jusque-là, on différenciait les notes longues, représentées par un carré avec une queue, et les brèves, simple carré.

Les six notes inscrites sur la portée étaient celles de l'hexacorde, base de la pratique médiévale, ut, ré, mi, fa, sol, la. Le si restait innomé. Pour désigner le son qui lui correspondait, on opérait un changement d'hexacorde dit *muance*, système aussi artificiel que compliqué, où le sol se lisait ut, le la ré etc. Le si devrait attendre jusqu'au XVIe siècle pour recevoir après des palabres interminables son nom, son autonomie et fournir enfin à la gamme rationnelle son septième degré.

L'étude de cette période laisse l'irritant sentiment d'une évolution à pas de tortue, d'une longévité des routines, des anomalies les plus saugrenues qui ne témoignent guère pour l'ouverture d'esprit et l'ingéniosité des musiciens. En quelques siècles pourtant, la musique avait fait plus de chemin que durant trois millénaires. Imaginée, semble-t-il, hors de toute préoccupation esthétique et même intellectuelle, la notation renfermait pour la musique d'incalculables promesses. C'était pour elle un passage aussi décisif que celui de la transmission orale à l'écriture pour l'expression littéraire. Les neumes, contenant en germe tant de formes inconnues, sont les premiers bourgeons annonciateurs de la Renaissance.

APOGÉE ET THÉORIE DU PLAIN-CHANT GRÉGORIEN

Dans cette lente mais vaste courbe du progrès, il est très difficile de situer le plain-chant grégorien. Ses admirateurs et ses commentateurs les plus qualifiés estiment que son déclin commença avec l'apparition des neumes carrés qui libérait la pensée musicale en l'armant d'un outil précis. L'avènement de la polyphonie, véritable acte de naissance de la musique d'Occident, marqua son arrêt de mort.

Combarieu n'a pas hésité à écrire que le « plain-chant était antimusical, mais cependant admirable ». Ce paradoxe ambigu, même si l'un ou l'autre de ses termes nous paraît excessif, est une meilleure introduction que maintes littératures de ton hagiographique qui n'ont pas toujours le mérite de la sincérité. Mais il ne nous dispense pas des définitions et des éclaircissements obligatoires.

On peut dater le grégorien proprement dit de la première moitié du VIIᵉ siècle au XIIᵉ. Grâce aux manuscrits, nous en avons une connaissance directe, quoique souvent sujette à cautions, à partir du IXᵉ siècle, qui est aussi le temps de son apogée.

Le grégorien est un chant pour voix d'hommes, parcourant théoriquement deux octaves, exclusivement homophone (à l'unisson), en diatonique pur, sans note sensible. Il a pour fondement la psalmodie *recto tono,* soit la musique à peine différenciée de la parole, qui tient une place considérable dans les célèbres disques de Solesmes : Chant de la Passion du Vendredi Saint, Évangile, Préface de la Septuagésime, extrêmement monocordes, disons-le.

Selon la règle de l'Église primitive, il se veut uniquement prière. Il n'ambitionne d'autre fonction que de mettre humblement et fidèlement en valeur les textes sacrés.

Dans le répertoire grégorien les chants communs à toutes les messes sont les plus simples, parce que dévolus originellement au peuple et au clergé inférieur : *Kyrie*, l'une des anciennes formes de la liturgie, *Gloria, Credo, Sanctus*, vraisemblablement emprunté à la synagogue et chanté dès le IIᵉ siècle, *Agnus Dei*. Les chants particuliers à certaines fêtes sont beaucoup plus developpés, comportent de nombreuses vocalises, notamment les *Alleluias*, dérivés du chant des psaumes. On ne doit pas oublier que dans la messe médiévale, le chœur et ses solistes remplissaient un vrai rôle liturgique. Les parties de l'office qu'ils chantaient n'étaient pas dites comme de nos jours par le célébrant, auquel ils se substituaient en quelque sorte.

Outre la liturgie de la messe, le grégorien comprend les hymnes qui ont leur place dans les offices des différentes heures, matines et laudes, prime, vêpres, complies. Leurs strophes sont ordinairement chantées par deux chœurs qui alternent. Lorsqu'elles ont un refrain, dont la mélodie peut être d'ailleurs la même que celle des strophes, celui-ci est exécuté par le chœur et les strophes par deux ou trois chantres.

Les musicographes modernes parlent couramment des compositeurs et des compositions du grégorien. Ces termes ne correspondent que d'assez loin au sens qu'ils devaient prendre plus tard. Il est abusif d'écrire comme on le fait assez souvent que le Moyen Age musical, uniquement appliqué à reproduire le plus exactement possible ce qu'il avait appris, ignorait la notion d'œuvre personnelle. S'il en avait été ainsi, il ne se serait pas préoccupé de garder les noms des auteurs réels ou supposés de maintes hymnes. Mais l'analyse attentive du répertoire grégorien a permis d'y déceler le retour fréquent de mélodies-types, ayant déjà servi, sur lesquelles on récrivait d'autres paroles et qui portaient le nom de *timbres* (employé dans cette signification jusqu'au XVIIIᵉ siècle), d'y observer aussi le procédé très répandu de la *centonisation*, c'est-à-dire d'un assemblage de formules, de fragments empruntés à diverses pièces.

Le *trope*, autre procédé courant du grégorien, était d'un art plus relevé, malgré la bizarrerie de ses origines. Les vocalises de plus en plus développées des *Kyrie* et des *Alleluias* devenaient difficiles à retenir, dans un moment où l'écriture neumatique était encore peu répandu. Des chantres eurent l'idée, pour mieux se les graver dans la mémoire, d'y adapter des paroles quelconques, dont chaque syllabe répondait à une note. Certains mélomanes peu exercés agissent ainsi pour les thèmes symphoniques qu'ils veulent se rappeler. On rapporte cette initiative assez puérile, qui avait peut-être eu des antécédents orientaux, aux moines de l'abbaye de Jumièges, en Normandie, vers le milieu du ixe siècle. Un bénédictin de Saint-Gall, centre monastique alors très important, Notker Balbulus ou Notker le Bègue (830-912) s'éprit de cette invention que l'on nommait un trope, et en consacra la mode, mais sous une forme plus artistique. Il en fit des morceaux indépendants, après avoir supprimé d'abord les premières et dernières syllabes rituelles de la vocalise, puis remplacé le texte rudimentaire par des strophes versifiées, enfin brodé sur les notes initiales une mélodie nouvelle. Le trope ainsi transformé prenait le nom de *séquence* ou *prose*, terme déroutant pour un texte versifié, mais qui ne serait qu'une abréviation mal interprétée de *pro sequentia*. Le succès de ce nouveau genre s'étendit bientôt à toute la chrétienté occidentale, en particulier aux abbayes limousines. On attribuait même aux compositions de Notker des pouvoirs bénéfiques ou maléfiques, on les chantait pour jeter des sorts. Les tropes devaient subir beaucoup d'autres mutations, dont les plus fameuses sont le *Dies Irae*, le *Stabat*, mais qui se situent très au-delà de la période grégorienne.

LES MODES

On a enseigné longtemps que la théorie du chant grégorien prolongeait celle des Grecs. Il a fallu arriver au début de notre siècle pour que l'on s'aperçût de toutes les contre-vérités que recouvrait cette notion classique.

Les deux traités sur lesquels ont travaillé tous les scoliastes du plain-chant sont celui de Boèce et celui d'Aurélien, moine du diocèse de Langres, qui date de 850 environ.

Boèce est un intellectuel, féru des doctrines pythagoriciennes qui font régir tout l'univers par les lois d'une mathématique musicale. Il écrit textuellement que « toute la musique est rationalisme et spéculation », et n'a que mépris pour ses praticiens, qui n'agissent que par instinct. Cet abstracteur relate épisodiquement la notation alphabétique des Grecs, sans voir que c'était la contribution la plus précieuse de son traité. Cependant, par sa culture, il est encore un héritier de la pensée des Anciens, et quand il expose le système musical des Grecs, semble en saisir le mécanisme de l'esprit.

Mais trois siècles après, Aurélien, recopiant ce système, n'y comprend plus rien. Phénomène essentiellement médiéval. On s'est moqué justement des lieux communs sur « les ténèbres du Moyen Age », mais pour oublier un peu trop le recul du premier millénaire chrétien par rapport à l'Antiquité. Jacques Pirenne en a fait la plus frappante démonstration quand il confronte dans ses *Grands Courants de l'Histoire Universelle* les deux cartes géographiques de Ptolémée (vers 140 apr. J.-C.) et de saint Alban au VIIIe siècle. Ptolémée trace du monde connu de son temps, Europe, Afrique du Nord, Asie Mineure, une représentation presque aussi exacte que celle des géographes modernes. Six siècles plus tard, la carte dite de saint Alban voit ce monde sous la forme d'un fer à cheval qui n'est même plus orienté, puérilement divisé en cases, où l'Inde est au septentrion, l'Angleterre tout au sud, en bas de l'Espagne.

L'auteur de ce dessin vraiment barbare n'a retenu de l'ancienne science que les noms des contrées qu'il situe au petit bonheur. Aurélien est dans un cas assez semblable. Il ignore la notation des Grecs, mais désigne du même nom qu'eux d'autres intervalles que ceux de leur musique. La nomenclature grecque des modes, mixo-lydien, lydien etc. est conservée, mais employée à rebours du fait des transpositions qu'exige la pratique du chant grégorien. D'autre part, Aurélien et ses successeurs confondent le mode et le ton, c'est-à-dire l'octave placée à une hauteur fixe. De toute façon, l'assimilation des deux systèmes est impossible, puisque le grec est fondé sur le tétracorde dont ne s'occupe pas le grégorien, que d'autre part l'échelle médiévale va de bas en haut comme notre gamme alors que celle des Grecs est descendante. N'oublions pas qu'en outre l'Église, pour des raisons morales, interdisait le genre chromatique et le genre enharmonique dont les Grecs avaient usé largement. Mais le prestige de ces Grecs avait traversé les siècles, en dépit de la condamnation du paganisme, de l'édification d'une société inconcevable pour un Athénien. Le *musicus*, le doctrinaire musical du Moyen Age ne pouvait avancer une idée, tracer une ligne sans se couvrir de l'autorité des Anciens et piocher dans leur vocabulaire, quitte à les comprendre tout de travers. Héritage en somme plus encombrant qu'utile. De même, les interprétations abusives d'Aristote sclérosèrent la philosophie scolastique. Le Moyen Age qui épelait à peine des neumes approximatifs, pouvait bien ranger la musique parmi les arts mathématiques, au même titre que l'arithmétique, la géométrie, l'astronomie : cela demeurait une vue de l'esprit.

Quant à la valeur expressive, à *l'ethos* que les *musici* attribuaient aux différents modes, elle restait aussi flottante que chez les modèles grecs et ouvrait libre carrière aux contradictions des commentateurs, qui voyaient par exemple dans le ton de sol tantôt l'expression de la joie triomphante, tantôt celle de la douleur.

Comment les simples chantres se débrouillaient-ils parmi les contresens, les surcharges, les complications superflues d'une théorie assez tardive qui voulait plier à ses règles plusieurs siècles de pratique ? Ils en prenaient et en laissaient. Ils savaient que la musique de leur répertoire comprenait quatre modes *authentes* ou *regales* (authentiques ou royaux) déterminés par leur note finale, *ré, mi, fa, sol,* puis les dédoublant à l'intervalle de la quarte inférieure, les modes *plagaux* de *la,* de *si,* de *do* et de *ré,* ce dernier étant par conséquent le plagal de l'authente de sol. Ils pouvaient moduler par le passage d'un authente à son plagal et d'un hexacorde à un autre.

Assorti d'une théorie pédantesque et diffuse, mal copiée elle aussi des Grecs, le rythme, sauf dans les hymnes versifiées et syllabiques, ignorait la périodicité régulière de notre musique mesurée. Rythme libre, a-t-on dit. Cette liberté, cependant, ne pouvait être que relative. A quels principes, quels usages se pliait-elle ? Faute de posséder l'avis des vieux chantres, on en dispute toujours, et nous aurons même à en reparler tout à l'heure.

Si le grégorien appartient à l'Occident, c'est surtout par son aire géographique. Il s'est développé à l'encontre de nos musiques populaires qui recherchaient instinctivement la carrure et la cadence, rôdaient autour de l'ut majeur. Il tenait de l'Orient son caractère le plus personnel, ces vocalises aux intervalles menus, mais d'un Orient censuré, dépouillé de sa couleur. Chant rituel, il prenait souvent de curieuses libertés avec sa fonction religieuse. On ne pouvait dire que les césures coupant un verset, le distribuant entre le soliste et le chœur au mépris du sens et de la syntaxe fussent des modèles de respect pour le texte saint.

Une musique qui n'acceptait d'autre ressource que la monodie vocale ne regardait guère vers l'avenir. Sa vocation ressemblait davantage à celle des musiques de l'Asie dans leur immobilité millénaire. Elle ne se renouvela qu'en accumulant les difficultés d'exécution, qu'en surchargeant d'ornements, d'effets vocaux de plus en plus gratuits la sobre pureté de son fonds primitif : glissement vers la virtuosité qui est propre à tous les arts dont la la substance s'appauvrit, et qui ne fut pas épargné même à la plus austère, la plus pieuse des esthétiques.

Dans une société, dans une époque où il n'existait pas de vie intellectuelle et artistique hors de l'Église, celle-ci représenta aussi bien le foyer du progrès que le frein. La notation, la polyphonie furent l'œuvre de ses prêtres, de ses moines, qui ne travaillaient que pour son service. Mais le chant grégorien était condamné par cette évolution. Il commença lui-même à se scléroser dès le IXe siècle, perdant son aptitude à moduler, raidi sous les interminables broderies de ses mélismes. Sa décadence se précipita quand les scribes omirent les signes rythmiques qui lui étaient attachés pour y substituer la notation mesurée, à la fin du XIIe siècle. Traduites en notes carrées, scandées, ses longues mélopées devenaient d'une monotonie et d'une pesanteur insipides. On les élagua, les resserra pour les faire tenir dans les mesures, on les désarticula pour les plier aux nouveaux accompagnements instrumentaux ou vocaux, tandis que disparaissaient les derniers chantres encore capables de lire les anciens neumes.

En 1577, un autre pape Grégoire, le treizième du nom, décidait d'en finir avec les dernières traces de « ces barbarismes et ces obscurités », d'en purger tous les livres liturgiques. Il chargea de cette tâche Palestrina, le « puissant Palestrina, père de l'harmonie » chanté par Hugo, et qui devenait ainsi le liquidateur des plus vénérables chants de la chrétienté. Ce compositeur ne fit qu'une partie du travail, sans doute parce qu'il préférait écrire sa propre musique, surtout parce que le dévot Philippe II d'Espagne, très à cheval sur les traditions, avait protesté à Rome contre ce sacrilège, bien qu'en fait la page du chant grégorien fût tournée depuis plus de trois siècles. La besogne fut reprise au début du XVIIe siècle sur l'ordre de Paul V. Elle devait répandre le prétendu « plain-chant musical », hybride de psalmodie et de poncifs harmoniques, pendant sonore des chromos sulpiciens, qui a formé et forme toujours le principal du répertoire des chorales catholiques, probablement la musique la plus indigente qu'une religion ait jamais fait servir à son culte.

LA RÉSURRECTION DU GRÉGORIEN

Le grégorien devait ressusciter quand le XIXᵉ siècle romantique réhabilita le Moyen Age, se prit de passion pour ses cathédrales, sa statuaire, ses peintres, ses poèmes épiques.

La musique européenne, pour la première fois de son histoire, se retournait vers son passé, se souvenait de ses archives. La polyphonie médiévale avait enterré le plain-chant, la polyphonie de la Renaissance oublié ses ancêtres. Pour les deux siècles classiques, tout ce qui avait précédé Lully n'était que barbarie gothique. Par vieille habitude d'humanisme, on s'occupait des Grecs, mais on ne savait à peu près rien d'exact sur eux. L'histoire de la musique était le bas domaine de compilateurs mal informés et sans l'ombre d'esprit critique.

Le XVIIIᵉ siècle, sur sa fin, avait manifesté quelque intérêt pour les troubadours, qu'il ne connaissait guère que par des contrefaçons. Dès le Iᵉʳ Empire, des travaux plus sérieux s'amorçaient avec Alexandre Choron (1772-1834), qui a laissé un nom beaucoup moins par ses méchantes compositions que par ses activités acharnées et multiples. Ancien polytechnicien, directeur de l'Opéra où il faisait punir de prison les ténors et les barytons qui négligeaient de répéter, apôtre de l'enseignement musical, il avait été l'un des premiers à signaler les beautés enfouies dans les vieux chants d'Église, à entreprendre leur publication (très fautive), à organiser des concerts, peu courus, où l'on entendait les anciens maîtres.

Peu à peu, les recherches dans les bibliothèques, les sacristies et les combles des monastères remettaient à jour un trésor de vieux manuscrits. On découvrait que les neumes sans portée des plus anciens pouvaient être déchiffrés par comparaison avec les notations sur lignes. De son côté, l'Église, après les secousses de la Révolution, voulait un retour à l'ordre et aux sources, et le rétablissement en France de la liturgie romaine.

L'honneur des études décisives allait revenir aux Bénédictins, à commencer par le restaurateur de leur ordre en France, Dom Prosper Guéranger (1805-1875), premier abbé de Solesmes, vieux prieuré abandonné sur les bords de la Sarthe, où il avait reçu permission de s'installer et dont il rêvait de « refaire à petit bruit une miniature de son cher Moyen Age ». Dom Guéranger, tout jeune, avait été un admirateur et disciple de Lamennais, le Lamennais d'avant la rupture avec Rome, et qui se battait alors pour l'Église traditionnelle. Le premier écrit du jeune moine sur les anciennes séquences, l'année même de la bataille d'*Hernani,* est d'un style flamboyant, à la Chateaubriand.

Les autres ouvrages de Dom Guéranger, étayés par la pratique quotidienne de l'ancien chant avec le chœur de ses moines, ne portaient plus aucune trace de ce romantisme. Son élève et successeur, Dom Joseph Pothier (1835-1923), vrai musicien et grand médiéviste, entreprit avec la collaboration de Dom Mocquereau (1849-1930) le répertoire photographique, synoptique et commenté de tous les manuscrits du plain-chant. Ce labeur monumental, qui devait former les volumes de la *Paléographie Musicale,* permettrait d'établir la version la plus pure et la plus fidèle de chaque mélodie en comparant ses différents états. Pour le temps, le savoir, la patience, la minutie qu'il exigeait, il ne pouvait être mené à bien que par des bénédictins...

Longtemps discutée, entravée par l'hostilité ouverte ou feutrée de certains diocèses et les intrigues des éditeurs de musique qui étaient nantis de privilèges, la publication de la *Paléographie Musicale* recevait finalement en 1903 le patronage du Vatican. La même année, un *motu proprio* de Pie X, acquis déjà de longue date à cette idée, déclarait que « le vieux chant grégorien traditionnel devait être largement rétabli dans les fonctions du culte ».

Mais leur victoire trouvait les bénédictins français gravement divisés. Dom Pothier avait fait admettre partout, pour l'exécution du chant grégorien, le principe du rythme libre oratoire, non soumis à une mesure régulière, calqué sur le rythme du discours, avec des notes ayant comme les syllabes une valeur indéterminée, dont la proportion n'est fixée que par l'instinct de l'oreille : rythme à base d'intensité, sur une suite de temps forts et faibles, et subordonnant la musique au verbe. Dom Mocquereau se sépara de son maître. Tout en reconnaissant avec lui que le grégorien ne peut en aucune façon obéir à une mesure fixe, il reprochait au système de Dom Pothier d'être beaucoup trop imprécis. Il élabora, en l'appuyant sur l'étude des manuscrits et sur un traité de 1200 pages, la théorie du rythme libre musical dans le chant grégorien, rythme d'une précision absolue quoique sans mesure, où les temps, sans être de durée identique, existent, sont perçus par l'oreille; un rythme qui devient « affaire de mouvement, une relation non de temps faibles à temps forts, mais d'élans à repos, d'élans et de retombées, de levés et de posés, dans une suite d'ondulations comme celles des vagues de la mer ». L'accent rythmique est entièrement indépendant de l'accent tonique latin : « L'accent est un phénomène mélodique, non pas une force lourde, mais un élan, léger, vif, alerte. »

Dom Mocquereau insiste encore sur l'indivisibilité absolue du temps premier, dans le grégorien comme dans l'ancienne musique grecque. Si le temps premier correspond à une croche, il n'y a pas de place dans la pièce pour les doubles ou triples croches; le grégorien ne peut jamais comporter de triolets. L'exécution doit être très liée, formant une ligne continue, tout en laissant perceptibles les articulations, les incises verbales et mélodiques. Il faut veiller à la douceur des notes supérieures, qui ne constituent pas un point d'arrêt : « La montée appartient à la descente, elle la prépare, elle est comparable à l'arc roman, arrondie comme lui. »

Dom Pothier, esprit libéral, et qui voyait volontiers dans le grégorien « d'intéressantes combinaisons, fort musicales, de duolets, triolets, sextolets », ne prit jamais publiquement position contre Dom Mocquereau, son disciple émancipé. Mais les audaces de celui-ci, ses affirmations insolites – sa conception, entre autres, de l'accent latin, est des plus hétérodoxes – soulevèrent des polémiques d'une virulence inattendue en pareil domaine. Des moines pétris de science, de dignes prélats se sont jetés à la tête les antiphonaires et les encriers dans des querelles sur les « levés » et les « posés » qui évoquaient *Le Lutrin* de Boileau. Le musicologue allemand Peter Wagner alla même jusqu'à traiter Dom Mocquereau de « Grand Maître de la Franc-Maçonnerie grégorienne ». La controverse fut particulièrement aiguë entre les partisans de Solesmes et les « mensuralistes », qui pliaient le grégorien à la mesure, les uns la voulant rigoureuse, les autres mitigée.

Aujourd'hui encore, l'unité ne s'est pas faite, ce qui est compréhensible, puisque les divergences portent sur des points de paléographie aussi litigieux que la lecture exacte des neumes aux formes innombrables. En France, la méthode la plus répandue est celle de Dom Mocquereau, continuée à Solesmes avec enthousiasme par son successeur Dom Gajard. Elle a aussi des adeptes aux États-Unis, en Belgique, en Italie, en Autriche, en Suisse romande, et même dans des églises anglicanes de Grande-Bretagne. Cependant, l'abbaye de Saint-Wandrille, en Normandie, reste fidèle au style de Dom Pothier, qui fut un de ses abbés. Les « mensuralistes », dont les « rythmiciens » avaient annoncé depuis longtemps la disparition sous les risées, demeurent nombreux en pays germaniques, où ils s'appuient sur une érudition considérable.

En France, on connaît surtout le grégorien par les pèlerinages musicaux à Solesmes et les nombreux disques excellement enregistrés dans l'abbaye sous la fervente direction de Dom Gajard. Sans conteste, la méthode de Solesmes est celle qui communique le mieux au grégorien cette souplesse et cette limpidité que Richard Wagner admirait déjà. Mais on ne peut oublier que la théorie de Solesmes, quoiqu'elle n'en convienne pas, reste sur bien des points conjecturale, par exemple dans l'affirmation que les neumes n'ont pas été créés pour indiquer des nuances, que celles-ci se déduisent de la ligne mélodique – pour ne pas dire qu'elles sont laissées à la sensibilité des interprètes – ou encore dans l'établissement des *tempi* où l'arbitraire tient une grande place, en l'absence de toute indication sur les manuscrits.

Décantés note par note, les chants du chœur de Solesmes, dans leur bercement lent, sont d'une uniformité à laquelle échappent, jusqu'à un certain point, d'autres interprétations plus frustes et d'une moins haute tenue. Les commentaires des bénédictins nous étonnent, par l'univers de sentiments et d'idées qu'ils découvrent dans ces mélodies d'une sérénité monocorde : telle l'imploration angoissée qu'ils nous invitent à entendre dans le *De Profundis Clamavi* du dimanche de la Septuagésime, longue et placide mélodie ornée, dépourvue de tout accent dramatique, nullement appropriée aux paroles. Il est évidemment difficile à des auditeurs vivant dans le siècle de se faire la même âme que des moines qui passent leur existence entière sur cette musique, n'en connaissent plus d'autre, et reportent sur elle toutes leurs méditations, toute leur piété. Ce qui nous ramène à la définition religieuse du grégorien, une prière beaucoup plus qu'une musique. Les beaux disques de Solesmes favoriseraient donc une sorte de contresens. Le grégorien ne s'écoute pas « de l'extérieur ». Il doit être pratiqué, vécu, c'est-à-dire chanté dans le chœur.

De cette prière, musicalement assez primitive, Dom Mocquereau et ses successeurs ont fait cependant une œuvre d'art raffinée, dont l'exécution, obéissant à des règles subtiles et complexes, ne peut guère être confiée qu'à une élite de moines très exercés. On est loin du *motu proprio* de Pie X, qui parlait de rendre au grégorien son universalité médiévale. Il est vrai qu'aujourd'hui l'abandon du latin pour la majeure partie des offices nous éloigne encore davantage de ce noble programme. Les chants habituels des églises catholiques, qu'aucune réforme n'a pu tirer de leur médiocrité, semblent appelés à tomber au dernier degré de grossièreté ou d'insignifiance. De la restauration du grégorien, qui souleva tant d'espoirs et fit couler des fleuves d'encre érudite, il ne restera peut-être que les services, mais ceux-là inestimables, rendus par les savants moines de Saint-Benoît à l'archéologie musicale.

CHAPITRE IV

LES TROPES — LA MONODIE PROFANE : TROUBADOURS ET TROUVÈRES

Nous avons vu que le *trope*, à l'origine, n'était qu'un procédé mnémotechnique pour permettre de retenir les longues vocalises grégoriennes sur lesquelles on plaçait des paroles. Ces sortes de paraphrases, une fois détachées des pièces où elles s'étaient greffées, devinrent des morceaux indépendants, les *tropes de développement*, prenant place dans les offices sous le nom de proses ou séquences, se distinguant du style grégorien par leur rythme régulier et leur organisation en strophes rimées. C'étaient surtout des chants d'allégresse, réservés aux grandes fêtes.

Les tropes, dont les formes se multiplièrent à mesure que le grégorien s'abâtardissait, ne devaient pas garder leur place dans la liturgie. Le Concile de Trente, qui les jugeait trop fantaisistes et envahissants, les supprima, à l'exception de cinq séquences et d'un trope proprement dit, le *O Filii et Filiæ* de Pâques, trope du *Benedicamus*, que l'on chante encore sur un air refait au xviie siècle. Mais comme beaucoup d'innovations musicales fortuites et d'une simplicité presque puérile au départ, les tropes ont eu une grande importance historique à cause des genres qui ont dérivé d'eux. C'est ainsi que les *versus*, tropes par versets rimés, chantés durant les déplacements du clergé au cours des offices devinrent les *conduits* (chants de conduite) sur lesquels la polyphonie s'exerça longuement. Ecrits non plus sur des textes latins mais en langue vulgaire, ils inspirèrent les troubadours. Les séquences de forme symétriques, telles que le *Lauda Sion*, le *Dies Iræ*, ont été vraisemblablement à l'origine du *lai*.

LE DRAME LITURGIQUE

Le trope a surtout donné naissance au *drame liturgique*; ancêtre du théâtre occidental.

Durant le haut Moyen Age, toutes les traditions du théâtre antique avaient disparu. Selon de très vieilles constantes de l'humanité, le théâtre se recréa, dans le monde chrétien comme dans le monde grec, à partir de la cérémonie religieuse, mais avec de tout autres éléments.

C'est ainsi que le *Quem Quæritis*, trope à l'introït de la messe de Pâques, comportait dans son texte un dialogue entre l'ange du tombeau et les saintes femmes : « Qui cherchez-vous ici ? – Jésus de Nazareth. » Vers le milieu du Xe siècle, on commença à distribuer ce dialogue entre deux prêtres représentant les femmes et deux chapelains représentants les anges. Puis on y ajouta d'autres épisodes qui finirent par constituer toute une mise en scène : les Juifs demandant à Pilate de faire garder le tombeau, les femmes achetant les aromates à un charlatan (intermède comique), l'apparition du Christ à Emmaüs. On terminait par un *Te Deum* que chantait toute l'assistance et dont la tradition se maintint quand le drame fut représenté hors de l'Eglise.

On adapta ensuite le *Quem Quæritis* à la fête de Noël. On conservait la mélodie pascale, mais pour chanter « Quem quæritis in præsepe », « Que cherchez-vous dans la crèche », au lieu de « in sepulchro ». Les épisodes étaient symétriques les uns des autres, les sages-femmes remplaçant les anges pour accueillir les bergers. On fit encore intervenir les rois mages, le massacre des Innocents.

Les miracles, à partir de la fin du XIIe siècle – Drame de Daniel, Jeu de saint Nicolas, *Miracles de Théophile* de Rutebeuf – furent des amplifications des drames liturgiques, mais sans liens avec les offices et parlés. La musique n'y intervenait guère que pour le *Te Deum* final. Au XIVe siècle, on y inséra cependant des refrains, paroles nouvelles sur des airs connus. Au XVe, dans les grands Mystères de la Passion et de la Résurrection, la musique reprit un rôle important, mais sous forme de musique de scène, fanfares, marches, chœurs de démons et d'anges alternant avec le texte parlé.

LE DOMAINE PROFANE DE LA MONODIE

Nous ne possédons pour ainsi dire aucun échantillon des chansons profanes du Moyen Age antérieur au XIᵉ siècle. Ce répertoire dut cependant être très abondant, à en juger par la quantité des édits ecclésiastiques qui le condamnaient, l'excluaient des sanctuaires. Mais les moines négligèrent de le copier.

Les premiers exemplaires qui nous soient parvenus, et qui témoignent déjà d'une certaine évolution, concernent les chansons latines, dites goliardiques ou médiolatines. Elles devaient exister dès le IXᵉ siècle et leurs auteurs, pour la plupart, vivaient au nord de la Loire.

LES TROUBADOURS

Les troubadours furent les premiers poètes-musiciens qui abandonnèrent le latin pour la langue vulgaire, en l'espèce la langue d'oc. Ils semblent s'être d'abord formés dans le Limousin, grâce au centre de culture du grand monastère de Saint-Martial. Il ne faut pas oublier qu'à l'époque seuls les gens d'Eglise étaient capables d'enseigner la musique. Et toute musique qui se voulait distinguée prenait ses modèles dans les chants ecclésiastiques.

C'est ainsi que les premières mélodies de troubadours qui nous soient parvenues (fin du XIᵉ siècle, début du XIIᵉ) sont encore très proches des hymnes et des tropes. On veut d'ailleurs faire venir « troubadour » non plus de « trobador, trouveur », selon l'étymologie traditionnelle, mais de « tropatore », faiseur de tropes. Les chansons à sa dame de Jaufré Rudel, le troubadour saintongeais, pourraient être aussi bien des hymnes à la Vierge. Dans tout le répertoire, dont nous possédons plus de deux cent cinquante chansons notées, allant du début du XIIᵉ à la fin du XIIIᵉ siècle, les réminiscences grégoriennes sont fréquentes. En revanche, nous n'y trouvons pour ainsi dire aucune trace d'influence populaire. Les troubadours sont des gentilshommes qui ont cessé d'être uniquement des guerriers comme leurs ancêtres, ont reçu une culture dans les abbayes et font pour leurs pairs la musique savante de leur époque.

Ce caractère d'aristocratique passe-temps n'empêche pas les premières chansons de troubadours, celles entre autres de Guillaume d'Aquitaine, preux et croisé (1071-1127) d'être passablement grivoises. La femme n'y apparaît guère que comme la Margoton des refrains de corps de garde. Elle est ensuite la petite paysanne des pastourelles et bergeries, que courtise un chevalier ou qui s'amuse à des jeux champêtres. Vers la fin du XIIᵉ siècle, le platonisme de l'amour courtois devient le thème principal d'inspiration des troubadours. La chanson d'amour courtois, avec la belle en général inaccessible, est à trois personnages – le triangle classique – autour desquels gravitent le médisant qui épie les amants et le gardien qui les protège. Les sentiments s'expriment dans un langage très conventionnel, qui deviendra de plus en plus alambiqué, afin de n'être entendu que des cœurs vraiment raffinés. Tout un snobisme se crée ainsi autour des troubadours.

L'inspiration musicale vaut en général mieux que les textes. Le troubadour, qui compose à la fois paroles et musique, s'efforce d'inventer des airs nouveaux, plie son poème à ses idées mélodiques.

Les chansons de geste, d'autre part, dérivent de la litanie ecclésiastique. De longues suites de vers se chantent sur la même phrase mélodique très simple, avec ritournelle instrumentale pour permettre au chanteur de reprendre haleine. L'histoire qui se déroule ainsi a naturellement beaucoup plus d'importance que la mélodie, comme chez les conteurs orientaux. Nous possédons très peu d'exemples de ce genre, surtout dévolu aux chanteurs populaires, les jongleurs ambulants, qui sont de plus faiseurs de tours, montreurs d'animaux. Les *laisses strophiques*, venant aussi de la litanie, sont d'une forme plus savante. La mélodie y est développée avec des ornements concluant sur un court refrain indépendant. Les rondeaux, virelais, ballades ont eu leur origine dans le rondeau, chanson à danser de la forme la plus simple, où le chanteur et le chœur qui donne le refrain alternent sur le même air, avec une formule terminale au quatrième vers. Les chansons sans refrain de Jaufré Rudel, de Riquier sont très proches des hymnes ecclésiastiques.

Les troubadours cultivent des genres qui peuvent relever de l'une ou l'autre des formes que l'on vient d'indiquer. Les *sirventes* sont des chansons satiriques pour tourner en ridicule un ennemi. La *planh* est la déploration sur la mort d'un personnage illustre. Les *aubes*, musicalement plus élaborées, et que l'on peut rapprocher de certains alléluias du XIIᵉ siècle, sont des chansons narratives et dramatiques. Un ami, le *gaite*, veille sur le bonheur nocturne des deux amants, et les prévient que l'aube approche, qu'il va leur falloir se séparer. On entend parfois la réponse des amants qui refusent de se séparer ou gémissent sur la brièveté de la nuit. Wagner, en quelque sorte, a écrit une *aube* avec l'admirable chant de veille de Brangaine au second acte de *Tristan et Isolde*.

Du Poitou et du Limousin, les troubadours essaimèrent en Auvergne, en Gascogne, en Languedoc, en Provence. Nous connaissons par leurs noms plus de quatre cents d'entre eux. Outre Jaufré Rudel, les troubadours les plus fameux furent Marcabru, auteur de violents appels à la guerre contre les Sarrasins d'Espagne, Bertrand de Born, le remuant ennemi de Philippe-Auguste qu'il insultait dans ses sirventès, Bernard de Ventadour, dont les poésies amoureuses ont un ton de sincérité exceptionnel à l'époque, Raimbaut d'Orange, Peire d'Auvergne. Leur art s'anéantit lui-même à la fin du XIIIᵉ siècle dans un inextricable embrouillamini de la versification et de la pensée.

LES TROUVÈRES

Disciples en langue d'oil des troubadours, les trouvères apparurent au nord de la Loire dès le XIIᵉ siècle. L'un des plus anciens en date fut Chrétien de Troyes, dont les œuvres principales, les romans en vers de *Lancelot* et de *Perceval* n'appartiennent cependant pas à ce genre. Un peu plus tard, Blondel de Nesle, dont nous possédons deux douzaines de chansons assez fades, se fit une renommée de chanteur de charme qui lui valut au siècle suivant d'être mêlé légendairement aux aventures de Richard Cœur de Lion, roi d'Angleterre. Richard, arrière-petit-fils du duc-troubadour Guillaume de Poitiers, fut lui-même trouvère en langue française.

Quantité d'autres grands seigneurs furent aussi poètes-musiciens : Thibaut de Champagne, Conon de Béthune, Jean de Brienne, roi de Jérusalem (les croisades ont été étroitement liées à tout ce lyrisme), Pierre Mauclère, duc de Bretagne. Pourtant, l'art des « trouveurs » ne resta pas dans le Nord un apanage de l'aristocratie comme dans le Midi. Les *ménestrels*, roturiers qui n'étaient pas ambulants comme les pauvres jongleurs mais souvent attachés à une grande maison, avaient été d'abord méprisés parce qu'ils n'étaient qu'exécutants. Ils se mirent à leur tour à composer et acquirent dans ce métier argent et réputation. Avec eux, les gaillardises, dont les bergères étaient les héroïnes habituelles, reprirent le pas sur les subtilités de l'amour courtois. Leur tradition s'est perpétuée à travers les chansons de route de l'infanterie française.

L'art des troubadours était mort à force d'ésotérisme. Celui des trouvères sombra vers la même époque, à la fin du XIIIe siècle, dans l'ineptie triviale, tel le *jeu-parti*, série de questions et de réponses biscornues, par exemple : peut-on sacrifier un gros héritage au plaisir de manger un plat de pois au lard ? Jacques Chailley rappelle que dans la seule ville d'Arras, on comptait vers 1270 cent quatre-vingt-deux trouvères bourgeois, tous adonnés à ces fines plaisanteries. Il y avait cependant parmi eux l'un des musiciens les plus inventifs du temps, Adam de la Halle, mais qui dans ce genre abâtardi était aussi médiocre que ses confrères.

Avant cette décadence, cependant, les trouvères du XIIIe siècle avaient marqué sur les troubadours une intéressante évolution. Ils étaient davantage dégagés des modes liturgiques. On trouve dans leurs recueils des chansons annonçant les tonalités classiques, sonnant pour nos oreilles en ut majeur, en fa majeur, ce qui n'est le cas pour aucun chant d'Eglise. Ils avaient plus de liberté dans les nouveaux poèmes à forme fixe, rondeaux, virelais, ballades.

Chez les trouvères comme chez les troubadours, le rythme obéissait de plus en plus à la mesure. Quant aux instruments, ils n'avaient guère d'autre rôle que d'accompagner le chant en le doublant tout simplement. Instruments à corde presque toujours, vielles à archet, lyres celtiques, luths. Les instruments à vent étaient surtout destinés aux danses.

Nous avons vu plus haut que l'on ne reconnaissait pas d'origines populaires aux chansons de trouveurs. Mais des châteaux elles descendirent vers le peuple, qui les adopta sous des formes simplifiées. Ce sera là un phénomène fréquent dans le cours de l'histoire musicale.

TROUBADOURS ET TROUVÈRES HORS DE FRANCE

Né en France, l'art des trouveurs devint rapidement international. Dès le début du XIIIe siècle, de nombreux troubadours provençaux, chassés par la guerre des Albigeois, étaient passés en Italie. Presque aussitôt, à leur exemple, apparurent des troubadours italiens, Cigala, Sordello, Zorzi, mais employant le provençal dans leurs poésies. Les premiers vers en langue italienne pourraient bien avoir été écrits par un français, Raimbaut de Vaqueiras. La *ballata* italienne, primitivement chanson à danser, était construite sur le modèle de nos ballades. Les troubadours siciliens calquaient leurs chansons sur celles des Provençaux.

On a cependant exagéré cette dépendance de l'Italie à l'égard de la France d'oc. Nous le voyons par les *Laudi Spirituali*, poésies religieuses des disciples de saint François d'Assise, et plus particulièrement par le *Laudario 91 de Cortone*, conservé dans la bibliothèque de cette ville, et qui a été fort soigneusement édité et enregistré. C'est un cycle de petites pièces en langue italienne sur la Nativité et la Passion, l'équivalent musical des polyptyques peints sur la vie de la Vierge et la vie du Christ. La musique, avec son idéal de sérénité un peu mélancolique, rappelle encore le dessin grégorien. Mais elle incline vers les tonalités modernes. On y distingue déjà une certaine liberté mélodique, surtout un sens de la voix, une sorte de volupté vocale qui tranchent sur l'austérité liturgique. On date le *Laudario* de 1260 environ. L'Italie était donc en train d'acquérir une personnalité musicale, qu'on reconnaîtra tout au long de l'histoire, un bon demi-siècle avant l'*ars nova* florentine souvent considérée comme sa première manifestation.

L'Espagne, de son côté, s'ouvrit largement à l'art des troubadours français dès la fin du XIIᵉ siècle. Guiraut de Borneilh, Marcabru, Guiraut Riquier avaient franchi plusieurs fois les Pyrénées, reçu l'accueil des seigneurs aragonais, catalans et castillans. Les jongleurs se produisaient en grand nombre sur la route de Saint-Jacques de Compostelle, Alphonse X le Sage (c'est-à-dire le Savant), roi de Castille et d'Aragon de 1252 à 1284, l'une des grandes figures de l'Espagne médiévale, de savoir encyclopédique, juriste, mathématicien, astronome, historien, poète, musicien, le premier de son temps à s'être servi d'une langue nationale pour des traités scientifiques, se mit à l'école des troubadours français quand il écrivit en dialecte galicio-portugais ses *Cantigas de Santa Maria*. On conseve à l'Escorial 430 de ces Cantiques, dont Alphonse fut soit l'auteur soit l'éditeur, tous directement inspirés des légendes de Gautier de Coincy, poète picard, et de Jacques de Voragine, et calqués pour la musique sur le schéma de notre virelai. Comme il était bien de son temps, où l'on ne s'effarouchait pas des gros contrastes, Alphonse le Sage composa aussi des *Cantigas de Escarnio*, d'une copieuse obscénité, inspirés par l'existence picaresque d'une certaine Balteira, qui outre son métier de fille à soldats et d'espionne du roi chez les Maures, mérite une citation musicale, puisqu'elle fut une des rares femmes-ménestrels de l'histoire.

En Catalogne, l'influence des troubadours provençaux se prolongea jusqu'au XVᵉ siècle. Plus bas, dans le Levant, à Elche, la ville africaine au milieu de ses palmiers, le pittoresque Mystère de la mort et l'assomption de la Vierge, encore représenté chaque année les 14 et 15 août avec beaucoup de pompe et de couleur dans l'église Santa-Maria, a pour scénario un texte en dialecte limousin datant du XIIIe siècle. La musique a été refaite en polyphonie sous la Renaissance, mais il subsiste quelques fragments de la monodie originale, très vraisemblablement française, et peut-être empruntée au troubadour Raimbaut de Vaqueiras.

Ce furent encore les troubadours provençaux qui servirent d'initiateurs aux Minnesänger allemands de Bavière, de Rhénanie, de Thuringe, Friedrich von Hausen, Heinrich von Morungen, Ulrich von Gutenberg, comme eux seigneurs de haut lignage. Ainsi que l'ont reconnu très objectivement les érudits d'Outre-Rhin, toutes les formes françaises se retrouvent en Allemagne. L'aube devient le *Tagelied*, le chant de croisade le *Kreuzlied*, le *Leich* procède du lai. Les lieux communs de l'amour courtois passent directement de l'une à l'autre langue, aussi fades d'ailleurs chez les Allemands, que chez leurs modèles. Les Minnesänger[1] du XIIe siècle, Walther von der Vogelweide, Wolfram von Eschenbach, dont on retrouve les noms chez Wagner, sont plus personnels, surtout dans leurs œuvres d'inspiration religieuse. Comme l'esthétique des troubadours et des trouvères en France, celle des Minnesänger s'éteignit à la fin du XIIIe siècle. On en retrouva toutefois le souvenir chez les *Meistersinger* (Maîtres chanteurs) bourgeois et citadins, dont les confréries commencèrent de s'organiser au XIVe siècle. Mais ces poètes populaires, à l'accent de plus en plus germanique, appartiennent à un autre chapitre.

En Angleterre, sous les premiers Plantagenet, l'aristocratie cultiva l'art des trouveurs, avec d'autant plus de facilité que la langue de l'époque était le franco-normand. Mais les *minstrels* proprement anglais ne dépassèrent guère l'état de jongleurs, et ne constituèrent jamais une école nationale.

En bref, l'esthétique des troubadours et des trouvères, si elle fut européenne — on a retrouvé ses traces jusqu'en Hongrie — conserva partout la marque de son origine française. Mais limitée à la chanson et au récitatif monodiques, elle ne pouvait être qu'étouffée par l'essor de la polyphonie, qui justement coïncida avec sa décadence et sa disparition.

---

1. *Minnesänger* : chantres de l'amour. *Minne* est un vieux mot poétique pour *amour*, sans équivalent en français. *Cf.* l'hymne à Dame Minne, l'antique déesse germanique de l'amour, au second acte de *Tristan et Isolde* de Wagner.

CHAPITRE V

LES DÉBUTS DE LA POLYPHONIE

Il est aussi difficile d'établir l'antériorité de tel ou tel pays en matière de polyphonie que pour la plupart des grandes étapes de l'histoire de l'art.

Dès le VIIᵉ siècle, saint Isodore de Séville, le théoricien espagnol, parle dans un de ses traités de deux parties différentes, chantant à un intervalle de quarte ou de quinte. Des chants à deux voix auraient existé vers la même époque à Rome et à Byzance. Jean Scot Erigène, le théologien écossais, né vers 810 et mort vers 877, décrit des polyphonies à deux voix et leur donne déjà le nom d'*organa*. Selon d'autres textes d'origine anglaise, les Écossais, les Irlandais, les Gallois pratiquaient depuis des temps immémoriaux des chants à plusieurs voix sur des intervalles d'ailleurs mal définis, tierces, quintes ou quartes. Henry Prunières observe très justement que tous les peuples celtes, joueurs de cornemuse, possédaient l'outil d'une polyphonie élémentaire avec cet instrument dont le bourdon accompagne de sa note continue la mélodie du chalumeau.

Il serait superflu de s'attarder davantage à ces détails historiques. La polyphonie existait à l'état quasi naturel durant le haut Moyen Age, comme à toutes les époques de l'humanité et dans tous les lieux de la terre. Le fait nouveau, c'est qu'un peu partout en Europe, des hommes ayant pour métier ou pour objet de réflexion la musique se mirent à prendre conscience des ressources ignorées jusque-là de ce phénomène et pensèrent à l'organiser.

Le premier repère certain que nous possédions sur leurs travaux se trouve dans un traité théorique du IXᵉ siècle, la *Musica Enchiriadis,* longtemps attribué à Hucbald, bénédictin de Saint-Amand près de Valenciennes, et qui serait d'un autre moine, Otger ou Ogier, peut-être du diocèse de Laon.

Ogier donne la description complète d'un chant appelé *organum parallèle* ou diaphonie, qui superpose au plain-chant un contre-chant — nous dirions aujourd'hui un accompagnement. La mélodie liturgique est à la voix supérieure. La voix inférieure, sans doute confiée à un instrument, dite voix organale, émet une première note à l'unisson de la voix supérieure, puis s'éloigne d'elle diatoniquement jusqu'à l'intervalle de quarte où elle se maintient pour revenir ensuite progressivement à l'unisson. Ogier en parle comme d'un procédé déjà courant autour de lui. Il s'agit bien d'une ébauche de contrepoint, mais très primitive, où la voix organale est complètement assujettie à la mélodie supérieure. Un principe encore presque uniquement mécanique, devant lequel les théoriciens sont perplexes, divisés, mais qui suscite partout l'admiration des auditeurs, savourant le plaisir d'entendre simultanément deux sons différents, et plus intuitifs dans leur naïveté que les hommes de science.

Cette diaphonie subit, semble-t-il, assez peu de transformations durant une centaine d'années. Puis au XIᵉ siècle, vraisemblablement autour de la très active abbaye de Saint-Martial de Limoges, une nouvelle forme apparaît, le *déchant à mouvement contraire*. La mélodie liturgique, ou si l'on préfère le chant à accompagner passe à la voix inférieure, tandis que la voix organale prend la place du dessus et y acquiert beaucoup plus de libertés. Mais la grande innovation du procédé, c'est le double mouvement imprimé aux voix : tandis que l'une monte, l'autre descend, et réciproquement. La découverte est assez mince, plus artisanale que géniale — il en sera de même pour bien des étapes décisives de la musique — mais elle renferme l'embryon de toutes les combinaisons du contrepoint.

L'ARS ANTIQUA *A L'ÉCOLE DE NOTRE-DAME.* *LÉONIN ET PÉROTIN*

Ce fut Paris qui vit les premiers fruits de ces nouveautés et fit ainsi, au XIIᵉ siècle, son entrée dans l'histoire musicale.

L'école de Notre-Dame, portant le nom de la cathédrale dont la reconstruction commença en 1165, était devenue rapidement un des pricipaux foyers musicaux de l'époque. On y avait d'abord vu apparaître l'*organum* (ou contrepoint) *fleuri*. Dans cette forme, le « déchanteur » de la voix organale brodait des vocalises de plus en plus libres sur la mélodie liturgique de la voix inférieure, chargée de soutenir le déchant, « discantum tenere », d'où le terme de *teneur* et un peu plus tard celui de *ténor*. C'était en quelque sorte une greffe du nouvel art occidental sur l'antique monodie grégorienne qui fournissait toujours la *teneur* liturgique, une manière d'en parer l'austérité avec des ornements musicaux pour les offices des grandes fêtes. Avec les longues notes tenues du thème grégorien, sur lesquelles se dessinaient les volutes légères du déchant, cette musique aérienne était bien celle qu'appelaient les nouvelles nefs gothiques. Ces amples tenues sont d'une telle durée que lorsque la note change, l'effet pour nos oreilles modernes est celui d'une véritable modulation. Dans une métaphore très opportune, Bernard Gagnepain écrit : « La coloration est toute différente, on dirait d'une rosace dont l'éclairage se modifie brusquement. » Les longues notes interviennent comme prélude et finale de l'organum. Dans l'intervalle, le thème grégorien revient sur terre, épouse même le rythme marqué du déchant.

Les tropes étaient nés des vocalises de l'ancien grégorien. Par un procédé analogue, on plaça des paroles sur les vocalises de l'organum, et on leur donna le nom de « petit texte », en latin *motetus* : donc, *motet*. Un genre destiné à la fortune la plus durable, à travers maints avatars. Dès les premiers motets, la mélodie liturgique de la teneur était abrégée, réduite au rôle d'un élément du contrepoint, pour ne pas dire d'un prétexte à ce contrepoint.

Le conduit, d'autre part, ancien chant processionnel, en devenant polyphonique, s'affranchissait entièrement du thème liturgique obligatoire dans les autres genres. A la teneur comme au déchant, ses mélodies sont inventées. Nous nous trouvons enfin devant une musique chrétienne qui ne doit plus rien au fonds ecclésiastique, qui peut être une création originale.

L'École de Notre-Dame allait développer et enrichir considérablement toutes ces formes nouvelles de l'*Ars Antiqua*, selon le terme dont on se servirait au siècle suivant. Pour la première fois aussi un centre musical ne s'illustrait plus seulement par une activité collective, mais par les noms de ses compositeurs.

C'est ainsi que deux artistes, Léonin et Pérotin, ont attaché leurs noms à l'École de Notre-Dame. Des circonstances de leur vie, nous savons peu de chose. On ne se préoccupait guère alors de biographies. Tout le Moyen Age est d'ailleurs d'un désespérant laconisme quant aux détails quotidiens de son existence, qui pour nous seraient sans prix, mais qui justement, parce qu'ils étaient connus de chacun, ne paraissaient pas dignes d'être consignés, en lente calligraphie, sur les coûteux parchemins des manuscrits. Les deux musiciens, très probablement, étaient hommes d'Église. Leur réputation fut très grande, à en juger par les louanges latines, abondantes en superlatifs, que leur décernèrent les contemporains. On attribue à Léonin le *Magnus Liber Organi*, composé entre 1160 et 1180, qui devait renfermer un cycle de chants pour toute l'année liturgique. Il en reste quatre-vingts *Organa*, à deux voix. Ce sont des pièces beaucoup plus étendues que toutes les polyphonies antérieures; l'exécution de certaines d'entre elles dure une vingtaine de minutes. La voix organale, qui était souvent laissée jusque-là à l'improvisation du chantre, est soigneusement dessinée, la teneur est traitée plus librement, le rythme grégorien fait place à de nouvelles valeurs rythmiques empruntées aux trouvères.

Pérotin, élève de Léonin et son successeur comme maître de chapelle de Notre-Dame, a travaillé entre 1180 et 1236 environ. Son art est en grand progrès sur celui de son maître. Il écrit pour trois et même quatre voix, et ces voix évoluent par mouvements contraires avec une aisance inconnue avant lui. C'est un phénomène artistique analogue à l'entrée du dessin florentin de Cimabue dans les schémas de la peinture byzantine. Certaines voix sont confiées à des instruments, orgues, flûtes qui ont maintenant le droit de pénétrer dans les églises, et ces ensembles émerveillent l'assistance. Pérotin est plus concis que Léonin, il élimine les formules de remplissage que son maître tolérait encore, il s'efforce à des tournures expressives qui nous paraissent très ingénues, mais qui avaient pour le temps un grand pouvoir poétique et pittoresque, telle sa cascade de notes descendantes sur le *pluunt* du *Rorant Caeli*.

Les historiens du début de notre siècle bronchaient encore aux rugosités des rencontres de quartes et de quintes entre ces lignes mélodiques qui allaient leur chemin sans souci de l'harmonie, au sens moderne du mot. Ces « cruautés » sont devenues fort bénignes pour nos oreilles. Nous remarquons davantage que les compositeurs de l'École de Paris abandonnent les modes ecclésiastiques, toujours enseignés par les théoriciens (à la manière de nos professeurs de Conservatoires jugeant leurs élèves selon l'harmonie de Rameau en pleine liquidation de la tonalité) mais que déjà les trouvères des générations précédentes étaient en train d'oublier. L'échelle d'*ut* s'impose de plus en plus, alors qu'elle était condamnée par les moralistes à cause de ses demi-tons générateurs de « sensibles » équivoques. Pérotin et ses disciples anonymes utilisent les gammes d'ut, de fa, de sol. Dièses et bémols font leur apparition. On se met à écrire des accords parfaits sur les temps forts. Le mode majeur, instinctif chez le peuple en Europe, fait bien son entrée dans la musique savante.

La notation rythmique n'existe pas encore. L'École de Paris, parmi ses autres innovations, cherche à y suppléer en groupant les *ligatures* (notes liées d'un seul mouvement de plume) des vocalises selon leur valeur rythmique, puis en classant les différents rythmes sous une rubrique des *modes rythmiques,* aux noms empruntés à la métrique ancienne, iambes, trochées, dactyles, etc. Ces rythmes sont encore tous *ternaires,* traditionnellements symboliques de la Trinité.

Pour juger équitablement les compositeurs de l'École de Notre-Dame et leur rôle, il faut les écouter après une collection de disques grégoriens, et se rappeler qu'il ne s'était guère écoulé plus d'un siècle entre les premières tentatives de polyphonie artistique par mouvements contraires et les motets à quatre voix des Parisiens. La musique avait bougé beaucoup plus durant cette centaine d'années que depuis des millénaires. L'emploi de quelques mécanismes nouveaux l'engageait dans une complexité croissante, dans une série d'acquisitions qui d'une génération à l'autre transformaient sa physionomie. Ce qui est plus émouvant que les œuvres elles-mêmes, ce sont les virtualités qu'elles renferment et que l'on voit s'épanouir quelques lustres plus tard. Avec Pérotin s'ouvre ainsi, pour trois siècles et demi, une période remuante, en évolution constante.

Ce n'est pas que cette marche en avant de la musique médié-vale n'aille sans bizarreries dont nous avons peine à nous expliquer le succès. L'une des plus déroutantes a concerné le motet. Sa liberté d'allure ne lui laissait plus guère de place dans la liturgie. Dès le vivant de Pérotin, il se répandait hors des églises et se laïcisait. L'indépendance de ses voix allait amener par un étrange abus à doter chacune d'elles d'un texte différent. Souvent la vieille teneur grégorienne, étirée, découpée en cellules rythmiques était conservée comme le rappel d'un thème familier. Mais sur ces paroles latines, la voix organale développait un texte profane en français. Une troisième voix, le *triplum,* une quatrième, le *quadruplum,* venaient se poser par dessus, chacune avec ses paroles. Quelquefois, un lien symbolique existait entre ces monologues concomitants, permettait d'en tirer une morale. Mais le plus souvent, avec le serein mélange des genres propre à cette époque aussi croyante qu'étrangère à la pruderie, on chantait en même temps un vieil hymne fort dévot à la Vierge, en latin ecclésiastique, une chanson grivoise où culbutaient les bergères, les langueurs d'un gentilhomme percé par l'amour platonique et des strophes satiriques contre la rapacité d'un seigneur.

Ces salades si déconcertantes pour nos esprits l'étaient sans doute moins pour les contemporains qui ne soupçonnaient ni l'audition ni la lecture verticales de la musique. Cependant, nous concevons mal à quel but elles pouvaient bien répondre. Vraisemblablement, ces motets hétéroclites devaient être réservés à des exécutions intimes, comme presque toute la musique profane de cet âge, destinée à être pratiquée et non entendue passivement. Les textes variés, en différenciant mieux les voix, facilitaient ces exécutions à des amateurs déjà rompus aux jeux de mots de la poésie galante, et qui se divertissaient peut-être à découvrir entre leurs chansons des allusions, des plaisanteries dont le sens s'est perdu depuis longtemps.

Quoi qu'il en fût, sous cette forme, le motet devenait de plus en plus un exercice de pure technique où le compositeur s'évertuait à bien séparer les voix. Le XIIᵉ siècle tout entier s'y livra sans en épuiser le plaisir. L'un des plus adroits parmi les virtuoses du motet était Adam de la Halle, dit le Bossu, né à Arras vers 1235, mort vers 1288 en Italie où il avait suivi son maître le comte d'Artois. Nous l'avons déjà croisé parmi les trouvères de la décadence, manipulant comme eux des rébus médiocres. Mais il avait beaucoup d'autres cordes à son arc. Il a laissé son nom dans toutes les histoires littéraires ou musicales grâce à son *Jeu de Robin et Marion*. Ce *Jeu* passe pour l'ancêtre de l'opéra-comique. Disons plutôt de la comédie-ballet à la façon du XVIIᵉ siècle, car la part de la musique s'y limite à une demi-douzaine de chansons et à des danses. C'est la mise en scène des pastorales déjà chantées par les trouvères, un genre qui va traverser les siècles, mais qui est encore d'une saveur très rustique, bien qu'il s'adresse au public le plus élégant de l'époque. Le naturel du ton anime la convention du petit scénario. Le jeune seigneur ne se met pas en frais de grandes tirades courtoises pour séduire Marion, la bergère « au corps gent ». Il lui propose sans beaucoup de formes une passade derrière le premier bosquet. Il n'est pas brutal non plus, insiste peu quand elle se rebiffe. Marion, assez fine mouche, n'est nullement troublée par ce galant qui ne cherche qu'à batifoler un moment, elle feint avec lui la naïveté jusqu'à la niaiserie. En revanche, avec Robin son promis et les autres paysans assez capons et lourdauds, elle garde ses distances, joue les coquettes, prend des airs de dame. Adam de la Halle était déjà un observateur assez malicieux. Musicalement, c'est dans ses rondeaux, écrits pour la première fois par lui en style polyphonique, qu'il a donné le meilleur de son talent. L'inspiration mélodique en est très gracieuse. Adam y apporte encore une innovation formelle en faisant passer la teneur à la voix médiane. Elle est remplacée à la voix inférieure par la *contreteneur,* qui n'est plus un thème obligé mais un chant libre et va pouvoir ainsi remplir la fonction de la *basse fondamentale,* sur laquelle toute la musique s'édifiera à partir du siècle suivant.

LES DEBUTS DE LA POLYPHONIE EN ANGLETERRE

La musique anglaise est un cours d'eau qui se perd aussi brusquement et mystérieusement qu'il resurgit. Ses périodes de fécondité sont des oasis éparses sur de vastes landes de temps stériles.

Les premiers chapitres de son histoire furent cependant riches et originaux. L'Angleterre a été certainement avec la France la contrée la plus active durant la période initiale de la polyphonie. On lui a même attribué un rôle prédominant sur celui de la France. La controverse s'est longuement poursuivie, avec des arguments changeants, selon le libéralisme ou le chauvinisme des musicographes.

On voit mieux aujourd'hui que toute opinion trop catégorique en cette matière est fatalement erronée. Il existait en Grande-Bretagne une tradition de polyphonie populaire, d'origine celtique ou scandinave, ou peut-être des deux, sans doute plus ancrée que partout ailleurs en Europe. D'autre part, la conquête normande y avait multiplié les rapports avec la France. La première musique anglaise est née de ces deux éléments, comme l'architecture des cathédrales anglo-normandes.

Le plus ancien document britannique est le Tropaire de Winchester, recueil de cent cinquante *organa,* écrits note contre note, avec la voix principale dessous, et qui date du XIe siècle; mais ses neumes encore archaïques, sans portée ni clef, n'ont pu être déchiffrés que très approximativement; le style des pièces semble voisin de celui qui se pratiquait alors à Chartres. Quelques textes ultérieurs, du début du XIIᵉ siècle, à deux voix par mouvements contraires, rappellent les procédés de l'abbaye limousine de Saint-Martial.

Les Anglais ont tenu une place importante dans l'École de Notre-Dame. Mais de là à dire comme certains qu'ils l'ont fondée, il y a une sérieuse marge, et que l'on ne franchira pas, tant que l'on n'aura pu prouver, comme le dit Prunières, que Léonin et Pérotin étaient anglais, irlandais ou gallois. Ce qui est établi, c'est que les musiciens britanniques, familiarisés avec notre art et notre langue, furent très vite et en grand nombre attirés par le célèbre foyer parisien, en y apportant leur propre expérience de la polyphonie. Cette collaboration fut très fructueuse. Nous devons aux théoriciens anglais, entre autres à Jean de Garlande, les renseignements les plus précis sur l'École de Notre-Dame, de même que les éloges les plus vifs de Pérotin, qui choisit comme successeur un de ses disciples insulaires, Robert de Sabilon. Dans les beaux manuscrits anglais de l'époque (fin XIIᵉ, début XIIIᵉ), on démêle difficilement l'apport de chacune des deux écoles. Les Britanniques sont extrêmement proches des Parisiens, aussi habiles. Parmi leurs traits nationaux, on relève un emploi assez fréquent des accords de tierces, toujours tenus pour non-consonants en France (à rattacher aux fameux *gymel* populaire à deux voix, ainsi nommé du latin *gemellus*, chant « jumeau »), et encore une certaine tendance conservatrice qui deviendra typiquement insulaire, telle une fidélité au style de Saint-Martial entièrement démodé pour les Parisiens.

Au cours du XIIIᵉ siècle, la musique anglaise prend une physionomie beaucoup plus personnelle. Des provincialismes y subsistent encore, comme les *organa* abandonnés en France. Mais les tierces et les sixtes y deviennent de plus en plus fréquentes, de même que les mesures binaires dans les motets dont les voix mêlent comme chez nous le latin et la langue vulgaire. L'innovation la plus heureuse des Anglais, et qui leur assure une avance sur les continentaux, est le canon, forme encore ingénue de la polyphonie, puisque ce n'est qu'un décalage régulier dans l'attaque des différentes voix, — chaque partie attaquant après l'autre en répétant le même chant — mais qu'ils traitent aussitôt fort ingénieusement et avec une complexité assez étonnante pour l'époque.

On leur doit ainsi le premier canon à six voix de la musique, dont un double *ostinato* (fragment mélodique continuellement repris) aux deux parties inférieures, *Sumer is icumen in*, le *Frére Jacques* anglais, en dialecte du Wessex.

> *Summer is icumen in*
> *Lhude sing Cucu*
> *Groweth sed and bloweth med...*
> *L'été est venu.*
> *Chante clair, coucou !*
> *Les plantes croissent, le pré fleurit...*

L'habileté de la contruction n'enlève rien à la fraîcheur populaire de la petite pièce. La recherche d'une sonorité pleine, unissant l'entrain et la solennité, indique déjà une constante typique du goût anglais, qui trouvera d'ailleurs sa plus brillante expression dans les oratorios d'un « continental » très imparfaitement naturalisé, le Saxon Haendel.

CHAPITRE VI

LE XIVe SIÈCLE. L'ARS NOVA

Bernard Berenson commençait avec Cimabue, Giotto et Duccio ses études sur les peintres italiens de la Renaissance. On pourrait tout aussi bien détacher du Moyen Age le XIVe siècle musical. Pour ne pas bousculer la chronologie habituelle en France, nous le maintiendrons dans sa rubrique médiévale. Mais c'est bien un siècle où s'accélèrent les mouvements esthétiques, moraux et sociaux amorcés dans l'époque précédente. Les esprits s'émancipent. L'Église a perdu son hégémonie sur l'art, la pensée, la culture. Elle est d'ailleurs gravement troublée par l'exil des papes en Avignon, à partir de 1309, puis par le grand schisme d'Occident et la série des « antipapes » dans le dernier quart du siècle. La foi a perdu la sérénité et la transcendance qu'exprimaient encore les polyphonistes de Notre-Dame. Le bloc compact de la théologie, auquel répondait l'hiératisme grégorien, s'est fissuré. Le naturalisme des philosophes anglais s'oppose à l'édifice intellectuel de saint Thomas d'Aquin. Les croyances sont entrées dans la phase de la discussion. D'autre part, l'opinion publique est née. Les bourgeois et les corps de métier ont pris conscience de leur force, même s'ils n'en font l'essai que par coups de boutoir, comme à Paris autour du politicien Etienne Marcel.

La musique est encore trop jeune, avec des ressources trop courtes, pour dire comme l'architecture et la sculpture cette mue d'une société. Mais elle y participe de son mieux. Sous les frémissements qui l'agitent, on devine la montée de la sève.

PHILIPPE DE VITRY ET L'ARS NOVA

C'est la France qui, musicalement, garde le rôle d'initiatrice. On y voit d'abord un théoricien, Philippe de Vitry, gentilhomme

d'Église et Champenois d'origine, né en 1291, mort évêque de
Meaux en 1361. Ce prélat, dont la vocation semble avoir été
tardive, et qui mériterait bien qu'on lui consacrât une monographie, est déjà un grand Renaissant par la multiplicité de ses
dons et de ses curiosités, le flux de ses idées, toutes portées vers
la découverte. Son sens politique fait de lui le secrétaire de deux
rois, Charles IV, Philippe VI, puis le conseiller d'un troisième,
Jean le Bon. Poète, il traduit les *Métamorphoses* d'Ovide, il est en
correspondance avec Pétrarque qui le couvre de compliments.
Pour la musique, qui a dû occuper la plus grande part dans sa vie,
c'est un théoricien d'avant-garde, qui intitule *Ars Nova* son principal traité, deux mots qui vont devenir la devise de toute l'époque.
Ce que nous connaissons le moins bien, c'est son œuvre de
compositeur, qui lui valut d'être appelé *flos et gemma cantorum*.
On l'a crue tout entière perdue. On lui a restitué aujourd'hui, mais
sans certitude absolue, une quinzaine de pièces anonymes, plus
savantes que sensibles, disent les critiques qui les ont étudiées, ce
qui serait assez bien dans le caractère d'un musicien de spéculation.

Les innovations les plus précieuses du théoricien Vitry concernent la rythmique. Il perfectionne ingénieusement sa notation
restée flottante jusque-là. Il indique la mesure par des signes
différents placés après la clef, carré avec barres à l'intérieur,
cercle avec ou sans point, demi-cercle avec ou sans barre, le C ou
le ℂ que nous avons conservés pour nos mesures à quatre et deux
temps. Il introduit la *minime*, qui a la forme de la blanche d'aujourd'hui, la *semi-minime* correspondant à notre noire. La couleur noire ou rouge des notes apporte encore d'autres précisions,
selon un code compliqué, que l'on simplifiera heureusement par
la suite, mais qui dans l'immédiat représente le plus utile progrès.
Les mesures binaires, bien entendu, s'installent définitivement
dans la musique tant sacrée que profane.

Les modes rythmiques encore si vagues instaurés par le XIIIᵉ
siècle deviennent périmés en quelques années. Les compositeurs,
émerveillés du champ que leur ouvre la nouvelle notation, se
lancent aussitôt dans d'innombrables combinaisons rythmiques,
quelquefois si audacieuses que l'on n'en reverra plus l'équivalent avant le milieu du XXᵉ siècle. C'est l'exemple frappant de
l'imagination créatrice mise en branle par un progrès du matériel
musical. Alors que cinquante ou soixante ans plus tôt, l'isorythmie
(rythme égal pour toute pièce) gouvernait encore la majeure
partie de la musique, on écrit à présent des morceaux où chaque

voix marche selon une mesure différente, aux temps variables. La polyrythmie s'unit ainsi à la polyphonie. Pour surprendre l'oreille, on réintroduit de temps à autre, des épisodes isorythmiques, mais encadrés par des rythmes libres. Deux procédés nouveaux qui se généralisent rapidement sont la *syncope*, qui n'est pas comme de nos jours le prolongement sur un temps fort d'un son émis sur un ton faible mais un mélange complexe de rythmes interrompus et repris, et surtout le *hoquet*, contretemps en écho obtenu en faisant alterner brièvement d'une voix à l'autre notes et silences.

Le terme *contrepoint* fait son entrée dans le vocabulaire et se définit comme « l'art de faire chanter simultanément deux ou plusieurs mélodies différentes ». L'essentiel de la musique, c'est toujours le mouvement de ces mélodies superposées, dont chacune a son autonomie, et qui se contentent d'observer entre elles la consonance à leurs principaux points d'intersection. Mais dans le courant du xive siècle, à travers cette « horizontalité », on voit se faire jour des pressentiments de la musique verticale, qui modifie les mouvements mélodiques en vertu de l'ensemble, autrement dit, la sensibilité harmonique s'affine et va créer une nouvelle science des « agrégations », des accords.

On voit apparaître de plus en plus souvent les cadences parfaites. Le chromatisme avec dièses et bémols s'étend, le passage de la sensible à la tonique ne se fait plus par tons entiers mais par demi-tons. La musique devient encore descriptive, s'efforce de suggérer par des stylisations assez frustes mais d'un sentiment juste et vif, les cris de la rue, les rumeurs de la chasse, le fracas de la bataille, le chant des oiseaux. Ce sera, deux siècles plus tard, l'une des sources de Janequin. D'autre part, la musique instrumentale, jusque-là servante modeste du chant, gagne un début d'indépendance dans les transcriptions de pièces vocales pour luth, flûte, écrites selon les ressources propres et la technique de ces instruments.

GUILLAUME DE MACHAUT

Mais la vraie gloire musicale de ce xive siècle est d'avoir vu naître Guillaume de Machaut.

Pour la première fois depuis le début de cette histoire, nous pouvons mettre sur le nom d'un musicien presque mieux qu'un

visage : une biographie. Machaut, qui domina l'*ars nova* comme
Pérotin avait dominé l'*ars antiqua,* naquit en Champagne, entre
1295 et 1300. Une fois terminées ses études, qui avaient dû être
très complètes et brillantes, il devint le secrétaire de Jean de
Luxembourg, roi de Bohème et fils de l'empereur Henri VII, celui
qui avait rêvé de fonder une monarchie universelle. Jean, qui
avait le même âge que Guillaume, était un maître certainement
très attachant mais point de tout repos. La Bohème l'ennuyait,
royaume beaucoup trop paisible pour son magnifique tempérament de condottiere couronné, toujours prêt à offrir son épée
aux autres souverains sitôt qu'il y avait belle promesse de bataille
dans leur champ. Entre-temps, il vivait en grand seigneur à la
cour du roi français, qui pour le récompenser de ses loyaux services lui offrit la lieutenance du Languedoc. Bien que devenu
aveugle, il se fit conduire à Crécy, en 1346, au plus fort de la
mêlée, et y mourut sous les coups des Anglais, de la seule mort
qui lui convînt.

Guillaume de Machaut, durant vingt-cinq années, l'accompagna partout, dans ses incessantes pérégrinations, ses expéditions
guerrières. Puis il s'attacha à Jean le Bon et à Charles V. A plus
de soixante ans, il était tombé amoureux d'une jeune fille noble,
Péronne d'Armentières, avec qui il entretint une longue correspondance poétique, dans le style de Pétrarque, qu'il avait probablement connu. Il passa la fin de sa vie à Reims, chanoine de la
cathédrale où il assista au sacre de Charles V, riche de grandes
prébendes pontificales et royales. Il y mourut en 1377. Il avait
tout connu de la vie, les voyages à cheval d'un bout à l'autre de
l'Europe, la promiscuité avec les soudards des camps, les risques
du combat, les femmes de vingt pays, la magnificence des cours,
l'action politique, les spéculations intellectuelles avec les meilleurs
esprits de son temps, la création artistique, où il ne fit pas du
tout figure d'amateur, mais au contraire d'homme de grand
métier, de vrai professionnel.

Avant lui, les musiciens mettaient leurs noms sur leurs traités,
rarement sur leurs compositions. Machaut se mit à signer les
siennes, à cause de sa notoriété d'homme public et de musicien,
et cette coutume s'établit après lui. La majeure partie de son
œuvre nous est parvenue, cent trente-trois ballades, rondels,
motets, lais, virelais, et sa *Messe de Notre-Dame*. Malgré le grand
nombre des manuscrits qui la renferment, cette œuvre qui avait
eu un tel succès du vivant de l'auteur, devait tomber dans l'oubli

jusqu'au début du XXᵉ siècle. Moins de cent ans après la mort du musicien, sa notation était déjà inintelligible.

La *Messe de Notre-Dame* de Machaut, à quatre voix, est probablement la première en date qui ne soit plus une collection de morceaux pris ici et là, mais l'ouvrage d'un seul musicien, et obéissant plus ou moins à un principe d'unité. On y a longtemps vu la messe du couronnement de Charles V. Erreur assez singulière, car aucune musique n'est moins « triomphaliste ». Elle est encore très monastique de couleur, avec un *Kyrie*, un *Agnus Dei*, un *Ite Missa est* fort lents, un *Gloria* et un *Credo* syllabiques, où l'on ne perçoit pas la moindre tentative d'expression. Les vocalises sont très développées, à la façon grégorienne, en particulier dans les *Amen*, mais l'ambitus mélodique est encore des plus limités. Dans une bulle de 1322, l'un des papes d'Avignon, Jean XXII, Français de Cahors, s'élevait violemment contre les compositeurs modernes qui efféminaient, tronçonnaient le plain-chant, lui substituaient des mélodies de leur invention, écrivaient des polyphonies chargées de beaucoup de notes, « courant et ne faisant jamais de repos, enivrant les oreilles et ne guérissant point les âmes ». Ces doléances étaient restées lettre morte – encore un des traits de l'époque –. Malgré tout, c'est dans la musique sacrée que les inventeurs de ce siècle se sentaient le moins à l'aise, devaient freiner leur appétit de recherches. On le voit bien chez Machaut, dont l'œuvre est presque entièrement profane, d'un tout autre attrait, à notre avis, que sa *Messe*, malgré l'importance historique de celle-ci et son élégante construction.

On admire que ce musicien ait pu s'exprimer avec autant de spontanéité à travers une esthétique aussi adonnée aux combinaisons formelles que celles de son époque, et qu'il a poussées quelquefois plus loin que tous ses contemporains. Par exemple dans son rondeau « Ma fin est mon commencement et mon commencement est ma fin », canon *à l'écrevisse*, c'est-à-dire par renversement de la mélodie. Mais comme la plupart des vrais créateurs, il savait garder l'équilibre entre la nouveauté et la tradition. Le technicien surtout n'étouffe jamais en lui l'artiste. Comme les trouvères, il met en musique ses propres poèmes, encore tout proches de la littérature courtoise. Les souffrances, qui ne sont pas trop prises au tragique, de l'amoureux dédaigné par une belle insensible y alternent avec la louange de la dame « necte et pure » dont la vue nourrit son cœur, ou les joyeuses images des folâtreries dans le vert printemps.

Presque toutes ces pièces sont polyphoniques. Les délicieux virelais pour chanteur soliste — *Se je souspir, Très bonne et belle* — reçoivent même un accompagnement instrumental en contrepoint. Il n'est pas rare que le texte où l'amoureux dit « je » soit chanté par deux ou trois voix masculines et féminines. Dans les motets, chaque voix chante un texte différent, de la galanterie la plus ouvragée, et dont il est évidemment difficile de saisir les subtilités à l'audition. Machaut n'est jamais plus heureux que dans les pièces aux formes les plus libres, les ballades doubles ou triples, comme la ballade à troix strophes *Quant Theseus,* une des premières apparitions de la mythologie en musique, d'un lyrisme vocal qui s'épanouit si bien, sans trace de convention dans les délicats mélismes, dans les finales, qui ne ferment pas la mélodie, lui laissent son frémissement.

Les musicologues du début de notre siècle, qui eurent le mérite d'exhumer Machaut des bibliothèques, hésitaient à porter sur lui un jugement artistique. Encore obnubilés par l'enseignement des Conservatoires, ils s'embrouillaient dans les finesses rythmiques du gentilhomme champenois, les prenaient pour des erreurs de copistes, restaient perplexes devant ses brusques modulations, s'affligeaient de ses barbarismes harmoniques, suites de quintes et d'octaves, frottements de secondes. De leurs précautions, de leurs réserves, reproduites après eux sans examen par les compilateurs, bien des mélomanes ont conclu que Machaut appartenait au domaine de l'archéologie, de la délectation pour les paléographes. Ces préjugés ne sont plus admissibles. Notre sensibilité, délivrée des académismes morts, nous a ouverts aux musiciens médiévaux, par les mêmes chemins qui ont conduit naguère à redécouvrir les peintres du Trecento, pour les placer bien au-dessus des impeccables et fades élèves de Raphaël. Nous devons faire effort pour discerner chez Machaut les rudesses qui blessaient il y a soixante ans les oreilles des respectables professeurs. Il ne nous viendrait pas plus à l'esprit de les lui imputer comme des solécismes musicaux que de voir des fautes de dessin dans les fresques romanes et chez Simone Martini. Ce sont les ingénuités d'un art adolescent, dont les mouvements ne sont pas encore bien disciplinés, que l'on peut mettre si l'on veut au compte d'une technique de « primitif », mais coexistant avec le maniement le plus adroit du contrepoint et avec le charme d'une courbe mélodique qui fait un usage déjà très raffiné du chromatisme, donne souffle et diversité aux grêles et simplettes formules de l'époque précédente. Une musique d'aristocrate, mais dont les inflexions n'appartiennent qu'au pays français.

Guillaume de Machaut mettait sa science au service d'une poétique musicale. Ses contemporains et ses successeurs immédiats, malheureusement, n'étaient que des gens de métier, n'ayant d'autre but que de résoudre des problèmes de plus en plus abscons. Obsédés par leurs calculs rythmiques, ils aboutirent à leurs rythmes *aberrants,* qui s'analysent sur le papier, mais ne sont plus perceptibles à l'audition. Pour être fécondes, ces recherches, qui ont été utiles de nos jours à un Messiaen et un Boulez, intervenaient sans doute trop tôt, dans une musique très jeune, qui épelait encore son vocabulaire. Elles s'achevèrent, avec le siècle, en tarabiscotages, en exercices d'une fastidieuse vanité, qui appelaient une réaction.

L'ARS NOVA *EN ITALIE*

Il y a quelque arbitraire, mais consacré par l'usage, à utiliser le titre du traité de Philippe de Vitry pour désigner la musique italienne du XIVe siècle.

D'après les récits, les archives religieuses, on chantait àplusieurs voix dans les cathédrales toscanes dès le XIIIe siècle, mais certainement ces exécutions ne pouvaient se comparer avec le style de l'École de Paris. L'absence complète de manuscrits pour ce siècle, à l'exception des *Laudi* monophoniques du cycle franciscain dont nous avons parlé auparavant, ne permet pas de jugement absolu. Mais toutes les déductions, tous les documents donnent bien à penser que l'Italie, le premier pays d'Europe à s'être forgé une langue littéraire aussi parfaite que le toscan de Dante, était musicalement attardée par rapport à la France et l'Angleterre. L'état d'anarchie de la Péninsule, où les villes se déchiraient entre elles, de Rome dont le séjour devenait intenable pour les papes politiciens, l'étiolement des grands centres monastiques ne furent certainement pas étrangers à cette infériorité.

Le théoricien que l'on rencontre au début du XIVe siècle italien, un certain Marchettus de Padoue, personnage falot, aux doctrines flottantes, ne saurait être comparé à Philippe de Vitry. Le foyer français de la cour de Robert d'Anjou, roi de Naples de 1310 à 1343, lui-même poète, lié avec Vitry, entouré d'intellectuels et de chanteurs, contribua sans doute davantage à répandre la polyphonie profane.

Pourtant, dans la seconde partie du siècle, le rôle le plus brillant fut tenu par Florence, où malgré ses désordres, ses divisions, la création artistique et la pensée étaient d'une vitalité incomparable. Elle posséda le meilleur musicien italien de l'époque, Francesco Landini (1325-1397), aveugle, virtuose de l'orgue, dont il reste plus de cent cinquante compositions profanes, pour la plupart des ballades à deux voix, d'une polyphonie simplifiée qui facilita leur diffusion (la voix inférieure pouvait être tenue par un instrument), d'une suavité d'inspiration touchante mais qui ne va pas sans redites. C'est surtout grâce à Landini que l'on parle d'une « ars nova » florentine.

Les autres compositeurs du Trecento, Giovanni da Cascia, Florentin de naissance mais ayant vécu auprès des Scaliger et des Visconti, Piero dont nous ne connaissons que le prénom, Jacopo da Bologna qui furent eux aussi au service des seigneurs de Vérone et de Milan, Ghirardello da Firenze, Lorenzo Masini, Niccolo Preposito da Perugia, comptent moins par leurs personnalités assez estompées que par les genres qu'ils ont transformés, illustrés ou inventés.

La *ballata* italienne se rattache au virelai plutôt qu'à la ballade française, avec ses trois couplets que termine un vers-refrain et qui sont suivis d'un envoi. Les deux contributions les plus originales de l'Italie du Trecento à la musique de son temps sont le *madrigal* et la *caccia.* On connaît mal l'étymologie de les débuts du madrigal, qui évoluera beaucoup. Au moment de l'*ars nova,* c'est un court poème en strophes de deux ou trois vers, terminé par un *ritornello* d'un vers ou deux. Sa musique, le plus souvent à deux voix est identique pour chaque strophe, mais diffère dans le *ritornello,* aussi bien pour le rythme et la tonalité que pour la mélodie. Rapidement, il devient le genre le plus artistique, le plus distingué. La *caccia,* contemporaine de la *chasse* française sans que l'on puisse exactement déterminer laquelle a influencé l'autre, est un canon à deux voix (plus un ténor instrumental) qui dialoguent avec vivacité sur deux textes différents, se superposent, s'entrecroisent, et suggèrent ainsi, avec un grand renfort d'onomatopés, d'exclamations, les péripéties de la chasse, d'une partie de pêche, d'un incendie, l'entrée d'un navire au port.

Avec la faconde déployée dans la *caccia,* la rapidité d'élocution qu'elle requiert des interprètes, on sent pointer l'esprit du peuple qui créera l'opéra-bouffe. Dès l'*ars nova*, d'ailleurs, on distingue d'autres traits qui ne varieront guère dans la musique italienne. Quoiqu'elle sache user d'un contrepoint très délié, elle s'attache peu aux constructions abstraites sur un thème obligé, elle donne sa préférence à l'invention mélodique, d'une mélodie expressive, où l'interprète « se fait plaisir » avec sa voix. D'où l'abondance chez elle des ornements, des longs mélismes dont les Français étaient beaucoup moins prodigues. Les vocalises prolongées des madrigaux, le plus souvent sans aucun rapport logique avec le texte, proviennent sans doute du grégorien. Mais si elles ont été maintenues dans des pièces galantes, avec beaucoup d'assouplissements et de broderies nouvelles, c'est qu'elles répondaient au goût instinctif des auditeurs et des chanteurs, « à une aptitude spéciale de ces chanteurs ». Très tôt, ils avaient cultivé leurs voix pour elles-mêmes, avec plus de méthode et de science qu'en n'importe quel autre pays. Jusqu'au début du XXᵉ siècle, la première qualité que l'Italie attendait de ses compositeurs, c'était d'écrire des mélodies qui favorisassent ces voix. Il n'est donc pas surprenant que la musique de ce pays, dès ses origines, ait incliné irrésistiblement vers le *bel canto*.

Le retour d'Avignon de la cour pontificale, en 1377, stoppa l'essor de l'*ars nova* italienne, qui donnait du reste des signes de fatigue. La cour, fortement marquée d'influences françaises après soixante-douze ans d'exil, amenait avec elle de nombreux compositeurs, représentants de notre polyphonie, non dans son meilleur style, mais que leur préciosité mit d'autant plus vite à la mode.

A ces circonstances historiques, s'ajoutaient surtout le fait que les écoles du Nord, ayant mis un terme aux sophistications des rythmiciens, étaient beaucoup plus robustes et riches en nouveautés que celles d'Italie. Elles allaient peupler de leurs compositeurs, qui traversaient les Alpes avec d'innombrables prélats étrangers, toutes les grandes chapelles de la Péninsule. Ces émigrés ne furent pas insensibles à maintes influences de la musique italienne. Mais celle-ci, à leur contact et sous leur prépondérance, se fondit, au cours du Quattrocento, dans l'esthétique cosmopolite. Elle ne devait retrouver qu'au XVIᵉ siècle ses caractères nationaux.

CHAPITRE VII

LE XVᵉ SIÈCLE
LES POLYPHONISTES DU NORD

En 1407, Jean sans Peur, duc de Bourgogne, faisait assassiner
Louis d'Orléans, régent du trône de France dont le roi fou,
Charles VI, ne pouvait remplir les charges. Ce meurtre déclencha
la lutte au couteau entre le parti des Armagnacs et celui des
Bourguignons. L'anarchie qui s'ensuivit détermina Henry V d'Angleterre à porter de nouveau la guerre sur notre sol. Le 25 octobre
1415, la chevalerie française, n'ayant rien retenu des sévères
leçons de Crécy et de Poitiers, sans discipline ni tactique, se faisait
tailler en pièces à Azincourt par les Anglais trois fois inférieurs en
nombre. La couronne de France passait à l'Angleterre, tandis que
la guerre civile, la soldatesque, la famine et la peste ravageaient le
territoire.

Ces désastres et ces calamités allaient retarder de cinquante ans
l'évolution artistique et intellectuelle dans notre pays. Sur la vie
de la musique plus particulièrement ils eurent deux effets : le rôle
passager mais important joué par quelques compositeurs anglais,
le déplacement des centres musicaux vers les régions restées pros-
pères et en paix.

UN MAÎTRE ANGLAIS : DUNSTABLE

Malgré la célébrité que lui firent ses contemporains, la vie de
John Dunstable est mal connue. Il naquit vers 1380, peut-être en
Écosse. Il s'occupa beaucoup, semble-t-il, de mathématiques et
d'astrologie. On sait de source sûre qu'il appartint à la maison du
duc de Bedford, régent du royaume de France de 1422 à 1435.
Une grande partie de sa carrière s'écoula donc en France, et sans
doute aussi en Italie : nous connaissons ses œuvres surtout par les

manuscrits italiens. Elles y sont mêlées à celles de son compatriote et contemporain Leonel Power (mort en 1444), les unes et
les autres si voisines qu'on les a souvent confondues. Il mourut à
Londres en 1453.

Dunstable a ainsi connu tous les styles pratiqués sur le continent et en a tiré profit. Il a eu la double fortune de vivre à Paris
quand les occupants anglais y donnaient le ton, et alors que notre
école nationale, louvoyant depuis la mort de Machaut, ne comptait
plus que des talents de second ordre, tels que Baude Cordier,
Pierre Fontaine. Mais cela ne diminue point son apport personnel.
Nous possédons de lui soixante-sept compositions, dont trois
profanes seulement. De même que Leonel Power, il dépasse les
tâtonnements de Machaut en composant des messes dont chacune
est construite sur une mélodie fondamentale unique, le *cantus
firmus* qui relie ses différentes parties. La messe devient une œuvre
personnelle, gouvernée avant tout par des principes musicaux.
Dunstable apporte surtout aux continentaux un sentiment alors
très anglais de la consonance, qui substitue ses heureuses successions harmoniques aux rugosités et aux hasards des rencontres
entre les lignes indépendantes du contrepoint français. Il écrit des
mélodies plus longues, d'une courbe plus ample que les Parisiens
du xive siècle qui procédaient davantage par groupes de petites
notes.

Son euphonie émerveilla l'époque. Nous retrouvons assez peu
chez lui la vigueur qu'on louait de son temps, mais bien davantage
une suavité souvent exquise, dans une de ses rares chansons profanes, *O rosa bella* sur un texte italien, ses nombreux motets à la
Vierge, *Ave regina cœlerum, Sancta Dei Genitrix, Quam Pulchra
es*, dont l'alléluia final raffine sur les souvenirs grégoriens. (Le
motet, qui avait beaucoup vagabondé dans le monde laïque au
xive siècle, réintègre l'eglise au xve, où la dévotion à la Vierge
s'est encore accrue.)

L'un des commentateurs britanniques de Dunstable, Safford
Cape, dit assez justement qu'il réalisa l'équilibre entre la sévérité
de l'*ars nova* française – sévérité dans les œuvres religieuses mais
non les profanes – et la fantaisie du Trecento italien. Il adapte en
effet aux motets d'église les mélismes du madrigal florentin. Il
emprunte encore aux Italiens le solo vocal accompagné d'instruments. A notre sens, ces soli accompagnés sont d'ailleurs la part
la moins intéressante de son œuvre, ils versent dans la monotonie;
ce qui est souvent le cas pour les autres musiques de la fin du

Moyen Age et de la Renaissance, dont le vrai génie, la faculté d'invention tiennent dans l'entrelacement des voix humaines.

Tinctoris, le théoricien le plus écouté du xve siècle, place Dunstable sur les sommets. Il lui donne pour élèves Ockeghem, Busnois, Binchois, Caron, Dufay, c'est-à-dire les meilleurs compositeurs européens de la génération suivante. Même si cette énumération est quelque peu amplifiée, la place magistrale tenue de son vivant par Dunstable ne fait pas de doute. Sa séduisante personnalité, favorisée par les circonstances militaires et politiques, permit à la musique anglaise de jouer durant près d'un demi-siècle un rôle international qu'elle ne devait plus jamais retrouver au cours de l'histoire. Les dernières garnisons anglaises avaient à peine évacué le sol français que la guerre des Deux-Roses éclatait entre les maisons d'York et de Lancastre. Tandis que les grands du royaume se livraient à leur sinistre boucherie, les compositeurs anglais se repliaient sur leurs traditions insulaires, déjà quelque peu anachroniques, pour y vivoter mélodieusement et obscurément jusqu'à la fin du siècle. D'ailleurs, les plus doués d'entre eux, Robert Morton, Walter Frye, étaient demeurés sur le continent, où le prestige de leur maître Dunstable les accompagnait encore.

NORDIQUES, BOURGUIGNONS OU FRANCO-FLAMANDS ?

Les désastres français avaient eu une autre conséquence, infiniment plus importante que la venue sur notre sol de quelques compositeurs anglais : l'apparition, au nord et à l'est des frontières royales de nouveaux foyers musicaux qui allaient largement rayonner sur l'Europe.

L'affaiblissement, qui ressemblait presque à une agonie, du royaume de France, coïncidait avec la fortune de la seconde maison de Bourgogne, ayant eu pour premier chef Philippe le Hardi (1342-1404), fils de Jean le Bon, qui à l'apanage de ses terres bourguignonnes avait ajouté l'Artois, le Luxembourg, la Flandre, arrondis ensuite du Hainaut, des Pays-Bas hollandais. Ainsi, de la Frise au Nivernais, coupé seulement par la Lorraine, un des États les plus riches et les plus peuplés de l'Europe s'était constitué, sous des princes ambitieux, intelligents, et en outre très cultivés, tandis que Henry VI était couronné roi de France à Notre-Dame de Paris aux sons d'un motet de Dunstable, et que

Charles VII, sans soldats ni argent, se terrait à Bourges, en s'interrogeant sur sa fragile légitimité.

Le faste des ducs de Bourgogne s'accordait à merveille avec l'opulence des villes du Nord passées sous leur souveraineté. Leur règne ouvrait à d'innombrables échanges commerciaux, spirituels, artistiques, des provinces de bonne race, en plein essor, mais demeurées jusque-là assez écartées des grands courants. Dans une période aussi vivante, les vocations ne pouvaient manquer d'y naître, favorisées encore, pour la musique si étroitement liée à l'aristocratie, par les goûts et les besoins de la plus brillante des cours.

L'épanouissement allait être rapide et superbe. Mais il nous pose un problème de terminologie que l'on ne peut éluder, si épineux et embrouillé qu'il soit. Pour les Italiens de la Renaissance, experts comme ceux d'aujourd'hui à distinguer entre un Siennois et un Florentin, un Vénitien et un Padouan, mais y regardaient de moins près quand il s'agissait d'étrangers, tous les musiciens nés au nord de la Seine étaient des « Fiamminghi ». On a gardé cette habitude en redécouvrant dans la seconde moitié du XIXe siècle les maîtres du XVe et du XVIe, que des centaines de livres rangent depuis sous la rubrique de « l'école franco-flamande ». Terme commode, enraciné par l'usage, mais tout à fait erroné, ethniquement et historiquement. Le renfort qu'il apporte aujourd'hui à des particularismes d'une aveugle étroitesse devrait contribuer encore à le faire rejeter.

Le fougueux musicographe Émile Haraszti, peu suspect de partialité sur ce chapitre, puisqu'il était d'origine hongroise, écrivait il y a quelques années : « Il est de notoriété publique que les musiciens dits flamands... sont presque tous des Wallons, sujets de la cour de Bourgogne. » Il généralise sans doute un peu trop. Pour être plus précis, cochons les noms des soixante-dix compositeurs les plus fameux des deux siècles renaissants. En nous réglant sur les lieux de naissance et les frontières linguistiques, qui n'ont jamais bougé, nous trouvons dix-neuf Français du royaume, vingt-sept Wallons, Valenciennois, Cambrésiens, Picards – c'était alors la même terre – treize Flamands, trois Hollandais, et huit autres dont l'état civil est mal connu, mais certainement originaires des provinces qui forment à présent la Belgique et le nord de la France.

A chacun ce qui lui revient. La peinture a été l'expression admirable et complète de la Flandre. Bruges en fut le centre magnifique, qui attira les Mosans Van Eyck, le Rhénan Memling, le Maubeugeois Gossaert, le Tournaisien Roger de la Pasture (Van der

Weyden), le Dinantais Patinier et les naturalisa tous peintres
flamands, avec une communauté d'accent sur laquelle on ne peut
se tromper un instant. Pour la musique, ce rôle de foyer fut joué
d'abord par Cambrai, en pays picard, avec sa célèbre maîtrise que
dirigèrent Nicolas Grenon, Nicolas Malin, où se formèrent aussi
bien Dufay, sans doute enfant des environs, qu'un Flamand
comme Hayne van Ghizeghem. Dijon, où résidait la cour des ducs
de Bourgogne, devint ensuite un centre encore plus actif. Enfin,
la paix une fois rétablie, la cour du roi de France regroupa de
nombreux musiciens. Sans doute, on faisait de la bonne musique
à Anvers, Louvain ou Malines, la même musique du reste qu'à
Cambrai, Tournai et Dijon, mais aucune de ces villes ne représenta
un pôle d'attraction et d'enseignement qui permît de parler d'une
école musicale flamande.

D'autre part, quelle que fût l'origine de ces musiciens, leur
langue à tous était le français, dans la vie et dans leurs œuvres. Ils
ont très rarement composé sur des textes flamands. Leur genre de
prédilection, qu'ils ne cessèrent de perfectionner, de ciseler, c'était
la *chanson française*. Ils la répandirent aux quatre coins de l'Europe. Car ils étaient cosmopolites dans l'âme. Ils essaimèrent à
Vienne, à Augsbourg, à Munich, à Prague, ils suivirent Philippe le
Beau et Charles Quint en Espagne, où la musique nationale prit
aussitôt à leur contact une nouvelle vigueur. Surtout, ils enva-
hirent, ils colonisèrent l'Italie, y occupèrent les plus hauts rangs,
y exercèrent une longue influence. Et les Flamands, les Hollandais de naissance étaient les plus empressés à s'expatrier ainsi.

Rien n'eût paru plus sot, plus vain à ces véridiques Européens
que l'usage fait de leur célébrité par une espèce de racisme provincial. Mais comment désigner leur pléiade, puisque l'esprit de
clocher nous interdit l'ancien emploi libéral du mot « Flandre » ?
Les Allemands parlent de « l'école néerlandaise », ce qui correspond
à l'espace historique des vieux Pays-Bas. Mais cette acception est
oubliée chez nous depuis des siècles. L'« école franco-néerlandaise »
serait malgré son exactitude une appellation incompréhensible,
l'adjectif « néerlandais » a pour nous un sens trop exclusivement linguistique, inapplicable à des musiciens « francophones ». On ne peut
se permettre ni l'anachronisme de « l'école franco-belge », ni
l'archaïsme de « l'école bourguignonne », bien qu'elle eût mérité
ce nom jusqu'à la mort de Charles le Téméraire. Puisque ces vocables nationaux sont trop étroits ou périmés, nous proposerons
le terme de « musiciens franco-nordiques ». Il est suffisamment

général pour les inclure tous, il évoque une communauté, réelle à l'époque, d'origine et de formation. Et ces Picards, ces Hennuyers, ces Flamands, ces Hollandais, marquaient bien alors par leur lieu de naissance, les limites septentrionales de la musique.

LE GROUPE DE CAMBRAI : BINCHOIS, GUILLAUME DUFAY

Avec tout ce que l'on connaît aujourd'hui du XIVe siècle, il va de soi que les « hommes du Nord » n'ont pas « inventé » la polyphonie, comme on le lit encore chez des auteurs assez récents, mais dont la documentation date d'une bonne centaine d'années. Si à l'époque l'oubli se faisait rapidement et avec une singulière ingratitude sur les prédécesseurs, on n'en profitait pas moins de leur acquis. Dans la première génération des Picards et des Wallons qui allaient illustrer leurs provinces tandis que Paris était éclipsé, Jacquemart le Cuvelier, Hasprois, Richard de Loqueville, procédaient tous encore de Guillaume de Machaut, en sophistiquant son style.

Nicolas Grenon, d'après les quelques pièces qui nous restent de lui, fut un des premiers à réagir contre ces exercices stériles, pour revenir à une écriture plus claire et plus robuste. On ignore sa date et son lieu de naissance. Mais il appartient à l'école du Nord par les fonctions de maître de chapelle qu'il occupait à la cathédrale de Cambrai, avant que sa renommée l'eût fait appeler à Rome auprès du pape. L'évêché de Cambrai s'étendait alors jusqu'aux portes d'Anvers. C'était un des diocèses les plus riches d'Europe. La cathédrale comptait une centaine de chanoines et de vicaires. Les chants de sa maîtrise, d'une qualité célèbre, attiraient autant de public que les concerts de virtuoses de nos jours. Parmi les jeunes musiciens qui s'y formèrent, deux au moins devinrent illustres, Binchois et Guillaume Dufay.

BINCHOIS était né vers 1400 à Binche, dans le Hainaut. Les documents le prénomment tantôt Égide tantôt Gilles, ce qui est depuis le Moyen Age le sobriquet des masques dans le fameux carnaval de sa ville natale. La « déploration » à trois voix écrite après sa mort nous dit :

En sa jeunesse fut soudart,
D'honorable mondanité...

Ces deux mots, dont le contraste était certainement beaucoup moins pittoresque pour le XVe siècle que pour nous, signifient que le jeune Binchois avait été d'abord homme d'armes, mais d'une condition et d'une éducation supérieures à ce métier. Il entra ensuite dans les ordres, ce qui convenait bien mieux à un garçon doué pour la musique. En 1424, durant l'occupation anglaise, il était à Paris, au service du duc de Suffolk, gentilhomme lettré auprès duquel il se cultiva. Après avoir quitté Suffolk, que le souci de ses revers militaires et politiques arrachait aux beaux-arts, il fut musicien à Dijon, à la cour de Philippe le Bon, le plus brillant des ducs de Bourgogne, et qui tirait une grande fierté de sa chapelle. Ces chapelles princières, qui ont joué un rôle capital dans la musique de la Renaissance, ne comprenaient pas de grandes masses chorales, où le dessin de la polyphonie se fût noyé, mais une sélection de quinze ou vingt exécutants, parfois moins, dont plusieurs étaient des compositeurs en renom, à la fois fournisseurs et interprètes du répertoire. Binchois mourut en 1460, probablement à Lille.

Les rapports de Binchois avec Dunstable, attestés par Tinctoris mais tenus pour légendaires par des historiens quelque peu anglophobes, sont plus que vraisemblables. L'étonnant serait que durant son séjour à Paris de plusieurs années sans doute, dans un milieu anglais, Binchois encore débutant mais introduit parmi les grands personnages, n'eût pas rencontré le maître, qui était l'un des plus illustres « occupants », et recueilli ses conseils. Quoi qu'il en soit, de tous les Franco-Nordiques, c'est Binchois qui par les détails de sa technique, l'usage du faux-bourdon, par les tours de son inspiration mélodique, reflète le plus l'influence de l'Anglais.

Nous possédons de lui une quarantaine de chansons profanes, des fragments de messes et d'assez nombreux motets. Il rompt définitivement avec la tradition des poètes-compositeurs, encore entretenue par Machaut. Il n'écrit plus ses poèmes et met en musique ceux d'autrui. Il les choisit d'ailleurs avec goût, chez Christine de Pisan, Charles d'Orléans, Alain Chartier. Toutes ses chansons sont d'une coupe identique, ce qui surprend dans une époque où les formes évoluaient si vite : à trois voix, la principale au *superius*, très souple et chantante, le ténor de soutien dans un mouvement bien égalisé, et le contreténor fournissant la basse harmonique, en général confiée, pense-t-on, à un instrument. Sa musique respire une gaieté tendre, dédiée à l'amour courtois et à la belle saison, avec des inflexions gracieuses qui n'excluent pas l'ampleur du souffle, un style qui combine avec vivacité le chant syllabique et les ornements.

La musique d'église de Binchois est moins personnelle, moins attachante. Rien ne nous permet d'en inférer que les sentiments religieux de cet ecclésiastique dont on nous dit qu'il « servit Dieu avec humilité » étaient moins sincères que son goût de la bonne vie. Mais il lui manquait le métier nécessaire pour édifier les architectures sonores de la musique liturgique, et son talent, ses penchants le portaient peu à combler cette lacune. Quand il écrit pour les offices, il se replie sur des procédés qui datent déjà. Plusieurs de ses compositions, le *Magnificat*, le psaume *In Exitu Israel* sont d'une facture encore si primitive qu'on a cherché à l'expliquer par une recherche volontaire de la simplicité archaïque. Mais rien n'était plus étranger à l'esprit de l'époque que ces raffinements à rebours.

Mieux vaut s'en tenir à l'évidence. Binchois était un petit maître, surtout à l'aise dans les dimensions restreintes de la chanson. Le grand succès qu'il y avait remporté l'encourageait à ne point varier de formule. Si ses contemporains l'ont égalé aux plus grands musiciens connus, c'est qu'il avait le don du charme mélodique, assez facile, assez limité, mais spontané, et qui a toujours valu d'étourdissantes carrières à ses possesseurs.

Guillaume Dufay est d'une tout autre stature. Son nom est même l'un des quatre ou cinq plus grands de la Renaissance musicale. Il naquit vers 1400, alors que Van der Weyden, Gutenberg, Masaccio voyaient aussi le jour, probablement à Chimay, à quelques kilomètres de l'actuelle frontière française. Il fut élève de Grenon et de Malin à la maîtrise de Cambrai, en même temps que Binchois. Il prit l'état ecclésiastique. Dès 1420, il était au service des Malatesta en Italie, où l'on ne jurait plus que par les « Fiamminghi », et où il put rencontrer plusieurs compatriotes, entre autres le liégeois Jean Cigogne, dit Cicogna, dont l'écriture claire et franche enchantait les auditeurs italiens. Il séjourna quelque temps en France, probablement à Laon, vers 1426. De 1428 à 1437, il fut chantre à la chapelle pontificale. Puis, il passa au service de la maison de Savoie, retournant par intervalles à Cambrai dont il était devenu chanoine et où il se fixa vers 1458. Il y vivait sur un très grand pied, riche de prébendes et de domaines, entouré de la plus glorieuse réputation, entreprenant encore de temps à autre de longs voyages pour revoir les artistes et les princes qu'il avait connus. Il était docteur en droit canon de l'Université de Bologne, chapelain du duc de Bourgogne, à titre plutôt honorifique, car on le vit assez peu à cette cour. Il s'éteignit à Cambrai en 1474.

Cet illustre et opulent personnage, que l'on imagine bien dans les pelisses fourrées des prélats de Van Eyck, n'était aucunement gourmé. Il confessait avec bonhomie dans une de ses dernières pièces, *Je ne suis plus tel que soulois*, qu'il est bien fâcheux d'avoir passé l'âge de l'amour :

> *Devenu suis vieux et usé,*
> *Et m'ont les dames refusé.*

Sur le grand nombre — près de deux cents — de ses compositions qui nous sont parvenues, on peut négliger les morceaux de circonstance, ballades, épithalames pour mariages princiers, d'une élégante banalité, qui datent de ses premières années en Italie. Mais dans les pièces profanes qui suivent, écrites pour la plupart entre sa trentième et quarantième année, Dufay n'a pas moins de charme et d'entrain que Binchois, avec beaucoup plus d'invention et de variété. Ce sont des rondeaux, des « étrennes » (« chansons de Nouvel An »), des « chansons de may », célébrant le bon vin, la verdure tendre, disant les gaietés de l'amour et ses mélancolies qu'il ne faut pas prendre trop au tragique, chantant sur des accents militaires la prise d'une forteresse qui est une belle dame rétive. Au fur et à mesure de sa carrière, Dufay innovait ou tirait profit des trouvailles techniques de ses pairs. Alors que les chansons de Binchois sont aussi peu différentes les unes des autres que s'il les avait écrites dans la même année, nous pouvons dater avec précision celles de Dufay, et il en sera ainsi pour tous ses successeurs. Nous situons de même, à la première mesure, une chanson de 1910, de 1920, de 1935, ou de 1950. Le répertoire de la Renaissance était lui aussi un article de mode, reprenant sur des rythmes et des airs nouveaux deux ou trois thèmes éternels, mais un article d'une qualité beaucoup plus fine que de notre temps, élevé au rang des grandes œuvres musicales par sa texture polyphonique. Dufay, qui écrit pour trois ou quatre voix, améliore constamment l'équilibre encore instable entre ces voix, qui, lorsqu'il sera réalisé vers la fin du siècle deviendra l'idéal de la chanson française. Il introduit dans ses rondeaux des « imitations » et des canons très élaborés, sans que ces soins calligraphiques altèrent la fraîcheur de son inspiration.

Cependant, Guillaume Dufay est avant tout un compositeur religieux. C'est à cette part, la plus importante, de son œuvre, qu'il doit sa place dans l'histoire de la musique.

Le regain de la musique religieuse, très négligée par l'époque précédente, est un des caractères généraux de son siècle. En écrivant pour la liturgie, le chanoine Dufay pouvait faire ses dévotions tout en exerçant ses plus beaux dons de compositeur, puisque la musique d'église était alors la seule qui permît des développements, offrît un large cadre à un artiste ayant le goût d'une certaine grandeur et en lui-même les moyens pour l'exprimer.

Dufay n'a pas inauguré la messe sur un thème unique (cantus firmus), où s'affirma l'indépendance de la musique à l'égard de la liturgie : la primeur en revient aux Anglais et spécialement à Dunstable. Mais il contribua plus que personne à l'imposer, par son autorité et ses réussites.

Nous connaissons de lui sept messes, deux qui n'ont pas encore de thème et datent de sa jeunesse, la *Missa sine Nomine*, la Messe de Saint-Jacques, écrites l'une et l'autre pour trois voix, et cinq à *cantus firmus* (messes cycliques) et à quatre voix : *Missa Caput*, *Se la face ay pâle*, l'*Homme Armé*, *Ecce Ancilla* et *Ave Regina*. Deux d'entre elles sont devenues accessibles, la *Missa sine Nomine* et *L'Homme Armé*, grâce à plusieurs enregistrements d'honnête qualité (on ne saurait en dire autant, malheureusement de maintes musiques de la Renaissance, pâtures des amateurs approximatifs, alors qu'elles exigent la plus rigoureuse précision). Si elle n'est pas encore thématique, la *Missa sine Nomine*, que l'on situe vers 1420, c'est-à-dire dans la première jeunesse de Dufay, ménage des affinités mélodiques et rythmiques assez étroites entre le *Kyrie*, le *Sanctus* et l'*Agnus Dei* d'une part, le *Gloria* et le *Credo* de l'autre. La séduisante mélodie du *Kyrie* reparaît élargie et beaucoup plus ornée dans le *Sanctus*, ce qui est déjà l'un des principes de la variation. Mais on sent bien que le jeune Dufay prend encore appui sur les modèles les plus solides de l'époque qui l'a précédé, à commencer par Machaut.

Entre la *Missa sine Nomine* et la *Messe de l'Homme Armé*, qui date de la vieillesse robuste de Dufay, l'évolution est presque aussi considérable qu'entre le *Rienzi* et le *Parsifal* de Wagner, compte tenu naturellement, dans cette comparaison, des perspectives toutes différentes du XVe et du XIXe siècles. *L'Homme Armé* est la seconde de ses messes où il choisit pour *cantus firmus* un motif profane, en l'occurrence la chanson de *L'Homme Armé*, très populaire depuis déjà longtemps et aux paroles assez salées, *Se la face ay pâle*, thème de la messe précédente, étant le début d'une de ses propres chansons amoureuses. Si le procédé surprend par sa désinvolture, que les mœurs du siècle toléraient fort bien — et qui doit nous rendre indulgents pour nos propres jésuites chansonniers ! —, il contribua à libérer encore davantage la musique. Il se peut que Dufay n'en ait pas eu l'initiative, et qu'une messe sur thème profane d'Ockeghem ait précédé de peu *L'Homme Armé*. Dans ce cas, le chanoine de Cambrai, au faîte de sa renommée, n'aurait pas dédaigné, avec une belle jeunesse d'esprit, de se mettre à l'école de la nouvelle génération.

Dans sa messe de *L'Homme Armé*, l'unité thématique est manifeste, et même très soulignée. Le compositeur insiste sur le procédé dont il vient de se rendre maître. Ce qui nous étonne un peu, c'est la longue fortune du motif, d'un dessin solide, mais sans grand caractère. On ne peut qu'admirer, en tout cas, le savant déroulement de la polyphonie, la variété magistralement organisée des rythmes du *Credo*. A travers toute la complexité de son tissu polyphonique, Dufay parvient à conserver un phrasé ample et clair, ce qui est bien la marque d'un vrai musicien, conduit par l'instinct autant que par la science.

On relève encore chez Dufay l'usage jusque-là peu fréquent de *fa* et de *sol* supérieurs. La musique s'annexera ainsi les unes après les autres des notes hautes réclamant des voix de plus en plus exercées, pour lesquelles on écrira finalement les acrobaties du *bel canto*. Dans ses motets soit profanes soit liturgiques — ceux-ci cachant quelquefois d'assez singuliers doubles-sens — Dufay s'éloigne peu à peu de la forme traditionnelle, isorythmique et à textes multiples, pour aboutir à une forme à la fois logique, sur un texte unique, et beaucoup plus libre, où la teneur s'efface pour laisser chanter un vrai lyrisme. Maints détails seraient encore à noter, comme le cantus firmus de la messe *Se la face ay pâle* divisé en trois sections intervenant à tour de rôle dans les différentes parties selon un dispositif qui fait penser aux combinaisons des musiciens sériels du xxᵉ siècle. Guillaume Dufay, tout en gardant dans son écriture déjà très savante quelque chose de la saveur un peu rugueuse des « primitifs », jette ainsi plus d'une passerelle vers l'avenir.

OCKEGHEM, BUSNOIS ET OBRECHT

JOHANNES OCKEGHEM (vers 1420-1495), malgré son nom, était Hennuyer, c'est-à-dire natif du Hainaut. On pense toutefois qu'il fit ses études à Anvers, puisqu'on l'y trouve chantre de la cathédrale en 1443 et 44, ce qui fait supposer aussi qu'il avait des parents en Flandre. Ecclésiastique, il entra en 1452 au service de Charles VII, qui lui accorda la charge très fructueuse de trésorier de l'abbaye de Saint-Martin de Tours. Il fut maître de la Chapelle Royale sous Louis XI et Charles VIII qui l'avaient en grande estime et lui confièrent des missions peut-être diplomatiques en Espagne et dans les Flandres. Il partageait son temps entre Paris et Tours où il mourut en 1495 ou 1496.

Dans cette époque où la musique est en pleine croissance, il est naturel qu'Ockeghem marque une étape sur Dufay. Les dernières traces de raideur médiévale s'effacent – une raideur qui n'est pas sans charme, redisons-le, pour nos oreilles modernes – la teneur s'assouplit de plus en plus et tend à prendre le rôle de thème conducteur. Nous voyons les organes de la musique se perfectionner de vingt ans en vingt ans comme ceux du phonographe et de l'automobile de nos jours, leurs constructeurs obtenir d'eux des performances qui stupéfient les contemporains. Ockeghem écrit ainsi un *Deo Gratias* à trente-six voix (quadruple canon à neuf parties), il fait chanter dans une de ses messes deux canons différents par quatre voix marchant deux à deux.

Mais quelle est sa personnalité artistique ? Sur ce point, les historiens divergent, alors qu'ils s'accordent presque tous depuis soixante-dix ans à reconnaître le génie de Machaut et de Dufay. Les uns en font un mécanicien du contrepoint, les autres un génial précurseur du romantisme...

A notre sens, il convient d'abord de faire deux parts dans ses ouvrages. La part profane, la plus restreinte, dix-neuf chansons seulement, est loin d'offrir les mêmes attraits que chez ses prédécesseurs. Sans doute, cela tient un peu à ce qu'Ockeghem est porté à la nostalgie, que l'on ne retrouve pas chez lui la verdeur rythmique de Machaut, Binchois ou Dufay. Mais pour ne parler que qualité musicale, des morceaux célèbres comme la chanson *Petite Camusette*, la bergerette *Ma bouche rit et ma pensée pleure*, *Ma maîtresse et ma plus grande amie*, le rondeau *Fors seulement* sont bien languissants, sans aucune variété dans leur immuable coupe strophique, d'une substance mélodique assez falote. C'est déjà l'académisme élégant mais plat qui s'installe dans ce domaine encore tout neuf.

Ockeghem devait être une nature beaucoup plus profondément religieuse que Dufay, et qui ne passait pas avec la même aisance des exercices dévots à l'assaut des belles. Aussi est-ce dans sa musique sacrée, d'une étendue bien plus considérable, puisqu'elle ne compte pas moins de quinze messes, qu'il a mis son cœur et le meilleur de son talent. Dans son esprit, ses innombrables prouesses techniques concourent à magnifier le service de Dieu. Le brillant contrapunctiste n'a rien de systématique. Il est constamment à la recherche de dispositions, d'effet inédits. La teneur abdique de plus en plus chez lui son rôle de soutien pour en prendre un autre qui deviendra par la suite celui du thème conducteur. Sa messe de Requiem est doublement intéressante, parce que c'est le premier office pour les défunts qui nous soit parvenu, le Requiem de Dufay ayant été perdu. Il s'y efforce d'être aussi expressif et coloré que le permettaient les habitudes de l'Église. Son motet *Gaude Maria* fait alterner les voix élevées et les voix graves, ce qui est d'un extrême modernisme pour son temps : tout au long de l'histoire de la musique, on rencontre de ces innovations qui auraient dû aller de soi depuis longtemps et n'ont vu cependant le jour qu'après des siècles, en passant pour des traits de génie.

Johannes Ockeghem était un excellent homme, charitable, affable, hospitalier, un professeur de premier ordre, qui accueillait les débutants avec une paternelle familiarité, leur prodiguant son temps et son savoir. Il eut de très nombreux élèves, dont probablement Josquin Des Prés, Pierre de La Rue, Brumel, Loyset Compère, Alexandre Agricola, Heinrich Isaac. Sa mort consterna l'Europe musicale et lettrée. Érasme lui consacra « un tombeau » en vers latins.

Antoine de Busnes, dit Busnois, son contemporain né probablement à Busnes, près de Béthune, mort à Bruges en 1493, passa la plus grande partie de sa vie au service de la maison de Bourgogne, professeur de Charles le Téméraire qui chantait paraît-il très faux mais composait adroitement, attaché ensuite à sa veuve Marguerite d'York puis à sa fille Marie, l'épouse du futur empereur Maximilien Iᵉʳ. Les contemporains le plaçaient presque sur le même pied qu'Ockeghem, bien qu'ils ne fussent guère comparables. L'œuvre religieuse de Busnois compte peu. C'est avant tout un musicien de cour, qui se pique aussi de littérature, écrit souvent les vers de ses rondeaux et ses bergerettes, malheureusement dans le genre à la fois insignifiant et contourné de ses amis Molinet, Chastelain, Jean Lemaire des Belges, les rhétoriqueurs qui grouillaient à la cour de Bourgogne. Nous entrons avec lui dans la mythologie dont les musiciens s'occupaient assez peu jusque-là, dans le pédantisme de l'Antiquité comme ce motet consacré aux théories musicales de Pythagore avec force citations de mots grecs.

La technique de Busnois vaut mieux que ses sources d'inspiration. Dans quelques-uns de ses motets, il remplace le cantus firmus par un thème qu'il invente, il se permet des changements de rythme assez imprévus au cours de ses bergerettes, qu'il commence avec une mesure ternaire, poursuit avec une binaire. Il donne à la basse – le contreténor – autant de libertés qu'aux deux autres parties, la fait concerter avec elles. Cependant, dès qu'il veut écrire pour plus de trois voix, il perd son élégance un peu superficielle, devient appliqué, emprunté. Busnois est un musicien de salon non dépourvu d'adresse dans les petits genres. Quatre siècles plus tard, il eût fait la carrière d'un Reynaldo Hahn.

Jacob Obrecht se rattache davantage à la solide manière d'Ockeghem, bien qu'il ne soit pas cité parmi ses élèves. Il était hollandais, né vers 1450 à Berg-op-Zoom. Il aurait, croit-on, donné des leçons de musique au jeune Érasme, pendant le temps où il était chantre et prêtre de la cathédrale d'Utrecht. On le trouve successivement à Cambrai, à Bruges, à Ferrare dans la chapelle d'Hercule d'Este, à la cathédrale d'Anvers. Retourné en 1504 à Ferrare, il y mourut l'année suivante de la peste. Ce fut un musicien presque uniquement religieux, très fécond, et même un peu trop. On le disait capable d'écrire une messe en une nuit, et cela se sent quelquefois dans les vingt-cinq qui nous restent de sa main et ses nombreux motets. Il commence à faire usage de ces développements mécaniques qui seront une des plaies du classicisme. Il a pourtant, grâce à sa facilité de main, une grande variété de ressources. C'est un virtuose des procédés d'*augmentation* et de *diminution* (dans l'augmentation, les notes de la mélodie ont une durée double, triple, quadruple de leur valeur initiale, la diminution est le procédé inverse, où la durée est de plus en plus brève). Il travaille à dégager de nouveau le principe de tonalité, qui se faisait jour dans les derniers temps de la musique monodique, mais que la polyphonie a recouvert de son enchevêtrement. On lui doit d'imposantes réussites de construction, comme sa messe *Sub tuum Præsidium*, qui commence à trois voix et s'achève à sept, par des entrées de voix successives, amenées avec autant de goût que d'habileté.

Dans cette fin du xve siècle, les compositeurs franco-nordiques deviennent innombrables, innovant moins que leurs devanciers, mais tous gens de talent, praticiens d'une sûreté qui est rarement en défaut. Caron, peut-être originaire de Cambrai, et dont nous ne savons même pas le prénom, ne nous est plus connu que par une vingtaine de chansons. Mais il y est un délicieux mélodiste, l'un des plus touchants et des plus entraînants que nous ayons rencontré depuis Dufay. On en oublie la fadeur tarabiscotée des vers qu'il met en musique. De Vincent Faugues, de Jacob Barbireau, maître anversois mais avec un patronyme français, nous n'avons au contraire que quelques messes, qui contribuent à réaliser toujours plus harmonieusement l'équilibre des voix. Hayne van Ghizeghem, gai compagnon de l'Anglais Robert Morton d'abord à l'école de Cambrai puis à la cour de Bourgogne, est un des premiers compositeurs dont la renommée tienne autant à sa virtuosité sur un instrument, le luth, qu'à ses œuvres. Robert Morton, qui lui aussi donna des leçons à Charles le Téméraire, doit être cité parmi les Bourguignons avec qui il a constamment vécu, bien qu'il cultive en bon Anglais un style légèrement désuet, qui imprime à ses motets et à ses chansons une pointe d'accent insulaire.

Pierre de La Rue, né en 1460 sans doute à Tournai, mort en 1518 à Courtrai, est resté fidèle toute sa vie à la tradition bourguignonne qui se prolongeait sous les souverains qu'il servit, Maximilien, Philippe le Beau et sa veuve Marguerite d'Autriche, l'habile gouvernante des Pays-Bas. Son œuvre très importante par le nombre, surtout religieuse (36 messes, 37 motets) demeure peu accessible jusqu'à présent, faute d'éditions modernes. Elle est dans le sillage d'Obrecht, et ne porte aucune trace des influences italiennes que l'on commence à relever chez les contemporains.

On ne sait presque rien de la biographie d'Antoine Brumel, qui vécut entre 1460 et 1520, passa par Chartres, Laon, Notre-Dame de Paris, et fut cependant célèbre, à en juger par les nombreuses publications de ses œuvres. Il y a dans ses treize messes et ses trente motets une évolution intéressante de l'ancien style horizontal à un sentiment nouveau de l'harmonie. Brumel obtenait de beaux effets de puissance sonore, assez inédits de son temps. Gaspar van Weerbecke, né vers 1445 à Audenarde dans les Flandres, mort au début du xvie siècle, fit presque toute sa carrière en Italie, à la cour de Milan puis à la chapelle pontificale. Ses messes relèvent encore de la tradition de Dufay. Ses motets sont davantage sous des influences italiennes, mais imparfaitement assimilées. Ce Flamand émigré est un de ceux, assez rares, qui gardent des tournures de terroir et s'en montrent quelque peu embarrassés.

Jean Mouton (vers 1470-1522), né près de Boulogne, ayant travaillé à Grenoble, puis dans la chapelle royale de François Ier, et mort chanoine à Saint-Quentin, Antoine Divitis, né sans doute à Louvain, passé lui aussi au service de la cour de France, sont également des compositeurs surtout religieux. Divitis, encore mal étudié de nos jours semble le plus personnel des deux avec son instinct harmonique très aigu. Mouton, fortement marqué par l'exemple de Josquin Des Prés, a compté parmi ses élèves Adrien Willaert, un des grands noms du XVIe siècle.

Loyset Compère, né quelque part dans le nord de la France vers 1450, membre de la chapelle ducale de Milan en même temps que Josquin Des Prés, puis « chantre ordinaire » de Charles VIII et chanoine à Saint-Quentin où il mourut en 1518, est avant tout l'auteur de nombreuses chansons à trois et quatre voix, d'une facture très fine, pour la plupart aussi riantes que son nom. Antoine de Févin, gentilhomme, né à Arras en 1473, musicien de la chapelle royale, mort en 1512, est souvent proche de Josquin dans ses messes et ses motets. Heinrich Isaac, sans doute Flamand du Brabant, devint vers 1480 à Florence le compositeur attitré et l'organiste de Laurent le Magnifique, puis après la mort de Laurent entra au service de l'empereur Maximilien à Augsbourg, à Vienne, à Innsbruck, pour revenir terminer sa vie à Florence dont sa femme était originaire et où il mourut en 1517. Profane ou religieuse, son œuvre est énorme, très peu connue chez nous. Il a mis en musique, dans un style limpide, avec la même aisance, le même sens du génie expressif de chaque langue, des textes italiens, allemands, latins, français, néerlandais.

On ne peut passer non plus sous silence l'historiographe de tous ces compositeurs, le plus grand théoricien du temps, Johannes Tinctoris (1445 ?-1511), né vraisemblablement à Poperinghe en Flandre, mais qui, aux dires de son ami Guichardin, l'historien florentin en général bien informé, se serait appelé Jean le Tinturier, originaire de Nivelles, où il revint mourir. Chapelain et chantre de Ferdinand de Sicile à Naples, il y fonda une école d'enseignement musical qui était alors sans équivalent en Italie. Il écrivit comme tout le monde une *Messe de l'Homme Armé*, des chansons, publia douze traités de théorie et le premier en date des dictionnaires musicaux. Un dictionnaire dans l'esprit qui durera jusqu'au XIXe siècle et regarde fort peu en arrière, comme si la musique renaissait du néant à chaque génération. Ce total oubli des aïeux enfle prodigieusement le rôle et la gloire des « modernes » à qui l'on attribue une vraie genèse. Pour Tinctoris, qui ne sait plus rien de *l'ars nova*, de Machaut et de son école, c'est avec Dunstable, Binchois et Dufay, tous les trois encore vivants au temps de son adolescence, qu'apparaît « une musique digne d'être écoutée ». Moins d'un demi-siècle plus tard, dans le prologue de son *Quart Livre*, Rabelais nomme les meilleurs musiciens morts et vivants pour faire chanter « mélodieusement » à ces chapelains et ces chanoines un dizain salace :

> *Grand Tibault, se voulant coucher*
> *Avecques sa femme nouvelle...*

Son énumération est si généreuse que plusieurs de ces compositeurs ne nous sont plus connus que par elle. Cependant, s'il remonte jusqu'à Brumel ou Mouton, disparus depuis une trentaine d'années, il ignore Dufay, Binchois, Busnois, leurs noms ont disparu même de sa mémoire encyclopédique.

Mais Rabelais fait présider son parterre de musiciens par Josquin Des Prés, le premier cité de sa liste. La postérité a ratifié ce choix. C'est bien Josquin qui domine toute la fin du XVe siècle et le début du XVIe.

JOSQUIN DES PRÉS

« JOSQUIN DES PRÉS, Hennuyer de nation », écrit dans sa préface au *Livre de Meslanges*, Ronsard, mélomane très averti. Le « Prince de la musique » naquit à Condé-sur-Escaut ou aux environs de Saint-Quentin, de toute façon en plein terroir français, à une date plus rapprochée sans doute de 1440 que de 1450, comme on l'imprimait jusqu'à ces dernières années. On a de bonnes raisons de penser, bien qu'aucun document ne le confirme, qu'il étudia un certain temps auprès d'Ockeghem, probablement à Paris. Au plus tard vers 1460, il prenait le chemin de l'Italie, où il passa quarante ans, à la maîtrise du Dôme de Milan, à la cour des Sforza, à la chapelle pontificale sous Innocent VIII et

Alexandre VI, ensuite à Florence, puis à Ferrare chez le prince
humaniste Hercule Ier d'Este. Il avait reçu la prêtrise vers 1479.
Rentré en france vers 1500, il appartint à la chapelle de Louis
XII. Il reçut un canonicat à Saint-Quentin, mais préféra se retirer
avec sa prébende à Condé-sur-Escaut, ce qui semble bien confirmer que c'était sa ville natale. Il y mourut au mois d'août 1521
(certains auteurs récents contestent cette date et reportent sa
mort à 1527). En 1520, à près de quatre-vingts ans, il dédiait
encore à Charles Quint un recueil de chansons nouvelles.

Si sa biographie comporte des obscurités qui tiennent au dédain
de l'époque pour les précisions dont nous sommes férus, nous
savons avec certitude que sa gloire fut immense, sans précédent
pour un musicien, même en cette époque si magnifique pour les
artistes. Trois générations, à travers toute l'Europe, ne jurèrent
que par Josquin. On le comparait à Virgile, à Michel-Ange, ce qui
ne signifiait pas grand-chose. On le loua, comme on l'avait fait
pour dix autres compositeurs dans des âges déjà effacés, d'avoir
été celui qui « de la musique informe, ébaucha le premier le dur
et rude corps », ce qui était bien injuste pour deux siècles de
progrès continus. Nous sommes davantage renseignés sur la place
exceptionnelle qu'il tenait par la quantité des copies manuscrites
de ses compositions et par la multiplicité de leurs éditions lorsque
apparut l'imprimerie musicale, qui fut pour l'époque, en ce qui
regardait la diffusion et l'influence des œuvres, un événement
encore plus important que l'enregistrement électrique pour nous.
Le premier imprimeur devait être Ottavio Petrucci à Venise, inau-
gurant ses presses en 1501 et publiant dès l'année suivante un
recueil de messes de Josquin. Il allait avoir rapidement de nombreux concurrents, en Allemagne, à Rome, Anvers, Paris, Lyon,
tous fervents « josquiniens », aussi bien par goût que pour la
prospérité de leurs entreprises.

Il n'est donc pas étonnant que nous possédions la quasi-totalité
de l'œuvre considérable du maître : vingt messes complètes, des
fragments de plusieurs autres, une centaine de motets, quatre-
vingt pièces profanes. Chez lui, comme chez tous ses contemporains, il n'y a point d'évolution brusque. Josquin débutant
prend exemple de façon artisanale sur ses devanciers – surtout
Ockeghem – il part de cette base pour introduire peu à peu ses
innovations, dégager son propre style. Il n'invente pas de formes
nouvelles, celles qui existent de son temps étant d'ailleurs de
longues créations collectives, mais il les enrichit et les élargit

comme personne n'a pu le faire durant le demi-siècle pourtant grouillant de talents de sa carrière musicale. Dans ce sens, Josquin Des Prés est bien le sommet d'un harmonieux, d'un logique développement, la plénitude d'une esthétique qui après lui ne pourra plus que se cristalliser ou se renouveler par d'autre voies.

Cet équilibre déjà presque classique ne nous prive-t-il pas plus ou moins de la saveur, de l'imprévu que nous aimons chez les pionniers ? Nous devons avouer en tout cas, pour notre part, que nous avons mis plus de conscience professionnelle que d'appétit musical à entendre ou, réentendre plusieurs messes de Josquin. Autant il était passionnant de voir Dufay annexer la messe à son art, autant on a l'impression avec Josquin, qui est cependant d'un génie plus puissant et original, d'assister à des exercices magistraux mais à l'intérieur d'un cadre déjà conventionnel, et qui le restera jusqu'à ce que le tempérament théâtral des Italiens le fasse éclater. Des premières messes de Josquin, comme celle de *L'Homme Armé* encore fondée sur le cantus firmus jusqu'à l'une des dernières et des plus accomplies, la messe *Pange Lingua*, on ne peut qu'admirer le métier que s'est forgé le musicien, son ingéniosité à varier la disposition des voix, à retourner la mélodie principale « à l'écrevisse », à la fondre dans toutes les parties de la polyphonie, à resserrer ou aérer son contrepoint, ou encore, point suprême de la maîtrise, à effacer toute trace de virtuosité, à présenter les figures contrapunctiques les plus complexes comme une déclamation servant humblement les paroles sacrées. Cependant, malgré de belles idées mélodiques, telles que l'*Agnus Dei* de la *Pange Lingua*, des détails délicats, comme dans le *Sanctus* de la même messe l'*In excelsis* final d'une douceur très simple après les vocalises les plus savamment brodées, on reste au dehors de ces majestueux monuments, tout en saluant leurs proportions parfaites. Et l'on se demande jusqu'à quel point l'âme de Josquin les a habités. Est-il possible d'écrire vingt fois des suites de *Kyrie*, de *Gloria*, de *Credo* avec le même élan spirituel et artistique ? Il est vrai aussi que nous avons détourné de leur sens, en les écoutant au concert ou au phonographe, ces œuvres inséparables du sacrifice liturgique, destinées à le commenter et le solenniser.

Cette respectueuse froideur à l'endroit des messes de Josquin doit être le partage de la plupart des musicographes sans qu'ils l'avouent franchement, puisque après de longues et admiratives analyses, ils reconnaissent que Josquin était beaucoup plus à l'aise dans des formes moins cloisonnées. La messe représentait certainement pour lui, comme pour la majorité de ses contemporains, le genre le plus élevé, ce que furent la symphonie et l'opéra pour les romantiques. Il y employa toute sa science et tous ses soins. Jusqu'au temps de nos impressionnistes, c'était aussi « le tableau d'histoire » qui consacrait les peintres. Les plus ambitieux y dépensèrent des efforts gigantesques, alors qu'ils mirent beaucoup plus sûrement leur génie dans des portraits, des études, des toiles de chevalet. Nous ne voulons pas dire par là qu'il faille aller chercher le meilleur Josquin dans ses morceaux les plus brefs. Au contraire, ses grands motets, très développés, comptent parmi ses chefs-d'œuvre. Mais ceux-ci ont tous pour trait commun d'être ses compositions les plus libres. C'est là, dans le *De Profundis*, le *Miserere*, le motet *Vultum suum* que l'on comprend pourquoi Josquin apparut inimitable aux auditeurs de son temps : par cette écriture large et ferme qui a rejeté les dernières minuties gothiques, et surtout par la valeur expressive que prennent ces œuvres. Nous ne parlons pas tant des effets symboliques ou descriptifs — unisson sur le mot *Unigenitus*, trio pour évoquer la Trinité, mélodie descendante pour l'accablement du pécheur — procédés simplement ingénieux et déjà ébauchés par les prédécesseurs, que des sentiments personnels, du lyrisme intime dont la musique de Josquin devient la traductrice. Ce que Luther, musicien militant, a si bien perçu quand il dit : « Les autres compositeurs font des notes ce qu'ils peuvent. Josquin en fait ce qu'il veut. » L'art musical à son tour devient individuel, un grand pas est franchi.

Le *Miserere* à cinq voix mixtes, plus encore sans doute que le *De Profundis*, est un des chefs-d'œuvre de la musique religieuse de tout l'Occident. Il date de 1500 environ, c'est-à-dire de la pleine maturité de Josquin. Quatre siècles et demi n'ont pas altéré sa pathétique substance. Toutes les formes de canons, d'imitations, d'échanges des voix interviennent, avec une appropriation admirable au sens éploré et tragique du psaume. Josquin est trop bien pénétré de cette vibrante poésie biblique pour la réduire à une litanie. Chacune des vingt strophes a son accent, sa couleur, elle est amplifiée ou resserrée. Vingt fois, après chacun des versets, le *Miserere mei* s'élève, comme une grande vague attendue et toujours nouvelle, entonné tantôt par les femmes, tantôt par les hommes, avec des intensités différentes, plus pressant, plus las. Il est impossible de pousser plus loin le développement et la variation dans une musique ignorant encore les thèmes multiples. Le R.P. Martin, l'interprète passionné de l'œuvre — parfois jusqu'à un excès de fougue — dit très justement que « l'on est ici aux sources de l'arioso, où l'inspiration crée la forme ». L'avant-dernière strophe, « ut ædificentur muri Jerusalem », s'éclaire, prend le rythme plus large qu'appelle le texte. La dernière, « Tunc acceptabis », réunit toutes les voix dans un contrepoint d'un tel mouvement que l'on s'étonne qu'après cette musique il eût fallu attendre près de deux cents ans pour que naquît Jean-Sébastien Bach. Mais Josquin, excellent chrétien, n'oublie pas qu'il écrit un chant de pénitence. Il revient au ton la supplication, il achève l'œuvre grandiose sur une dernier Miserere qui s'éteint, où sa piété se rencontre avec sa finesse d'artiste, et qui nous fait déplorer que la musique classique ait ensuite, pendant si longtemps, avec les verrous de ses cadences terminales, perdu le secret de ces touches subtiles qui laissent la musique suspendue entre terre et ciel.

Dans un tout autre domaine, celui de la chanson, s'il y a moins de distance entre Josquin et ses émules, il occupe aussi le premier rang. Les musicographes, en général, négligent un peu ses chansons à trois voix, parce qu'elles sont encore dans le style répandu au temps de sa jeunesse, vers 1470. Mais ce point de vue trop uniquement historique ne tient pas assez compte de leur charme, qui équivaut souvent à une signature. Il est exact cependant que ses chansons les plus personnelles sont celles de sa maturité, à quatre, cinq et six voix, où il se propose moins d'accroître le volume sonore que de donner plus de corps à la polyphonie dans un genre qui, sauf quelquefois chez Binchois, semblait jusque-là inséparable de l'écriture à trois parties. La *Bergerette Savoyenne* est un ravissant exemple, avec ses fines modulations, des soins que Josquin pouvait consacrer même à une œuvrette toute proche de l'inspiration populaire. Comme *Faulte d'argent*, *Baisez moi* et nombre d'autres menus joyaux qui sont aujourd'hui au répertoire de tous les ensembles vocaux de musique ancienne, elle est en avance sur son époque, annonce le style le plus brillant du XVIe siècle. La musique, sans les sacrifier, gagne de plus en plus d'indépendance à l'égard des paroles du poème. Les tonalités majeures et mineures s'affirment. Lorsqu'il chante la tristesse des amants, dans *Parfons Regrets*, *Adieu mes Amours*, *Cœurs Désolés* Josquin trouve des accents d'une sincérité, d'une sensibilité qui nous entraînent fort loin des conventions de la mélancolie galante.

CHAPITRE VIII

LE XVIe SIÈCLE EN FRANCE ET EN ITALIE

Le XVe siècle a été l'une des époques les plus parfaitement cosmopolites de l'histoire musicale. Sous l'ascendant de l'école de France et du Nord, de ses puissants créateurs, vers 1490, l'Europe entière, partout où il s'y faisait de la musique savante, cultivait le même style. Entre des compositeurs du cercle bourguignon tels que Pierre de La Rue et Busnois, un Allemand comme Heinrich Finck, des Français évoluant autour de Paris et de la cour comme Févin ou Brumel, un casanier fixé en Flandre comme Barbireau et toute la cohorte des émigrés ou des voyageurs, il n'y a point de différences d'esthétiques, mais seulement de natures et de talents.

On a souvent écrit que le XVIe siècle au contraire avait vu l'apparition des écoles nationales. Ce n'est pas inexact, du moins si l'on ne prend pas le terme dans une acception trop moderne. Mais le phénomène essentiel de cette époque a été bien davantage la résurgence de la musique italienne, pour ainsi dire inexistante depuis les années de *l'ars nova*. Le génie italien du Quattrocento, celui de Donatello, de Mantegna, de Piero della Francesca, de Verrochio, de Botticelli, de Bramante, n'avait eu aucune expression musicale. Cette indigence ne tient pas seulement au retard général de la musique sur les arts plastiques. Pour la même période, la littérature de la Péninsule, enfoncée dans l'éruditon grecque et latine, n'est guère plus riche. La musique italienne, de son côté, n'était pas assez développée pour entrer en concurrence avec les praticiens et les novateurs du Nord qui franchissaient continuellement les Alpes. Elle laissait les grandes commandes des cours et de l'Eglise aux Dufay, Obrecht, Weerbecke, Agricola, Josquin, Isaak. Mais le XVIe siècle allait être celui de sa revanche, qu'elle prit d'abord en proposant des formes nouvelles aux étrangers, en assimilant ceux-ci, pour conquérir bientôt la suprématie, tantôt heureuse tantôt regrettable dans ses effets, qu'elle garderait durant trois cents ans.

Cependant, la France devait jouer encore un rôle très original au moins dans la première moitié de ce XVIᵉ siècle, qui n'est pas le chapitre le moins séduisant dans l'histoire de sa musique.

JANEQUIN ET LA CHANSON FRANÇAISE

La chanson française du XVIᵉ siècle est l'héritière directe des compositions polyphoniques de l'époque précédente. Mais elle est beaucoup plus un produit national, ce qu'indiquent déjà les origines de ses auteurs, pour la plupart nés dans le centre du pays ou dans la capitale. De là le nom de chanson parisienne qu'on lui donne assez souvent. Elle n'en connaît pas moins un très grand succès au-delà des frontières, mais sans devenir un genre cosmopolite. Tout en s'inspirant d'elle les écoles étrangères l'adapteront à leur style.

Il est difficile de réduire à quelques caractéristiques un répertoire immense et très varié dans ses procédés. On peut dire que la chanson française du XVIᵉ abandonne presque entièrement les anciennes formes fixes, ballades, virelais, rondeaux. Tout en restant très habile, elle se rapproche du courant populaire. Elle est en général à quatre voix, trois voix d'hommes et une de femme. Mais elle écarte de sa polyphonie les éléments abstraits, les problèmes contrapunctiques que les vieux maîtres s'appliquaient à résoudre un peu comme des mathématiciens. Elle a l'oreille pour juge, élimine ce qui ne lui est pas immédiatement perceptible : pour parler à l'antique, elle suit Aristoxène plutôt que les pythagoriciens. Un de ses procédés familiers est donc l'imitation (reproduction plus ou moins fidèle d'un fragment de phrase mélodique ou d'un dessin rythmique), mais en la limitant à de petits groupes de notes, d'où l'écriture plus serrée, l'un des traits qui situe le mieux cette musique dans le temps et contribue à son animation. Elle est volontiers syllabique, n'emploie guère que de courtes vocalises sur les syllabes antépénultièmes. Elle se modèle sur les vers, mais sans astreinte; tout en s'appliquant à laisser sa clarté au texte, elle pratique souvent les répétitions de mots quand elle peut en tirer des effets musicaux. Bien qu'il ne s'agisse pas là, tant s'en faut, d'une règle absolue, la chanson française est d'expression plus rythmique que mélodique.

Plus libre et plus légère dans ses formes que la chanson du siècle précédent, celle du XVIᵉ l'est aussi par son esprit. S'il lui arrive encore de s'alanguir dans les plaintes de l'amour courtois paré de nouveaux attributs mythologiques, elle préfère se débrider. Elle est bien contemporaine de Rabelais, du règne de François Iᵉʳ par son exubérance, son goût de la vie, de l'amour physique, ses gaillardises quelque peu estompées sous la résille du contrepoint :

> *Il ferait bon planter le may*
> *Au petit jardin de ma mye*
> *Garny suys d'oustils qu'il y fault*

Une suite de hasards et de négligences a fait que nous ne savons presque rien du maître de la chanson française, CLÉMENT JANEQUIN, malgré la célébrité européenne qu'il eut de son vivant, les guirlandes de rhétorique que les poètes tressèrent à sa louange. Il doit être né à Châtellerault entre 1480 et 1490. Il mourut vers 1560. Ronsard le donne pour un élève de Josquin, ce qui est assez vraisemblable. Il fut ecclésiastique, malgré la verdeur des textes qu'il choisissait (les trois vers que nous venons de citer sont extraits d'une de ses chansons).

Mais il fut abondamment édité, tant en France qu'à Rome, à Venise et à Anvers, et nous possédons près de trois cents de ses chansons. Elles sont extrêmement diverses de formes et d'inspiration. Son nom évoque aussitôt les grandes chansons descriptives dont il fut le créateur, qui contribuèrent le plus à sa gloire et représentaient pour son temps une nouveauté au moins comparable à ce que devait être le poème symphonique pour le XIXᵉ siècle. La première en date est sans doute *La Guerre,* à quatre voix, à qui l'on a donné ensuite un titre plus précis, *La Bataille de Marignan.* Avec son attaque claironnante (« Écoutez tous, gentils Gaulois, la victoire du noble Roi François »), ses cadences bien marquées qui étaient encore une surprise pour l'époque, son mouvement bien enlevé, jamais musique n'avait eu autant de panache. Elle l'a conservé pour nous. On y revit ce début du XVIᵉ siècle français, un peu fou mais d'un élan si juvénile sous un roi de vingt et un ans, beau garçon et artiste, intrépide à la guerre et au déduit, populaire et grand seigneur. On comprend que partout où l'on entonnait *La Bataille* l'assistance se redressât, que les cavaliers saisissent instinctivement le pommeau de leur épée, et qu'on l'eût bientôt chantée jusqu'au Mexique, où les hidalgos l'avaient emmenée. Personne, trente ans auparavant, n'aurait pensé que la musique pourrait procurer des impressions aussi directes.

Les autres chansons pittoresques de Janequin, *Le Chant des Oiseaux, L'Alouette, La Chasse,* relèvent davantage des facilités de la musique imitative telle que l'avaient pratiquée les Italiens dans leurs *caccie,* mais avec de charmants et savants détails polyphoniques. Ses nombreuses chansons légères, galantes ou libertines dont beaucoup sont exquises *(Ma peine n'est pas grande, Il était une fillette, Ce moys de may ma verte cotte, Ce petit dieu qui vole)* ont une facture toujours élégante même quand les sous-entendus du texte sont très salés. Il sait varier ses procédés selon les genres qu'il aborde, tantôt l'homophonie[1] dans les chansons de tour populaire, tantôt le contrepoint le plus régulier, dans les compositions plus relevées, ou bien l'une et l'autre alternativement à l'intérieur de la même pièce, et encore un phrasé très dessiné dans l'élégie. Il mit en musique, de Marot à Ronsard, les meilleurs poètes de son temps. Il mourut pauvre, semble-t-il, malgré les triomphes qu'il avait connus, première victime sans doute des éditeurs-pirates qui ont dû exister dès l'origine de la profession.

Claudin de Sermisy (vers 1490-1562), chanoine parisien de la Sainte-Chapelle, fit une carrière parallèle dans le temps à celle de Janequin. Il était moins que lui curieux des nouveautés du métier, plus pudique, davantage porté vers un lyrisme tendre et grave. On a conservé de lui plus de cent cinquante chansons. Un autre Parisien, le curé Passereau, évoque pour nous la silhouette de Frère Jean des Entommeures, parce que nous n'avons de lui qu'une vingtaine de chansons, presque toutes du genre le plus leste, réunissant Perrin et Perrinette dans le foin ou « sur le joli jonc », et d'ailleurs d'une écriture impeccable et pleine d'esprit. Au même groupe appartiennent Magdelain, Mittandier, Fresneau, Maillard, Lhuillier, Godard, tant d'autres encore que leurs noms ont à peine pu trouver place dans les dictionnaires les plus complets. Leurs œuvres, bien entendu, se confondent un peu, mais elles sont rarement vulgaires ou malhabiles.

Lyon, qui était alors un centre artistique et intellectuel aussi actif que Paris, possédait également son école de « chansonniers », plus ouverte aux influences italiennes dans cette ville qui abritait

---

1. Le terme « homophonie » est encore un exemple de la bizarre confusion qui règne dans le vocabulaire musical. Contrairement à son étymologie qui le fait synonyme d'« unisson », il désigne ici une écriture en harmonie verticale par opposition au contrepoint.

de nombreuses colonies florentines, lombardes, vénitiennes. Il faut au moins citer Dominique Finot, le compositeur préféré de Maurice Scève, ce Mallarmé du XVIᵉ siècle, dont il mit en musique les dizains harmonieux et fermés.

La chanson française eut encore des adeptes parmi les excellents musiciens qui se faisaient éditer à Anvers, mais étaient, comme les autres Nordiques, d'origine assez diverse : Nicolas Gombert, né vers 1500, mort vers 1556, attaché durant quinze ans à Charles Quint en Espagne, puis chanoine de Tournai, Thomas Créquillon, son successeur auprès de l'empereur, chanoine de Béthune où il mourut vers 1557, Jacques Clément, dit Clemens non Papa, si mal connu que son sobriquet est resté énigmatique, ecclésiastique mort vers 1558 à Dixmude, et encore, à ses débuts, Adrien Willaert, Flamand de Roulers ou de Bruges, que nous retrouverons plus loin. Ces « Anversois », qui composaient tous sur des vers français, restaient plus que les Parisiens fidèles au canon strict, au contrepoint dense du XVᵉ siècle.

Lorsqu'on vient de passer quelque temps avec la chanson française, on s'étonne que la règle impitoyable des siècles passés, qui voulait que les musiques nouvelles enterrassent toutes leurs devancières, n'ait pas fait exception pour un répertoire aussi attrayant. Il n'en fut rien, et la chanson subit le sort d'un article de mode, auquel elle était d'autant plus promise que sa diffusion avait été plus vaste.

LES MUSIQUES RELIGIEUSES CONTEMPORAINES DE LA CHANSON FRANÇAISE

La chanson avait complètement éclipsé chez les Français la musique religieuse dans la première moitié du XVIᵉ siècle. Ce n'est pas qu'ils n'aient exécuté les uns et les autres de commandes de messes et de motets, mais dans un style banal et avec une absence de conviction qui ne donne pas grande envie de pousser plus loin la connaissance assez courte que l'on a de ces médiocrités.

Les musiciens du Nord, au contraire, continuaient à se partager entre leurs œuvres profanes et leurs œuvres pour l'Église comme à l'époque de Josquin. On possède quantité de messes, motets, Magnificats de Gombert, Clemens non Papa, Thomas Créquillon et Pierre de Manchicourt, tous deux de Béthune, Jacobus Vaet de Courtrai.

Tous ces maîtres estimables commençaient cependant à faire figure d'isolés, dans leurs provinces et dans des cours qui n'étaient plus que des centres musicaux de second ordre. Les Nordiques les plus doués étaient passés en Italie, où nous allons descendre à notre tour pour les retrouver chemin faisant.

LES INNOVATIONS ITALIENNES : FROTTOLE ET MADRIGAUX

La vogue en Italie, d'un bout à l'autre du XVᵉ siècle, des polyphonistes venus du Nord avait été surtout le fait des cours, des cercles intellectuels, des dignitaires ecclésiastiques, ce qui constituait d'ailleurs un public certainement plus vaste que celui qui suit aujourd'hui en France l'évolution de la musique sérielle. Elle avait peu touché le peuple. Il entendait certainement dans les grands sanctuaires les messes du nouveau style, mais elles étaient d'une complexité rebutante pour ses oreilles. Il ne pouvait même pas s'y initier en leur fournissant des exécutants, puisque la plupart des chanteurs étaient aussi des émigrés. Il rangeait tous ces musiciens sous les termes approximatifs de « Fiamminghi », de « Galli », et le plus souvent de « Tedeschi », c'est-à-dire des gens avec lesquels il avait assez peu d'affinités d'humeur et de goût.

Le peuple italien qui déjà, pas plus que de nos jours, ne se passait de musique, en avait donc fait à sa façon, naïvement, pour le plaisir de chanter et de danser. Les compositeurs du cru, modestes personnages ignorés des aristocrates et de l'Église, n'ayant pas les moyens de se perfectionner dans un pays où il n'existait presque plus de foyers d'enseignement musical, s'étaient mis à cultiver ces genres spontanés et rustiques. Mais comme ils improvisaient la plupart du temps, rien n'est resté de leurs petits ouvrages, qui relevaient certainement de la mélodie accompagnée.

La *frottola* était une de ces musiques de carrefours et de cabarets. Des compositeurs tels que les Véronais Bartolomeo Tromboncino (1470 ?-1535 ?), Marchetto Cara (mort vers 1527) s'en emparèrent pour l'habiller, l'éduquer, la présenter aux mélomanes de distinction qui la trouvèrent charmante. C'était en quelque sorte la réaction des cénacles d'amateurs cultivés, quelque peu fatigués de la mode déjà ancienne de la polyphonie étrangère, et qui redécouvraient le charme et le piquant d'un art plus simple.

D'autres amateurs s'indignaient que l'on pût préférer cette

musique de la rue aux nobles et savants motets. Mais les plus fameux polyphonistes étrangers leur donnaient tort en se divertissant eux-mêmes à écrire des *frottole,* Josquin et Loyset Compère avec quelque raideur, Heinrich Isaak avec beaucoup plus de naturel. De tous les « Tedeschi », ce Brabançon était celui qui attrapait le mieux l'accent indigène. A Florence, il avait déjà écrit les airs des chants de Carnaval, « canti carnascialeschi », dont son patron Laurent le Magnifique écrivait les vers.

En 1501, l'imprimeur vénitien Petrucci publiait, à la suite des messes et des motets de Josquin, un premier recueil de *frottole,* en leur conférant ainsi des lettres de noblesse musicale.

Comme l'estiment certains historiens, la musique italienne tout entière sort peut-être de la *frottola.* Mais elle y est encore à un état bien embryonnaire. La *frottola* proprement dite est composée d'une *ripresa* de quatre ou six vers, de différentes strophes de six ou huit vers sur un air identique, et d'un refrain qui répète soit les deux premiers soit les deux derniers vers de la *ripresa.* Elle est à trois ou quatre voix, le plus souvent à quatre, mais avec prédominance constante de la mélodie à la voix supérieure, les autres voix servant de soutien harmonique, dans une écriture verticale qui se refuse aux jeux de contrepoint des Nordiques. C'est déjà la prédilection italienne pour le solo vocal nettement détaché de l'ensemble. La tonalité se précise de plus en plus. Mais si tous ces traits font l'importance historique de la *frottola,* ils ne lui évitent pas la monotonie des pièces à refrain, accentuée encore par le point d'orgue qui marque le plus souvent la fin de chaque vers.

Les *strambotti* étaient une variante élégiaque de la frottole. A l'inverse de la frottole gaie, les mélodies s'y étiraient en mélismes, avec des effets expressifs sur les mots clés, des arrêts sur le mot *sospir* qui font déjà songer aux tics et sanglots des ténors de bravoure. Mais ces enjolivures n'apportaient que des variantes très relatives à l'uniformité de la coupe, par strophes de huit vers, au cours desquelles on répétait de deux vers en deux vers la même mélodie.

Frottole et *strambotti* pouvaient se chanter *a cappella.* Mais le plus fréquemment sans doute on les exécutait en solo accompagné au luth. Le succès des premiers recueils imprimés jeta sur la *frottola,* outre Tromboncino et Cara, les maîtres du genre, une foule de musiciens véronais, vénitiens, padouans, mantouans. Mais la rapidité de la diffusion abrégea la vie du genre, comme elle l'avait fait pour la chanson française. De toute façon, après un siècle d'inertie, la musique italienne s'était mise en mouvement. Dès 1530, la *frottola* disparaissait pour faire place au madrigal qui allait connaître une tout autre carrière, et auquel elle avait préparé la voie depuis quelque temps par de menus raffinements d'harmonie assez étrangers à sa simplicité originelle.

Nous avons déjà rencontré *le madrigal,* au XIVe siècle, parmi les genres favoris de l'*ars nova* italienne : un petit poème en strophes de deux ou trois vers, avec une mélodie unique dont les reprises sont coupées par un refrain.

Le madrigal de la Renaissance n'a plus de commun avec lui que le nom. C'est une composition libre, comme le poème sur lequel elle est écrite, sans répétitions strophiques ni refrains, en belle polyphonie à trois, quatre ou cinq voix, s'inspirant de celle du motet plutôt que de la chanson française, mais avec beaucoup moins de rigueur. Les rythmes changent selon le sens du texte. Le seul principe auquel obéisse le madrigal, c'est en effet de s'adapter aussi étroitement que possible aux paroles du poème, aux sentiments qu'ils expriment. Ces poèmes sont souvent d'une qualité littéraire très supérieure aux petites strophes que l'on versifiait à l'époque précédente. Les musiciens composent sur les sonnets de Pétrarque, de Michel-Ange. Les différentes voix ont la même importance dans la polyphonie. Mais chacune peut comporter des *passaggi,* ornements expressifs qui font valoir la virtuosité et l'émotion du chanteur, lequel du reste en rajoute volontiers de son propre chef. Pour élargir leur vocabulaire, exprimer d'une manière plus ressentie les états de l'âme, les meilleurs compositeurs font un usage de plus en plus fréquent des dissonances, des altérations, fa dièse, ut dièse, sol dièse, mi bémol, si bémol, toujours interdites par l'Eglise dans la musique religieuse, mais devenues d'une pratique si courante qu'on les admet pour la musique *falsa* ou *ficta* dans laquelle on rangera le madrigal. Dès le milieu du siècle, les madrigalistes s'installent délibérément dans le chromatisme. Pour justifier ces modernes audaces, les plus savants s'appuient sur l'exemple des Anciens, les modes grecs, dont leur musique n'a pourtant jamais été plus éloignée. Le madrigal achève de l'établir dans le système tonal. Lorsqu'en 1558 le théoricien Zarlino expose les règles de l'accord parfait majeur et mineur, ce n'est plus que pour confirmer et codifier l'état harmonique dans lequel la musique se trouve depuis un demi-siècle.

Le madrigal est le lieu de rencontre des Italiens et des musiciens du Nord, avec tant d'influences réciproques qu'on ne peut délimiter exactement le rôle des uns et des autres sans systématiser. Costanzo Festa figure dans le premier recueil, publié en 1530. Ce chantre de Léon X, qui a d'abord écrit beaucoup de musique religieuse, adapte à ses madrigaux le style du motet. Ses préférences d'Italien vont à une simplification de la polyphonie, d'ordinaire chez lui à trois voix. Mais il sait composer aussi à quatre voix sans perdre ses qualités d'élégance et de finesse. Francesco Corteccia, pour lequel le madrigal reste une pièce de circonstance, Giovanni Animuccia, surtout musicien d'Église, ont moins d'intérêt.

La plupart des autres madrigalistes de cette première période sont des émigrés du Nord, Philippe Verdelot, Adrien Willaert, qui se sont essayés à la *frottole*, Jacques Arcadelt, Antoine Barré, Jean Ghero. Adrien Willaert (vers 1480-1562), Flamand de naissance, Parisien d'éducation – il fut l'élève de Jean Mouton – mais adopté de longue date par l'Italie, tâte d'abord prudemment des madrigaux à trois voix, à peine plus évolués que des *frottole*. Ensuite, il sacrifie un peu trop au goût des Italiens pour la simplification, en se livrant tout à coup à des étalages de science assez pédantesques quand il se surveille moins. Mais il est aussi l'un des premiers, malgré son âge qui en fait le doyen des madrigalistes, à expérimenter les nouvelles ressources du chromatisme, suivi de près dans cette voie par son élève Cyprien de Rore, Flamand d'Anvers ou de Malines, qui a mis en musique presque tout Pétrarque. Jacques Arcadelt, sans doute flamand, (1505 ? - 1568 ?), élève de Josquin, longtemps attaché à la chapelle pontificale avant de finir ses jours en France, est l'auteur le plus fécond de cette première école, avec deux cent cinquante madrigaux, souvent assez voisins de la chanson française qu'il pratique aussi. La limpidité de son harmonie, sa douceur chantante émerveillent les Italiens, qui garderont longtemps le souvenir de ce compositeur de charme.

A partir de 1550, les madrigalistes italiens deviennent plus nombreux. Niccolo Vicentino (1511 ? - 1572), maître de chapelle à la cour de Ferrare, fait figure d'initiateur en poussant les expériences chromatiques de son maître, « il divino Adriano Willaert », qu'il étaie de ses considérations sur les genres grecs, développées dans un gros traité. A ce moment-là, le chromatisme est une curiosité dont on s'engoue, sur laquelle on s'exerce à tout bout de champ, en oubliant que son intérêt tient à sa valeur poétique et dramatique.

Les deux plus illustres compositeurs de l'époque, Palestrina et le Wallon Roland de Lassus sont aussi des madrigalistes abondants. Ce n'est toutefois qu'une partie de leur œuvre, sur laquelle nous reviendrons plus loin.

Hormis Roland de Lassus, qui n'a passé que sa jeunesse en Italie, les derniers Nordiques sont Philippe de Monte (1521-1603), longtemps musicien de la cour de Vienne, auteur d'un millier de madrigaux plus distingués qu'originaux, et Jachet de Wert (1535-1590), un Flamand tout à fait italianisé. Avec eux s'achève du reste l'histoire internationale de la grande école du Nord. Vidés par l'émigration vers l'Italie de leurs plus brillants talents, les centres wallons, picards, flamands se recroquevillent sur une existence provinciale. On y fera de la musique honorable, plus traditionnelle dans les Flandres où la polyphonie se survivra assez longtemps, davantage dans le goût français en pays liégeois, mais elle n'atteindra plus jamais à un rayonnement européen.

Vers la fin du siècle, tous les madrigalistes sont Italiens. Le maître le plus célèbre du groupe est le Brescian Luca Marenzio (1553 ?-1599), honoré du titre, qui à vrai dire a déjà passablement servi, de « divino compositore ». Son principal souci est l'intensité dramatique. Pour y parvenir, il fait dans ses madrigaux à cinq et six voix une habile synthèse de tous les procédés qui ont eu cours depuis les débuts du genre, contrepoint en imitation, canons, déclamation syllabique, phrasé mélodique, chromatisme, doubles chœurs. L'un de ses rivaux était Carlo Gesualdo, prince de Venosa, gentilhomme napolitain apparenté aux plus nobles familles (1560 ? - 1613), qui trompé par sa femme, Marie d'Avalos, l'avait fait tuer en même temps que son amant. Remarié à une princesse d'Este, il consacra la fin de sa vie à la musique. Ce n'est pas non plus un compositeur de tout repos. Ses madrigaux sont hérissés de bizarreries chromatiques que plusieurs théoriciens de l'époque tenaient pour de pures extravagances. Bien que ces singularités soient aujourd'hui très estompées, on y perçoit par endroits les mouvements d'une nature fiévreuse.

Sur une cinquantaine de noms que l'on pourrait encore aligner, il faut au moins retenir celui de Marc Antonio Ingegneri (1545 ? - 1592), que son éclectisme destinait aux succès pédagogiques, et dont l'enseignement fut en effet très utile au plus célèbre de ses élèves, Monteverdi.

La plupart des auteurs dont nous avons parlé jusqu'à présent travaillaient surtout dans le madrigal noble, poétique. La sentimentalité excessive que certains étalaient avait amené vers 1570 une réaction d'humour, le *madrigal dramatique,* ou plus justement *madrigal dialogué*, car il est aussi peu pathétique que possible. L'un des premiers exemplaires du genre fut *Le Lavoir*, d'Alexandre Striggio, le père du librettiste de Monteverdi, auteur de graves motets, mais qui avait ses heures de détente. *Le Lavoir* est un contrepoint à sept voix qui fait bavarder des lavandières, s'interpellant, se demandant des nouvelles de leurs galants, s'accusant de vol. D'autres compositeurs s'inspiraient dans ces divertissements de la « commedia dell'arte », en plein essor et que l'on jouait dans les châteaux aussi bien qu'au coin des rues. Orazio Vecchi (1530 ? - 1605), chanoine gaillard et lettré traitait en polyphonie dans son *Amfiparnasso, commedia harmonica* (1597), toute une intrigue de commedia dell'arte, où Pantalon veut marier au Docteur sa fille Isabelle éprise du jeune Lucio, tandis que s'agitent autour d'eux le laquais Francatrippa, des bravaches espagnols, des Juifs jacassants. Adriano Banchieri (vers 1567-1634), autre moine, composait le *Zabaione (sabayon) Musicale*, pot-pourri de chansons burlesques et de madrigaux élégiaques, le *Contrappunto Bestiale* où les quatre voix supérieures appartiennent à un chat, un chien, un coucou, un hibou, tandis que la basse marmonne grotesquement un thème grégorien, dont ce bénédictin devait être aussi fatigué que Berlioz des exercices de fugues quand il écrivait l'*Amen* de *La Damnation de Faust*.

A l'audition, le comique, le pittoresque et la truculence de ces facéties sont des plus modérés. Les concerts d'animaux ressortissent à des imitations enfantines. Le contrepoint n'a rien d'un procédé hilarant, même quand Pantalon tient la basse. Mais il est presque toujours d'une jolie et ingénieuse écriture, rappelant beaucoup du reste les chansons françaises. Bien que l'*Amfiparnasso*, le plus développé de ces madrigaux fantaisistes avec ses treize parties, renfermât déjà l'un des canevas typiques de l'opéra-bouffe et annonçât encore celui-ci par son bagou, aucune réalisation scénique n'en fut tentée. La polyphonie s'y prêtait trop peu. Le madrigal dialogué resta purement musical, une sorte de cantate gaie, une récréation pour mélomanes confirmés, capables de suivre ce jeu de contrepoints et d'en percevoir le piquant. Le genre mourut dès l'apparition, avec l'opéra, d'un théâtre en musique qu'il avait plus ou moins pressenti.

En même temps que le madrigal, le XVIᵉ siècle italien avait vu naître la *villanelle*, d'origine napolitaine. Elle dérivait elle aussi de la *frottola*, mais pour en conserver le caractère joyeux, accentué par des rythmes de chanson à danser. Malgré ses textes truffés de termes dialectaux, elle n'appartenait pas plus au folklore que le madrigal, s'adressait au même public cultivé que lui, et fut pratiquée par les mêmes auteurs, Willaert, Lassus, Marenzio. Tout en se dégourdissant ainsi la main, ces infatigables techniciens enrichirent et affermirent peu à peu sa polyphonie d'abord très simplette. Elle s'affadit ensuite en prétendant à plus de distinction, mais survécut cependant au madrigal sous forme de danse instrumentale.

Le XVIᵉ siècle, avant tout grâce au madrigal, tournait donc au triomphe complet des Italiens. Conscients d'abord de leur infériorité devant les Nordiques auxquels ils abandonnaient toutes les places et tous les succès, ils s'étaient peu à peu assimilé leur métier, en l'allégeant de ce qu'il avait de trop touffu, de trop scientifique. A leur tour, ils avaient séduit les étrangers par leur facilité mélodique, la clarté et la consonance de leurs harmonies, leur « peinture des sentiments par la musique ». A la fin, ils restaient seuls maîtres du terrain, chacun s'inclinait devant leur génie, se mettait à leur école. Ils pliaient messes et madrigaux à leur instinct théâtral. Il ne leur restait plus bientôt qu'à franchir le dernier pas et à porter la musique sur la scène, avec un succès qui leur vaudrait l'hégémonie dont les effets se sont prolongés presque jusqu'à nous.

UN EUROPÉEN DE TAILLE : ROLAND DE LASSUS

Avant que l'opéra italien ne submergeât tout, un homme avait possédé une personnalité assez puissante pour réaliser une synthèse du Nord et du Midi qui devait malheureusement se limiter à son œuvre.

Comme Josquin, ROLAND DE LASSUS était du Hainaut, né vers 1532 à Mons, où il apprit le chant comme enfant de chœur de l'église Saint-Nicolas. Engagé dans la chapelle de Fernand de Gonzague, vice-roi de Sicile, il vécut pendant une dizaine d'années à Palerme, à Milan, où le vieux Flamand Werrecoren acheva son instruction, à Naples parmi des artistes et des poètes extrêmement libres d'esprit et de mœurs, à Rome où sa réputation était déjà telle que bien que laïc – c'est un des premiers grands musiciens qui ne soit pas d'Église – il se voyait confier à vingt et un ans la maîtrise de Saint-Jean de Latran.

Après quelques séjours en Angleterre, à Anvers où il publia un premier recueil de ses œuvres, il était appelé en 1564 à Munich, comme ténor puis bientôt comme directeur de la chapelle des ducs de Bavière. Tout en voyageant beaucoup, il resta fidèle à cette fonction jusqu'à sa mort en 1594, c'est-à-dire pendant trente-huit ans, marié à une jeune Allemande de bonne maison, fille d'une dame d'honneur de la Cour, et dans une affectueuse intimité avec le duc Albert puis son fils le duc Guillaume.

Lassus est une de ces plantes humaines d'une confondante vitalité dont la nature semble avoir perdu le secret depuis ce jaillissement de sève, ce printemps de l'Occident que fut la Renaissance. Ce grand seigneur, hôte de toutes les cours, chevalier de l'Eperon d'Or, pratique le mélange des genres avec une liberté shakespearienne. Alors qu'on lui doit des pages qui sont pour son époque l'expression musicale la plus profonde de la spiritualité, il est aussi l'un des précurseurs du répertoire des carabins quand il chansonne les frasques des nonnains et des moines sur des parodies de thèmes ecclésiastiques. Sa correspondance avec les ducs bavarois est d'une salacité à la Brantôme. Il s'y ébroue dans un salmigondis de français, de patois picard, de dialectes italiens, de latin, de néerlandais, d'allemand avec un très curieux sens de la sonorité, de la chair et du poids des morts. Mais cet énorme fantaisiste pouvait être aussi un esthéticien analysant avec pénétration son art et toute la musique de son temps. Et il avait de sa propre valeur une conscience sereine et superbe.

Roland de Lassus, « il divino Orlando », est pour la fécondité un Lope de Vega musical. On a relevé près de 2 400 compositions de sa main, dont les deux tiers religieuses. Compte tenu de la brièveté de certaines pièces, c'est une œuvre dont le volume atteint celles de Bach et de Mozart réunies, l'une et l'autre pourtant monumentales.

Il n'existe guère de par le monde plus d'une dizaine de spécialistes qui puissent se flatter d'en avoir une connaissance complète, et malheureusement leur sensibilité artistique est sujette à caution. Nous ne dissimulerons donc pas qu'hormis quelques monographies, celle du musicographe belge Van den Borren étant la plus poussée, tous les livres parlent de Lassus d'après des sondages. Ceux-ci laissent place encore à de nombreuses découvertes, tout en nous indiquant, comme on s'en doutait, qu'un auteur d'une telle abondance ne peut pas être perpétuellement sur les sommets. Ce que nous avons déjà dit des vingt messes de Josquin, où il entre fatalement une part de composition mécanique, est vrai aussi de Lassus, qui en écrivit cinquante-deux, encore qu'il y apportât une variété de procédés contrapunctiques, une verve technique qui étaient inconcevables avant lui.

Comme presque tous ses contemporains, et mieux encore qu'eux, un artiste aussi vivement conduit par son imagination que Lassus devait trouver dans les formes ouvertes son véritable épanouissement. On ne peut guère séparer chez lui les madrigaux des motets. Tout jeune, découvrant le madrigal à Milan et à Naples, il l'adopta d'enthousiasme, en renchérissant sur les italianismes, en usant jusqu'à l'excès du chromatisme, mais toujours à des fins expressives. Un peu plus tard, dans les *Prophéties des Sibylles,* qui sont parmi les premiers en date de ses quelque huit cents motets, il anime le style religieux en l'associant à celui du madrigal, son chromatisme accidenté s'accorde aux mystérieuses incantations du texte. Mais à la même époque, dans *Les Plaintes de Job,* il sait adopter un ton plus grave et plus sobre sans être pour cela moins éloquent. Que l'on écoute de lui, au hasard des discothèques, ses pages les plus célèbres, le psaume *Super Flumina Babylonis,* chant d'exil qui réclame l'écrasement sur la pierre des ennemis d'Israël jusqu'aux petits enfants, le brillant *Christus resurgens* de Pâques, le *Tui sunt Cæli,* le *Resonet in laudibus,* on est frappé dès les premières mesures par la vigueur de l'accent, la sûreté de la démarche. La musique s'est musclée, sa respiration s'est élargie. Les motets à huit ou à douze voix de Lassus représentent l'accomplissement suprême de la polyphonie savante du Nord, mais d'une science qui n'est plus sa propre fin. Lassus, au gré de ce qu'il veut dire, selon les textes si divers dont il s'inspire, interrompt soudain le déroulement de son magnifique contrepoint pour édifier des harmonies verticales, se permet les rythmes les plus contrastés, fait franchir d'un saut à sa mélodie des intervalles insolites. Une grande part de son prestige, de ses triomphes dans toute l'Europe dut tenir à ces effets de surprise, dans une heureuse période où tous les mélomanes étaient naturellement d'avant-garde, applaudissaient chaque nouvelle conquête, préféraient l'inattendu aux tièdes plaisirs de la sécurité. Et Lassus, ayant touché à toutes les formes musicales de son siècle, chaque fois pour les parfaire, ayant de lui-même corrigé ses excès, mit le point final à son œuvre avec le dépouillement de ses vingt madrigaux spirituels, *Les Larmes de saint Pierre,* sans avoir rien sacrifié de sa poétique. Terme symbolique aussi d'une vie commencée dans l'insouciance napolitaine et qui s'achevait pour le catholique Lassus dans l'austérité de la Contre-Réforme dont il était un partisan convaincu.

Nous n'avons pas oublié que Roland de Lassus, dont le français était la langue maternelle et quotidienne, fut encore avec cent-quarante-cinq pièces un des maîtres de notre chanson dans toute sa gamme, libertine, pimpante, tendre, mélancolique. La fermeté de son écriture donne même à ses gaillardises et son comique un relief qui le font encore plus gaulois que nos Parisiens et nos Tourangeaux.

Les Allemands, qui ont entrepris la publication de ses œuvres complètes, l'ont revendiqué à cause de sa longue carrière bavaroise, bien qu'il n'eût guère subi d'influences de leur musique encore trop peu développée de son vivant. Il a cependant écrit une soixantaine de lieder allemands d'une indéniable couleur germanique. Et il était Français de sang – les Lassus sont plus nombreux en France qu'en Belgique – il a écrit autant d'ouvrages dans notre langue que Josquin. Le musicologue autrichien Ambros, l'un de ceux qui l'ont tiré des oubliettes au XIXe siècle, a dit : « Lassus est partout chez lui. » Souvent, chez d'autres, ce n'est qu'une faculté de mimétisme qui ne produit que de l'insignifiant. Au contraire, sous tous les cieux où il a travaillé, Lassus a fait entendre d'abord et reconnaître bien vite sa propre voix. Il a prouvé qu'au plus haut niveau pouvaient exister un art et un esprit européens capables de créations aussi fortes et originales que les fruits d'un seul terroir.

PALESTRINA

Giovanni Pierluigi, appelé da Palestrina du nom de la petite ville de la Sabine, l'ancienne Praeneste des Latins, à 37 kilomètres de Rome, où il naquit en 1526, était de quatre ans l'aîné de Roland de Lassus et il mourut cinq mois avant lui. Mais les ressemblances de leurs destinées s'arrêtent là. Lassus à vingt ans avait déjà connu l'aventure, les milieux les plus divers. C'était un cosmopolite, installé sur un grand pied, considérant la direction de sa chapelle, dont il s'acquittait d'ailleurs très diligemment, comme un service aristocratique. Palestrina était un fonctionnaire pontifical. Bien qu'il eût atteint à la même gloire internationale, presque toute son existence s'écoula à l'ombre des églises romaines, dans un cercle assez restreint d'ecclésiastiques, dont quelques musiciens d'envergure tels que son disciple espagnol Victoria, sans autres événements que les deuils, que les mutations et les promotions hiérarchiques de sa carrière.

Son père était un propriétaire aisé, très croyant. Il l'avait fait admettre dès onze ans à la maîtrise de Sainte-Marie Majeure de Rome où son premier professeur fut le Français Firmin Le Bel qui l'initia à tous nos polyphonistes. En 1554, le jeune Palestrina dédiait à Jules III son premier recueil de messes. Le bois gravé de la couverture le représente à genoux devant ce pape peu recommandable selon les historiens les plus catholiques, joueur, bambocheur, sans doute pédéraste, qui avait nommé cardinal un « mignon » de dix-sept ans, le gardien de ses singes.

Il fut successivement maître de chapelle à Saint-Jean de Latran, à Sainte-Marie Majeure, à la chapelle Giulia. Il était bien pourvu d'écus. Devenu veuf, il songea à entrer dans les ordres, mais se remaria l'année suivante. En 1592, quatorze compositeurs italiens lui consacraient un recueil de psaumes comme au plus grand compositeur de son siècle. Lui-même ne se reconnaissait d'autre qualité que d'être très laborieux. Il mourut en plein travail le 2 février 1594. Il avait servi onze papes, dont deux à vrai dire avaient eu moins d'un mois de pontificat, et un troisième huit semaines. Il avait dédié des œuvres à Philippe II, aux princes de Bavière, d'Este, de Lorraine, de Pologne. Il laissait cent quinze messes – un chiffre assez effrayant ! – six cents motets, des livres de psaumes, de litanies, d'Offertoires, de Magnificats, et parmi toutes ces compositions religieuses seulement deux recueils de madrigaux profanes, qui sont des pages assez faibles, le plus souvent calquées sur le motet d'église.

Le nom de Palestrina resta seul entouré d'un culte durant les deux siècles et demi, XVIIe, XVIIIe et une bonne partie du XIXe, où les autres maîtres de la Renaissance et du Moyen Age étaient ensevelis dans la poussière et rejetés avec mépris quand par hasard on en déterrait quelques notes. On lui faisait tenir pour la musique, le même rôle qu'à Raphaël, avant lequel, pour ces époques, il n'existait point de peinture. On entendait en lui l'expression suprême du mysticisme musical. On l'admirait d'avoir fait triompher l'euphonie et la mélodie sur les barbares duretés des compositeurs de son temps.

La sensibilité, depuis, a évolué, affinée, informée par la connaissance directe d'œuvres qui n'étaient guère abordées que par des archivistes. Ce qui choquait il y a cent ans chez Lassus et Josquin, c'est ce qui nous les fait préférer aujourd'hui à Palestrina, une verdeur, un relief, des contrastes heurtés qui disparaissent sous le polissoir et les vernis du maître romain. Lorsque nous les quittons pour retrouver Palestrina, nous avons un peu la même impression que dans les musées italiens, quand on sort des salles du Trecento et du Quattrocento, où la vie, le bonheur de la découverte toute neuve affleurent dans chaque tableau, et que l'on passe chez Andrea del Sarto, Fra Bartolomeo, le Corrège, au dessin infaillible, mais qui déjà sont des adapteurs plutôt que des créateurs, qui placent leur idéal dans un syncrétisme derrière lequel se profile l'Académie.

Il était évidemment facile d'exalter le génie de Palestrina quand on rapportait à lui seul, pour en faire le créateur de la polyphonie, les inventions de tous les musiciens qui s'étaient succédés durant trois cents années de progrès incessants. Palestrina nous paraît au contraire en retard sur les madrigalistes qui se livraient dès sa jeunesse à leurs expériences chromatiques. Ses contemporains vénitiens poussent bien plus loin que lui, avec leurs doubles chœurs, leurs pièces à vingt voix, la complexité polyphonique qui n'est pas en soi-même un enrichissement, mais peut le devenir entre les mains d'un poète des sons. Il rend la suprématie à l'invention mélodique, mais c'est moins pour l'individualiser, parvenir avec elle comme Lassus à des accents de plus en plus personnels, que pour chanter un sentiment collectif de sérénité dans la foi. Les cadences parfaites dont il use et même abuse étaient pratiquées déjà avant lui par de nombreux Italiens. Si l'on entre un peu dans l'étude de son écriture, on voit qu'il évite les sauts de la mélodie, les modulations brusques, adoucit par des préparations les arêtes des dissonances, préfère les « bons degrés » de la gamme. D'où la faveur dont il a joui chez les classiques, mais aussi un début d'appauvrissement du vocabulaire musical se privant de maintes ressources harmoniques parfaitement mises au jour.

Nous ne sommes pas tellement sûrs non plus du mysticisme de Palestrina, au sens exact du mot dans la psychologie spirituelle. Sans doute, on ne peut se prononcer sur les replis secrets d'une âme. Mais nous possédons du musicien un portrait, vers la cinquantaine, montrant un homme pondéré, positif, d'aspect assez bourgeois, avec une certaine ruse dans les yeux. On a suggéré que Palestrina était parvenu au suprême degré de la vie mystique, la sérénité de l'union permanente avec Dieu, au-delà des brèves illuminations de l'extase, ce que les théologiens nomment dans leur langage l'existence théandrique. Mais de telles ascensions ne vont pas sans des efforts et des tourments dont on ne perçoit aucune trace dans l'art ni dans la vie de Palestrina. On a beaucoup parlé de l'influence sur Pierluigi de Philippe de Néri, le fondateur de l'Oratoire. Philippe de Néri fut un saint pittoresque jusqu'à l'excentricité, mais qui conserva toujours un farouche mutisme — « secretum meum mihi » — sur ses transports surnaturels qui paraissent bien relever de la pathologie. Palestrina ne dut respirer à l'Oratoire qu'une atmosphère de dévotion assez confinée. Avec lui, nous mesurons plutôt la distance qui sépare la piété honnête, un peu étroite, de l'aventure intérieure des grands esprits religieux.

Après ces réserves et cette démythification facile, ayant fait la part de ce qu'il y a de clérical et de réactionnaire dans la musique de Palestrina, on peut la réentendre d'une oreille plus équitable. On redevient sensible à sa pureté. On distingue chez elle cet équilibre heureux entre contrepoint et harmonie par quoi elle annonce Bach. Palestrina, parce qu'il était plus dévot que religieux, n'a rien écrit qui atteignît aux profondeurs des madrigaux spirituels de Lassus, mais il s'est plié beaucoup plus aisément au cadre régulier de la messe. Il s'y sent chez lui, il y éprouve une sécurité qui le libère. Bien que ses messes soient trop nombreuses pour ne pas être inégales, c'est sans doute chez elles que l'on découvre le meilleur de son art. La *Missa ad Fugam,* œuvre de jeunesse, est encore toute pénétrée des influences françaises et nordiques, assez modeste devant ces grands exemples dans la prudente simplicité de son écriture. Avec la *Missa Brevis* sur des thèmes de Goudimel, dédiée à Philippe II, le contrepoint s'est affermi, enhardi, tout en restant très clair. La célèbre *Messe du Pape Marcel,* écrite à la mémoire de ce saint pontife qui mourut trois semaines après son élection, mérite sa réputation de chef-d'œuvre par la solennelle grandeur de son *Kyrie,* son *Gloria,* la suavité du *Benedictus,* de l'*Agnus Dei,* la fin de son *Credo* déjà dramatisé à l'italienne mais noblement.

S'il enfreignit parfois les ordres du Concile de Trente qui interdisaient l'usage des thèmes profanes dans la musique religieuse, Palestrina alla plus loin que les autorités ecclésiastiques en supprimant dans ses œuvres et dans les exécutions de ses maîtrises l'accompagnement instrumental que le Concile n'interdisait pas. Il renouait ainsi avec la tradition médiévale, et son instinct d'artiste le conseillait aussi judicieusement que sa piété. Rien ne convenait mieux à son admirable science de la voix humaine.

Palestrina a peut-être avant tout contre lui d'avoir été trop niaisement admiré. Parmi les compositeurs modernes, grands liseurs de musique ancienne, Werner Egck dit grand bien d'Ockeghem, Stravinsky est féru de Guillaume de Machaut, de Dufay, d'autres s'intéressent aux Vénitiens. Personne ne se réfère à Palestrina, on le laisse dans sa gloire éternellement officielle. Il en advint de même pour Raphaël jusqu'au jour où Renoir puis Elie Faure le retrouvèrent sous les copistes d'Institut et les hyperboles fades des littérateurs. Il n'est pas impossible que l'on redécouvre ainsi Palestrina, que l'on sente de nouveau vivre dans sa perfection apparemment conventionnelle les grandes formes du génie méditerranéen.

LES VÉNITIENS

Tandis que Palestrina implantait à Rome son classicisme, qu'allaient continuer ses nombreux élèves, Giovanni Maria Nanini, Felice Anerio, son frère Giovanni Francesco, Allegri, les Espagnols Guerrero et Victoria, tous fournisseurs de la Sixtine et des grandes basiliques romaines, Venise manifestait en musique la même indépendance qu'en peinture.

A l'origine de son école, comme de la plupart des foyers italiens, on avait trouvé un homme du Nord, le Flamand ADRIEN WILLAERT, vétéran à longue barbe blanche, animateur d'une activité que le grand âge n'entama pas, professeur hors ligne, novateur dans tous les genres qu'il pratiqua. En 1527, à quarante-sept ans, il avait été nommé maître de chapelle de Saint-Marc de Venise, l'un des postes les plus importants de l'Italie musicale, qu'il devait occuper jusqu'à sa mort à quatre-vingt-deux ans. Saint-Marc, depuis la fin du xvᵉ siècle, possédait deux orgues, se faisant face sur les deux tribunes des musiciens. Grâce à cette disposition, on avait déjà commencé avant l'arrivée de Willaert à y faire chanter certains psaumes par deux chœurs séparés, *cori spezzati*. Mais Willaert perfectionna ces exécutions, il écrivit sur ce principe tout un répertoire aux effets ingénieusement variés, qui devint l'une des brillantes attractions des grandes fêtes de la République. Il étoffait ses chœurs par un accompagnement de cordes et de cuivres, ce qui était déjà une tradition vénitienne, mais encore primitive avant lui.

Son successeur, Cyprien de Rore (1516-1565), maintint ce style qui fut à son apogée avec deux Vénitiens de naissance, ANDREA GABRIELI (vers 1510-1586) et son neveu GIOVANNI GABRIELI (1557-1612). Andrea, élève de Willaert, ami de Lassus, organiste de Saint-Marc pendant vingt ans, est un beau musicien, auteur d'un émouvant et grave *De Profundis*, qui semble avoir été tiré de sa modestie naturelle par une réputation tardive mais éclatante. Ce fut lui que l'on désigna pour la célébration musicale de la victoire navale de Lépante sur les Turcs. Giovanni Gabrieli, moins profond peut-être, est plus séduisant, encore plus typiquement vénitien. Il a la même passion que Berlioz et Mahler pour les grandes masses d'exécutants. Il les divise en quatre chœurs, répartis dans les nefs multiples de la basilique, qui s'opposent, dialoguent, se font écho, se croisent, échangent toutes les formes de contrepoint et d'harmonie, s'unissent pour des *tutti* menaçants ou triomphants. Il leur adjoint un véritable orchestre, de plus de trente instruments. Certains de ses contrepoints pour trombones et cornets ont gardé une saveur franche et forte même pour nos oreilles blasées par cent cinquante années de cuisines orchestrales. Il a ouvert à la musique une nouvelle dimension, l'espace, pressenti par Willaert et Andrea, et dont personne ne s'était soucié avant eux : ce qui lui a valu de figurer dans nos programmes d'avant-garde à côté de Berio, de Boulez, de Stockhausen. C'est devenu un lieu commun des histoires musicales que de comparer ce grand décorateur à Véronèse, mais un lieu commun irremplaçable et qui dit à merveille la magnifique unité des arts et des esprits dans Venise au siècle où elle était encore la reine de la mer.

DERNIERS ÉCHOS DE LA CHANSON POLYPHONIQUE FRANÇAISE

Nous avons laissé la chanson polyphonique française encore en plein essor vers le milieu du XVIᵉ siècle. Elle a connu une trop grande vogue pour disparaître brusquement. On sent cependant après 1550 que ses beaux jours sont derrière elle. Sous l'influence des madrigaux italiens, des poètes aussi, le contrepoint perd du terrain, prend l'aspect d'un archaïsme. La mode vient à la *chanson en forme d'air*, un pléonasme pour notre vocabulaire. Il faut entendre par là, dans l'acception de l'époque, une chanson homophonique, accordant de plus en plus la priorité à la voix supérieure, en outre syllabique et strophique : bref, une simplification qui ressemble fort à une régression. On s'en persuade même très vite quand on compare à Janequin les minuscules serinettes de Pierre Certon, de Nicolas de la Grotte, répétées sur des douze et quinze strophes sans la moindre variante du rythme anodin et de l'harmonie enfantine.

L'origine populaire de ces piécettes est attestée par les titres de plusieurs recueils du temps, lyonnais ou parisiens, *Chansons et voix-de-ville* ou *Chansons en forme de voix-de-ville* (voix des rues), étymologie plus sûre de « vaudeville » que les « Vaux-de-Vire » normands.

Les chansons madrigalisantes du même temps veulent suppléer aux harmonisations trop grêles des chansons à airs. Mais leur harmonie verticale à cinq et six voix est bien pâteuse, comparée à l'agile contrepoint de l'époque précédente. Le chromatisme italien est souvent employé avec une gaucherie assez scolaire.

Vers 1570, une tentative plus curieuse prit corps avec l'Académie de Jean-Antoine de Baïf, l'un des sept poètes de la Pléiade, Baïf vaut mieux que ce qu'en disent d'habitude les manuels littéraires, avec des images d'un paganisme que la mythologie n'a pas glacé, des trouvailles d'une jolie fluidité dans ses vers irréguliers. Mais son Académie procède de ses rêveries archéologiques les plus discutables. On y cultive les idées de Ronsard sur le mariage de Poésie et de Musique, en cherchant ses modèles dans une Antiquité beaucoup plus imaginée que connue. Baïf s'est mis en tête de soumettre les vers français à la métrique gréco-latine et d'associer la musique à ce rythme. Ainsi pourra-t-on restaurer les insurpassables splendeurs de l'art des Anciens. Mais il se refuse à l'évidence que notre langue est trop peu vibrante, que le rapport des longues aux brèves y est trop peu marqué pour que l'on puisse y reproduire l'harmonie d'un hexamètre ou d'un pentamètre. Les rythmes musicaux calqués sur ces anapestes théoriques souffrent du même arbitraire qu'eux, perdent tout sens ou deviennent informes.

L'une des curiosités de l'Académie de Poésie et de Musique, c'est qu'elle fut la première organisation régulière de concerts. Les académiciens y chantaient leurs œuvres tous les dimanches pendant deux heures. Les auditeurs payaient un abonnement, mais devaient d'abord faire acte de candidature, comme pour un club. L'homme du groupe qui eut le plus de talent fut Claude Le Jeune, né vers 1530 à Valenciennes, mort en 1601, dont le chef-d'œuvre est *Le Printemps*, recueil posthume très éclectique, puisqu'on y trouve des chansons de Janequin plus ornées et récrites

pour cinq voix, d'assez nombreux italianismes et des pièces
« mesurées à l'antique ». Dans celles-ci, Le Jeune n'évite pas la
monotonie lorsqu'il s'astreint exactement au système de Baïf,
mais de temps à autre il prend avec lui des accommodements et son
instinct musical lui fait écrire des mélodies charmantes, quelle
que soit la façon dont on doive scander les bizarreries littéraires
qu'elles illustrent. Le succès lui vint d'ailleurs surtout dans les
derniers temps de sa vie, après la disparition de l'Académie qui
n'avait pas survécu à Baïf. Huguenot, Claude Le Jeune avait été
sauvé durant le siège de Paris, en 1590, par un de ses disciples
catholiques, Jacques Mauduit, qui a laissé quelques jolis airs.

Aucun des genres nouveaux n'avait en somme pu atteindre à la
qualité musicale et la variété de la chanson polyphonique. Aussi
bien, le compositeur qui lui resta le plus fidèle, GUILLAUME
COSTELEY, est celui dont aujourd'hui nous nous sentons le plus
proche, pour nous le plus grand nom français dans cette dernière
période de la Renaissance.

Il était né à Evreux en 1531 et y mourut en 1606, après avoir été
organiste de la Cour, valet de chambre de Henri II et de Charles IX.
Son recueil de chansons à quatre voix, publié en 1570, partout
cité depuis que Henry Expert[1] le réédita, a éclipsé le reste de son
œuvre, qui est assez vaste. Il eut des détracteurs, qui l'accusaient
de s'attarder dans un genre suranné. Il leur répondait avec un
calme orgueil, où nous croyons distinguer le pressentiment de la
revanche que lui réservait une postérité à vrai dire bien lointaine.

L'écriture de Costeley est une délectation en soi. C'est un jeu
que personne n'avait conduit d'une main aussi sûre et légère entre
le contrepoint et les suites d'accords, un jeu qui n'est pas de seule
technique, mais toujours lié au mouvement et au sens du poème.
L'harmoniste surtout annonce ces raffinements, cette distillation
voluptueuse des accords, qui prendront une telle place, du XVIIIᵉ
siècle jusqu'à nos jours, dans notre école nationale. Aussi est-ce
à Costeley que Debussy et Ravel songèrent le plus quand ils
écrivirent leurs chansons *a cappella* en hommage aux maîtres de
la Renaissance. Costeley, Janequin, quelques auteurs de chansons
anonymes, moins savantes mais si pures : voilà les musiques où le
Français exilé reconnaîtrait avec le plus d'émotion la voix de la
patrie.

---

1. Henry Expert (1863-1952) a eu la plus grande part dans la résurrection des polyphonies vocales de la Renaissance, et notamment des chansons françaises. Il y consacra
toute sa vie. Il n'a malheureusement aucun successeur chez nous.

LA MUSIQUE PROTESTANTE

Tandis que Baïf et ses amis tentaient de ressusciter Pindare, que la chanson dégénérait presque partout et retrouvait encore une fois chez quelques-uns force et grâce dans ses traditions, les Réformés français travaillaient à se constituer une musique, puisque c'est obligatoirement l'un des premiers soins de tout nouveau culte.

Ce n'était pas que Calvin, le moins artiste des hommes, sauf dans ses proses de combat où il l'était sans le savoir, éprouvât un grand besoin de musique. Il la soupçonnait surtout de traîner avec elle des relents de catholicisme. Il la voulait aussi dépouillée et austère qu'il se pût. Il bannit donc, pour leur inconvenance dans la maison de Dieu, les instruments, y compris l'orgue, la polyphonie, les vocalises qualifiées de fredons papistes. Il allait encore plus loin que les ascètes du haut Moyen Age dans la pruderie, la hantise des « sons mondains ». Il n'admettait pour les offices que le chant à l'unisson, sans accompagnement. Il limitait encore le répertoire aux cent cinquante psaumes de la Bible, en langue vulgaire, puisqu'il tenait l'usage du latin dans le culte pour une indigne sorcellerie. De ce fait, on a perdu presque toute la première musique des protestants français, chantée sur des textes de la liturgie romaine ou du Nouveau Testament, et dont Calvin ordonna la destruction.

On adopta la traduction excellente de Marot pour les quarante-sept psaumes qu'il avait mis en vers français, et pour les autres celle beaucoup plus inégale de Théodore de Bèze. Pour écarter tout souvenir des « singeries papistes », Calvin voulait des musiques nouvelles, et plutôt qu'un rappel quelconque de la messe et des vêpres, préférait encore que l'on chantât les versets de David sur des airs profanes, choisis parmi les plus décents. La mise en musique du psautier, attribuée sans certitude à Loys Bourgeois, à Pierre Dubuisson, chantres de Saint-Pierre de Genève, à Guillaume Franc de Lausanne, fut menée assez rapidement. C'est un travail fruste, ayant surtout pour but de faciliter le chant collectif.

Les psaumes furent ensuite harmonisés pour les exécutions en famille, où ils devaient dans l'esprit des réformateurs concurrencer les légèretés et paillardises des chansons à la mode. On les mit en contrepoint, simple mais solide, le plus souvent à quatre parties, quelquefois avec un souvenir médiéval du *cantus firmus* au ténor. Les deux musiciens qui se consacrèrent le plus sérieusement au chant protestant furent Claude Goudimel, né à Besançon vers

1505, auteur avant son passage au calvinisme de plusieurs messes et d'agréables chansons, ensuite de quatre versions polyphoniques du psautier, tué à Lyon en 1572 dans le massacre consécutif à la Saint-Barthélemy parisienne, et Claude Le Jeune, le disciple de Baïf, qui écrivit sur des mélodies originales des psaumes en forme de motets beaucoup plus développés que les pièces précédentes. Après lui, le chant huguenot vécut sur son fonds, qui s'altéra progressivement. A cause en grande partie du sectarisme et du puritanisme de Calvin, il était resté fort en retrait sur l'esthétique de la Renaissance, et sa contribution à la musique française fut faible, surtout comparée au rôle du chant luthérien dans la musique allemande.

LA MUSIQUE INSTRUMENTALE EN FRANCE ET EN ITALIE

Nous n'avons fait jusqu'à présent, comme toutes les histoires musicales, que des allusions espacées aux instruments. Il en existait cependant dès le XIIᵉ siècle un nombre considérable, et qui n'avait cessé de s'accroître en timbres, en dispositifs nouveaux. Mais sauf dans des usages épisodiques, fanfares de défilés ou de tournois, ils n'étaient que des auxiliaires ou des succédanés de la voix, pour laquelle toute la musique était pensée et composée. Ils l'accompagnaient ou se substituaient à elle pour l'exécution d'une chanson à danser comme d'un motet. Leur emploi n'était jamais spécifié. On se servait de ceux que l'on avait sous la main. Sauf l'orgue qui avait sa propre littérature dès le XIVᵉ siècle, on ne trouve que dans le courant du XVᵉ des indications encore très rares de tel ou tel instrument, presque toujours un cuivre, auquel est destiné une des parties de la polyphonie.

Les ensembles instrumentaux, pour autant que nous puissions en juger d'après les peintures, les sculptures — concerts d'anges, concerts seigneuriaux, Vieillards de l'Apocalypse — ou d'après les descriptions littéraires, n'obéissaient à aucune règle, les sonorités s'y mélangeaient au hasard. Les premières musiques destinées directement à des exécutions instrumentales avaient été les *estampies* du XIVᵉ siècle, en Italie *stampie*, airs de danse à refrains, très simples, dérivés des séquences liturgiques.

Les améliorations apportées aux instruments à clavier, orgue, clavecin, puis au luth, permettaient de jouer sur eux plusieurs parties à la fois. Il fallait donc que l'on pût lire en même temps ces parties réunies sur la même page, et l'on inventa ainsi les *tabla-tures*, ancêtres de nos partitions, avec un système de notation très embrouillé, tantôt par lettres ou chiffres, tantôt par notes. Mais les premières tablatures d'orgue que nous possédons, datant du XVe siècle, ne sont guère que des recueils d'exercices.

Le XVIe siècle amène de l'ordre et multiplie les innovations. On étudie les associations de timbres, on groupe les instruments par familles. On crée dans les principales catégories de nouveaux types d'instruments de tailles différentes, violes de gambe, cuivres d'un plus grand modèle. On augmente ainsi de deux octaves l'étendue sonore qui n'était que de trois octaves au Moyen Age. On produit dans le grave et l'aigu des sons inaccessibles à la voix humaine qui était auparavant la seule mesure de toute musique. Afin de ne pas maintenir les instruments à clavier en état d'infé-riorité, on les munit de touches supplémentaires. Le vocabulaire expressif s'enrichit grâce aux progrès de l'outil. Les nombreux instruments qui adoptent la division du ton en deux demi-tons égaux renforcent l'établissement du système tonal, permettent aux compositeurs d'expérimenter des modulations inconnues. Le luth n'étant plus pincé par le plectre mais touché par les doigts, on peut maintenant exécuter sur lui plusieurs parties.

L'imprimerie répand à profusion les tablatures. Les textes étant ainsi fixés, l'improvisation plus ou moins mécanique à laquelle se livraient tous les instrumentistes (broderies sur la mélodie vocale qu'ils doublaient) devient d'un usage beaucoup moins fréquent. On commence à différencier l'écriture pour la voix ou pour tel instrument. Des formes nouvelles se constituent, surtout à partir des danses, qui étant confiées à des instruments nobles, s'élèvent dans la hiérarchie musicale.

La réalité ne correspond cependant que d'assez loin aux pro-messes de ce tableau. Le XVIe siècle explore un nouveau domaine, mais il n'y crée rien qui soit comparable aux chefs-d'œuvre de sa polyphonie vocale. Dans les nombreux recueils instrumentaux qui nous sont parvenus, en France comme en Italie ce sont toujours les transcriptions de pièces vocales qui dominent, les deux pays s'influençant réciproquement : la France prend d'abord modèle sur les éditions italiennes, premières en date, tandis que les Italiens transcrivent les chansons françaises, par exemple *La Bataille de Marignan* et *Les Oiseaux* de Janequin qui dans ces versions ont encore plus de succès que dans leur forme originale. D'un côté des Alpes comme de l'autre du reste, presque tout le répertoire profane et religieux, y compris messes et madrigaux, est transcrit pour le luth, instrument-roi, avec les déformations inhérentes à ces travaux, qui sont l'équivalent plus infidèle des réductions modernes d'opéras et de symphonies pour le piano et ne tiennent pas une place beaucoup plus considérable dans l'histoire musicale.

Les formes nouvelles apparaissent surtout en Italie. Les *ricercari* (recherches), inaugurés par une tablature de luth en 1507, sont de petits préludes à une œuvre polyphonique dont ils annoncent la tonalité, le thème, pour y préparer l'auditeur, et peuvent aussi comporter des traits rapides, des accords qui permettent à l'exécutant de vérifier son instrument et de se dégourdir les doigts. Parfois, le *ricercar* est une postface *(ricercar detto coda)*, qui sert alors à récapituler l'œuvre que l'on vient d'entendre. Les *ricercari* sont particulièrement nombreux à l'orgue, où ils introduisent les grands motets polyphoniques. Les organistes, dont les plus célèbres, tel Marc' Antonio de Bologne, sont tous attachés à Saint-Marc de Venise, peuvent encore faire œuvre plus ou moins personnelle dans les versets de la messe où ils se font entendre seuls, en alternance avec le chœur, et entourent d'arabesques, d'imitations le *cantus firmus* de la liturgie. Le terme *sonata,* lorsqu'il est employé, ne doit pas trop nous faire illusion. Ce n'est encore qu'une abréviation de *canzon da sonar,* chanson « sonnée » sur un ou plusieurs instruments. La *toccata,* pièce pour être « touchée » au clavecin ou à l'orgue, est un prélude de forme plus libre, et qui vise au brio.

A partir de 1530, en France, le mot *danserie* désigne les airs de danse — basses-danses, c'est-à-dire celles où l'on ne saute pas, branles, pavanes, gaillardes — mis en musique polyphonique pour des groupes de hautbois, flûtes, cornets ou trombones, par opposition aux bals populaires que conduisent les ménétriers sur la viole de bras puis le violon, avec accompagnement de tambour et de fifre, les deux répertoires ayant en grande partie un fond commun : les danses de la société élégante sont souvent des pas rustiques qui ont été policés, tandis que les ménétriers vulgarisent en les simplifiant et en adaptant leurs rythmes les chansons savantes à la mode dans les châteaux. Mais les premiers recueils ne sont que des kyrielles d'airs disparates. Ce sont les Italiens, entre autres Dalza et Borrono durant la première moitié du siècle, qui ont l'idée de grouper en séries trois, quatre ou cinq danses de même tonalité, apparentées par leur mélodie, aux mouvements et aux rythmes alternés — 4/4, 6/8, lent, animé, vif — avec des enchaînements pour les relier et pour conclure une reprise qui développe l'enchaînement. Les danses, du moins sous ces dernières formes, ne sont plus guère destinées au bal, mais à être écoutées comme des morceaux de concert.

Mais si ces préludes, ces recueils de danseries sont bien historiquement les archétypes de la sonate, du concerto, de la symphonie, il y a entre eux et ces grandes formes presque autant de distance qu'entre le déchant du XIᵉ siècle et le motet polyphonique de Lassus.

Point désagréables à l'audition, assez peu différentes les unes des autres quel que soit leur genre, ces petites pièces ne sont encore que de courts intermèdes, de deux à trois minutes, et qui ne pourraient se soutenir davantage, des embryons musicaux sur un thème unique naïvement exposé, et où l'on ne distingue presque aucune tentative de développement. Les œuvres en apparence plus importantes ne sont que des bout-à-bout de brefs motifs. Ajoutons que sauf lorsqu'il s'agit de tablatures pour les solistes, nous ne savons rien de précis sur l'instrumentation de ces brimborions, qui est reconstituée pour les exécutions modernes d'après des hypothèses plus ou moins solides.

Il faut attendre la fin du XVIᵉ siècle, où les instruments employés commencent aussi à être désignés exactement, pour voir se dessiner une évolution, les compositeurs acquérir dans l'écriture instrumentale une aisance malgré tout encore éloignée de la maîtrise qu'ils possèdent dans la musique vocale. Publiées en 1598, les Toccatas pour clavier de l'Italien Claudio Merulo da Cremona n'épousent plus les contours d'une mélodie chantée, mais s'articulent et se déroulent selon le mécanisme des doigts sur les touches, enregistrent les effets imprévus qu'ils obtiennent, traduisent le plaisir physique que prend l'exécutant. On y devine une esquisse de ce que sera plus tard le style du grand clavecin et même celui du piano. Merulo sait encore encadrer un mouvement lent par deux mouvements rapides, dont le second reprend librement le contrepoint du premier. Il est assez étonnant que l'on doive faire un sort à des innovations aussi simples moins de deux siècles — trois vies d'hommes — avant Beethoven. Mais maintes étapes décisives de la musique ont eu des origines non moins modestes. On casse l'œuf de Colomb à tous les chapitres de son histoire, jusqu'à l'époque en somme fort récente où celle-ci s'est brusquement accélérée. Que cette remarque soit dédiée, encore une fois aux étranges penseurs qui nient le progrès musical.

Au Français Eustache du Caurroy (1549-1609), l'un des musiciens de Henri IV, souvent maltraité par les manuels, on réservera une petite place à cause du charme sans mièvrerie et du contrepoint traditionnel mais très pur de ses *Fantaisies* pour orgue et violes. Un isolé, le Hollandais Jan Pieterszoon Sweelinck (1562-1621), paisible organiste d'Amsterdam où sa réputation attira des élèves de tous pays, héritier de la tradition flamande dans ses œuvres vocales, réalise dans sa musique d'orgue la synthèse entre les Vénitiens dont il est largement tributaire et les virginalistes anglais; il y annonce aussi le style fugué, ce que n'oublieront pas ses disciples allemands.

Mais c'est encore en Italie qu'il faut redescendre, pour retrouver le novateur le plus libre avec Giovanni Gabrieli, dont nous avons déjà indiqué la place dans la brillante école vénitienne. En 1597 paraissent ses *Sacræ Symphoniæ* où pour la première fois un auteur mentionne exactement l'instrumentation de chaque pièce : huit cornets et deux trombones, violes de gambe, trois bassons et trois trombones, violons, cornets qui ne sont pas de cuivre, mais de bois ou d'ivoire, et six trombones. Ces nomenclatures détaillées suffiraient déjà à révéler le sens du coloris instrumental que possède Gabrieli, l'intérêt qu'il apporte à sa fidèle reproduction. Il emploie ce bel arsenal à développer ses thèmes, il l'associe à son coloris harmonique, à ses rapides modulations aux tons éloignés. Quand il écrit ses *Canzoni*, ses *Ricercari* pour le clavier, il poursuit l'investigation des ressources de celui-ci beaucoup plus hardiment encore que Merulo, cherche à utiliser sa vélocité, fait contraster son grave et son aigu. Il travaille aussi à réduire cet échantillonnage de petits motifs qui est le défaut de presque tous les maîtres antérieurs dès qu'ils abandonnent le vieux métier à tisser la polyphonie vocale; il tend à l'unité thématique d'où sortira la fugue. Il n'a pas tout créé. Mais c'est de lui que l'on peut dater la véritable indépendance des instruments, capables de former et d'animer à eux seuls tout un édifice musical.

CHAPITRE IX

LA RENAISSANCE EN ESPAGNE,
EN ANGLETERRE ET EN ALLEMAGNE

C'est l'Espagne qui après l'Italie et la France a connu sous la Renaissance la vie musicale la plus active. Mais on irait à une déception si sur la foi d'érudits d'un chauvinisme subtil, on cherchait dans ses œuvres de cette époque la couleur locale, les caractères mélodiques et rythmiques si tranchés qui sont inséparables pour nous de l'hispanité. Cela ne doit d'ailleurs étonner qu'à demi dans le pays le plus original d'Europe, mais qui longtemps s'est si peu soucié de donner forme à cette originalité, semble avoir attendu avec une négligence aristocratique l'apparition de quelques génies, Greco, Cervantès, Calderon, Vélasquez, Goya pour leur faire exprimer son âme, trop singulière pour avoir des traducteurs d'un moindre rang. Dans cette attente, elle recevait des Maures et des Français son architecture, des Flamands et des Italiens sa peinture, et faisait sa musique avec le concours des uns et des autres.

Nous avons peine à croire que certains mélismes si typiques de l'Espagne ne viennent pas du fond des âges. Pourtant les traces d'un idiome national sont rares dans les documents musicaux que nous possédons. Les particularités de la liturgie espagnole à l'époque grégorienne n'ont qu'un intérêt archéologique. Sans parler de la Catalogne, où l'influence française a toujours prédominé, l'art des troubadours provençaux pénétra fort avant dans la Castille. Les *Cantiques* syllabiques mis sous le nom du roi Alphonse le Sage (XIII⁰ siècle) en relèvent pour une grande partie, de même que les célèbres *romances,* l'analogue castillan des chansons de geste, qui se sont prolongés jusqu'au XV⁰ siècle, très importants pour la formation de la langue, musicalement assez frustes avec leur récitation plus ou moins calquée sur la psalmodie d'Église. La découverte, il y a moins de vingt ans, de poèmes à chanter hispano-hébraïques et hispano-arabes, antérieurs aux troubadours, ont remis en lumière les apports arabes et juifs dans la Péninsule ibérique, que l'on avait trop contestés, en réaction contre les thèses qui amplifiaient systématiquement leur rôle, jusqu'à ne plus voir d'autre source à la musique espagnole. Mais il semble bien que la Reconquête du pays sur les Maures discréditait ces vestiges de leur domination. Dans des *villancicos* (forme hispanisée de la villanelle) datant du xve siècle qui vit la fin de cette longue guerre de libération, si l'on relève des tours populaires, ceux-ci sont plus proches du folklore languedocien ou limousin que des mélismes andalous.

La musique espagnole de la Renaissance n'est pas, comme l'ont voulu plusieurs historiens, une simple branche de la polyphonie flamande. L'Espagne a pratiqué la polyphonie en même temps que la France. On chantait à deux ou trois voix à Saint-Jacques-de-Compostelle vers le milieu du xiie siècle. Un peu plus tard, on cultivait à Tolède une polyphonie dans le style de l'école parisienne de Notre-Dame. D'autres centres existaient au xive siècle en Aragon, en Navarre, en Vieille-Castille.

Pour le xve siècle, le document le plus important est le *Cancionero de Palacio*, recueil formé entre 1480 et 1510 de quatre cent soixante pièces profanes allant de l'élégie amoureuse à la chanson bachique, pour trois ou quatre voix, avec parfois un accompagnement instrumental. Parmi les nombreux compositeurs du *Cancionero*, le plus connu est Juan del Encina (1468-1529), curieux personnage aux dons multiples, bon musicien, poète à la façon des humanistes italiens, l'un des créateurs du théâtre espagnol par ses églogues où les bergers parlent le patois de la province de Salamanque, franc païen pendant longtemps, puis faisant contrition aux approches de la cinquantaine, recevant la tonsure et partant pour la Terre Sainte afin de dire sa première messe à Jérusalem.

Toute cette polyphonie espagnole est reconnaissable à sa simplicité d'écriture, apparaissant même pauvre et archaïque si on la compare à la savante élégance de la chanson française qui lui sert assez souvent de modèle. L'Espagnol a peu de goût pour la longue application que réclament les techniques évoluées, et cela dans les sciences comme dans les arts. Quand il atteint les sommets, tel Vélasquez, c'est grâce à la divination, aux sublimes facilités du génie. Celui-ci n'a soufflé qu'assez rarement et tardivement sur sa musique.

Le xvɪᵉ siècle a été, avant la redécouverte au xɪxᵉ des sources populaires, sa période la plus féconde. L'afflux des compositeurs et des chanteurs flamands amenés par Philippe le Beau et Charles Quint, s'il favorisa cet épanouissement, ne le détermina pas. Des trois grands Espagnols de l'époque, Cristobal Morales, Guerrero, Victoria, seul le premier, né à Séville vers 1500, mort à Malaga en 1553, suivait d'assez près l'exemple des Flamands, ce qui lui valut du reste une réputation internationale dont aucun musicien de son pays n'avait encore bénéficié. Il passa une dizaine d'années à Rome dans la chapelle pontificale de Paul III, où les Nordiques étaient encore très nombreux. Pour ce que l'on connaît de lui, messes et motets qui ne correspondent qu'à une partie de son œuvre à cause de l'insuffisance des éditions modernes, Morales est un beau tempérament lyrique, le plus habile contrapunctiste qu'ait donné l'Espagne dans cette première moitié du xvɪᵉ siècle, mais qui ne cherche pas à innover, à expérimenter des formes et des procédés inédits comme ses contemporains néerlandais, français ou italiens.

Francisco Guerrero (1527 ? - 1599), un autre Sévillan que l'on veut rattacher à une école andalouse assez artificiellement délimitée, est beaucoup moins personnel que Morales. Il épanche dans ses messes, ses motets, ses madrigaux spirituels une sentimentalité assez fade, malgré sa sincérité. Vers la fin de sa carrière, il détruisit une partie des œuvres profanes de sa jeunesse, adapta des textes religieux à celles qu'il gardait. C'est dans ces pièces mineures, *canciones, villancicos* pour la fête de Noël que l'on peut trouver ses pages les moins conventionnelles. Il fit comme Encina le voyage de Jérusalem et en écrivit la relation, plus pittoresque que sa musique.

La grande figure du temps, et peut-être, comme on le dit souvent, de toute l'Espagne musicale, c'est Thomas Luis de Victoria (1540 ? - 1611 ?), Vittoria pour les Italiens. Il naquit à Avila, eut sans doute pour premier maître Bartolome de Escobedo, un musicien de la cathédrale de Salamanque. En 1565, grâce à une bourse de Philippe II, Tomas Luis se rendait à Rome pour y achever ses études ecclésiastiques et religieuses. Il devait y vivre pendant près de vingt-cinq ans, d'abord étudiant au Collège Germanique fondé par saint Ignace de Loyola. Il reçut les leçons de Palestrina, fut ordonné prêtre en 1569 (ses devoirs ecclésiastiques occupèrent autant de place dans sa vie que la musique), remplit différentes charges de maître de chapelle et d'organiste dans les églises romaines, publia en 1572 son premier livre de motets, succéda à Palestrina comme maître de chapelle du Séminaire Romain. En 1583, il dédiait à Philippe II un recueil de messes et rentrait en Espagne vers 1589. L'impératrice Marie, fille de Charles Quint et veuve de son cousin Maximilien II le choisit pour chapelain et l'emmena à Madrid où elle se retirait chez les Descalzadas Reales, les Carmélites Déchaussées royales. Victoria devint le maître de musique de cet aristocratique couvent, écrivit pour lui de nombreuses compositions, et après la mort de l'impératrice y termina ses jours dans les simples fonctions d'organiste.

Il n'est guère d'histoire de la musique française ou espagnole qui à propos de Victoria n'évoque Greco, après avoir rapproché le doux Guerrero de Murillo. Ces comparaisons sont fort creuses. La peinture, chez Greco, comme chez le Titien de la vieillesse et chez Tintoret, est un art qui a conquis toutes ses ressources, qui est parvenu à son suprême accomplissement. La musique de la même époque est encore adolescente, elle travaille à constituer peu à peu son langage.

Les développements non moins immanquables et assortis d'âpres descriptions d'Avila, sur l'hispanisme affirmé de Victoria, ne sont pas beaucoup plus convaincants. C'est à se demander parfois si les auteurs ne se sont pas contentés d'une paraphrase facilement nourrie de quelques souvenirs littéraires et géographiques au lieu de relire ou de réentendre avec un peu d'attention les œuvres du musicien. Il y avait encore plus d'ignorance sans doute à faire de Victoria, comme certains compilateurs du XIXᵉ siècle, un épigone docile de Palestrina. Victoria est un beau musicien, que l'on doit nommer aussitôt après Lassus, Janequin, Palestrina. De Palestrina lui-même, il apprit en débarquant d'Espagne une grande partie de son métier, pour marquer plus tard son maître de sa propre influence. Mais avec vingt-cinq années passées à Rome, celles de sa formation définitive et de sa maturité, il fut d'abord un de ces grands artistes cosmopolites de son siècle qui eurent en Italie leur seconde patrie.

Il y était arrivé alors qu'elle achevait d'assimiler les leçons des Nordiques. Il ne lui apportait pas l'expérience, les traditions, les nouveautés d'un Willaert, d'un Lassus. Il s'italianisa donc davantage. Outre quelques emprunts à peine discernables à des mélodies populaires espagnoles, comme son *Vexilla Regis*, sa facture n'a guère d'autre caractère national que la simplification de la polyphonie habituelle à tous ses compatriotes. Comme eux, il se préoccupait moins des recherches formelles que de l'expression directe des sentiments. C'est chez elle que l'on trouve sa véritable hispanité. Nous ne pensons pas, quant à nous, qu'il ait atteint à l'intensité dramatique des derniers madrigaux de Lassus, faute d'un vocabulaire aussi riche. Mais il a vécu plus profondément que Palestrina la religion qu'il chantait, autour de laquelle il créa toute son œuvre, où l'on ne relève pas un seul morceau profane, et à peine quelques-uns de ces thèmes pris aux airs en vogue dont les compositeurs de messes firent un si large usage. C'est sans doute parce qu'elle est plus ressentie, parce qu'il faut qu'elle soit toujours dictée par l'âme que cette œuvre, tout en restant considérable – une vingtaine de messes, dix-huit *Magnificat,* une cinquantaine de motets, des hymnes, des psaumes – n'atteint pas à la surabondance de la production des Nordiques et des Italiens.

Bien qu'il soit presque impossible de traduire ces nuances en termes musicaux, la suavité, chez Victoria, exprime un état contemplatif qui est d'un autre degré spirituel que les effusions onctueuses de Palestrina. Dans son *Office de la Semaine Sainte,* son *Office des Morts,* sa musique lente, dépouillée de tout ornement, aux longues et solennelles tenues, s'imprègne des menaces et des plaintes du texte biblique jusqu'à en devenir lugubre, sans se soucier d'éviter une monotonie qui a sa grandeur. S'il est toujours trop facile et incertain de parler de mystique à propos d'œuvres musicales, c'est bien par ces graves méditations que le Romain Victoria rejoint le réalisme aux Christs pantelants de la piété espagnole, poursuit la même quête spirituelle que ses compatriotes et contemporains de la plus austère et la plus ardente Castille, sainte Thérèse, saint Jean de la Croix.

La polyphonie profane, en Espagne, tend à la même simplification que les œuvres religieuses. Elle est plus proche de la chanson française, sans posséder son raffinement, que des madrigaux italiens. Les emprunts au fonds populaire sont toujours très stylisés, selon le goût du public aristocratique auquel s'adressent les compositeurs; le folklore perd à ce traitement une grande partie de sa saveur. Les compositions les plus typiques sont les *ensaladas* (salades) du Catalan Mateo Flecha l'aîné, musicien de la cour de Charles Quint (1481-1553 ?). Ce sont des sortes de pots-pourris, dont il ne faut pas exagérer la valeur musicale. Chaque voix y chante une mélodie différente, liturgique, populaire, madrigalesque, comique ou élégiaque, en latin, en français, italien, catalan, castillan, à peu près dans la manière des motets hétéroclites du Moyen Age français. Le catholicisme combatif de la Contre-Réforme espagnole utilise pour sa propagande même ces « salades », qui sont alors assaisonnées de symboles pris à saint Ignace sur la bataille entre le Rédempteur et Lucifer, et se terminent obligatoirement par une citation de l'Écriture.

Dans la musique instrumentale de la Renaissance espagnole, la place d'honneur revient à l'abondante littérature pour la *vihuela*, l'instrument à cordes pincées intermédiaire entre le luth et la guitare, celle-ci abandonnée aux usages plébéiens. Le répertoire des vihuelistes comporte des accompagnements de mélodies vocales, des transcriptions de chansons françaises, de madrigaux, des danses et surtout des *diferencias* (variations) qui représentent sa contribution la plus originale dans une forme toute nouvelle et encore ingénue du développement sur un thème. Le pionnier de la vihuela, qui en établit la tablature, fut Luis Milan (1490 ? - vers 1562), attaché à la petite cour élégante et cultivée de Germaine de Foix, vice-reine de Valence. Milan était avant tout un remarquable exécutant, très infatué de sa virtuosité. Il y a plus de substance musicale chez son contemporain et rival Luis de Narvaez, qui s'est donné pour l'inventeur des *diferencias*. Les alternances du chant et des intermèdes de la vihuela (*redobles* très rapides) dans ce répertoire annoncent le duo chant-guitare tel que l'Espagne moderne le pratique à satiété. La guitare, déclassée par la vihuela, commençait d'ailleurs à prendre des titres de noblesse vers la fin du XVIᵉ siècle, grâce à l'adjonction d'une cinquième corde.

De l'école d'orgue espagnole, il faut au moins retenir le nom d'Antonio de Cabezon (1510-1566), aveugle de naissance, qui appartenait à la chapelle de Charles Quint puis de Philippe II. Ses voyages avec les souverains étendirent sa réputation à toute l'Europe musicale. On a conservé un assez grand nombre de ses *diferencias* et de ses *tientos* (préludes) analogues aux ricercari des Italiens, mais dans une facture plus austère. Un autre aveugle enfin, Francisco Salinas (1513-1590), professeur renommé, organiste à Naples du vice-roi pendant vingt ans, fut le théoricien le plus écouté du XVIᵉ siècle espagnol. Malgré l'empreinte italienne qu'il avait reçue, il portait au folklore ibérique un intérêt inaccoutumé à son époque.

L'ECOLE ANGLAISE DU XVIᵉ SIECLE

Etouffée au XVᵉ siècle par les discordes civiles après l'essor qu'elle avait connu avec des novateurs tels que Dunstable, la musique anglaise poursuit durant toute la première moitié du XVIᵉ siècle une existence assez confinée. Elle ne sort guère d'un cercle restreint, la cour, la haute noblesse, les chapitres des grandes cathédrales qui seuls peuvent entretenir les groupes d'exécutants professionnels. Le système de notation reste très difficile à apprendre, et l'enseignement est peu répandu. Aussi les amateurs sont-ils rares. L'imprimerie musicale est embryonnaire. Beaucoup de musiciens viennent du continent. Parmi ceux-ci, les Italiens sont les plus nombreux. La chanson française est cependant le genre étranger le plus en vogue.

Le compositeur éminent de cette période est JOHN TAVERNER (1495 ? - 1545), personnage orageux, passé à la Réforme peu après trente ans, qui dès lors n'écrivit plus une note de musique, consacrant tout le reste de sa vie à une lutte fanatique contre le catholicisme, au saccage des couvents, à la démolition des orgues, la destruction des manuscrits. Quelques auteurs donnent cependant du grand mystique à ce sombre sectaire pour les huit messes et les *Magnificat* qu'il avait écrits avant sa conversion et traitait lui-même de « chansonnettes papistes ». On y distingue un souffle vigoureux, un contrepoint élégant et très orné qui retarde sur la technique continentale du même moment. Le terme de « gothique tardif » convient assez bien à l'ensemble de ces ouvrages. Taverner a été l'initiateur d'une forme spéciale à la musique instrumentale anglaise, appelée l'*in nomine*, épisode polyphonique sur un thème d'antienne, habituellement confié aux violes, et que le compositeur avait développé sur les mots *in nomine* du *Benedictus* d'une de ses messes.

La plus grande partie de la musique liturgique anglaise datant de ces années-là a été détruite pendant les violences de la Réforme. Les premiers chants protestants sont empruntés aux psautiers des calvinistes français. Il faut attendre l'avènement de la reine Elisabeth (1558) pour assister à un vrai renouveau de la musique anglaise, qui tient brillamment sa place à côté des génies poétiques de ce règne éblouissant.

Les grandes compositions sacrées y sont moins nombreuses. Les meilleures sont signées par THOMAS TALLIS, qui ayant vécu quatre-vingts ans (1505 ? - 1585) reflète toutes les tendances du siècle; pages d'une pompe distinguée, qui constituent encore aujourd'hui l'un des fonds du culte anglican. (Tallis, esprit libéral, a écrit aussi jusqu'à la fin de sa vie pour le culte catholique, lui réservant même ses plus habiles prouesses, tel un de ses motets pour huit chœurs à cinq parties chacun.) Mais l'ère élisabéthaine est avant tout celle de la musique de chambre qui prend un développement unique alors en Europe, et dont Byrd est le plus grand nom.

WILLIAM BYRD (1543-1623), né probablement à Lincoln, fut d'abord l'organiste de la belle cathédrale gothique de cette ville avant d'entrer dans la chapelle royale, où il suivit les leçons de Tallis. Il resta durant toute sa longue vie fidèle au catholicisme, écrivant plusieurs messes, des graduels, des motets aux paroles latines, qui sont les dernières œuvres de ce genre en Angleterre. Elisabeth lui conserva cependant toujours son admiration et sa protection. Il lui manifesta sa reconnaissance en composant abondamment aussi, pour le culte anglican, des pièces de façon plus inégale. Ses nombreuses compositions pour voix accompagnées aux violes, que Byrd préférait avec raison à la sécheresse du luth, sur des sujets profanes ou religieux, vont du madrigal à l'italienne, qui après avoir fait le tour du continent avait pénétré en Angleterre, aux lieder germaniques sur la fin de sa carrière. Dans chacune de ces formes, c'est un mélodiste émouvant, d'une sensibilité plus sincère et plus proche de nous que celle de bien des madrigalistes des pays latins.

Les mélomanes les moins érudits associent toujours le règne d'Elisabeth aux virginalistes (le virginal étant une sorte d'épinette rectangulaire). William Byrd a été l'un des chefs de file de cette école avec près de cent cinquante pièces, danses, variations, fantaisies, morceaux descriptifs dont l'un des plus connus s'intitule *Les Cloches.* Bien qu'elles demeurent dans les limites fatalement étroites de la musique monothématique, et qu'il faille quelque abus du patriotisme britannique pour les rapprocher de Bach, ces œuvres ont la respiration moins courte que celles des clavecinistes italiens vers la même date. L'écriture de Byrd est ferme, ingénieuse, tout en ne sacrifiant jamais l'expression aux recherches formelles. Byrd est encore l'auteur de pièces pour plusieurs violes (de trois à six instruments), danses, *in nomine,* fantaisies, dont les musicographes anglais prônent un peu trop les innovations (coupe en trois mouvements contrastés) reprises des Italiens, mais qui participent du goût de toute l'école pour les petits ensembles instrumentaux jouant sans aucun concours des voix.

Les plus attachantes réussites, dans ce domaine, sont les *broken consorts*, « concerts brisés », de THOMAS MORLEY (1558-1603), un des élèves de Byrd, pour un dessus de viole, une basse de viole, une flûte à bec basse dessinant les courbes mélodiques du morceau, un luth pour les ornements, une pandore et un cistre pour les accords de soutien. Ce choix révèle une sensibilité très fine aux timbres. C'est une gradation délicate des « valeurs » sonores qui en comparaison avec les fanfares opulentes de Gabrieli fait un peu songer aux formations réduites mais très équilibrées qu'ont adopté presque tous les musiciens de notre siècle après les déchaînements du grand orchestre romantique. Morley écrivit encore plus de cent madrigaux polyphoniques, d'une veine charmante, d'allure souvent très italienne. JOHN WILBYE (1574-1638) est un autre grand madrigaliste, tantôt léger, tantôt dramatique. Le plus complet, après Byrd, des musiciens élisabéthains fut sans doute ORLANDO GIBBONS, (1583-1625) né à Oxford dans une famille entièrement vouée à la musique, et qui avait reçu le prénom d'Orlando à cause de l'admiration de son père pour Lassus. Protestant, il a écrit de nombreux *anthems* (motets) dans le ton d'allégresse noble qu'affectionne l'église anglicane. Parmi tous les madrigaux de l'époque, les siens sont de l'inspiration littérairement la plus élevée, et de la facture la plus travaillée. Ses œuvres pour ensembles de violes, pour orgue ou virginal occupent une place distinguée dans la musique instrumentale anglaise.

Il faut encore citer les noms de deux « hérétiques », JOHN BULL (1563-1628), virtuose sur le virginal pour lequel il composa des pièces d'un brio un peu superficiel mais intéressantes pour les progrès de la vélocité, et qui s'exila à Bruxelles après sa conversion au catholicisme, aggravée sans doute par une affaire de mœurs : JOHN DOWLAND (1562-1626), Irlandais de Dublin, grand inventeur de mélodies pour voix et luth — c'était un luthiste réputé — brimé en Angleterre pour son catholicisme et qui connut ses plus grands succès en Italie et au Danemark où il séjourna longtemps.

Tels sont les musiciens dont Shakespeare, le plus grand orchestrateur de la poésie, se redisait les airs quand il parlait des accords du luth, des concerts, ou de « cette chanson qui est comme le vent du Sud qui serait passé sur un parterre de violettes ». Une musique où l'esprit anglais infléchissait les mélodies italiennes selon sa gaieté ou sa mélancolie. Tout en conservant sa prédilection pour les intervalles les plus euphoniques, elle s'était ouverte à la fantaisie, passant des *in nomine* de Taverner d'une austérité encore liturgique aux variations des derniers virginalistes. La nouvelle société, à Londres du moins, participait de près à cette vie musicale. L'imprimerie, qui avait été longue à s'organiser, faisait pénétrer jusque dans la petite bourgeoisie les œuvres pour le luth et le virginal. Alors qu'une soixantaine d'années auparavant la possession de quelques instruments était un luxe de châtelains, il n'y avait plus maintenant assez de professeurs pour enseigner les tablatures. Les échanges avec le continent étaient incessants. Outre de grands virtuoses comme John Bull et Dowland, dont la carrière était devenue internationale, les compagnies ambulantes des *jiggs* (les « trémousseurs »), ces ancêtres du music-hall, danseurs, chanteurs, mimes, qui sillonnaient toute l'Europe, y faisaient entendre le folklore anglais, et même des morceaux de musique savante.

Tout ce patrimoine artistique déjà si riche allait s'effondrer en une trentaine d'années avec le règne chaotique de Charles Ier et la dictature puritaine de Cromwell. La belle génération élisabéthaine disparaîtrait sans laisser de successeurs, et l'Angleterre musicale ne se relèverait jamais tout à fait de cette faillite.

NAISSANCE DE L'ÉCOLE ALLEMANDE

Nous l'avons déjà dit, l'Allemagne fit longtemps figure de pays musicalement arriéré, demeuré presque imperméable aux révolutions esthétiques de l'*ars antiqua*, de l'*ars nova*, aux irrésistibles progrès de la polyphonie.

A l'aube du XVIe siècle, si les princes-archevêques, les grands électeurs entretiennent des chapelles, celles-ci recrutent presque uniquement parmi les étrangers, Wallons, Flamands, Italiens. L'art de ces polyphonistes fait peu d'adeptes parmi les compositeurs du cru. Le plus notoire, Adam de Fulda, né vers 1445, est un épigone attardé et isolé de Guillaume Dufay. L'atmosphère est partout provinciale, ignorante des grands courants européens. Le Flamand Heinrich Isaak, l'un des étrangers qui jouit du plus grand prestige, travaillant à Augsbourg et à Vienne, s'y ennuie et préfère retourner à Florence où il avait débuté à la cour des Médicis.

On a vite résumé la musique autochtone : un certain nombre d'organistes, les *Meistersinger*, le *Tenorlied*.

Les facteurs d'orgue allemands sont déjà renommés pour leur habileté au cours du XVe siècle. Ils construisent des instruments d'un mécanisme plus perfectionné que dans les autres pays, avec

des timbres plus variés. La qualité de l'outil a stimulé les exécutants. Conrad Paumann, l'organiste aveugle de Nüremberg
(1410 ? - 1473) est une célébrité européenne. Il se produit en
Italie avec un tel succès qu'il redoute – ce Bavarois paisible n'a
pas bonne opinion des mœurs italiennes – que des confrères jaloux
ne le fassent empoisonner. On vient d'assez loin entendre le frère
Ileborgh aux orgues de la petite ville prussienne de Stendal. Paul
Hofhaimer, musicien et humaniste, se fait une grande situation à
la cour de l'empereur Maximilien. Mais les recueils de leurs œuvres
qui ont été conservés, s'ils nous renseignent sur le degré relativement élevé de leur virtuosité, sont d'un intérêt artistique bien
court. On y compte fort peu de pages originales, au milieu d'une
quantité d'exercices didactiques, de transcriptions de chansons
italiennes et françaises, ornées avec plus ou moins de brio, et qui
ressortissent surtout à la routine quotidienne du métier d'organiste.

Les *Mestersinger* (Maîtres Chanteurs) sont les héritiers roturiers
et lointains des *Minnesänger*, les gentilshommes musiciens du
Moyen Age, eux-mêmes disciples des trouvères français. Ils entretiennent dans les principales villes, avec l'aide des corporations,
des écoles de chant, dont l'enseignement ne va pas très loin. On y
apprend le solfège et un petit répertoire d'airs dus aux Maîtres les
plus estimés. Pour devenir Maître, il faut pouvoir composer des
poèmes sur les airs connus et inventer un air nouveau, selon les
règles qui sont très strictes et passablement biscornues. Si l'air a
du succès, il entre à son tour dans le catalogue de l'école, promu
au rang de *ton*, c'est-à-dire de prototype mélodique sur lequel on
écrira d'autres poèmes. (C'est l'analogue des nomes chez les Grecs
et des *timbres* dans la musique légère du XVIIIe siècle.) Chaque
ton reçoit un nom, « bouquet de thym », « amour fugace »,
« arc-en-ciel », « aboi du chien », « peau du lion », ou plus simplement le « ton d'argent », (reparaissant dans le choral *Eine
fest Burg* attribué à Luther), qui fut inventé par Hans Sachs
(1494-1576), cordonnier et homme de lettres extrêmement pro-
ductif dans tous les genres, meilleur paraît-il dans sa prose que dans
ses vers. Les Meistersinger, au début du XVIe siècle, ne pratiquent
toujours que la monodie, dont la coupe la plus fréquente consiste
dans la répétition invariable des deux premières phrases de l'air.
(Si le chant de concours de Walther au troisième acte des *Maîtres
chanteurs de Nüremberg* tourne un peu à la serinette, c'est que
Wagner connaissait presque trop bien ses vieux auteurs.) Tout à

fait primitifs en comparaison des œuvres françaises, flamandes, italiennes du même temps, les *tons* des vieux artisans et boutiquiers des Allemagnes, lents, rugueux, uniformes, aux broderies naïvement et pédantesquement mécaniques, prennent cependant quelquefois une ampleur émouvante où l'on entend résonner les fibres profondes d'un peuple.

Le *Tenorlied* est une forme de polyphonie vocale qui se répand dans la bourgeoisie citadine durant la seconde moitié du XVe siècle. A mi-chemin entre l'inspiration populaire et la musique savante, il se plaît beaucoup plus aux harmonies verticales qu'aux déroulements du contrepoint. Le ténor y chante toujours la mélodie, selon le principe médiéval du *cantus firmus*. Mais si sa facture reste simple, le Tenorlied est imprégné d'une poésie à la fois familière et grave qui rehausse sa sentimentalité et à laquelle la musique allemande, à travers Bach, Schubert, Schumann, Brahms, reviendra toujours comme à un refrain maternel en ne cessant jamais de l'approfondir. Dans les dernières années du XVe siècle et le premier quart du XVIe, tous les compositeurs d'un certain talent, Heinrich Finck, Hofhaimer, Dietrich, Stoltzer, Ludwig Senfl, Suisse de Zürich, écrivent d'innombrables Tenorlieder dont l'imprimerie musicale, dès sa naissance, s'empare pour les diffuser abondamment.

La musique allemande n'a donc pas encore été tirée d'une quiétude artisanale quand Martin Luther, au mois d'octobre 1517, affiche à Wittenberg ses 95 thèses, premier acte de sa rébellion contre Rome. Sanguin, fortement charpenté, tonitruant, enclin au lyrisme, Luther est par tempérament à l'antipode de Calvin. A la seule attitude des deux hommes envers la musique, on pourrait préjuger de leurs désaccords. Luther nous offre la première image de cet Allemand traditionnel pour qui la musique est un besoin vital. Tandis que Calvin la réduit aux psaumes et que Zwingli, le puritain de Saint-Gall, la bannit complètement des offices, Luther la célèbre en vers, il exalte son pouvoir spirituel : « *Ich gebe nach der Theologia, der Musika den nehesten Locum und höchste Ehre.* » « Après la théologie, c'est à la musique que je donne la plus belle place et les plus grands honneurs. » Il est lui-même chanteur et flûtiste.

Dès qu'il organise le nouveau culte, le rôle qu'y doit tenir la musique est une de ses principales préoccupations. Il veut en même temps qu'on l'apprenne dans toutes les écoles, parce qu'il n'est pas d'enseignement complet sans elle, que d'autre part les écoles sont la pépinière des maîtrises. Un maître d'école incapable d'apprendre le chant à ses élèves est indigne de son poste, il n'a qu'à choisir un autre métier.

Luther ne rompt pas entièrement avec la liturgie catholique. Il en élague seulement ce qui lui paraît trop éloigné de la pureté évangélique. Il préconise d'ailleurs deux sortes d'offices, l'un simplifié et utilisant surtout l'allemand pour les communautés rurales, l'autre plus solennel et où domine le latin pour les églises des grandes villes. En souvenir de ses études où il a été bon humaniste et à cause de l'admiration qu'il garde à Cicéron, Ovide et Virgile, il ne tient pas à bannir systématiquement le latin de l'église.

Il emprunte donc sans répugnance au rituel catholique dans les premiers temps de sa réforme. Il adapte des paroles allemandes aux chants les plus vénérables, *Veni Creator, Te Deum*. Mais les musiciens de plus en plus nombreux qui le suivent lui apportent bientôt leur contribution, puisque une Église nouvelle doit avoir ses propres chants. Il met lui-même la main à la pâte, sans que l'on puisse lui attribuer avec certitude aucune page des premiers chorals; mais il en a certainement inspiré le style. Les chorals peuvent être chantés soit à l'unisson par l'assemblée des fidèles, soit à plusieurs voix par la maîtrise dans les versions polyphoniques établies par les compositeurs. Chez Luther, les considérations esthétiques l'emportent toujours. Un chant dont la beauté l'a ému sera certainement agréable à Dieu, quelles que soient ses origines. Aussi le réformateur et ses amis puisent-ils largement dans le fonds populaire, quitte à remplacer par un texte pieux les paroles d'un chant profane. Même lorsqu'ils créent une pièce originale, ils s'écartent peu de cette veine populaire. Le choral reste donc proche parent du *Tenorlied*. Dans une forme comme dans l'autre, peu de figures contrapunctiques, mais une harmonisation simple, franche, où la mélodie est toujours bien marquée, et en valeurs longues, donc avec un rythme lent et ferme.

Dès 1524, des compositeurs qui pour la plupart se sont déjà essayés au *Tenorlied*, Stoltzer, Johann Walther, auteur d'un *Petit Livre de Chants Spirituels,* Arnold von Bruck, catholique mais libéral, Benedictus Ducis, Melchior Vulpius, collaborent avec Luther à la constitution de son répertoire. Une vingtaine d'années plus tard, Georg Rhaw, musicien-éditeur, qui a été *Cantor* à Saint-Thomas de Leipzig comme le sera Bach, publie un recueil de plus de cent chorals, dans lequel on relève, outre les noms des premiers musiciens luthériens, ceux de Martin Agricola, de Senfl, de Sixt Dietrich, Weinmann, Georg Forster, Balthazar Resinatius, ce dernier ayant été l'un des plus actifs.

En 1546, Luther mourait à soixante-trois ans. On a contesté l'importance de son rôle dans la formation de la musique allemande. Pourtant, si la Réforme, musicalement stérile en France, en Suisse, aux Pays-Bas, a été en Allemagne un tel stimulant, c'est bien à lui qu'on le doit. Sans doute, le choral n'est pas sorti tout armé de sa tête, et nous le savons d'autant mieux aujourd'hui que nos renseignements sur le *Tenorlied* sont plus complets. Mais justement, Luther fut servi à merveille par son instinct en puisant la musique de son culte dans une forme déjà populaire et dont la solidité lui plaisait. C'est son sens national, que personne avant lui en terre allemande n'avait eu à un tel degré, qui lui fait préférer les musiques aux accents des plus foncièrement germaniques : « Je suis né pour mes Allemands, disait-il, c'est eux que je veux servir. » (S'il fit couler le sang de ce peuple allemand dans la guerre des Paysans, il y fut entraîné par le balancier de la politique.) Nietzsche ne lui pardonnait pas d'avoir obligé l'Église de Rome à se redonner une morale et une foi. C'est un théologien flottant, surtout auprès de Calvin. Mais son principe du libre examen a de nombreux prolongements esthétiques. Il favorise chez l'artiste l'expression personnelle. Un vieil historien de la musique, aujourd'hui bien dépassé, Paul Landormy, l'avait très judicieusement noté : « Les maîtres protestants, écrivait-il, commenteront les textes religieux (littéraires ou musicaux), chacun de son point de vue propre, avec sa façon de sentir, avec son expérience de la vie, ses doutes, ses craintes ou ses espoirs. Ce ne sera plus l'art impersonnel du catholicisme, l'art de Palestrina par exemple, où l'individu ne se laisse pas deviner, sinon pour se soumettre entièrement à l'autorité de l'Église et communier d'esprit et de cœur avec tous ses membres. L'art protestant sera en un sens moins mystique et plus humain. »

Enfin, l'œuvre pédagogique de Luther a laissé des traces heureuses. Si l'Allemagne ne connaît pas l'analphabétisme musical qui reste courant en France, elle le doit à des traditions remontant au moine flûtiste qui voulait faire chanter tous les écoliers. C'est son ami Johann Walther qui fonda aussi sur ses conseils les maîtrises municipales évangéliques, composées de bourgeois, d'artisans amateurs de chant. Ils ne chantaient pas seulement en chœur à l'église, mais dans les fêtes familiales, les banquets, les réunions

intimes. Une musique empreinte à la fois de bonhomie, de sentimentalité et de piété pénétrait ainsi de plus en plus profondément
dans les mœurs allemandes.

Après la mort de Luther, et jusqu'à la fin du siècle, avec Seth
Calvisius, Lucas Osiander, Hans Leo Hassler, le choral luthérien
rompt les derniers liens qui le rattachaient encore à la liturgie
catholique et au style franco-flamand. La mélodie y passe au
soprano, soutenue par une harmonisation simple mais large et
nourrie, ce qui aboutira aux formes classiques de ce chant. En
même temps, une active école d'organistes, avec Ammerbach,
Hieronymus Praetorius, qui est aussi un bon compositeur de
musique vocale, Jacob Paix, le Strasbourgeois Bernard Schmid
Senior, au milieu d'une quantité de transcriptions de cantiques,
de chansons et de danses surchargées d'ornements, s'essaient aux
préludes de chorals, aux variations sur les chorals qui conduiront
jusqu'à Bach.

Tandis que s'effondre obscurément la peinture allemande qui
venait de s'égaler aux plus magnifiques écoles avec Altdorfer,
Grünewald, Dürer, Cranach et Holbein, la musique allemande
prend le relais, appuyée sur le lied et le choral, prête désormais à
remplir sa grande destinée.

Le Classicisme

DEUXIÈME PARTIE

Le Classicisme

CHAPITRE PREMIER

LA NAISSANCE DU THÉÂTRE LYRIQUE.
MONTEVERDI

Lorsqu'on aborde le XVIIe siècle, il est difficile de ne pas se rappeler les doléances de tant de bons juges, de glorieux compositeurs sur les méfaits musicaux de l'Italie, la moue de tous les beethovéniens, wagnériens, franckistes, debussystes quand ils découvraient des « italianismes » dans une œuvre célèbre, et le mépris aujourd'hui encore de la jeune école pour Verdi et les véristes. On songe à toutes les puissantes ou délicates architectures de la polyphonie renaissante qui allaient être englouties par l'irruption de l'opéra vénitien et napolitain. De notre point de vue d'archi-civilisés, baignant dans une musique en constante révolution, le retour des Italiens du XVIIe à la monodie sur un accompagnement inconsistant est une chute artistique. De nos jours, les musiciens cultivés sont unanimes dans leur admiration pour les pionniers, les bâtisseurs, Machaut, Dufay, Josquin, Lassus. On n'en connaît aucun qui ait pris la peine de se renseigner sur les opéras de Cesti, de Legrenzi, de Landi, de mettre des sons sous ces noms qui s'alignent interminablement dans les pages des historiens.

Faut-il donc déplorer, comme Combarieu et la plupart des musicologues nourris du classicisme allemand, que les créateurs de l'opéra aient négligé la forme d'art déjà si accomplie que leur léguait la Renaissance, au lieu de la faire passer dans le drame lyrique, « ce qui eût été le vrai progrès, comparable à celui que Wagner devait réaliser deux siècles et demi plus tard, lorsqu'il fit passer dans l'opéra, puissamment, comme après une rupture de digue la symphonie » ? On voit mal, à vrai dire, comment ce passage aurait pu s'opérer. Il était fatal que le faisceau de la polyphonie se rompît pour que des personnages différenciés pussent avoir chacun leur voix sur la scène.

L'évolution, cependant, aurait pu être moins paresseuse, depuis l'*Orfeo* de Monteverdi jusqu'à l'apogée de l'art lyrique au XIXᵉ siècle. Mais si l'Italie pécha beaucoup par nonchalance, par facilité, l'Europe entière l'y encouragea, y prit autant de plaisir qu'elle. On ne peut pas oublier que dans tous les chefs-d'œuvre de la dramaturgie musicale, jusqu'à ceux d'Alban Berg, subsistent au moins quelques traits des origines italiennes de l'opéra. Basses origines, ont répété depuis cent cinquante ans les moralistes de l'art. Mais tandis que l'Italie s'y complaisait, se pâmait aux roulades de ses castrats, elle travaillait aussi à inventer sur ses violons, ses orgues et ses clavecins, de sonates en concertos, les formes les plus pures de la musique. Elle nous a trop donné pour que sa générosité ne compense pas ses faiblesses, n'efface pas ses plus coupables écarts.

Si l'on sort des frontières de l'Italie pour prendre une vue d'ensemble du XVIIᵉ siècle, on y constate presque partout, en comparaison avec la Renaissance, cet appauvrissement du vocabulaire musical dont on distinguait déjà les signes chez Palestrina.

On en a fait grief à l'abandon des modes et à la généralisation de la gamme tempérée majeure-mineure. Pourtant, cette gamme contenait virtuellement toute la musique jusqu'à Stravinsky, le dernier représentant de la tonalité avant sa conversion tardive à la « série ». Personne n'a jamais pu prouver que les modes auraient été plus féconds. Mais le système tempéré se prêtait à une codification, restée d'ailleurs instinctive jusqu'à Rameau, qui répondait à des besoins nouveaux de régularité, de choix, d'ordonnance logique, aux convenances d'une société plus policée, bref à ce cycle de l'esprit humain que l'on appelle le classicisme et qui suit les périodes de découvertes aventureuses, de forte vitalité, de créations exubérantes. Il s'y ajoutait, dans un temps où le chanteur soliste allait dominer, une prédilection pour les sons émis le plus facilement, les plus flatteurs pour la voix, ce qui ne manque jamais de restreindre l'écriture musicale. Les libertés entrevues par les grands Renaissants dans leurs expériences harmoniques et chromatiques étaient prohibées ou en tout cas circonscrites au nom à la fois du bon ton et des nouvelles règles d'orthographe et de syntaxe. La littérature française subissait au même moment avec Malherbe une épuration analogue.

PRÉLIMINAIRES A L'OPÉRA : LES BALLETS DE COUR

La musique avait été mêlée à toutes les représentations scéniques du Moyen Age, jeux, mystères. Mais elle n'y intervenait qu'en manière d'intermèdes, fanfares, chansons sur des airs connus, sans participer à l'action.

On voit avec raison la première ébauche d'action musicale dans les ballets princiers, qui avaient fait leur apparition au xve siècle chez les ducs de Bourgogne sous le nom d'*entremets,* parce qu'ils tenaient lieu de divertissements entre les services des banquets, qui avaient fait les beaux jours de toutes les cours italiennes, pour rentrer en France sous les Valois.

Le ballet de cour annonce l'opéra parce que c'est un spectacle entier conçu sur un scénario. Nous possédons une documentation complète sur le plus célèbre, le *Ballet Comique de la Reine* (comique ne signifie pas « bouffon » mais « mêlé de comédie ») représenté en 1581 à Paris devant Henri III pour le mariage de son mignon, le duc Anne de Joyeuse, avec Marguerite de Lorraine-Vaudémont, sœur de la reine. C'était une œuvre gigantesque, dont l'exécution durait cinq heures, et apparemment sans entractes ! réglée par l'Italien Baldassare de Belgiojoso, avec la collaboration d'un versificateur nommé La Chesnaye pour le texte, du chanteur et compositeur Lambert de Beaulieu pour la musique vocale, de Jacques Salmon pour la musique instrumentale, et d'un peintre du Louvre, Jacques Patin, pour les décors et les costumes. Les gentils-hommes et les dames de la Cour participaient aux figures dansées, aux innombrables « numéros », Naïades entourant une fontaine, intermèdes pastoraux avec des satyres, entrée des Vertus, descente des dieux de l'Olympe. Pour ce qu'on en connaît, la musique, sévère, uniforme, cérémonieuse, n'épouse guère la variété de ces tableaux. Mais le livret développait une action suivie, la fable de Circé la magicienne, accompagnée des bêtes fauves qui sont ses anciens amants transformés et domptés par sa baguette, soumettant à son pouvoir Mercure lui-même, et ne succombant finalement qu'à une tonnante intervention de Jupiter qu'elle avait osé défier. Les airs, les chœurs, les danses prenaient place assez logiquement dans cette action. Il manquait sans doute un élément essentiel du drame musical : un dialogue chanté. Mais le futur opéra allait pouvoir puiser à sa guise dans les décors, les machines de cette fantas-magorie mythologique, les trouvailles d'une mise en scène simul-tanée que l'on peut distinguer dans les dessins de Patin et dont les hommes de théâtre d'aujourd'hui feraient encore leur profit.

Belgiojoso, Parisien adoptif (il avait francisé son nom en Beaujoyeulx), qui connaissait les idées de Baïf et son Académie, aspirait d'ailleurs lui aussi, mais d'une façon beaucoup moins chimérique, à l'union de la poésie, de la musique et de la danse selon le modèle du drame antique. Cet imprésario ingénieux avait donc un pressentiment de l'opéra beaucoup plus clair que les théoriciens italiens des mêmes années qui passent pour être les parrains de ce drame lyrique.

LES CÉNACLES FLORENTINS

On lit encore dans presque tous les livres que les premiers opéras sont nés dans le cénacle (la « camerata ») d'un gentilhomme florentin, le comte Bardi. Un musicologue romain, M. Nino Pirrotta, dont Jacques Chailley a résumé les travaux, s'est appliqué il y a quelques années à réviser ce point d'histoire.

Giovanni Bardi réunissait chez lui entre 1577 et 1582 une sorte d'académie d'humanistes surtout occupés de littérature et de philosophie. Lorsqu'ils parlaient musique, c'était pour condamner la polyphonie, qu'ils jugeaient barbare, caduque, et pour préconiser un retour à la mélodie de l'Antiquité, telle du moins qu'ils l'imaginaient : une « imitation du discours par le chant ». L'un des membres de la « camerata », Vincenzo Galilei, le père de l'astronome, tenait le madrigal pour la plus belle des formes musicales, à la condition qu'on le purgeât de toute polyphonie, et s'y exerçait lui-même en écrivant deux chants monodiques avec accompagnement de violes, *Les Plaintes d'Ugolin* de Dante et *Les Lamentations de Jérémie.* Il y était maladroit, mais à la mode. En effet, selon le penchant irrésistible de la race que nous avons déjà souvent noté, le solo vocal, depuis une vingtaine d'années, s'imposait de plus en plus en Italie. A Florence, on faisait constamment chanter par un soprano seul la partie supérieure des pièces polyphoniques. Au sein même de la « camerata », un chanteur, Giulio Caccini, secrétaire de Bardi et meilleur technicien que Galilei, s'essayait dans des madrigaux à une mélodie calquée sur l'expression dramatique d'un poème ou selon le vocabulaire du temps, à « imiter la parole par le chant. »

En 1587, le grand-duc de Toscane, François-Maris de Médicis, père de la future reine de France Marie, mourait, sans doute empoisonné ainsi que sa femme Bianca Cappello par son frère le cardinal Ferdinand. Les deux disparus, brillants mécènes, mais tyranniques, assassins notoires, ne laissaient aucun regret. Leur mort entraînait la disgrâce de Bardi, qui avait été de leurs favoris, et la dispersion de sa « camerata ». Celle-ci cessait donc d'exister treize ans avant l'apparition du premier opéra. Bardi toutefois devait être mieux que l'amateur mondain décrit par Pirrotta et Chailley, puisqu'il allait devenir maître de chapelle du pape Clément VIII à Rome.

Vers 1590, un autre grand seigneur et mécène florentin, Jacopo Corsi, partisan du nouveau grand-duc le cardinal Ferdinand et très hostile à Bardi ouvrait à son tour un cénacle. Le musicien attitré de cette « camerata » allait être EMILIO DE CAVALIERI (1550-1602), un Romain nommé par le grand-duc Ferdinand intendant des arts de Florence et qui organisait bientôt des ballets de cour dans le genre français et des pastorales. On faisait le plus grand cas dans la « camerata » des innovations de Cavalieri et de certaines de ses « récitations » qui bouleversaient les auditeurs.

Cependant, c'est à un autre musicien plus jeune, JACOPO PERI (1561-1633) que Corsi, lui-même poète et compositeur, allait s'adresser pour une expérience plus poussée de chant dramatique, la pastorale de *Daphné,* représentée en 1594 ou 1595. Corsi avait écrit le poème avec son ami Ottavio Rinucci et quelque peu collaboré à la musique. Peri, à l'origine, était chanteur et l'élève de Caccini.

Encouragés par l'essai de *Daphné,* Corsi et Rinucci commandèrent à Peri une *Euridice* jouée en 1600 au palais Pitti lors du mariage par procuration de Marie de Médicis et de Henri IV. Tous les historiens considèrent cette *Euridice* comme le premier en date des opéras, c'est-à-dire d'une action dramatique entièrement chantée, avec l'emploi du récitatif, « altro modo di cantare che l'ordinario ». Quelques airs de l'ouvrage avaient été empruntés à Caccini.

La même année, Cavalieri donnait à Rome en style récitatif sa *Représentation de l'Ame et du Corps,* sorte d'oratorio ou plutôt de mélodrame religieux comportant des parties de spectacle. Peu après, Caccini, ulcéré de se voir distancé et qui revendiquait l'invention du *stilo rappresentativo* (le récitatif), écrivait à la hâte une autre *Euridice,* jouée à Florence sans grand succès en 1602.

Les documents provenant de l'entourage de Bardi, de son fils Pietro en particulier, les écrits de Caccini ne soufflent mot de Cavalieri et de son rôle. Même silence sur Caccini, sur le cercle de

Bardi chez Jacopo Corsi et ses amis. Pour eux, Cavalieri est l'unique et incomparable initiateur. Nous comprenons sans peine : ce sont des querelles de chapelles qui s'ignorent l'une l'autre, et sur lesquelles se greffent les zizanies politiques, les rivalités de chanteurs. Sans doute, la « camerata » de Corsi, favorisée par les circonstances, eut l'avantage de patronner le premier opéra. Mais l'autre cénacle avait préparé l'événement, qui de toute façon était imminent dans ces dernières années du XVIᵉ siècle où les ballets, les madrigaux, les pastorales tendent au même but. Les manifestes, les commentaires dont tous ces compositeurs sont prodigues tournent autour de la même idée formulée plus ou moins heureusement : parvenir à une déclamation chantée répondant à l'expression des sentiments, prendre le langage pour modèle du chant, créer un style vocal « qui dépassant l'harmonie du langage ordinaire, reste en deçà de la mélodie du chant ».

Ce qui nous importe plus que les détails de préséances historiques, c'est l'intérêt musical des œuvres. Les pages de Caccini que nous avons pu lire déconcertent, quand on songe aux intentions de l'auteur, par la place qu'y tiennent encore les ornements, nous rappelant que ce musicien était aussi un chanteur, qui ne se débarrassait pas facilement des habitudes de son métier. L'*Euridice* de Peri, qui a pour personnages Eurydice, Orphée, trois bergers et des nymphes, est un chapelet de soli suivis d'une ritournelle, de chœurs et de trios, avec un intermède instrumental et une danse finale, le tout différant fort peu des pastorales précédentes que l'on n'a pas admises dans le catalogue des opéras. Les récits ne sont que de la déclamation, rigide, très uniforme, emphatique lorsqu'elle veut se hausser au ton de la tragédie, selon le dessein concerté avec le librettiste Corsi. Peri adopte la basse continue (se déroulant sans interruption durant tout le morceau) et chiffré : elle est écrite comme une monodie, dont chaque note est surmontée d'un chiffre indiquant l'harmonie éventuelle dont on laisse la réalisation « au jugement et à l'art des instrumentistes », autrement dit à leur goût et à leur plus ou moins grande adresse d'improvisateurs. Les plus médiocres automatismes sont ainsi substitués aux finesses et aux inventions du contrepoint.

On a le sentiment que les nouveaux venus, beaucoup plus chanteurs que compositeurs, écartent comme pédantesque et rébarbative la science polyphonique qui leur est inaccessible, et se créent un métier élémentaire au niveau de leur mince formation, mais suffisant pour eux, puisqu'il donne la prépondérance au seul

genre musical qui les séduise, le développement du solo vocal.
La place historique qu'ils occupent fait illusion sur leurs mérites
réels. Leur cas n'est guère différent de celui des auteurs de
romances, de petits opéras-comiques à couplets qui au début du
XIXᵉ siècle se flattaient de représenter la vraie musique, « celle qui
chante » contre le chaos de notes de Beethoven.

L'un des émules de Peri et Caccini, Marco da Gagliano (1575 ?-
1642), écrivait en 1605 dans la préface d'une nouvelle *Dafne* de
sa façon que l'opéra « est vraiment un spectacle de princes, admirable par-dessus tout, car en lui s'unissent tous les plus nobles
plaisirs : l'invention poétique, le drame, la pensée, le style, la
douceur des rimes, le charme de la musique, le concert des voix
et des instruments, l'exquise beauté du chant, l'attrait de la peinture même dans les décors et les costumes ». Nous l'avons dit
souvent, en termes moins soutenus, après certains actes de Rameau
pleins de force et de couleur, après le *Don Juan* de Mozart, les
grandes œuvres de Verdi, *Boris Godounov*, et en sortant du
Festspielhaus de Bayreuth. Mais il fallait que Gagliano fût doué
d'un sens prophétique pour distinguer déjà les promesses de ces
apothéoses du lyrisme musical à travers les essais encore si gauches
de ses contemporains.

En tout cas Florence, la cité intellectuelle, avait bien dans ses
spéculations humanistes et platoniciennes, conçu d'une façon
d'ailleurs assez abstraite l'opéra. Mais son école musicale n'était
plus que de second ordre, la cour des Médicis perdait de son éclat.
Le nouveau drame lyrique allait connaître son extraordinaire
fortune dans des foyers plus actifs et plus riches, et surtout
grâce au plus grand musicien italien de ce temps, Monteverdi.

MONTEVERDI. SA VIE

Claudio Monteverdi était né à Crémone, en 1567, premier
enfant d'un médecin honorablement connu, cultivé, et qui exerçait
son métier avec une certaine application scientifique. Rien ne
paraît avoir entravé la vocation du jeune garçon. Nous savons
qu'il eut pour maître Marc'Antonio Ingegneri, qui dirigeait la
chapelle de la cathédrale de Crémone. Ingegneri, madrigaliste et
compositeur religieux de talent, se rattachait par son propre
maître, le Véronais Vincenzo Ruffo, à Willaert et à Cyprien de
Rore, le fondateur de l'école vénitienne et son successeur. A

travers leurs œuvres et les principes qu'ils avaient légués à leurs disciples, Monteverdi s'initiait donc, dès son apprentissage en même temps à la polyphonie nordique et à l'écriture chromatique. On ne pouvait recevoir, à l'époque, meilleure formation.

Il n'existe aucune anecdote sur la précocité de Claudio. Pourtant, dès l'âge de quinze ans, il faisait entendre ses premiers essais au cénacle des dilettantes de Crémone, l'Académie « degli Animosi », publiait quelques mois plus tard à Venise un recueil de vingt motets à trois voix et l'année suivante à Brescia un livre de madrigaux spirituels.

En 1590, il entrait à Mantoue au service de la cour des Gonzague, comme virtuose de la viole, chanteur et compositeur. Le duc Vincent Ier, nouveau chef à vingt-huit ans de l'illustre maison des Gonzague, était encore dans cette fin du XVIe siècle un personnage de la pleine Renaissance, ayant fait expédier plusieurs rivaux par ses spadassins au cours de ses aventures galantes, étonnant toute l'Italie par la magnificence de ses fêtes, féru d'alchimie, collectionneur passionné, vendant un morceau de son duché pour acheter une madone de Raphaël, et premier protecteur du jeune Rubens. Vincent, qui composait lui-même, avait ranimé aussi toutes les traditions qui depuis près de deux cents ans faisaient de Mantoue l'un des centres musicaux les plus actifs de l'Italie. Dans ce milieu brillant, un peu fou, en perpétuel mouvement, Monteverdi devait faire les rencontres les plus stimulantes, de Galilée méditant sur ses découvertes, de Jacob de Wert, maître de la chapelle ducale, d'Orazio Vecchi, le pittoresque chanoine, bretteur, trousseur de filles, débordant de faconde, en pleine vogue grâce à son madrigal dialogué, *L'Amfiparnasso*, et surtout le Tasse, que le duc Vincent venait de tirer de sa prison sans que cela guérît son esprit persécuté, mais pour lequel le musicien éprouvait une admiration littéraire qui marqua son art. Seul détail fâcheux dans cette belle existence : Vincent de Gonzague, prêt à se ruiner pour éblouir par son faste un seigneur étranger, était de la pire ladrerie avec les gens de sa suite. Monteverdi touchait très irrégulièrement un salaire dérisoire pour un travail que les perpétuels galas de la cour rendaient très absorbants.

Malgré sa pauvreté, Monteverdi épousait en 1595, Claudia Cattaneo, une jeune cantatrice, fille d'un musicien de la cour : l'un des premiers exemples de ces ménages de compositeurs et de chanteuses que l'on retrouvera tout au long de la musique italienne, si révélateurs de la passion de ces musiciens pour la voix,

et de la connaissance approfondie qu'ils en ont eue. Un peu plus
tard, il accompagnait le duc Vincent dans un voyage aux Pays-
Bas, très profitable parce qu'il lui permettait d'étudier sur place
quantité d'œuvres de la polyphonie française et flamande, de
découvrir les essais rythmés à l'antique de Claude Le Jeune et de
les comparer aux tentatives des cénacles florentins, qui intri-
guaient toute l'Italie musicale. L'année suivante, d'ailleurs,
Monteverdi assistait à Florence auprès du duc à la première
représentation du premier opéra, l'*Euridice* de Peri, sans partager
l'enthousiasme général : cette musique qui se voulait tellement
expressive lui paraissait très sèche et très uniforme.

Pendant tout ce temps, il avait augmenté son œuvre personnelle
de plusieurs livres de madrigaux. En 1601, il devenait maître de
la chapelle du duc, sa situation matérielle s'améliorait. Les violentes
attaques de plusieurs critiques, en particulier un certain abbé
Artusi, acharné à recenser ses « fautes d'harmonie », le laissaient
indifférent. Il n'attachait de prix qu'aux réactions du public, et
celui-ci aimait ses madrigaux : « Le peuple a raison, disait-il, et
s'il contredit l'élite, c'est à l'élite de se taire. »

La santé de sa femme, qui lui avait donné deux fils, s'altérait.
Le duc Vincent, qui n'avait plus qu'opéra en tête, voulait en faire
représenter un à sa cour. Il s'était décidé pour un *Orfeo*, sur un
livret du versificateur Striggio, son secrétaire, fils d'un bon
organiste. Claudia dépérissait. Un compositeur mettant en musique la fable d'Orphée et Eurydice au chevet de la femme qu'il
aime et qu'il redoute de perdre : voilà un poignant chapitre
tout écrit pour les biographies romancées. Il est vraisemblable
que Monteverdi fit de tristes réflexions sur ces circonstances,
mais plus que douteux qu'il ait songé à les traduire dans sa
musique.

Le duc avait engagé lui-même les chanteurs d'*Orfeo*, surveillé
les nombreuses répétitions, la luxeuse mise en scène. Il avait fait
imprimer le livret à plusieurs centaines d'exemplaires pour que les
spectateurs pussent suivre l'action pendant le chant. La première
représentation eut lieu pour le mardi-gras de 1607, avec un succès
qui comblait l'auteur et son mécène. Monteverdi, revenu à
Crémone quelques semaines plus tard, y était accueilli comme le
plus glorieux enfant du pays.

Mais Claudia s'éteignait au mois de septembre suivant, laissant
deux petits garçons de trois ans et de sept ans. Au milieu de son
chagrin et de son désarroi, Monteverdi recevait bientôt une

commande impérative du duc, celle d'un nouvel opéra, *Arianna*, qu'il voulait faire représenter à Noël. Talonné, malade de surmenage, (« Ce travail m'amène presque à la mort », dit-il), le musicien parvenait à achever sa partition pour le début de février. Durant les répétitions aussitôt mises en train, un nouveau coup le frappait. L'interprète principale, son élève affectionnée, la jeune cantatrice Catarina Martinelli, qui avait déjà triomphé dans *Orfeo*, mourait subitement à dix-huit ans, telle une *prima donna* romantique. Monteverdi la pleura plus encore que le duc dont elle était une des maîtresses. Cependant, le célèbre *Lamento d'Arianna*, le seul morceau de l'opéra qui nous soit parvenu, n'est pas une déploration sur son tombeau. Il avait été écrit plusieurs mois avant sa mort imprévisible. En février 1612, Vincent de Gonzague succombait brusquement à cinquante ans. Son fils François, un noceur médiocre, congédiait aussitôt Monteverdi qui après vingt et un ans de service partait de Mantoue « avec vingt écus en poche » et la mélancolie de quitter la cantatrice Andriana, la meilleure interprète de ses madrigaux et sa maîtresse durant deux ans.

Cette disgrâce était pour Monteverdi la chance de sa vie. L'année suivante, les Procurateurs de Venise, ayant examiné sa candidature, le nommaient à l'unanimité maître de chapelle de Saint-Marc, cette charge enviée entre toutes, dévolue depuis près d'un siècle à des hommes de génie. Elle était multiple et très lourde : composition d'œuvres inédites, ordonnance musicale des grandes fêtes, direction et administration des chœurs, de l'orchestre — une élite d'exécutants — éducation des recrues. Monteverdi s'en acquitta avec la probité qu'il mettait à toutes choses. Il devait fournir en même temps aux commandes de Mantoue, où le duc Ferdinand, qui se flattait d'être l'ami et l'élève du Maestro Claudio avait rapidement succédé à son frère. Toutes ces œuvres, ballet de *Tirsi et Clori*, *Andromède*, *Renaud et Armide* et une comédie musicale, *La Finta Pazza Licori (Licori la Fausse Folle)* ont disparu dans le pillage du palais des Gonzague en 1630, à la suite du premier des sièges que Mantoue eut à subir.

Sur les trente années que Monteverdi passa à Venise, les vingt dernières au moins furent pour lui une période de gloire, coupée par la peste de 1631 où mourut son fils aîné, bon ténor et madrigaliste doué, dont la vocation, bizarrement, était combattue par son père qui l'aurait voulu médecin. Sa situation privilégiée dans un centre artistique aussi rayonnant que Venise avait fait de

Monteverdi une célébrité internationale. Il recevait des commandes de la cour d'Angleterre, des princes germaniques, de toutes les villes d'Italie.

Entre les messes et les psaumes pour Saint-Marc, Monteverdi poursuivait la composition de ses madrigaux (sixième, septième et huitième livres, *Scherzi Musicali*). L'ouverture à Venise de théâtres d'opéras, en 1637 et 1639, allait lui permettre de consacrer les dernières années de sa vie à la musique dramatique, qu'il plaçait au-dessus de tout, avec l'*Adone*, les *Nozze de Enea con Lavinia* qui sont perdues, *Il Ritorno d'Ulisse in Patria* dont il existe un manuscrit mais d'une authenticité contestée, enfin *L'Incoronazione di Poppea* (Le Couronnement de Poppée), représentée en 1642 au Théâtre San Giovanni e Paolo. Le vieux maître écrivait encore peu après un ballet, *Vittoria d'Amore*, qui ne nous est pas parvenu. Sa santé, chancelante depuis longtemps, déclinait tout à fait. En 1643, il était doté d'un assistant à Saint-Marc et pouvait enfin prendre quelques vacances. Il alla revoir encore une fois Crémone et Mantoue. Au retour de ce voyage, il mourut, le 29 novembre, dans sa soixante-dix-septième année. Depuis la mort de son fils, il avait pris la soutane. Ses funérailles furent splendides. On l'ensevelit dans l'église des Frari, auprès de Titien, des grands doges et des grands capitaines de la République. Ensuite, ses restes furent mêlés à ceux de moines inconnus, et l'on ignore s'ils reposent vraiment sous la dalle qui porte son nom. C'est un symbole de sa destinée posthume. Trente ans après sa mort, il tombait dans l'oubli. Vincent d'Indy, vers la fin du XIXe siècle, fut un des premiers à le redécouvrir et le faire admirer, à travers des transcriptions assez fantaisistes. *L'Incoronazione di Poppea* a été publiée par les Allemands en 1904. Mais pour connaître vraiment l'envergure de Monteverdi, il a fallu attendre l'édition monumentale de ses œuvres entreprise à partir de 1926 par Francesco Malipiero.

L'ŒUVRE DE MONTEVERDI

Nous savons par ses lettres, ses écrits théoriques, ses propos rapportés que Monteverdi était un homme équilibré et lucide au plus haut point. Très conscient de sa valeur, mais obligé à un labeur incessant, il distinguait parfaitement en lui l'artiste du professionnel. Si la moitié de ses œuvres s'est perdue, perte déplorable pour plusieurs de ses opéras, c'est aussi qu'il se souciait assez peu de conserver toute une part de sa production journalière, entre autres l'énorme quantité de musique religieuse écrite pour les besoins de son service à Saint-Marc.

Il attachait au contraire le plus grand prix à ses madrigaux, les reprenant, les corrigeant longuement avant de les livrer à l'imprimeur, et grommelant à l'adresse de ses amis impatients de les voir publiés, surpris par cette lenteur si peu dans les habitudes du temps : « Le travail hâtif et le bon travail ne vont pas ensemble. » Les neuf livres des madrigaux (le neuvième est posthume), jalonnant plus de cinquante années de sa carrière, ont été à la fois la somme de ses expériences, le creuset de son esthétique et le reliquaire de sa plus intime poésie. Il faut pouvoir les situer chronologiquement si l'on veut connaître et admirer à travers leurs pages l'évolution très méditée d'un style et d'une grande pensée musicale.

Les *Sacrae Cantiunculae*, vingt petits motets à trois voix, sont les exercices d'un très bon élève de quinze ans. Les *Madrigaux spirituels* à quatre voix, de l'année suivante, ont été perdus. Dans les *Canzonette* à trois voix, un écolier de dix-sept ans s'essaie à dire dans une forme très simple quelques sentiments personnels d'une charmante naïveté. Mais les deux premiers livres de madrigaux à cinq voix, qu'il publie à vingt ans et à vingt-trois ans sont déjà d'une étonnante maturité de métier. Dans le second livre, *Ecco mormorar l'onda (Voici que murmure l'onde)* est la première rencontre de Monteverdi avec le Tasse, dont les vers le stimuleront toujours pour l'accomplissement de sa propre poésie : ici une évocation de l'aurore d'autant plus délicieuse et émouvante qu'elle est pour nous la naissance d'une nouvelle sensibilité musicale. Chaque pièce révèle une possession de l'écriture polyphonique qui se confirme dans les trois livres suivants, publiés par le compositeur entre vingt-cinq et trente-huit ans (1592, 1603, 1605), et qui sont tous pour cinq voix. Cette polyphonie vocale, dans *Si ch'io vorrei morire* par exemple (Livre IV) est aussi savante, quoique moins touffue, que les plus célèbres modèles de Josquin et de Lassus, avec un naturel de l'invention et de la respiration mélodiques que n'ont jamais atteint les hommes du Nord. Mais en même temps, Monteverdi, tout en refusant avec son bon sens habituel de suivre les humanistes dans leur chimérique résurrection de la musique grecque, se rapproche à sa manière du *stilo rappresentativo* que les Florentins viennent de mettre à la mode. Il traite le madrigal *Non piu Guerra* du Livre IV comme un récitatif, à interpréter, note-t-il, « con una espressione parlante ». Les derniers madrigaux du Cinquième Livre, au lieu d'être *a cappella* comme les recueils précédents, sont écrits avec une basse instrumentale obligée, marquant ainsi une étape vers la monodie accompagnée. Dans les *Scherzi Musicali,* publiés en 1607 mais écrits plusieurs années auparavant, à travers la polyphonie merveilleusement agencée de *La Bellezza,* la subtile mélodie suit une ligne continue qui fait pressentir l'*arioso* d'opéra. On peut donc dire que lorsque Monteverdi, dans sa quarantième année, écrivit l'*Orfeo,* il s'était préparé à cette tâche beaucoup mieux qu'aucun des musiciens de sa génération.

« ORFEO » FAVOLA IN MUSICA

Orfeo a pu passer pour un chef-d'œuvre, d'ailleurs plus vénérable qu'enthousiasmant, quand presque toutes les autres partitions de Monteverdi étaient inaccessibles. Dans l'état présent de nos connaissances, il est difficile de soutenir encore sincèrement cette idée reçue. Soyons franc : *Orfeo* est l'ouvrage le plus décevant d'un grand maître, et ce n'est qu'en le replaçant dans son temps par un sérieux effort d'imagination que l'on parvient à concevoir son importance historique et l'émotion qu'il souleva.

Sans doute, Monteverdi articule une musique qui restait informe entre les mains de Peri et de Caccini. A la déclamation monocorde, presque psalmodique des deux Florentins dans leurs *Euridice,* il substitue aussi souvent qu'il le peut un *arioso* qui tient le milieu entre le récitatif *quasi parlando* et le chant lyrique. Mais ses premiers essais de madrigaliste dans ce style étaient d'une toute autre liberté, d'une tout autre séduction mélodique. Monteverdi, suivant l'exemple de Gabrieli, a voulu pour sa *favola* un orchestre étoffé, dont la composition précise émerveille encore la plupart des musicographes. Mais compte tenu de ce qu'elles ont fatalement d'approximatif, les restitutions de cet orchestre célèbre sont assez « chaudronnantes » ou moulent des sons d'orgue de Barbarie, sauf bien entendu les quelques interventions solennelles des trombones. L'intention de Monteverdi est excellente, mais pour la réaliser, il tâtonne manifestement, assemble ses familles de timbres un peu au hasard.

Il n'existe aucun point de comparaison, quant à la qualité

musicale, entre la richesse, la sûreté d'écriture des madrigaux de 1603 et de 1605, et l'*Orfeo*, sa coupe étriquée, ses formules simplettes, la timide symétrie de ses strophes et de ses ritournelles d'instruments. En écrivant que le musicien semble avoir désappris tout ce qu'il savait, on ne serait pas tellement loin de la vérité. Monteverdi, qui se gardait bien, comme tous les artistes supérieurs, de tourner le dos au passé, ajoutait dans les madrigaux son génie à deux siècles d'expériences. Mais dans l'action chantée, où la facture traditionnelle n'était plus applicable, il lui fallait inventer un style dont les Florentins, trop peu musiciens avaient à peine eu l'intuition, entreprendre seul un nouvel apprentissage. On ne peut donc lui faire sérieusement grief de sa prudence, ses hésitations, d'autant plus qu'il travaillait sur commande, dans des conditions médiocrement inspirantes. Plusieurs commentateurs veulent distinguer dans *Orfeo* une musique qui caractérise les personnages par les changements de tonalité, de timbres instrumentaux. L'intention existe sans doute, mais elle ne pouvait aller bien loin, faute de caractères sur la scène. La seule silhouette de quelque relief, c'est Pluton, dont l'arioso, au quatrième acte, revêt une sorte de sourcilleuse majesté. Nous avons vu combien Monteverdi était sensible à la qualité des poèmes qu'il mettait en musique. Malheureusement, le duc de Mantoue avait choisi pour le libretto d'*Orfeo* un rimailleur banal, Alessandro Striggio, n'ayant pas la moindre idée de la « réforme mélodramatique », et qui ne s'écarta guère dans sa fable des conventions et des fadeurs de la pastorale. Le lyrisme de Monteverdi se replie au contact de ce texte indigent, ne tente guère de relever l'insignifiante bergerade du premier acte, non plus que la banalité mythologique de l'épilogue. L'apport purement musical du compositeur est assez court. Il faut en tout cas une faculté d'illusion qui nous manque pour entendre « les instincts déchaînés, les sentiments exprimés avec une frénétique puissance » dans les vocalises très classiques de l'air « Possente Spirito » d'Orphée devant Caron — déjà une concession au chanteur, Monteverdi avait d'abord écrit une mélodie sans ornements — ou dans la tiède plainte du dernier acte, d'une lenteur de débit bien ennuyeuse avec la reprise de chaque fin de phrase par Echo.

Bref, *Orfeo* n'est encore qu'une ébauche assez grêle, qui pourrait nous toucher par un charme primitif si on ne l'avait tellement surfaite.

CHEFS-D'ŒUVRE DE LA MATURITÉ ET DE LA VIEILLESSE

Nous ne savons pas quel fut le jugement de Monteverdi sur son opéra. On peut supposer qu'il garda une prédilection pour cette œuvre qui le rendait célèbre et qui éclipsait les Florentins. Mais d'instinct il avait compris qu'il pouvait beaucoup mieux dans cette voie.

De l'*Arianna* composée un an après l'*Orfeo,* il ne subsiste que le « Lamento », grâce à la popularité extraordinaire et immédiate dont bénéficia ce morceau. Ce fut « l'Ave Maria de Schubert », la « Tristesse de Chopin » de Monteverdi, répandu par d'innombrables éditions, transcriptions, adaptations, auxquelles le maître contribua, puisqu'il transforma lui-même ce gémissement païen en une cantate, *La Plainte de la Vierge,* et un madrigal à cinq voix du Sixième Livre. Le « Lamento », où Ariane abandonnée appelle la mort et l'amour, est d'ailleurs une page bien plus largement écrite qu'*Orfeo* et cette fois expressive jusqu'à la véhémence.

Le *Ballo delle Ingrate (Ballet des Ingrates)* représenté en même temps qu'*Arianna,* montre les tourments des femmes qui pour avoir méprisé l'amour sont condamnées après leur mort à un épouvantable enfer, et qui refont parfois de brèves apparitions dans le monde des vivantes auxquelles elles conseillent d'être de ferventes amoureuses. Cette allégorie, chargée d'une lourde rhétorique, ne porta pas très haut Monteverdi dans les parties vocales. Dans les danses, il ne s'éloigne pas des conventions requises, mais pour se distraire sans doute de la corvée, il y expérimente des dissonances assez curieuses. Elles ont fait couler presque autant d'encre que les fameuses septièmes mineures d'*Orfeo.* En fait, toute l'œuvre de Monteverdi est semée de dissonances que les historiens ont enchâssées dans le premier tiers de notre siècle, quand le plus pur de la délectation musicale consistait à isoler et collectionner les accords rares un peu comme de beaux papillons. Presque toutes ces dissonances étaient antérieures à Monteverdi. Il prit l'heureuse liberté de les introduire en supprimant les préparations scolaires auxquelles on les soumettait. Mais ce qui compte le plus pour nous, c'est l'usage poétique qu'il en fit.

Nous le voyons surtout, à mesure qu'il avance dans sa carrière, de plus en plus occupé du style dramatique, même dans les œuvres qui devraient l'en éloigner. Il a le sens et le goût du théâtre, avivés par les deux triomphes qu'il y a remportés. Et il sait bien aussi qu'*Orfeo* n'est qu'un point de départ.

Dans la musique strictement liturgique qu'il doit fournir à Saint-Marc, il s'en tient à la polyphonie palestrinienne, en y imprimant plus de vie, en y abordant des problèmes de haute technique comme les variations sur le thème de la Messe à quatre voix, qui sont d'un praticien transcendant que l'on ne soupçonnerait guère à travers l'*Orfeo*. Dans les compositions plus libres, il lâche sa verve. Son *Beatus Vir* (Psaume III) débute dans une alacrité peu biblique mais ravissante, qui fait songer aux *Vêpres des Confesseurs* de Mozart et s'achève sur un ample *Gloria* qui est un vrai finale d'opéra. *Les Vêpres de la Vierge* (1610), malgré leurs immenses développements, sont d'une invention constante, avec leurs vocalises qu'exaltent le lyrisme latin, la fraîcheur de leurs timbres instrumentaux, leur contrepoint aussi pur qu'habile.

Mais la célèbre *Lettera Amorosa* du VIIᵉ Livre (1619) exprime par sa simple ligne de nuances psychologiques inaccessibles jusquelà aux musiciens. L'*Interrote Speranza*, pour ténor, contre-ténor et la basse continue se déploie comme un air de théâtre. Avec le VIIIᵉ Livre les *Madrigaux de Guerre et d'Amour (Guerrieri e Amorosi)*, on ne quitte plus la scène. De chaque pièce, Monteverdi fait une étude pour l'opéra. On ne voit pas d'autre mot qui puisse désigner par exemple le *Lamento della Ninfa*, ce grand air de soprano si voluptueusement italien dans sa mélancolie, avec l'accompagnement de deux voix d'hommes en demi-teinte. Monteverdi a même destiné à la représentation scénique le chef-d'œuvre du recueil, *Il Combattimento di Tancredi e Clorinda*, sur seize strophes de la *Jérusalem Délivrée* de son cher Torquato Tasso. Tancrède, le chevalier chrétien, aime Clorinde, la belle amazone des Sarrasins. Il la rencontre dans la nuit, sans la reconnaître sous l'armure qu'elle porte. Il est à cheval, Clorinde à pied. Ils se provoquent, se battent, leur sang coule. Voyant faiblir son adversaire qu'il prend toujours pour un intrépide guerrier, Tancrède veut l'épargner, lui demande son nom. Clorinde refuse de le dire. Le combat reprend plus sauvagement. A l'aube, blessée mortellement, Clorinde pardonne à son vainqueur et lui demande le baptême. C'est en versant l'eau sur son front que Tancrède la reconnaît avant qu'elle expire doucement.

Le *Combat* avait été représenté en 1625 ou 1626 chez le comte Mocegino, sur les indications méticuleuses de Monteverdi. Clorinde entre en armes, à pied, Tancrède la suit, coiffé d'un casque que surmonte un hippocampe. Le récitant commence alors à chanter le texte du Tasse. « Les deux combattants feront les pas et les gestes qu'exprime le texte, ni plus ni moins, observant soigneusement les temps, les coups et les pas, et l'expression vive ou douce des instruments. Le récitant prononcera les paroles au moment exact. Clorinde chantera à son tour, quand le récitant se taira; de même pour Tancrède. Les instruments (quatre violes de bras, contrebasse de gambe et clavecin) devront être joués de façon à imiter les passions du récit. La voix du récitant devra être claire ferme et d'une parfaite diction, pour qu'elle se détache des instruments. »

Ici, tout est neuf, tout parle à l'imagination : le rythme de chevauchée qui annonce l'entrée de Trancrède, le récitatif, allant de la déclamation à *l'arioso*, du témoin suspendu aux péripéties du duel, les pizzicati cliquetants des cordes et leurs échappées étincelantes durant la bataille, le chromatisme descendant de la phrase à découvert de Clorinde quand elle se sent touchée à mort, ce mélange de violence et de tendresse, une telle variété de couleurs obtenue avec des moyens si réduits, grâce à l'intensité et à la justesse de chaque accent. Malgré toutes les grandes musiques romantiques où nous avons baigné, *Le Combat* demeure aussi émouvant pour nous qu'au soir de sa première et unique représentation vénitienne dont les auditeurs étaient à tel point bouleversés « qu'il n'y eut pas un applaudissement ». Comme à *Parsifal*...

Dans sa préface de 1638, Monteverdi s'expliquait sur le *stilo concitato*, « agité », qu'il avait inauguré avec *Le Combat* et les innovations qu'il y introduisait. Il avait raison de prendre date fièrement. Certains des mouvements mélodiques les plus pathétiques du *Combat* sont si bien entrés dans l'âme italienne qu'on les retrouve presque note pour note dans tout le vocabulaire de sa musique tragique, et jusque chez Puccini et Dallapiccola.

Une si féconde obsession du drame lyrique devait conduire encore Monteverdi au théâtre, malgré son âge. De ses opéras vénitiens, un seul, *L'Incoronazione di Poppea*, nous est parvenu dans sa forme authentique. Mais nous avons lieu de supposer que le hasard a bien choisi. On a écrit de *L'Incoronazione* que c'était le premier des opéras historiques. Il faudrait se garder de prendre le terme à la lettre. Dans le sinistre épisode, où le proxénétisme et l'assassinat sont en balance, de la répudiation d'Octavie et du mariage de Néron avec Poppée, qu'il tuera lorsqu'elle sera enceinte d'un coup de pied au ventre, l'auteur du canevas, un certain Busenello, a surtout voulu voir un triomphe de l'amour, auquel il fait dire dans le prologue sa suprématie sur la Vertu et la Fortune. Cependant, ce livret s'évade de la mythologie rabâchée. Monteverdi y a trouvé des personnages vivants, aux réactions vraies : l'enjôleuse Poppée, Octavie passant de la douleur à la fureur, Othon son époux qui promène sa sombre jalousie, la jeune Drusilla prête à tous les sacrifices pour l'amour d'Othon, Sénèque sage et serein devant la mort, Néron follement épris. Monteverdi découvre pour eux, dans le *cantabile* comme dans le récitatif arioso, des inflexions à la fois réalistes et nobles, tandis qu'il maintient dans la fiction les figures allégoriques du prologue, qui débitent vocalises et roulades. Son librettiste lui a même offert un page effronté, polissonnant avec une camériste, pour lequel il invente *l'aria da capo* (l'air à reprise avec modulation médiane) et détend un moment son style presque jusqu'au comique. Il sait faire dialoguer tout ce monde en répliques incisives. Il s'appuie sur un orchestre moins fourni et coloré que celui d'*Orfeo*, mais beaucoup mieux équilibré. Il traite les ensembles vocaux, peu nombreux pour laisser à l'action sa rapidité, selon l'écriture contrapunctique du madrigal qui semblait impossible à la scène. Par le retour des phrases mélodiques attachées à une situation, un sentiment, il pressent même le rôle du leitmotiv.

L'Incoronazione est cependant l'œuvre d'un vieillard de soixante-quinze ans, malade, proche de sa fin. Cette verdeur d'esprit, cette faculté de renouvellement qui démentent toutes les données physiologiques, seul un autre Italien, dans le cours de la musique, en aura le privilège : le Verdi d'*Otello* et de *Falstaff*.

CHAPITRE II

LE XVIIe SIÈCLE ITALIEN
APRÈS MONTEVERDI

L'OPÉRA

L'opéra italien avait possédé avec Monteverdi, dès sa naissance, un initiateur génial, dont on a pu écrire qu'il proposait dans *L'Incoronazione di Poppea* une synthèse des deux conceptions du genre : l'opéra par morceaux détachés, qui a prévalu durant deux siècles, l'action sur une trame musicale continue, ébauchée par Gluck, imposée magistralement par Wagner.

Cette chance insigne fut peu comprise. L'auteur des *Madrigaux de Guerre et d'Amour* devait d'ailleurs choquer bientôt un tenace idéal italien de rondeur du chant, d'épanchement mélodique fluide et régulier, puisque Verdi, à la fin du XIXe siècle, l'excluera encore d'une anthologie des vieux maîtres « à cause de la mauvaise disposition de ses voix ».

Des multiples routes qui s'offraient au drame musical, on choisit d'emblée la plus facile, avec un tel succès que l'on n'éprouva plus aucun besoin d'en sortir. Le luxe de la mise en scène, dont les premières représentations chez les princes ont fourni le modèle, éblouit un public de plus en plus nombreux et panaché. La machinerie, que l'on perfectionne sans cesse, fait succéder les théophanies, les apparitions, les antres infernaux, les jardins magiques, les incendies, les cataclysmes, les chars volants, les dieux marins et les sirènes jouant dans les flots. Des hommes d'armes à cheval se battent sur les planches, les fées y dansent, tous les monstres de la fable y défilent.

Au milieu de ces spectacles bariolés et mouvementés, la musique ne peut guère se permettre de raffinements. Ce que l'on attend d'elle, c'est une série d'airs où s'expriment sans détours quelques sentiments catalogués, douleur, colère, pâmoison, se prêtant aux exploits vocaux des chanteurs fameux, qui ont toute licence d'y introduire leurs fantaisies.

L'opéra devient plus qu'une folie : un besoin. Venise possède sept théâtres qui lui sont consacrés. On en compte, paraît-il, soixante à Bologne, chiffre ahurissant, difficile à vérifier, mais cité par tous les auteurs sérieux. Parme, Plaisance, Reggio, Pise, Lucques, Vicence, Vérone, des dizaines d'autres cités possèdent leur théâtre permanent. Les bourgades ont toutes une scène pour les troupes de passage. Dans la seule Venise, entre 1640 et 1700, on crée trois cent cinquante opéras inédits. Antonio Draghi, qui travaille durant cette période, en écrit plus de quatre-vingts.

Dans une telle production, naturellement, l'article courant est beaucoup plus répandu que les chefs-d'œuvre. On ne saurait mieux la comparer qu'au cinéma à grand spectacle de notre siècle. Pour alimenter les usines à arias, comme les usines à films de nos jours, les livrets originaux seraient trop peu nombreux. On met à contribution les grands succès romanesques, qui sont alors les poèmes du Tasse et de l'Arioste. On fait appel à l'exotisme : *Ibraim sultano*, *La Piramide d'Egitto*, *Sardanapale*. La mythologie, les épisodes les plus connus d'Homère et de Virgile, l'ancienne histoire grecque et romaine restent cependant, comme pour la littérature, la principale source de sujets. Mais celle-ci est relativement restreinte. Maintes fables trop noires répugnent aux imprésarios comme aux auteurs. On cultive donc le « remake » avec la même sérénité qu'à Hollywood. Cette pratique datait d'ailleurs des premières heures de l'opéra, puisque l'*Orfeo* de Monteverdi était un « remake » de l'*Euridice* de Caccini, elle-même « remake » de celle de Peri. L'expérience avait prouvé que certains succès étaient inépuisables, des « valeurs-or » comme *Ben-Hur* ou *Cléopâtre* de nos jours. Les *Didons,* les *Armides,* les *Arianes* se sont comptées par douzaines.

Cette production était également saisonnière. On allait voir et entendre l'opéra nouveau, moins pour son canevas le plus souvent déjà connu, soumis à un « traitement » où la « happy end » était presque de rigueur — déjà la première *Euridice* s'achevait par le mariage d'Orphée avec son amante définitivement arrachée aux Enfers — que pour les « clous » de la mise en scène et les chanteurs les plus réputés dans un rôle de leur emploi. Un opéra de l'année précédente était aussi périmé pour les amateurs que pour les habitués des Champs-Elysées un film qui a terminé son circuit d'exclusivités.

LES CASTRATS

L'opéra avait également ses vedettes, ses monstres sacrés qui faisaient courir les foules, mais d'une espèce fort particulière : c'étaient les castrats, qui conservaient le timbre aigu et la tessiture élevée des jeunes garçons avec la puissance respiratoire des adultes. Etrange et barbare sacrifice d'une société si parfaitement civilisée à l'idolâtrie du chant ! Pour l'atténuer un peu, les historiens veulent supposer qu'à l'origine on avait tiré parti de cas accidentels. Mais les documents n'en disent rien. De toute façon, en 1562, la Chapelle Sixtine comptait déjà parmi ses chanteurs un castrat, du nom de Rossinus. Car l'Eglise fut la première à employer les talents de ces eunuques, qui firent pendant deux cents ans l'illustration de ses meilleures maîtrises. Et au XVIIᵉ siècle, la fabrication des castrats était devenue un art – et un commerce – entré complètement dans les mœurs italiennes.

On châtrait entre neuf et treize ans les petits garçons dont les voix donnaient des espérances. La police, en principe, réclamait le consentement des enfants. Mais bien entendu, celui des parents était déterminant, comme les conseils et les écus des imprésarios ecclésiastiques ou laïques. Quelquefois, les garçons opérés perdaient leur voix à l'âge de la mue, et l'on peut tout imaginer du sort de ces malheureux. Mais si leur larynx tenait ses promesses, une existence princière attendait ces fils de laboureurs et de cordonniers, après sept ou huit ans d'un sévère et patient dressage professionnel.

C'est le Président de Brosses, mélomane extrêmement compétent, qui a donné en 1739, dans ses *Lettres Familières sur l'Italie*, la meilleure analyse de la voix des castrats : « Le timbre en est aussi clair et perçant que celui des enfants de chœur, et beaucoup plus fort. Leurs voix ont presque toujours quelque chose de sec et d'aigre, bien éloigné de la douceur jeune et moelleuse des voix de femmes ; mais elles sont brillantes, légères, pleines d'éclat, très fortes et très étendues. » Le Président fait encore ce croquis de leur physique : « Ils deviennent, pour la plupart, grands et gras comme des chapons, avec des hanches, une croupe, les bras, la gorge, le cou rond et potelé comme des femmes. Quand on les rencontre dans une assemblée, on est tout étonné, lorsqu'ils parlent, d'entendre sortir de ces colosses une petite voix d'enfant. »

Les voix irréelles de ces grandes créatures recouvertes de costumes bizarres et étincelants, au milieu des décors de forêts et de palais enchantés, devaient concourir à l'atmosphère de magie, de prodiges dans laquelle baignait l'opéra. Bien que l'Eglise eût levé son interdit sur la présence des femmes en scène, les castrats avaient presque entièrement supplanté les belles cantatrices des premières années du siècle. Les sopranistes, qui possédaient les notes les plus aiguës, tenaient en travestis les rôles féminins, malgré leur taille gigantesque, les contraltistes tenaient les rôles d'hommes. Incroyablement fats et capricieux, féroces entre eux, adulés du public, les castrats gagnaient des fortunes, hantaient les cours, se faisaient construire des « palazzi » et des villas magnifiques. Tous ceux dont on a gardé les noms étaient Italiens. Leur grande période de gloire dura entre 1650 et 1750. Ensuite, leur nombre diminua, les cantatrices leur faisaient concurrence et l'opéra bouffe leur convenait peu. Mais ils ne disparurent de la scène que vers 1830. Le dernier, Velutti, mourut octogénaire en 1861. On émasculait donc encore de jeunes garçons en Italie au moment de la Révolution française.

L'OPÉRA À ROME ET À VENISE

Vingt-cinq ans après la mort de Monteverdi, l'opéra italien avait conquis l'Europe, à l'exception de la France. On le jouait jusqu'en Pologne, jusqu'en Suède. Vienne, où l'on représentait déjà des opéras en 1642, s'italianisait complètement et devait le demeurer jusqu'après la mort de Beethoven. Le premier théâtre d'opéra italien était inauguré à Munich en 1657, à Dresde en 1682, à Hanovre en 1689, à Brunswick en 1691. L'Angleterre, après quelque résistance, succomberait à son tour.

Voilà pourtant le genre sur lequel nous sommes aujourd'hui le plus pauvrement renseignés. Nous connaissons mieux la musique du XIVe siècle : « L'opéra déjà entendu, disait le musicographe anglais Burney voyageant au XVIIIe siècle en Italie, est traité comme un almanach de l'année écoulée. » La postérité était le dernier souci des compositeurs d'ouvrages aussi éphémères. Les éditeurs ne tenaient pas non plus à imprimer cette musique qui variait selon les interprètes, selon les villes où on l'exécutait. Des centaines de partitions d'opéras sont encore à l'état de manuscrits dans les bibliothèques. D'ailleurs beaucoup de ces partitions, de ces canevas plutôt où manquent si souvent les ornements des airs, nous renseignent insuffisamment.

Peut-on de toute façon porter un jugement définitif sur des œuvres théâtrales qui, sauf de fugitives et décevantes exceptions ne sont plus jamais représentées, dont on n'a entendu que de courts fragments, au hasard de rares concerts et de quelques disques ? Ce répertoire mériterait mieux qu'un aussi complet oubli, ne serait-ce que pour la place qu'il a tenue dans la vie musicale. Seule l'édition phonographique pourrait combler sur ce point les lacunes de nos archives.

Les divisions géographiques introduites par les historiens dans l'étude de l'opéra sont assez factices. Elles ne correspondent plus à des réalités régionales, des différences profondes d'esprit et de style comme les anciennes écoles de peinture, mais à des foyers d'activité attirant des compositeurs venus d'un peu toutes les provinces et qui se déplacent dans le temps.

L'école dite romaine, dont la période faste se situe entre 1620 et 1660, cultive encore, mais avec plus de fantaisie, la pastorale des premiers Florentins dans la *Galatea* du castrat Loreto Vittori (1639). Le *Mariage d'Orphée et d'Eurydice* de Luigi Rossi (1647), dont le titre rassure quant à l'épilogue les spectateurs trop sensibles, fait intervenir une sorcière qui veut tenter Eurydice, des chamailleries entre Junon et Proserpine qui prétendent chacune à sa façon décider du sort d'Orphée, le tout illustré d'ariettes comiques. Rome vit également naître l'opéra bouffe, grâce à un cardinal, Giulio Rospigliosi, le futur pape Clément IX, sans qu'il y eût du reste rien d'équivoque dans ce patronage. Rospigliosi, digne et élégante figure de prélat aux yeux bleus, au visage fin, n'avait plus rien de commun avec les cardinaux pornographes de la Renaissance. Mais il adorait l'opéra, il avait deviné combien la veine comique des Italiens y serait à l'aise. Il écrivit, en toute honnêteté, plusieurs livrets comiques, entre autres *Chi soffre speri (Qui souffre espère)*, mis en musique par Virgilio Mazzochi et Marco Marazzoli (1639) et *Dal Male il Bene* (1654), dont Marazzoli et Abbatini furent les compositeurs. *Chi soffre speri* met en scène les personnages de la commedia dell'arte. *Dal Male il Bene* est un quiproquo dont pâtissent deux amoureux finalement réunis par les bons offices du valet Tobacco, l'un des ancêtres de Leporello et Figaro.

Des traits typiques de tout l'opéra italien se dégagent dans les œuvres romaines. A mesure que les partitions s'amplifient, que la déclamation musicale cesse d'être une nouveauté, les auditeurs se plaignent de la longueur et de la monotonie du récitatif. Mais ils ne veulent pas davantage du mélange de dialogue parlé et de musique, proposé par des théoriciens, et que la France adoptera au xviiie siècle. On utilise alors, pour exposer les circonstances et les péripéties de l'action, un récitatif rapidement débité, *recitativo secco,* sans autre contour mélodique que quelques inflexions en fin de période, soutenu seulement par des accords espacés. Les sentiments des personnages, les élans lyriques sont réservés aux *arie* qui se développent sur quelques lignes de texte, deviennent des morceaux autonomes. Les récitatifs très rapides, presque *recto tono,* sont surtout employés dans l'opéra bouffe. Dans l'*opera seria* (opéra à sujet noble ou tragique), les récitatifs conservent davantage un caractère mélodique. L'opéra comporte, à chaque fin d'acte, des chœurs assez développés, en écriture polyphonique. L'orchestre ne comporte que des cordes et un clavecin pour la basse continue. Quelques ouvertures sont proches de la coupe « à la française » que Lully imposera à Versailles : une introduction lente, suivie d'un allegro en contrepoint.

Venise était durant cette époque l'autre grand foyer, d'un rayonnement plus vif que Rome. L'opéra y était devenu aussitôt un spectacle populaire, tandis qu'il restait à Florence et à Rome un divertissement de l'aristocratie. Le premier théâtre vénitien public avait été le San Cassiano, non loin du Rialto, inauguré en 1637 avec *Andromeda* de Francesco Manelli, natif de Tivoli, marié à une chanteuse, chanteur lui-même, et à qui ses succès de théâtre valurent curieusement une place de chantre à Saint-Marc. L'opéra vénitien tenait beaucoup de la revue. Sur le sujet mythologique ou épique annoncé par le titre se greffaient quantité d'épisodes sentimentaux ou burlesques, des allusions satiriques à l'actualité, avec un grouillement de personnages secondaires. Les mises en scène accumulaient les naufrages, les batailles, les miracles. Tous les rôles importants étaient écrits pour voix aiguës, sopranos, ténors ou castrats. Les contraltos féminins étaient une curiosité, comme dans toute l'Italie. Les voix de basses restaient cantonnées dans les airs bouffes. On écrivait les rôles de sopranos dans une tessiture très élevée, pour qu'ils ne fussent pas éclipsés par les castrats. L'orchestre, dépouvu d'instruments à vent, avait assez peu d'importance ; sur ce point, les beaux exemples de Gabrieli, de Monteverdi étaient bien oubliés.

Deux noms sont surtout à retenir dans l'opéra vénitien : Francesco Cavalli (1602-1676), né à Crema en Lombardie, et Marc-Antonio Cesti (1623-1669), né à Arezzo. Cavalli vécut trente ans à Venise, se partageant entre les théâtres et Saint-Marc dont il était le maître de chapelle. Sur ses trente-sept opéras, les moins mal connus sont *Giasone,* sur un livret de la plus fade mythologie, mais qui renferme l'air célèbre de Médée, *Dell'antro magico* et une *Didone* par endroits assez pathétique. Les meilleurs airs de Cavalli possèdent une noblesse grave où l'on discerne un reflet de Monteverdi. On a récemment remis en honneur une belle messe de lui, la très décorative *Messa Concertata,* dans la tradition vénitienne du double chœur.

Cesti passe pour avoir écrit une centaine d'opéras. Une douzaine seulement nous sont parvenus, dont trois actes, sur cinq, publiés en édition moderne, de *Il Pomo d'Oro (La Pomme d'or),* énorme allégorie en soixante-sept scènes sur le jugement de Pâris, représentée à Vienne en 1666 pour le mariage de l'empereur Léopold Iᵉʳ avec Marguerite d'Espagne, la petite infante de Vélasquez, à qui naturellement la pomme était décernée au finale. On a conservé les dessins des vingt-quatre décors, par l'architecte Burnacini, qui sont des chefs-d'œuvre de l'ornementation baroque. Cette invention et cette fantaisie ne se retrouvent guère dans la musique dépêchée par Cesti pour le chœur des peuples de l'empire autrichien. *La Pomme d'Or* ne fut jamais jouée en dehors de la Hofburg de Vienne ; la mise en scène était par trop onéreuse. On peut encore feuilleter, de Cesti, *La Dori,* un opéra à sujet oriental, *Le Disgrazie d'Amore,* allégorie comique, une *Semiramis,* un *Titus,* Les airs y deviennent de plus en plus distincts des récitatifs, se développent sans aucun lien avec l'action dramatique pour faire briller la virtuosité des chanteurs : *arie da capo,* airs à strophes, airs populaires sur rythmes de danses et de chansons. L'idéal des vieux humanistes, qui voulaient que la musique épousât l'expression poétique, et que Monteverdi avait presque réalisé, n'est même plus un souvenir.

Les grands dictionnaires musicaux, le Grove, le Riemann, citent plus de cinquante autres compositeurs d'opéras, Vénitiens de naissance ou d'adoption. Le public raffolait des mélodies, agréables en effet, quoique d'une joliesse un peu trop doucereuse, de l'abbé Giovanni Legrenzi (1625-1690), des Ziani, de Lotti, d'Alessandro Stradella (1645-1681), un Napolitain dont l'existence aurait pu inspirer le plus étonnant des livrets picaresques et romanesques. Il avait enlevé la maîtresse d'un gentilhomme vénitien très puissant qui s'était promis de faire massacrer les fugitifs par ses spadassins pour venger l'outrage. Blessé grièvement

à Turin par les tueurs à gages, Stradella n'en épousait pas moins
sa maîtresse. Mais l'année suivante, les assassins le rejoignaient
à Gênes et cette fois ne le manquaient pas. Des gaillards aussi
bouillants auraient dû chanter l'amour sur un ton moins sucré
qu'ils ne l'ont fait.

La renommée au-delà des frontières des opéras de Venise devait
entraîner la première migration des musiciens italiens qui ne
tarderaient pas à peupler, jusqu'à l'avènement du romantisme, les
cours, les concerts et les théâtres de toute l'Europe. C'était comme
une revanche de l'invasion de la Péninsule, cent cinquante ans
plus tôt, par les Wallons, les Flamands et les Français. Giovanni-
Felice Sances, Antonio Bertali, Antonio Draghi se fixèrent à
Vienne, Pallavicino à Dresde, sans qu'il y eût la moindre trace de
dépaysement dans les opéras qu'ils fournissaient aux théâtres de
ces villes, comme on en peut juger d'après *La Jérusalem Délivrée*
de Pallavicino, que les érudits allemands ont publiée en édition
moderne.

L'OPÉRA A NAPLES

Mais tandis que nombre de ces compositeurs faisaient fortune
en Saxe et en Bavière, Venise, tout en restant bruissante de
musiques, perdait au profit de Naples son titre de capitale de
l'opéra.

Naples avait eu jusque-là une vie musicale beaucoup plus
modeste que les autres cités italiennes, ce qui s'expliquait sans
doute par le malaise des esprits et des affaires, les crises politiques
qui avaient entraîné en 1647 l'insurrection populaire de Masaniello. Mais à partir de 1670, l'opéra s'empare de la ville, elle en
fait son art national, elle l'adapte à ses penchants, son exubérance,
son goût des plaisirs immédiats saisis avec le moindre effort, et
toute la Péninsule, toute l'Europe y reconnaissent le seul, le véridique opéra italien.

Le premier maître autochtone de Naples, FRANCESCO PROVEN-
ZALE (1627-1704) se distingue assez peu des Vénitiens dans ses
huit opéras, sinon par la place de plus en plus importante du
grand air *da capo* et par une gaieté plus directe dans le comique.
ALESSANDRO SCARLATTI lui succède. Il naît en Sicile, probablement en 1659, vient faire dès l'âge de douze ans ses études
musicales à Rome, où il travaille sans doute avec Carissimi,

compose son premier opéra à vingt ans, puis se fixe en 1684 comme maître de chapelle à Naples, où il mourra en 1725.

Les cent quinze opéras de Scarlatti, dont trente-six conservés intégralement et une quinzaine d'autres connus par des fragments, ne forment qu'une assez modeste partie de son œuvre, puisqu'il a écrit deux cents messes, quelque six cents cantates, et de la musique instrumentale. Pour avoir entendu de lui de charmantes ariettes, des airs de ses opéras chantés par Renata Tebaldi, de pimpants concertos, on a pensé que ce Napolitain méritait bien une étude qui serait sûrement payée de ravissantes découvertes. Mais on est assez vite submergé, découragé par les clichés, les redites, les remplissages. Ces airs de *Pompeo,* de *Mitridate,* de *Griselda* ont de la force dans leur élégance. Mais on les retrouve presque note pour note dans dix, vingt autres opéras. On est à la recherche d'un accent personnel. Mais on recense surtout les procédés immuables, qui se transmettaient déjà depuis près d'un siècle, et permettaient seuls d'ailleurs de couvrir une pareille surface de papier réglé. Les pages comiques accrochent davantage l'attention; le musicien, parce qu'il s'amuse, nous livre un peu de lui-même. Mais ses successeurs, dans cette veine, ont fait mieux que lui.

Ce qui intéresse cependant le plus l'histoire, dans la carrière de ce musicien à la fois charmant et fastidieux par sa facilité, c'est qu'il parut encore trop ardu, trop savant aux Napolitains qui reçurent de plus en plus froidement ses ouvrages, alors que ceux-ci s'étoffaient, et le dégoûtèrent d'écrire pour leurs théâtres dans les dernières années de sa vie. C'est surtout après la mort d'Alessandro Scarlatti que Naples allait entendre des opéras selon son cœur, et que nous retrouverons dans le courant du XVIIIe siècle.

CANTATES ET ORATORIOS

Dans un pays tel que l'Italie, l'opéra ne pouvait pas épuiser toutes les formes de musique vocale. Mais il devait aussi les marquer de sa domination, d'autant plus facilement qu'elles étaient souvent l'œuvre de compositeurs qui travaillent aussi pour le théâtre.

La cantate, à une où plusieurs voix, sur des textes sacrés ou profanes, avec accompagnement instrumental, et dont le nom apparaît pour la première fois en 1620 dans un recueil d'Alessandro

Grandi, dérivait directement du madrigal. Comme les madri-galistes, ses auteurs tendaient à en faire une monodie accompa-gnée, ou avec la prédominance de la voix supérieure s'ils écrivaient pour plusieurs chanteurs. Elles étaient aussi, comme les *Madrigaux de Guerre et d'Amour* pour Monteverdi, une musique de chambre où les compositeurs menaient leurs expériences en vue de la scène. Elles abondaient donc en effets dramatiques, que ce fût avec Cavalli, Legrenzi, Frescobaldi, Luigi Rossi le Romain qui intro-duisit le premier dans cette musique l'alternance théâtrale du récitatif et de l'air, Carissimi, Giovanni Maria Bononcini qui faisait de ses cantates de vraies petites comédies de salon, et à plus forte raison avec Provenzale et Scarlatti. Le style ne variait aucunement avec les paroles, profanes en général, ou religieuses pour les œuvres destinées aux couvents.

L'oratorio tirait son nom et ses origines des récréations musi-cales que saint Philippe de Néri offrait aux disciples laïcs de son oratoire romain et auxquelles Palestrina avait collaboré : chœurs homophones dans la tradition très simple des anciennes *laudes* médiévales. Ces pieux ouvrages eux-mêmes avaient suivi l'évolution de toute la musique. Les sujets bibliques qu'ils traitaient se dramatisèrent, avec des récitatifs, des dialogues entre les person-nages, des airs.

L'oratorio fut un drame religieux, mais sans représentation scénique, ce qu'il est resté d'ailleurs lorsqu'on exécute *Le Roi David* d'Arthur Honegger au concert. Il faisait intervenir le narra-teur (*historicus*) rapportant les événements en style de récitatif, les personnages qui dialoguaient entre eux ou monologuaient dans leurs airs, le chœur qui apportait son commentaire et une conclusion morale. Le texte, en latin, développait un épisode de la Bible.

Le nouveau genre, fort ancien dans un certain sens puisqu'il remontait aux vieilles récitations liturgiques à plusieurs voix des évangiles de la Passion durant la Semaine Sainte, trouva rapide-ment son maître avec GIACOMO CARISSIMI (1605-1674), fils d'un tonnelier de Marino, dans la campagne romaine, devenue en 1630 à Rome, maître de chapelle de l'église Saint-Apollinaire du Collège Germanique, l'une des principales institutions des jésuites. Malingre, sédentaire, de caractère pessimiste, vivant de peu (on possède un de ses portraits, qui est une véritable illustra-tion pour *Le Misanthrope*), il conserva jusqu'à sa mort ce poste assez médiocrement rétribué, bien que son nom fît autorité dans

l'Europe. Ses manuscrits disparurent lors de la suppression de la
Société de Jésus. Son œuvre nous est surtout connue par les
fidèles copies de ses élèves. Malgré les mutilations, elle reste
considérable par le nombre, tant sur des textes latins que sur des
textes italiens : oratorios de *Jephté, Balthazar, Jonas,* du *Jugement de Salomon,* du *Déluge Universel,* du *Jugement Dernier,* etc.
Ce ne sont pas de grandes fresques sonores, comme pourraient
le faire croire de tels titres, mais le plus souvent de petits tableaux.
Carissimi recherche minutieusement l'équivalence musicale avec
les détails pittoresques ou saisissants de son texte. Avec une
semblable conception, il aurait dû faire un usage plus coloré
de son orchestre, qui compte fort peu. Les chœurs, d'une facture
harmonique presque indigente, ont cependant de la vie parce
qu'ils dialoguent entre eux, par phrases courtes, par exclamations.
Les récitatifs, grâce à leur inclination pour l'arioso, ne sont pas
trop monotones. Carissimi n'a pas assez de souffle pour qu'on
puisse voir en lui, malgré sa fidélité à la Compagnie de saint Ignace,
un représentant musical du style jésuite, rivalisant dans son art
avec l'exubérante architecture, les sculptures tempétueuses de
l'église du Gesu, ou les peintures théâtrales des plafonds du Père
Pozzo. Carissimi a écrit aussi des cantates élégamment tournées,
des messes dans un style polyphonique allégé, parmi lesquelles
la dernière en date sans doute des innombrables messes de
L'Homme Armé. Il ne déçoit pas si on le tient à sa vraie place,
celle d'un petit maître, qui fut un excellent professeur, à en juger
par la qualité de ses élèves, les Allemands Krieger, Christoph
Bernhard, celui-ci également disciple préféré du grand Schütz,
et l'un de nos très beaux musiciens français, Marc-Antoine
Charpentier.

Les historiens les plus enclins à surfaire leurs trouvailles de
bibliothèques conviennent que l'oratorio italien a perdu beaucoup
de sa tenue après la mort de Carissimi, même sous les plumes de
Stradella, Vitali, Torelli, Scarlatti. Il y règne un style de théâtre
de plus en plus relâché, et le moins adéquat à la gravité des sujets.
De temps à autre, des archivistes qui sont gens de goût retirent
quelque mélodie séduisante de l'amas des partitions demeurées
inédites. Mais ce travail réclame presque autant de patience que
celui des laveurs de sables aurifères.

La vogue des oratorios, qui attiraient des auditoires de trois et
quatre mille personnes dans une seule église romaine, ne ralentit
guère, en ce siècle prolixe, la confection des autres musiques

religieuses. Les procédés y sont plus variés que dans l'oratorio,
mais les œuvres inspirées assez rares.

On peut entendre assez souvent le *Stabat Mater* d'Alessandro
Scarlatti, pour soprano, contralto et orchestre à cordes, où le
Napolitain concilie plusieurs recettes du temps, toutes familières
d'ailleurs à sa main. Ses habitudes de théâtre l'emportent dans
l'arioso des soli et des duos. L'*Amen* est une habile démonstration de style fugué. Mais la couleur tonale est d'un bout à l'autre
d'une mélancolie uniforme. On devine trop bien que le compositeur est constamment demeuré extérieur à ce désespoir langoureux.

LA MUSIQUE INSTRUMENTALE EN ITALIE :
LE STYLE CONCERTANT

Le bien le plus précieux de la musique italienne classique, ce
sont ses œuvres instrumentales. On retrouve chez les auteurs ce
goût des acquisitions nouvelles, de l'émulation dans les expériences, qui a si vite abandonné les fournisseurs du théâtre.

En lançant la musique vocale sur la scène, on faisait d'elle le
principe d'un spectacle superbe. Mais on l'affrontait aussi à toutes
les exigences de l'art dramatique, qui entrevues par Monteverdi
dépassaient les forces et l'intelligence de ses successeurs. Ils
esquivaient, s'en tiraient par le plus simple, encouragés du reste
par le cabotinage de leurs interprètes et la frivolité de leur public.
Reconnaissons que les artisans de la sonate et du concerto, qui
travaillaient sur des problèmes purement musicaux, avaient une
tâche mieux circonscrite. Mais ils s'en acquittèrent admirablement.
L'art lyrique n'a jamais pu renier entièrement sa filiation avec
l'opéra napolitain : mais pour accomplir sa destinée, il a dû lutter
péniblement contre les tares qu'il tenait de l'ancêtre. Étouffée par
cet opéra, la musique instrumentale italienne s'est arrêtée à la
moitié du chemin qui conduisait à Bach et à Beethoven. Mais
c'est elle qui a ouvert cette voie royale, et qui l'a enseignée à
toute l'Europe.

L'incertitude traditionnelle d'un vocabulaire qui n'a jamais eu
son grammairien complique un peu l'histoire d'une évolution
assez simple. On a disputé sur l'étymologie du mot *concerto*. Il
est spécieux, nous semble-t-il, de la chercher ailleurs que dans
concertare (concertarsi), se concerter entre instrumentistes, jouer
de concert, ce verbe italien s'étant détourné depuis longtemps

du sens latin, *combattre, rivaliser*. Les concertos ne sont devenus qu'ensuite un combat entre le soliste et l'orchestre, couvrant ainsi les deux sens, latin et moderne, du mot. La terminologie est devenue plus précise lorsque les formes se sont davantage différenciées les unes des autres. Les mots *sonate, canzone, sinfonia* désignaient d'abord indifféremment des pièces du même genre. Ce n'est que peu à peu, dans le cours du XVIIe siècle, et encore avec de nombreuses exceptions, que l'on distinguera entre la sonate, de style plus soutenu, plus régulier, plus grave, et les *canzone* plus libres et plus légères. On séparera en outre la *sonate d'église*, fidèle au contrepoint, et la *sonate de chambre (da camera)* chez laquelle domine l'harmonie verticale.

Les Italiens avaient presque tout à créer dans la musique instrumentale, demeurée bien primitive, sauf chez Gabrieli et quelques organistes, jusqu'à la fin de la Renaissance. Il fallait lui prêter une vie et des formes indépendantes de la musique vocale, à laquelle elle avait été assujettie. Il importait de remédier à son morcellement par petites pièces se succédant, chacune sur un thème différent, en général un air à danser. La musique ne pouvait prendre son élan à l'intérieur de ces étroits compartiments. Les compositeurs travaillèrent donc à l'unification thématique : un seul thème gouvernant un ouvrage de plus longue haleine, en plusieurs mouvements. Etape en somme très logique avant qu'un second thème puisse prendre place, au XVIIIe siècle, dans des œuvres plus amples.

Les rapides et admirables progrès de la lutherie italienne contribuèrent pour une part importante à l'essor de la nouvelle musique, surtout à ses débuts. Dès 1600, les violons fabriqués à Crémone par les Amati étaient célèbres, et les compositeurs se passionnaient pour cet instrument capable de rivaliser avec la voix humaine. SALOMONE ROSSI, israélite mantouan, attaché à la cour ducale des Gonzague de 1587 à 1628, camarade de Monteverdi, créa la première école d'enseignement du violon. Il signait ses compositions : « le Juif de Mantoue ». Outre des prières et des psaumes en hébreu, des madrigaux qui lui valaient les semonces de la synagogue, il écrivait des *sinfonie* à trois, quatre ou cinq parties instrumentales, où l'on perçoit quelques linéaments de la future sonate en trio. Ce sont des piécettes brèves, harmonieuses, assez monotones, qui font usage à la fois du contrepoint et de l'écriture verticale.

Après ces petites œuvres transitoires, vient une période d'exploration, où des compositeurs et violonistes tels que Biaggio Marini,

Innocenzio Vivarino, Carlo Farina s'émerveillent des ressources du nouvel instrument-roi et même en abusent. Ils s'essaient à des acrobaties. On voit apparaître des morceaux qui s'intitulent *Capriccio Stravagante*. Farina prétend reproduire sur son violon le chant du coq, les miaulements du chat. Cependant, à la date où elles viennent, ces puérilités ne sont pas toutes inutiles.

Le grand initiateur, le régulateur de l'école instrumentale italienne n'est pas un violoniste mais un organiste, GIROLAMO FRESCOBALDI (1583-1643), né à Ferrare, virtuose du clavier dès son enfance, qui sauf un séjour en Flandre et un autre à Florence, fit toute sa carrière à Rome, où il fut pendant près de trente ans organiste à Saint-Pierre. Frescobaldi est un magnifique coloriste de l'orgue. Il lui confie des méditations d'une émouvante intimité, qui risquent malheureusement d'être écrasées dans les exécutions sur les énormes orgues modernes. Dans ses vastes et puissantes toccatas, il développe ses idées avec un art inné du discours musical encore inconnu des organistes allemands les plus réputés, qui d'ailleurs accourent à Rome pour recevoir son enseignement et seront ses héritiers plus encore que les Italiens : Bach copiera un siècle plus tard ses *Fiori Musicali*. Sciemment ou d'instinct, il dégage du contrepoint les éléments de la fugue[1]. Avec toute sa fantaisie — car Frescobaldi n'est jamais compassé, débordant au contraire de la verve d'un improvisateur latin — il est le premier à indiquer avec autant de clarté la coupe en trois mouvements contrastés, « la composition en forme de triptyque », dit Marc Pincherle, qui permettra à la sonate de se constituer. Il confirme l'autonomie d'une musique purement instrumentale, qui peut vivre, croître, tout exprimer à elle seule. L'orgue ajoute sans doute à cette démonstration sa puissance sonore, la diversité de ses registres. Les organistes italiens succédant à Frescobaldi entendent cependant beaucoup moins bien sa grande leçon de style que les compositeurs pour archets, à l'exception du Bolonais Maurizio Cazzati (1620-1677). Avec ce bon professeur, Bologne, la ville docte, qui au contraire de Venise, de Rome, de Naples,

---

1. La fugue, fondée sur le principe de l'imitation, est par excellence la mise en règle du contrepoint. La voix principale y propose un dessin mélodique repris par les autres voix. Les différentes voix semblent *se fuir* ou se poursuivre dans les reprises du thème principal. Les éléments de la fugue classique sont le sujet, exposé par une des voix, la réponse qui est l'imitation du sujet, le contre-sujet, la strette, imitation du sujet et de la réponse de plus en plus rapprochées. La fugue n'a guère pris cette forme avant le XVIIIe siècle.

n'a pas encore eu son école de compositeurs, devient à son tour un grand foyer, celui de la musique instrumentale.

VITALI, CORELLI ET TORELLI

De même que la plupart des auteurs d'opéras sont des chanteurs de talent, presque tous les compositeurs bolonais de sonates et de concertos sont des violonistes virtuoses. La pratique approfondie de l'instrument ne se sépare pas chez eux de la création. GIOVANNI BATTISTA VITALI (1644-1692), élève de Cazzati, altiste d'une église de Bologne, écrit surtout des sonates religieuses (*di chiesa*), qui font partie de sa profession, car ces pièces ont maintenant leur place durant les offices, mais paraît plus inspiré dans ses sonates de chambre. Il recherche l'unité thématique pour les différents mouvements, quatre en général, de ses œuvres, établit pour chacune d'elles un plan total précis, commandé par d'élégantes modulations.

Nous retrouvons l'abbé vénitien Legrenzi, meilleur artiste dans ses sonates à trois, deux violons et un violoncelle, dont il fixe la forme, que dans ses opéras galants. C'est la preuve que les musiciens de ce temps, lorsqu'ils s'abandonnent à la facilité pour la scène, le font volontairement, et qu'il ne faut pas juger de leur métier et de leurs ressources sur quelques arias de castrats. On revoit aussi le nom du Napolitain Stradella sur des *sinfonie*, des *concerti* d'une excellente facture.

Les deux plus grands maîtres de l'école instrumentale dans la seconde moitié du XVIIe siècle, ARCANGELO CORELLI (1653-1713) et GIUSEPPE TORELLI (1658-1709) nous ramènent à Bologne. Corelli est né tout à côté de cette ville à Fusignano, dans une famille de la bourgeoisie aisée et cultivée. Son éducation musicale fut bolonaise, et pleine de promesses, puisqu'à dix-sept ans il était reçu à l'Académie des Filarmonici, la savante institution de Bologne qui devait un siècle plus tard compter Mozart parmi ses membres. Vers 1675, il s'installait à Rome, qu'il ne devait plus guère quitter. Grâce à sa distinction naturelle, il y eut une situation privilégiée, dans un moment où les musiciens, traités comme des princes pendant la Renaissance, avaient perdu leur prestige, devenaient des tâcherons. Il était reçu sur un pied d'intimité chez la reine Christine de Suède et dans toute l'aristocratie, pensionné par un jeune mécène, le cardinal Ottoboni, neveu du pape Alexandre VIII qui l'avait couvert de richesses dont il faisait le plus intelligent usage.

Corelli mit à profit cette heureuse condition pour mûrir une œuvre qui est la moins volumineuse de ce siècle où l'on griffonnait des milliards de notes, mais la seule aussi où l'on ne relève presque aucune inégalité. Cet ancien enfant prodige attendit l'âge de vingt-huit ans pour publier son premier recueil de sonates d'église en trio, suivi à de longs intervalles de quatre autres recueils, soit d'église soit de chambre, de la même pureté d'écriture. Le sixième et dernier recueil, posthume (1714), est celui des douze célèbres *Concerti Grossi*. Corelli y avait travaillé pendant près de trente ans. C'est dans le concerto grosso qu'apparaît clairement le principe de contraste qui s'attachera désormais à toute la littérature concertante : opposition entre le *concertino*, c'est-à-dire le groupe des trois solistes (deux violons et un violoncelle appuyés le plus souvent par un clavecin) et l'ensemble de l'orchestre (*concerto grosso* ou *tutti*), d'autre part entre les solistes du concertino. Corelli ne créa pas positivement le concerto grosso, dans lequel on retrouve du reste la sonate à trois avec le groupe des solistes. Mais ce qui est bien plus important, il amena sa forme à une perfection d'équilibre, il en fit une des créations les plus racées de l'esprit italien. Un exemple en est au moins présent à la mémoire de tous les mélomanes, le Concerto n°8 « pour la nuit de Noël », qui par l'élégance de sa facture — le contrepoint perlé des mouvements vifs — la tendresse un peu grave dont il est baigné — les adagios exquis, la charmante pastorale, presque populaire mais traitée avec tant de raffinement — appartient au même monde artistique que les plus délicates *Nativités* des peintres du Quattrocento florentin.

Corelli mériterait encore que l'on étudiât les soins précis qu'il apporte à ses basses, surtout dans les concertos, et qui sont une condamnation implicite de relâchement consécutif au chiffrage. Il n'a évidemment pas inventé, comme on le lit encore dans des manuels, la tonalité majeure-mineure autour de laquelle la musique s'organisait depuis plus d'un siècle, mais c'est lui qui a apporté le plus de goût, de logique et de souplesse dans ses modulations. Enfin Corelli, dans la carrière de virtuose et de professeur qu'il mena aussi, fut un des fondateurs de l'enseignement moderne du violon.

Giuseppe Torelli était né près de Vérone. Il vint à Bologne vers sa vingtième année, fut reçu à la Filarmonica, joua longtemps

dans l'orchestre de la basilique San Petronio, occupa pendant
six ans des postes de maître de chapelle à Vienne et en Allemagne
et revint finir ses jours dans sa ville adoptive. Son œuvre était
beaucoup plus importante en nombre que les recueils de sonates
à trois, de *sinfonie* et de concertos qui nous sont parvenus. On
retrouvera certainement encore de ses partitions dans des archives
mal dépouillées. Il est moins sensible que Corelli, et il est à peu
près impossible de trancher s'il a écrit avant lui ses douze *Concerti
Grossi*, qu'il ne publia pas de son vivant. En tout cas, dans les
six derniers de ces ouvrages, il a bien été l'initiateur du concerto
pour violon solo et orchestre, dont il offre le modèle à Vivaldi
et à Bach : coupe ternaire, le largo étant divisé en trois sections,
lent, vif et lent, qui s'enchaînent, disposition des reprises et des
cadences intermédiaires. Le concerto n° 12 démarre avec cette
vitalité rythmique dont on s'imagine souvent qu'elle n'a été
l'apanage que de Bach. Le soliste se détache avec une faconde
italienne, mais qui ne s'égare pas, trace toujours un dessin noble
et ferme, aux ornements bien placés, finement ouvrés. Et il est
remarquable que les derniers concertos, dont les numéros correspondent sans aucun doute à la chronologie, soient les plus développés, les plus larges de souffle. Torelli est mort à cinquante et
un ans en pleins progrès.

Enfin, tandis que les Bolonais inauguraient par cette suite de
chefs-d'œuvre la littérature du violon, un Toscan, installé à Rome,
BERNARDO PASQUINI (1637-1710) organiste de Sainte-Marie
Majeure, claveciniste du prince Borghèse, virtuose itinérant − il
joua en France devant Louis XIV − et qui fut aussi compositeur
de cantates et d'oratorios, consacrait l'indépendance du clavecin,
dont le répertoire était confondu jusque-là avec celui de l'orgue.
Par ses trouvailles d'exécutant et d'auteur, par les élèves qu'il a
formés, il est à l'origine de la scintillante lignée des clavecinistes
qui rempliront de leur talent et parfois de leur génie tout le
XVIIIᵉ siècle italien.

Nous devons ici quelques éclaircissements aux lecteurs. Nous
nous sommes refusé à ranger les œuvres dont nous venons de
parler et celles dont il sera question plus loin dans la catégorie du
baroque, comme le veut depuis quelques années une mode issue
d'Europe Centrale. Il est indispensable de réviser, de resserrer
cette notion du baroque, variant d'un pays à l'autre, qui finit
par ne plus rien enfermer, tant elle est devenue élastique. Gardons
au moins à notre langue sa principale qualité, la précision. Le

baroque, c'est « ce qui s'écarte de la forme normale ». Dans l'histoire de l'art, c'est une réaction contre le classicisme, qu'elle se produise avec la sculpture hellénistique ou le gothique flamboyant. Nous n'en reconnaissons aucun trait chez Corelli, Torelli, qui, par leur recherche de l'équilibre et de l'unité, sont les représentants mêmes du classicisme à ses débuts.

C'est la puissante expansion du baroque plastique en Autriche et en Allemagne du Sud qui a poussé les historiens et les critiques de langue allemande à inclure dans cette esthétique toute une époque, y compris sa musique. Mais ils ont confondu ainsi, par une association d'idée fortuite, littéraire, cette musique avec les décors dans lesquels elle est née et retentit encore souvent. Nous ne voyons aucune correspondance de styles, de composition, d'esprit, entre le tumulte, les rythmes rompus, les lignes tourmentées des grands cycles de peintures de Maulbertsch, de Rottmayer, d'Asam, les architectures munificentes, fantasques ou délicieusement dévergondées de l'église des Vierzehnheiligen à Grünfeld, de Wies, de Birnau, de Einsiedeln, et la symétrie, l'ordonnance encore imperturbable des concertos et des oratorios du même temps. A moins que l'on ne veuille entendre par baroque toute musique comportant des vocalises ou des cadences. Mais alors, comment désignera-t-on l'*Ariane à Naxos, Le Chevalier à la Rose* et tant d'autres pages de Richard Strauss ? Nous considérerons plutôt que la musique a connu son style rococo — le grand air de Fiordiligi dans *Cosi Fan Tutte* — qui est dans les arts plastiques la dernière métamorphose, très allégée, du baroque, avant son ère proprement baroque, bien moins éloignée de nous, voire contemporaine, mais que l'on ne peut plus séparer pour l'inspiration du romantisme ou de l'expressionnisme.

CHAPITRE III

LES MUSICIENS DE LOUIS XIV

Jusqu'à l'année 1661, où Louis XIV inaugure son gouvernement personnel, l'histoire de la musique française du XVIIe siècle relève plus de l'érudition que de l'étude d'un art demeuré vivant.

Les noms des compositeurs de cette époque qui émergent encore grâce aux encyclopédies reparaissent bien peu souvent au concert ou dans les disques. Certains d'entre eux ne sont même plus représentés dans les bibliothèques que par de minces échantillons de leur œuvre perdue.

La France turbulente, intrigante, cavalière de Henri IV et de Louis XIII est musicalement fort conservatrice. La légèreté, la mobilité des Italiens ont pu nous sembler fâcheuses, pour tout ce qu'elles leur ont fait perdre de leur héritage. Mais les Français ne vivifient guère les formes traditionnelles auxquelles ils sont attachés par préjugés, défaut d'imagination, affaiblissement de l'instinct créateur.

La musique la plus répandue, c'est *l'air de cour,* issu à la fois de la chanson en forme d'air de la fin du XVIe siècle et des chansons mesurées à l'antique de Claude Le Jeune. Ses premiers recueils, diffusés aussi bien dans la bourgeoisie que dans l'aristocratie, malgré le nom, comportent quantité de chansons bachiques et grivoises – le Vert Galant vit encore – dérivées des vaudevilles et qui voisinent avec des chansons plus décentes, à prétentions poétiques. Celles-ci domineront ensuite, sous l'influence des salons qui donnent le ton. Les compositeurs se nomment Pierre Guédron, mort en 1620, Antoine Boesset son gendre (1586 ?-1643), Gabriel Bataille, Etienne Moulinier, mort vers 1670, François Richard. Durant presque tout le règne de Louis XIII, ils ne signent le plus souvent de ces airs que des versions polyphoniques, polyphonie très abâtardie, qui indique surtout l'hésitation à rompre avec les anciens usages. Mais dans les éditions dont se sert le public, l'air est confié à la voix du dessus – le chanteur – et les autres voix ne fournissent plus que l'accompagnement, réduit dans bien des cas à quelques accords de luth. On publie mêmes des versions sans aucun accompagnement. La forme est des plus simplifiées, par strophes courtes, la mélodie reprise de strophe en strophe. Par imitation de la musique à l'antique, les rythmes sont libres, les barres de mesure sont supprimées, remplacées par une barre à la fin de chaque vers. Sauf quelques exceptions dues à Tristan L'Hermite, à Théophile, les textes sont des fadaises monotones. Les tentatives, comme celles de Guédron, pour acclimater dans les airs le *stilo rappresentativo* d'Italie ont peu de succès. Les Français jugent excessifs les accents pathétiques de l'opéra italien, les grands intervalles dont il use, ses contrastes. On voit se dessiner dans notre pays la prédilection, qui reparaîtra souvent, pour une musique de demi-caractère. Les Français de l'époque classique sont peu sensibles, sinon hostiles, au lyrisme purement vocal du *bel canto* d'Italie. Ils préfèrent, comme nous le voyons par d'innombrables documents, des chanteurs d'un timbre et d'un volume médiocres, mais avec une diction claire et intelligente. Ce goût aura des conséquences prolongées.

Dans la musique religieuse, Eustache du Caurroy (1549-1609), maître de chapelle et compositeur de la Chambre de Henri IV, le Parisien Nicolas Formé (1567-1638) qui lui succède à ces fonctions auprès de Louis XIII pratiquent toujours une polyphonie qui s'est bien décharnée. Parmi les rares pages de Formé qui ont été conservées, il existe une messe faisant alterner un grand chœur et un petit chœur, et dans laquelle on peut voir un compromis entre l'écriture polyphonique et le style des Vénitiens.

Le luth, qui ne sert presque plus en Italie qu'aux accompagnements, est toujours à l'honneur en France. Sa littérature très abondante, dont le principal représentant se nomme Jean-Baptiste Besard, comporte cependant beaucoup plus de transcriptions que de pièces originales. Le violon, tenu d'abord pour plébéien, gagne toutefois ses lettres de noblesse avec la constitution, dans les premières années du règne de Louis XIII, de la « grande bande des vingt-quatre violons du Roi », six « dessus », six basses de violons, quatre « tailles », quatre « hautes-contre » et quatre quintes, qui préfigurent le quatuor des cordes de l'orchestre moderne. La plupart des exécutants de cet ensemble sont aussi compositeurs. Mais leurs œuvres ne consistent que dans des suites de danses, petites pièces où l'invention mélodique est à peu près nulle, sans aucun lien entre elles.

Deux compositeurs de musique instrumentale se distinguent de ces artisans. L'organiste Jehan Titelouze (1563-1633), né à Saint-Omer, peut-être d'ascendance anglaise, fait toute sa carrière à la cathédrale de Rouen, dont il est chanoine. C'est un théoricien très sérieux, mais qui regarde surtout en arrière. Il reste fidèle aux tons ecclésiastiques. Ses *ricercari* partent de thèmes du plain-chant. Dans ses pièces, courtes en général, il ne soupçonne pas l'art du développement et de la variation, tel que le pratique à la même époque Frescobaldi, dont il semble avoir ignoré les ouvrages. Norbert Dufourcq, le meilleur historien européen de l'orgue, juge « monumental mais rigide » ce maître austère, tout en reconnaissant qu'il a fondé l'école française.

Jacques Champion de Chambonnières (1602-1672), est le premier Français connu qui compose spécialement pour le clavecin, que la vogue persistante du luth a fait négliger jusque-là. Mais ses petites pièces, qu'il agrémente déjà de titres de fantaisie (*L'Affligée, La Madelonnette, Les Barricades*) comme ses successeurs du XVIIIe siècle, sont encore calquées sur les suites de danses pour le luth. Bien qu'agile contrapunctiste, Chambonnières, lui non plus, n'a aucune notion du développement.

Les Français ne conçoivent pas d'autre spectacle musical que le ballet, plus ou moins repris du fameux *Ballet Comique de la Reine* qui a illustré le règne de Henri III. Entre 1610 et 1620, le *ballet mélodramatique,* comporte un scénario suivi, *La Délivrance de Renaud, Tancrède dans la forêt enchantée, Les Argonautes,* avec décors luxueux et machinerie. La musique y tient une place importante, chœurs, airs, récits strophiques, danses, celles-ci toujours très monotones. On y retrouve Guédron, qui compose les parties vocales dans le style « de cour ». Il est du reste l'animateur de ces spectacles, qui se transforment après sa mort (1620) en *ballets à entrées,* succession de tableaux allégoriques, *Les Quatre Saisons, Les Cinq Sens, Les Quatre Monarchies Chrétiennes,* d'où toute action a disparu. Parmi les compositeurs des airs et des chœurs, on retrouve les noms de Boesset, Richard, Moulinier. Les danseurs, pour la plupart, étaient des gentilshommes, mais les instrumentistes et les choristes tous des professionnels.

Sitôt nommé ministre, Mazarin, qui avait formé son goût musical à Rome, voulut acclimater en France l'opéra italien. Il fit représenter à Paris des œuvres de Rossi, de Sacrati, de Cavalli.

Ces expériences n'eurent pas de succès. Les auditeurs ne comprenaient pas que l'on pût chanter de bout en bout une tragédie ou
une comédie; cela leur semblait illogique et assez ridicule. La
musique, pour eux, ne devait pas outrepasser son rôle d'ornement,
de divertissement. Il y en avait trop pour leurs oreilles chez les
Italiens, ils ne parvenaient pas à soutenir leur attention durant
toutes ces enfilades d'airs, de récitatifs. Bref, habitués à la convention absolue de la pantomime et du ballet, ils admettaient mal la
convention plus vivante de l'opéra.

Les compositeurs les plus capables de réflexion n'étaient
cependant pas restés sourds à ces exemples. Et ils avaient restauré
le ballet mélodramatique, avec une action pour laquelle ils écrivaient des récitatifs plus animés, quand en 1652 un petit émigré
italien de vingt ans commença à faire parler sérieusement de lui.

JEAN-BAPTISTE LULLY

Les musicographes français ont poursuivi longtemps Giovanni-
Battista Lulli, devenu Lully par lettres de naturalisation, d'une
haine dont les traces n'ont jamais été complètement effacées. Ils
ont recueilli sur lui n'importe quel ragot malveillant de Versailles.
Les moins chauvins ont été saisis de xénophobie pour vilipender ce
métèque, cet intrus dont les tortueuses machinations réduisirent
les compositeurs français au chômage. On a même avancé qu'il
pourrait bien n'avoir jamais écrit une ligne de musique, ce qui
évoque une thèse biscornue et récente attribuant à Corneille tout
le théâtre de Molière. D'autre part, ses derniers historiographes,
pour compenser tant de noirceurs, sont allés dans leur réhabilitation de Lully jusqu'à en faire un précurseur de Wagner, excès
d'honneur presque aussi accablant que les médisances.

Il n'est pourtant pas difficile de juger posément la carrière et
l'art de Lully. C'était un Florentin, né en 1632 dans une famille
certainement très plébéienne, malgré les ascendances de « gentilhomme toscan » qu'on lui inventa plus tard. Il semble avoir joué
tout bambin de la guitare avec un curieux sens musical dans le
cénacle de Legrenzi. De toute façon, il devait posséder des talents
précoces, puisque en 1643 le duc de Guise passant par Florence
remarquait ce gamin éveillé et l'emmenait à Paris pour le placer
chez la duchesse de Montpensier, la Grande Mademoiselle, qui
cherchait un jeune garçon italien pour parler avec lui dans sa

langue. Ce sont les échotiers du XVIIe siècle, encore moins scru-
puleux que les nôtres sur leurs sources, qui ont raconté son passage
comme marmiton dans les cuisines de Mademoiselle. Mais ils ont
oublié de nous dire avec quel maître — très vraisemblablement
son futur beau-père Michel Lambert, bon compositeur d'airs de
cour et chef des violons de Mademoiselle — il travailla durant les
dix années où il vécut chez la duchesse. Car il aurait pu difficilement passer d'un saut des fourneaux aux ballets de la Cour, où
dès 1652 il jouait du violon, composait et dansait avec Louis XIV
âgé de quatorze ans, auquel il montrait des pas nouveaux. Le
jeune roi raffola aussitôt de ce compagnon, petit, laid, de gros
traits, de grosses lèvres, assez mal tenu, mais plein de bagou, de
ressources, improvisant les plus touchantes mélodies et irrésistible
en scène dans ses compositions comiques. Il ne voulut plus d'autre
partenaire pour toute une série de ballets où il paraissait lui-même
avec la fine fleur de l'aristocratie française et dont Lully écrivait
les airs à l'italienne, tandis que Boesset le fils ou Lambert écrivaient les airs français (Ballets des *Bienvenus*, de *La Nuit*, de
L'Amour Malade etc.).

On a fait de Lully un paillasse qui avait eu la chance de faire
rire le Roi. C'est être bien insensible à tout ce qu'il y a d'humain,
de charmant dans cette amitié nouée sur les planches et qui ne se
démentit jamais entre l'adolescent royal et le petit Italien de
vague naissance mais pétillant de talent. Le mot d'amitié n'est pas
trop fort, puisque en 1662, au mariage à Saint-Eustache de Jean-
Baptiste avec la fille de Lambert, Louis XIV et la reine servaient
de témoins aux époux, et que vingt ans après la mort du musicien,
le Roi parlait encore avec émotion de « son cher Lully », auquel
il avait conféré la noblesse.

Compositeur « de la musique instrumentale du Roi » dès 1653
(une décision prise par Louis XIV à quinze ans en faveur de son
camarade de théâtre qui en avait vingt et un), Lully devenait
surintendant de la musique de la Chambre du Roi par décret de
1661, l'un des premiers soins du souverain à l'instant où il commençait son règne personnel, ordonnait la construction de
Versailles et renversait Fouquet.

Entre 1664 et 1671, Lully collabora étroitement avec Molière,
écrivant la musique, réglant les danses de ses comédies-ballets,
Le Mariage Forcé, *L'Amour Médecin*, *Le Sicilien*, *La Princesse
d'Elide*, *Les Amants Magnifiques*, *Monsieur de Pourceaugnac*,
Le Bourgeois Gentilhomme. En 1671, sa partition pour la *Psyché*

de Molière et Corneille ajoutait à cette pièce de vraies scènes d'opéra. Paris était d'ailleurs en train de se convertir tardivement au théâtre lyrique. Deux ans plut tôt, Louis XIV avait autorisé la création d'une « Académie d'Opéra » où l'on venait de représenter quelques ouvrages dans le genre italien. En 1672, Lully recevait par lettres patentes du Roi le monopole de tout le théâtre en musique. Il se brouillait avec Molière qui avait brigué le même privilège. L'année suivante, quelques mois après la mort du poète, il s'installait dans son théâtre du Palais-Royal que Louis XIV lui donnait en témoignage de satisfaction pour son premier opéra *Cadmus et Hermione*. Lully s'était déjà fait construire un autre théâtre près du Luxembourg. Désormais, avec Quinault pour librettiste et Vigarani pour décorateur, il allait composer chaque année régulièrement une tragédie en musique, *Alceste, Thésée, Atys, Isis, Proserpine, Persée, Phaéton, Amadis, Roland, Armide et Renaud*, sans compter de nombreux ballets et divertissements, comme la pastorale d'*Acis et Galatée*, son dernier ouvrage. Pour éliminer sûrement toute concurrence, il avait obtenu qu'aucun directeur de théâtre ne pût engager plus de deux chanteurs et deux violons. Même dans la musique religieuse, les autres compositeurs n'avaient droit qu'à un effectif réduit de choristes et d'instrumentistes. Lully seul pouvait mobiliser des masses de deux ou trois cents exécutants pour ses œuvres d'église. Une de ces exécutions gigantesques causa sa fin, bizarre et cruelle. Dans ces circonstances, les chefs, pour se faire obéir de leur bataillon de choristes, avaient l'habitude barbare de marquer la mesure en frappant de grands coups d'une haute et lourde canne sur le plancher. Tandis qu'il conduisait de cette manière son *Te Deum*, en janvier 1687, Lully se blessa au gros orteil. La plaie s'envenima. Les infâmes Diafoirus de l'époque, au lieu de procéder à une amputation bénigne en temps utile, laissèrent la gangrène gagner le pied, puis la jambe, jusqu'à ce que mort s'ensuivît, un mois et demi plus tard.

Ainsi résumée, la carrière de Lully semble fondée sur des privilèges énormes, qui le furent en effet, mais doivent être expliqués. Surintendant de la musique de la chambre, Lully ne faisait qu'éliminer un prébendier fort envahissant et qui n'avait pas son talent, un certain Dumanoir, qui gouvernait tous les instrumentistes avec le titre de « Roi des violons ». Avant de confier à Jean-Baptiste le monopole du théâtre lyrique, Louis XIV avait vu la première entreprise française d'opéra péricliter entre les mains d'un escroc,

le marquis de Sourdéac, et d'un benêt, l'abbé Perrin, habitué de
la prison pour dettes. Le Roi voulait à cette place un musicien de
renom, qui fût en même temps doué pour l'administration et
l'organisation des spectacles. Il choisit Lully, malgré les méchants
bruits qui couraient sur sa conduite, avec l'infaillibilité qui lui avait
déjà fait choisir et soutenir Molière, Racine, Boileau, Le Nôtre,
Le Brun, Hardouin-Mansart. Sans doute, les décisions du souverain
participaient d'un esprit dictatorial, elles déléguaient aux élus de
son bon plaisir un pouvoir exercé en son nom dont Lully, avec
son arrivisme et son tempérament d'autocrate, ne se fit pas faute
d'abuser. Mais l'esprit et la méthode se jugent aux résultats. Pour
le seul Opéra parisien, Louis XIV avait le premier fort bien compris
que ces grands vaisseaux de luxe ne peuvent naviguer, dans
quelque capitale et quelque temps que ce soit, qu'avec un maître
unique à bord, armé d'une autorité absolue. Lully disparu, sa
fructueuse gestion se transforma en déficit chaque année plus
lourd, sous une série de directeurs bientôt découragés.

La musique en France, lors de l'avènement de Lully manquait
trop d'originalité pour que l'on eût le droit de dire que la dictature
du Florentin l'étouffa. Il se trouva que les intérêts et le goût de
Lully se conjuguèrent pour faire de lui un nationaliste à tous
crins, qui barra les routes de France aux opéras de son pays natal,
alors qu'ils allaient sans doute vaincre les préjugés du public.
Nous ignorerons toujours ce que nous y perdîmes. Mais nous y
gagnâmes la tragédie en musique, qui manifestait l'indépendance
de la musique française au milieu de l'italianisme universel, faisait
seule au-delà des frontières concurrence à l'opéra vénitien ou
napolitain, et qui connut son sommet avec Rameau.

LA TRAGÉDIE EN MUSIQUE

Quelle est réellement la valeur musicale de cette tragédie
lullyste ? Nous ne pouvons guère la juger que sur lecture, ou sur
des restitutions mentales à partir des fragments connus. Elle n'a
plus guère de chances de reparaître au répertoire dont elle est sortie
depuis si longtemps, et on ne l'a honorée en France d'aucune
édition phonographique complète, comme les Anglais l'ont fait
pour des ouvrages de Purcell dont la représentation scénique est
non moins impossible.

On a longuement débattu si Lully est ou non le créateur de

l'ouverture à la française, composée de deux mouvements, le premier lent, solennel, en notes pointées, le second vif et fugué; un troisième mouvement, parfois, ramène le rythme lent du début. La question nous passionne peu. Bien que Bach s'en soit servi, ces pièces d'une allure et d'un ton immuables, qu'elles préludent à une tragédie ou à une pastorale, n'occupent qu'une place mineure dans le développement de la musique. Les petits intermèdes symphoniques et descriptifs de Lully ont à notre sens plus d'intérêt.

Lully n'est pas un virtuose du contrepoint, comme il le fût peut-être devenu en Italie avec son violon dans l'entourage de Corelli. Il semble bien avoir abandonné souvent à ses élèves l'harmonisation de ses morceaux, ce qui était du reste courant à l'époque. Il utilise à outrance dans ses airs la même formule anapestique (deux noires, une blanche). Il ne faut pas attendre beaucoup de variété et de surprise d'un homme qui travaillait plus par système que par élans. Mais après avoir douté d'y parvenir, il a créé le récitatif français, auquel personne ne s'était attaqué avant lui, par un adroit compromis entre le *stilo rappresentativo* de Cavalli, de Cesti, de Rossi – il ne connaissait pas les opéras italiens postérieurs – et l'accentuation de notre langue, notre déclamation dramatique qui lui était familière depuis sa collaboration avec Molière et Corneille. Ce récitatif est plus chantant que celui des Italiens, tandis que les airs sont moins émancipés. Lully répartit en somme de façon plus rationnelle que les Vénitiens et les Romains l'élément mélodique entre le récit d'action et les morceaux lyriques, d'où cette unité qui fit le succès de ses tragédies.

Les airs de Lully ne sont jamais enlevants comme certains morceaux de bravoure ou de véhémence des Napolitains les plus superficiels. Ils sont bridés par les exigences des auditeurs français qui s'intéressent autant au livret qu'à la musique, veulent saisir sans effort chaque parole, par le respect de la prosodie, avec un arrêt à chaque césure et chaque fin de vers. Une écriture aussi réglée peut difficilement s'élever au pathétique. Cette musique qui n'oublie jamais les convenances, même dans les plus tragiques péripéties, reste encore trop soumise à la carrure des danses françaises, d'une rythmique si empesée. Mais ce sont les servitudes qui font aussi la beauté de sa démarche, pareille à celle de l'alexandrin, élégante, noble sans emphase. Et tout en portant perruque, elle n'est nullement retranchée du peuple. Elle lui a plu – les violoneux des ponts et des rues jouaient sans cesse les airs de M. de Lully –

elle a retenu ses chansons, les a adaptées à son style, dont c'est un des plus gracieux penchants.

Nous regrettons surtout chez Lully l'immobilité tonale, l'uniformité des basses, fâcheusement soulignées par les exécutions modernes, presque toujours trop lourdes. Mais il a su conserver dans ses tragédies les chœurs (même s'il ne les a pas entièrement écrits) c'est-à-dire un élément de musique pure que l'opéra italien rejetait. Il a étoffé l'orchestre classique, encore très grêle avant lui. Il réunissait jusqu'à cinquante archets, six flûtes, quatre hautbois (un instrument perfectionné depuis peu), huit ou neuf trompettes, avec trombones et timbale. Il divisait ces pupitres par groupes qu'il faisait alterner, dialoguer. Enfin, sur une harmonie verticale sans subtilité mais admirablement équilibrée et appropriée à son objet, il édifiait ses grandes compositions religieuses dont la puissance sonore, le souffle mélodique plus libre qu'au théâtre, les monumentales et solennelles proportions faisaient apparaître étriqué, terne et scolaire tout ce que l'on avait entendu depuis un siècle dans les églises françaises. Ajoutons encore que Lully était un chef d'orchestre né, dans une époque où l'on soupçonnait à peine cet art, qu'il laissa à ses contemporains le souvenir d'une précision, d'une finesse de nuances inégalées après lui. Il avait été désigné pour représenter la musique dans l'harmonieuse majesté qui était l'idéal esthétique de son roi. Il remplit fidèlement et complètement cette mission. Pour le contester, il faut avoir en horreur Versailles et tout le classicisme français, y compris Couperin et Rameau, qui l'un et l'autre se recommandèrent clairement et hautement de Lully.

LES MUSICIENS DE VERSAILLES

S'il est abusif de dire que le proconsulat de Lully mit sous le boisseau toute l'école française, il faut faire exception au moins pour un de ses contemporains, le Parisien MARC-ANTOINE CHARPENTIER (1636 ?-1704).

Encore doit-on s'entendre à ce sujet. Les historiens déplorent que Charpentier, technicien supérieur à Lully, ait été écarté du théâtre par le dictateur. Il écrivit toutefois pour Molière les divertissements de *La Comtesse d'Escarbagnas*, du *Mariage Forcé*, du *Malade Imaginaire*. Ces petits travaux, agréablement dépêchés, ne sont ni plus ni moins originaux que ceux de Lully pour les autres comédies. Mais surtout, Charpentier vécut encore dix-sept ans après la mort du Florentin. La voie était libre pour un homme qui aurait refoulé en lui jusque-là un génie de musicien dramaturge, qui avait cinquante ans, l'âge où Rameau aborda la scène, jouissait d'une belle réputation, d'appuis à la Cour. Charpentier ne fit pourtant qu'une seule expérience théâtrale, en 1693, avec sa *Médée*, dont l'insuccès le découragea. Échec injuste. Pour ce qu'on en connaît, *Médée*, sans bouleverser la tradition établie par Lully, est d'une expression plus directe, d'une facture plus raffinée. Le public lui reprocha justement d'être trop savante. Il n'eût pas été moins dérouté vingt ans plus tôt. On devrait donc imaginer Charpentier luttant longuement avec les auditeurs pour leur imposer ses opéras, mais alors un autre Charpentier que celui qui se résigna si rapidement à la défaite après *Médée*. Ce ne sont pas ces hypothèses qui peuvent nous empêcher de penser que les tragédies musicales de Lully, avec leurs conventions et leurs concessions étaient en France une étape nécessaire, que l'actif et rusé favori de Louis XIV était l'homme le plus capable de faire admettre à des auditeurs cartésiens.

A l'inverse de la thèse habituelle, on pourrait aussi bien dire que le monopole de Lully, en écartant Marc-Antoine Charpentier du théâtre où il n'eût peut-être donné que des œuvres banales, lui a permis de se consacrer entièrement à sa musique religieuse, qui est magnifique. Parce que Charpentier fut pendant trois ans l'un des nombreux élèves de Carissimi à Rome, plusieurs historiens étudient à tort toute sa carrière selon l'influence du maître italien. Carissimi introduisit le Français dans les faveurs des Jésuites, qui ne cessèrent de le patronner lorsqu'il fut rentré à Paris. Il lui fournit aussi le modèle des *Histoires Sacrées*. Mais elles sont chez Charpentier débarrassées des fioritures, plus vivantes, plus « proches de la nature » selon l'idéal des classiques français. C'est par exemple *Le Reniement de saint Pierre*, avec quatre personnages chantant les paroles que leur attribue l'Evangile selon saint Jean, Jésus (haute-contre), Pierre (ténor), la portière (soprano), la servante (contralto) auxquels s'ajoutent un « historien » (basse) et le chœur, qui se partagent le récit. Le *Miserere des Jésuites* de Charpentier, pour deux sopranos, deux contraltos, ténor, basse et chœur, est superbe d'ampleur, de mouvement lyrique. Les vocalises d'une sobre élégance ne surchargent jamais le texte. Les rythmes sont d'une variété exceptionnelle dans la musique française de l'époque, qui se règle trop souvent sur les danses compassées. Le finale retentit avec un brio qui eût paru une cinquantaine d'années plus tôt peu approprié à ce chant de pénitence. C'est la marque du grand siècle. Les musiciens du Roi-Soleil multiplient ces apothéoses sonores, conduites par les timbales et par d'éclatantes trompettes, qui évoquent aussitôt la Galerie des Glaces, les plafonds de Le Brun, tous les ors de Versailles. Ce fut d'ailleurs Lully qui inaugura ces sortes de compositions triomphales. Mais elles sont encore plus brillantes, colorées et majestueuses chez Charpentier, dont le *Te Deum* est le chef-d'œuvre de ce style.

Le disque a ressuscité un des disciples de Charpentier, CHARLES-HUBERT GERVAIS (1671-1744), Parisien comme lui, et qui l'égale presque dans ses quarante-cinq psaumes avec grand chœur et symphonie. Il faut au moins connaître son psaume XIX, *Exaudiat Te*, superbe musique d'action de grâces, de victoire, de triomphe royal, couronnée par les fanfares et le chœur à pleines voix du « Domine Salvum fac Regem ».

Le nom de Henri Du Mont, né à Liège en 1610, mort à Paris en 1684, sous-maître de la chapelle du Roi pendant vingt ans, est assez fâcheusement attaché à ses cinq « Messes en plain-chant musical », dites Messes royales, bien qu'elles n'aient jamais été exécutées en présence du souverain. Leur prétendu plain-chant, objet d'horreur de tous les restaurateurs de la tradition grégorienne, n'est qu'un unisson dont la plate facilité mélodique a assuré sa diffusion dans toutes les paroisses incultes qui l'ont braillé durant deux siècles. Du Mont fut cependant capable de composer ses grands motets d'une écriture beaucoup plus ferme, quoique elle se contente de systématiser les procédés de Carissimi et de l'école romaine.

MICHEL DE LALANDE, quinzième enfant d'un marchand tailleur de Paris, succéda à Lully dans les faveurs de Louis XIV, et finit par remplir onze sur douze des grandes fonctions de la musique royale. Privilèges non moins mérités que ceux dont avait joui le Florentin. Lalande avait été entièrement oublié à partir de la Révolution. On redécouvrit d'abord, grâce aux travaux de la Schola Cantorum, ses *Symphonies pour les Soupers du Roy* et le ballet-comédie des *Eléments*, écrit en collaboration avec André-Cardinal Destouches, qui s'écartent assez peu des élégants lieux communs, de la musique de cour. Mais Lalande est surtout le compositeur de soixante-dix grands motets pour la chapelle de Versailles, qui correspondent à la vieillesse dévote de Louis XIV

sous la coupe de Mme de Maintenon. Ce sont des suites d'airs
pour différents solistes, de duos, de trios, de chœurs qui dérivent
de l'opéra lullyste. Les ensembles, dans les finales, sont riches et
pompeux comme chez Charpentier et Gervais. Mais Lalande est
aussi l'un des contrapunctistes les plus experts et les plus ingénieux
de son époque, un inventeur de combinaisons harmoniques que
l'on attribue encore trop souvent à Rameau. L'un des premiers
chez nous, il fait concerter les instruments avec les voix à la façon
des Italiens, mais sur des thèmes personnels. Si l'art choral était un
peu mieux cultivé en France, on saurait davantage qu'un Lalande
compte parmi les grands précurseurs de Bach et de Haendel. Bach
n'avait pas moins d'admiration pour de tels modèles français que
pour ceux d'Italie. Il eût d'ailleurs été surprenant que la musique
fût seule exclue du rayonnement européen de Versailles.

ANDRÉ CAMPRA (1660-1744), qui par sa longue vie fut à la
fois le contemporain de Lully et de Rameau, de Louis XIV et de
Louis XV, était né à Aix-en-Provence d'un chirurgien piémontais
installé en France et marié dans la bonne bourgeoisie méridionale.
Son ascendance paternelle se retrouve dans sa musique. C'est le
compositeur français le plus italianisé de son époque, usant des
ornements, de ces effets vocaux sur une syllabe longuement
répétée que réprouvait le rationalisme de Lully. Sa carrière fut un
perpétuel compromis entre ses fonctions de musicien d'église et
son penchant pour le théâtre. Directeur de la maîtrise de Notre-
Dame de Paris, il faisait jouer des opéras sous le nom de son frère,
dut résigner sa charge quand ce facile subterfuge eut été percé.
Une vingtaine d'années plus tard, il sollicita et obtint la place de
sous-maître à la chapelle royale, en arguant qu'il n'avait d'autre
souci dans ses ouvrages que d'incliner les fidèles à la prière. A vrai
dire, il n'y a pas l'ombre de sentiment religieux dans ses psaumes,
ses motets, son *Requiem*, travaux d'un abbé de cour qui prélude
au style galant. A la scène, ses tragédies furent éclipsées par son
Europe Galante (1697), écrite en collaboration avec Lamotte et
Destouches, ses *Fêtes Vénitiennes* (1710), opéras-ballets, sortes
de revues à grand spectacle, par tableaux indépendants, réagissant
contre la solennité de l'opéra lullyste en faisant à la danse la part
principale, et dont on a exagéré la nouveauté, car ils reprenaient
plus librement, en la débarrassant de son empois, l'ancienne tradition des ballets de cour.

L'élève le plus connu de Campra, ANDRÉ-CARDINAL DES-
TOUCHES, (1672-1749), dont nous avons relevé le nom dans

plusieurs ouvrages collectifs, écrivit seul la pastorale d'*Issé*, les opéras *Amadis de Grèce, Omphale, Callirhoé,* la comédie lyrique *Le Carnaval et la Folie.* Les succès de Rameau lui firent poser la plume. Mais il conserva jusqu'à sa mort des charges importantes, surintendant de la musique royale, directeur de la Chapelle. Il était cependant le moins officiel des musiciens. A quinze ans, il avait suivi jusqu'au Siam les missionnaires jésuites; il avait été mousquetaire du roi. Sa formation se ressentit de ces aventures. C'était un demi-amateur, très gauche lorsqu'il devait écrire des ensembles vocaux. Mais il avait de jolis dons dans les mélodies « sensibles » qui touchaient le vieux Louis XIV aux larmes, et de ces trouvailles harmoniques qui appartiennent souvent aux autodidactes peu embarrassés de grammaire. Il annonce d'autres petits maîtres de science modeste, tel que Monsigny; il est aussi, le métier en moins, de la même famille française que le Gounod des romances les plus populaires.

FRANÇOIS COUPERIN (1668-1733), fils et neveu d'organistes-clavecinistes parisiens, est encore un des musiciens de Louis XIV par ses motets et surtout ses trois *Leçons des Ténèbres* (offices des mercredi, jeudi et vendredi saints, avec les Lamentations de Jérémie), que le Roi put entendre à Versailles avant sa mort, aussi saisissantes que simples de forme — une suite de soli en style arioso, avec des ornements très expressifs et un accompagnement d'orgue et de basse de viole — les pages les plus sincèrement religieuses, peut-être, de cette époque où les airs de concert et les fanfares d'apparat envahissent les églises. Mais par sa place à la tête de l'école française du clavecin, Couperin appartient historiquement au XVIIIe siècle, et c'est là que nous reparlerons de lui.

CHAPITRE IV

LE XVIIᵉ SIÈCLE EN ALLEMAGNE.
LES PREMIERS MAÎTRES GERMANIQUES

SCHÜTZ

C'est avec HEINRICH SCHÜTZ que les pays allemands, long-temps attardés, réveillés enfin par Luther, ont fait leur entrée dans l'histoire des grandes nations musicales.

Schütz était né le 14 octobre 1585 près de Gera en Thuringe, sur ces terres de l'Allemagne centrale qui allaient devenir un des berceaux privilégiés de la musique : dans un rayon d'une centaine de kilomètres, Haendel y vit le jour à Halle, Bach à Eisenach, Wagner à Leipzig, Schumann à Zwickau. Le père de Schütz possédait à Weissenfels, où elle existait encore avant la dernière guerre, une hôtellerie réputée auprès des voyageurs de marque, à l'enseigne de l'Archer, *zum Schützen*. Beaucoup plus qu'un auber-giste, c'était un bourgeois à l'aise, et qui fut maire de sa ville. Il pouvait et voulait offrir à ses fils une éducation complète. La chance favorisa encore davantage le jeune Heinrich. Le landgrave Maurice de Hesse, qui s'était arrêté à l'hôtel de l'Archer, fut si frap-pé par la voix et les dispositions musicales du garçon, alors âgé de treize ans, qu'il proposa de l'emmener à sa cour de Cassel et de lui faire donner une instruction digne du talent qu'il semblait annoncer. Schütz y fut donc élevé à la fois au collège aristocratique des pages et à l'excellente maîtrise de la Chapelle. Cassel, sous l'impulsion du landgrave Maurice, lui-même dramaturge et grand mélomane, était alors un des centres intellectuels les plus actifs d'Allemagne.

Curieusement, avec de tels atouts et un bagage musical sérieux, Schütz, à vingt ans, hésitait encore sur sa vocation et avait commencé des études de droit. Ce fut le landgrave qui le décida à lâcher la jurisprudence et le munit d'une bourse pour qu'il pût aller terminer sa formation à Venise. Schütz y travailla trois ans avec Giovanni Gabrieli, qu'il considéra jusqu'à la fin de sa vie comme le maître auquel il devait tout. Auprès du grand fresquiste de Saint-Marc, le jeune Allemand nourri jusque-là dans la tradition de Lassus et des polyphonistes français pouvait admirablement élargir son horizon.

Rentré en Allemagne après la mort de Gabrieli, il reprenait pourtant ses études juridiques, non par indécision, mais par scrupule. Il se faisait maintenant de la musique une idée si haute qu'il se demandait s'il avait le droit de prétendre à lui consacrer sa vie. Le landgrave Maurice leva à nouveau ses doutes en lui confiant dans sa chapelle un poste d'organiste. Mais bientôt, l'Électeur de Saxe Johann Georg, qui avait entendu Schütz, demandait au landgrave de lui prêter pendant quelque temps pour sa cour de Dresde un aussi remarquable musicien. Comme l'Électeur était un beaucoup plus puissant seigneur que le landgrave, celui-ci n'avait qu'à s'incliner.

En 1617, Schütz devenait donc maître de chapelle de la cour de Saxe, tâche matériellement et artistiquement très lourde, surtout pour un homme aussi consciencieux et pénétré de ses devoirs que lui. Il écrivait pour ses musiciens les *Psaumes de David*, à grands chœurs avec orchestre, selon les modèles de Gabrieli. En 1619, il se mariait, mais perdait sa femme six ans plus tard. En 1627, il faisait jouer le premier opéra composé par un Allemand, une *Daphné*, tragi-comédie pastorale dont la musique n'a pas été retrouvée. En 1628, bien qu'il eût quarante-trois ans, ce qui n'est plus guère l'âge des études, il sollicitait l'autorisation de se rendre à Venise pour y recevoir les conseils de Monteverdi. Il travailla un an avec l'auteur d'*Orfeo*. A son retour, l'effroyable et inutile guerre de Trente Ans, conjuguant les calamités de la guerre de religions, de la guerre civile et de l'invasion étrangère, s'était étendue à la Saxe. Schütz qui venait de publier à Venise la première partie de ses *Symphoniæ Sacræ* en hommage à Monteverdi, se trouvait réduit à une quasi-oisiveté à la tête d'une chapelle démembrée et sans budget. Cette période fut la moins féconde de sa vie. Il se désolait en s'excusant de la minceur de ses *Petits Concerts Spirituels*, publiés en 1636 et 1639.

La fin de la guerre n'amena pas celle de ses tracas. Il lui fallait lutter pour reconstituer sa chapelle, faire payer de façon décente des musiciens qu'il soutenait paternellement. A soixante ans, il voulut se consacrer enfin tout entier à son œuvre personnelle, qui lui paraissait incomplète et imparfaite. Mais la cour de Saxe ne le déchargea de ses plus absorbantes fonctions qu'alors qu'il atteignait sa soixante et onzième année. Il vécut encore seize ans,

patriarche à barbiche blanche, plein d'activité créatrice, austère
mais sans aucune morgue, vénéré dans toute l'Allemagne pour ses
ouvrages, sa droiture, son équité. Il mourut en 1672.

On est surpris de la faible part des italianismes chez ce disciple
attentif, cet admirateur de Gabrieli et de Monteverdi. C'est que
Schütz demandait aux Vénitiens de l'instruire dans des formes
nouvelles, des agencements sonores, dans les secrets d'une dramaturgie musicale dont ils étaient les géniaux initiateurs. Mais en
même temps que sa lucide modestie de provincial n'ignorant ni
ses lacunes ni son retard, il possédait une personnalité à chaux et
à sable, la première personnalité de cette force qui se révélât dans
la musique allemande, et qui se fondait sur le germanisme et le
protestantisme.

Les compositeurs qui entouraient Luther ou qui lui succédèrent
avaient déjà pris conscience de ces caractères nationaux, mais
pour les exprimer dans des formes à peine détachées du folklore.
Schütz sut les faire passer dans le style le plus évolué et le plus
riche que connût alors l'Europe musicale, mais sans les couper de
leurs sources populaires.

Une de ses œuvres les plus célèbres, mais non les plus accomplies, son *Requiem (Musikalische Exequiem)* de 1636, pour
double chœur à six et huit voix, soli et continuo, illustre bien
l'esprit de Schütz. Malgré la fermeté de son écriture, la première
partie, « concert en forme de messe allemande pour les défunts »,
avec le *Kyrie* et le *Gloria* chantés en allemand, tranche assez peu
sur la musique d'église répandue alors dans toute l'Europe. Mais
dès que le choral intervient, dans le motet qui fait suite, *Herr,
wenn ich nur Dich habe*, le ton s'élargit, s'anime; il est impossible
de confondre la majesté de la péroraison avec l'éloquence italienne
ou la pompe française.

Les pages les plus personnelles, les vrais chefs-d'œuvre de Schütz
appartiennent aux trois volumes de ces *Symphoniae Sacrae* (publiés de 1629 à 1650), aux *Douze Chants Spirituels* de 1657. Le
motet *Attendite, popule meus*, le *Fili mi, Absalon*, déploration
de David sur la mort de son fils rebelle (Samuel XVIII, 33), tous
deux pour quatre trombones et voix de basse, dérivent certainement de Gabrieli. Mais le langage de Schütz a une saveur plus
rugueuse que celui du Vénitien. Les trombones retentissent avec
cette solennité héraldique qui sera jusqu'à nos jours une des couleurs de toute la musique allemande. Ce fut dans sa vieillesse,
lorsqu'il put enfin travailler pour lui, satisfaire son besoin de

perfectibilité encore si rare à son époque, que Schütz écrivit ses plus belles pièces, telle l'admirable *Parabole du Semeur, (Es ging ein Saemann aus)* pour quatre solistes, chœur à quatre voix, cordes et hautbois obligés, développée comme une cantate, avec le mouvement imprévu de sa mélodie narrative, son refrain aux tenues prophétiques, lancé par le tutti : « *Wer Ohren hat zu Hören, der höre !* Que celui qui a des oreilles pour entendre, entende ! » La coupe du poème musical est simple; tout est dans la nouveauté, la force directe de l'accent. Dans la pièce du même recueil (1650) sur la conversion de saint Paul, Schütz doit faire entendre la voix même de Dieu, éclatant sur le chemin de Damas : « Saül, Saül, pourquoi me persécutes-tu ? Tu souffriras de mon aiguillon ! » Aucun solo ne semble au musicien digne de porter ces paroles qu'accompagne la lueur de la foudre. Il les confie à un gigantesque chœur à douze parties, dont l'impérieuse interrogation, énoncée d'abord par les basses sur le soutien de l'orgue, gagne par degrés l'extrémité de l'échelle sonore, pour tonner dans les dix-sept parties de l'ensemble, tandis que se précipite le rythme à trois temps. Motifs et rythmes se combinent ou s'opposent ensuite avec une complexité croissante, sur ce verset qui n'est cependant que de onze mots, mais qui ne servent pas de simple prétexte à une construction formelle. Chaque procédé concourt ici à l'intensité de l'expression, plus dramatique que dans n'importe quel opéra du siècle.

Les trois *Passions*, selon saint Luc, saint Matthieu et saint Jean, que Schütz composa à l'âge de quatre-vingts ans, nous paraissent moins attachantes, sans doute parce qu'elles relèvent davantage de la liturgie universelle du christianisme. Mais on y respecte le désir d'ascèse du vieil artiste qui s'interdit tout ornement, tout recours aux instruments; on y admire tout ce qu'il sait faire exprimer à la seule ligne monodique. Et une fois encore, un an avant de mourir, le vieillard allait célébrer dans un monumental *Magnificat Allemand*, l'union de l'opulente polyphonie et de la loyale simplicité du chant luthérien.

PROTESTANTS ET CATHOLIQUES

Au retour de son premier voyage en Italie, le jeune Schütz était encore dans son pays relativement isolé parmi des praticiens locaux, continuateurs assez routiniers de Roland de Lassus. Gregor Aichinger (1564-1628) avait bien fait lui aussi le voyage de Venise pour écouter les leçons de Gabrieli, mais il était loin d'en avoir tiré le même profit que le protégé du landgrave de Hesse. Le rayonnement de Michael Praetorius (1571-1621) tenait plus à ses précieux écrits théoriques qu'à la prolixité de ses *Musæ Sionæ*, un recueil de douze cents et quelques chants spirituels.

Cinquante ans plus tard, au terme de sa vie, Heinrich Schütz voyait foisonner toute une école solidement et résolument allemande.

Parmi ses contemporains ou successeurs les plus proches de lui, on compte le groupe de Leipzig, son fondateur SEBASTIAN KNÜPFER (1633-1676), FRIEDRICH-WILHELM ZACHOW (1663-1712) qui fut le maître de Haendel, JOHANN KUHNAU (1667-1722), qui occupa juste avant Bach le poste de cantor de Saint-Thomas. Que l'on écoute par exemple leurs pièces pour le temps de l'Avent et de Noël, sur des paroles allemandes inspirées des psaumes. Ils y chantent l'armée des anges qui descend du ciel, le Dieu de gloire, l'Éternel fort et puissant dans les combats, ou avec un charme viril l'Étoile du matin — der Morgenstern — qui annonce la naissance du Fils de David. Trompettes, trombones et violons préludent joyeusement sur leurs notes les plus claires. Ténors, basses ou sopranos disent les versets dans un style sobre et allant. Le choral se mêle à la polyphonie, puis son unisson couronne l'œuvre largement, sereinement, à pleine voix.

Comme Schütz, ces musiciens, grâce à la Réforme, vivent naturellement la poésie de la Bible, dont les catholiques n'ont presque jamais rien su, ils nourrissent de ses images une foi qui pour avoir été combattue s'est affermie, qui a poussé des racines dans le sol et le langage de leur pays. Aucune trace de puritanisme chez ces protestants si convaincus. Johann Kuhnau, helléniste, juriste et mathématicien en même temps que compositeur, a publié un roman satirique, picaresque, avec des chapitres franche-ment salaces, *Le Charlatan Musical,* aventures d'un vulgaire croque-notes souabe qui se fait passer pour un grand maestro italien.

JOHANN-CHRISTOPH BACH (1642-1703), organiste à Eisenach, oncle de Jean-Sébastien et l'un des plus doués avant lui de leur dynastie musicale, est assez proche de l'école de Leipzig. Il juxtaposait avec une liberté très personnelle les anciens modes ecclésiastiques et les deux modes majeur et mineur, ce qui lui met sous la main une harmonie d'une extrême variété, d'une couleur insolite pour son époque et qui a fait parler plus tard de son romantisme. Ses modulations soudaines ont conservé leur pouvoir expressif. Nous possédons de lui une cantate pour la Saint-Michel, *Es erhob sich ein Streit im Himmel, Il y eut une guerre dans le Ciel* (Apocalypse XII 7-12) qui passait dans toute la descendance des Bach pour un des chefs-d'œuvre de la famille, et qui le mérite. C'est une grande composition épique et biblique sur la lutte de l'Archange et du démon, avec orgue, orchestre de cordes et de cuivres, double chœur à cinq voix chacun.

Nous venons d'employer le terme *cantate*. La cantate allemande est particulière aux musiciens protestants, sans analogue chez les catholiques. Elle dérive du motet concertant italien sous le nom de « petit concert spirituel », que Schütz a utilisé pour un de ses recueils; mais elle y joint le choral. D'un seul mouvement à l'origine, elle s'est divisée en plusieurs sections : introduction et interludes par les instruments, chœurs polyphoniques ou concertants, soli, duos et trios concertant avec les instruments. Les textes sont des centons de versets bibliques mêlés aux poésies populaires des chorals. Ce n'est guère qu'à partir du début du XVIIIe siècle que l'on s'est mis à composer les cantates sur des livrets poétiques spécialement écrits pour elles. En même temps, sous l'influence de l'opéra, les récitatifs et les airs s'introduisaient dans ces pièces religieuses. Ce sera la forme habituelle des cantates de Jean-Sébastien Bach.

Le lied, sous sa forme de mélodie accompagnée, ou en version polyphonique, et dans son origine populaire, intéresse encore, durant tout le XVIIe siècle, des compositeurs de talent tels que Heinrich Albert, un Saxon vivant à Kœnisberg, cousin de Schütz, Thomas Selle, Gabriel Voigtländer, de Hambourg, très proche du folklore, Philip-Heinrich Erlebach, Andreas Hammerschmidt, Constantin-Christian Dedekind dont les airs sont au répertoire de toutes les réunions d'amateurs et d'étudiants.

Mais tandis que les protestants du Nord cultivent ainsi leur germanisme, les catholiques d'Autriche et de l'Allemagne du Sud sont subjugués par l'oratorio italien, dont le texte latin, l'allure théâtrale, les effusions assez superficielles contrastent avec la carrure, la conviction du choral allemand. Les grandes messes sont du style concertant napolitaine. Les fournisseurs de ces musiques, Aichinger, Johann-Joseph Fux, Kaspar von Keril, élève de Carissimi, Biber, Reutter, Wagenseil, le Savoyard naturalisé Georg Muffat diffèrent très peu d'un Caldara, d'un Bononcini et de quantité d'autres Italiens transplantés à Vienne ou à Munich. La plupart cependant, et notamment J.J. Fux, auteur d'un *Gradus ad Parnassum*, conservent l'usage du *stilo antico*, c'est-à-dire du contrepoint qui se transmettra dans la musique d'église jusqu'à Mozart.

Les frontières entre Sud et Nord sont beaucoup moins tranchées dans la musique instrumentale. Mais elle est loin aussi, en tout cas dans le domaine des œuvres de chambre, d'avoir la même vitalité et la même force inventive que dans l'Italie de Corelli. Le concerto grosso est ignoré en pays allemand jusqu'au début du XVIIe siècle. L'école de violon se forme assez lentement. L'Autrichien Heinrich Biber (1644-1704), est parmi les premiers en date des archets germaniques de classe internationale. Sa virtuosité lui a valu d'être anobli par l'empereur, mais elle tient une place abusive dans son œuvre. Il y a plus d'étoffe dans les sonates en trio, avec la viole de gambe remplaçant le second violon, de Ph-H. Erlebach (1657-1714), que Zachow faisait étudier longuement à son élève le jeune Haendel. L'orgue domine la musique instrumentale de tous les Allemands au XVIIe siècle. L'Allemagne profite de l'avantage déjà ancien qu'elle doit à ses excellents facteurs. Grâce aux exemples de son maître, le célèbre Hollandais Sweelinck, auprès duquel il a travaillé à Amsterdam, SAMUEL SCHEIDT (1587-1654), maître de chapelle à Halle du margrave de Brandebourg, est un des premiers à dépasser les exercices pédagogiques et les transcriptions auxquels se limitaient les organistes de l'âge précédent. Il est aussi le premier à traiter sur son clavier le choral, dans lequel il perçoit l'un des éléments les plus originaux de l'idiome musical germanique, à plier son *cantus firmus* aux principes de la variation. JAKOB FROBERGER (1616-1667), natif de Stuttgart, est beaucoup plus cosmopolite. Déjà organiste de la cour de Vienne à vingt ans, il alla étudier à Rome auprès de Frescobaldi de 1637 à 1641, séjourna en Angleterre, à Bruxelles, à Paris où il s'enthousiasma pour les pièces de clavecin de Chambonnières et de Louis Couperin. C'est un éclectique qui concilie les styles français, italien et allemand, et qui a le plus contribué à former en Allemagne une écriture autonome pour le clavecin, dont le répertoire était commun jusque-là avec celui de l'orgue.

JOHANN PACHELBEL (1653-1706), nurembergeois, organiste virtuose à Vienne puis dans sa ville natale auteur de belles cantates, a surtout fait dans son œuvre d'orgue une synthèse dont Bach s'est souvenu entre l'inspiration catholique et le choral protestant qui était pour ainsi dire inconnu avant lui dans l'Allemagne du Sud.

Dans la seconde moitié du siècle, c'est l'école d'organistes du Nord qui domine d'une façon presque écrasante, avec Mathias Weckmann et Jan Adams Reinken, l'un et l'autre en fonctions à Hambourg, le second auteur de fantaisies sur des chorals aux dimensions formidables pour l'époque, avec Franz Tunder et surtout DIETRICH BUXTEHUDE (1637-1707). Parce qu'il travailla un certain temps à Elseneur, on fait encore souvent de Buxtehude un Danois, bien qu'il fût de souche un Allemand du Holstein, né à Oldesloe, entre Hambourg et Lübeck. De 1668 à sa mort, il fut l'organiste de Sainte-Marie de Lübeck, vaste église gothique, où il possédait l'un des instruments les plus perfectionnés d'Allemagne, à cinquante-quatre registres. Il y créa l'une des premières organisations de concerts payants, les « Abendmusiken », Musiques du Soir, qui avaient lieu le dimanche, pendant le temps de l'Avent et après la Trinité. Par ses initiatives, par son enseignement et sa virtuosité, il fit de Lübeck un foyer d'attraction musicale presque comparable à ce qu'était Venise vers la fin du siècle précédent. Dans son œuvre d'orgue, chorals, préludes, fugues, chaconnes, toccatas, moins importante en volume que ses compositions vocales plus marquées d'influences italiennes ou françaises, il est un des piliers du protestantisme musical. Bach devait en recevoir une empreinte décisive, au cours du fameux voyage de trois cents kilomètres, qu'il fit probablement à pied, en tout cas avec des moyens pécuniaires infimes, à l'automne 1705, pour assister aux « Abendmusiken » de Lübeck.

Pour en terminer avec ce chapitre, il faut encore rappeler que c'est à un organiste de l'Allemagne centrale, Andreas Werckmeister (1645-1706), travaillant à Halberstadt dans le Harz, que l'on doit une des innovations les plus fécondes du XVIIᵉ siècle, le *tempérament*. Il l'exposa en 1691 dans son traité de la *Musikalische Temperatur*, « recommandé pour l'emploi de tous les instruments à clavier ». Werckmeister divise l'octave en douze demi-tons égaux entre eux. Égalité approximative en fait, mais préférable au système des anciens modes, qui avec ses demi-tons de différentes grandeurs réduisait les possibilités de modulation.

Déjà pratiquée plus ou moins empiriquement, mais exposée pour la première fois par un théoricien intelligent, la gamme tempérée allait gouverner bientôt toute la littérature du clavecin, puis celle du piano.

CHAPITRE V

LE DÉCLIN DE L'ÉCOLE ANGLAISE.
UN SOLITAIRE, PURCELL

Les trente-cinq années successives du règne incohérent de Charles Ier, de la guerre civile, de la dictature républicaine de Cromwell, avaient brisé l'élan acquis par la musique anglaise durant l'époque élisabéthaine. Les lettres, pendant cette trouble et dure époque, avaient subi, à l'exception de Milton, le même déclin.

Décadente depuis le début du siècle, incapable de conduire avec quelque fermeté un morceau en contrepoint et de développer un peu sans verser dans la confusion, l'école des virginalistes n'avait plus grand-chose à perdre.

Les puritains républicains avaient interdit à l'église la polyphonie, suspecte de papisme. Elle se réfugia dans la musique instrumentale. Les Fantaisies pour ensembles de violes, un genre spécifiquement anglais, connurent un dernier éclat sous la République, avec les contrepoints et les rythmes très alambiqués de Thomas Ford, les hardiesses chromatiques de William Lawes, l'inspiration plus facile et chantante de John Jenkins. William Lawes, homme de recherches, tué en 1645 au siège de Chester, raffinait sur les expériences sonores des Élisabéthains en mêlant aux violes dans ses « broken consorts » la harpe, l'orgue, les violons. Cet emploi du violon était encore très téméraire. Les Anglais conservaient à l'endroit de cet instrument les mêmes préjugés que les Français cinquante ans plus tôt. Il fallut l'arrivée à Londres, peu avant la mort de Cromwell, d'un grand virtuose allemand, Thomas Baltzar, pour vaincre leur mépris des « violoneux » et le transformer bientôt en enthousiasme.

La fermeture des théâtres par les Puritains, si elle était au pays de Shakespeare le fait de la plus aveugle intolérance, touchait assez peu la musique. Celle-ci n'avait guère de place au spectacle que dans les *masques,* le pendant britannique des ballets de cour français. Des poètes tels que Ben Jonson écrivaient les livrets de certains masques. Mais la musique, travail en général collectif dû à Christopher Gibbons, le fils d'Orlando, à William Lawes et à son frère Henry, aux Français Nicholas Lanier, Louis Richard, n'y tenait, semble-t-il par ce qu'il en reste, qu'un rôle de second plan.

En 1660, appelé par le général Monk, le restaurateur de la monarchie, Charles II débarquait à Douvres. La vie de cour, reprenant aussitôt avec entrain après les années d'austérité, stimula celle de la musique. Charles II, protégé et pensionné de Louis XIV, ramenait de son exil doré beaucoup de goûts français. Il voulut avoir tout de suite, comme le Roi de France, sa bande des vingt-quatre violons, qui allaient contribuer à détrôner pour toujours la viole. Il détestait la polyphonie, et fit entrer dans sa chapelle la musique concertante, avec tous les instruments adéquats. A bien d'autres égards encore, son règne ouvrait la Grande-Bretagne à des influences continentales qui achevaient de discréditer les traditions déjà violemment bousculées par les Républicains.

Une des plus heureuses décisions de Charles II avait été de choisir pour maître de chapelle Henry Cooke, dit « le capitaine Cooke » (1616-1672), qui devait surtout cette promotion à sa brillante conduite dans les troupes royalistes durant la guerre civile. Le « Captain » était un très bon professeur, qui distingua, forma et lança les deux derniers musiciens originaux de l'école anglaise, John Blow et Henry Purcell.

John Blow (1649-1708), organiste de l'abbaye de Westminster, se consacra essentiellement à la musique religieuse. Ses « anthems » en style concertant, avec chœurs, soli et orchestre ont cependant moins fait pour sa mémoire que son unique opéra, *Vénus et Adonis* (1682), menu joyau — ses trois actes durent à peine une heure — d'une parfaite construction, inspiré sans servilité des Italiens, avec des accents dramatiques assez dégagés des clichés de l'époque pour nous toucher encore.

Cette réussite n'aurait pas dû rester isolée. Mais le goût anglais, encore très en retard sur le continent dans cette fin du XVIIe siècle, admettait mal une action chantée de bout en bout, comme c'était le cas pour *Vénus et Adonis.* Ses préférences allaient au *dramatic opera* ou *semi-opera,* c'est-à-dire une musique de scène étoffée, avec des préludes et des interludes de l'orchestre, des chœurs, des airs pour les personnages secondaires, les esprits, les figures allégoriques, mais aucun pour les personnages principaux qui avaient la parole sans chanter pour dialoguer et monologuer l'intrigue. On doit préciser, pour la courte honte des Britanniques de l'époque, que cet appareil musical était destiné à « rajeunir » et habiller les pièces de Shakespeare, qui paraissaient de plus en plus désuètes. Passe encore lorsque cela donnait prétexte à un musicien ingénieux comme Matthew Locke d'écrire pour *La Tempête* plusieurs grandes pièces d'orchestre, avec des effets bien ménagés et qui étaient alors inédits, tels les crescendos et decrescendos, dont on ne connaît aucun exemple antérieur. Mais les œuvres mêmes de Shakespeare étaient récrites, redécoupées, réajustées au goût du jour par des ravaudeurs d'une suffisante et sereine nullité. Les « traitements » que le cinéma inflige aujourd'hui à la littérature sont des merveilles de fidélité auprès de ces tripatouillages.

C'est pourtant dans cette atmosphère de médiocre décadence que le jeune homme dont le nom devait rester le plus illustre de la musique anglaise, HENRY PURCELL, allait passer sa courte vie.

PURCELL

Il était né à Londres, en 1658 ou 1659, dans une famille de musiciens qui ne vit pas pour lui d'autre carrière dès qu'il chanta juste et apprit bien ses notes. A neuf ans, il entrait dans les chœurs de la chapelle royale, et devenait bientôt l'élève favori de son directeur, le Captain Cooke, qui le confia avant de mourir à son meilleur disciple, John Blow. Compositeur des violons du roi à moins de vingt ans, Purcell gravit tous les échelons hiérarchiques d'un musicien de cour, organiste à Westminster puis à la chapelle royale, claveciniste privé de Jacques II durant ses trois années de règne, enfin compositeur ordinaire de Guillaume d'Orange quand celui-ci s'empara de la couronne. D'un souverain à l'autre, ses mérites supérieurs furent donc incontestés. Les anecdotes sont peu nombreuses dans sa vie. Elle se confond avec ses fonctions officielles et son œuvre, qui est immense, plus de cinq cents pièces. Il s'était marié en 1680. Il mourut en 1695, d'une tuberculose pulmonaire dont l'évolution avait été hâtée par le surmenage.

Henry Purcell est un musicien inégal, d'une inégalité beaucoup plus évidente que chez maints tâcherons réguliers de l'époque classique, parce qu'il avait le génie qui leur faisait défaut, d'où le contraste entre ses grandes pages et ses besognes, qui comprennent surtout ses œuvres religieuses, ses pièces de circonstance pour les événements de la cour, ses odes, dont se détache cependant la quatrième de ses odes à sainte Cécile, que Bach admirait et fit exécuter à Leipzig. Mais à vingt et un ans, il avait écrit quinze Fantaisies pour ensembles de violes, dans le style polyphonique anglais, dont elles représentaient l'aboutissement, en l'enrichissant de modulations surprenantes — on compte dans certaines de ces pièces jusqu'à seize tonalités différentes. Un départ magistral, un témoignage sur l'extraordinaire formation technique dont pouvaient être armés des débutants de cette époque, même dans un pays comme l'Angleterre où l'enseignement et les traditions déclinaient.

Sur d'aussi fermes assises, une école nationale stimulée par ce nouveau venu génialement doué aurait pu créer des monuments musicaux comparables à ceux qui allaient s'élever en Allemagne. Mais la polyphonie instrumentale, germe des symphonies et des quatuors futurs, n'avait plus cours à Londres, où on la jugeait compacte, désuète, privée d'agréments mélodiques. Purcell ne devait plus aborder cette forme, ni retrouver cette vigueur et cette densité d'écriture. Ses Fantaisies restèrent manuscrites, et vraisemblablement leur auteur ne les entendit jamais. Peut-être ne les avait-il considérées lui-même que comme des exercices de plume qui ne méritaient pas la publication. Trois ans plus tard, acquis au style nouveau, il publiait douze sonates en trio, librement inspirées des modèles italiens, pleines d'idées séduisantes, respirant le plaisir de faire chanter les violons, mais d'une coupe encore étroite, ce qui était presque fatal : le genre débutait à peine, on ne le connaissait à Londres que par des Italiens de second ordre. Ce style a plus de maturité dans les Sonates à quatre publiées par la veuve de Purcell après sa mort, et qui renferment les quarante-deux variations de la grande chaconne en sol mineur, couronnement de la musique instrumentale du compositeur. Mais ces œuvres, qui auraient dû enseigner les cadets de Purcell, furent assez vite mises au rancart. Malgré leurs innombrables références à l'Italie, elles gardaient un accent insulaire encore trop prononcé pour les Londoniens du XVIIIe siècle, dont les oreilles ne toléraient plus aucun souvenir de la vieille musique anglaise.

Au théâtre, Purcell fut plus encore victime des goûts et coutumes de ses compatriotes. Il ne put signer qu'un seul opéra véritable, entièrement chanté, *Didon et Enée* (1689). Et encore, ce fut presque un opéra de salon, écrit comme l'*Esther* de Racine qui date de la même année pour les séances récréatives d'un collège de jeunes filles, durant moins de cinq quarts d'heures, avec un clavecin et quelques cordes en guise d'orchestre. Malgré les limites qui lui étaient imposées, Purcell mit aussitôt en œuvre l'instinct dramatique qu'il portait en lui et qui rend encore émouvante aujourd'hui l'audition de ces trois petits actes.

Son succès, cependant, ne valut à Purcell que des commandes de « semi-opéras » ou de musiques de scène, très nombreuses du reste, une quarantaine de partitions accumulées en six années d'un travail qui abrégea sa vie. Aucun mélomane n'a plus le droit d'ignorer au moins trois de ces œuvres, dont les Anglais ont fait d'excellents enregistrements, trois « semi-opéras », *King Arthur, The Tempest, The Fairy Queen* pour une adaptation du *Songe d'une nuit d'été*. La dette de Purcell à l'endroit de Lully est manifeste. Mais avec lui, la musique versaillaise a perdu son empois, tout en équilibrant, tempérant les italianismes. L'élégante sobriété des vocalises, par exemple, est le fruit des leçons françaises. Les influences étrangères sont extérieures du reste à l'originalité de Purcell, à son sens de la féerie qui lui fait découvrir les romantiques dessins de violons, les fanfares pittoresques ou héroïques de *King Arthur*, le chatoiement du coloris tonal et instrumental de *Fairy Queen*. Dans cette partition ravissante, la plus importante de toutes celles qu'il écrivit, y prenant un tel plaisir qu'il ne pouvait se décider à tracer la cadence finale, dans cette *Fairy Queen* où les chœurs, les airs, les intermèdes se succèdent durant près de deux heures sans que faiblissent leur verve et leur charme, les plus fraîches sensations de nature, rosée nocturne, aurore, bruissement des forêts, ramages d'oiseaux, participent au merveilleux de la fable que président Obéron et Titania, s'expriment par la délicieuse ambiguïté des modulations, le souvenir raffiné des vieilles ballades populaires, la saveur des hautbois, les jeux entre les trompettes pimpantes et les cordes élégiaques. Et Purcell sait faire encore l'usage le plus subtilement musical de la langue anglaise, si fluide ou mordante dans les tournures mélodiques, les rythmes qu'il a façonnés pour elle.

Dans de telles œuvres, Purcell était l'égal en maîtrise des premiers musiciens du continent, et plus personnel qu'aucun d'entre eux.

Mais la fatalité voulait que ce grand artiste vécût dans une des plus déplorables époques du goût anglais. Il avait beau posséder le don du mouvement dramatique, faire passer dans ses voix et son orchestre la magie chevaleresque des légendes de la Table Ronde, toute la poésie shakespearienne, la mode maintenait sa musique dans un rôle subalterne d'ornement, lui interdisait de se mêler à l'action scénique, d'en faire chanter et vivre les héros. Or, les livrets de cette action sont de fades compotes de mythologie, de pastorale, d'allégories officielles comme le *King Arthur* de John Dryden, un paquet d'inepties biscornues comme la *Fairy Queen* attribuée à Shadwell, qui prétendait corriger Shakespeare. Ainsi, sauf la miniature de *Didon et Enée,* les œuvres du meilleur dramaturge de la musique anglaise ne sont plus supportables à la scène depuis longtemps; nous ne les connaissons que par des versions de concert, qui nous permettent du moins de rêver aux tragédies, aux épopées, aux féeriques fantaisies que ce musicien-poète aurait pu offrir au monde du théâtre lyrique.

Les Anglais firent à Purcell des obsèques nationales à Westminster. Ils étaient donc conscients de perdre avec lui un de leurs plus beaux artistes. Dix ans plus tard, cependant, ils l'avaient presque entièrement oublié, et pour près de deux siècles laisseraient les étrangers meubler leur vie musicale, d'ailleurs brillante : grâce à un marchand de charbon mélomane et industrieux, Londres possédait depuis 1690 la première entreprise de concerts payants, les dilettantes britanniques allaient former une élite d'auditeurs particulièrement sourcilleux quant à la qualité des exécutions. Burney et Hawkins, dans le cours du XVIIIᵉ siècle, écriraient les premières histoires de la musique qui soient encore lisibles, celle de Burney surtout grâce à l'humeur voyageuse et au talent anecdotique de l'auteur.

Mais Purcell n'eut aucun disciple, aucun successeur. L'apparition d'un créateur de son envergure avait fécondé partout ailleurs les écoles nationales. L'école anglaise, au contraire, s'était éteinte, épuisée, après avoir donné le jour à son plus grand compositeur. Rien ne permet d'imaginer que, parvenu à la vieillesse au lieu de mourir si jeune, Purcell n'eût pas été submergé par l'invasion de la musique cosmopolite. Il nous donne surtout à penser que, dans certains états de la société et des esprits, la naissance d'un homme de génie ne peut plus être qu'un accident bientôt effacé.

CHAPITRE VI

LE XVIIIᵉ SIÈCLE ITALIEN :
OPÉRA ET STYLE CONCERTANT

TRIOMPHE DE L'OPÉRA NAPOLITAIN

Nous avons laissé l'opéra napolitain au seuil du XVIIIᵉ siècle,
alors qu'il venait de conquérir toute l'Italie. En le retrouvant
quarante ans plus tard, au comble de sa prospérité, nous allons
nous éloigner passablement de la musique.

Voici, dans un des soirs du Carnaval, le théâtre San Carlo de
Naples, le plus vaste d'Europe, trois mille places, brillant de toutes
ses dorures neuves : il vient d'être inauguré en 1737, bien qu'il
existe déjà quatre salles d'opéra dans la ville. Il est plein jusqu'aux
cintres d'une foule si bruyante et agitée qu'on la croirait au bord
de l'émeute. L'ouverture, pourtant sonnée par quatre-vingts musiciens, ne couvre pas le raffut. Durant les récitatifs, on se contente
de poursuivre à voix un peu moins haute les conversations amorcées. On s'interpelle soudain d'un bout à l'autre du parterre. Dans
les loges, qui sont de vrais appartements, on se fait des visites, on
bavarde, on soupe, on entame une partie de cartes. Personne
n'accorde la moindre attention à ce qui se débite sur la scène.
Le cavenas a d'ailleurs si peu d'importance que l'on a commencé
la représentation par le dernier acte, où meurt l'héroïne, qui se
mariera joyeusement beaucoup plus tard, à la fin du spectacle.

Belles dames, gentilshommes, marchands, faquins, tout le
monde n'est venu que pour les airs du castrat favori, de la prima
donna en renom. L'apparition de ces vedettes est saluée par une
clameur sauvage, tandis qu'un millier de cannes, six mille talons
tirent du plancher un roulement de tonnerre, le fracas d'une
charge de cavalerie. L'air est ensuite écouté dans un silence
d'extase, mais coupé par des sanglots, des cris de bonheur. Si les
applaudissements n'éclatent pas bien avant la fin du morceau,

c'est le signe que la faveur du chanteur ou de la cantatrice décroît. Les contestations sur leurs trilles tournent alors à la bataille.

Ces tumultes ne sont pas particuliers à Naples. Le président de Brosses, habitué à jouer paisiblement aux échecs pendant les récitatifs, est abasourdi par le hourvari continu des Milanais, dont l'effervescence ne permet plus de distinguer une seule note des chanteurs qu'ils vont porter en triomphe. Les Romains se piquent d'être les juges suprêmes, insensibles aux réputations qui se sont faites hors de leurs murs. C'est chez eux qu'ont lieu les chutes les plus retentissantes, et que Pergolèse reçoit une orange en pleine figure pour un de ses meilleurs ouvrages. Mais du Piémont à la Sicile, tous les opéras que l'Italie adore ou qu'elle hue sont de coupe napolitaine, même si leurs auteurs ont vu le jour loin du Pausilippe.

Le sujet est obligatoirement noble et dramatique, tiré de la fable ou de l'histoire anciennes; les parties comiques qu'admettait l'opéra vénitien ont été éliminées. Comme dans la tragédie classique française, on évite de présenter aux spectateurs les péripéties sanglantes. La légende ou les faits historiques sont souvent travestis pour amener un dénouement heureux; ce n'est cependant pas une règle générale. Les scènes se divisent comme au siècle précédent en récitatifs dialogués ou monologués qui expliquent l'action, et en arias stylisés, classés selon leur type. On distingue l'aria *cantabile*, d'accent élégiaque, l'aria *di portamento* aux longues tenues, *parlante*, au débit volubile et passionné, *agitato*, pour les descriptions d'orages, de tempêtes, de combats, l'aria *di bravura*, qui met en valeur la virtuosité du chanteur, l'étendue de sa voix. Presque toujours, ce sont des arias *da capo*. La succession, la place des arias sont réglées comme une cérémonie. Chaque chanteur se produit au moins une fois par acte dans un aria, et s'il est le plus célèbre dans les arias les plus développés. Mais aucune vedette, même la plus fameuse, n'a le droit de chanter deux arias à la suite. On ne fait jamais se succéder deux arias du même type. Pendant une longue période, celle de la plus grande vogue du genre, les ensembles vocaux et les chœurs, sacrifiés aux arias, ont entièrement disparu.

Si le public prête fort peu d'attention aux récitatifs, ce n'est pas seulement à cause de leur quasi-nullité musicale — le *recitativo secco* s'est généralisé — mais parce qu'il connaît de longue date le sujet et même souvent mot à mot les vers avec lesquels les rimailleurs les ont accommodés. C'est qu'il existe infiniment plus d'opéras que de canevas possibles, ou en tout cas jugés dignes d'intérêt. Nous avons vu les Florentins et les Vénitiens, dès leurs premiers essais, composer presque en même temps sur les malheurs d'Eurydice et la métamorphose de Daphné. Ces mœurs se sont répandues d'une manière inimaginable. Les trente et quelques livrets écrits par Pietro-Bonaventure Trapassi, dit Métastase, le spécialiste le plus renommé de cette sorte de littérature, fournissent près de *douze cents* opéras. Certains d'entre eux sont remployés soixante-dix fois. Il est courant qu'un compositeur mette en musique cinq ou six fois le même texte...

Ainsi traité, l'opéra tient beaucoup du concert : du récital de chant, dirions-nous. Ce qui se passe entre les morceaux est sans importance. Donc, rien d'étonnant si l'on intervertit l'ordre de ces morceaux, celui des actes dans lesquels ils figurent, que l'on remplace un air qui plaît moins par un autre air écrit la veille, ou provenant d'un autre opéra, que, lorsque les troupes se déplacent, il y ait dans le même opéra des variantes portant sur la moitié de la partition, selon qu'il est chanté à Florence ou à Bergame, dont les publics sont de goûts divergents. On promène même de ville en ville, sous un titre à succès, des pots pourris de fragments empruntés à une dizaine d'opéras d'auteurs différents : supposons une *Carmen* dont on aurait retranché les deux tiers, pour y substituer l'air des *Clochettes* de *Lakmé,* celui des *Bijoux* dans *Faust,* le brindisi de *La Traviata,* la prière de *Guillaume Tell,* et qui resterait cependant affichée comme la *Carmen* de Georges Bizet. L'essentiel, c'est de respecter, pour le défilé des arias, le code de bienséance que nous décrivions tout à l'heure.

Le public s'identifie à ces airs, aux douleurs, aux voluptés, aux menaces qu'ils chantent avec une violence qui tient du spasme. Une douzaine de ces émotions culminantes suffisent à remplir pour lui la soirée. On ne sera pas trop surpris qu'entre-temps, il récupère, se détende, et qu'un de ses principaux griefs contre une œuvre, c'est qu'elle exige trop longtemps son attention, qu'elle contienne « trop de musique ». Aujourd'hui encore, aux fauteuils d'orchestre ou aux galeries de la Scala, du San Carlo, du Massimo de Palerme, si les auditoires italiens sont beaucoup plus cultivés et éclectiques, leur plus profond plaisir réside toujours dans ce paroxysme passionnel que Verdi et les véristes, par de tout autres moyens que les Napolitains, surent si bien déclencher.

Dans cet opéra qui ressemble à la corrida, avec son cérémonial immuable et ses minutes intenses de vérité, le chanteur est dieu.

Le plus intelligent, le plus admiré et le moins fat, le castrat Farinelli, de son vrai nom Carlo Broschi (1705-1782), peut reconnaître, sans se vanter, que dans tout le monde de l'opéra italien, personne, sauf son cher ami le poète Métastase, n'a recueilli des faveurs aussi étourdissantes que lui. Les arias sont le support des ornements que les chanteurs y ajoutent. Aucun mélomane, aucun compositeur ne se choque de ces fantaisies. On les attend. Elles sont indispensables à la fête. Outre les fioritures épisodiques, chaque aria *da capo* doit comporter au moins trois cadences improvisées, la dernière, sur la fin du morceau, étant la plus brillante et la plus longue. Après la véhémence dramatique, c'est le numéro d'acrobaties, où la musique n'a plus la moindre place. Cependant, ces prouesses ne sont pas absolument vaines. On leur doit les progrès décisifs de l'art vocal, du culte de la voix pour elle-même, qu'ignoraient les polyphonistes (puisqu'ils ne demandaient à leurs chanteurs qu'une discipline de groupe), les raffinements techniques sur le timbre, l'émission, le volume qui aboutiront au *bel canto* du XIXᵉ siècle.

Les compositeurs sont tous plus ou moins à la remorque des rois du chant. Ils comptent sur eux pour donner vie à leurs musiques de plus en plus stéréotypées, à mesure que s'enfle le nombre des partitions. Leonardo Leo (1694-1744), Leonardo Vinci (1696-1730), portant allègrement son nom et son prénom si lourds, Francesco Feo (1691-1761) signent chacun une cinquantaine d'opéras, Baldassare Galuppi (1706-1785) en accumule soixante-douze, et Pietro Guglielmi (1728-1804) une centaine.

La fabrication à l'usage de l'étranger est non moins active, puisque l'Europe réclame plus que jamais de l'opéra italien. A Londres, conquise peu après la mort de Purcell par le castrat Grimaldi, Giovanni Battista Bononcini (1670-1750) travaille sans relâche pendant sept ans. Il est relayé par un personnage considérable, le maestro Nicola Porpora (1688-1768), chanteur professionnel, ce qui ajoute beaucoup à sa réputation, napolitain pur sang, auteur de trente-cinq opéras du reste particulièrement creux, *Triomfo di Camilla, Germanico, Semiramide, Temistocle.* Il fait engager en Angleterre son élève Farinelli aux appointements de cinq mille livres par an, cinquante mille livres de nos jours. L'opéra italien va être désormais à Londres une institution permanente qui ne disparaîtra qu'en 1914. Porpora, quand il quitte Londres, gagne Dresde, puis Vienne, où il donne des leçons assaisonnées de jurons et de bourrades à un jeune

Autrichien, Joseph Haydn, qui lui sert un peu de domestique. Farinelli s'en va à Madrid, engagé comme chanteur exclusif par Philippe V, pour lequel il affirme avoir chanté pendant dix ans chaque soir les quatre mêmes mélodies. Libéré de sa corvée par la mort de ce roi neurasthénique, il s'empresse d'introduire en Espagne l'opéra italien avec les meilleures troupes et les plus féeriques décors.

Vienne est le domaine de Métastase, qui y est arrivé de Rome en 1730 et y passera cinquante ans, sur un pied seigneurial, comme poète officiel de la Cour, sans daigner apprendre plus de dix mots d'allemand. Il jouit d'un prestige, d'une autorité inexplicables pour nous — ses livrets, où ronronne le plus fade pseudo-classicisme, sont illisibles — mais gigantesques, et qui font grouiller autour de lui les compositeurs italiens. ANTONIO CALDARA (1670 ?-1736), qui l'a précédé dans la capitale autrichienne, y écrit la majeure partie de ses quatre-vingt-sept opéras. NICCOLO JOMMELLI (1714-1774), qui est aussi le musicien de la cour de Wurtemberg, signe quarante-quatre opéras, dont une *Mérope*, d'après la tragédie de Maffei imitée par Voltaire, et mise plus de trente fois en musique durant moins d'un demi-siècle. L'immense théâtre de Stuttgart, sur lequel Jommelli règne pendant quinze ans, n'emploie pour ainsi dire que des Italiens, même comme instrumentistes. Les sujets du duc de Wurtemberg l'accusent du reste de les ruiner par sa folle mélomanie. Alors, pour n'avoir plus à payer les cachets exorbitants des vedettes italiennes, le duc fait castrer des petits chanteurs allemands par des chirurgiens venus de Bologne.

Le maître musical de Dresde est pendant trente ans JOHANN ADOLF HASSE (1699-1783), Hambourgeois de naissance, mais italianisé jusqu'aux moelles, élève de Scarlatti et de Porpora, marié à la cantatrice Faustina Bordini, vénéré dans toute la Péninsule, où on l'appelle le cher Saxon, « il caro Sassone », sautant presque à la gorge du Président de Brosses qui à Venise l'engage à lire les œuvres de Rameau, jurant « que Dieu le garde de voir jamais ni d'entendre d'autre musique que l'italienne ». Il partagera sa longue vieillesse entre Vienne et Venise. Le nombre de ses opéras napolitains est tel qu'il s'avoue incapable d'en dresser lui-même la liste. Ami intime de Métastase, il a mis en musique tous ses livrets sauf un, et souvent deux fois plutôt qu'une. Métastase écrit son poème en dix jours. Hasse se flatte d'employer encore moins de temps pour en faire un opéra.

Ces pratiques jugent les œuvres. Même l'engouement de notre époque pour toutes les formes de la musique ancienne n'a pu relever cette colossale production du discrédit où elle est tombée depuis si longtemps. Mépris excessif. Mais il est encore plus difficile que pour l'opéra vénitien du XVIIᵉ siècle d'envisager la réhabilitation d'ouvrages privés de leurs vrais créateurs, les chanteurs, qui n'ont pour ainsi dire laissé aucune trace de leurs exploits; nous ne possédons que quelques rares échantillons de leurs vocalises et de leurs cadences.

Parmi les auteurs d'opéras, il y a eu de très bons musiciens, dont les autres œuvres sont encore éditées et jouées. Sans parler de Vivaldi, Porpora, Leo, Galuppi, Caldara ont laissé des compositions instrumentales et religieuses très estimables. Mais en travaillant pour la scène, ils asservissaient leur talent et leur personnalité à une industrie. Nous nous faisons de la société du XVIIIᵉ siècle un idéal d'élégance, d'esprit, de culture aristocratique. Elle connut cependant avec sa frénésie d'opéras un phénomène de vulgarisation analogue aux triomphes mondiaux de toutes les infra-musiques dans nos démocraties conditionnées.

Durant la seconde partie du siècle, l'*aria da capo* céda quelque peu la place à la cavatine, en deux parties, sans reprise. On notera aussi, par acquit de conscience, qu'à la même époque, chez Jommelli, chez Hasse, chez Traetta, l'harmonie et l'orchestration sont moins négligées, le *recitativo secco* moins bâclé et assez souvent remplacé par le récitatif accompagné avec l'ensemble des instruments, qui n'est pas tout à fait aussi monotone. Mais ces innovations ne sont pas toujours bien accueillies, surtout par le public de l'Italie méridionale, le plus ancré dans ses habitudes. Si Hasse, « le plus grand compositeur vivant pour la musique vocale », est au-dessus de la critique, on blâme Jommelli d'avoir pris en Allemagne le «stilo tedesco », de trop accorder à l'orchestre. De toute façon, ces retouches sont trop superficielles pour pouvoir compter beaucoup dans le destin de l'opéra napolitain.

L'OPÉRA BOUFFE

Le Président de Brosses, en sortant de *La Serva Padrona* de Pergolèse où il avait pensé mourir de rire, écrivait : « J'avoue que ces sortes de pièces me font plus de plaisir que toutes les autres. Les précieuses de ce pays, qui n'estiment que leurs pièces sérieuses, me raillent de mon affolement pour ces farces. Mais je persiste dans mon opinion que moins le genre est grave, mieux la musique italienne y réussit. En effet, on sent qu'elle respire la gaieté, et qu'elle y est dans son élément. »

L'avenir a ratifié, au moins pour le XVIIIe siècle, le jugement du spirituel Bourguignon, qui parce qu'aucune mode ne lui en imposait et qu'il était étranger à tout pédantisme, fut le plus sagace critique musical de son temps.

Privés des vocalises qui étaient leur sève, les airs de l'*opera seria* sont desséchés comme les plantes d'un vieil herbier dans les partitions que personne n'ouvre plus. Mais de petits opéras bouffes sont toujours vivants, comme les lettres et les contes de Voltaire, qui n'attachait de prix qu'à ses tragédies.

Les premiers livrets à sujets gais, au XVIIe siècle, tels ceux du cardinal Rospigliosi, étaient conçus pour un spectacle entier ; mais le genre avait tenté peu de compositeurs. Comme d'autre part le comique était prohibé, même épisodiquement, dans l'*opera seria*, on imagina au début du XVIIIe siècle de le réintroduire sous forme d'*intermezzi*, de saynètes bouffonnes destinées à détendre le public entre les actes du grand opéra. L'*opera seria* ayant trois actes, on comptait deux *intermezzi* pour une soirée. Ils étaient d'abord chacun sur un canevas différent, emprunté à la *commedia dell'arte* et en dialecte napolitain, sur de la musique d'obscurs croque-notes. Puis il n'y eut plus, sur un scénario unique, qu'un intermezzo, mais coupé en deux parties pour meubler les deux entractes. Didon alternait ainsi sur le plateau avec Géronte, Alexandre avec les farces d'un laquais. Enfin, l'on adopta une solution logique : jouer l'intermezzo sans interruption, en lever de rideau.

L'opéra bouffe, ainsi créé, permettait au génie italien d'exercer les dons d'observation cocasse, de bagou, de leste caricature, qui lui sont inhérents comme l'emphase et le sanglot mélodramatique de l'*opera seria*. Tous les personnages venaient de la vie quotidienne, bourgeois, paysans, boutiquiers, soubrettes, filles à marier, faquins. La musique elle-même retrouvait dans l'*opera buffa* les libertés que lui avaient fait perdre les rites de l'*opera seria*. Les airs étaient de coupes plus variées, l'écriture vocale des compositeurs plus inventive dans le détail, que leur inspiraient des personnages tout proches d'eux, au lieu de héros lointains de la tragédie, avec des voix non plus abstraites comme celles des castrats, mais appropriées à leurs rôles, en particulier les basses, qui, évincées du grand opéra, rentraient en scène avec les intermezzi.

Le *recitativo secco*, cette plaie de la musique classique, sévissait toujours, mais abrégé, égayé par la mimique et les intonations des acteurs. Et les ensembles, duos, trios, chœurs, reprenaient place dans un découpage scénique qui n'était plus soumis aux règles fixes du genre sérieux.

Devant le succès des premiers *intermezzi*, la plupart des compositeurs d'opéras s'étaient mis à écrire ces petites pièces. Aucun n'y réussit plus parfaitement que PERGOLÈSE (Giovanni-Battista Pergolesi, né à Iesi dans les Marches en 1710, formé à Naples, mort à vingt-six ans à Pouzzoles de la tuberculose). Jouée dans le ton et le *tempo* justes, par des Italiens ou des Viennois, sa *Serva Padrona, (La Servante Maîtresse)*, reste aussi fraîche et réjouissante que lorsque, après avoir affolé le cher Président de Brosses, elle révolutionna Paris en 1752. Deux chanteurs seulement, Uberto le barbon riche et célibataire, basse, Serpina sa servante, soprano léger plus un rôle muet, Vespone le larbin. Dès le premier air d'Uberto, nous savons ses malheurs. Il est excédé par le gouvernement tyrannique de Serpina, qui lui rompt la tête avec ses reproches, oublie l'heure de ses repas, et prétend maintenant l'empêcher d'aller se promener. Il entre en rébellion. C'est décidé, il va prendre femme pour échapper à cet esclavage domestique. Mais l'astucieuse Serpina manœuvre si bien qu'au duo final c'est elle qu'il épouse. La voix tonnante d'Uberto, ses airs aux rythmes énergiquement martelés font le plus amusant contraste avec sa faiblesse devant Serpina qui joue de la menace, de la colère, des larmes, de la câlinerie. La musique gesticule, ne tient pas en place, parodie la redondance du grand opéra, tout en conservant dans son naturel une délicieuse élégance.

La perfection de *La Serva Padrona* a plus ou moins éclipsé les autres *intermezzi* de Pergolèse. C'est dommage pour *Lo Frate'nnamorato*, son premier succès, sur un canevas en dialecte napolitain, *Il Flaminio*, dont on connaît des extraits pétillants. (Le *Stabat* de Pergolèse, jadis célèbre, reste touchant, parce que le pauvre garçon l'écrivit comme un adieu à sa courte vie, mais il est assez décoloré. Dans ses *Sinfonie*, il y a des idées charmantes). On aimerait encore entendre *La Frascatana* de Leo, dont Charles de Brosses disait le plus grand bien. Vinci, Galuppi, Guglielmi et beaucoup d'autres ont composé presque autant d'opéras bouffes que de sérieux. Les directeurs des festivals d'été, dans les cours des vieilles demeures, pourraient recourir un peu plus souvent à ce répertoire, y dénicher ce qui mérite d'être ressuscité, au moins pour quelques soirées aux chandelles.

Dans le dernier tiers du XVIIIe siècle, sous l'influence en particulier des pièces de Goldoni, l'opéra bouffe, tout en conservant son nom, prit davantage la forme d'une comédie musicale, plus développée, aux personnages plus nombreux, aux épisodes sentimentaux, avec NICCOLO PICCINI (1728-1800), natif de Bari, qui termina ses jours en France comme inspecteur du Conservatoire, DOMENICO CIMAROSA (1749-1801), fils d'un maçon napolitain, musicien de Catherine II à Saint-Pétersbourg, avec GIOVANNI PAISIELLO (1740-1816), né à Tarente, et qui fut l'un des compositeurs favoris de Bonaparte. Des cent quatre-vingts opéras et opéras bouffes qu'écrivirent Cimarosa et Paisiello, les historiens et les directeurs de théâtre ne veulent plus connaître de l'un que *Le Mariage Secret (Il Matrimonio Segreto)*, en deux actes, créé à Vienne en 1792), auquel on ajoute parfois le petit *intermezzo giacoso Le Maître de Chapelle,* du second *Le Barbier de Séville*, représenté en 1780 à Saint-Pétersbourg où Paisiello avait précédé Cimarosa, et la première en date de toutes les partitions inspirées de la comédie de Beaumarchais. Ce choix est court. Cependant, on trouve bien dans *Le Mariage Secret* et *Le Barbier* à peu près tout ce que Cimarosa et Paisiello avaient à dire. Ils nous paraissent plus éloignés que Pergolèse, mort si longtemps avant eux, parce que leur charme vieillot est celui de la fin d'une époque, d'un régime. Ils ont pour nous la malchance historique d'avoir été les proches voisins de leur contemporain Mozart, dont Cimarosa connut certainement les opéras à Vienne, les prédécesseurs immédiats de Rossini, sans posséder le génie de l'un ni de l'autre. Nous ne pouvons pas le leur reprocher, ni nous accuser non plus de ne leur prêter qu'une indulgence un peu distraite, alors que nous savons par cœur *Les Noces de Figaro* et le vrai, le seul *Barbier.*

Sur la fin du XVIIIe siècle, l'*opera buffa, l'opera seria*, après avoir exploité durant cent ou cent cinquante ans les mêmes recettes, sont décidément usés, et l'*opera seria* plus encore, qui perd une à une ses idoles, les castrats sans successeurs, la morale ayant fini par s'effaroucher de « l'opération » : à la longue du reste les compositeurs se sont lassés de leurs hautaines libertés avec les textes. Tout cela est fort visible dans les cent ouvrages où rabâchent un Guglielmi, un Sarti.

Mais les auteurs qui concluent de cette usure à une disparition sont beaucoup trop systématiques. Les Italiens, après avoir régné sur tout le théâtre lyrique d'Europe, subiront à leur tour des influences étrangères, souvent à leur désavantage. Mais le *Don Pasquale* de Donizetti, en 1843, sera un descendant direct des *intermezzi*. Des formes, des habitudes héritées de l'*opera seria* survivront à la scène jusqu'aux victoires de Wagner. Il aura fallu un Titan pour venir à bout des Napolitains; et encore que les *colorature* de l'admirable *Lulu* d'Alban Berg soient plus proches de l'esthétique de Farinelli que de celle de *Tristan* ou de *Pelléas*...

CONCERTOS ET « SINFONIE »

Durant plus de la moitié du XVIIIe siècle, l'Italie conserve dans la musique instrumentale la suprématie qu'elle s'est acquise au cours de l'époque précédente.

Pour la majorité des auditeurs d'aujourd'hui, un nom domine toute cette musique, celui d'ANTONIO VIVALDI (1678-1741). L'historien a de bonnes raisons pour approuver presque entièrement ce choix. Vivaldi, né à Venise où se déroula presque toute sa carrière, était le fils d'un violoniste renommé, et qui avait dû lui mettre l'archet en main avant même qu'il sût lire. C'est un des traits constants de l'époque, où la composition pour un instrument favori va toujours de pair avec sa pratique, en est le prolongement. Après les leçons de son père, Vivaldi reçut vraisemblablement celles de Legrenzi. Surnommé « le prêtre roux » à cause de ses cheveux, il fut ordonné en 1703, mais bientôt dispensé de son ministère, à cause de ses incommodités physiques qui l'empêchaient de célébrer la messe. L'année de son ordination, il devenait professeur de violon d'un des quatre Séminaires musicaux de Venise. Ces Séminaires étaient en fait, sous le nom d'hospices, des fondations qui recueillaient les orphelines, les filles naturelles ou de familles indigentes. Élevées aux frais de l'État, cloîtrées comme des religieuses, mais avec toutes les tolérances, douceurs et coquetteries des couvents vénitiens du XVIIIe siècle, ces enfants recevaient une éducation musicale très poussée, dans le chant ou dans les instruments, basson, violoncelle, trompette aussi bien que violon, selon leurs aptitudes. L'Hospice de la Pieta, où Vivaldi enseignait puis fut maître des concerts, était le plus célèbre de Venise, et ses exécutions, très courues, très mondaines, d'un mordant, d'une finesse, d'une précision qui étonnaient tous les mélomanes étrangers. Vivaldi disposait donc avec ces jeunes et élégantes filles d'un orchestre d'une quarantaine de pupitres, de qualité, et infiniment docile. Il passa à la Pieta près de quarante années, coupées de tournées à Rome, en Hollande, en Autriche, où il se produisait en violoniste virtuose et en compositeur. Sa réputation s'effondra avec la soudaineté fréquente dans l'Italie de ce siècle, et il mourut à Vienne, assez misérablement.

La grande contribution de Vivaldi à l'histoire musicale, c'est le concerto pour soliste et orchestre. Il ne l'a pas inventé, le Bolonais Torelli en avait publié les premiers modèles un peu avant lui, et fixé la coupe en trois parties, deux allegros encadrant un mouvement lent. Mais il en a fait un des genres universels de la musique instrumentale par son brio, par les solutions qu'il y apporta à maints problèmes formels, notamment l'équilibre entre les soli et l'ensemble. En majeure partie, ces concertos sont pour violon et orchestre. Mais Vivaldi a essayé aussi presque tous les autres solistes, violoncelle, flûte, petite flûte (piccolo), basson, hautbois, trompette, luth, viole d'amour, trompette marine, mandoline, avec un besoin artisanal de savoir tout faire, aiguisé par les ressources variées et variables de son orchestre, naturellement moins stable que les nôtres; d'une année à l'autre, tels pupitres dominaient ou perdaient la vedette selon les talents des pensionnaires nouvellement promues.

Les innombrables auditeurs que Vivaldi a retrouvés aujourd'hui ignorent pour la plupart qu'il écrivit une quarantaine d'opéras. Pourtant, l'écriture de ses concertos, tout en tenant admirablement compte des possibilités, du timbre de chaque instrument, est fort voisine de son écriture vocale. Ses adagios, ses largos sont des arias d'opéras transposés, d'où leur aisance mélodique, leur veine lyrique qui ont tant contribué au succès du genre. Les cadences de ses soli, surtout ceux de violon, les plus volubiles, sont calquées sur celles des chanteurs, avec cette différence qu'il n'autorise pas de fantaisies aux interprètes, que les broderies qu'il écrit doivent être exécutées note à note.

D'autre part, ainsi que Marc Pincherle l'a mis en lumière mieux que personne, Vivaldi a joué un rôle nullement négligeable dans la formation de la symphonie classique avec sa vingtaine de *sinfonie,* où les thèmes servent déjà à souligner la tonalité comme chez Haydn, et dans ses *concerti ripieni,* vraies symphonies pour cordes, qui restent d'ailleurs très mal connues de nos jours.

De la foule des violonistes-compositeurs ayant vécu dans le même temps que Vivaldi, on ne peut détacher que quelques noms, avec une certaine injustice, puisqu'il arrive assez souvent qu'au hasard d'un concert, d'un enregistrement, on tombe sur une pièce d'un oublié qui passerait sans peine pour un des chefs-d'œuvre des maîtres reconnus. (C'est ainsi que l'on a redécouvert l'abbé Antonio Bonporti, de Trente (1672-1749), quand sur des documents irréfutables, on a dû lui restituer plusieurs ouvrages longtemps donnés à J.-S. Bach). TOMASO ALBINONI (1671-1750), Vénitien comme Vivaldi et l'un de ses amis intimes, a été presque autant admiré que lui par Bach, pour ses Sonates à trois, ses Sinfonie à quatre, où il semble avoir été le premier à introduire le menuet. FRANCESCO GEMINIANI (1687-1762), Toscan de Lucques, formé par Corelli, et dont on connaît surtout les concertos grossos, se fixa à trente ans en Angleterre, où il joua avec Haendel; il mourut à Dublin. Giovanni-Battista Somis (1686-1763), grand professeur, est à l'origine de la belle école française de violon, puisque son meilleur élève fut Jean-Marie Leclair. PIETRO-ANTONIO LOCATELLI (1695-1764), de Bergame, autre élève de Corelli, mort en Hollande où il vécut longtemps, est toujours abondamment représenté dans les programmes de concerts et les catalogues de disques. Il le doit sans doute moins à ses qualités mélodiques qu'à son abus de la virtuosité, qui en fait un des précurseurs des acrobates en arpèges et doubles cordes du XIXᵉ et du XXᵉ siècles. GIUSEPPE TARTINI (1692-1770), né à Pirano en Istrie, installé à Padoue dont il ne bougea guère, théoricien et professeur très consulté, fut plus sobre, plus équilibré dans ses œuvres, quoi qu'il eût composé des *Trilles du Diable* bien avant Paganini. Il réprouvait la dispersion des compositeurs, passant d'un opéra à un concerto, pensait que la musique instrumentale devait chercher ailleurs que dans la vocale son inspiration, ce qui l'isolait assez de son époque.

BENEDETTO MARCELLO (1686-1739) diffère de ces professionnels. Avocat vénitien, membre du Conseil des Quarante de la République, il n'avait pas besoin d'enseigner ou d'occuper un poste fixe pour arrondir sa bourse, comme la plupart des compositeurs, qui ne pouvaient monnayer, assez médiocrement, que la première copie de leurs œuvres, et n'en tiraient plus une pistole une fois qu'elles étaient divulguées. Il se qualifiait lui-même d'amateur, ce qui ne l'empêcha pas d'entrer à la fameuse académie de Bologne. Il publia en 1720 *Le Théâtre à la Mode,* une pittoresque satire de l'opéra napolitain, où l'esprit critique des Italiens reprend ses droits, et qui reste vraie pour les mœurs, lubies, vanités et superstitions des grands chanteurs. Ses sonates, ses concertos, ainsi que ceux de son frère Alessandro sont très proches de Vivaldi.

Giovanni-Battista Sammartini né et mort à Milan (1698-1775) occupa dans l'Europe musicale une situation considérable, sans avoir jamais quitté la Lombardie. Il fut pendant plusieurs années le maître de Gluck. De son œuvre si étendue qu'elle défie le classement, on retiendra surtout les symphonies qu'il commença d'écrire à partir de 1734 et qui se répandirent aussitôt à l'étranger. Si elles sont postérieures à celles de Vivaldi, elles se distinguent davantage du concerto et ont joué un rôle plus important dans l'élaboration de cette forme, qui est celle d'une sonate pour orchestre. Elles comportent d'ordinaire quatre mouvements, n'ont pas recours au contrepoint, sont écrites pour cordes selon les usages du trio et du quatuor, avec des parties accessoires de cor ou de trompette. Sammartini, dans ces symphonies, est un musicien charmant, ensoleillé. Le Vivaldi des concertos, celui que l'Europe connut le mieux, a fourni à Bach les modèles d'un contrepoint plus délié et nerveux que celui que l'on pratiquait en Allemagne. Sammartini, de son côté, a été l'un des initiateurs de Haydn et de Mozart dans leur style galant.

On a vu que la plupart de ces compositeurs étaient originaires du nord de l'Italie, qui restait ainsi le fief de la musique instrumentale, plus ou moins en contraste avec l'opéra méridional. On ne peut pas oublier dans cette énumération le Père Giovanni-Battista Martini, franciscain de Bologne (1706-1784), personnage encyclopédique, mathématicien, historien et théoricien de la musique, sommité européenne du contrepoint, affable et saint homme vivant au milieu de sa bibliothèque de dix-sept mille volumes, qui renfermait tous les anciens maîtres de la polyphonie. Même dans l'Italie des castrats et des ariettes, il existait donc des cénacles pour cultiver les plus sérieuses traditions, puisque l'enseignement du Père Martini était très suivi et que ses ouvrages pédagogiques, que l'on consulte encore, faisaient autorité. Il ne semble pas toutefois que l'austère érudition du bon moine ait beaucoup marqué sa musique, aimable et superficielle, à en juger du moins par les rares curieux qui l'ont entrouverte de nos jours.

L'école italienne des violonistes-auteurs dégénéra dans les dernières années du xvIIIᵉ siècle avec la virtuosité tapageuse, les excentricités de Mestrino, de Lolli, qui promenèrent sur toutes les estrades d'Europe, devant des auditoires du reste subjugués, leurs imitations des cris de la basse-cour, des chats en amour ou des cornemuses. Un virtuose non moins habile et infiniment plus sérieux, Giovanni-Battista Viotti (1755-1824), s'installa en 1782 à Paris. Il apporta au style français des Leclair, des Gaviniès plus de chaleur, le largeur, en s'inspirant de leur élégance. Ses concertos, malgré leurs bouffées de lyrisme, sont un peu trop l'illustration de son enseignement, qui a laissé des traces profondes. On l'appela « le père de l'art moderne du violon », pour ses innovations dans la technique de l'attaque, le mécanisme des traits. Ses exercices, qui ont fait grincer les archets de tant d'apprentis, sont toujours utilisés en pédagogie. Par son influence sur le jeune belge Charles de Bériot, le futur époux de la Malibran, il fut un des pères artistiques de la grande école des violonistes wallons du XIXe siècle. Avec lui, la géniale *maestria* de l'Italie continuait toujours d'instruire l'Europe. Mais Viotti avait pour ainsi dire perdu la conscience d'être italien.

L'un des derniers grands noms dans la musique d'archet classique de l'Italie fut un violoncelliste, Luigi Boccherini, né à Lucques (1743-1805). Il avait acquis très jeune sur le violoncelle une telle qualité de phrasé, de son, de vélocité, qu'il songea à faire avec son instrument la même carrière de virtuose que les violonistes, ce qui était une nouveauté pour son époque. Il y réussit bientôt, connut les succès des grandes tournées en Autriche, à Paris, en Espagne.

Le meilleur titre artistique de Boccherini, c'est son rôle dans l'élaboration de la musique de chambre classique délivrée de la servitude de la basse continue, trios, quintettes et quatuors, le quatuor étant, selon l'impeccable définition de Vincent d'Indy, « une composition exclusivement concertante, destinée à quatre instruments à archet (deux violons, un alto et un violoncelle) dont le rôle individuel est équivalent en intérêt et en importance, sans qu'aucun des quatre ait le caractère permanent d'accompagnateur ». La plupart des quintettes de Boccherini sont des quatuors avec une double partie de violoncelle, qui tient à la prédilection de l'auteur pour cet instrument. Dans les douze quintettes avec piano, celui-ci s'affranchit définitivement de la fonction de *continuo* qui était dévolue au clavecin, et intervient en véritable interlocuteur dans le dialogue.

Après avoir énuméré tous ces noms, il faut bien parler de l'extraordinaire vogue dont ils jouissent de par le monde depuis une quinzaine d'années. Elle a d'abord émerveillé les vieux mélomanes comme l'auteur de ce livre, qui écrivirent naguère maints articles en faveur de ces musiques aux trois quarts oubliées. Puis elle les a plongés dans l'ahurissement. Qu'il existe maintenant dans les catalogues phonographiques cinquante éditions de certains concertos de Vivaldi, contre trois ou quatre des quatuors de Beethoven, la disproportion est flagrante. Elle ne témoigne pas d'un approfondissement de la culture musicale.

Le seul dénombrement de ces œuvres indique par où elles pèchent. Vivaldi a laissé près d'un millier de pièces instrumentales, dont quatre cent cinquante-quatre de ces concertos qu'il se faisait fort de composer en moins de temps qu'il n'en fallait à son copiste pour les copier. Outre tout ce que l'on a publié de lui, plus de cent concertos et quintettes de Tartini existent encore à l'état de manuscrits. On évalue approximativement à deux mille huit cents les ouvrages de Sammartini ! Boccherini a écrit cinquante trios, une centaine de quatuors, cent cinquante-cinq quintettes. Le temps nécessaire pour couvrir de telles masses de papier représente sans doute un labeur prodigieux, mais que l'on ne peut pas confondre avec la véritable fécondité.

Ni plus ni moins que dans l'opéra napolitain, un pareil travail ne pouvait être dépêché sans un recours constant aux formules toutes faites, aux clichés, à l'automatisme des marches d'harmonie, aux traits de remplissage. Sans doute, la dextérité innée de la race italienne assure presque toujours à la composition sa clarté et son équilibre. Mais cela devient une question de tour de main, qui ne peut rien contre la sempiternelle alternance « allegro, adagio, allegro », la mélancolie et l'enjouement à point nommé, l'inévitable petite secousse de l'allegretto final.

Cette époque, d'autre part, est celle du règne presque absolu de la consonance, résultant de l'emploi généralisé de la gamme majeure-mineure et de l'ordre codifié des fonctions tonales, de la tonique à la dominante, avec conclusion sur la cadence parfaite, la plupart des modulations étant préparées, c'est-à-dire annoncées de loin, ce qui garantit l'auditeur contre toute surprise : certitude assez monotone pour les oreilles d'aujourd'hui. Enfin, le concerto pour instruments solistes monodiques, violon, flûte, hautbois, est bien limité dans ses figures, ce qu'il a à dire bien court, surtout pour être répété à tant de milliers d'exemplaires.

Si notre temps réhabilite cette musique, c'est qu'il lui a découvert — ou redécouvert — un rôle décoratif, qui convient en effet à son charme superficiel, à la symétrie de ses motifs. Elle forme un fond sonore élégant, discret, qui accompagne bien le renouveau de la toile de Jouy. Elle ne dérange pas, selon le mot d'une des *Jeunes Filles* de Montherlant, Mlle Solange Dandillot, reproduisant d'ailleurs celui de Napoléon qui préférait à tous les compositeurs Paisiello et Zingarelli, parce qu'ils ne l'empêchaient pas « de songer aux affaires de l'État ». Elle bénéficie de la distinction, du prestige intellectuel et savant qui s'attache à toutes les compositions instrumentales. Mais parmi tous les acheteurs des innombrables disques de concertos italiens, bien peu ont une oreille assez patiente pour en écouter vraiment un seul de bout en bout, et même pour distinguer entre les exécutions et la reproduction acoustique plus qu'inégales de ces enregistrements. Car le commerce s'est vite mis de la partie. Les éditeurs ont débité à pleines presses n'importe quoi de n'importe qui, joué n'importe comment, pourvu qu'ils pussent imprimer un nom en *i* sur l'étiquette. Et la radio, la télévision, ont pris l'habitude de piocher dans ces piles de disques pour meubler leurs temps morts. La moitié d'un allegro de concerto bouche le trou entre le bulletin météorologique et le journal parlé.

Une diffusion désordonnée et mercantile a finalement desservi la musique des vieux Italiens. Elle lui a valu peu de vrais auditeurs nouveaux, et ferait croire aux bons mélomanes qu'elle est uniformément assommante, comme l'a décrété Stravinsky après un long séjour à Venise où on l'avait gavé de concertos.

Cette musique mérite mieux. Il faut d'abord y faire son choix, avec un discernement dont se montrent incapables les marchands de microsillons et les entrepreneurs de concerts. On peut fort bien laisser à leur fonction d'ameublement quantité de babillages et d'insignifiances, que l'on a toujours l'impression de retrouver à la même mesure après avoir parcouru un journal ou répondu au téléphone pendant que le phonographe les déroule. Mais *Les Quatre Saisons* de Vivaldi, malgré leur construction presque enfantine, les autres pièces moins galvaudées qui les accompagnent dans le recueil du *Cimento dell'armonia,* son *Estre Armonico,* certains de ses concertos pour plusieurs solistes, les meilleurs quatuors et quintettes de Boccherini (beaucoup plus que son verbeux Concerto pour violoncelle) méritent l'attention que l'on accorde si rarement à leur invention et leur poésie mélodiques, à la finesse de leur instrumentation. Et dans une vulgarisation presque industrielle, on a commis encore bien des oublis. A la condition que l'on prenne la peine de rechercher parmi d'innombrables redites ses pages les plus vivantes, on verra que Sammartini, qui n'est jamais joué, vaut largement Vivaldi.

LE CLAVECIN. DOMENICO SCARLATTI

La mode a plus ou moins aussi négligé jusqu'à présent, malgré la place que lui font toujours avec succès dans leurs concerts d'aussi célèbres virtuoses que Cziffra, Guilels, Ciccolini, l'école peut-être la plus originale de tout le XVIIIe siècle italien, celle des clavecinistes.

Domenico Scarlatti, sa figure dominante, né à Naples en 1685, la même année que Bach et Haendel, était l'un des fils d'Alessandro, qui le recommandait à Ferdinand de Médicis en 1705 avec une fierté justifiée : « Mon fils est un aigle dont les ailes ont grandi. Il ne peut plus rester oisif au nid, et je ne veux pas davantage empêcher son essor. » Le jeune aigle, formé par Pasquini et son père, outre les opéras qu'il écrivait comme tout le monde (le premier à dix-sept ans), avait déjà occupé plusieurs postes importants d'organiste, et n'allait pas tarder de se faire partout où il passerait la réputation du premier virtuose au clavier, « maestro al cembalo », de son époque. Il s'était lié avec Haendel à Venise d'une amitié qui dura longtemps. En 1720, il devint à Lisbonne maître de chapelle du roi Jean V de Portugal et maître de musique de l'infante Maria Barbara, dont il fit une très remarquable exécutante. Il la suivit en Espagne lorsqu'elle épousa le prince des Asturies, le futur roi Ferdinand VI. Il ne devait plus quitter la cour espagnole que pour deux voyages assez brefs en Italie. Ses portraits montrent une physionomie racée, nerveuse, intelligente, il était chevalier de l'ordre de Santiago, et aurait vécu très à l'aise sans sa passion incurable du jeu. La reine Maria-Barbara paya très souvent ses lourdes dettes de tripot et fit une pension à sa veuve et à ses filles, qu'il laissa sans ressources quand il mourut à Madrid en 1757.

On a entièrement négligé les autres compositions de Domenico Scarlatti, sérénades, cantates, pièces religieuses, pour son œuvre de clavecin, qui date surtout de ses années espagnoles, et à laquelle il semble avoir consacré exclusivement la dernière période de son existence. Son inventaire complet, cinq cent cinquante-cinq sonates, n'a été dressé que depuis la dernière guerre par le savant musicographe et claveciniste anglais Ralph Kirkpatrick. Scarlatti

y est grand créateur dans un petit format. Presque toutes ses
sonates sont en un seul mouvement, avec double reprise, un plan
très simple que reproduiront bientôt les allegros initiaux des compositions classiques. L'ensemble dépasse rarement cent cinquante
mesures. Dans ce cadre minuscule, Scarlatti enferme une somme
d'idées, d'inventions, avec une variété et une fantaisie qui font
constamment oublier l'uniformité de la coupe. La sûreté de main,
la fermeté dans la grâce sont comparables aux dessins de Watteau
que l'on reconnaît du premier coup d'œil parmi cent autres san-
guines séduisantes du XVIIIe siècle. Le contrepoint se prête à de
délicieuses variations mélodiques où il gagne une souplesse nouvelle
en conservant une impeccable tenue. Le développement musical
acquiert dans ces sonates des libertés qui lui sont encore interdites
dans tant de concertos cependant beaucoup plus étendus. Scarlatti
est un homme spirituel et vif, chez qui l'humour, l'enjouement
reprennent toujours le dessus, mais qui n'ignore pas les bouffées
de mélancolie, d'angoisse. C'est souvent alors — mais aussi dans
ses instants d'ironie, d'humeur fantasque — qu'il saute à pieds
joints les barrières des règles tonales, s'autorise ces accords
« écrasés », ces grappes de dissonances dont l'hétérodoxie est
pour nous un si savoureux condiment.

Nous admirons encore que maintes de ces sonates si élégantes
et fraîches n'aient été dans l'intention de l'auteur que des exercices
pédagogiques pour délier le jeu de ses élèves. Quoi qu'il entre-
prenne, la musique ne l'abandonne jamais; elle éclaire et anime la
plus simple étude d'intervalles ou de vélocité. Bien qu'à une
distance respectueuse des sommets, Domenico Scarlatti a sa place
parmi les huit ou dix compositeurs les plus originaux de son siècle.

Sa musique a certainement reçu une empreinte des rythmes
populaires de l'Espagne, tout en les pliant à son style. Mais il
nous est assez difficile de suivre les musicographes espagnols,
familiers de ces spéculations plus ingénieuses que solides, quand
ils font de Scarlatti le père de la musique espagnole de piano. Il
eut sans doute un disciple direct, le Padre Antonio Soler, moine
catalan, charmant et loquace claveciniste. Mais le Padre Soler est
mort en 1783, et les chaînons manquent au cours du siècle très
vide qui s'écoulera jusqu'à l'apparition d'Isaac Albéniz. Ce que
l'on distingue beaucoup mieux, c'est ce que la musique de clavier
emprunte dès Scarlatti à la guitare nationale de l'Espagne une
netteté un peu sèche, les pédales harmoniques reproduisant le
bourdonnement de la guitare dans le grave.

En Italie même, la troupe des concurrents et des successeurs de Scarlatti fourmilla de talents aujourd'hui trop méconnus. Pietro Scarlatti, le frère de Domenico, écrivait en style soutenu, proche de l'orgue, des Toccatas qui auraient pleinement satisfait Bach. Domenico Zipoli, un Toscan (1688-1726), Pier Domenico Paradisi, Napolitain (1707-1791), Galuppi dans ses œuvres de clavier, Giovanni Rutini, Florentin (1723-1797) sont des petits maîtres très plaisants, souvent ravissants, tous à l'aise dans un contrepoint pétulant et limpide, ayant définitivement rompu avec la suite de danses, cultivant des sonorités délicates, pratiquant la variation sans compromettre l'élégante unité de leurs petites sonates, avec soudain des touches inattendues d'harmonies déjà romantiques.

Avec les sonates de Cimarosa, on touche au terme de cet art menu mais si dynamique. Elles ne conviennent plus au clavecin, appellent le piano. Le contrepoint y disparaît. A chaque mesure, elles font songer à Mozart, mais l'évocation tourne court.

Au-delà de 1800, la foule des concertistes, organistes, clavecinistes napolitains, vénitiens, milanais, florentins n'a plus de successeurs. On ne relève que deux noms, le météore Paganini, qui appartient au spectacle autant qu'à la musique – nous le retrouverons parmi les romantiques – et le pianiste Muzio Clementi (1752-1832), qui vécut surtout en Angleterre, virtuose et professeur d'une autorité européenne. La réhabilitation de ses cent et quelques sonates, auxquelles on reconnaît du pittoresque et de la solidité, nous laisse pour notre part assez indifférent. Le pédagogue Clementi est vraiment associé à des souvenirs trop aigres de nos années d'enfance au piano. Beethoven l'estimait, mais il embêtait Mozart. On peut bien partager une opinion de Mozart...

La musique instrumentale disparaissait d'Italie pour cent ans, dans le moment où elle allait accomplir avec Beethoven ses plus grandes conquêtes. Tous ses progrès, durant deux siècles, avaient été l'œuvre des compositeurs italiens. Mais ceux-ci ne pouvaient sans doute pas davantage. Leur art vivace et adroit était resté à fleur de peau, trop assujetti aux modèles du théâtre, au même idéal d'agrément mélodique que ses chanteurs. Dans les soixante dernières années, cet art avait de moins en moins évolué, touché des limites dont il ne sortait plus. Le profond travail qui allait élever la symphonie à une puissance dramatique inconnue de l'opéra, n'était plus dans la nature du génie italien. Il en laissait le monopole aux Allemands, non sans une certaine condescendance, et se réservait ce qu'il tenait plus que jamais pour la forme suprême, l'épanouissement de la voix sur la scène lyrique. Cette scission sans prédécent au cœur de l'Europe musicale allait entraîner les batailles les plus confuses et les plus irritants malentendus.

CHAPITRE VII

LE XVIIIᵉ SIÈCLE FRANÇAIS. RAMEAU

La musique française, sous la Régence et sous Louis XV, Rameau et Couperin exceptés, compte plus de bons artisans, très nombreux du reste, que de vrais créateurs.

Le clavecin est le symbole de cette époque. Mais la plupart des clavecinistes ont été aussi et souvent avant tout des organistes. L'un des plus sincères et des plus vigoureux fut FRANÇOIS COUPERIN le Grand (1668-1733), qui se souvenait du style large, marqué par Frescobaldi, de son oncle Louis, comme lui et comme son père organiste de l'église Saint-Gervais, près de laquelle on voit encore leur maison natale. Le Rémois Nicolas de Grigny (1671-1703), attaché à la cathédrale de sa ville natale, doué d'un beau tempérament oratoire, ouvert à la poésie religieuse, aurait été sans doute le meilleur organiste français du XVIIIᵉ siècle s'il n'avait pas disparu à trente et un ans. Le Lyonnais Louis Marchand (1669-1732), organiste de la chapelle royale, dut surtout sa célébrité à ses dons de virtuose, que l'on peut encore deviner à travers quelques-unes de ses pages assez brillamment coloriées, et par son enseignement.

Avec Louis-Nicolas Clérambault (1676-1749), qui jouait à Saint-Cyr, à Saint-Sulpice, aux Jacobins, le langage de l'orgue s'amenuise, le grand instrument se met à l'imitation des grâces du clavecin. Louis-Claude Daquin (1694-1772), dont on a attaché le nom à une amusette, *Le Coucou*, ne vit cependant que pour son orgue de l'église Saint-Paul, dont il est devenu le titulaire dans un concours où il a triomphé de Rameau. Agé de près de quatre-vingts ans, dans sa dernière maladie, il veut se faire porter à sa tribune pour mourir les mains sur ses jeux. Mais le plus savant et le plus lucide des historiographes de l'orgue, M. Norbert Dufourcq, le range impitoyablement parmi les petits maîtres

« sans flamme, sans accent, sans poésie, sans générosité religieuse », de même que son aîné Jean-François Dandrieu ou d'Andrieu (1684-1740), Parisien comme lui, enfant prodige à cinq ans, organiste de la chapelle du roi et à Saint-Merri. On est bien obligé d'avouer que l'un et l'autre cultivent une joliesse et des mondanités qui trahissent l'orgue.

Le clavecin, bien qu'elle l'ait en somme moins pratiqué, convient tout autrement à cette génération aux manchettes de dentelle. François Couperin en est le maître, dans les quatre recueils, publiés de 1713 à 1730, qui renferment ses deux cent quarante pièces.

Brahms, bon connaisseur de notre musique du XVIIIᵉ siècle, comme plusieurs grands compositeurs allemands, a écrit que « Scarlatti, Haendel et Bach étaient au nombre des élèves de Couperin ». Il est vrai qu'une page comme le charmant et populaire *Forgeron harmonieux* de Haendel procède en droite ligne de lui. Citer Bach, c'est aussi rappeler que l'élève a bientôt et irrésistiblement dépassé le maître. Quant à Scarlatti, pour notre part, sa verve, son chant, son goût des harmonies inédites nous touchent davantage. Mais cela n'est pas pour diminuer le Français, musicien de salon, de cour, ayant écrit la majeure partie de ses recueils pour ses élèves les petits princes et princesses de la famille royale, jouant presque chaque dimanche devant le jeune roi, mais pouvant s'exprimer à sa guise dans ce métier que les nouvelles mœurs de Versailles devaient rendre d'ailleurs assez peu officiel. On a cherché à ses petites pièces bien des équivalents littéraires ou picturaux qui ne signifient pas grand-chose. Elles vont plus loin que les épigrammes les mieux tournées. Elles sont d'un art plus ferme, moins anecdotique que les croquis de Saint-Aubin. L'humour, le clin d'œil de complicité amusée aux auditeurs y sont fréquents : Couperin conseille de les jouer « en regardant la compagnie », et certainement pas avec la mine fatale des futurs lions du piano romantique. Si les titres dont il se divertit à les affubler comme son prédécesseur Chambonnières – *La Lutine, La Prude, La Marche des Gris-vêtus, Les Vieux Galants, Les Petites Crémières de Bagnolet* – sont des suggestions à l'usage d'un public qui aime le jeu des portraits, celles-ci n'empiètent jamais sur la forme d'abord musicale du petit morceau, ne l'alourdissent pas d'intentions platement imitatives.

Il faut entendre avant Couperin les chaconnes massives de son oncle Louis, les pavanes encore si empesées de Chambonnières, les transcriptions de Lully par J.H. d'Anglebert, les sarabandes pompeuses d'Elisabeth Jacquet de la Guerre pour bien percevoir le libre mouvement, malgré la symétrie du plan (la même tonalité au début et à la fin du morceau, le changement au milieu comme plus tard dans le trio des menuets) qu'il a su imprimer au clavecin, s'évadant enfin du carcan des vieilles danses françaises. Et ce musicien bien poudré, souriant, spirituel, ne se cantonnait pas dans un seul genre. S'il s'est un peu forcé, au clavecin, dans sa grande et grave passacaille en *si* mineur, démonstration à demi convaincante de son art à varier un thème insignifiant, rappelons-nous qu'il fut avec ses *Leçons des Ténèbres* l'un des derniers compositeurs de Versailles à savoir écrire une musique religieuse de style noble et profondément ressentie.

Parmi les nombreux clavecinistes qui lui ont fait escorte, et où l'on retrouve presque tous les organistes de cette génération, on citera Daquin pour quelques-uns de ses jolis rondeaux, et surtout Dandrieu, qui rompt le déroulement conventionnel des danses par un rythme impromptu, une idée mélodique inattendue, où passe comme dans *Les Tendres Reproches* un pressentiment du jeune Beethoven, et même de Schubert comme dans sa *Gémissante*.

Vainqueur du luth au XVIIe siècle, le clavecin déclina après 1750, quand la mode se mit à la musique d'ensemble, et ne tarda pas à disparaître devant le piano-forte, qui fut longtemps beaucoup moins favorable aux Français.

Pour le violon, la France avait sur l'Italie un retard de près d'un demi-siècle, dû à sa méfiance pour le nouvel instrument lors de son apparition. Ce fut encore François Couperin qui se risqua à écrire en 1692 la première sonate en trio française. Jean-Baptiste Anet (1661-1755), élève de Corelli, était avant tout un virtuose des trilles, de la double corde, célébré comme « le premier violon du monde », mais qui aux dires de Dasquin, cependant un de ses grands admirateurs, lisait très mal la musique : en somme, un tzigane à perruque et habit brodé. Jean-Ferry Rebel (1666-1747), Jean-Joseph de Mondonville (1711-1772), François Francœur (1698-1787) sont au contraire, outre leur virtuosité à l'archet, des musiciens cultivés, qui n'ont pas laissé d'œuvres de premier plan sans doute parce qu'ils étaient trop éclectiques, dispersés dans de nombreuses activités.

Deux noms se détachent de la foule des autres violonistes-compositeurs français : le Lyonnais Jean-Marie Leclair (1697-1764), et pour son excellent rôle pédagogique le Bordelais

Pierre Gaviniès (1728-1800), stupéfiant virtuose à quatorze ans, et dont les œuvres illustrent surtout l'enseignement. Leclair qui mourut poignardé de nuit par un assassin inconnu, avait été danseur et maître de ballet avant de travailler sérieusement le violon à Turin, probablement avec le maître piémontais Somis. Sa vocation en fut décidée. Son œuvre est la plus abondante par le volume qui ait été consacrée aux cordes en France pendant le XVIIIᵉ siècle. Leclair voulait y marier le goût français et le style italien. C'est bien en effet, comme l'avait deviné avec son oreille toujours sûre le président de Brosses, le seul maître français du violon que l'on puisse comparer à ceux de l'Italie. Cependant, il n'a pas leurs libertés, leur plénitude mélodique. Quels que soient leur agrément, la distinction de leur écriture, ses sonates, encore trop tributaires des danses et des airs de cour, ont assez peu d'importance dans l'évolution de cette forme.

JEAN-PHILIPPE RAMEAU

Nous voici enfin devant la plus grande figure musicale du XVIIIᵉ siècle français. Une figure bizarre au physique, telle que nous la représentent les documents les plus sûrs, les croquis sur le vif de Carmontelle. Acérée, presque crochue, creusée d'un rictus qui annonce plus de sarcasmes que d'affabilité, au-dessus d'un long corps d'une maigreur presque caricaturale, mais robuste, puisque avec cette carcasse décharnée et qu'il ne ménagera guère, Rameau vécut jusqu'à quatre-vingt un ans. De cet échalas sortait, paraît-il, une grosse voix rauque et bougonne. Physionomie d'un cérébral, bien que plusieurs outils nécessaires à un intellectuel lui eussent fait défaut. Un introverti dans le plus extraverti des siècles, ruminant ses idées, possédé par son métier des pieds à la tête, mais se débridant, se déboutonnant quelquefois, lorsque son atavisme de truculence bourguignonne reparaissait devant une table bien servie, à côté de vieux compagnons. Obstiné, aussi exigeant pour autrui que pour son art et pour lui-même, peu malléable, peu sociable. Mais encore un nerveux, aux yeux vifs et mobiles, que la musique pouvait mettre en transes, ce qui contredit absolument la réputation de sécheresse que lui firent ses contemporains, si bien entraînés aux saillies, aux pointes, aux épigrammes qu'ils ne pouvaient manquer de prendre pour cible cette silhouette insolite et cette humeur d'ours.

L'homme était si peu porté aux confidences que la première moitié de sa vie est restée assez obscure. Il naquit à Dijon, en 1683, deux ans avant Bach, d'un père organiste de la cathédrale Saint-Etienne, qui semble avoir été son unique professeur. Ses études classiques, au collège des Jésuites, furent très médiocres. Les Pères se débarrassèrent après sa quatrième de cet hurluberlu qui déjà ne vivait que pour la musique, chantait en classe, remettait des portées griffonnées de notes en place de devoirs. Il n'eut guère le temps par la suite de combler ces lacunes, et ses écrits s'en ressentirent, d'une lourdeur de rédaction inhabituelle à son époque.

A dix-huit ans, il partit pour l'Italie, mais n'alla pas plus loin que Milan et revint bientôt. Ensuite, il le regretta. Mais on peut penser qu'un instinct secret lui conseillait d'éviter de connaître les modèles les plus séduisants, de ne pas trop prêter l'oreille à la voix des autres pour mieux entendre la sienne. Il s'employa en province, violoniste d'une troupe nomade, maître de musique à Avignon, organiste de la cathédrale de Clermont-Ferrand. Dans sa retraite de Clermont, il écrivit son premier ouvrage théorique, très longuement médité, le *Traité de l'Harmonie réduite à ses principes naturels*, publié en 1722, qui attira aussitôt sur lui l'attention de tout le monde philosophique plus encore que des musiciens. L'année suivante, à quarante ans, fort de ce bagage, il s'installait à Paris, qu'il ne devait plus quitter, dans l'intention bien décidée de se consacrer au théâtre, un rêve entretenu depuis les premières représentations d'opéras auxquelles il avait assisté dans son adolescence.

Il allait attendre près de dix années avant de pouvoir le réaliser, se mariant entre-temps à quarante-trois ans avec une jeune fille de seize, Marie-Louise Mangot, bonne musicienne et qui fut l'excellente épouse de cet homme difficile — le seul épisode un peu romanesque de sa biographie — n'hésitant pas, afin de s'accoutumer à la scène, à écrire des danses et des couplets pour le théâtre de la Foire, composant aussi des motets pour le Concert Spirituel.[1] Enfin, grâce à l'appui du financier La Pouplinière, il parvint à intéresser

---

1. Le Concert Spirituel, fondé à Paris en 1725 par Anne Philidor et installé aux Tuileries, fut l'ancêtre de nos associations symphoniques. On y exécutait avec succès les grandes œuvres chorales, les oratorios des Français et des Italiens, les concertos de Corelli, Vivaldi, Boccherini, les symphonies de Stamitz, Gossec, Haydn. Les virtuoses et chanteurs célèbres s'y produisaient. La Révolution le balaya en 1791, ainsi que d'autres sociétés musicales créées à son exemple.

un librettiste, et put en 1733 se faire ouvrir les portes de l'Opéra avec *Hippolyte et Aricie*, se livrer ainsi à sa vocation de toujours. Il avait cinquante ans.

Très discuté, chansonné par les gazetiers, honni par les vieux partisans de la tradition lullyste, il ne tarda pas cependant à recruter, comme Wagner et Debussy plus tard, de vigoureux défenseurs, les « ramistes » ou les « ramoneurs », qui assurèrent sa victoire. Désormais, sa carrière allait tenir dans la longue liste de ses œuvres de théâtre, une trentaine de tragédies lyriques, opéras-ballets, comédies-ballets, ballets héroïques, qui lui laissèrent cependant le temps de publier ses *Pièces en Concert* et trois nouveaux livres de théorie. Il était devenu le plus grand maître de la musique française, très sensible à ses nouveaux triomphes, malgré la rudesse de son écorce. Sa vieillesse laborieuse, respectée, admirée, fut troublée de 1752 à 1754 par la Guerre des Bouffons, sur laquelle nous reviendrons plus loin, qui s'était déclenchée sans qu'il y fût pour rien, et qui finalement tourna encore à son succès. Durant les dix dernières années de sa vie, il continua de travailler régulièrement pour l'Opéra, tout en ayant conscience qu'il n'ajouterait plus de pages bien importantes à son œuvre. Il venait d'achever un ballet, *Les Boréales*, quand il mourut, le 12 septembre 1764.

LE THÉORICIEN

L'œuvre théorique de Rameau, à laquelle il tenait autant qu'à ses opéras, si elle tira son nom de l'obscurité provinciale, fut loin de faciliter sa carrière. Parce qu'ils n'y comprenaient rien, les hommes de lettres, les gens du monde avaient décrété qu'elle était inintelligible à leur auteur lui-même, comme l'affirme, au début du *Neveu de Rameau*, Diderot, dont la compétence se juge à ce qu'il parle du « plain-chant de Lully ». Rameau, lorsqu'il aborda le théâtre, passait communément pour un « géomètre », et l'on s'étonnait à Paris, comme d'une scandaleuse gageure, que ce mathématicien abstrus prétendît faire chanter sur la scène les douleurs et les joies de l'amour. Ce fut l'argument constant des sourds que sa musique déroutait.

Qu'y a-t-il de neuf dans les traités de Rameau, à la prose souvent embarrassée et raboteuse ? Nous avons vu que, dès la fin du Moyen Age, le mode majeur et le mineur tendaient à se substituer aux anciens modes ecclésiastiques par l'introduction successive des notes altérées. On relève dès le XVe siècle chez les Français et les Italiens des enchaînements harmoniques, de la dominante à la cadence finale par sous-dominante, dominante et tonique qui témoignent chez leurs auteurs d'une parfaite « conscience tonale ». Selon un phénomène permanent de l'histoire musicale, la pratique devançait largement la théorie, tiraillée entre les concepts traditionnels et les nouveaux faits sonores, mais ayant cependant ses précurseurs, comme Zarlino qui avait, dès le milieu du XVIe siècle, fourni l'analyse des accords parfaits majeur et mineur.

Au milieu du XVIIe siècle, il ne subsistait plus des vieux modes que quelques noms, encore employés pour pallier les dernières difficultés de définition dans les gammes mineures. A partir de 1680 environ, l'usage des termes *majeur (dur)* et *mineur (moll)* devenait courant en Allemagne; les théoriciens comme Werckmeister enseignaient que ces deux modes devaient suffire aux compositeurs, puisqu'ils contenaient tous les autres. Enfin, tous ces énoncés théoriques allaient être couronnés par la magistrale démonstration que faisait J.-S. Bach du « tempérament » de Werckmeister, l'année même, 1722, où paraissait le premier traité de Rameau, avec son *Clavecin bien tempéré,* « dans tous les tons et demi-tons », y compris l'ut dièse majeur, tenu pour inutilisable, et dont l'armure chargée de sept dièses resta d'abord dans la gorge des grammairiens.

Rameau n'était donc pas un pionnier, bien qu'il manifestât peu de considération pour ses prédécesseurs. Ce qu'il y avait de plus original dans son dessein, où il devançait quelque peu l'esprit des Encyclopédistes, c'était son ambition de pourvoir d'une base scientifique le système majeur-mineur. Bien entendu, ses expériences sur la corde pythagoricienne sont à nos laboratoires d'acoustique ce que le cabinet de physique de Voltaire serait à une usine nucléaire. Les conclusions péremptoires qu'il en tire prennent de ce chef pour nous un tour assez égayant. Rameau part de l'accord fondamental majeur *do mi sol,* produit par les divisions de la corde vibrante. Ici intervient une autre idée-force de son époque, assez paradoxale quand on songe à l'usage qu'elle en fait dans ses mythologies, ses pastorales : avoir pour seul modèle la nature. Puisque le mode majeur provient directement de la nature, il est « le maître de l'harmonie, le mode parfait », celui de la noblesse, de la gloire, de la virilité. Le mineur, son subordonné, se ressentira toujours de son origine artificielle. Et voilà le troisième souci, très classique, de Rameau, celui de l'unité. Il n'existe qu'un accord essentiel, générateur de tous les autres, et c'est comme de juste l'accord parfait majeur *do mi sol,* qui superpose deux tierces, tous les autres intervalles dérivant de la tierce. L'analyse logique rejoint et confirme la loi de nature, qui réduit tous les phénomènes musicaux à la résonance des corps sonores.

On n'a plus besoin de souligner l'étroitesse de ce système ultrarationaliste, que Rameau assortissait de sa théorie « scientifique » de l'expression : l'étude de l'harmonie permet au compositeur de connaître tous les accords, tous les sons correspondant aux divers sentiments humains. Pour animer musicalement des personnages, il lui suffit de se référer à ce catalogue. Le plus savant harmoniste sera donc nécessairement le meilleur musicien de théâtre...

Si Rameau fut indirectement responsable de bien des mesquineries et bien des interdits de la grammaire officielle, s'il poussa jusqu'à des abus cocasses son besoin de simplification, il contribua cependant à mettre de l'ordre dans des notions restées trop longtemps empiriques. Sa théorie du renversement des accords — *do mi sol* égale *mi sol do* ou *sol do mi* — si elle n'a rien du tout de scientifique, puisque le nombre des vibrations diffère dans chacune de ces figures sonores, a pourtant été une des bases très utiles de l'enseignement harmonique. Autre principe fécond, sur lequel il insiste beaucoup : celui qui veut que l'harmonie précède la mélodie, la « guide », au lieu de provenir d'elle. Le système de Rameau, participant de la tendance classique à écrire sur les « bons degrés », n'est pas enrichissant. Pris au pied de la lettre, il eût même singulièrement restreint le vocabulaire. Mais le compositeur Rameau, s'il fut bridé par ses principes, savait aussi les oublier, dans certaines pages, en particulier de *Platée,* des *Indes Galantes* où il n'hésite pas à bousculer son ordonnance tonale. Sans parler de ses trouvailles de rythme et d'instrumentation, où l'harmoniste n'écoutait plus que sa fantaisie. Enfin, même dans ses traités, il prenait tout à coup du champ et de la hauteur, corrigeant en quelques lignes la rigidité de ses lois. C'est alors qu'il écrivait : « L'on ne peut juger de la musique que par le rapport de l'ouïe; et la raison n'y a d'autorité qu'autant qu'elle s'accorde avec l'oreille. Quand nous composons de la musique, ce n'est pas le temps de rappeler des règles qui pourraient tenir notre génie en esclavage... La vraie musique est le langage du cœur. »

L'ŒUVRE DE RAMEAU

L'œuvre instrumentale de Rameau est brève, surtout si l'on songe qu'elle représente trente années de sa carrière : trois recueils pour clavecin, et les *Pièces de Clavecin en concert*, dénommées aussi *Concerts en Trio*, d'après leur version originale pour clavecin, violon ou flûte, basse, qui sont d'ailleurs un ouvrage tardif puisqu'elles datent de 1741. (Les *Pièces en Sextuor* sont une transcription de ces *Concerts* pour six archets dont le manuscrit n'est pas de la main de Rameau et porte une date postérieure à celle de sa mort.) Les pièces pour clavecin sont élégantes, d'une écriture plus dense, plus étudiée que tout ce qui les a précédées, mais sans le charme de Couperin, pour notre goût du moins. Elles s'efforcent à des développements — la grande *Allemande* des *Nouvelles Suites* par exemple — que leur monothématisme ne favorise guère.

Plusieurs « ramistes » fervents reconnaissent eux-mêmes que les *Pièces en Concerts* sont loin de valoir les *Suites* de clavecin. Comparée à Corelli, à Torelli, leur facture est raide, uniforme, plus simpliste aussi, ne concertant que très timidement. Leur austérité semble surtout répondre à un souci d'étiquette. La danse modérée et empesée domine. Le continuo est implacable dans les mouvements lents, les plus nombreux. Les titres de fantaisie sont sans aucun rapport avec la musique. La mélodie manque par trop du lyrisme, des volutes, de la liberté chantante des Italiens, qui ont aussi une tout autre variété thématique. D'un *Concert* à l'autre, les thèmes sont fort peu différenciés. On s'éloigne trop peu de la chanson à couplets, avec tant de reprises identiques, mais dépourvue de saveur populaire, même dans le monotone *Tambourin*, emprunté cependant au folklore provençal. L'inspiration, dans l'ensemble est très grêle. La fugue française est beaucoup moins évoluée que le contrepoint italien ou allemand.

Si l'on songe que ces ouvrages, *Concerts* et même Suites de clavecin, sont contemporains de Vivaldi, de Sammartini, de Domenico Scarlatti, des *Concertos Brandebourgeois*, du *Clavecin bien tempéré*, des *Variations Goldberg* de Bach, il faut bien avouer la minceur de la contribution de Rameau à la musique instrumentale de son époque.

Mais c'est à son œuvre théâtrale que l'on doit juger cet homme, puisqu'elle fut le but de sa vie, qu'il écrivait ses danses du clavecin pour démontrer ses aptitudes à la scène.

Si attentivement que nous relevions les dissonances, les quartes hétérodoxes, les ruptures de rythmes de ces opéras, il nous est impossible de concevoir la surprise, l'hostilité qu'ils provoquèrent chez leurs premiers auditeurs. Leur musique nous apparaît surtout très sage, trop prévue. Nous la rattachons aussitôt à la tradition de Lully, dont les vieux amateurs de 1733 opposaient les « douces harmonies » aux « sauvageries » et au « galimatias » de M. Rameau. Le Bourguignon reprenait au Florentin de Louis XIV le style du récitatif français, plus chantant que celui des Italiens, tranchant moins avec les airs, le rôle des chœurs, de la « symphonie » pour les danses et les descriptions, mais avec une substance plus riche, plus originale, d'un métier beaucoup plus raffiné. D'où le reproche qu'on lui assenait et que l'on rééditera pour tant de novateurs, de mettre dans un seul de ses opéras « trop de musique » — « cette profusion de doubles croches », disait Voltaire — et une musique trop savante, « trop travaillée ». C'est du moins ce que nous déduisons des documents du temps, en plaignant nos ancêtres pour l'étroitesse de leur goût et de leurs oreilles.

Nous voyons plus aisément la place historique de Rameau. Si ses airs, comparés à ceux des Napolitains, semblent toujours avoir les ailes un peu rognées, par son récitatif expressif, tendant à l'arioso, il crée un principe d'unité musicale qui fraie la voie à Gluck, et par lui relie jusqu'à un certain point au XIXe siècle le Dijonnais qui avait déjà trente ans à la mort de Louis XIV.

L'obstacle entre le théâtre de Rameau et nous, c'est son obéissance à l'esthétique versaillaise du siècle précédent, à une mythologie surannée, s'aggravant de l'indifférence ou du manque de discernement de Rameau, le mauvais élève des Jésuites, pour les textes que lui confectionnaient les versificateurs, avec cette circonstance atténuante qu'il vécut dans la période la plus médiocre de la poésie française.

Le livret du premier opéra de Rameau, *Hippolyte et Aricie* (1733), est une décoction fournie par l'abbé Pellegrin de la *Phèdre* racinienne, qui impose à l'auditeur des comparaisons accablantes. Mais le découpage est peut-être encore plus déroutant que n'est plate la galanterie du « poème ». Thésée, déjà persuadé par Œnone que son fils convoite sa belle-mère, surgit au milieu de la scène où Phèdre, qui vient de se déclarer à Hippolyte, s'empare pour se tuer de l'épée du jeune prince qui la lui arrache difficilement. Mais à cet énorme scandale succède sans transition la liesse du peuple célébrant le retour du roi avec un chœur très alerte et des danses rustiques évoquant la musette.

Il ne s'agit pas, bien entendu, d'un contraste shakespearien, mais d'une règle intangible sur l'alternance des morceaux tragiques et des « divertissements ». Après avoir vu Hippolyte trépasser dans les flammes que vomit le monstre marin, nous assistons à sa résurrection, son retour, porté sur un vol de Zéphyrs, dans le jardin où l'attend Aricie. Dans *Castor et Pollux,* les deux frères si tendrement unis bien qu'ils aiment la même jeune fille, Télaïre, fille du Soleil, Castor vient d'être tué au lever du rideau. Télaïre se désespère. Pollux entre. Il a déjà vengé son frère, tué son assassin. Mais cette situation sanglante n'empêche pas que l'on prenne le temps d'un « divertissement de réjouissance », avec force danses des guerriers. Au second acte, Pollux demande à Jupiter de ramener à la vie son frère que pleure toujours Télaïre, en proposant de prendre sa place aux Enfers. Mais nous n'en saurons pas davantage pour l'instant sur la suite de cette magnanime démarche, car il faut que se déroule le « Divertissement des Dieux », avec cortège d'Hébé, déesse de la jeunesse, danses et chœurs d'ailleurs très gracieux de ses suivantes.

Cette dichotomie, cependant, n'empêchait pas Rameau d'écrire pour ses héros, entre deux scènes de ballet, de beaux airs graves, douloureux, d'une pathétique sincérité, le « Puissant maître des flots » de Thésée, le célèbre « Tristes apprêts, pâles flambeaux » de Télaïre, la plainte de Pollux, « Nature, amour qui partagez mon cœur », qu'admirait tant Debussy.

Toutes les tentatives pour ranimer au théâtre ces très réelles beautés avaient néanmoins échoué jusqu'après la dernière guerre. Elles participaient d'une mélomanie très digne, mais doctorale, d'une languissante austérité. Tout à coup, ce fut la surprise, à l'Opéra de Paris, du long succès des *Indes Galantes* auprès du plus grand public. Un directeur venu du Châtelet au Palais Garnier, ce qui est significatif, avait, en vieil homme de théâtre, mieux compris que les musicographes le véritable style des ouvrages de Rameau, celui du spectacle à grande mise en scène, qui tenait lieu pour son époque de revue, de « variétés », une sorte de music-hall distingué, auquel ne dédaignaient pas de collaborer le premier compositeur français du siècle et son meilleur décorateur, le peintre-architecte Servandoni. Pour cette ingénieuse restitution d'un genre dont la fortune dura plus de cent ans, on pouvait pardonner quelques renforcements de l'orchestre dont s'offusquèrent les puristes, et qui auraient du reste enchanté Rameau, puisqu'il regrettait sans cesse de ne pas disposer d'un nombre suffisant d'instruments.

Les Indes Galantes se prêtaient admirablement à cette expérience. On y fait le tour du monde parmi les sauvages emplumés, les Barbaresques, les odalisques, les amazones, les panthères de l'imagerie exotique du XVIIIe , dont on peut si facilement réveiller le surréalisme virtuel. Bien que la chorégraphie, tout entière « à plat », soit encore très primitive, les danses gagnent musicalement à être illustrées par les costumes et les pas, au lieu d'être détachées de leur fonction comme lorsqu'on les exécute au concert où elles deviennent vite monocordes. Il y a surtout dans *les Indes Galantes*, comme un opéra autonome à l'intérieur du spectacle, l'acte, ou « l'entrée », comme on disait au temps de Rameau, des Incas, avec rivalité du chef indien Huascar et du conquistador Carlos, épris tous deux d'une belle Péruvienne, cérémonie de l'adoration du Soleil, tremblement de terre, éruption d'un volcan, sept grands airs, des duos, des trios, des chœurs recueillis, joyeux ou terrifiés, l'instrumentation éclatante d'un orchestre sans cesse en mouvement. Un ensemble aussi éloigné que possible de la musique-bibelot qu'invoquent les contempteurs du romantisme quand ils placent au-dessus de tout « un petit air de Rameau discret et si joliment dessiné », et révélant ainsi la médiocrité de leur information. La couleur, l'imprévu de l'acte des Incas nous font plutôt songer à la force, aux innovations que recelait un tempérament tel que celui de Rameau, mais qui devançaient trop son siècle pour pouvoir s'y épanouir.

On a encore réhabilité au festival d'Aix-en-Provence, quoique avec un succès moins franc, *Platée*, « ballet bouffon », un sous-titre qu'il ne faut pas prendre trop à la lettre, car les plaisanteries restent discrètes dans cette mythologie où Jupiter, pour faire une farce à la soupçonneuse Junon, feint de s'éprendre d'une nymphe ridicule. On y entend des grenouilles et des faunesses fort bien élevées. L'air de la Folie, ariette da capo avec cocottes et broderies, dans lequel Rameau avait mis, paraît-il, des intentions parodiques, est surtout charmant, de la musique pour une « Assemblée » de Watteau, comme plusieurs autres jolies pages, « symphonies », airs et danses, de la partition. Les compositeurs français avaient encore tout à découvrir du comique musical. Mais *Dardanus*, qui est une sorte de conte de fées, mériterait presque au même titre que *Les Indes Galantes* de solliciter un metteur en scène ingénieux. Et *Castor et Pollux* renferme tous les éléments d'un brillant spectacle d'époque, à la condition qu'on le stylise fastueusement et que l'on ne pousse pas trop au tragique ses épidodes « affreux ».

La malchance de ce répertoire, vocalement assez facile, mais qui réclame cependant de la puissance et de l'agilité, c'est qu'il n'intéresse pas les vedettes du chant. Et si l'on fait toujours retenir très haut le nom de Rameau dans les harangues et les manifestes de notre patriotisme musical, la dernière grande étude française sur lui, le volume de Paul-Marie Masson, depuis longtemps introuvable, date de 1930. Le seul livre moderne, complet et accessible, est l'ouvrage d'un Anglais, le *Jean-Philippe Rameau, his life and work* de Cuthbert Girdlestone. C'est d'ailleurs à l'édition anglaise que nous devons encore le travail fondamental sur Couperin, celui de Mr. Wilfrid Mellers, paru en 1950.

LA QUERELLE DES BOUFFONS

Le 1er août 1752, une troupe de chanteurs italiens inaugurait à Paris avec *La Serva Padrona* de Pergolèse une série de représentations d'opéras-bouffes napolitaines qui allaient durer dix-huit mois. Ce n'était pas à proprement parler une nouveauté pour les Parisiens, puisque *La Serva Padrona* avait déjà été jouée six ans plus tôt à l'Opéra par une autre compagnie italienne, mais dans l'incuriosité générale, peut-être par la faute des interprètes. Cette fois, le succès fut immédiat, prodigieux, s'étendant à la douzaine d'autres *intermezzi* de bien moindre valeur que les Italiens avaient apportés, œuvrettes de Jommelli, Durante, Vinci et d'auteurs anonymes, dont les titres indiquent le contenu : *Le Médecin Ignorant, La Fausse Polonaise, Le Chinois Rapatrié*, plus un livret de Goldoni mis en musique par Ciampi, *Bertoldo à la Cour*, sur le thème moralisateur, qu'imiterait bientôt la comédie bourgeoise française, du paysan vertueux préférant sa vie rustique à la société des grands seigneurs dissolus.

Au mois de novembre, le baron d'Holbach, d'origine allemande, publiait sans le signer un opuscule où, après avoir célébré les « Bouffons » italiens par des antiphrases médiocrement spirituelles, il reléguait l'opéra français parmi « les barbaries gothiques », l'épithète la plus méprisante à l'époque. Ce libelle ouvrait les hostilités entre les partisans des Italiens et les défenseurs de la tragédie lyrique française, ceux-ci divisés en « ramistes » et en vieux conservateurs lullystes.

Une brochure de Grimm, autre Allemand de naissance, *Le Petit Prophète de Boehmischbroda*, qui plaidait pour les Italiens en parodiant bizarrement le style biblique, jeta bientôt de l'huile sur le feu. C'était la première de ces fameuses batailles – *Tannhäuser, Le Sacre du Printemps* – qu'aucun scandale littéraire, pictural, théâtral n'a égalées en violence, une violence qu'elles puisent dans les sentiments bruts qu'ébranle la musique, mais aussi dans la difficulté de la plupart des belligérants à les exprimer clairement. L'abbé de Voisenon répliqua à d'Holbach et à Grimm pour exalter Rameau. Des pamphlets de l'un et l'autre bord, de plus en plus virulents, surgissaient presque quotidiennement. Les « Français », dont les partisans les plus déterminés se réunissaient à l'Opéra sous la loge de Louis XV, formaient le « coin du Roi » et avaient avec eux Mme de Pompadour. Le « coin de la Reine » était celui des « Bouffons ». Il y eut entre les deux camps des pugilats à poings nus, des duels, des cabales sanctionnées par des lettres de cachet. Au milieu de cette fureur, la grave crise entre la Cour et le Parlement, l'exil de la Grand-Chambre à Pontoise, qui en d'autres moments auraient affolé Paris, passèrent inaperçus : « Imaginez, écrivait Cazotte, le désordre d'une guerre en même temps étrangère et civile. »

En novembre 1753, l'intervention de Jean-Jacques Rousseau, avec sa *Lettre sur la Musique française*, déniant à celle-ci toute existence dans le passé, le présent et l'avenir, mettait le comble au hourvari.

La prose déchaînée de Jean-Jacques a laissé de tels souvenirs qu'aujourd'hui encore, beaucoup d'historiens perdent leur sang-froid lorsqu'ils parlent de la « Querelle ». On peut imaginer cependant sans grand-peine la surprise joyeuse des spectateurs parisiens, des plus jeunes surtout, qui voyaient soudain, sur la scène vouée depuis un siècle à la pompe des mythologies et des allégories, aux danses gourmées des ballets héroïques, gesticuler, se chamailler, s'esclaffer le petit peuple familier des *intermezzi* napolitains, les barbons, les lazzaroni, les soubrettes futées, les entendaient dialoguer, monologuer en mélodies légères et rapides ou caricaturant gaiement la grandiloquence des Didons et des Cyrus. Nous le disions plus haut à propos de *Platée* : les Français soupçonnaient à peine le comique musical ; l'opéra bouffe leur révélait ses inimitables inventeurs.

D'autre part, comme il lui est arrivé si souvent au cours de son histoire, l'Opéra de Paris traversait une assez mauvaise passe. Il comptait deux ou trois vedettes, Mlle Fel, Jélyotte, mais le gros de la troupe était de troisième ordre. Si Rameau, avec son humeur cassante, obtenait une certaine discipline pour la création de ses ouvrages, les exécutions du répertoire étaient routinières, flottantes. (Après l'épisode des Bouffons, cette situation ne dut guère s'améliorer, puisque vers 1770 la charmante Sophie Arnould, celle dont Mme de Pompadour disait qu'elle avait « de l'aventure et du roman dans le regard », l'interprète la plus applaudie de l'*Aricie* de Rameau, s'indignait et quittait le plateau parce qu'un chef d'orchestre osait lui demander timidement de suivre un peu la mesure.) Les Parisiens découvraient avec la troupe italienne des voix étendues, bien timbrées, cultivées, ignorant l'effort, des musiciens-acteurs d'une précision métronomique, qui pouvaient gambader, se tordre de rire, sangloter à fendre l'âme sans déroger d'un demi-temps. C'est une sensation que nous connaissons bien lorsque des compagnies et des orchestres étrangers nous visitent et nous imposent d'assez humiliantes comparaisons avec le train-train approximatif de notre vie musicale. Le baron d'Holbach avait raison de mettre en parallèle la longue et méthodique formation des chanteurs italiens et notre enseignement du chant, écourté, désordonné, tolérant d'étranges faiblesses, dans le solfège par exemple, basé sur des principes douteux. Tout cela reste actuel.

Mais un énorme malentendu faussait dès le départ cette querelle. On prétendait juger des mérites musicaux de la France et de l'Italie d'après deux genres absolument différents, l'un très soutenu, l'autre du ton de la bouffonnerie. (L'opéra-comique français, encore à moitié forain, était exclu du débat.) Diderot seul, bien que défavorable à Rameau, s'était avisé de cette confusion, en observant que la confrontation aurait dû porter sur l'*opera seria* italien et la tragédie lyrique française, que l'on ne se serait pas battu plus sottement en voulant prouver que les farces de Molière étaient mauvaises parce que les tragédies de Racine et de Corneille étaient bonnes, ou l'inverse. Mais cette remarque de bon sens se perdait dans les remous de la polémique où les hommes de lettres, les journalistes, les gens du monde menaient le plus grand bruit, noircissaient du papier et dégoisaient avec toute l'assurance des ignorants, où l'esprit de coterie faisait préférer les plus grosses bêtises, poussait le « Coin du Roi » à porter aux nues une plate imitation de Rameau, *Titon et l'Aurore* de Mondonville.

Les musiciens, pour leur part, se manifestaient peu. Quant aux chanteurs italiens, durant toute cette guerre qu'ils avaient provoquée bien malgré eux, ils ne sortirent pas un instant de leur silence d'hôtes prudents.

Venons-en à Jean-Jacques. Son entrée en campagne était d'autant plus imprévue et fracassante qu'il pouvait se compter parmi les musiciens français, puisqu'il avait fait jouer six mois plus tôt à l'Opéra, alors que la Querelle flambait déjà, son œuvrette, *Le Devin du Village*, dont chaque mesure est pétrie de tradition française, airs populaires, chansons et petits chœurs de vaudevilles. Mais il y eut bien d'autres contradictions chez cet éternel cyclothymique. Le succès du *Devin* lui avait probablement aussi monté à la tête. Il se prenait pour un vrai compositeur. Il oubliait que s'il savait inventer de jolies ariettes sentimentales, il était incapable d'harmoniser et d'instrumenter sans aide. Les représentations des Bouffons réveillaient encore les souvenirs de ses soirées vénitiennes, où il se gorgeait avec délices d'opéras italiens. Enfin, dépassé, comme beaucoup de gens de lettres par les livres théoriques de Rameau, il était ravi d'en tirer vengeance avec des arguments pseudo-musicaux.

De nombreux auteurs se sont débarrassés un peu trop vite de sa *Lettre sur la Musique* en n'y voyant qu'absurdités et mauvaise foi. Rousseau a été l'un des premiers à analyser une évidence maintenant archireconnue : que la langue française, avec son faible relief, son absence d'accents, ses syllabes muettes, n'appelle pas, ne porte pas naturellement le chant comme l'italien. Ses observations sur les deux syntaxes française et italienne, cette dernière plus favorable à la mélodie avec son verbe fermant la phrase musicale en même temps que la cadence, sont fines, on y reconnaît l'écrivain harmonieux, sachant peser le nombre de sa prose au « secret trébuchet » dont parle André Gide. Il n'a certainement pas tort de proposer aux chanteurs et aux instrumentistes français qui ne connaissent que « le doux et le fort » tout le clavier de nuances que les Italiens ont créé, baptisé avec des termes passés dans le langage de la musique universelle.

Mais de l'aveu même qu'il en a fait dans ses *Confessions*, le bagage technique de Jean-Jacques était très léger. Quand il se risque à quelques définitions, il commet des bourdes, des non-sens qui ne pouvaient que le disqualifier aux yeux des professionnels. Dès que cet excité généralise, il déraille. Ecrire que « les Français n'ont point de musique, ne peuvent en avoir, ou

que si jamais ils en ont une ce sera tant pis pour eux », c'était de
la provocation, et d'un polémiste bien mal renseigné, dans un moment où les œuvres de Couperin, de Leclair, de Rameau rayonnaient
jusqu'en Allemagne du Nord. On retrouvera dans la bouche de
tous les « Philistins » du XIXe siècle ses puériles diatribes contre
« la musique savante ». Il ne se doute pas, et Grimm, d'Holbach
pas davantage, bien qu'ils soient nés outre-Rhin, que l'art le plus
savant, celui de quelques Allemands de génie, va décider de tout
le développement futur de la musique.

Jean-Jacques se laissait encore emporter par son caractère à la
fois rigide et véhément, son don de l'invective et du paradoxe. Il
eût beaucoup mieux fait de se tenir tranquille, comme en tant
d'autres circonstances de sa vie. Il n'avait guère que des horions à
récolter dans cette bagarre. Il se donna des gants en prétendant
plus tard qu'il avait pris le parti de la minorité éclairée, « le coin
de la Reine » qui ne réunissait qu'un petit peloton, tandis que
l'autre « remplissait tout le parterre ». En fait, les gens du bel
air, les salons, les étourdis, les ignorants étaient tous du côté des
Bouffons, avec le renfort de la plupart des Encyclopédistes. Les
vrais connaisseurs se comptaient plutôt chez les « Ramoneurs ».
Avec sa manie de la persécution, Jean-Jacques outra beaucoup les
dangers qu'il courut, tel l'imaginaire projet de l'assassiner fomenté
par les instrumentistes de l'Opéra qu'il avait injuriés. Il se vante
en prétendant que sa *Lettre* « écrasa le Coin du Roi ». Dix lignes
plus bas, dans les *Confessions* – il n'a pas dû se relire – il écrit
d'ailleurs que cette *Lettre* « souleva toute la nation contre lui »,
ce qui est bien moins éloigné de la vérité. Il réconciliait en effet
sur son dos lullystes et ramistes. Le Coin de la Reine avait beau
le féliciter, Rousseau était allé trop loin, il desservait son parti.
Il avait laissé percer une gallophobie contre laquelle l'amour-
propre français se rebiffait. La plupart des pamphlets publiés
après sa *Lettre* prennent la défense de l'art national en houspil-
lant sévèrement son contempteur.

Les « Ramoneurs » restèrent finalement maîtres du terrain. On
fit un triomphe à une reprise de *Castor et Pollux*. Et Rameau lui-
même, tandis que les Bouffons quittaient Paris – en mars 1754 –
apportait enfin dans ses *Observations sur notre instinct pour la musique* la réfutation solide d'un homme de métier aux fantaisies, aux
inconséquences, aux bévues de Rousseau et des autres littérateurs.
Trois mois plus tard, les Parisiens avaient tout oublié de la polémique
dans laquelle ils s'étaient entredéchirés durant un an et demi.

Bien que victorieuse de cet adversaire napolitain qui ne lui voulait du reste aucun mal, la tragédie lyrique française avait ses jours comptés. Son dernier champion, Rameau, entrait dans la vieillesse. Liée à la monarchie -- ce qui éclaire le parti pris, plus politique qu'artistique, des Encyclopédistes dans la guerre des Bouffons -- elle devait avec elle décliner et disparaître. Les dernières représentations de Rameau eurent lieu peu avant la Révolution. A cette date, le véritable héritier de l'opéra lullyste et ramiste était un Allemand, le chevalier Gluck. Et c'est pour cet Allemand ou son rival italien Piccini que les Parisiens s'étaient battus à nouveau.

Le petit opéra-comique français, dont personne ne s'était soucié durant la querelle, allait au contraire tirer grand profit de l'exemple de l'opéra bouffe italien, mais sans jamais parvenir à égaler ses quelques chefs-d'œuvre.

CHAPITRE VIII

HAENDEL

Georg Haendel, fils d'un maître chaudronnier silésien mais installé en Saxe, chirurgien de son état, devenu chambellan du duc de Saxe puis du Prince-Electeur de Brandebourg grâce à sa réputation d'honorabilité et de labeur, avait épousé en secondes noces à plus de soixante ans la fille d'un pasteur luthérien, Dorothée Taust, de trente ans plus jeune que lui, et dont il eut quatre enfants. Le deuxième de ces enfants, Georg-Friedrich, né à Halle-sur-Salle le 23 février 1685, moins d'un mois avant Jean-Sébastien Bach, était le futur auteur du *Messie*.

Si la précoce vocation musicale du garçon chiffonna quelque peu son père, qui rêvait pour lui une carrière de juriste, il ne l'entrava pas longtemps, puisque dès sa douzième année, Georg-Friedrich, tout en poursuivant au lycée de Halle ses études classiques, était déjà l'élève favori du célèbre et savant organiste Zachow : formation de base à l'orgue, traditionnelle à cette époque, qui mettait un gagne-pain sûr dans les doigts du débutant, et le rompait aussi à la polyphonie. Zachow, homme érudit, y ajoutait des analyses poussées de tous les vieux maîtres italiens et allemands du contrepoint.

Respectueux des désirs de son père qui était mort en 1697, Haendel, au sortir du lycée, se faisait inscrire aux cours de droit de la nouvelle université de Halle. Mais en même temps, à dix-sept ans, il devenait organiste suppléant de la cathédrale, écrivait ses premières pièces, des sonates pour deux hautbois.

Il se sentit bientôt à l'étroit dans sa ville natale. Il était attiré par Hambourg et son célèbre théâtre. Il s'y fit engager comme violoniste, et sans la moindre hésitation sur la voie artistique qu'il devait prendre, composa au fil de la plume deux opéras italiens, *Almira* et *Nero*, représentés avec un grand succès : il avait à peine vingt ans. Mais le théâtre de Hambourg, mal géré, était au bord de la ruine. Sans s'attarder davantage, le jeune Haendel fila en Italie, où il comptait sur la protection de Gaston de Médicis. Il allait y rester plus de quatre ans, écrivant toujours avec le même succès un opéra nouveau, *Rodrigo*, pour Florence, un autre, *Agrippina*, pour Venise où on le porta en triomphe, composant entre-temps des cantates, des psaumes, des oratorios latins, lié avec les Scarlatti, Lotti, Corelli, Marcello, reçu à Naples, à Rome chez les princes, les cardinaux mécènes, se taillant partout de surcroît une réputation de virtuose à l'orgue et au clavecin.

Sur le conseil d'un de ses premiers protecteurs, le cardinal, ambassadeur et mélomane Steffani, Haendel acceptait en 1710 la direction de la chapelle du prince-électeur de Hanovre, mais sollicitait presque aussitôt un congé pour aller présenter à Londres, où on l'accueillit très bien, un nouvel opéra, *Rinaldo*. Revenu pour quelque temps à Hanovre, mais réclamé par la Cour d'Angleterre et les amateurs londoniens, il obtenait un second congé, « à la condition qu'il fût de retour dans un délai raisonnable ».

Au bout de deux ans, le maître de chapelle n'était toujours pas rentré. Il habitait élégamment à Picadilly. Il avait pris goût au confort, à la liberté de la vie anglaise (l'époque était fort peu puritaine). Il plaisait à la reine Anne, qui lui avait commandé pour la paix d'Utrecht un *Te Deum* brillamment exécuté à la cathédrale Saint-Paul. Au mois d'août 1714, une nouvelle imprévisible le mettait subitement dans ses petits souliers. Le successeur de la reine Anne qui venait de mourir était son maître et seigneur dont il avait si parfaitement négligé le service, l'Electeur de Hanovre, proclamé roi d'Angleterre sous le nom de George Ier. Le déserteur pouvait redouter une complète disgrâce. Mais le souverain voulut bien se dire heureux de retrouver dans sa nouvelle capitale son musicien favori, qui lui dédia les superbes fanfares de sa *Water Music* pour une fête sur l'eau. George Ier, en 1716, emmena même avec lui à Hanovre Haendel qui pendant ce voyage écrivit l'une de ses rares œuvres allemandes, *La Passion selon Brockes*.

De 1717 à 1720, Haendel mena une existence laborieuse et dorée à la direction de la chapelle privée du duc de Chandos, composant les onze *Chandos Anthems*, grands motets pour chœur, soli, orchestre, orgue, des *Te Deum*, la pastorale d'*Acis et Galatée*, ses suites de pièces pour clavecin. Au début de 1720, le roi George le tirait de cette retraite pour lui confier, en tiers

avec Bononcini et un nommé Ariosti, la direction du théâtre de la
Royal Academy of Music, destiné à représenter des opéras italiens.

Haendel revenait ainsi à sa vocation première, et s'en découvrait
une autre, non moins dévorante, celle d'imprésario. Il se lançait
dans un combat de vingt années contre le public, contre les impératifs de l'argent, où n'importe quel homme un peu moins robuste
aurait laissé sa peau. Au cours de huit années, tout en vaquant
chaque jour à l'administration d'une entreprise très lourde et
constamment chancelante, en s'empoignant avec les chanteurs
rétifs, les fournisseurs malhonnêtes, en conduisant les répétitions,
il écrivit douze opéras, dont *Radamisto, Ottone, Alessandro, Ro-
delinda, Cesare.* Les tiraillements avec Bononcini, protégé du
prince de Galles, qui cherchait à l'évincer, firent avorter tous ses efforts. En 1727, le roi George, son meilleur soutien, mourait. L'année
suivante, surgissait un concurrent inattendu, le *Beggar's Opera
(L'Opéra de Quat'sous)* sur un livret virulent de John Gay, choi-
sissant ses héros, le souteneur Mackie, la prostituée Polly Peachum
dans la pègre londonienne, illustrant avec eux une moralité à la
Swift et à la Hogarth : les riches sont aussi vicieux que les pauvres,
mais les pauvres seuls sont punis. La musique, cuisinée par un
certain Pepusch, compositeur d'origine allemande, était empruntée à des mélodies populaires anglaises, irlandaises, écossaises,
entremêlées de parodies d'airs d'opéras, y compris ceux de Haendel.
Le succès inouï de ce spectacle, fort explicable d'ailleurs, car le
Beggar's Opera avait un tout autre ragoût que tant de pastorales
et mythologies, porta le coup de grâce à la Royal Academy, qui
fermait ses portes avec un déficit sévère.

Très grand de taille, Haendel était devenu à cette époque de sa
maturité un colosse d'une corpulence et d'une charpente formidables, haut en couleur sous sa monumentale perruque blanche,
l'œil saillant, le regard droit, prêt à foudroyer l'adversaire, mais
avec un fond d'humour. A table, il engloutissait des victuailles,
de la bière, du vin qui eussent rassasié quatre convives de bel
appétit. Ses colères étaient gigantesques, comme son coffre et
sa voix. Il sacrait, hurlait en quatre langues, l'italien, l'allemand,
l'anglais, le français, dont il faisait un salmigondis explosif (il
semble avoir fort bien possédé le français, dans lequel est rédigée,
très correctement, presque toute sa correspondance). Il terrifiait
ses orchestres. Il saisissait à pleins bras une cantatrice rétive, la
portait comme une plume jusqu'à la fenêtre la plus proche et
menaçait de la laisser choir sur le pavé si elle ne lui obéissait pas

à l'instant. Son besoin d'indépendance, qui lui avait fait rompre plusieurs projets de mariage, s'était exaspéré dans les difficultés de son métier. Il envoyait paître les protecteurs et seigneurs de n'importe quel rang. Si les princesses royales se permettaient d'arriver en retard à un de ses concerts, il se retournait vers elles et les engueulait nommément. Ce personnage tonitruant savait d'ailleurs, dès qu'il le voulait, réparer par une plaisanterie où il ne s'épargnait pas lui-même les dégâts qu'il venait de commettre. Et ce fut le plus charitable des hommes, dépensant une vraie fortune en legs aux hôpitaux, aux musiciens pauvres, aux enfants assistés, bien que les soucis d'argent l'eussent longtemps talonné.

Une seconde société, après le naufrage de la première, renfloua l'Academy, en 1729. Haendel s'associa avec un régisseur pour exploiter le théâtre, s'en alla recruter des chanteurs en Italie. C'est au retour de ce voyage, comme il s'était arrêté à Halle auprès de sa mère malade, que Jean-Sébastien Bach l'invita à venir le voir à Leipzig. Mais on attendait impatiemment Georg-Friedrich à Londres, et la rencontre des deux maîtres n'eut jamais lieu.

Haendel s'enfonçait dans une existence infernale. Il lui fallait écrire deux ou trois opéras par an, *Lotario, Partenope, Poro,* veiller à tous les détails de chaque spectacle, lutter surtout avec Porpora, qui dirigeait maintenant le théâtre rival, le King's Theatre, débauchait les meilleurs chanteurs de l'Allemand. L'Academy fit banqueroute une seconde fois. Haendel ouvrit alors son propre théâtre, à Covent Garden, écrivant *Arianna, Ariodante, Alcina, Atalante, Giustino, Berenice,* et pour se détendre la majeure partie de sa musique instrumentale. Porpora ne désarmait pas. A la fin du compte, les deux rivaux furent ruinés presque en même temps, Haendel, à force de surmenage, était frappé d'une attaque, paralysé, donné pour mort (1737).

Six mois aux eaux d'Aix-la-Chapelle rétablirent sa puissante machine. Il rentra directement en Angleterre. Mais cette fois, il abandonnait l'opéra pour se consacrer à l'oratorio. Il eut encore à se défendre péniblement contre l'hostilité des Anglais, du gros public xénophobe et musicalement inculte, de l'aristocratie londonienne qui maintenant que Haendel avait quitté l'opéra italien, trouvait très « fashionable » de s'y donner rendez-vous les jours de ses concerts, que le maître dirigeait devant des salles aux trois quarts vides. Son entreprise de concerts périclita, le ruinant une seconde fois.

Cette animosité ne céda que grâce à des circonstances extra-musicales. En 1746, lors de la victoire décisive à Culloden du duc de Cumberland sur l'armée débarquée de Charles-Edouard, le dernier prétendant des Stuart, Haendel célébra l'événement par un *Occasionnal Oratorio* et son *Judas Macchabée*, l'oratorio de la guerre, dont le grand chœur, *See, the conquering hero comes* (voyez, c'est le héros victorieux), souleva l'assistance. Cette manifestation de loyalisme naturalisait l'ours saxon. Les Anglais l'installaient désormais parmi leurs gloires nationales, un tel honneur valant bien sans doute à leurs yeux les trente années d'avanies qu'ils lui avaient fait subir.

Haendel, durant quelques années, put travailler plus sereinement, surtout à ses oratorios bibliques. En 1750, il fit un voyage en Allemagne pour revoir Halle. Au début de l'année suivante, il ressentit de graves troubles de la vue. C'était la cataracte, dont on l'opéra trois fois sans résultat. Complètement aveugle, il cessa d'écrire, ne parut plus en public que pour tenir l'orgue dans des concerts au bénéfice de ses fondations de charité. Luthérien de confession, mais indifférent à toute pratique religieuse durant le cours de sa vie, il devint très pieux dans ses derniers temps et s'éteignit fort chrétiennement le Samedi Saint de 1759. Son tombeau est à Westminster, parmi ceux des grands poètes anglais.

LA MUSIQUE DE HAENDEL

Le temps est révolu où les histoires de la musique traitaient *ex aequo* dans un chapitre commun de Bach et de Haendel. Parce que nous les connaissons beaucoup mieux l'un et l'autre, nous savons que leur rang et leur taille ne sont pas comparables.

Outre quantité de pièces instrumentales, d'airs, de duos et de trios vocaux, Haendel a laissé quarante opéras, douze concertos pour orgue et orchestre, dix-huit concertos grossos, cinq *Te Deum*, deux *Passions*, et trente-deux oratorios, dont les célèbres oratorios bibliques, sur des textes anglais, presque tous composés après qu'il eut renoncé eu théâtre : *Esther, Athalie, Deborah, Saül, Israël en Égypte, Le Messie, Joseph et ses frères, Samson, Belsazar, Judas Macchabée, Josué, Salomon, Susanna* et *Jephté.*

L'abondance de cette œuvre, la rapidité avec laquelle elle vint au jour, ne nous étonnent pas, dans un siècle où elles étaient la règle. Ce que nous pouvons remarquer, c'est que Haendel travaillait aussi vite que les Italiens sur des partitions de bien plus longue haleine, d'une forme plus soutenue. Nous sommes exactement renseignés par les dates qu'il portait sur ses manuscrits. Il ne lui fallait souvent pas plus de deux à trois semaines pour composer un opéra. Les librettistes ne parvenaient pas à suivre sa cadence. Il lui arrivait d'écrire la musique d'un acte sans savoir de quoi le second serait fait. En attendant la suite du livret, il entamait un autre ouvrage. Son *Israël en Égypte* lui demanda moins d'un mois, *Le Messie* (deux heures et demi de musique !) vingt-quatre jours.

Il ne pouvait maintenir un tel train qu'en utilisant quantité d'éléments préfabriqués. Devant ce défilé de formules, nous ne sommes plus émerveillés du tout par les records de l'auteur. Nous aurions préféré qu'il ralentît sa plume pour prendre le temps de renouveler un peu son vocabulaire. Même ses concertos pour orgue et orchestre – une combinaison dont il fut pratiquement l'inventeur – qu'il exécutait en intermèdes durant ses oratorios, si séduisants qu'ils soient de sonorité et d'allure, restent dans leur ensemble de la musique débitée en série.

C'est dans ses opéras qu'il s'abandonna le plus à ses facilités. Lorsque de temps à autre des compagnies allemandes ou anglaises les remettent en scène, on les écoute avec le respect dû à son nom, garant de « grande musique ». Il y adopte cependant, sans le moindre examen, les conventions des Napolitains les plus relâchés. Les livrets italiens reproduisent presque tous des canevas qui ont servi dix ou vingt fois : *Alcina* (1735), l'un de ces opéras qui nous est le plus familier parce que Joan Sutherland lui a prêté son grand soprano, démarque même la fable de Circé qui faisait déjà le fond des ballets de cour français de la Renaissance. Haendel semble appliquer d'ailleurs indifféremment ses recettes à chacun des sujets qu'on lui offre, et qui ne méritent guère plus d'attention avec l'enchevêtrement saugrenu de leurs péripéties et leurs personnages schématisés. Les chœurs d'*Ariodante*, d'*Alcina*, d'*Atalanta*, où Naples aurait sans doute vu un excès de musique, tranchent aussitôt par leur vigueur sur le dévidement imperturbable des arias da capo. Mais leurs interventions sont assez rares. L'emploi des voix de basses, inusité dans l'*opera seria*, le relief des courts intermèdes instrumentaux, les airs vifs chantés sur des rythmes de danses, ne sont malgré tout que des variantes de détail dans l'uniformité de la cérémonie.

Sans les déboires financiers qui le firent renoncer à son industrie théâtrale, Haendel n'aurait-il donc été qu'une sorte de Hasse, un autre Saxon plus mâle mais guère moins italianisé ? On admet mal cependant, tant ses dons le portaient à ces grands tableaux sonores, qu'il ait pu se rabattre sur l'oratorio pour des raisons d'abord commerciales, parce que ces ouvrages étaient moins coûteux à monter, se transportaient plus aisément.

Mais peu importent les circonstances, puisque les oratorios de la maturité de Haendel demeurent parmi les monuments vivants de la musique classique. Ce n'est pas qu'il y fasse toujours de grandes dépenses d'imagination. Les premiers chœurs d'*Israël en Égypte* sont empoignants. Mais au cinquième ou sixième (l'œuvre en comporte dix-neuf, contre seulement quatre arias et quatre récitatifs), l'auditeur commence à fléchir sous cette glorification incessante et martiale du Seigneur. *Le Messie* lui-même, cette épopée de la vie du Christ depuis les prophéties qui l'annoncent, se ressent d'une composition trop précipitée.

C'est à son insu que Haendel, beaucoup trop pressé pour se soucier d'être original — un adjectif qui ne signifiait pas grand-chose à son époque et dans son métier — imprime à ses œuvres une personnalité aussitôt reconnaissable : celle d'une musique colossale, édifiée par un homme d'une constitution herculéenne, qui se délivre avec bonheur dans cet énorme travail de ses réserves de sang et de vitalité comme il le faisait dans ses fameuses colères, y gagne l'équilibre et la sérénité dont rayonnent ses plus belles pages. C'est la musique la plus saine qui ait jamais été écrite, dilatant ses poumons dans les compositions de plein air, la *Water Music*, la *Firework Music* (pour un feu d'artifice), que la stéréophonie, à laquelle elles se prêtent si bien, a popularisées. Les remplissages, les parties creuses sont sauvés par un mouvement aussi naturel et régulier.

Haendel atteint à la majesté par les moyens les plus simples, ce qui permet d'amplifier ses œuvres avec des armées d'exécutants sans les dénaturer. Un art avant tout physique, mais que l'on ne songe plus à discuter quand on est soulevé par l'*Hallelujah* du *Messie*, « Hallelujah ! For the King of Kings and Lord of Lords », ce second hymne national anglais, qu'il est impossible de ne pas « recevoir » debout, selon la tradition que créèrent spontanément les premiers auditeurs du XVIIIᵉ siècle. Un peu éclipsé par la célébrité légendaire de cette page, le chœur final du *Messie*, mariant choral et fugue, avec son prodigieux *Amen*, est du reste non moins irrésistible, d'une richesse d'écriture plus réelle : car celle de l'*Hallelujah*, modulant à peine, se révèle assez fruste si on la regarde d'un peu près, ce qui est un tort, car cette musique n'a jamais été faite pour qu'on la flairât. Et l'on devrait aussi, pour être complet, aiguiller la curiosité des mélomanes, qui les connaissent moins bien, vers les grands chœurs de *Samson*, de *Belsazar*, dans *Salomon* le cortège de la reine de Saba, la fête instrumentale et vocale en son honneur.

On comprend que de tels morceaux eussent été pour Haydn et Beethoven, qui ne connaissaient pas la *Messe* et les *Passions* de Bach, un idéal de grandeur dont ils ne parlaient que religieusement. Qu'ils eussent révéré en leur auteur, sans discussion, une figure magistrale de la musique allemande, cela va un peu moins de soi. Par bien des traits, Haendel est le type des musiciens internationaux de son siècle, se pliant durant vingt ans de sa vie à toutes les conventions de l'opéra napolitain, empruntant dans ses concertos autant aux ouvertures françaises qu'à Corelli, pratiquant de préférence le contrepoint moins serré des Italiens, rendant à Purcell de fréquents hommages, ayant satisfait mieux qu'aucun insulaire de son temps au goût cérémonieux des Anglais. Mais sa langue maternelle, dont il retrouve l'accent plus grave et plus tenu dès qu'il s'écarte des modèles théâtraux de l'Italie — dans ses chorals, dans des airs comme celui de la belle *Ode à sainte Cécile* qu'il dédie à l'orgue, celui de la basse avec trompette précédant le Finale du *Messie* — cette langue est bien celle des vieux contrapunctistes saxons, de Schütz à Krieger et à Zachow, près desquels sa jeunesse se forma. Il a ce sens de la poésie biblique commun à tous les musiciens de l'Allemagne protestante. A l'exception de son assez robuste imitateur William Boyce (1710-1799), seul digne d'être cité dans la déchéance complète de l'école anglaise, tous ses descendants ont été des Allemands, et parmi les plus grands. Le musicien national de l'Angleterre, légalement citoyen anglais durant plus de trente ans de sa vie, appartient bien au rameau germanique.

CHAPITRE IX

JEAN-SÉBASTIEN BACH

PORTRAIT DU CANTOR

On l'a pour ainsi dire canonisé. On a écrit qu'il était le cinquième Évangéliste. On lui a élevé des statues dans maintes églises luthériennes. Cette hagiographie finirait par dissimuler ou glacer sa « figure humaine », si l'on ne s'appliquait à la dessiner, telle qu'elle vit à travers d'innombrables documents.

Il est presque impossible de consulter, tant il est touffu, l'arbre généalogique des Bach, la plus longue et la plus féconde dynastie de toute l'histoire musicale, comme on l'apprend aujourd'hui jusque dans les écoles primaires. Jean-Sébastien, dans les papiers qu'il rédigea sur les origines de sa famille, se donnait pour premier ancêtre connu Veit Bach, un boulanger joueur de cithare, qui avait quitté la Hongrie où il habitait « pour sauvegarder sa foi luthérienne », s'installa en Thuringe à Wechmar, près de Gotha, où il reprit son métier et mourut en 1619. Quelques biographes en ont déduit que l'auteur de la *Messe en si* pourrait avoir une hérédité magyare. L'hypothèse ne se soutient pas. Le patronyme du boulanger, sa confession désignent bien un Allemand résidant depuis longtemps ou non en Hongrie comme beaucoup d'autres de ses compatriotes. On a prouvé l'existence de plusieurs Bach en Thuringe au cours du XVIe siècle, entre autres d'un Hans Bach gardien à Wechmar en 1561. Selon M. Paul Bach, arrière-petit-neveu de Jean-Sébastien, né en 1878, fonctionnaire des postes à Eisenach où il vivait encore il y a quelques années, et très versé dans l'histoire de son illustre famille, le nom des Bach était déjà répandu dans la contrée au XIe siècle.

En remontant seulement jusqu'au boulanger Veit, on compte dans l'ascendance directe de Jean-Sébastien et parmi ses grands-oncles et oncles vingt-neuf musiciens professionnels. Le premier en date, Hans Bach (1555-1615), avait quitté son état de charpentier pour devenir ménétrier et jongleur de la duchesse de Wurtemberg et se faire dans ce rôle d'amuseur une notoriété de bon aloi. Les autres Bach furent musiciens de ville ou de cour, organistes, cantors, chefs de fanfare. Les musiciens de ville jouaient aux cérémonies publiques, aux fêtes privées, à l'église. Ils étaient aussi guetteurs en haut du beffroi de l'hôtel de ville, fonction de première urgence durant la guerre de Trente ans où les soudards et les bandits rôdaient partout. A Erfurt, les musiciens de ville que dirigeait Johann Bach sonnaient trois fois par jour du haut de la tour de guet un choral avec leurs trompettes, leurs fifres et leurs saquebutes : à l'aube pour le réveil des habitants, à midi pour le rapas, à la nuit pour faire couvrir les feux. Les chorals, d'après Kuhnau, étaient magnifiquement harmonisés. Ces détails ne sont pas inutiles. Ils nous disent quelles traditions oubliées Jean-Sébastien avait dans ses veines, et que nous pouvons entendre dans les glorieuses fanfares du *Magnificat* et des cantates, un écho des anciens trompettes des beffrois. De même les fêtes de famille qui réunissaient jusqu'à cent vingt Bach pour chanter en chœur autant que l'on buvait, d'abord un grave choral en l'honneur des défunts, ensuite des chansons gaillardes, puis des canons improvisés, les *quod libets*, où l'on faisait assaut de verve et de virtuosité. Tout ce clan des Bach, de bonnes mœurs, prolifique — il le fallait avec les ravages de la peste et de la mortalité infantile — vivait sur quelques lieues carrées du même coin de Thuringe, patriarcal et fertile en bordure des grandes forêts, dans des petites villes à demi rurales, ou les gros villages dont ils tenaient les orgues et enseignaient les gamins. Deux membres au moins de la famille furent avant Jean-Sébastien de vrais artistes créateurs : Johann-Christoph (1642-1703), organiste à Eisenach, dont nous avons décrit plus haut la grande cantate épique de Saint-Michel, et son frère cadet Johann-Michael (1648-1694), moins habile, mais parfois émouvant dans ses cantates.

Après Jean-Sébastien, la lignée des Bach compta encore trente-sept organistes, clavecinistes, cantors, compositeurs, dont les quatre fils du grand maître, qui faisaient sa fierté et l'éclipsèrent aux yeux des contemporains.

Jean-Sébastien naquit le 21 mars 1685 dans la petite ville d'Eisenach, presque une bourgade à l'époque, capitale d'un duché minuscule, près de la colline où s'élève le château de la

Wartburg, dans lequel les Minnesinger se réunissaient pour leurs tournois musicaux et qui est le décor du second acte de *Tannhaüser*. (La légende situait aussi le Venusberg sur une hauteur proche). Son père, Johann-Ambrosius, était musicien de ville, bon violoniste, bien considéré « pour ses mœurs chrétiennes et paisibles » et sa compétence musicale. Sa mère, Elisabeth Lämmerhirt, venait d'une famille de Basse-Silésie, déjà alliée aux Bach, de meilleure condition qu'eux, et qui avait eu des attaches étroites avec les mystiques anabaptistes.

A moins de dix ans, Jean-Sébastien, qui avait commencé d'étudier le violon, l'orgue et chantait dans la maîtrise de Saint-Georges, était déjà orphelin de père et de mère. Il fut recueilli, ainsi que son aîné de trois ans, Jakob, par son grand frère Johann-Christoph, l'homonyme de l'auteur des cantates, organiste à Ohrdruf, une petite ville voisine, et disciple de Pachelbel, donc fort capable de diriger l'instruction musicale des petits. Jean-Sébastien apprit très vraisemblablement avec lui durant cinq ans les premiers éléments de la composition, ainsi que le clavecin. A l'école, il progressait rapidement en latin, en avance de trois ans sur les autres élèves, et manifestait un goût précoce pour la théologie luthérienne. Il chantait encore dans le chœur – il avait un très joli soprano – ce qui lui procurait quelques florins pour contribuer au ménage de son frère, jeune marié et court d'argent.

A quinze ans, il parvenait à se faire recevoir à l'école Saint-Michael de Lünebourg, en Allemagne du Nord. On y enseignait gratuitement les enfants pauvres, à la condition qu'ils fussent déjà débrouillés en musique et pussent chanter à l'église qui portait le même nom que l'école. Jean-Sébastien, qui muait, ne put figurer longtemps dans le chœur, mais on l'employa à l'orgue et au violon. Il poursuivait en même temps avec succès ses études de latin et de grec. Les écoliers pauvres de Saint-Michael cohabitaient dans un vieux couvent avec les jeunes nobles de la Ritterakademie, qui traitaient volontiers les choristes en domestiques. Mais ils parlaient couramment le français entre eux : et Jean-Sébastien, dont l'avidité de savoir égalait les facilités, ne manqua pas d'apprendre cette langue à leur contact. Toute sa vie, il fut capable de tourner en français une lettre ou une dédicace comme un bon élève des jésuites parisiens. La belle bibliothèque musicale de Saint-Michael lui permettait de lire la plupart des vieux maîtres italiens et allemands. Par un maître à danser de la Ritterakademie, il avait ses entrées aux séances musicales de la petite cour toute

proche de Celle, résidence des ducs de Brunswick-Lünebourg,
qui était entièrement francisée. Il y eut la révélation de Lully, de
Lalande, des œuvres pour clavecin de Couperin, et selon sa méthode
en fit aussitôt de studieuses copies. Durant les vacances de son
école, il allait à pied à Hambourg, pour y entendre les concerts,
l'opéra, les grands organistes tels que J. A. Reinken, alors qu'avec
sa bourse lamentablement plate, il risquait la famine pendant ces
séjours. Et toute cette musique ne l'empêchait pas d'avoir de longs
entretiens sur la théologie et la philosophie avec le recteur de
Saint-Michael, Johann Büsche, qui était un des docteurs les plus
écoutés du luthérianisme.

Nous avons quelque peu insisté sur ces années de formation,
parce qu'elles démentent une image conventionnelle et fort
répandue de « Notre Saint Père Bach », benoît artisan en fugues,
inconscient du génie qui irradiait de lui par un mystère d'en-haut.
Artisan, il le fut, comme tous les musiciens de son époque,
travaillant sur commande, aux pièces, mais combien différent
dans ses grands jours — car il eut ses jours creux, comme tout le
monde — des agréables mécaniciens tirant cent fois de leur tour le
même concerto; capable de marquer ses tâches les plus quotidiennes d'une personnalité souveraine et multiple, qui se dérobe
souvent à une analyse rigoureuse, mais que justement son temps
d'apprentissage et d'éclosion aide à définir. C'était un homme
d'une intelligence très vive, s'assimilant tout ce qu'il voulait, qui,
dépourvu de ses dons musicaux, eût été remarquable dans n'importe quelle autre carrière. Il avait le goût des idées, surtout pour
éclairer et approfondir sa foi religieuse. Il aimait, il dévorait la
musique d'autrui avec un éclectisme de mélomane, rare chez les
compositeurs, et signe d'un tempérament sûr de lui, ne redoutant
aucune influence. Du point de vue de l'esprit, et sans parler de ses
respectables vertus, un homme qui valait l'artiste.

Nous pouvons être plus bref sur sa carrière, souvent décrite, et
que l'on divise ordinairement en quatre périodes, correspondant
aux différents postes qu'il occupa.

Première période : Arnstadt-Mülhausen (1703-1708). A dix-sept
ans, Jean-Sébastien sort de Saint-Michael, ses études secondaires
brillamment terminées. Elles devraient le conduire à l'Université,
où beaucoup de jeunes compositeurs allemands prennent leurs
grades pour élever leur condition. Mais pour Bach qui n'a pas le
sou, la vie d'étudiant pauvre prolongerait son enfance presque
indigente. Il préfère s'employer au plus vite, se sentir un peu

d'argent en poche. Après un bref stage au plus bas de l'échelle, comme « laquais et violoniste » à la cour de Weimar, il devient organiste d'Arnstadt, une gentille petite ville de quatre mille habitants. On y apprécie sa virtuosité, mais beaucoup moins ses résultats de pédagogue à la tête d'une mauvaise petite chorale de garçons qu'il est chargé de former. La patience, surtout devant la médiocrité musicale, ne sera jamais son lot. Il s'emporte. Il est plus jeune que certains de ses élèves qui le chahutent abominablement. Il sa bat dans la rue avec l'un d'eux qui l'a agressé à coups de bâton. Vers ce moment, se place son fameux voyage à Lübeck, peut-être à pied, pour entendre le grand organiste Buxtehude. Il en rapporte un style d'improvisations beaucoup plus libre qui déroute les paroissiens d'Arnstadt. On lui enjoint de ne plus moduler qu'à des tons voisins. Irrité, il cherche un autre poste, et le trouve à Mülhausen, où il s'installe après avoir épousé en octobre 1707 une de ses cousines éloignées, Maria Barbara Bach, qui lui donnera sept enfants, dont trois mourront au berceau. La vie musicale est bien moins arriérée à Mülhausen qu'à Arnstadt. Mais Bach entre en conflit théologique avec son pasteur, qui est un piétiste, rejetant le dogmatisme luthérien, auquel le musicien est attaché par tradition de famille et par conviction. Au bout d'un an, Jean-Sébastien pose sa candidature aux fonctions d'organiste de la cour de Weimar. Elle est aussitôt acceptée.

Deuxième période : Weimar (1708-1717). Son poste de Weimar est pour Bach une promotion sociale et financière. Le duc Wilhelm-Ernst, luthérien austère, laisse toutes libertés à son organiste qu'il admire et dont le renom de virtuosité se répand alentour. La majeure partie des grandes compositions d'orgue de Bach date de cette époque. Une vingtaine de cantates voient également le jour. Il découvre les nouveaux concerts italiens, surtout ceux de Vivaldi, et en fait des transcriptions. Il devient expert, bien payé, en construction et en réparation d'orgues. Mais le duc est en mauvais termes avec son neveu, un personnage excentrique. Jean-Sébastien éprouve le besoin de prendre le parti de ce neveu, qui est un de ses élèves, contre son seigneur et patron. Son avenir à Weimar est bouché. Le prince Léopold d'Anhalt, régnant sur la petite principauté de Köthen, lui offre la direction de son orchestre. Le duc Wilhelm-Ernst, qui tient à lui malgré leurs frictions, refuse de le lâcher, le colle même durant trois semaines en prison. Mais voyant que rien ne le pliera, il finit par lui accorder son congé.

Troisième période : Köthen (1717-1723). En venant à Köthen,

Jean-Sébastien fait cependant une entorse à ses principes luthériens. La cour y est calviniste, et en dehors du simple chant des
psaumes, les offices religieux ne comportent aucune partie
musicale. Mais il existe une petite église pour les disciples de
Luther, et Bach peut y pratiquer sa confession. Il a un beau salaire,
équivalent à celui d'un maréchal de la cour. Le jeune prince, violoniste de talent, traite en ami cher et respecté l'ancien « laquais-
violoneux ». Surtout, le petit orchestre de dix-sept musiciens, tous
solistes, est excellent. Pour lui, Bach qui n'a plus à se préoccuper
de compositions religieuses, écrit les pages maîtresses de son
œuvre instrumentale, les *Suites,* les *Concertos brandebourgeois,*
et maintes autres pièces malheureusement perdues. Il étend et
perfectionne son enseignement du clavecin, écrit pour ses élèves
les Suites françaises et anglaises, les Inventions à deux et trois
voix du *Klavierbüchlein* (*Petit Livre pour clavier*), les vingt-quatre
préludes et fugues du premier livre de son *Clavecin bien tempéré.*
Il innove en matière de doigté, introduit l'usage du pouce dont
on ne savait pas se servir, la position recourbée des doigts que
l'on tenait allongés jusque-là. Ces années heureuses et honorées
sont endeuillées par la mort de sa femme en 1720. Il se remarie
dix-huit mois plus tard avec une jeune fille de vingt ans, Anna
Magdalena Wilcken, bonne cantatrice, dont le père est trompette
de la cour. L'atmosphère a changé à Köthen depuis que Léopold
a épousé une jeune princesse qui déteste la musique. Bach songe
à s'installer dans une ville où ses fils pourraient suivre l'enseignement universitaire qui lui a manqué. Il voudrait surtout pouvoir
écrire les grandes œuvres religieuses qui ont mûri en lui. Or,
comme tous ceux de son temps, il ne saurait composer de la
musique qui ne fût pas jouée sur-le-champ. Il lui faut donc une
chorale, une église. Un poste vient d'être libéré à Leipzig par la
mort de son titulaire, le célèbre Kuhnau, celui de « cantor » de
l'école attenante à l'église Saint-Thomas, une institution vieille
de six siècles, groupant des élèves payants et des enfants pauvres
mais avec une jolie voix, comme Saint-Michael de Lünebourg.
Ils fournissent les chœurs des quatre églises de la ville. Le cantor
a la charge de leur enseignement musical, auquel s'ajoutent
plusieurs heures de latin; il est responsable des exécutions et des
programmes dans les quatre églises. Bach obtient difficilement ce
poste, moins honorifique et matériellement plus aléatoire que
celui de musicien de cour. Le Conseil de Leipzig espérait pouvoir
le confier à Telemann, puis à une autre célébrité, Graupner.

Il s'est enfin résigné : « Puisque nous n'avons pas pu obtenir le meilleur, nous devrons nous contenter d'un médiocre ».

Quatrième période : Leipzig (1723-1750). Ces vingt-sept années vont voir la création de 266 cantates, des Passions, de la Messe. Les Conseillers de Leipzig estiment pourtant que leur cantor « ne fait rien ». C'est qu'il s'ennuie et s'irrite dans sa pédagogie, à la tête d'élèves indisciplinés et souvent peu doués. Il propose des réformes judicieuses qui n'aboutissent pas. Son idéal serait de pouvoir réunir au moins trente-six choristes et dix-huit instrumentistes d'honnête qualité. Il ne les obtiendra pas. On lui accorde quatre pupitres d'instruments à vent, quatre violonistes dont un apprenti. C'est dans ces conditions qu'il dirige, le Vendredi Saint 1729, *la Passion selon saint Matthieu*, dont les dévots disent qu'elle ressemble trop à l'opéra. Il est contraint à d'assommantes corvées, il doit assumer pendant treize semaines par an la surveillance générale de l'école. Procédurier entêté dès qu'il se juge lésé, il se prend constamment de bec avec les notables leipzigois, les pontifes de l'Université choqués de la renommée près des étudiants de cet organiste qui n'a pas ses titres d'instruction supérieure.

Peu à peu, il se dégagera par des biais, des remplacements, de ces fonctions absorbantes et agaçantes. Il s'octroie des vacances pour voyager, donner dans d'autres villes les concerts d'orgue où l'on s'écrase, écrire de la musique à sa guise. Plutôt que dans son portrait renfrogné, attribué au peintre Haussmann et d'une authenticité douteuse, nous le reconnaissons dans le pastel que fit de lui vers 1735 un de ses jeunes parents, Gottlieb-Friedrich. C'est le Bach de l'intimité, digne, le regard plein de pensées, mais détendu. Son sérieux n'a rien de doctoral. Il aime la table, il est bon buveur de vin, soigne sa cave. Il aime beaucoup aussi l'opéra italien : « Quand retournerons-nous à Dresde, demande-t-il à ses fils, entendre la jolie petite musique ? » Cet homme au caractère cassant avec les pouvoirs a réussi admirablement ses deux mariages. Anna-Magdalena, qui lui donne treize enfants, dont six seulement survivent, est la plus aimante et la plus dévouée des compagnes, une vraie collaboratrice : on a de sa main d'innombrables et impeccables copies des partitions de Jean-Sébastien. Bach s'épanouit dans son intérieur, toujours rempli d'enfants et de parents « comme une ruche ». Il préside joyeusement les grandes assemblées traditionnelles de la famille. Il ne dédaigne pas d'aller diriger les Concertos brandebourgeois au « Collegium Musicum » des étudiants, qui jouent hors de la ville, dans la brasserie Zimmermann, mais aiment sa musique. Il est toujours grand lecteur de traités de théologie luthérienne, il en remplit sa bibliothèque. Mais son horizon religieux s'est ouvert. Il s'élève au-dessus des sectes et des dogmes. L'une de ses plus belles œuvres, la *Messe en si,* est une « Messe catholique » − il lui a donné lui-même ce titre − dédiée à un souverain catholique, l'Électeur de Saxe, roi de Pologne.

L'une des dernières joies de sa vie fut l'accueil chaleureux que lui fit à Potsdam en 1747 Frédéric II, parcourant tout agité son palais, dès qu'il apprit son arrivée, pour réunir ses musiciens, ses ministres : « Messieurs, le vieux Bach est là ! » et installant le Cantor devant tous ses clavecins et piano-forte sans se rassasier de ses improvisations. Dix-huit mois plus tard, Bach avait presque entièrement perdu la vue et le Conseil de Leipzig n'hésitait pas à mettre sa charge de cantor en concours « pour le cas où le titulaire décéderait ». Comme Haendel, il se confia à un chirurgien anglais qui l'opéra deux fois sans succès mais ruina avec ses pharmacopées sa santé qui avait été longtemps à chaux et à sable. Quand il se sentit près de la fin, il dicta de son lit à son gendre Altnikol un choral d'orgue, *Vor deinen Thron tret'ich hiemit,* « Seigneur, me voici devant ton trône », d'une fermeté et d'une pureté de contrepoint incomparables. Il expira le 28 juillet 1750, après une attaque d'apoplexie. « Grand musicien mais piètre maître d'école », dit le Conseil dans son speech funèbre. Après un demi-siècle de labeur, il ne laissait pas à sa veuve de quoi vivre.

UN UNIVERS MUSICAL

295 cantates d'église, dont 190 nous sont parvenues, auxquelles s'ajoutent 185 chorals harmonisés à quatre voix, sept cantates profanes, quatre *Passions* − il nous en reste deux et des fragments de celle selon saint Marc − le *Magnificat,* la Grande Messe, quatre messes brèves[1], plus de deux cents pièces d'orgue, une œuvre pour clavecin plus importante que celle de Beethoven pour le piano, les sonates, suites et partitas pour violon, violoncelle, flûte, seize concertos, les quatre Suites d'orchestre, *L'Offrande musicale,* l'*Art de la fugue,* sans compter ce qui s'est perdu et

---

1. *L'Oratorio de Noël,* assez souvent exécuté, n'est pas une création originale, mais dans sa majeure partie un « montage » d'ailleurs heureux pratiqué par Bach avec différents fragments de ses œuvres antérieures.

dont nous ignorons jusqu'aux titres : le catalogue de Bach est bien conforme à l'abondance de son siècle. Celle-ci nous trouble même un peu chez lui, puisque nous avons reconnu qu'elle ne pouvait aller sans une production de série, une notion qui paraît sacrilège, appliquée à Bach.

Il a eu lui-même en effet non pas ses heures de faiblesse – il est exceptionnel que son métier de fer le trahisse – mais de routine, où la main, l'habitude gouvernent le travail tandis que l'esprit créateur somnole. Le culte instauré autour de son génie a fini, comme tous les cultes, par engendrer une certaine hypocrisie, un refus scandalisé de tolérer sur son œuvre la moindre réserve, derrière quoi le dévot dissimule, souvent à son insu, l'ennui désertique ou l'hébétude vague qui ont été ses véritables sensations. Le parti pris chez Bach d'accompagner de bout en bout une pièce vocale avec la même disposition d'orchestre ou le même instrument soliste est une facilité dont il abuse, à tout le moins un trait d'archaïsme. Il y a, selon le mot d'un musicographe allemand quelque peu iconoclaste, « le Bach à sa machine à coudre ». Les deux concertos pour violon, très agréables, mais d'une coupe assez primitive, virtuosité au fil de l'archet coupée par un refrain immuable, et dont l'authenticité est du reste discutée, ne peuvent évidemment être mis sur le même plan que des œuvres magistrales comme les Brandebourgeois. D'une cantate à l'autre, et même parfois à l'intérieur d'une même cantate, on passe d'un aria admirable d'émotion et de noblesse à des enfilades de vocalises tout à fait conventionnelles. Il est d'ailleurs plaisant de voir les dévots savourer religieusement ces italianismes flagrants pour lesquels ils n'auraient pas assez de mépris si on les leur présentait sous leur véritable étiquette, celle du *bel canto* napolitain. (On se demande encore pour quels chanteurs sans doute imaginaires Bach, si mal pourvu en interprètes, put bien 'écrire ces parties acrobatiques, comme les roulades et le contre-ut de la *Cantate des Adieux.*) En toute franchise de sensations, convenons que l'une des cantates les plus justement célèbres, la *Wachet auf*, nous apparaîtrait encore plus belle avec des chorals deux fois plus développés et des airs, exactement des duos, deux fois plus courts.

Cela dit, Bach domine bien tout son temps, et les trois siècles de musique qui l'ont précédé, annoncé. Qu'on le compare simplement avec ses modèles : les splendides *Suites* pour orchestre en *ut* et en *ré* majeur, l'indépendance de leurs parties instrumentales, leur couleur, le départ subit de la fugue au milieu de la royale solennité, le coup de reins soulevant cette bourrée qui est déjà un scherzo, avec le grêle schéma, les articulations rigides des *Ouvertures* françaises dont elles sont issues; le pur profil mélodique du duo de la basse et du soprano dans la cantate *Ich hatte viel Bekümernis,* « J'avais une grande affliction » — où l'*Alleluia* final a trente ans d'antériorité sur celui de Haendel — avec les duos des amoureux d'opéras que Bach avait en mémoire; le mordant, la cambrure des *Suites françaises* et *anglaises* pour clavier avec les danses de nos clavecinistes, charmantes, mais si fragiles, si effacées à côté des fermes ciselures de ces petits joyaux sortis des mêmes mains qui ont dressé les gigantesques nefs de la *Messe* et des *Passions.*

Les *Suites* pour orchestre ouvrent à double battant la grande porte d'où va surgir toute la symphonie allemande. Une analyse un peu poussée confirme vite cette impression. Comme l'ont plus ou moins répété ses exégètes depuis une cinquantaine d'années, personne n'a plus parfaitement que Bach réalisé la synthèse du contrepoint et de l'harmonie, de « l'horizontal » et du « vertical ». Cette double élaboration est l'essence de son style. Son contrepoint le plus savant ne « décolle » jamais d'une base rigoureusement harmonique. Ce contrepoint est la somme, l'aboutissement de quatre siècles de polyphonie. Les contemporains de Bach, sans aller plus loin, tenaient pour un homme du passé cet infatigable ajusteur de fugues. Ils ne comprenaient pas que son langage harmonique le tournait vers l'avenir.

La sève du mélodiste est d'une générosité dont on a trop peu parlé. Que l'on compte les mesures sur lesquelles s'étendent, sans rien perdre de leur unité organique, le premier motif du 5e *Concerto brandebourgeois,* la merveilleuse introduction, sur un rythme presque dansant, des violons et des altos au second verset de la cantate *Wachet auf.* Et l'on peut découvrir cent autres exemples, au hasard des partitions. Bach ignore le dithématisme. Mais on dirait volontiers qu'il n'en a pas besoin, tant est chaleureux le rayonnement d'une seule de ses mélodies, vigoureuse et durable son empreinte sur l'auditeur.

Sur le même rang que Bach, celui des suprêmes génies de toute la musique, Mozart et Beethoven ont été des artistes plus sensibles, bien plus étroitement mêlés à l'aventure humaine, Wagner un plus grand inventeur, si ce n'est le plus grand. Mais jamais organisation musicale plus puissante, plus parfaitement commandée que celle du Cantor de Leipzig n'a logé sous le crâne d'un mortel.

Il a essayé – et réussi – une telle quantité de combinaisons qu'il évoque pour nous, quand nous le comparons aux autres musiciens de son siècle, un ordinateur exécutant des travaux inaccessibles aux plus agiles mathématiciens. Il adapte aux cordes les effets de la technique du clavier, au clavier les effets des cordes. Il introduit le style du concerto dans ses cantates et l'air d'opéra dans ses concertos. Il fait accompagner un air à l'italienne par une fugue. Il écrit des chœurs dans la forme de l'ouverture à la française, tout en leur donnant pour *cantus firmus* un vieux thème liturgique. Il se permet d'écrire pour le violon solo, dans ses six *Sonates,* des fugues à quatre parties, presque imaginaires, déroulant leur algèbre sonore[1]. D'un texte à l'autre, il peut être chargé d'autant de broderies, d'affutiaux vocaux que les plus frivoles Napolitains, ou aussi dépouillé, austère – la grave cantate pour Pâques *Christ lag in Todesbanden* – qu'au XIIIe siècle un moine-musicien de l'Ars Antica.

Les cloisons qui divisent presque toute musique en alvéoles uniformes chez ses prédécesseurs ont disparu avec Bach. Plus précisément, il les déplace à sa guise ; et voilà des constructions nouvelles, plus spacieuses que les anciennes, d'un équilibre mieux assuré quoique plus subtil. Dans ses chorals-préludes polyphoniques, ses fantaisies et fugues, ses toccatas, ses passacailles, il a relevé la musique d'orgue qui déclinait, pour la porter à un tel sommet que son histoire s'est pratiquement terminée avec lui. César Franck sera presque le seul, au cours du XIXe siècle, à en retrouver plus ou moins l'esprit, mais sur un autre instrument, l'orgue symphonique du romantisme. (Nous partageons entièrement à ce propos les vues sévères mais irréfutables de Norbert Dufourcq). Chacun des six *Concertos brandebourgeois* est bâti sur une disposition instrumentale différente, avec un sens des timbres, de leur fraîcheur, de leur verdeur, qui n'a guère été dépassé. « On suce le roseau des hautbois de Bach », a dit Stravinsky. Les quarante-huit préludes et fugues du *Clavecin bien tempéré* diffèrent tous de forme et de caractère. Il y a là, et dans les pièces d'orgue, des fugues triples, quadruples, quintuples, « des fugues qui semblent de véritables tours, étage sur étage, s'élevant jusqu'aux nuages, d'autres renversées, la tête en bas ». A côté de

---

1. Les *Sonates* sont malheureusement défigurées par la plupart des violonistes modernes qui écrasent la mélodie, la hachent avec leurs accords grinçants et râpeux sur les doubles et triples cordes. On aime à croire, bien que cela ait été contesté, que du temps de Bach les archets courbes atténuaient ces laideurs.

ces vertigineux assemblages, on tombe cependant tout à coup sur des figures très simples, des parties marchant naïvement et pourtant d'une façon charmante sur d'enfantines octaves parallèles.

Mais quand on aurait étudié durant un livre entier, avec un arsenal complet de références techniques, cet extraordinaire brassage de toutes les formes et tous les procédés d'une époque, on serait loin d'avoir approché du secret de Bach, qui se laisse d'ailleurs deviner plutôt que pénétrer. Cet homme, dont on pourrait longuement parler comme d'une fantastique machine à résoudre les équations contrapunctiques, était d'abord un poète : « Tondichter », poète des sons, selon la belle expression allemande. Et comment aurait-on pu placer son œuvre aussi haut, si elle n'avait été saturée de poésie ? Outre ce que nous disions déjà tout à l'heure de ses mélodies, de leur irradiation, citons au moins un exemple, celui du *Magnificat,* exécuté dans l'église Saint-Thomas aux fêtes de Noël 1723, cet hymne faisant encore partie au XVIIIe siècle de la liturgie luthérienne de Leipzig, la plus proche du rite romain. Le plan tonal de l'œuvre − les trois premiers numéros en *ré* majeur, *ré* majeur, *si* mineur, les trois derniers en *si* mineur, *ré* majeur, *ré* majeur, les numéros intermédiaires dans une succession régulière habilement décalée par le jeu des tons relatifs − est d'une élégante ingéniosité. Mais cette architecture impeccable est surtout animée, illuminée par des idées de poète, depuis les vocalises du premier chœur des femmes fusant au milieu de la jubilation des trompettes et des timbales, le motif dansant des violoncelles sous l'*Exultavit* du mezzo, jusqu'à la sobre ligne vocale du *Sicut locutus est* qui par contraste va rendre encore plus triomphant le *Gloria* final. La beauté lapidaire des versets latins a enflammé Bach (les textes allemands de maintes cantates, dus à un poétereau besogneux, Picander, sont aussi indigents que ceux des cantiques de Lourdes). Il est tout au bonheur d'avoir retrouvé les chœurs, l'inspiration religieuse après les années de musique intime à Köthen. L'élan d'un seul jet, qui se soutient dans la diversité des rythmes, qui emporte même les longues vocalises − trente-quatre notes sur une seule syllabe − la concision renforçant encore l'intensité expressive de chaque morceau font du *Magnificat* une des plus belles « Odes à la joie » de la poésie universelle, la poésie sur laquelle, écrivains, musiciens, sculpteurs, peintres, tous les artistes sont finalement jugés.

LES « PASSIONS ». LA « MESSE EN SI MINEUR »

Trois monuments dominent par leur taille l'œuvre de Bach. La *Passion selon saint Jean,* écrite vers la fin du séjour à Köthen, exécutée à Leipzig le Vendredi Saint 1723, qui comporte des passages très dramatiques et deux des plus beaux chœurs du Cantor, surtout le dernier, de cent soixante-douze mesures, à cinq voix, peut être tenue pour un premier état, déjà magistral de la *Passion selon saint Matthieu.* Ce disant, on est certainement fidèle aux intentions de Bach, qui à l'inverse de ses contemporains n'aimait pas à se répéter, reprenait un sujet pour l'approfondir, s'engager dans de nouvelles expériences. La *Passion selon saint Matthieu* est un puissant développement de la *Saint Jean,* où se fait jour, avant *Le Messie* de Haendel – l'œuvre date de 1729 – le penchant pour le colossal dont nous verrons tant d'effets dans la musique allemande à l'époque du romantisme. A propos de la *Saint Matthieu,* dont l'audition intégrale dure plus de quatre heures, on ne saurait cependant parler de démesure. Personne n'oserait reprocher à Bach de multiplier les chorals, tous si beaux.

Toutefois, à cause de la place qu'occupent dans la *Saint Matthieu* certaines facilités de l'italianisme et les récitatifs évangéliques fatalement uniformes, nous mettrons pour notre part encore plus haut la *Messe en si mineur,* qui n'a du reste que cinq mouvements dans cette tonalité, contre douze en *ré* majeur. Mais le ton du premier chœur, la formidable fugue de douze minutes du *Kyrie,* « où l'humanité entière, disait Philip Spitta, implore miséricorde », a désigné toute l'œuvre. Parce que Bach mit au moins cinq années à l'édifier, de 1733 à 1738, des musicographes ont cru déceler dans la *Messe* un caractère composite. Nous admirons au contraire que son unité ait été aussi magnifiquement sauvegardée par le génie de Bach. Tous les morceaux pris à des œuvres antérieures ont été retravaillés, refondus, portés à leur perfection.

Les oratorios de Haendel sont des entassements d'énormes blocs musicaux presque bruts, formant d'imposantes pyramides. La *Messe en si mineur,* comparaison classique, est une cathédrale, mais entièrement ouvrée, avec ses pinacles, ses chapiteaux, ses rosaces, ses détails sculptés jusque dans les immenses portails des chœurs. C'est pourquoi les exécutions avec des multitudes de choristes lui conviennent peu. Ces masses d'abord saisissantes noient sous leurs grosses vagues les finesses, les lignes grandioses mais pures du chef-d'œuvre.

LA DERNIERE MANIERE

On a encore assez peu étudié le développement de l'art de Bach. Il faudrait pouvoir au préalable établir une chronologie plus précise de ses partitions, entre autres de ses pièces d'orgue, de ses cantates, de leurs nombreux remaniements. On verrait mieux alors jusqu'à quel point il est allé du simple — disons du relativement simple — à l'extrême complexité.

Mais la *Messe* inaugure bien une « manière », la dernière de cette vie, que l'on peut isoler plus facilement. Il est déjà assez inhabituel que ce Bach si pragmatique, travaillant d'une semaine à l'autre pour la cantate du dimanche suivant, ait mis sur pied cet ensemble de chœurs et d'airs beaucoup trop monumental pour trouver un emploi liturgique. Mais Bach, la vieillesse venant, va s'éloigner davantage encore de son métier quotidien. Les cantates dominicales se raréfient. Cela ne tient pas seulement aux frictions avec le Conseil de Leipzig. Jean-Sébastien a trop manié cette forme. Pour la renouveler encore, il lui faudrait des interprètes moins médiocres. Il a d'autres choses à dire, plus intimes, d'autres expériences plus insolites à poursuivre.

Ce sont d'abord les *Variations Goldberg* pour le clavecin (1742). Une œuvre de circonstance. Le comte de Keyserling, ambassadeur de Russie à Dresde, qui estimait beaucoup Bach, lui avait demandé quelques pièces plaisantes pour son claveciniste, un jeune homme du nom de Goldberg, ancien élève du Cantor. Une anecdote veut même que ces pièces eussent été destinées à distraire le comte durant ses nuits d'insomnie. Un gobelet rempli de pièces d'or récompensa Bach. Mais il aurait fallu une exceptionnelle pénétration à M. de Keyserling pour qu'il comprît la portée du « badinage » que Bach lui avait envoyé. Les trente *Variations Goldberg* sur un air de sarabande dans le style français réduisent à rien tout ce qui avait pu paraître sous cette rubrique en Italie, en Allemagne, à Paris, et qui n'était en effet qu'un jeu superficiel autour d'un fragment de mélodie plus ou moins orné, « parodié », modifié dans un de ses menus détails, toujours reconnaissable. Avec le recueil Goldberg, la variation devient un principe complet de développement, elle transforme la substance même du thème, « traité comme l'instrument d'organisation d'une série de pièces indépendantes les unes des autres mais dépendantes toutes du même agent formel », selon la bonne définition de Boris de Schloezer. Bach, « l'homme du passé », tend ici la main à Beethoven, par-dessus Mozart qui dans ce genre restera bien plus traditionnel. La sensibilité même de cette musique dépasse son siècle. Sur des rythmes dont pas un seul ne reparaît deux fois, elle bondit, scintille, plaisante, rêve, s'émeut comme dans un album romantique. Et toute cette fantaisie, qui ne s'interrompt que pour obéir aux usages — les *Variations* s'étendent sur près d'une heure — est strictement gouvernée par neuf canons différents, un toutes les trois variations, augmentés chaque fois d'un ton, jusqu'à la vingt-septième variation où le canon est à un intervalle de neuvième...

Cinq ans plus tard, en 1747, toujours une œuvre de circonstance. Durant son séjour à Berlin, Bach a improvisé devant Frédéric II sur un thème dont le roi flûtiste était l'auteur, mélodiquement intéressant, mais se prêtant mal aux développements contrapunctiques. Rentré à Leipzig, Jean-Sébastien reprend à tête reposée le thème royal, le plie à toutes ses volontés, et deux mois plus tard peut adresser son travail à Frédéric, sous le titre *Offrande musicale,* avec une belle dédicace en français. Il a pu en même temps remercier le roi de son accueil et résoudre une difficulté inadmissible pour lui. Sur l'intraitable thème royal, il a bâti dix canons, une sonate en trio, deux *ricercari* à trois et à six voix. Tout à la satisfaction de sa réussite, cet orchestrateur-né ne prend même plus la peine d'indiquer l'instrumentation de ses pièces. Le dernier *ricercar* à six voix, avec sa densité d'écriture, est pratiquement irréalisable au clavecin seul. Peu importe. On en distribuera les parties entre les instruments dont on pourra disposer. Du moment que le contrepoint tient solidement, l'œuvre est achevée.

Mais voilà qui est encore plus singulier. Dans les deux dernières années de sa vie, Bach de plus en plus retranché hors de son siècle et de ses coutumes, se met à écrire de la musique pour lui seul, une musique qui ne semble même plus destinée à aucune exécution. C'est *L'Art de la fugue,* une sorte d'extension de *L'Offrande,* puisque le thème est assez proche du motif de Frédéric II, mais concentré, retaillé, réduit à un schéma qui supporte tous les traitements. De cette modeste cellule jaillissent quinze fugues et quatre canons, ou plutôt, comme dit Spitta, une seule et immense fugue en quinze chapitres, simple (*contrapunctus rectus*), renversée (*contrapunctus inversus*), par augmentation, par diminution, double, triple. Une telle musique semble pouvoir s'engendrer elle-même indéfiniment. Aussi bien, *L'Art de la fugue* n'est-il pas achevé. Bach, trahi par la maladie, l'abandonna à la deux cent quarantième mesure de la quadruple fugue, alors qu'il venait

d'inscrire dans la trame son nom selon la notation allemande :
B *si* bémol, A *la*, C *ut*, H *si*. On pense que l'extraordinaire entre-
lacs de cette fugue devait couronner l'œuvre. Ce n'est cependant
pas prouvé.

SIGNIFICATION DE BACH

Au bout de cet inventaire, une question demeure : qu'est-ce
que Bach a voulu nous dire, qu'a-t-il exprimé, de ses premières
pièces d'orgue au choral fugué de son lit de mort ?

Les anciens musicographes biaisaient en lui attribuant une
placide objectivité, que tout dément. Bien des œuvres portent en
elles-mêmes la réponse à notre interrogation. Les *Concertos
brandebourgeois* sont des poèmes de la vitalité, du bonheur
musculaire, d'un optimisme comparable à celui de Haendel, mais
autrement neuf dans son langage. La musique dans certaines cantates comme *Eine Feste Burg*, a tant de sang, une telle impatience
à proclamer sa joie et sa certitude qu'elle ne supporte plus les
andantes, les expédie en quelques mesures.

La *Messe* a d'autant plus de grandeur que ses nefs sont habitées
d'un sentiment œcuménique, l'espérance d'un rassemblement de
tous les fidèles de l'Évangile chez l'un des derniers musiciens
chrétiens de l'Occident, le dernier en tout cas dont le christianisme
mérite d'être pris au sérieux.

Mais la *Messe*, cette Messe d'un sens et d'une ferveur qu'aucun
compositeur catholique n'a pu égaler, maintes cantates aussi fourmillent d'autant de symboles théologiques que *L'Agneau mystique*
des Van Eyck, dissimulés dans le jeu des tonalités, le plan de
l'architecture. Devant les abstractions de *L'Offrande*, de *L'Art de
la fugue*, la tentation est encore plus vive de leur chercher un
envers ésotérique. Ces essais, appuyés le plus souvent sur une
mystique des Nombres, tournent vite à la loufoquerie.

Ce ne sont pas les propos de Bach qui nous guideront beaucoup :
« La fin et cause finale de la basse continue ne peut pas être autre
chose que la glorification de Dieu et la récréation de l'âme. Où
cette fin n'est pas prise en considération, il n'y a que beuglements
et rengaines d'orgues de Barbarie. » (La basse continue est un des
assujettissements de Bach au passé, mais tout son système est
fondé sur elle.) Il se réfugie dans une modestie un peu outrée ,
« J'ai travaillé avec application. Quiconque s'appliquera aussi bien

que moi en fera autant. » Pour les rébus fugués de *L'Offrande*, un seul commentaire : « Cherche, et tu trouveras. » Il ignore, comme toute son époque, l'introspection, les confidences esthétiques; il les jugerait futiles ou indécentes.

Cependant, nulle musique n'a autant « comme un goût mental » que le Bach de la « dernière manière », et auparavant, l'annonçant, les sonates pour violon et violoncelle solo, des pièces de l'inépuisable *Clavecin bien tempéré*, certaines parties des *Passions*. Elle recèle tout un monde intellectuel, mais qui ne s'exprime que par sa voix, ne connaît aucun autre truchement. C'est la convergence de la foi du musicien, de son art, de ses exceptionnelles facultés de combinaisons mathématiques. Bach possède la certitude métaphysique — que l'on songe à ses méditations innombrables et toujours sereines sur la mort — d'appartenir à un univers harmonieux, tournant autour de la glorieuse puissance de son dieu créateur. Sa certitude s'est communiquée à sa vie d'artiste, où il semble n'avoir jamais éprouvé le moindre doute sur la voie à prendre, s'y enfonçant davantage au contraire à mesure qu'elle l'éloignait des courants à la mode, de l'évolution du goût. Le contrepoint a été pour lui la figuration la plus parfaite de cet univers, des règles qui le meuvent et le gouvernent. Un contrepoint qui « en soi se pense et convient à soi-même ». L'analyse formelle peut rapprocher de nous, ainsi que le font les télescopes pour les astres, *L'Offrande musicale*, *L'Art de la fugue*, nous renseigner sur leur marche, les éléments qui les composent et leur rapports. Mais quand nous écoutons ces musiques, dans les heures où nous en sommes dignes, elles redeviennent à la fois limpides et énigmatiques comme une nuit étoilée d'été.

BACH DEVANT LA POSTÉRITÉ

De son vivant, Bach avait eu la célébrité d'un grand virtuose de l'orgue et du clavecin, répandue à toute l'Allemagne malgré son existence provinciale et sédentaire. Le compositeur était méjugé ou ignoré. Son perpétuel contrepoint paraissait vieillot, d'une inutile complication à l'école « moderne », acquise, sous l'influence italienne, à une musique allégée, où le dessin facile de la mélodie ressortait sur une mince trame harmonique. L'esprit de la vieille polyphonie se perdait à un tel point que les critiques les plus écoutés se plaignaient que les voix de Jean-Sébastien, si elles constituaient prises isolément une mélodie admissible, donnassent par leur réunion un ensemble inchantable. Il n'est pas du tout invraisemblable que le dernier fils de Jean-Sébastien, l'élégant Johann-Christian, l'ait qualifié de « vieille perruque ». Le second fils, Carl-Philipp-Emmanuel, auquel nous devons le sauvetage d'une quantité de manuscrits, et qui gardait une affectueuse déférence « au saint homme qu'était son père », fit éditer peu après sa mort *L'Art de la fugue,* mais sans doute à titre de monument pédagogique plutôt qu'artistique. En six ans, il n'en écoula pas plus de trente exemplaires et finit par vendre les cuivres de la gravure au poids.

Sauf ses pièces pour clavier, et une, peut-être deux cantates, Jean-Sébastien n'avait rien publié. Son art d'improvisateur, le seul que l'on admirât, disparaissait avec lui. Les trente années qui suivirent sa mort firent sur son nom une ombre presque complète. Le « grand Bach », pour les contemporains, c'était, selon le lieu, Carl-Philipp-Emmanuel ou Johann-Christian, le « Bach de Londres ».

Cependant, dès 1782, Mozart se jetait avidement sur les fugues de Bach que rapportait de Berlin son protecteur le baron van Swieten et décidait aussitôt d'en écrire du même style. Sept ans plus tard, de passage à Leipzig, il avait la révélation, par le chœur même de Saint-Thomas, des motets du Cantor, n'en croyait pas ses oreilles, répétant : « Ah ! ça, alors, c'est quelque chose où il y a à apprendre ! » et passant tout le reste de la journée à lire avec un fiévreux enthousiasme les manuscrits de Jean-Sébastien. Peu de temps après son arrivée à Vienne, où il s'était installé en 1792, le jeune Beethoven jouait publiquement au piano-forte les quarante-huit préludes et fugues du *Clavecin bien tempéré.* Une première biographie de Bach paraissait en 1802. L'année suivante, Breitkopf et Maertel commençaient à publier quelques motets, le *Magnificat.* En 1829, Mendelssohn, âgé de vingt ans, dirigeait à Berlin plusieurs auditions de la *Passion selon saint Matthieu.* Concerts historiques, bien que l'œuvre y fût très mutilée, la plupart des airs supprimés ou réduits à leur introduction instrumentale, et beaucoup de pages « améliorées » par Zelter, le professeur du jeune chef, qui était convaincu de réaliser les vœux d'outre-tombe de Jean-Sébastien. La *Messe* fut exécutée presque entièrement à Berlin en 1835. La plupart des villes allemandes suivirent le mouvement. En 1850, la Bach-Gesellschaft se fondait pour l'édition nationale et complète de l'œuvre en 46 volumes. L'étude monumentale de Spitta parut de 1873 à 1879.

A l'exception de Berlioz, chez qui se révèle ainsi une lacune non seulement de son esprit mais de son art, tous les novateurs du XIXᵉ et du XXᵉ siècles ont proclamé leur admiration pour Bach, leur dette envers lui. Le *Clavecin bien tempéré* a été le « pain quotidien » de Schumann, de Chopin, de Liszt. Selon Wagner, l'œuvre de Bach « est l'histoire la plus intime de l'âme allemande ». Debussy en parle toujours avec une intelligente vénération. Si pour les romantiques elle a été une libération de l'académisme routinier et gourmé, les modernes, Stravinsky, surtout Schœnberg et ses disciples, qui l'ont étudiée à fond, y ont découvert d'incomparables principes d'ordre.

Le « retour à Bach » est donc loin de dater de la dernière après-guerre, ou de la précédente, comme l'ont cru plusieurs générations de jeunes gens qui s'en faisaient volontiers l'honneur. Notre époque a étendu, en bonne partie grâce au disque, notre connaissance de cette œuvre — la réalisation instrumentale de *L'Art de la fugue* date de 1927. On ne saurait dire qu'elle l'ait beaucoup approfondie. Rien n'eût été plus étranger à Bach que la façon dont tant d'auditoires d'aujourd'hui *subissent* sa musique, qu'il écrivait pour qu'elle fût *pratiquée*, lue, jouée, chantée. Ce sera toujours notre émerveillement que de voir rassemblés aux concerts de Bach, avec des mines captivées, des « fanatiques » ne possédant pas la plus humble notion du contrepoint. Sans parler d'œuvres comme la *Messe*, dont personne, sauf peut-être quelques rares élus de par le monde, n'est capable de percevoir à l'audition l'ensemble qui ne se « recompose » que partition en main. Ou encore des intimidantes suites pour violoncelle seul, dont Boris de Schloezer, auditeur cependant rompu à l'écoute savante, confesse franchement : « Le plaisir direct que nous dispense cette musique quasi ascétique, dénuée à peu près de magie, est médiocre ; mais objet de connaissance esthétique (c'est-à-dire analysée à la lecture dans tous ses éléments), elle est une source inépuisable de joie. » Nous dédierions volontiers du reste ces lignes d'un sage aux « conservateurs » qui très légitimement férus de Bach jettent en son nom l'anathème aux musiciens sériels, les accusant d'écrire « à la table » une musique de purs concepts, sans aucune référence auditive. Il va de soi que c'est l'oreille qui décide du destin de toute œuvre musicale. Mais auparavant, il est souvent nécessaire qu'elle soit *informée* par un travail intellectuel, et cela pour Bach aussi bien que pour Webern.

On sourit des adolescents du cinéma et des romans qui font l'amour aux sons d'un *Concerto brandebourgeois*. Mais il est fort à craindre que maints auditeurs actuels de Bach n'y recherchent et n'en perçoivent qu'une pulsation rythmique : une sorte d'africanisation du Cantor, beaucoup plus décourageante que certains prolongements en « blues » de ses mélodies qui ne manquent pas de charme.

A ce niveau, il n'est pas très surprenant qu'une grande partie du public accueille avec la même chaleur les meilleures exécutions de Bach et les pires. Car on n'a jamais mieux interprété Jean-Sébastien que de nos jours, jamais plus mal aussi. Rançon de la popularité, de la diffusion commerciale, comme pour les concertos des Italiens. La règle d'or, pour l'interprétation de Bach, c'est la lisibilité constante du contrepoint, perceptible note par note, « grain à grain », et sans laquelle il est inutile de prétendre à suivre cette musique. On devrait à ce compte expédier au rebut deux sur trois des disques édités depuis des années, fuir autant de concerts dès la trentième mesure — c'est la conduite adoptée par l'auteur de ce livre — interdire les partitions de Bach dans les tribunes des grandes orgues romantiques qui tuent la polyphonie sous leur masse.

Nous ne serions, quant à nous, guère plus accommodant pour le Bach déroulé, sous prétexte de piété et de rigueur, avec une imperturbabilité métronomique. Les indications de nuances n'existent pas dans les manuscrits de Bach. Mais elles sont implicites pour tous ceux qui ont le sentiment réel de cette musique, comme Debussy l'a si bien dit. Nous avons compris le contenu poétique, dramatique de la *Messe,* des *Passions* sous la baguette des chefs qui savent les nuancer, les phraser, les détailler, sans rien oublier de la déférence qui leur est due. Et comment une exécution mécanique traduirait-elle la fantaisie, le piquant, le lyrisme, les confidences soudain poignantes des *Variations Goldberg* et du *Clavecin bien tempéré ?*

Il arrive enfin, et cela devient de plus en plus fréquent, que l'on desserve Bach par un souci de raffinement. On se félicite de la renaissance du clavecin. Mais tenir pour sacrilège, comme on le fait à présent, l'emploi de tout autre clavier dans l'interprétation de Bach, c'est un abus et quelquefois une erreur. On oublie trop qu'à une dizaine d'années près, Bach aurait pu jouer toute son œuvre de clavier au piano-forte, inventé entre 1711 et 1720 par l'Italien Bartolomeo Cristofori, sur lequel travaillèrent ensuite les facteurs français et allemands, mais encore assez primitif — il lui manquait l'échappement, qui permet au marteau de retomber dès qu'il a frappé la corde sans rebondir et donner un écho intempestif — lorsque Jean-Sébastien en toucha pour la première fois chez Frédéric II. Le maître préférait d'ailleurs au clavecin le clavicorde moins brillant, mais qui permettait de nuancer, de phraser, démenti intéressant de la prétendue impassibilité du Cantor. Nous ne nous lassons pas d'entendre plusieurs merveilleux clavecinistes de l'école moderne sur des instruments ravissants. Mais l'exécution au piano, quand on n'abuse pas de sa puissance, du *Clavier bien tempéré* — le titre exact du recueil — n'est aucunement profanatoire. Bien préférable, en tout cas, au choix, par désir d'authenticité, de clavecins vénérables mais expirants. Et il y a au moins une œuvre où l'usage du piano nous paraît s'imposer. C'est le *5ᵉ Brandebourgeois*, où le clavier prend pour la première fois la place prépondérante — il a même une cadence sans accompagnement d'une soixantaine de mesures — annonçant les grands concertos du XIXᵉ siècle. Le clavecin reste trop discret pour remplir cette partie, et avec lui l'œuvre perd son dynamisme et l'originalité de son style concertant. Albert Schweitzer, que l'on ne saurait tenir pour un impie, s'il aimait le clavecin dans l'intimité, préconisait pour les auditions publiques un piano de dimensions réduites, quart de queue ou simplement droit.

Plutôt que l'usage exclusif et parfois tyrannique du clavecin, on aimerait voir se généraliser celui d'instruments délicieux dans l'orchestration de Bach, hautbois d'amour, *oboe da caccia*, flûtes à bec. Et l'on devrait surtout remédier à l'aigu des trompettes de Bach, toujours criard, hideux avec des exécutants de second ordre, non par la faute du Cantor, mais parce que le diapason a monté depuis le XVIIIᵉ siècle. Bach utilisait une trompette d'une sonorité lumineuse mais plus douce que nos instruments, se mariant parfaitement à la flûte et à la voix du soprano. Cette trompette devrait être adoptée partout, ne serait-ce que pour nous faire entendre les *Suites* pour orchestre, le *2ᵉ Brandebourgeois*, le *Magnificat* tels qu'ils sonnèrent non pas peut-être à Leipzig, mais dans le puissant esprit de Jean-Sébastien Bach qui, selon le mot que disait moins justement Beethoven à propos de Haendel, est bien « notre père à tous ».

CHAPITRE X

TELEMANN, MANNHEIM, LES FILS DE BACH

La désaffection de l'Allemagne pour le style contrapunctique, dans le temps même où Bach le portait à son plus haut sommet de puissance et de géniale complexité, a été nettement exprimée par Johann Mattheson, le critique de Hambourg — il fut aussi organiste, ténor, poète et compositeur — devenu vers 1740 l'oracle des « modernes » : « L'oreille, dit-il, tire souvent plus de satisfaction d'une voix unique, bien ordonnée, développant une mélodie clairement ciselée dans toute sa liberté naturelle, que de vingt-quatre parties qui, à seule fin de participier à la mélodie, la fragmentent au point de la rendre incompréhensible. » De tous côtés, les compositeurs plaidaient pour un art facile, aux mélodies « gracieuses, amoureuses et enjouées ».

Cette allègre liquidation d'un héritage de deux siècles aurait pu entraîner la même décadence de la musique instrumentale qu'en Italie, si dans le même moment il ne s'était accompli un travail d'élaboration sur les grandes formes de la sonate et de la symphonie, cette sonate d'orchestre, qui allait fournir à l'Allemagne les armes de sa suprématie.

Pourtant, le compositeur que les Allemands tenaient pour un de leurs plus beaux musiciens, Georg-Philipp Telemann, qu'ils plaçaient bien au-dessus de Bach, est un de ceux qui ont le moins contribué à cette création essentielle.

TELEMANN

Il était né à Magdebourg, en 1681, d'une famille de pasteurs luthériens. Dès le collège, il stupéfiait ses professeurs par sa facilité à s'assimiler le latin, le grec, la géométrie, et la musique qu'il apprit, dit-il, presque seul, parce que son vieux magister l'ennuyait. Il écrivait et faisait jouer son premier opéra à douze ans, et comme il en vécut quatre-vingt-six, en composant jusqu'à son dernier jour, sa carrière est certainement la plus longue de toute la musique. A l'Uniservité, il fit son droit, tout en s'initiant aux œuvres les plus récentes des compositeurs français et italiens.

Son besoin d'activité fut incroyable. Quand il se fixa à Hambourg, en 1721, après avoir bourlingué vingt ans à travers l'Allemagne, il y cumulait la direction de la musique pour toute la ville, la composition des cantates pour cinq églises, l'enseignement dans deux collèges, l'organisation des concerts. Il restait en même temps fournisseur de la chapelle de Saxe, de la cour d'Eisenach, des églises de Francfort, du margrave de Bayreuth. Il écrivit ainsi quarante-quatre *Passions,* trente-neuf cycles de cantates, une quarantaine d'opéras, des concertos, des sérénades, de la musique pour clavier, six cents ouvertures à la française. Il plaisantait lui-même cette irrésistible prolixité, qui lui laissait encore le temps de fonder le premier journal musical d'Allemagne, et d'entre-prendre par trois fois son autobiographie.

Il se déclarait moderne à tous crins, mélodiste d'abord, se moquait « des vieux qui contrepointent à tire-larigot, mais sont dénués d'invention, écrivent à quinze et vingt voix obligées, où Diogène lui-même avec sa lanterne ne trouverait pas un brin de mélodie ». Ce qui ne l'empêchait pas, parce qu'il était de naturel cordial, d'entretenir des rapports amicaux avec Jean-Sébastien Bach, qui de son côté, parce qu'il avait le goût large et faisait son profit de tout sans broncher de son chemin, recopiait des cantates entières de Telemann. Aujourd'hui, c'est ce dernier qui nous apparaît vieillot, avec une syntaxe et un vocabulaire usés, tandis que les chefs-d'œuvre de Bach gardent toute la vigueur de la jeunesse.

Telemann ne semble pas avoir connu grand-chose du courant symphonique qui traversait l'Allemagne. La nouveauté venait pour lui de l'Italie des concertos et de l'opéra napolitain, et surtout de la France, de Lully, de Couperin, de Rameau. C'est le moins germanique des Allemands, ou, plutôt l'un des Allemands du XVIIIe siècle qui adopta avec le plus de naturel les modes, le ton, la vivacité des Français de ce temps. Il fait d'ailleurs à Paris en 1737 et 1738 un séjour de huit mois qui l'enchanta et où l'on réserva le meilleur accueil tant à sa musique qu'à son personnage remuant et spirituel.

Sa *Passion selon saint Matthieu*, où il a introduit un élément
lyrique avec la voix de « l'âme croyante » est une œuvre d'une
belle tenue, d'une évidente sincérité, mais que l'on ne peut rapprocher de Bach, comme le suggèrent certains critiques, sans
avoir oublié au préalable presque tout ce qui fait la grandeur de
Bach. La cantate du *Jour du Jugement (Le Jugement Dernier)*,
datant de la fin de sa vie, indique chez ce vieillard nullement
diminué un désir d'élargir et d'étoffer son style, peut-être pour
compenser l'insignifiance de tant d'autres de ses œuvres. Les
« peïntures musicales » de cette cantate − cataclysme, flammes,
écroulements − qui subjuguaient les premiers auditeurs, sont bien
entendu pour nous d'un pittoresque très atténué. Longtemps
auparavant, en 1725, Telemann avait écrit pour Hambourg un
opéra bouffe italien, *Pimpinone*, qui traite avec huit ans d'avance
sur Pergolèse le sujet de *La Servante Maîtresse*, vraisemblablement
d'après un « prototype » de Leonardo Vinci. Sans avoir l'élégance
du petit chef-d'œuvre de Pergolèse, *Pimpinone* est un *intermezzo*
très réussi: Telemann a fort bien attrapé le mouvement, la désinvolture des Napolitains, qui venaient tout juste de débuter dans
cette veine amusante.

Pour le reste, l'édition phonographique nous propose un
copieux « rayon » de Telemann, car il est devenu lui aussi un
objet de commerce, pour relayer Vivaldi dans la musique d'ameublement. Tout cela étant enregistré sans choix, débité en vrac, on
ne peut guère s'en remettre qu'au hasard pour tomber sur une
heureuse surprise au milieu de ces bavardages et de ces négligences.

Un autre musicien qui fit carrière dans l'Allemagne du Nord,
Johann-Joachim Quantz, le flûtiste-compositeur (1697-1773),
formé par les virtuoses français, garde un nom dans l'histoire
pour avoir été pendant trente ans à Potsdam le professeur et le
confident musical de Frédéric II. Il lui dédia quelque trois cents
concertos pour la flûte. Trois cents exemplaires d'un des genres
les plus minces, auquel Mozart n'accepta de sacrifier qu'une seule
fois, et de mauvai gré : nous ne nous jugerons pas déshonoré
pour n'en avoir écouté que quatre ou cinq, avec une attention
intermittente...

L'ÉCOLE DE MANNHEIM

Parce qu'il fut le premier à reparler de l'École de Mannheim, Hugo Riemann, le grand musicologue allemand du XIXᵉ siècle, selon le travers fréquent des savants, avait enflé démesurément son importance, et à sa suite de nombreux auteurs avaient encore renchéri sur lui. Ces thèses outrées amenèrent une réaction non moins excessive de nouveaux historiens : il ne s'était pour ainsi dire plus rien produit à Mannheim, qui passait trente ans avant pour le berceau unique de la symphonie.

On est parvenu aujourd'hui à un point de vue plus nuancé. Depuis le début du XVIIIᵉ siècle, un peu partout, la symphonie, dont le nom désignait encore une ouverture ou un intermède d'opéra, tendait à déborder de ce cadre pour adopter la coupe de la sonate et du concerto, dont l'ouverture italienne possédait déjà les trois mouvements, deux allegros encadrant un adagio. Nous avons cité dans un chapitre précédent les symphonies de Vivaldi, qui diffèrent notablement de son écriture concertante, et surtout celles de Sammartini. Vers 1740, on voyait apparaître en France des « symphonies dans le goût italien », abandonnant la tradition de la Suite pour les trois mouvements de l'ouverture italienne. Il est d'autre part difficile d'établir qui a l'antériorité, des musiciens de Mannheim et des premiers symphonistes autrichiens, Wagenseil, M.G. Monn, Léopold Mozart, très exactement leurs contemporains. Les influences peuvent bien avoir été réciproques.

Quant à la ville de Mannheim, résidence des Electeurs palatins depuis 1720, elle était devenue après 1740 l'un des foyers artistiques les plus animés d'Allemagne, avec l'accession au pouvoir du duc Karl-Theodor von der Pfalz, un Wittelsbach comme plus tard Louis II de Bavière, n'ayant d'autre idée en politique qu'une francophilie mal payée de retour, mais prince artiste et cultivé, consacrant tout son budget à l'architecture, à ses collections, à ses fondations scientifiques, au théâtre et à la musique.

Karl-Theodor eut la main particulièrement heureuse en confiant son orchestre à JOHANN STAMITZ (1717-1757), âgé de vingt-cinq ans à peine lorsqu'il prit ses fonctions à Mannheim. Stamitz — germanisation du nom slave Stemecz — était d'une famille originaire de Styrie, mais né et élevé en Bohême. Avec lui, son pays natal faisait son entrée dans l'histoire de la musique : « Les Bohémiens, disait l'Anglais Burney, la race la plus musicale peut-être de l'Europe. » Cela s'entendait en tout cas pour les instrumentistes, dont la qualité ne s'est jamais démentie jusqu'à nos jours : les musiciens d'origine tchèque ont peuplé et peuplent encore les plus beaux orchestres allemands et autrichiens.

Stamitz fit engager à Mannheim un bon nombre de ses compatriotes. Son orchestre compta bientôt quarante-deux pupitres, un effectif exceptionnel pour l'époque : dix premiers violons, dix seconds violons, quatre violes, quatre violoncelles, deux basses de viole, deux hautbois, deux flûtes, deux bassons, quatre cors et deux timbales. Tous les instrumentistes étaient dans leur partie des solistes virtuoses : « une armée de généraux », disait un voyageur extasié. Remarquable baguette, Stamitz obtenait de cette troupe d'élite des attaques d'archet, une discipline, une finesse qui devaient alors être incomparables, à en juger par l'unanimité des auditeurs, et particulièrement des crescendos et des decrescendos dont il n'était pas l'inventeur, comme l'ont écrit des nigauds, mais que l'on n'avait jamais entendus nulle part aussi bien nuancés, et par l'orchestre tout entier.

Le compositeur, chez Stamitz, ne valait pas le chef. Les éloges délirants que lui décernait un Burney, « un autre Shakespeare, un génie tout invention, tout feu », ne pouvaient tenir qu'au mirage de l'interprétation. Ses idées mélodiques et rythmiques − trop de plates mesures à 2/4 − sont courtes, rarement personnelles. Son écriture harmonique reste très scolaire. Sitôt que l'on a entendu deux ou trois de ses œuvres, on les confond. Mais elles sont affranchies de la basse continue, leur construction est claire, leurs articulations jouent bien, l'ensemble a de l'unité. Grâce au brio de leur exécution, elles ont répandu, imposé l'usage dans cette sonate d'orchestre du second thème, emprunté à Carl-Philipp-Emmanuel Bach, la coupe en quatre mouvements avec introduction du menuet, inspirée sans doute par le style français. Si le génie y fait défaut, elles représentent bien une étape décisive dans la formation de la symphonie classique.

Après la mort prématurée de Stamitz, ses collaborateurs et disciples, Franz Xaver Richter, originaire de Moravie, Anton Filtz, un Tchèque, violoncelliste solo, son fils Carl Stamitz, le Silésien Wilhelm Cramer, Franz Beck, l'Autrichien Ignaz Pleyel qui fonda à Paris la célèbre firme de pianos, l'Alsacien Cannabich maintinrent à l'orchestre sa réputation de qualité, tout en écrivant pour lui des kyrielles de symphonies − du seul Cannabich on en compte une centaine. Ces œuvres eurent un succès européen − leur influence sur Boccherini, sur Gossec, « le père de la symphonie française » — quoiqu'elles fussent encore plus impersonnelles et stéréotypées que celles de leur initiateur. En 1777, le duc Karl-Theodor succéda à l'Electeur de Bavière et quitta le Palatinat pour sa nouvelle résidence de Munich où une partie seulement de son orchestre le suivit. Le temps des « Mannheimer » était révolu. Mais ils avaient offert à Joseph Haydn et à Mozart la forme que ceux-ci allaient magnifiquement vivifier.

LES FILS DE BACH

Des six fils survivants sur les vingt enfants de Jean-Sébastien Bach, l'un d'eux, Gottfried-Heinrich, le plus doué selon ses frères, fut atteint à quinze ans d'une incurable déficience mentale. Johann-Gottfried-Bernhard, bon organiste mais malchanceux et panier percé, mourut à l'âge de vingt-quatre ans. Les quatre autres, dont trois furent illustres, comptent encore pour nous parmi les grands musiciens de leur époque.

Wilhelm-Friedmann Bach (1710-1784), « le Bach de Halle », fils aîné du Cantor, étudiant distingué de l'Université de Leipzig, virtuose de l'orgue, compositeur précoce, mais caractère tourmenté et maladroit, ne réussit guère dans son métier d'organiste, à Dresde puis à Halle. Il tenta une carrière indépendante, fut professeur à Berlin et y mourut dans la misère. On l'avait cependant tenu, partout où il était passé, pour un maître de l'orgue encore supérieur à son père.

Il a laissé peu d'œuvre pour son instrument, sur lequel il devait surtout improviser, encore qu'une partie de la célèbre *Fantaisie chromatique et Fugue* mise sous le nom de Jean-Sébastien soit vraisemblablement de lui. Sa musique religieuse, dont on connaît une vingtaine de cantates, est inégale. Du reste, ce fils du plus solide des chrétiens n'était plus très sûr de sa foi, ébranlée par ses rapports avec les rationalistes et « l'Aufklärung », la « philosophie des esprits éclairés ». Il a perdu le sens luthérien du choral.

C'est dans son œuvre pour clavier — quatre concertos pour clavecin et cordes, un concerto pour deux clavecins et cordes, des sonates, des fugues, des fantaisies, des polonaises — que ce solitaire, comme plusieurs romantiques allemands du siècle suivant, a été le plus libre, qu'il a mis ses plus intimes confidences. Le préromantisme de Friedmann a d'ailleurs souvent frappé des auditeurs qui ne savaient rien de lui. Dans ses concertos, il pousse beaucoup plus loin que Jean-Sébastien l'opposition entre le soliste et l'orchestre d'où sortira le style beethovénien. La sonate se dégage de plus en plus avec lui des schémas primitifs par les contrastes, les effets imprévus que son humeur lui inspire. Il y a davantage encore de prémonitions dans les douze petites *Polonaises* de Friedmann, qui mériteraient de reprendre place dans le répertoire de nos pianistes. La polonaise était une danse de cour, d'une solennelle noblesse, déjà connue de plusieurs compositeurs occidentaux. Friedmann lui enlève tout caractère national et même toute particularité rythmique pour en faire de petits poèmes d'une fantaisie déjà impressionniste, passant de la méditation au drame, de la plainte à la fougue.

Friedmann a ses fidèles. Sa vie bohème et non conformiste a été romancée en Allemagne. On lui a même pardonné d'avoir vendu ou perdu tant de manuscrits de Jean-Sébastien qu'il avait reçus en héritage. Une grande partie de son œuvre, encore inédite, réserve sans doute de curieuses découvertes.

CARL-PHILIPP-EMMANUEL BACH (1714-1788), « le Bach de Berlin et de Hambourg », étudiant en droit à Leipzig et musicalement formé par Jean-Sébastien comme son frère Friedmann, était déjà à vingt ans un virtuose réputé du clavecin, et c'est en cette qualité que Frédéric II se l'attacha comme accompagnateur de ses exercices de flûte, un peu avant d'accéder au trône. Philipp-Emmanuel resta vingt-huit ans au service du souverain qui appliquait à la musique les mêmes règles militaires qu'à toute sa maison : il suivait les représentations de l'Opéra de Berlin partition en main, et si le chef d'orchestre se trompait lui infligeait des arrêts de rigueur ; il écoutait chaque soir sans se lasser six concertos pour flûte du sempiternel Quantz, et n'admettait d'autre théorie musicale que celle de ce pseudo-classique. Aussi peu courtisan que son père, Philipp-Emmanuel n'avait guère de chances de s'élever au-dessus de son poste relativement subalterne, mais sa réputation croissait dans les milieux cultivés de Berlin. En 1767, le roi consentit enfin à se séparer de lui, et il remplaca à Hambourg, dans ses importantes fonctions de directeur de la musique, son parrain Telemann qui venait de mourir. Il y vécut désormais élégamment et largement, car ses appointements étaient élevés et il dirigeait fort bien ses affaires. Il recevait chez lui tous les hôtes célèbres de passage, toute l'élite intellectuelle de l'Allemagne du Nord. C'était un gourmet, homme d'esprit jusqu'à la causticité, avec un fond de mélancolie, à ce qu'il semble d'après ses portraits. Il servit dignement la mémoire de son père, les traditions de la famille, dont il possédait presque toutes les archives. Mais à son regret, pour la première fois dans la lignée, ses deux fils ne manifestaient aucun don musical.

Sauf quelques partitions écrites à loisir, un *Magnificat* qui est une sorte de synthèse de tous les styles de l'époque, une cantate de la Passion, une autre des *Israélites dans le Désert*, qui contiennent de beaux détails dramatiques, et un *Heilig* (le *Sanctus* allemand) d'une puissance haendélienne, l'œuvre religieuse de Philipp-Emmanuel est d'un faible intérêt.

Les vraies créations du talent et par endroits du génie de Philipp-Emmanuel sont dans ses pièces pour clavier, ses concertos pour clavecin et orchestre, au nombre d'une cinquantaine, sa musique de chambre, ses symphonies.

Philipp-Emmanuel a passé longtemps pour « l'inventeur du second thème ». Il n'est plus possible de s'en tenir à ces simplifications. On sait qu'un second thème apparaît déjà, plus ou moins affirmé, dans les sonates pour clavecin et violon de Jean-Sébastien, chez Leclair, chez Scarlatti. Comme les « Mannheimer » le firent pour la symphonie par la qualité de leur interprétations, Philipp-Emmanuel répandit l'usage du dithématisme grâce à la valeur des œuvres dans lesquelles il l'employait, d'une manière beaucoup plus constante et consciente que ses prédécesseurs. Avec lui, le plan de la sonate classique est presque entièrement arrêté, dans sa symétrie ternaire. Elle est à trois mouvements, vif, lent et vif, chacun divisé lui-même en trois parties. Le premier allegro comporte l'exposé des deux thèmes, le second étant en général à la dominante ou au relatif du ton principal, le divertissement où les deux thèmes se combinent polyphoniquement, puis la réexposition des deux thèmes, le second dans le même ton cette fois que le premier, pour terminer comme on a commencé dans le ton principal, selon l'ordre tonal qui reste strict. Le second mouvement, andante ou adagio, est écrit soit dans la forme du lied, en trois parties — exposition d'une phrase mélodique, intermède, reprise de la mélodie, soit en forme de variation. Le troisième mouvement, allegro ou presto, est construit à deux thèmes sur le même modèle que le premier, ou en rondo, dont le refrain reparaît entre des couplets tous différents. Le style est celui de la monodie, chant accompagné. La polyphonie ne reparaît plus guère que dans le divertissement. Dans les développements, le thème qui auparavant gardait son identité subit des transformations continuelles, il est fragmenté en cellules, son rythme est modifié.

Mais le travail formel de Philipp-Emmanuel Bach compte moins aux yeux des musicologues modernes que son apport expressif. Les historiens qui raffinent sur la chronologie en font le musicien de l'*Empfindsamkeit,* un vocable assez pédantesque quand il est isolé dans un texte français, mais qui signifie simplement *sensibilité :* un état d'esprit plutôt qu'une école, correspondant à peu près en Allemagne à la publication chez nous de *La Nouvelle Héloïse* de Rousseau (1761), annonciateur du *Sturm und Drang* (traduction approximative : *Orage et Impétuosité*), qui bouleversera l'Allemagne intellectuelle à partir de 1770, avec Bürger, Herder, Klinger, le Gœthe de *Werther* et de *Goetz de Berlichingen.* Tout en faisant la part chez Philipp-Emmanuel de ce qui relève du style galant, et qui est considérable dans sa période berlinoise, on peut aussi bien le rattacher au *Sturm und Drang* dans sa veine la plus originale, émue, passionnée, inventant admirablement son propre langage, surtout au clavier, avec ses grands écarts, ses brusques changements de tempo, son *rubato,* ses silences imprévus, ses dissonances en relief. Philipp-Emmanuel nous conduit dans ces œuvres jusqu'au bord du romantisme musical. Ce n'est du reste pas tellement surprenant quand on songe que Beethoven avait dix-huit ans quand « le Bach de Hambourg » mourut. Il n'est pas étonnant non plus que ce pré-romantique soit le premier des compositeurs à porter des indications de nuances sur ses manuscrits.

JOHANN-CHRISTOPH-FRIEDRICH BACH (1732-1795), « le Bach de Bückebourg », fils aîné du second mariage avec Anna-Magdalaen, fut de tous les enfants de Jean-Sébastien celui qui suivit la carrière la plus conforme aux traditions paisibles et sédentaires, de la famille. Engagé à dix-huit ans, peu avant la mort de son père, dans l'orchestre de la cour de Schaumbourg-Lippe, à Bückebourg, une petite ville de Westphalie, il y passa toute son existence. Il était lui aussi un virtuose de première force au clavecin, puis au piano-forte. Il n'avait rien d'un novateur, comme l'indique son attachement à une petite cour cultivée mais provinciale, où il faisait pour ainsi dire partie de la famille régnante. Sa musique pour clavier, facile à exécuter, est charmante, dans une note d'intimité germanique. Outre des concertos pour clavecin et piano, des cantates, deux oratorios, dont une *Enfance du Christ* remplie d'« Empfindsamkeit », il a laissé quatorze symphonies. Les dix plus belles, datant des dix dernières années de sa vie pourraient figurer dignement dans des programmes à côté de celles de Haydn, en particulier la toute dernière, en si bémol majeur.

JOHANN-CHRISTIAN BACH, Jean-Chrétien dans la plupart des textes français (1735-1782), « le Bach de Milan et de Londres », fut le seul fils de Jean-Sébastien à n'avoir reçu que des rudiments de son père qui mourut quand il n'avait pas quinze ans. Philipp-Emmanuel, son demi-frère, le fit venir à Berlin et dirigea ses études. En même temps qu'il devenait à son tour un virtuose du clavecin, Jean-Chrétien eut dans la capitale prussienne la révélation des opéras italiens de Hasse et de Graun. Sans mépriser l'opéra, dont ils s'étaient tant inspirés dans leurs airs, les Bach l'avaient toujours tenu pour un genre un peu trop frivole. Pour Jean-Chrétien, il n'y avait pas de plus belle musique au monde, et il fallait l'étudier dans son pays d'origine. En 1754 ou 1755, on ne sait trop par quels expédients, le garçon arrivait à Milan. Il s'italianisa rapidement, se faisant appeler Giovanni, embrassa le catholicisme, certainement plus par opportunité que par conviction. En 1761, il faisait jouer avec un grand succès un *Artaserse* à Turin, puis un *Caton* et un *Alessandro* au fameux San Carlo de Naples. Sa réputation grandit si vite qu'un imprésario italien de Londres l'engagea à venir en Angleterre dès 1762.

Aussitôt à Londres, Giovanni devint « John Bach, musicien saxon », remporta un premier triomphe au King's Theatre avec un *Orione*, et en 1764 devenait maître de musique de la reine, une jeune princesse mecklembourgeoise qui gardait la nostalgie de l'Allemagne. La même année, il eut la joie de présenter à la cour le petit Mozart âgé de huit ans, de se livrer avec lui à quantité de jeux musicaux. Il mena dès lors grand train, reçu dans la société la plus huppée de Londres. Il cultivait l'humour anglais aussi facilement qu'il s'était mis à la faconde italienne. Son portrait par Gainsborough montre un élégant gentleman, fort bel homme. Il avait créé avec un violiste allemand, Friedrich Abel, des concerts par abonnements, les Bach-Abel Concerts, suivis par toute l'élite aristocratique et intellectuelle. En dépit de cette vie mondaine et de ses multiples fonctions, il composait sans arrêt. En 1772, il alla faire représenter à Mannheim son opéra *Thémistocle* et fut reçu princièrement par l'Electeur Charles-Théodore. Il rentra d'Allemagne marié avec une cantatrice italienne. Puis les difficultés commencèrent. Il fut en butte aux cabales des imprésarios et des chanteurs italiens de Londres. Il s'endetta lourdement pour installer ses concerts dans une nouvelle salle d'un luxe ruineux. Démoralisé, prématurément usé par une vie à la fois trop dispersée et trop laborieuse, il tomba malade et mourut le 1er janvier 1782, déjà oublié de ses admirateurs londoniens, et ne laissant pas un penny de la fortune qu'il avait gagnée.

Il ne reste rien non plus de ses opéras, où il obéit aux poncifs d'un genre en pleine décadence. Jean-Chrétien dilapida de grands dons dans des futilités, des concessions à un public aussi superficiel que distingué. Son talent était déjà entièrement formé lorsqu'il quitta l'Italie à vingt-sept ans. Une fois en Angleterre, il l'exploita sans évoluer. Son succès matériel et mondain comblait ses ambitions. Lorsqu'il en reprenait conscience, il écrivait des œuvres beaucoup plus fortes, comme sa *Symphonie en sol mineur* (n°6 de l'op. 6), qui s'ouvre à la même poésie préromantique que celle de ses frères. Il fut un des premiers à utiliser les nouvelles ressources du piano-forte dans le phrasé mélodique. On retrouve l'hérédité des Bach dans certaines pages fermes et généreuses des sonates, des quintettes, et même des trop nombreux et faciles concertos pour clavier. On ne peut pas oublier que Mozart, au jugement infaillible dès qu'il s'agissait de son art, écrivait en apprenant la disparition de Jean-Chrétien : « Bach l'Anglais est mort. C'est un jour sombre pour le monde de la musique. »

CHAPITRE XI

HAYDN

La livrée de domestique imposée à Joseph Haydn tient presque la même place dans l'imagerie sur les indignités de l'Ancien Régime que les manants battant les étangs pour que les coassements des grenouilles ne troublent pas le sommeil de leur seigneur. Wagner, de son côté, tout en reconnaissant le génie de Haydn, ne lui pardonnait pas d'avoir accepté d'être « un laquais impérial ».

Il y aurait beaucoup à dire, d'une manière bien plus nuancée, sur l'ancienne condition des artistes. Les mœurs au XVIIe et au XVIIIe siècles n'avaient plus la belle largesse de la Renaissance italienne, où tant de peintres et de compositeurs étaient sur le même pied que les gentilshommes. Dans les pays germaniques surtout, les musiciens n'échappaient pas si aisément à leur classe artisanale. Pourtant, un homme tel que Bach vivait plus en ami qu'en serviteur dans les cours pour lesquelles il travaillait. Ce n'est pas avec les aristocrates mais avec les bourgeois de Leipzig qu'il connut d'humiliantes et rebutantes difficultés.

On possède le contrat par lequel le prince Esterhazy engagea en 1760 Joseph Haydn comme vice-Kappelmeister (il devint Kappelmeister en titre six ans plus tard). Ce texte est évidemment renversant pour nous. Haydn s'y trouve mis au rang d'un domestique, « nourri à la table du personnel », astreint pour les concerts ainsi que tous ses musiciens au port de la fameuse livrée de velours bleu soutaché d'argent, accablé de prescriptions, tandis que Son Altesse sérénissime le prince s'arroge sur ce serviteur tous les droits, y compris l'usage exclusif de sa musique et l'interdiction d'en composer pour qui que ce soit d'autre. En outre, bien que le contrat ne le stipule pas, l'esclave-musicien n'est pratiquement autorisé à aucune absence.

Cependant, écoutons l'opinion de « l'intéressé », qui toléra trente ans cette chaîne, à Eisenstadt puis à Esterhaz : « Mon

prince était satisfait de tous mes travaux, je recevais son approbation. Mes fonctions de chef d'orchestre me permettaient de
faire toutes les expériences, d'observer l'impression produite,
d'améliorer ce qui était faible, d'ajouter, de couper, d'oser. J'étais
isolé du monde, personne dans mon entourage ne pouvait me
faire douter de moi, me tracasser. Ainsi, j'étais forcé de devenir
original. » Au surplus, son salaire était très élevé. L'histoire
musicale ne lui donne-t-elle pas raison, en montrant que de telles
existences, sous un « despote éclairé », pouvaient être bien plus
fécondes et heureuses que la liberté parmi les Philistins ?

Qu'était Haydn, quand il entra ainsi à vingt-huit ans au service
du plus riche et puissant seigneur de Hongrie, vrai souverain,
propriétaire de quatre cent quatorze villages, qui se fit reconstruire
Versailles en pleine nature, à Esterhaz, et dont le petit-fils se vit
offrir par Napoléon la couronne de Saint-Etienne ? Né en 1732, il
était le second des douze enfants d'un charron installé au petit
village de Rohrau, non loin d'Eisenstadt, dans une région où
cohabitaient Autrichiens, Croates, Hongrois, mais lui-même, quoi
qu'on en ait dit, de pure souche austro-allemande, ainsi que sa
femme. De huit à dix-huit ans, le petit Joseph Haydn avait gagné
son pain comme choriste dans la maîtrise de la cathédrale Saint-
Etienne à Vienne, appris assez convenablement le clavecin et le
violon. Pendant les sept ou huit années suivantes, il avait tiré le
diable par la queue dans Vienne, composé des sérénades, de la
musique pour une farce, donné des leçons mal payées, reçu durant
quelques mois celles de Porpora, l'un des rois de l'opéra napolitain, devenu un vieillard quinteux, auquel Haydn, en guise de
rétribution, servait de valet de chambre. Comme il devinait les
lacunes de la musique italienne, il avait étudié seul, non sans
peine, le contrepoint, joué et rejoué les sonates de Philipp-
Emmanuel Bach. Deux engagements, comme directeur de musique
chez un baron viennois et un comte bohémien avaient commencé
à dégrossir ce campagnard trapu, de visage assez ingrat.

Durant ses trente années paisibles, laborieuses et en somme
très honoré chez les Esterhazy, Haydn composa quelques opéras
bouffes, une douzaine d'opéras « sérieux », pour lesquels il n'avait
aucun don, mais aussi ses plus belles séries de quatuors, les
« Russes », les « Prussiens », les « quatuors du Soleil » et près de
quatre-vingt-dix de ses cent quatre symphonies. La redoutable
clause qui laissait à son maître l'exclusivité de sa musique avait

été abolie. La réputation de Haydn s'étendait à toute l'Allemagne, à la France, à l'Angleterre. On jouait fréquemment ses symphonies au Concert Spirituel de Paris. Ses quatuors surtout « se répandaient sur le monde comme les oiseaux au printemps ». Si bien que lorsque le prince Nicolas Esterhazy mourut en 1790 et que son héritier le prince Antoine supprima la musique du château et rendit à Haydn sa liberté, mais en lui maintenant élégamment son plein salaire pour la fin de ses jours, le fils du charron de village n'avait plus que l'embarras du choix entre les magnifiques propositions qui lui étaient faites des quatre coins de l'Europe. Il choisit celle d'un imprésario du nom de Salomon, qui organisait pour lui une série de concerts à Londres, avec des conditions financièrement superbes.

Haydn appréhendait beaucoup ce long voyage, le premier de son existence. Mais quelques semaines après son arrivée, autour de laquelle Salomon avait fait une publicité imposante, il était invité à un bal de la cour. Et là, le prince de Galles, allant à sa rencontre, s'inclina le premier devant lui. De cet instant, Haydn fut le grand homme à la mode. Son séjour de dix-huit mois, durant lesquels il écrivit six des *Symphonies londoniennes*, fut pour lui une fête continuelle : succès fracassant de ses concerts, festival Haendel dont Haydn ne connaissait pas la musique qui le bouleversa, réception à Oxford où on lui conféra le grade de docteur *honoris causa*.

Le « laquais impérial » qui devenait ainsi le musicien le plus célèbre et le plus respecté de son temps était d'une bonhomie à réconcilier avec l'humanité le plus âcre misanthrope. Pour l'Autriche entière il était « le papa Haydn », et en effet le vrai père de son orchestre, de ses chanteurs. Aussi peu intellectuel que possible, il n'avait presque rien lu en dehors de manuels de composition. Il s'identifiait comme les enfants et les primitifs aux rares pièces de théâtre qu'il connaissait. *Le Roi Lear* l'avait épouvanté : « Comment des filles peuvent-elles se conduire aussi abominablement avec leur père ? » S'il savait le latin d'église et l'italien, il mélangeait l'allemand avec son dialecte bas-autrichien et l'écrivait avec des fautes énormes à chaque mot. En Angleterre, il avait à peine appris à bredouiller deux ou trois phrases. Mais ce simple était plein de bon sens, savourant les honneurs qu'on lui décernait sans que sa tête tournât : « Je me suis entretenu, disait-il, avec des empereurs, des rois et beaucoup de grands nobles, j'ai reçu d'eux maintes flatteuses louanges ; mais je ne désire pas vivre sur un pied de familiarité avec eux, je préfère les gens de ma classe. » S'il était dérouté non par la musique mais par le caractère ombrageux de Beethoven qui travailla quelque temps avec lui sans grand profit, il fut le premier à reconnaître la suprématie de Mozart, « le plus grand compositeur qui soit au monde », jusque dans sa musique de théâtre, alors si contestée. Ils passèrent ensemble la nuit qui suivit la première représentation de *Cosi fan tutte,* dont Haydn était sorti enivré. Mozart, de son côté, ne supportait aucune critique sur les œuvres du « papa », auquel il avait offert ses quatuors avec la dédicace : *Al Padre, Guida ed Amico.* L'amitié de ces deux hommes, séparés par vingt-quatre ans d'âge, fut à la hauteur de leur art, ce qui est exceptionnel, on doit bien l'avouer, dans les annales de la musique.

Le seul échec de Haydn avait été son mariage avec une femme acariâtre, bigote, stérile, stupide, musicienne comme un pied de table. Il se consola en prenant pour maîtresse à quarante-sept ans une petite cantatrice napolitaine qui en avait dix-neuf, et dont il toléra philosophiquement les infidélités.

En 1794, Haydn retournait à Londres pour un nouveau séjour de dix-huit mois, aussi triomphal que le premier, après avoir assisté à l'inauguration de son propre monument, élevé dans son village natal de Rohrau par le comte Harrach : ces aristocrates avaient décidément de beaux gestes. Il aurait pu rester en Angleterre, d'où il rapportait une jolie fortune, le roi lui-même l'en avait prié. Mais il avait envie de retravailler pour les Esterhazy. Le nouveau prince, Nicolas, un jeune homme, reconstituait l'orchestre de la maison. Il n'avait malheureusement aucun goût musical. Haydn le lui fit comprendre, et tout en conservant les meilleurs liens avec la famille – la comtesse Esterhazy veilla sur sa vieillesse avec un soin presque filial, il écrivit surtout pour lui, dans la petite maison qu'il avait achetée à Vienne. Ce fut l'époque de ses deux grands oratorios, *La Création* et *Les Saisons* (1798 et 1801), aussitôt chantés à travers toute l'Europe. *Les Saisons* lui avaient demandé une peine inaccoutumée. Après ce grand travail, ses forces déclinèrent lentement. Il ne composait plus, recevait dans son fauteuil d'impotent d'innombrables visiteurs de tous les pays, venus contempler un grand maître et une sorte de revenant de l'époque rococo. Il mourut le 31 mai 1809, deux semaines après la seconde entrée des Français dans Vienne. Les Viennois, au milieu du désordre des événements, n'apprirent même pas sa disparition et seuls quelques voisins et intimes suivirent son cercueil. Ce furent les Français, se rappelant que Haydn était membre correspondant de l'Institut, qui prirent l'initiative d'un service solennel, à la Schottenkirche, avec les honneurs rendus par les grenadiers de la Garde et le chant du *Requiem* de Mozart. Derrière les maréchaux et les généraux en grande tenue, un jeune homme corpulent, fonctionnaire de l'intendance, qui se nommait Henri Beyle, assistait à la cérémonie. Trois ans plus tard, ce mélomane sincère mais qui ne savait pas lire une note débutait dans les lettres par une *Vie de Haydn*, allègrement plagiée d'un biographe italien qui avait lui-même collectionné des sornettes.

LES CINQ MANIERES D'UN GRAND MAITRE

Après que l'on ait trop souvent, durant un siècle, considéré Haydn comme un agréable musicien mineur, on l'entoure d'un pédantisme bien intentionné mais qui finit par obscurcir cette musique limpide et par verser dans le ridicule, comme chez les glossateurs découvrant dans l'alerte *Symphonie militaire* « la fièvre des tempêtes et des assauts », et « la cérémonie rituelle d'une caste de guerriers ».

Des travaux un peu trop doctoraux ont permis cependant, lorsqu'on ne les prend pas trop à la lettre, de distinguer chez Haydn différentes manières que l'on avait longtemps confondues :

— entre 1760 et 1768, dans les premières années chez le prince Esterhazy, élaboration de son style symphonique, se dégageant du concerto grosso, de la sonate d'église, pour aboutir assez vite, sous l'influence des « Mannheimer », à la symphonie quadripartie, allegro, adagio, menuet avec trio, allegro ou presto :

— entre 1768 et 1773, Haydn est touché par le courant de la « sensibilité » et même les prodromes romantiques du « Sturm und Drang » ; il a un style plus agité, plus expressif dans sa belle sonate pour piano n° 20 en *ut* mineur, ses quatuors d'une écriture soutenue d'une inspiration mélodique de plus en plus allemande (quatuors du Soleil, 1772); ses symphonies, souvent en mineur, sont d'un ton plus grave, plus ardent, souligné par leur couleur harmonique : Symphonie de la Passion, Symphonie n°39 en *sol* mineur, Symphonie funèbre, Symphonie des Adieux;

— de 1773 à 1780, retour à un style plus léger, plus traditionnel, sans doute à l'instigation d'Esterhazy qui souhaite entendre de la musique divertissante ; les six sonates pour piano dédiées au prince, beaucoup plus extérieures et faciles que les précédentes, de même que les symphonies (Symphonie du « Maître d'école ») ; c'est aussi l'époque où Haydn écrit des opéras et de la musique religieuse surtout décorative. Il ne compose aucun quatuor ;

– de 1780 à 1790, Haydn abandonne l'opéra ; il revient au quatuor (quatuors « russes », ainsi nommés parce que dédiés au grand-duc Paul, quatuors prussiens, tous très admirés de Mozart) ; il écrit dans un style beaucoup plus ferme les six *Symphonies Parisiennes* pour le Concert de la loge Olympique, une grande partie de ses trente-cinq trios pour piano, violon et violoncelle, un peu superficiels mais charmants ;

– de 1790 à 1795, c'est la période des douze *Symphonies Londoniennes*, où Haydn parvient au sommet de sa maîtrise dans cette forme, après avoir à son tour subi l'influence des dernières symphonies de Mozart ; il écrit encore de nombreux arrangements de chants populaires anglais et écossais ; – enfin, il termine sa carrière en composant ses oratorios et plusieurs messes, Messe des Timbales, *Theresienmesse, Harmoniemesse.*

Haydn est un musicien aussi solide que raffiné. Son instinct le détourna des gentillesses italianisantes en faveur à Vienne, comme celles de son ami de jeunesse Ditters von Dittersdorf, pour lui faire choisir ses modèles dans l'art beaucoup plus dense et nourri des Allemands du Nord. Nous avons déjà récusé comme une impropriété le mot « baroque » appliqué à Bach et qui conduit la critique allemande à de vrais non-sens, par exemple « la statique roideur des compositions baroques ». Nous considérons que le classicisme musical s'étend sur la majeure partie du XVIIe et du XVIIIe siècles, avec pour caractères la symétrie, la régularité de l'architecture, où seuls des détails faciles à isoler comme certains arias de Bach peuvent passer pour baroques. L'œuvre de Haydn est dans ce classicisme une charnière essentielle. Les temps n'étaient pas encore mûrs et le muscien des Esterhazy était d'un naturel trop optimiste pour qu'il persistât dans son humeur romantique de 1770 et l'approfondît. Mais il reçut des mains des « Mannheimer » la symphonie encore grêle et schématique pour en faire, durant trente-cinq ans de carrière, cette forme accomplie, vigoureuse, logique, que ce Beethoven dont la mine sombre l'agaçait hérita de lui beaucoup plus directement encore que de Mozart. C'est une belle page dans l'histoire de l'art que cette heureuse croissance de la symphonie haydnienne, depuis celles des années de la « sensibilité », au souffle émouvant mais encore un peu court, à l'orchestration encore un peu timide, jusqu'aux « Parisiennes », la « Reine » par exemple, la « 88 » en *sol* majeur dont Furtwængler a laissé un incomparable enregistrement, et surtout aux « Londonniennes », où Haydn tire magnifiquement les leçons de la « Jupiter » et de la « Sol mineur » de son cher cadet Mozart. A ce degré de maîtrise, l'effusion allemande, le lied populaire des largos et des andantes se sont entièrement substitués aux banalités langoureuses des arias. Tout est plus large, les développements, le dessin musical, les menuets qui ne conservent plus rien des grâces de cour deviennent des morceaux énergiquement rythmés, d'une saveur champêtre. Il y a parfois dans la construction quelques naïvetés, comme les reprises du largo de la « 88 », mais jamais de ces faiblesses organiques, de ces creux si fréquents chez Telemann et chez les Italiens concertants. Haydn inaugure des procédés qui entreront dans la palette orchestrale de tout le XIXᵉ. Il obtient par ses mélanges de timbres des coloris nouveaux. Il se sert des cors comme d'une pédale d'orchestre pour relier les aigus et les graves.

Haydn est aussi le premier à avoir résolu, à partir de ses quatuors du Soleil, une des grandes difficultés de cette forme : éviter d'en faire un concerto pour violon accompagné d'un trio de cordes, laisser à chacun des instruments l'indépendance créant entre eux ce dialogue qui pourra devenir si poétique, si dramatique.

La galanterie, qu'on lui a souvent attribuée pour caractère dominant, tient en somme assez peu de place dans les œuvres majeures de Haydn, parfois tout juste quelques révérences entre deux accords vigoureusement arrachés du *tutti,* comme un aimable personnage poudré venant dire adieu à son XVIIIᵉ siècle sur la scène où s'annoncent les orages prochains.

Ce qui est exquis encore chez lui, c'est le goût avec lequel il marie la musique la plus élégante avec l'inspiration populaire dont sa mémoire et son cœur étaient pleins. Voilà bien l'aisance d'un parfait civilisé, qui pouvait, sans déroger un instant au ton des cours et des salons les plus aristocratiques, s'y rappeler les airs des paysans croates, autrichiens, hongrois de sa campagne natale.

Pourquoi ne pouvons-nous placer au tout premier rang ce grand maître et ce charmant homme ? C'est sans doute que sa musique reste un peu extérieure à lui. Chacune des trois dernières

symphonies de Mozart est un être musical différent. Leurs sœurs
cadettes, les douze « Londoniennes » de Haydn, qui ont tant
profité de leur exemple, demeurent très voisines les unes des
autres, par leurs thèmes, leurs rythmes, leur facture. Si nous
n'avions usé de ce terme pour des œuvres très inférieures, nous
dirions qu'elles sont encore de la musique pensée et écrite en
série, malgré toute leur beauté et toute leur force. C'est du moins
de la musique encore peu différenciée.

« LA CRÉATION ». « LES SAISONS »

Il faut bien parler aussi des limites de Haydn. *La Création*
s'ouvre sur un extraordinaire prélude chromatique de l'orchestre,
une suite d'altérations suggérant le chaos originel. Roland-Manuel
y voit avec raison l'une des plus singulières hardiesses de la musique
allemande avant le prélude de *Tristan*. Mais après cette page
unique dans toutes ses œuvres et si révélatrice du sort qui attendait le système tonal, Haydn est fort dépassé par un sujet gigantesque, tout simplement la Genèse. Les « descriptions », où les
auditeurs du temps s'ingéniaient à reconnaître la baleine, l'apparition des poissons, des oiseaux, des insectes bourdonnants, des
vers de terre, sont fugitives, traitées avec goût ; Haydn, pas plus
que Rameau ou Couperin, n'est tombé dans les niaiseries de la
musique imitative. Mais évoquer la majesté du dieu biblique,
comme le faisaient si naturellement les vieux luthériens, rien n'est
moins dans ses cordes. Il n'y songe même pas. Les archanges
Raphaël et Gabriel, l'ange Uriel célèbrent le Seigneur et son
œuvre par des vocalises, des arias da capo tantôt jolis tantôt fort
conventionnels. L'excellent symphoniste Haydn, si libre et inventif
en maniant ses instruments, est obnubilé par l'opéra italien quand
il doit traiter les voix. La troisième partie, consacrée à Adam et
Eve, sans aucune allusion au péché originel que Haydn trouvait trop
triste, s'achève sur une saisissante et savante double fugue du
chœur, inspirée de Haendel, avec de très habiles changements de
l'éclairage harmonique. Mais auparavant il a fallu subir une suite
de duos où le premier couple chante son bonheur conjugal dans
le style galant le plus fade et par-dessus le marché intarissable.

Bon catholique quoique franc-maçon, ce qui n'était nullement
incompatible à l'époque – on n'a jamais su du reste très bien
pourquoi ce musicien si peu philosophique s'affilia aux Loges –

Haydn déplorait que l'exécution de sa *Création* dans les églises ne fût pas autorisée. Conception pour le moins élastique de la musique religieuse. Au fait, c'est dans cette musique religieuse que Haydn sacrifie le plus à la mode de son temps, fait figure de compositeur rococo, à cause de la disparité entre les textes sacrés et la légèreté de la musique, les ritournelles d'opéra-comique surgissant dans les messes. Même dans l'oratorio des *Sept Paroles du Christ sur la Croix*, soli et chœurs se donnent assez vainement beaucoup de mal pour accommoder leurs jolies inflexions galantes à la gravité du sujet. Maintes de leurs cadences arrondies conviendraient aussi bien aux *Noces de Figaro*...

A *La Création*, nous préférons pour notre part *Les Saisons*, sur un livret assez élémentaire, descriptif et exclamatif du diplomate van Swieten, l'admirateur de Bach, qui avait déjà fourni le texte des autres oratorios. Musique sans surprises, d'un relief modéré, dont il ne faut pas attendre beaucoup de couleurs − « l'orage » de « L'Eté » n'est indiqué que par deux ou trois roulements de timbales − dont de nombreux morceaux sont cependant de charmantes réussites, avec les airs du fermier, de sa fille, du jeune paysan, bien moins soumis aux clichés italiens que ceux des archanges de la Genèse, les fugues des chœurs qui n'alourdissent pas cette pastorale allemande, quoiqu'elles soient de l'écriture la plus régulière, et toute la famille des airs populaires les plus vivants.

L'un des frères de Haydn, Johann-Michaël (1737-1806), choriste lui aussi à Saint-Etienne de Vienne durant son enfance, passa quarante-quatre ans de sa vie comme « Konzertmeister » à Salzbourg où il mourut. Sa musique religieuse, bien que les besognes commandées y abondent, est dans ses meilleures pages moins tributaire des poncifs italiens et plus sérieusement inspirée que celle de son aîné. Il a écrit une trentaine de symphonies, quantité de pièces d'un tour populaire pour plusieurs voix d'hommes. Son existence confinée l'empêcha sans doute d'élever plus haut son talent. Il donna au petit Mozart ses premières leçons de contrepoint, et fut jusqu'à sa mort un de ses plus fidèles amis.

CHAPITRE XII

GLUCK. LES DÉBUTS DE L'OPÉRA-COMIQUE

GLUCK (1714-1787)

Les innombrables études sur la réforme dramatique de Gluck, régulièrement décalquées aujourd'hui encore dans toutes les encyclopédies nouvelles, semblent avoir été écrites par des auteurs qui n'auraient jamais entendu les opéras de Mozart, ignoré tout le sang nouveau qu'ils apportaient à l'art lyrique.

Né dans la forêt de Franconie, non loin de la frontière de Bohême, fils d'un garde-chasse du prince Lobkowitz, violoneux ambulant à l'âge de quinze ans, puis remarqué par le prince, élève quelque temps à Milan du symphoniste Sammartini, Christoph-Willibald Gluck avait composé pour Milan, pour Venise, pour Londres, pour Naples et surtout pour Vienne des opéras italiens de l'espèce la plus superficielle, *Artaxerxes, Hippolyte, La Clémence de Titus* et une vingtaine d'autres sur des livrets non moins ressassés. Entre 1759 et 1764, il y avait ajouté une série d'opéras-comiques français, sur des textes de Lesage, de Favart, dont les plus connus sont *Le Cadi dupé, Les Pèlerins de La Mecque,* et où voisinent des couplets de vaudevilles parisiens, des airs d'opéras bouffes et des arias traditionnels. En 1761, il faisait la connaissance à Vienne d'un Livournais, Calzabigi, poète, éditeur de Métastase, qui avait lui aussi beaucoup voyagé. Gluck a précisé lui-même qu'il devait à Calzabigi la plupart de ses idées sur le nouveau plan du drame lyrique. Le poète lui fournit les livrets, en langue italienne, de ses premiers opéras « rénovés », *Orfeo* (1762), *Alceste* (1764), *Paride e Elena* (1769), tous représentés à Vienne. L'esthétique de Gluck, exposée dans la préface d'*Alceste,* réagit contre la déchéance de l'opéra italien, transformé en exhibition de chanteurs, le livret n'étant plus qu'un négligeable prétexte à leurs numéros successifs. Gluck, comme Rameau, veut que l'ouverture prépare les auditeurs au drame qui va être représenté. Il supprime le prologue allégorique, en général si fastidieux, la basse continue du clavecin, les passages de virtuosité vocale gratuite, les interminables cadences sur une seule voyelle. Il ne tolère plus aucune fantaisie aux chanteurs, il resserre l'action de cinq actes en trois, lui demande simplicité et unité, des situations émouvantes, purgées des descriptions inutiles, de l'amphigouri sentimental. Il réduit la part du ballet, s'efforce de l'incorporer au drame.

Gluck se propose en somme de rendre sa dignité à l'opéra italien, galvaudé par les castrats, la futilité du public, les complaisances des auteurs napolitains — et à cet égard ses initiatives sont judicieuses — mais nullement à en bouleverser le cadre. La version italienne d'*Alceste* est un *opera seria* sans roucoulades, bien peigné, bien aligné, où pour la première fois les trombones retentissent dans un orchestre de théâtre. On y entend au second acte un air très mélodieux de l'héroïne titulaire dont se souviendront Elisabeth dans *Tannhäuser*, Elsa dans *Lohengrin*; et c'est là qu'affleure l'esprit germanique de Gluck. Mais il est d'autre part si imprégné d'italianisme que l'air d'Admète au troisième acte a des intonations annonçant les véristes de la fin du XIXe siècle. Et s'il a beaucoup plus de tenue que les Napolitains, s'il utilise à la manière française les chœurs qu'ils ont écartés, il reste bien, dans l'ensemble, fidèle à leurs formules.

Célèbre dans toute l'Europe, fait chevalier de l'Eperon d'or par le pape, Gluck voulait la consécration de Paris. Il mena l'affaire en jouant avec habileté à la fois de son expérience diplomatique et de la rudesse autoritaire qu'on lit sur la plupart de ses portraits. Il arriva au début de 1774 à Paris où il s'était fait appeler par la Dauphine et bientôt reine Marie-Antoinette, qui avait été son élève à Vienne. Comme il avait observé durant un précédent séjour la stratégie de la « guerre des Bouffons », il s'était concilié par des flatteries bien étudiées les bonnes grâces de Jean-Jacques Rousseau, qui professa en effet pour *Orphée* la plus vive admiration, après avoir effacé de sa mémoire toutes ses diatribes sur l'incompatibilité de la langue française et de la musique.

Les œuvres de cette période parisienne, qui peuvent être tenues pour les plus accomplies de Gluck, toutes écrites sur des livrets français, se nomment *Iphigénie en Aulide*, d'après la tragédie de Racine (1774), *Orphée* (1774) et *Alceste* (1776), refontes des versions italiennes de ces opéras, *Armide* (1777), *Iphigénie en*

Tauride (1779) et la même année *Écho et Narcisse*. Le compositeur les avait assorties de nouveaux manifestes où il expliquait sa recherche d'une mélodie épousant la vérité des sentiments et la déclamation naturelle. Déconcertés aux premières représentations d'*Iphigénie en Aulide* et d'*Alceste*, les Parisiens avaient fait bientôt un triomphe à ces œuvres. *Orphée* était allé d'emblée aux nues. Le suprême bon ton, pour les gentilshommes de la cour, c'était d'assister aux répétitions du maître, exigeant et tenace, qui dirigeait en bonnet de nuit, de lui tendre à la fin de la séance sa perruque, sa pelisse. Gluck se voyait magnifiquement pensionné à la fois par la reine Marie-Antoinette et par sa mère l'impératrice Marie-Thérèse.

Pour mettre le comble à son succès, il ne manquait plus qu'une cabale. Comme la guerre des Bouffons, elle fut déclenchée par des littérateurs, mais ceux-là du clan académique, Marmontel, La Harpe, Ginguené, qui prétendaient défendre la vraie tradition italienne contre « l'art escarpé et raboteux » de l'Allemand. Ils avaient choisi pour champion NICCOLO PICCINI (1728-1800), auteur d'au moins trente-cinq *opera seria* et opéras bouffes, les seconds bien meilleurs que les premiers, petit Napolitain courtois, effacé, frileux, craintif, détestant d'être mis en compétition avec Gluck qu'il estimait beaucoup. Son premier opéra parisien, *Roland,* fut bien accueilli. On imagina alors assez puérilement de faire concourir les deux compositeurs sur un même sujet, *Iphigénie en Tauride.* Celle de Gluck, jouée d'abord, souleva encore plus d'enthousiasme que toutes ses autres œuvres. Celle de Piccini, deux ans plus tard, en 1781, ne put se maintenir que durant quelque temps à l'affiche. Cette nouvelle « guerre », par moments aussi virulente que celle des Bouffons, se terminait par la victoire des gluckistes, mais sans Gluck. Indigné par la chute à plat de son opéra *Écho et Narcisse,* peu de mois après le triomphe d'*Iphigénie en Tauride,* ne pardonnant pas aux Français leur versatilité, ce vieil homme impulsif et sanguin avait plié bagages et regagné Vienne où il cessa presque entièrement d'écrire jusqu'à sa mort, consécutive à plusieurs attaques, en novembre 1787.

Le Gluck de Paris, jusqu'à un certain point, s'éloigne des Italiens pour se rapprocher de Rameau. Une œuvre comme *Alceste* y gagne en fermeté. Le grand air « Divinité du Styx » est beaucoup plus imposant et mémorable dans la version parisienne que son homologue de la version italienne, le timbre des trombones dialoguant avec la voix d'Alceste est encore mieux approprié au pathétique

de la situation; l'accentuation appliquée à la langue française y
est une réussite (alors que le fameux « J'ai perdu mon Eurydice »
d'*Orphée* est très mal prosodié).

Mais on s'étonne qu'un homme tellement préoccupé, après Lully
et Rameau, de naturel, de vérité, ait choisi des sujets aussi factices.
Admète, roi des Phères, va mourir par décret des dieux si quelqu'un
ne meurt pas à sa place. Pour prolonger sa vie, Alceste son épouse
se dévoue et accepte le trépas. Elle est sur le point de rendre le
dernier soupir quand Admète, après trois actes de lamentos s'avise
enfin qu'il serait plus élégant à lui de se suicider. Les dieux, plus
farceurs que méchants, se contenteront de cette intention et
laisseront en vie les deux époux. Mais les longs atermoiements
d'Admète sont un ressort bien plus comique qu'émouvant et rendent
à peu près impossible la représentation scénique de l'ouvrage,
malgré ses beautés de détail.

Tous les autres livrets de Gluck édulcorent ainsi les vieilles
et farouches fables, font intervenir le *deus ex machina* pour le
dénouement heureux et le pas de danse du divertissement final.
C'est cependant à cette poésie affadie que Gluck a voulu subor-
donner la musique, « en s'appliquant par-dessus tout, disait-il, à
oublier qu'il était musicien ». Dans une de ses préfaces, il écrit
encore : « La musique est un art très borné, et qui l'est surtout
dans la partie que l'on nomme mélodie. On chercherait en vain
dans la combinaison des notes qui composent un chant un caractère propre à certaines passions : il n'en existe point. »

Ces inquiétantes déclarations ne témoignent guère d'une
conscience musicale fort meublée chez Gluck. Ou bien elles
signifient qu'il ne saurait pour lui exister de musique hormis certaines normes évidemment très réduites. En tout cas, elles sont
confirmées par ses œuvres. Celles-ci se guindent dans une noblesse
trop constante pour ne pas être étudiée plutôt qu'instinctive,
« d'une allure presque uniformément pompeuse », écrit Debussy
dans un article célèbre d'iconoclasie, qu'accroît encore la monotonie d'un style harmonique perpétuellement consonant, très
pauvre en comparaison de celui de Rameau. Si cette consonance est à l'imitation des Italiens, les rythmes, dans leur carrure,
trahissent le Germain, mais ne sont guère plus variés. Les négligences de facture, rappelant celles des grossoyeurs napolitains,
sont inaccoutumées chez un Allemand contemporain de Bach, de
Haydn et de Haendel, lequel assurait d'ailleurs que Gluck ne savait
pas plus de musique que son cuisinier. Médisance de musicien.

Mais l'imagination et la technique relativement courtes de l'auteur d'*Orphée* expliquent bien que pour lui la vraie fonction de la musique n'eût été que de seconder la poésie.

On ne lui a jamais contesté, dans ses plus belles pages, en particulier dans les deux *Iphigénies*, une ligne mélodique très pure. Mais il semble bien qu'elle ne parvienne plus à vivifier « un art essentiellement d'apparat et de cérémonie », comme dit Debussy qui ajoute : « Si l'on y aime, c'est avec une majestueuse décence, et la souffrance même y exécute de préalables révérences. » Gluck ne méritait de faire figure de révolutionnaire qu'aux yeux des castrats et des vieux habitués du San Carlo. Sa « réforme » ne tendait qu'à prolonger les jours de l'*opera seria* exténué, de la tragédie lyrique moribonde, de leur mythologie surannée. Un vrai novateur eût cherché d'abord d'autres sujets, en s'adressant à d'autres librettistes qu'un élève de Métastase, que des imitateurs de Quinault. Gluck est la fin d'une époque et d'une esthétique qui n'avait que trop duré. Mozart, Beethoven, Wagner l'ont respectueusement salué. Mais ses descendants directs sont les Salieri, les Cherubini, représentants d'un pseudo-classicisme congelé. Aujourd'hui, Gluck reste un grand nom, mais qui éveille de moins en moins de musique dans l'esprit de nos contemporains. L'édition phonographique n'est pas parvenue à le remettre en vogue comme tant de compositeurs du XVIIIe siècle. Les reprises de ses opéras s'espacent, devant des publics tièdes et clairsemés (il devient en effet de plus en plus difficile d'éviter le style de patronage ou de cantate académique dans les représentations du languissant *Orphée).* C'est au concert, avec de beaux fragments mélodiques détachés des ensembles fossilisés que l'on peut encore le mieux rendre justice à Gluck : sort imprévu et un peu mélancolique pour un musicien qui se voulait dramaturge avant tout.

L'OPÉRA-COMIQUE FRANÇAIS

Nous avons vu que Gluck écrivit plusieurs opéras-comiques français. Le genre était né de l'interdiction, qui remontait à la dictature de Lully, de représenter des spectacles de musique continue ailleurs qu'à l'Opéra. En effet, son caractère essentiel est le mélange du dialogue et du chant.

Dans les dernières années du règne de Louis XIV, les tréteaux de la Foire Saint-Germain, dans le quartier de Saint-Sulpice, et ceux de la Foire Saint-Laurent, près de la porte Saint-Denis, montraient de petites comédies et pantomimes mêlées de chansons. Celles-ci étaient pour la plupart des « vaudevilles », couplets aux airs ou « timbres » connus depuis longtemps ; certains, vifs et malicieux, remontaient au XVIe siècle et sont de précieux échantillons du vieux folklore français. Quand la police interdisait les chansons sur la scène, un acteur brandissait un écriteau portant les paroles du vaudeville qu'il aurait dû chanter et qu'entonnait le public.

En 1714, de nouveaux règlements avaient permis d'employer des musiques originales à côté des vaudevilles. La Régence vit se multiplier, tant à la Foire qu'au Nouveau Théâtre Italien, sous le nom désormais consacré d'opéras-comiques, quantité d'œuvrettes où la musique ne se limitait plus aux chansons, comportait aussi des ouvertures, de petits intermèdes descriptifs de l'orchestre, des ensembles tels que le vaudeville final en couplets, réunissant tous les acteurs, avec quelquefois des danses et des chœurs. Les livrets, de Lesage, d'Orneval, de Fuzelier, de Piron le spirituel Bourguignon – on oublie trop souvent qu'il composa lui-même son ironique épitaphe – reprenaient à la commedia dell'arte ses fantoches et ses farces, persiflaient l'actualité sous forme de revues ou parodiaient les succès de l'Opéra. *Le Temple de l'Ennui* était ainsi la parodie du *Temple de la Paix* de Lully, *Pierrot Tancrède* celle du *Tancrède* de Campra. Rameau lui-même, qui venait d'arriver à Paris ne dédaignait pas d'écrire en 1723 pour la Foire les airs, qui sont perdus, de *L'Endriague*, une farce grivoise parodiant la fable du Minotaure.

Il n'y a pas grand-chose à retenir de ces bouffonneries. Vers le milieu du siècle, l'opéra-comique s'en dégagea avec les livrets de Favart et à l'exemple du *Devin du village* de Jean-Jacques Rousseau, où l'on voit une jeune paysanne, Colette, qui se croit délaissée par son fiancé Colin, joue avec lui les indifférentes sur les conseils d'un devin et réveille bientôt par ce petit stratagème les sentiments du garçon. Le dialogue parlé, dans *Le Devin*, est remplacé par un récitatif à l'italienne, ce qui valut au petit ouvrage l'honneur d'être représenté à l'Opéra. Mais les airs de Jean-Jacques – qui fut aidé, comme nous l'avons dit, pour l'harmonie et l'instrumentation – sont d'une simplicité et d'une fraîcheur typiquement française.[1]

---

1. Il faut rappeler aussi, en marge de l'opéra-comique, le mélodrame de Jean-Jacques Rousseau, Pygmalion (1770). C'était un dialogue pathétique, avec une musique de l'amateur lyonnais Coignet commentant le texte, soulignant la mimique des acteurs. Cet

Les ariettes allaient désormais prendre la place des chansons et des vaudevilles qui ne subsisteraient plus que dans les comédies (couplets du comte, air espagnol de Rosine dans *Le Barbier* de Beaumarchais, couplets à la fin du *Mariage de Figaro;* on chantera jusque dans le théâtre de Labiche). La sentimentalité et la paysannerie du *Devin* trouvaient d'innombrables imitateurs, les corsant par des sous-entendus polissons ou des quiproquos. Les musiciens de Paris venaient aussi de découvrir l'opéra bouffe italien, ils en admiraient la virtuosité, cherchaient à en pénétrer les procédés, mais refusaient de substituer le *recitativo secco* au parlé et restaient fidèles au dessin peu accentué, à la modestie vocale de la mélodie populaire française.

Après quelque temps d'autonomie, le théâtre de l'Opéra-Comique fusionnait en 1762 avec la Comédie Italienne. Un de ses premiers fournisseurs, Egidio Duni (1709-1775), était un Napolitain, fixé depuis 1757 seulement à Paris, après de grands succès dans son pays, mais devenu aussitôt un partisan résolu du style français. Il a créé dans *Le Milicien* un des types favoris de l'opéra-comique, celui du vieux troupier bourru mais au grand cœur, obtenu un de ses plus vifs succès avec *Les Deux Chasseurs et la Laitière,* dont le titre dit tout le contenu, et composé un air des Clochettes, « Tout en faisant drelin-drelin », dans la comédie du même nom, plus d'un siècle avant *Lakmé* et le « digue-digue-don » des *Cloches de Corneville.*

François-André Danican Philidor (1726-1795), dernier descendant d'une dynastie de bons musiciens, imbattable joueur d'échecs, possédait un métier d'harmoniste et de contrapunctiste assez rare pour la France de ce temps-là. Il écrivit quelques tragédies lyriques, mais établit surtout sa renommée avec une trentaine d'opéras-comiques, parmi lesquels *Blaise et le Savetier, Le Jardinier et son seigneur* sur des livrets de Sedaine où l'on relève déjà des pointes assez révolutionnaires contre l'aristocratie, et *Tom Jones* (1765), d'après le roman de Fielding. Avec son mouvement, son mélange de gaieté et de pathétique, l'écriture assurée de son quatuor et de son septuor, *Tom Jones* ferait sans doute encore aujourd'hui figure d'œuvre assez originale dans une rétrospective de l'opéra-comique français. La couleur et la force de l'orchestre

ouvrage eut un succès européen, en particulier auprès de Goethe, mais peu d'imitateurs. Jean-Jacques retrouverait aujourd'hui son idée dans les trémolos du cinéma.

dénotent chez Philidor une connaissance déjà assez approfondie des premiers symphonistes allemands.

Il ne fallait pas en demander autant à PIERRE-ALEXANDRE MONSIGNY (1729-1817), né à Fauquembergues près de Saint-Omer, élèves des Jésuites, violoniste amateur, qui n'aborda la composition que vers trente ans après avoir un peu travaillé avec un contrebassiste de l'Opéra. Il a pour lui, dans une veine facile, d'assez jolies inventions mélodiques, mais trop peu de métier pour savoir les développer. Il reprit dans *Rose et Colas* le sujet du *Devin du village*. Le sommet de sa carrière fut *Le Déserteur*, que l'on joua jusqu'en Amérique.

ANDRE-ERNEST-MODESTE GRETRY (1741-1813) était né à Liège. De dix-huit à vingt-six ans, il fit en Italie des études assez relâchées, malgré le diplôme qu'il obtint de l'Académie de Bologne. Il vint à Paris en 1767. On peut suivre à travers son abondante production toutes les modes dans le dernier tiers du XVIIIe siècle. *Le Tableau parlant* (1769) imite assez bien le style bouffe des Napolitains. *Lucile*, la même année, avec sa fameuse rengaine si vite tournée en facétie : « Où peut-on être mieux qu'au sein de sa famille ? », la comédie-ballet *Zémire et Azor* tournent à la sentimentalité pastorale dans laquelle versent tout à fait *La Rosière de Salency*, *l'Epreuve villageoise* (1774 et 1784). *Richard Cœur de Lion* (1784), où l'on assiste à la délivrance du roi anglais prisonnier par son fidèle trouvère Blondel, annonce le style troubadour et ses sujets médiévaux. Couvert d'honneurs, Grétry fut cependant dès son vivant l'un des compositeurs qui a été le plus plaisanté pour ses lacunes musicales. C'est à lui que l'on a d'abord appliqué la métaphore classique « du carrosse à quatre chevaux qui passerait aisément entre ses basses et ses premiers violons ». Cependant, lorsque dans le film *La Marseillaise* Jean Renoir fit chanter par les gentilshommes à genoux devant Louis XVI « O Richard, ô mon Roi », devenu l'hymne des monarchistes, on s'aperçut que, malgré la platitude des paroles — « il n'est donc que moi qui s'intéresse à ta personne » — et la médiocre prosodie, cette vieillerie, remise « en situation », pouvait être encore émouvante.

« Plaisir d'amour », extrait d'*Annette et Lubin*, autre mouture du *Devin du village* par l'Allemand parisianisé Schwartzendorf, dit Martini, reste l'un des échantillons les plus connus de la romance d'opéra-comique telle qu'on la soupirait à cette époque.

Après des débuts larmoyants, le Maltais Nicolas Isouard, dit Nicolo (1775-1818) et le Languedocien Nicolas Dalayrac (1753-1809), l'auteur de *Maison à vendre* mirent dans leurs petites pièces une gaieté qui soixante ans plus tard les aurait sans doute destinées à l'opérette.

On a souvent reproché à nos théâtres d'oublier les opéras-comiques du XVIIIᵉ. Mais les tentatives pour les remettre en scène n'ont pas été très encourageantes. On passe difficilement une soirée entière parmi ces bibelots désuets, dont la substance musicale est trop frêle pour compenser la puérilité mécanique ou la fadeur des livrets. Peut-être a-t-on mal choisi les œuvres et faudrait-il s'adresser à Philidor, dont on n'entend jamais une note, plutôt qu'à Monsigny ou Grétry.

Bien que leur *recitativo secco* ne fût qu'un expédient souvent très ennuyeux, les Italiens avaient eu raison de ne jamais admettre la rupture par le parlé de la continuité musicale. Ce fut — c'est encore pour ce qu'il en subsiste dans le répertoire — une des plus irritantes faiblesses de l'opéra comique français. Outre la sensation de cassure toujours fâcheuse, il est très rare qu'un chanteur, même bon acteur lyrique, soit aussi un bon comédien dans le parlé. De là ces spectacles hybrides où l'auditeur « décroché » supporte sans patience les dialogues débités avec les plus médiocres artifices de la voix et du geste. Deux conventions antinomiques se succèdent sans cesse, et tout devient faux et figé, tandis que *Le Barbier* de Rossini, dans sa convention unique gaillardement assumée est la vie et la vérité mêmes.

Les ariettes du XVIIIᵉ siècle finissant habituaient les Français aux facilités qu'ils iraient applaudir ensuite chez Méhul, Auber, Adam, dans l'opéra de demi-caractère d'Ambroise Thomas et de Gounod, l'opéra-romance de Massenet, à tout un théâtre où, *Faust* excepté, la musique se ferait tolérer plutôt qu'elle ne s'imposerait, sans s'élever à l'ivresse vocale du *bel canto* italien. Tradition française sans doute, mais qui n'était point incluse dans Rameau, et qui a souvent barré dans notre pays l'accès aux œuvres des grands créateurs.

LE SINGSPIEL

Bien que l'Allemagne eût déjà la réputation d'être musicalement plus sérieuse que nous, l'opéra comique allait y avoir son pendant, le *Singspiel*, qui lui aussi fait alterner le dialogue parlé et la musique, sur un livret en général gai et avec des personnages du peuple.

Assez curieusement, c'est d'abord dans l'Allemagne du Nord, le pays des organistes luthériens, des traditions contrapunctiques, que le genre prit d'abord pied. Mais dans ces contrées, le public populaire et de petite bourgeoisie était également demeuré le plus rétif à la vogue de l'opéra italien, fidèle à ses lieder qu'il allait retrouver dans le *Singspiel*. Comme en France, il y eut d'abord une période foraine, les farces en patois, mêlées de couplets, représentées à Hambourg. Mais les vrais débuts du Singspiel eurent lieu avec JOHAN-ADAM HILLER (1728-1804) qui, à Leipzig, vers 1755, se mit à composer de petites comédies musicales allemandes, *Le Diable est lâché, Le Joyeux Cordonnier, Le Barbier de village*, imitées des opéras-comiques sur les livrets de Favart qu'il avait vus à Paris. Les lieder, les chœurs sur des airs populaires imprimaient à ces œuvrettes leur ton germanique. Hiller fut rapidement suivi par Christian-Gottlob Neefe (1748-1798), le premier maître à Bonn de Beethoven, auquel il faisait étudier beaucoup plus *Le Clavecin bien tempéré* de Bach que la musique légère, par E. W. Wolf, Standfuss, Anton Schweizer, J. R. Zumsteeg. Georg Benda, l'auteur des mélodrames à la manière de *Pygmalion,* composa à partir de 1776 quelques Singspiele qui seraient parmi les meilleurs du genre. Goethe écrivit un livret comique, *Erwin et Elmire,* pour le jeune musicien Johann André, l'auteur du *Potier (Der Töpfer)*.

Le Singspiel ne passa en Autriche qu'un peu plus tard, mais avec un rapide succès. En 1778, l'empereur Joseph II créait pour lui à Vienne un théâtre spécial, le « National Singspiel ». Ditters von Dittersdorf écrivit entre autres Singspiele viennois *Doktor und Apotheker*, une parodie de *Roméo et Juliette,* rivalité entre le fils du médecin et la fille du pharmacien. Son ami Wenzel Muller, chanteur de tréteaux, en composa plus de deux cents pour les scènes de Vienne et ses foires, *Kaspar le basson, Le Fabricant de baromètres, Le Roi des Alpes.*

Quelle est la valeur musicale des Singspiele ? Carl de Nys en a redécouvert plusieurs, en particulier du Viennois Johann Schenck, un autre maître de Beethoven, qu'il juge charmants. Pour E. J. Dent, l'historiographe anglais du théâtre de Mozart, ils sont presque tous d'une affligeante banalité. Romain Rolland les situe, semble-t-il, assez exactement en y voyant l'opéra des petits bourgeois allemands, heureux d'y entendre leur langue. Si leurs débuts

furent mièvres, leur portée en tout cas fut considérable. Aucune
musique ne contribua davantage à refouler en Allemagne l'influence italienne, avec le concours du génie de Mozart, dont sept
ouvrages sont des Singspiele, entre autres *L'Enlèvement au sérail*
et *La Flûte enchantée,* qui représentaient pour lui « l'opéra allemand » dont il rêva presque toute sa vie.

Avec le XIXᵉ siècle, le Singspiel se fit romantique. *Fidelio* de
Beethoven est un Singspiel. Singspiele encore, sauf *Euryanthe,*
tous les ouvrages scéniques de Weber. Marschner, Lortzing leur
firent suite. Avec plus de relief que l'opéra-comique français et
quelques chefs-d'œuvre à son actif, mais les mêmes inévitables
disparates entre le parlé et le chant, le Singspiel représenta en
somme jusqu'à Wagner l'essentiel du théâtre lyrique de langue
allemande.

CHAPITRE XIII

MOZART

> Cet art donne des regrets tendres
> en procurant la vue du bonheur.
>
> STENDHAL

LES TRENTE-CINQ ANNÉES D'UNE VIE

27 janvier 1756. Naissance à Salzbourg de Wolfang-Gottlieb Mozart (son second prénom sera un peu plus tard latinisé en Amadeus). Son père, Léopold Mozart, originaire d'Augsbourg en Bavière, violoniste-compositeur, sous-maître de chapelle du prince archevêque de Salzbourg a déjà eu sept enfants, dont un seul est vivant, Marie-Anna, dite Nannerl, de quatre ans l'aînée de Wolfgang. Sa mère est une Tyrolienne de Saint-Gilgen. Salzbourg, à la frontière de la Bavière, est une principauté ecclésiastique indépendante. (Mozart ne s'est jamais dit Autrichien, mais Allemand).

1762. Première œuvres (menuets et allegros) de Mozart qui joue du clavecin depuis l'âge de quatre ans et sait composer avant d'avoir appris à écrire. Première tournée de concerts à Munich et à Vienne dans les salons de l'aristocratie, avec son père et sa sœur qui se produit à ses côtés au clavecin. Invitation à Schœnbrunn. Wolfgang sur les genoux de l'impératrice Marie-Thérèse.

1763-1766. Longue tournée avec son père, sa mère et sa sœur aux Pays-Bas en France et en Angleterre. Wolfgang est partout la coqueluche de la haute société. Réception à Versailles. Le 1er janvier 1764, la famille Mozart dîne au grand couvert avec le roi et la reine. A Paris, première œuvre gravée, quatre sonates pour clavecin et violon, K. 6, 7, 8 et 9[1]. En Angleterre, réception,

---

1. La référence K. (Kœchel) renvoie au catalogue thématique et chronologique des œuvres de Mozart dressé par le musicologue autrichien Ludwig Kœchel (1800-1877) et ses continuateurs.

à la Cour, audition des œuvres de Haendel, grande amitié avec Jean-Chrétien Bach. Composition en 1765 de la Ière Symphonie.

1767. A Salzbourg, étude des opéras de Hasse, des œuvres de J.J. Fux et du contrapunctiste Eberlin, le « Bach salzbourgeois ».

1768. A Vienne, composition du premier opéra bouffe de Mozart, *La Finta Semplice,* d'après Goldoni (joué en 1769). Composition et création dans l'intimité de son premier Singspiel, *Bastien et Bastienne,* imitation du *Devin du village* de Rousseau.

1769. Mozart est nommé à Salzbourg « Hofkonzertmeister », maître de concerts de la cour du prince-archevêque, titre honorifique sans salaire. Il écrit plusieurs messes, 47 menuets pour différents ensembles instrumentaux.

1770-1771. Séjour de quatorze mois en Italie avec son père : Vérone, Mantoue, Milan, Florence, Naples, Rome où Mozart est fait comme Gluck chevalier de l'Eperon d'or, titre qu'il n'utilisera jamais. A Bologne, leçons de contrepoint du Père Martini, qui lui apprend surtout l'usage de la polyphonie vocale et le fait recevoir à l'Académie Philharmonique. A Milan, création de l'opera seria de Mozart, *Mithridate, roi du Pont,* qui a vingt représentations. Retour à Salzbourg, symphonies. Août-décembre 1771, nouveau voyage en Italie. Mort du bienveillant prince-archevêque de Salzbourg, Sigismond de Schrattenbach.

1772. Election à Salzbourg du nouveau prince-archevêque Hieronymus Colloredo, grand seigneur brutal qui se fera exécrer par Mozart. Nouveau séjour à Milan en compagnie de Léopold Mozart, pour la création du nouvel opera seria *Lucio Silla* auquel Wolfgang a travaillé sans plaisir et qui ne rencontre qu'un demi-succès. Composition des cinq Quatuors Milanais, qui ont été précédés par le Quatuor de Botzen, le premier de Mozart.

1773-1774. Au début du printemps 1773, Léopold et son fils quittent l'Italie pour n'y plus revenir. Mozart a déjà composé deux cents ouvrages. Vie à Salzbourg et à Vienne. Composition des Six Quatuors Viennois sous l'influence de Haydn, du premier quintette à cordes, du premier Concerto pour piano, de cinq sonates pour piano. Difficultés avec le nouvel archevêque.

1775-1777. Représentations à Munich de l'opéra bouffe *La Finta Giardiniera* (janvier 1775). Vie confinée à Salzbourg.

Concertos pour violon, musique religieuse, morceaux galants pour l'aristocratie locale. L'archevêque Colloredo est nettement hostile à Mozart dont il déteste la musique. Wolfgang doit se démettre de ses fonctions maigrement rétribuées de Konzertmeister pour pouvoir effectuer le grand voyage qu'il a en projet.

Septembre 1777 – Janvier 1779. Mozart part pour ce grand voyage, en compagnie de sa mère, afin de trouver une meilleure situation qu'à Salzbourg. Séjour de quatre mois et demi à Mannheim, infructueux pour la situation, mais où Mozart se lie avec Cannabich, le chef du célèbre orchestre, et tombe amoureux d'une cantatrice de dix-sept ans, de grand talent, Aloysia Weber, fille d'un copiste de musique. Arrivée à Paris en mars 1778. Commande du ballet des *Petits Riens* (l'une des partitions les plus banales de Mozart), d'une symphonie pour le Concert Spirituel. Mais nulle part Mozart ne retrouve l'enthousiasme qui l'avait accueilli enfant. Sa mère meurt après une courte maladie le 3 juillet dans leur chambre d'hôtel. Le voyage est un échec financier et moral. Sur le chemin du retour, arrêt d'un mois à Strasbourg, où s'est établi l'un des plus célèbres « Mannheimer », Franz-Xaver Richter. A Munich, Wolfgang est repoussé par Aloysia Weber, avec qui il comptait se fiancer.

1779-1780. Organiste et Konzertmeister à Salzbourg avec de médiocres appointements. Période relativement peu féconde. Symphonie concertante pour violon et alto, Messe du Couronnement, Vêpres d'un Confesseur.

1781. Représentations à Munich d'*Idoménée,* opera seria, commande du prince-électeur Karl-Theodor de Wittelsbach, l'ancien mécène de Mannheim. Réceptions et concerts dans les salons aristocratiques de Vienne, sonates pour piano et violon. En mai, rupture avec l'archevêque de Salzbourg, au cours d'une scène violente où Colleredo a traité le musicien de voyou et de crétin. Mozart s'installe à Vienne, précairement, mais libre. Sérénades pour instruments à vent.

1782. Découverte de Bach grâce au baron van Swieten. Fugues pour piano, Symphonie « Haffner ». Création de *L'Enlèvement au Sérail,* un succès, mais qui matériellement ne rapporte presque rien à Mozart. Mariage avec Constance Weber, sœur d'Aloysia, âgée de dix-neuf ans, ni très jolie ni très fine, bonne fille, déplorable ménagère. Mariage assez singulier, l'inflammable Mozart n'étant pas cette fois réellement épris. Malgré leurs infidélités réciproques, les deux époux resteront très attachés l'un à l'autre durant les neuf années de leur vie conjugale.

1783. Vie joyeuse à Vienne avec Constance. Concertos pour piano en souscription. Mozart commence à s'endetter. Mort de son premier enfant. Symphonie de Linz.

1784. Les Quatuors dédiés à Haydn (leur publication est un échec, les mélomanes autrichiens ne les comprennent pas). Affiliation de Mozart à la Franc-Maçonnerie. Grande activité musicale et mondaine dans la société viennoise. Pour la soutenir, composition de cinq concertos pour piano.

1785. Apogée de la réputation de Mozart dans Vienne comme compositeur et virtuose du piano. Nouveaux concertos pour piano. Composition des *Noces de Figaro* sur un livret de Lorenzo da Ponte (la pièce de Beaumarchais est de l'année précédente).

1786. Succès très relatif des *Noces de Figaro* à Vienne. Tendre intimité de Mozart avec une de ses interprètes, la jeune cantatrice anglaise Nancy Storace, qui chante Suzanne. Symphonie de Prague.

1787. Accueil enthousiaste de Prague aux *Noces de Figaro. Petite Musique de nuit.* Quintettes à cordes, dont le Quintette en *sol* mineur K. 516. Mort de Léopold Mozart. Création à Prague de *Don Juan* avec un immense succès. Mozart est nommé par l'empereur Joseph II compositeur de la Chambre Impériale et Royale en remplacement de Gluck qui vient de mourir, mais à des appointements très réduits.

1788. Concerto pour piano du « Couronnement ». Trios pour piano, violon et violoncelle. Echec de *Don Juan* à Vienne : le sujet est jugé immoral, la musique trop difficile à chanter. Seul Haydn déclare qu'il s'agit d'un chef-d'œuvre du plus grand des compositeurs vivants. Composition des trois dernières symphonies, en *mi* bémol, en *sol* mineur et en *ut* (« Symphonie Jupiter ») que Mozart ne pourra jamais entendre. Il est passé de mode pour les Viennois. Impécuniosité grandissante du ménage, couvert de dettes.

1789. Voyage infructueux à Berlin, en compagnie du prince Lichnowky. Réception à la cour de Frédéric-Guillaume II, mais impossible de donner un concert. Grave et dispendieuse maladie de Constance. Composition du Quintette pour clarinette et cordes, de nombreuses danses allemandes, de *Cosi fan tutte* sur une commande de Joseph II et un livret choisi par lui.

1790. Représentation à Vienne de *Cosi fan tutte.* Succès honorable. Mais mort de Joseph II, dans lequel Mozart perd son seul protecteur possible. Echec d'un concert donné à Francfort pendant les fêtes du couronnement du nouvel empereur. Adagio pour orgue mécanique, la seule commande qu'on lui fasse à Vienne. Sans doute faute d'argent pour le voyage, Mozart ne peut accepter un engagement fructueux à Londres. Quintette à cordes en *ré*.

1791. Situation matérielle de plus en plus lamentable. Dernier concerto pour piano en *si* bémol (K. 595). Composition de *La Flûte enchantée* sur commande de son ami le comédien et librettiste Schikaneder pour le théâtre populaire « Auf der Wieden ». Dernier Quintette à cordes en *mi* bémol. Sixième grossesse de Constance (deux seulement de ses enfants survivront à leur premier âge). Au mois de juillet, Mozart dont la santé se délabre reçoit d'un mystérieux messager vêtu de noir la commande d'un *Requiem* dont il ne doit pas chercher à connaître le destinataire. Il en conserve un sombre pressentiment. Composition en dix-huit jours épuisants, pour Prague, de *La Clémence de Titus*, opera seria qui fait fiasco. 30 septembre : première représentation de *La Flûte enchantée*, très grand succès qui se maintiendra pendant des mois. Composition d'un Concerto pour clarinette. Offres avantageuses mais trop tardives de Hollande, d'Angleterre, de Hongrie. En novembre, *Cantate Maçonnique* sur des paroles de Schikaneder, dernier ouvrage de Mozart qui laissera inachevé le *Requiem*. Quatre jours plus tard, à bout de forces, il se couche pour ne plus se relever. La dernière musique qu'il fredonne avant son agonie est l'air d'entrée de Papageno dans *La Flûte* qu'il voudrait réentendre. Il meurt le 5 décembre 1791, d'une maladie qui n'a pas été identifiée (néphrite, tuberculose ?). Le lendemain, une violente tempête de neige disperse sur le chemin du cimetière les quelques amis qui accompagnaient son cercueil. Restés seuls, les croquemorts jettent à la fosse commune le corps de Mozart. L'emplacement exact de sa dernière demeure n'a jamais pu être retrouvé.

L'ANGE OU LE SANS-CULOTTE

Beethoven, Weber, Chopin, Rossini, Schumann, Wagner, Gounod admiraient le génie de Mozart comme l'avait fait Haydn. Le public respectait le nom, mais surtout par convenance. Pendant très longtemps, Mozart fut le plus ignoré des grands maîtres reconnus. De toute sa musique instrumentale, on ne pratiquait guère que quelques-unes de ses sonates pour piano, réservées aux débutants, inséparables de l'image gracile et puérile du petit virtuose de huit ans qui émerveillait Mme de Pompadour. Pour beaucoup, la musique de Mozart n'avait jamais atteint l'âge adulte, et c'était son principal charme. Durant la plus brillante période des concerts symphoniques parisiens, entre 1890 et 1914, Mozart ne figurait aux programmes, très rarement, qu'avec une ou deux ouvertures. Une œuvre aussi importante, aussi révélatrice de toute une part du musicien que la *Messe en ut mineur* (K. 427) n'avait jamais été exécutée à Paris avant 1932. Au théâtre, sauf *La Flûte* en Allemagne grâce à sa langue, les opéras étaient représentés dans des versions abominablement tripatouillées, des traductions indigentes, alors que les textes de Lorenzo da Ponte sont pleins de vivacité et de saveur. Les Anglais combinaient en un seul spectacle *Le Barbier* de Rossini et *Les Noces de Figaro*. Les Italiens s'intéressaient peu à Mozart. En Allemagne même, de pesants dialogues parlés remplaçaient toujours les récitatifs des *Noces* et de *Don Juan*. Il a fallu arriver aux années trente de notre siècle pour entendre enfin à peu près partout les opéras de Mozart dans leur forme et leur langue originales, l'allemand pour *L'Enlèvement au Sérail* et *La Flûte*, l'italien pour les autres.

C'est dans ces mêmes années qu'avec l'aide du phonographe, des festivals de Salzbourg, on a redécouvert l'inépuisable variété de la musique instrumentale de Mozart, en particulier de la musique de chambre, au point que des œuvres comme le Quintette avec clarinette (K. 581), l'exquise Sérénade pour cordes seules dite *Petite Musique de Nuit,* sont devenues parmi les plus populaires du répertoire classique. Plus justement que pour Bach, on a pu parler alors d'un « retour à Mozart », laissant d'ailleurs indifférents presque tous les compositeurs.

Précédées par l'ouvrage essentiel quoique déjà vieilli sur certains points de Wyzewa et Saint-Foix, dont la publication s'est étendue de 1912 à 1946, les grandes études se sont multipliées à leur tour, très utiles — en particulier le livre parfaitement indépendant de l'Anglais E.J. Dent sur les opéras — pour dissiper les légendes enfantines, pour leurs révélations biographiques et historiques, pour l'analyse d'une quantité d'ouvrages qui n'avaient jamais été examinés de près, mais libérant trop souvent une littérature à thèses qui finit par devenir aussi déformante et fantaisiste que les vies romancées. Le mutisme presque absolu de Mozart sur les doctrines politiques et littéraires de son époque, sur les dogmes religieux, bref sur les « idées », facilite évidemment dans une large mesure ces travaux d'imagination.

Dans ses *Promenades avec Mozart,* très agréablement quoique un peu trop doucereusement écrites, et qui ont eu tant de lecteurs, Henri Ghéon, catholique d'autant plus ardent que récent — il venait du protestantisme — voit un Wolfgang séraphique, « une fois pour toutes imbibé, imprégné de Dieu », dont la musique religieuse et souvent l'autre aussi « s'enivre de Dieu, laisse la louange s'épanouir... d'un seul mot, rit aux anges ». C'est la même pensée chez François Mauriac, disant que rien n'est plus proche du surnaturel que Mozart, que l'existence d'une telle musique rend inconcevable une conception matérialiste du monde. Paroles élevées, mais qui attribuent à l'admirable pureté artistique de cette musique un prolongement métaphysique dont Mozart eût été le premier étonné.

Irrités par cet angélisme, par les fausses images que l'on y surajoute d'un musicien-oiseau, qui ne serait jamais sorti d'une radieuse innocence, des commentateurs plus récents ont découvert un Mozart anticlérical, détaché du catholicisme, ennemi des aristocrates, acquis à la Révolution française, bref un Mozart jacobin, écrivant *La Flûte* pour célébrer le nouveau culte de la liberté, l'égalité et la fraternité. Deux auteurs français, Jean et Brigitte Massin, ont consacré à ce Mozart sans-culotte un énorme livre, extraordinaire à la fois d'érudition, de minutie dans l'analyse intégrale des œuvres, et d'aveugle partialité. Car sauf l'adhésion bien connue de Mozart à la Franc-Maçonnerie autrichienne, qui recrutait avec les encouragements de Joseph II force bons catholiques et grands seigneurs, la thèse de ces singuliers biographes ne prend appui que sur leur imagination fanatiquement dirigée et que rien n'embarrasse. Les documents leur font-ils défaut, ce qui est le cas le plus fréquent, ils décident que ceux-ci ont bien existé, mais étaient justement d'une nature si révolutionnaire qu'on s'est hâté de les détruire. L'absence même de preuves devient une preuve... Ces deux musicographes font sans doute figure de maniaques. Cependant, la profonde signification sociale et politique de *La Flûte* est actuellement une sorte d'article de foi.

Tout ce que l'on connaît de Mozart par des sources sûres est un démenti à sa fameuse innocence. Le plus voyant, c'est le torrent de scatologie et d'obscénités répandu dans sa correspondance de jeune homme, les lettres les plus incroyablement ordurières étant

réservées à sa « cousinette », Maria-Anna Thékla, une jeune fille
de dix-huit ou dix-neuf ans. Cette prose de goguenots est pourtant
tombée de la même plume que la musique la plus élégante qui ait
jamais été écrite, la seule où il soit impossible de déceler une
trace de vulgarité. Ce devait être la part d'une épaisse hérédité
bavaroise ou tyrolienne, à laquelle, d'instinct, Mozart lâchait la
bonde pour que son œuvre en fût libérée. Mais nous savons encore
qu'en composant parmi les siens ses plus belles pages, il se livrait
à de gros calembours, à des plaisanteries grivoises, ramenait tout
propos aux trivialités les plus quotidiennes : besoin d'un masque,
pudeur, ironie envers soi-même, signes paradoxaux mais certains
d'une extrême sensibilité.

Ce petit homme était un coureur de jupes insatiable, « d'une
nature aussi exigeante, disait-il, que celle de grands et forts
gaillards ». Rien ne prouve qu'il eût abandonné ses croyances
catholiques, assez superficielles, mais il trouva sans aucun doute
dans la Maçonnerie une notion de l'Etre Suprême beaucoup plus
proche de lui.

Jeté dans la vie musicale à six ans, il n'avait pas eu le temps de
faire des études classiques. Mais il était bien moins ignorant en
littérature qu'on ne l'a dit, ayant lu Shakespeare, Molière, les
poètes allemands et italiens. Il avait vécu très lucidement le
drame de l'enfant prodige qui a eu le monde à ses pieds et doit
le reconquérir à vingt ans en lui prouvant qu'il n'était pas seulement un gracieux phénomène. L'archevêque Colloredo, qui
refusait à son maître de chapelle Michel Haydn jusqu'au droit
d'être malade, qui se complaisait à humilier chez le jeune plébéien
Mozart l'ancien petit favori des reines et des princesses, était un
odieux personnage. Bach, avec le caractère qu'on lui connaît,
l'eût supporté moins longtemps que le petit Salzbourgeois. La
haine corsée que lui porta le garçon n'a pas grand-chose à voir
avec le « sentiment de classe » qu'y distinguent des auteurs
modernes jugeant tout selon notre siècle. Le conflit était beaucoup
plus profond. Nous n'avons pas un mot de Mozart que l'on puisse
sans abus interpréter politiquement, et il compta autant d'amis
dans la noblesse que chez les roturiers. Mais avec lui, on voit
apparaître une nouvelle génération qui ne tolère plus les servitudes
séculaires de l'artisanat musical : parce que sa musique est devenue
un langage individuel, cet art personnel qu'annonçaient, après
tant de belles cantates qui baignent encore dans l'esthétique
collective de la foi médiévale, les dernières œuvres de Bach.

Quand on a tant de choses à dire qui viennent aussi directement du cœur, pour employer un mot d'époque que nous retrouvons sans cesse dans les lettres de Mozart, on ne peut plus être seulement le fournisseur aux ordres de municipalités ou des cours. Cette conscience de sa mission artistique fut très précoce chez Mozart. On la perçoit déjà dans l'indifférence du gamin génial de sept ou huit ans pour les cris d'extase des profanes et l'attention qu'il portait en revanche aux remarques, aux critiques des gens du métier, les seuls devant lesquels il eût plaisir à jouer. A vingt-deux ans, débarquant de nouveau à Paris, et n'y ayant guère d'autre ressource que de donner des leçons, il écrit à son père son aversion pour ce gagne-pain : « C'est un genre de travail pour lequel je ne suis pas fait. Je laisse cela aux gens qui ne savent rien d'autre que de jouer du piano. Je suis un compositeur. Je ne dois ni ne puis enterrer ainsi le talent de compositeur que Dieu m'a donné dans sa bienveillance : je le dis sans présomption, car j'en suis plus que jamais conscient. C'est pourtant ce qui arriverait si j'avais de nombreux élèves. » Toute sa carrière d'homme fut une lutte épuisante pour acquérir la liberté d'exprimer son chant intérieur. Il paya cette liberté de ses affreux tracas, de ses déboires, de sa mort pitoyable à moins de trente-six ans. Cela compte infiniment plus à nos yeux et a tenu une tout autre place dans sa vie que son angélisme supposé ou que ses sentiments républicains.

DEUX CENTS CHEFS-D'ŒUVRE

Les six cents et quelques numéros de l'œuvre de Mozart ne sont pas tous nés cependant de sa seule décision artistique ; sinon ils eussent été sans doute moins nombreux. Wolfgang dut travailler en fonctionnaire beaucoup plus souvent qu'il ne l'aurait voulu. Cette part de l'artisanat se reconnaît surtout dans ses Divertissements, Cassations, Sérénades, et les œuvres liturgiques que Mozart fournit à la cour à la fois mondaine et ecclésiastique de Salzbourg. La musique à usage mondain, destinée à être vaguement perçue plutôt qu'écoutée, relève du style galant, d'inspiration italienne et française : charme facile pour bercer l'oreille sans réclamer d'elle trop d'attention, mélodies reprises sans variantes pour se graver dans la mémoire la plus paresseuse, orchestre très léger, refus des développements élaborés. C'est le Mozart évoquant les gracieusetés et les politesses de l'Ancien

Régime à sa fin, le seul que connurent pendant longtemps quantité de bons musiciens, à travers des œuvres comme la sonate pour piano n° 6 en *ré* majeur ; un Mozart un peu mièvre, que l'on hésiterait à distinguer de n'importe quel autre aimable fabricant de son temps si presque toujours quelque détail mélodique n'équivalait à sa signature. Or, ce style galant, avec lequel on l'a souvent confondu naguère, lui avait assez vite répugné. La musique d'église lui offrait, dans une certaine mesure, l'occasion de s'en évader, de s'exercer à des formes plus sérieuses. C'est en tout cas le principal intérêt que semble avoir eu pour lui son abondante production liturgique de la période salzbourgeoise.

On pourrait être tenté de négliger plus ou moins chez Mozart tout ce qui précède sa libération du joug salzbourgeois, c'est-à-dire les œuvres antérieures aux numéros 400 du catalogue Kœchel. Mais on tombe, au cours d'une recherche, sur une petite page comme la *Symphonie en ré* (K. 133), une sinfonietta d'un quart d'heure à peine, écrite à seize ans pour cordes, deux cors et deux trompettes. Et on la découvre fourmillante d'idées, d'une facture encore un peu heurtée, mais plus vive et piquante dans sa grâce que les œuvres galantes mieux liées et mieux arrondies. Dans les cinq concertos pour violon, genre galant et superficiel s'il en est, de 1775, au milieu des pots-pourris et des ariettes venues de l'opéra-comique français, s'élève soudain le grand souffle mélodique des concertos en *sol* majeur (K. 216), en *ré* majeur (K. 218). Des œuvres telles que la sonate pour piano en *la* mineur (K. 310), pleine d'angoisse et d'agitation, la *Sérénade « Haffner »* (K. 250) qui ne se souvient plus du style galant que pour le dominer, le Concerto pour piano n° 9 en *mi* bémol majeur (K. 271), dit Concerto « Jeunehomme », du nom de la virtuose française à qui il est destiné, et dont l'impétuosité bafoue, balaie la galanterie, toutes ces pages et beaucoup d'autres pourraient aussi bien être datées de la maturité de Mozart, quoiqu'il les eût écrites entre vingt et vingt-deux ans.

C'est encore à Salzbourg que Mozart composa la majeure partie de sa musique religieuse, comme le voulaient ses fonctions. Ces œuvres sont très inégales. On y sent l'artiste partagé entre l'obligation de sacrifier au goût mondain de la cour (Messes brèves, Messe « des Moineaux ») et le besoin de se livrer à d'autres exercices. Nous ne confondrons cependant pas avec les besognes exécutées de plus ou moins mauvais gré, les ravissantes et trop peu connues *Sonates d'église* pour orgue et orchestre, ou les *Vêpres d'un Confesseur* (K. 339), menées dans un mouvement *giocoso* fort profane mais d'une délicieuse pétulance, aux voix féminines d'une câlinerie presque érotique, Mozart y saute par-dessus les fades convenances galantes pour s'égayer dans la fantaisie d'un rococo musical aussi savoureux que celui des plus joyeuses églises autrichiennes. Dans la Messe du « Couronnement » en *ut* majeur datant de 1779 (K. 317), on le voit au contraire adopter un style mâle et monumental où les mélomanes du XXe siècle ont eu bien de la peine à reconnaître l'auteur des *Petits Riens* quand ils ont redécouvert de semblables partitions. Mais l'œuvre capitale de Mozart musicien d'église, la Messe solennelle en *ut* mineur (K. 427), est postérieure de plus d'un an à sa rupture avec Salzbourg. Ce n'est pas non plus, trait bien typique de Mozart et du prix qu'a pour lui l'indépendance dans la création, une commande, mais une initiative personnelle, à la suite d'un vœu pour l'accomplissement de son mariage. Quand cette Messe fut révélée aux Parisiens entre les deux guerres, il n'y eut qu'un cri dans la salle Pleyel : « C'est aussi grand que Bach ! » Il faut s'entendre. Si l'on parle de spiritualité, dans le sens profond de ce mot trop répandu, il n'y a aucune commune mesure entre Bach et Mozart, qui n'a sans doute écrit de la musique vraiment spirituelle qu'avec quelques pages de son *Requiem* et surtout le bel *Ave Verum* à quatre voix de sa dernière année. La Messe en *ut* mineur fut bien écrite artistiquement sous le signe de Bach, dont Mozart venait de découvrir les fugues. Ce n'est cependant en rien une œuvre d'imitation, de disciple tardif. Le contrepoint est d'une ampleur, d'une sûreté dont on n'avait plus d'exemple depuis la mort du Cantor. Mais Mozart l'associe à un style d'opéra imaginaire, d'un lyrisme insoupçonné par les Italiens de son temps. L'envol de ces grands airs, de ces immenses vocalises par-dessus le puissant agencement des fugues, voilà bien ce baroque musical que nous avons vainement cherché dans l'époque que lui assignent les dictionnaires.

Comment Mozart a-t-il laissé inachevée — il manque l'*Agnus Dei* et la moitié du *Credo* — une partition de cette valeur et traitée avec tant de verve ? L'hypothèse la plus plausible nous semble, pour une fois, celle de Jean et Brigitte Massin. La révélation des Quatuors « Russes » de Haydn, dans le moment où il travaillait à la Messe, l'a fasciné. Il juge les maladresses qu'il a commises dix ans plus tôt dans ses Quatuors « Viennois », qui n'étaient encore que d'assez laborieux « à la manière » de Haydn.

Il découvre que le quatuor, dont Haydn a définitivement fait une forme autonome, lui offre un tout autre moyen d'expression personnelle que la musique religieuse avec laquelle il a toujours plus ou moins gardé ses distances. Il ne pense plus que quatuors. Il a déjà écrit celui en *sol* majeur. Celui en *ré* mineur (K. 421) suivra bientôt. Et la Messe reste en panne.

Avec ces quatuors dédiés à Haydn de 1783 et 1784, on entre dans les grandes années de Mozart, où jusqu'à la mort les chefs-d'œuvre se multiplient. Nous n'avons aucun autre exemple, parmi les musiciens de la surabondance, dont la production, comme la sienne, se compte par centaines de numéros, d'une aussi constante et foisonnante qualité. Les belles cantates de Bach, sans doute, sont presque innombrables, mais coupées pour ainsi dire sur le même patron. Mozart, lui, réussit dans tous les genres et toutes les formes qu'il aborde ; opéra, singspiel, lieder — on oublie trop qu'une vingtaine au moins d'entre eux sont à placer dans l'anthologie de la mélodie allemande — la musique de chambre dans toutes ses combinaisons, le concerto, la symphonie. On rapporte les redites, les clichés, les négligences de ses contemporains à leur rapidité d'exécution. Il ne va pas moins vite qu'eux. Cependant, dès qu'il a quelque chose à dire de son propre fond, et il aura de plus en plus à dire à mesure que la mort s'approchera, Mozart rompt avec les habitudes machinales des musiciens de série. il compose dans sa tête, partout, au café, à table, en visite, dans la rue, fredonnant et battant la mesure sans cesse, pianotant sur les meubles, vivant à longueur de journée dans sa musique. Il range ces airs, ces morceaux entièrement construits dans sa prodigieuse mémoire. Le moment venu, il n'a plus qu'à les écrire, sous une dictée intérieure, ce qu'il peut faire au milieu du bruit, des bavardages. Mais l'élaboration a souvent été longue et très méditée.

Cet art d'apparence si limpide décourage l'analyse tant il faudrait que celle-ci fût attentive, méticuleuse. Mozart va au bout de l'expression la plus personnelle, comme aucun musicien ne l'avait fait avant lui, mais dans des formes héritées, qu'il adapte, qu'il affine ou qu'il affermit sans les bousculer. Que l'on compare le joli *Barbier de Séville* de Paisiello et *Les Noces de Figaro* postérieures de trois ans. Pour quantité d'airs, d'ensembles, les deux compositeurs usent d'un vocabulaire musical presque identique. Le ton inimitable de Mozart est dans la place des « termes » de ce vocabulaire, le coup de pouce donné à un rythme, une inflexion inattendue, qui fransforment un agréable lieu commun italien en ce dessin mélodique d'un infaillible mordant, tandis que la musique de Paisiello est une charmante eau qui coule sans que l'on en retienne rien. Dans le Quintette à cordes en *sol* mineur (K. 516), il suffit à Mozart d'un *la* bémol, à la 41e mesure du second mouvement pour jeter une nuance si mélancolique sur tout ce passage.

L'ingéniosité de Mozart est inépuisable. Il a dans ses attributions de Salzbourg les divertissements pour cors et « bois », de la musiquette de banquets et de rues, le bas de l'échelle. Il en fait les Sérénades pour six, huit instruments à vent, et même treize dans la Sérénade n°10 en *si* bémol majeur ou « Gran Partita » (K. 361), le chef-d'œuvre du genre. Deux clarinettes, deux cors de basset, deux hautbois, deux bassons, quatre cors, un contrebasson, qu'il associe, dissocie, juxtapose dans un jeu délicieux, tout en conduisant fermement le chant de l'ensemble. Ses recherches dans le matériel sonore mériteraient une étude entière. Il essaie tout — quintette pour hautbois, clarinette, cor, basson et piano, trio pour clarinette, alto et piano, symphonie concertante pour flûte ou clarinette, hautbois, cor et basson, etc. — ne se trompe jamais. Pour le sens des timbres, de leur couleur, il est le premier en date des maîtres modernes de l'instrumentation, et sa finesse d'oreille a été rarement égalée.

Chaque fois que Mozart innove, c'est dans un but expressif. S'il achève de libérer la basse de son rôle de continuo, c'est pour qu'elle acquière elle aussi une fonction mélodique. Dans ses œuvres symphoniques, il n'attend plus l'andante pour chanter, comme presque tous les concertistes de son siècle, si conventionnels avec leurs élégies soupirant à point nommé. Il entre dans le vif de ses peines et de ses joies, il est lyrique, passionné, vibrant dès l'allegro initial. Il veut rendre son art plus humain, plus direct, mais sans éprouver le besoin de le révolutionner. Après lui, tous ceux qui voudront aussi faire entendre leur propre voix devront inventer leur forme. Pour sa part, il peut encore tout exprimer en acceptant la syntaxe et les schémas de son époque. Il n'a aucune intention théorique. Il n'est pas venu pour réformer mais pour créer la perfection vivante. Nous n'avons pas besoin d'oublier Beethoven pour reconnaître dans la suprême et admirable trilogie symphonique de 1788, la « *sol* mineur », la « *mi* bémol », la « Jupiter », l'accomplissement d'un âge d'or, un Jardin d'Eden de la musique, dont chacun, par la suite, a compris qu'il serait illusoire de tenter d'en retrouver le chemin.

On ne peut décidément pas cantonner Mozart dans cette catégorie du classicisme viennois qui a été imaginée presque pour lui seul. Il est l'apogée de tout le classicisme musical. Aucun artiste ou poète d'Allemagne n'a pu réaliser ce pur équilibre sans sacrifier à un académisme que Mozart a toujours ignoré. En vrai classique cependant, s'il est capable de tout suggérer, il considère encore que « les grands sentiments ne doivent jamais être poussés jusqu'à l'excès ». D'où ces volte-face, ces finales pétillants qui nous déroutent parfois, venant après les plus poignantes confidences, où il entre une part de la sociabilité du temps, qui ne veut pas prendre congé d'autrui sur des impressions trop sombres, mais qui donnent aussi le dernier mot, malgré tout, à la vie et à l'espoir.

Il est impossible de ne pas rêver sur certaines dates. Si Mozart avait vécu soixante-dix-sept ans, comme sa sœur aînée, il aurait vu mourir Beethoven et Schubert, pu entendre le *Freischütz* et l'*Euryanthe* préwagnérienne de son cousin Weber, la *Symphonie fantastique* de Berlioz, les premiers concerts de Liszt et de Chopin ! Comment son œuvre se fût-elle continuée au milieu de ce nouveau monde sonore ?

Mais cette évolution est-elle imaginable ? Le génie de Mozart n'était-il pas déterminé pour s'accomplir entièrement dans sa courte vie ? C'est peut-être le sens du Quintette à cordes en *sol* mineur, le sommet de sa musique de chambre, l'œuvre où il est allé sans doute le plus loin, cette plainte bouleversante d'un être charmant, né pour le bonheur de créer mélodieusement, qui se demande pourquoi le destin s'acharne avec une telle cruauté sur lui. Mozart cependant, devait trouver la réponse, dans la sérénité de ses derniers ouvrages, ceux qu'il écrivit sous l'aile de la mort.

LES OPÉRAS

Mais nous parlons depuis des pages de Mozart sans avoir encore dit qu'il est, avec Wagner et Verdi, le plus grand des musiciens de théâtre. De tous ses dons, ce fut celui dont il avait le plus vivement conscience, d'autant qu'on le contestait : les Viennois avaient préjugé une fois pour toutes qu'un symphoniste et un virtuose du piano comme Mozart ne pouvait pas posséder en outre le talent dramatique. L'opéra a été la préoccupation favorite, l'ambition de toute sa carrière. On en retrouve les airs, sous forme d'esquisses ou de réminiscences, à chaque détour de sa musique instrumentale, sa musique religieuse. Il en parle, lui si peu théoricien, avec la plus ferme intelligence : « Dans un opéra, le poète doit être le serviteur obéissant de la musique. Pourquoi les opéras bouffes italiens, en dépit de la misérable insignifiance de leurs livrets, ont-ils partout du succès, même à Paris, comme j'ai pu le constater moi-même ? Parce que la musique y a entièrement le dessus... Le mieux, c'est quand un bon compositeur, qui comprend le théâtre, et qui est lui-même en état de suggérer des idées, se rencontre avec un poète ayant du jugement. » Verte réplique aux principes erronés et humiliants de Gluck. Le théâtre lyrique demeuré vivant, et qui commence réellement avec Mozart, n'a jamais eu d'autre charte.

Il nous reste de Mozart quatorze ouvrages de théâtre. Le petit Singspiel de *Bastien et Bastienne*, l'opéra bouffe de *La Finta Semplice*, écrits tous deux par un enfant de douze ans, *La Finta Giardiniera*, autre opéra bouffe de 1773, *Le Directeur de Théâtre*, pochade satirique sur les prétentions des chanteurs commandée pour une fête par Joseph II, gardent leurs agréments un peu menus comme pièces de paravent ou dans les théâtres de marionnettes. *Thamos* est une musique de scène avec mélodrames, où s'esquissent certaines intentions de *La Flûte enchantée*. Des quatre operas serias, *Mithridate* et *Lucio Silla* étant des exercices d'adolescent et *La Clémence de Titus* une commande urgente accablant un homme à bout de souffle, on retient surtout *Idoménée*, de 1781. Ficelé vaille que vaille par le librettiste Varesco, c'est un sombre drame antique et mythologique, reprenant le thème d'*Iphigénie*. Pour échapper à une tempête, Idoménée, roi de Crète, a fait le vœu de sacrifier à Neptune le premier être humain qu'il rencontrera en abordant le rivage. Cet être est comme par hasard son fils Idamante. L'abnégation de ce jeune homme et de son aimée, la princesse Ilia, finira par apaiser Neptune après de cruelles péripéties. Mozart se jeta dans ce travail avec une superbe conviction, s'efforçant d'obtenir de son librettiste plus de sobriété et de vraisemblance, se refusant aux fantaisies de ses chanteurs. Il a eu de cette tragédie rabâchée une conception noble et héroïque, se traduisant par des pages très belles qu'il faut malheureusement chercher le plus souvent à travers des adaptations dont la plus contestable est sans doute celle de Richard Strauss. Cependant, même dans sa version originale, l'œuvre laisse une impression d'archaïsme pompeux par

trop étrangère au style mozartien. L'*opera seria* était bien moribond, puisque même le génie et l'ardeur de Mozart ne parvenaient
pas à lui insuffler une nouvelle vie.

Le Singspiel *L'Enlèvement au Sérail* est une de ces turqueries
très à la mode à l'époque, imitées déjà d'une demi-douzaine de
pièces et de livrets que les fournisseurs habituels du genre se
contentaient d'illustrer de quelques ariettes. Au contraire, Mozart,
fidèle à son dessein, va la saturer de musique. Un peu trop même
au gré de E.J. Dent, pour qui le grand air de Constance au second
acte, construit sur le modèle d'un concerto instrumental, et son
grand duo avec Belmonte sont de superbes morceaux de concert,
mais assez déplacés à la scène, surtout dans un Singspiel. Un
mélomane moderne, et des plus distingués, rejoindrait donc le
jugement si souvent raillé de Joseph II : « Trop de notes, mon
cher Mozart ! » Nous dirons plutôt que ces airs admettent encore
un peu trop de conventions dans leurs développements. Brillant
de jeunesse, *L'Enlèvement au Sérail*, que l'on réentend toujours
avec plaisir, et qui peut fournir un spectacle ravissant quand ses
metteurs en scène ont de l'esprit et du goût, ne saurait être mis
sur le même rang que les quatre chefs-d'œuvre mozartiens, *Les
Noces, Don Juan, Cosi* et *La Flûte*. C'est davantage un divertissement qui leur sert de prélude. Pour son importance historique
de premier « opéra allemand », qui a donné lieu à tant d'analyses
stylistiques, il serait plus juste de dire que c'est le premier spectacle musical en langue allemande d'une telle qualité, mais avec
des fantoches qui, si Mozart parvient à leur créer des silhouettes
vivantes, sont tous issus du répertoire italien et dans leurs chants
se souviennent fréquemment de Naples, pour terminer par les
couplets d'un vaudeville à la française.

Wagner, mozartien pénétrant et méritoire, car aucun art n'était
plus éloigné du sien, écrivait à propos de *Don Juan* : « Jamais la
musique n'a atteint à une plus infinie richesse d'individualité.
Jamais elle n'a reçu le pouvoir de *caractériser* avec autant de
sûreté et de justesse, avec une aussi débordante plénitude. »

Ces mots, que l'on pourrait appliquer à toute l'œuvre de Mozart
sont particulièrement justes pour les plus grandes créations de
son théâtre. Chérubin chantant « *Non so piu cosa son, cosa
facio* », est le premier personnage de toute la musique d'opéra
saisi dans une telle vérité, celle de son adolescence naïve et trouble
en train de découvrir le désir. Jamais personne n'avait encore
su exprimer avec des notes de tels instants de la vie. Figaro,

Suzanne, le comte, la comtesse, ont la même réalité humaine. Aidé par Lorenzo Da Ponte, Mozart, avec son instinct de la scène, élève l'opéra bouffe à la comédie de mœurs, d'une psychologie aussi vive que celle de Beaumarchais, mais dans une atmosphère poétique que le satiriste français était bien loin de soupçonner. Si le *tempo* de l'œuvre est d'une allégresse tout à fait latine, à chaque instant Mozart rompt les progressions harmoniques traditionnelles dont les Italiens restent les esclaves. Et au milieu des imbroglios de cette « folle journée », nous voici soudain en plein romantisme, avec la cavatine de la comtesse, « *Porgi, amore* », devenue un lied du plus nostalgique Schubert.

Seul le *recitativo secco,* par la place qu'il y garde, rattache encore *Les Noces* aux conventions antérieures. Son abrégement dans *Don Juan* marque un nouveau bond en avant de Mozart. Il annonce la mélodie continue. De même que l'unité de l'œuvre, où l'on distingue de moins en moins le découpage napolitain par numéros, fait présager, pour se servir d'un terme pesant mais à présent d'usage courant, la *Durchkomposition,* la composition enchaînée de bout en bout qui deviendra la règle chez Wagner, chez le Verdi de *Falstaff.*

L'unique désavantage, si l'on ose dire, de *Don Juan* en regard des *Noces,* c'est le personnage inconsistant et statique d'Ottavio, que Mozart lui-même ne parvient pas à faire passer de sa fonction de ténor à la vie réelle dont débordent tous les autres rôles. Mais pour l'étourdissant mouvement de « l'exposition », pour ces combinaisons inépuisables de situations et de figures, pour le flot de cette musique vraiment sûre d'entraîner tous les cœurs aussi longtemps qu'il restera une voix et un archet sur notre globe, pour l'enrichissement harmonique, le premier acte de *Don Juan* et naturellement les scènes finales sont bien le sommet du théâtre de Mozart.

L'énorme littérature entée depuis Hoffmann sur ce chef-d'œuvre, les interprétations divergentes que l'on en a imaginé ne tiennent guère devant le sous-titre précisé par Mozart et Lorenzo Da Ponte : *dramma giocoso.* Comme l'a bien noté E.J. Dent, nous connaissons suffisamment par *Idoménée* la conception qu'avait Mozart de la tragédie lyrique pour savoir qu'il n'y a jamais songé en écrivant *Don Juan.* Ce *Don Juan,* c'est justement la fusion shakespearienne du meurtre et de la facétie, la naissance du drame musical moderne : une « réforme » dont le chevalier Gluck ne pouvait guère avoir idée.

Une représentation entièrement poussée au noir de *Don Juan* serait à chaque instant démentie par la musique.

Henri Ghéon et d'autres mélomanes catholiques transfèrent dans toute cette musique l'épouvante que leur inspire l'impénitence finale, dont ils entendent déjà la prédiction dans l'air du Catalogue. Il est fort douteux que Mozart, chrétien assez intermittent, peu porté au surnaturel, ait partagé ce sentiment. Aussitôt après la damnation, le sextuor en pur style bouffe qui livre le « birbone » disparu à Pluton et Proserpine, conclut d'une façon bien légère et païenne cette légende de l'intégrisme espagnol, qui a du reste tellement perdu de sa signification depuis que l'Église ose si peu parler de l'enfer. Le drame est celui de tout être que l'on voit courir à sa perte sans rien qui puisse le retenir, Don Juan étant ici, plutôt qu'un roué, une tête brûlée, vivant dans l'instant, ne résistant à aucun plaisir, qui se relève de ses assez basses aventures par son intrépidité à commettre le péché contre l'esprit. Car c'est la fatalité de Don Juan de n'atteindre à la grandeur que pour accomplir l'irréparable. L'angoisse rôde autour du spectacle grâce au hardi contraste que sait créer Mozart entre la frivolité tourbillonnante, la convoitise — si souvent câline, voluptueuse, sa musique n'est jamais plus directement sensuelle que dans *La Ci Darem la Mano*, où elle caresse tout le corps de Zerline — et les cris de vengeance des femmes outragées, les graves trombones qui font escorte à la funèbre apparition. L'ambiguïté de *Don Juan*, comme le raffinement de ses plus fugaces détails, en font bien une œuvre inépuisable.

Le sujet de *Cosi fan tutte* fut proposé à Da Ponte et à Mozart par l'empereur Joseph II lui-même, qui voulait manifester ainsi son estime au musicien et lui offrir, après ses échecs viennois, l'occasion de récolter un succès public dans un genre beaucoup plus traditionnel et superficiel.

Le rappel du livret, qui écœura les romantiques, réclame peu de lignes. Deux jeunes mirliflores d'officiers napolitains, croyant dur comme fer à la fidélité de leurs fiancées respectives, acceptent le pari que leur propose un vieux roué, qui s'engage à les désabuser, à condition qu'ils le laissent conduire l'intrigue. Ils feignent donc de partir pour la guerre, au milieu des larmes et des protestations les plus touchantes, mais pour revenir très promptement, déguisés en riches seigneurs albanais, très assidus auprès des deux éplorées. Comme il se doit, pour le piquant de la chose, ils ont troqué de fiancées. Au bout d'une résistance peu convaincue, les deux demoiselles se laissent mener jusqu'au contrat de mariage par les brillants étrangers, qui reparaissent quelques instants plus tard, très furieux, sous leur premier aspect. Mais un souper arrange vite les choses, puisque aussi bien « ainsi font-elles toutes ».

C'est de l'opéra bouffe se parodiant lui-même, de la farce de tréteaux napolitains grossie encore par les invraisemblances délibérées : tout se déroule en une journée, la soubrette des demoiselles tient froidement les rôles de médecin et de notaire. Cependant cette pochade est pour la fabrication l'un des très bons livrets de Lorenzo Da Ponte, juif vénitien baptisé sous un nom d'évêque, abbé scandaleusement défroqué, renard de coulisses, aventurier incorrigible, que l'immoralisme de cette petite histoire n'effarouchait certainement pas. Et musicalement, l'opéra bouffe est transcendé plus encore que dans *Les Noces*, il n'a jamais revêtu des formes plus savamment développées : le premier acte dure une heure et demie, les dimensions d'un acte wagnérien...

L'agencement, la virtuosité de cette musique, avec ses dix-sept ensembles, tous d'une disposition différente, sont prodigieux, le plus haut point du métier et de la verve de Mozart. C'est bien, dans ce sens, l'opéra des connaisseurs. Malgré tout, nous ne nous sentons plus dans le même monde artistique que celui des *Noces* et de *Don Juan*. Pour ravissants qu'ils soient, des airs chantés par des marionnettes ne peuvent posséder le même pouvoir expressif que ceux de personnages aussi vivants, charnels, individualisés que Figaro, la Comtesse, Chérubin, Zerline, et a fortiori le « dissoluto punito ». Les mélodies universelles que Mozart leur a prêtées, dont semblent s'irradier, dès les premières notes, toutes les vibrations des cœurs qu'elles ont émus ou charmés depuis deux siècles bientôt, sont absentes de *Cosi fan tutte*. Les deux filles de *Cosi*, Fiordiligi et Dorabella, chantent des choses étourdissantes, traitées par Mozart le plus spirituellement du monde, mais que la poésie n'enveloppe pas. Ou alors, c'est d'une autre forme de poésie qu'il s'agit, celles des volutes baroques se donnant libre cours à n'importe quel propos, par exemple *Come scoglio immoto*, le grand air de Fiordiligi. *Cosi* : un immense divertissement, où mûrissent les fruits de vingt années de carrière. Une coupe où mousse durant trois heures le plus délicieux champagne. Mais avec d'étranges coups de trique qui cassent le cristal et n'épargnent pas non plus l'auditeur.

Car avec son extraordinaire faconde, sa facétieuse mobilité, son bonheur vocal, ce n'est pas une œuvre de pure délectation.

On en sort avec un malaise sourd, une mélancolie diffuse. Mozart n'a plus que deux ans à vivre. C'est un des plus grands musiciens qui aient paru sur terre. Il a écrit les quatuors, les quintettes, les concertos, les symphonies, *Les Noces* et *Don Juan*. Et voilà ce que son époque, sa patrie, sa société, son souverain lui proposent de mettre en musique pour passer deux mois sans trop crever de faim. Mozart, sans doute, ne sait pas comme nous toutes ces choses. Il semble bien cependant qu'il les ait devinées. Et sa meilleure vengeance est de faire de la pitrerie un chef-d'œuvre, mais où son ironie griffe et mord à chaque instant.

Pendant cent cinquante ans, les musicographes et les mélomanes avaient souri des enfantillages du livret de *La Flûte enchantée*, en regrettant que Mozart, pour son dernier chef-d'œuvre théâtral n'eût eu sous la main qu'un texte aussi déficient. Nous avons déjà fait allusion aux thèses récentes qui découvrent au contraire dans ce texte des prophéties grandioses et les plus profonds enseignements.

On ne peut, au cours d'un ouvrage général, entrer dans tout le détail de cette controverse. Disons en bref que le livret signé par l'acteur et imprésario Schikaneder, présente une singulière infirmité. La Reine de la Nuit, apparue d'abord comme une divinité tutélaire, accompagnée de trois dames d'honneur destructrices de monstres, dispensatrices d'heureux talismans et de précieux conseils, devient brusquement une incarnation maléfique, tandis que Sarastro, le tyran, le perfide enchanteur, ayant pour intendant l'affreux Maure Monostatos et commettant ce singe lubrique et cruel à la garde d'une pure jeune fille prisonnière, se transforme en grand prêtre du Temple de la Sagesse et protecteur de toutes les vertus. On a longtemps admis, sur la foi d'un acteur de la troupe Schikaneder, Gieseke, beaucoup plus recommandable que son patron et qui collabora probablement au livret, que Mozart et Schikaneder remanièrent en cours de travail leur canevas, parce qu'une autre féerie sur un sujet identique — la source commune étant *Lulu*, le conte de Wieland — venait d'être mise en répétition à Vienne. Les commentateurs « en profondeur » rejettent avec mépris cette explication. Mais celle qu'ils donnent, à grands renforts de symboles, de la mutation des personnages, est d'un insoutenable amphigouri.

Ce texte si fougueusement sollicité n'est cependant, lu de bout en bout, qu'un tissu hâtif de lieux communs, de coq-à-l'âne, de mauvais bouts rimés. Les allusions maçonniques sont évidentes,

Schikaneder ayant été d'ailleurs un maçon très peu respectable,
chassé de sa loge pour indignité. On y relève l'éloge de la discrétion,
de l'amitié, le souci du pardon au lieu de la rancune, la promesse
que le Sage, vainqueur des ténèbres, triomphera de l'erreur,
l'espoir que la divinité descendra sur les hommes. A ce compte,
combien de livrets d'opéras n'ouvrent-ils pas eux aussi des abîmes
philosophiques ?

C'est finalement la musique qui pâtit de la littérature arbitraire
croissant maintenant autour de Mozart, après avoir déferlé durant
plus d'un siècle sur Beethoven, jusqu'au point d'oublier son objet :
le monde sonore créé, organisé par ces grands hommes.

Il y a cependant peu d'œuvres où la distance soit plus frappante
entre le prétexte de la musique — les pauvres clichés du livret —
et la musique elle-même, dès les premières notes de l'ouverture,
si étonnante par la vie magnifique et complexe à laquelle elle
élève, dans son style fugué, un petit thème emprunté. *La Flûte*
est le terme de l'admirable voyage de découvertes que Mozart
venait de faire à travers son siècle, la somme de toutes ses inspirations, de la plus populaire à la plus majestueuse. Le livret
sommaire, décousu, mal rabiboché ne lui permettait pas d'employer son extraordinaire sens de la progression scénique. Il ne
s'agissait plus, d'ailleurs, de mener *Don Juan* jusqu'à la mort, de
dénouer l'imbroglio des *Noces*. On montait une féerie. Mais cette
féerie n'a eu qu'un poète, Mozart. A défaut d'un conte plus ou
moins cohérent, Schikaneder lui fournissait une succession
d'images. Un jeune prince intrépide, un luron naïf et rustique,
une Reine de la Nuit, une jeune amoureuse qui se plaint, trois
beaux enfants qui chantent l'aurore, un vieillard méditant sur les
antiques révélations et son cortège de sages, c'est bien assez pour
écrire une suite de poèmes immortels quand on s'appelle Mozart,
que l'on n'a plus qu'un automne à vivre, et en soi toute cette
musique qui bouillonne plus que jamais. Et toute une part de son
âme à exprimer encore la part germanique longtemps masquée
mais si fortement enracinée, dont le chant va annoncer les hymnes,
les symphonies, les lieder, les drames nationaux de tout un peuple.
Car si l'on a abusé du terme pour *L'Enlèvement au Sérail, La Flûte
enchantée* est bien le premier opéra allemand, par sa poétique,
par sa couleur harmonique, mélodique, instrumentale, et il n'est
guère surprenant que Wagner n'ait plus lu d'autre partition tandis
qu'il achevait *Parsifal*.

Quant aux grands et nobles chœurs du second acte, plus

religieux qu'aucune page catholique de Mozart, celui-ci y chante bien son espérance en un avenir meilleur pour les hommes. Mais il est encore plus émouvant de percevoir, à travers leur sérénité lumineuse, le pressentiment conscient ou non de la mort qui approchait.

TROISIÈME PARTIE

Le XIXᵉ Siècle

CHAPITRE PREMIER

BEETHOVEN

16 décembre 1770 : naissance à Bonn de Ludwig van Beethoven, d'une famille originaire des Pays-Bas et fixée dans cette ville depuis deux générations. Son père, alcoolique et borné, est chanteur à la cour du Prince-Électeur comme l'a été son grand-père. Sa mère est la fille d'un cuisinier. Premier apprentissage décousu sous la direction du père qui le met au clavecin dès l'âge de trois ou quatre ans en espèrant exploiter sa virtuosité précoce, puis avec un hautboïste, un violoniste, un organiste. A partir de 1781, travail plus sérieux avec le compositeur Gottlob Neefe, qu'il remplace à l'orgue de l'église de la Cour avant d'avoir atteint sa douzième année. Neefe lui fait étudier le *Clavecin bien tempéré*, les œuvres de Ph. E. Bach, les sonates de Clementi. L'éducation générale du garçon est complètement négligée. Il ne fréquente que l'école primaire pendant peu de temps, et de toute sa vie, semble-t-il, ne saura jamais faire une multiplication.

1787. Voyage à Vienne de Beethoven, où il se fait entendre de Mozart sans grand résultat. Il est rappelé à Bonn par la maladie de sa mère qui meurt dès son retour. Durant les cinq années qu'il va encore passer dans sa ville natale, il y trouve ses premiers protecteurs : Mᵐᵉ de Breuning, dont la fille Éléonore est son élève — probablement aussi sa première amoureuse — et qui le traite comme un membre de la famille, le comte de Waldstein, qui le recommandera aux aristocrates viennois.

1792. Composition, sans doute avant d'avoir quitté Bonn, du *Trio op.* I pour piano, violon et violoncelle. Retour à Vienne, où toute sa vie s'écoulera. Leçons peu fructueuses avec Haydn, puis à partir de 1793 avec Albrechtsberger, théoricien réputé, qui lui fait étudier le contrepoint, et avec l'Italien Salieri, compositeur d'opéras, qui lui donne des conseils de style vocal.

1796-1797. Composition des trois premières sonates pour piano dédiées à Haydn. Période mondaine, grands succès de virtuose dans les salons de l'aristocratie, en particulier ceux du prince Lichnowsky. Mais Beethoven ressent dès 1797 les premières atteintes de la surdité.

1798. Composition des six premiers quatuors à cordes, dédiés au prince de Lobkowitz. Sonate « Pathétique » pour piano.

1800. Le 2 avril, grand concert, avec le Septuor, la Iʳᵉ Symphonie dédiée au baron van Swieten. Très vif succès.

1801. Amour pour la comtesse Giulietta Guicciardi, à qui Beethoven dédie l'année suivante la *Sonate quasi una Fantasia,* dite « du Clair de lune ».

1802 : Sonate « Pastorale ». Composition de la Deuxième Symphonie. Rédaction le 6 octobre du « Testament d'Heiligenstadt », retrouvé dans les papiers de Beethoven après sa mort, destiné à ses frères, auxquels il fait en termes pathétiques l'aveu de sa surdité grandissante, qu'il était parvenu à dissimuler jusque-là.

1803 : Giulietta Guicciardi épouse le comte de Gallenberg. Beethoven affiche des opinions républicaines. Sonate à Kreutzer pour violon et piano.

1804. Troisième Symphonie « Eroïca », « pour célébrer le souvenir d'un grand homme ». Ce grand homme est certainement Bonaparte, que Beethoven a passionnément admiré comme le libérateur des nations européennes, mais qui est mort pour lui depuis qu'il s'est couronné empereur. Inutile cependant de chercher des allégories précises dans cette musique beaucoup plus grave qu'héroïque. La même année voit apparaître les sonates pour piano « l'Appassionata » et « l'Aurore ».

1805. 20 novembre, première représentation à l'Opéra de *Fidelio* devant un parterre d'officiers français qui occupent Vienne depuis une semaine. L'œuvre, donnée sous le titre de *Léonore,* est un échec.

1806. Nouvelle présentation de *Fidelio* remanié et précédé de l'Ouverture dite « de Léonore n° 3 ». Nouvel échec. Séjour de Beethoven, près de Troppau, chez ses amis le comte et la comtesse de Brunswick. Période heureuse. Épisode amoureux avec Thérèse de Brunswick. Composition de la Quatrième Symphonie, la plus gaie et la plus détendue, du 4ᵉ Concerto en *sol* majeur pour piano et orchestre, des 7ᵉ, 8ᵉ et 9ᵉ Quatuors.

1808. Première audition de la Cinquième Symphonie et de la Sixième (Pastorale), toutes deux dédiées au prince Lobkowitz et au comte Rasoumowsky. Jérôme Napoléon, roi de Westphalie, voudrait appeler Beethoven auprès de lui à Cassel. Pour que le maître ne quitte pas Vienne, l'archiduc Rodolphe, son élève, le prince Lobkowitz et le prince Kinsky lui feront une pension annuelle de quatre mille florins.

1809. 5ᵉ Concerto en *mi* bémol majeur « de l'Empereur » pour piano et orchestre. Quatuor n° 10 en *mi* bémol majeur (« Les Harpes »).

1810. Quatuor n°11 en *fa* mineur (« quartetto serioso »).

1811. Trio à l'Archiduc, pour piano, violon et violoncelle.

1812. Aux bains de Tœplitz, en Bohême, rencontre avec Gœthe. Septième et Huitième Symphonies.

1814. Beethoven est le musicien officiel du Congrès de Vienne. Sonate pour piano, op. 90, dédiée au comte Lichnowsky.

1815. Mort du frère de Beethoven, Kaspar-Karl, laissant un fils de huit ans, le petit Karl, que Beethoven veut adopter. Il cherche à écarter de la tutelle la mère de l'enfant, cotutrice avec lui, ce qui l'engage dans une série de procès exaspérants.

1816. Mort du prince Lobkowitz. La part de pension qu'il versait est perdue pour Beethoven qui se plaint de ses soucis d'argent. Le public viennois, conquis par Rossini, commence à se détourner de lui. Surdité complète. On ne peut plus converser avec Beethoven que par écrit. Sonate pour piano, op. 101.

1818. Sonate pour piano, op. 106.

1820. Sonate pour piano, op. 109. Beethoven obtient enfin des tribunaux que la mère de son neveu Karl soit définitivement écartée de la tutelle du jeune garçon.

1821-22. Sonates pour piano, op. 110 et 111, celle-ci, la dernière des sonates, dédiée à l'archiduc Rodolphe. Visite de Rossini à Beethoven.

1823. Achèvement de la Messe Solennelle en *ré*, à laquelle Beethoven a travaillé pendant cinq ans. Trente-trois Variations pour piano sur une valse de Diabelli.

1824. 7 mai : première audition de la Neuvième Symphonie et de fragments de la Messe. Très grand succès, ovations du public à Beethoven qui ne les entend pas. La Société viennoise des Amis de la Musique ayant refusé son appui financier à ce concert, celui-ci avait failli ne pas avoir lieu, et Beethoven songeait à faire exécuter ses nouvelles œuvres en Prusse. De riches amateurs viennois étaient alors intervenus près de lui « pour éviter une telle honte à leur ville », en se chargeant des frais du concert. La recette fut minime, ce qui gâcha complètement la joie de Beethoven. La même année, xIIᵉ Quatuor, dédié au prince Galitzin.

1825. xIIIᵉ Quatuor, op. 130 avec la Grande Fugue, xIVᵉ et xVᵉ Quatuors.

1826. xVIᵉ Quatuor. Tentative de suicide de Karl, le neveu, qui a toujours regimbé contre la tutelle de son oncle. Beethoven en est profondément ébranlé.

26 mars 1827. Gravement malade depuis quatre mois d'une hépatite qui a dégénéré en cirrhose, Beethoven meurt au cours d'un violent orage, en menaçant du poing le ciel strié d'éclairs.

QUI ETAIT BEETHOVEN ?

Grâce aux « Cahiers de Conversation », où Beethoven, surtout dans les lieux publics, inscrivait souvent la réponse à ses interlocuteurs, nous possédons sur son intimité une somme de documents sans équivalent pour aucun autre musicien.

Pourtant, d'épaisses zones d'ombre subsistent dans cette existence. Le chapitre « Beethoven et les femmes », en particulier, pose des énigmes qui ont résisté à toutes les investigations. Les proches du maître ont affirmé qu'ils l'avaient toujours vu avec un amour en tête, « dont il était violemment possédé ». Nous savons en effet qu'il s'éprit successivement de ses belles élèves et amies de l'aristocratie, Éléonore de Breuning, Giulietta Guicciardi, Mᵐᵉ de Franck, Thérèse de Brunswick, Thérèse von Malfatti. Mais on ne lui a connu aucune liaison. Sa célèbre lettre « à l'Immortelle Bien-aimée », « mon ange, mon tout, mon moi », dont on a retrouvé le brouillon dans ses papiers, semble destinée à une femme qui venait d'être sa maîtresse, mais que l'on n'a jamais pu identifier ; on ignore même si cette lettre lui fut réellement envoyée.

Puisque ici tout est hypothèse, nous avancerons celle qui nous paraît la plus plausible, et qu'esquissait déjà Combarieu. Il y eut en Beethoven un éternel adolescent, qui « cristallisait » sur les jeunes comtesses ses images d'amours idéales et impossibles. Parfois, il reçut d'elles ou crut recevoir des signes encourageants. Il se livrait alors à des délarations échevelées qu'il déplorait le lendemain. Aucune de ces foucades passionnées ne pouvait aboutir. Entre-temps, pareil au commun des mortels, Beethoven que des témoins ont vu fasciné par des gaupes rustiques et assidu aux rues mal famées, s'offrait des passades dont la trivialité faisait péniblement tache sur ses rêves. Il revenait alors à un culte ingénu de la chasteté, il moralisait, s'indignait contre Mozart qui avait accepté de composer sur les livrets de *Cosi fan tutte* et de *Don Juan*. Cette sorte de puritanisme, né de la médiocrité des expériences charnelles, domina toujours dans son caractère et son art. Sa musique est élégiaque, passionnée. Mais elle n'est jamais sensuelle.

Les premiers biographes de Beethoven l'avaient sublimé avec un fanatisme ingénu. La critique moderne au contraire s'acharne avec une sorte de sadisme sur cette statue de héros. On doit reconnaître que le musicien était une proie facile pour ces spécialistes de la médisance historique. Il vitupérait la monarchie publiquement, figurait dans les dossiers de police sur la liste des suspects politiques, mais il passa la moitié de sa vie à la cour et dans les salons de la noblesse, il rêva dix fois d'entrer par mariage dans les familles les plus aristocratiques. Sa méfiance ne désarmait pas, même à l'endroit de ses intimes les plus fidèles et les plus dévoués, qu'il couvrait d'injures, accusait de le voler. Il gémissait sur sa misère, mais toucha jusqu'à sa mort l'essentiel de sa pension et laissa après lui. un assez confortable paquet d'actions. Ce grand chantre de la fraternité humaine était le plus bilieux des misanthropes, il préconisait la cravache pour gouverner la tourbe de ses contemporains. Longtemps son neveu Karl passa pour un vaurien dont l'ingratitude et les méfaits précipitèrent la mort du maître. Réhabilité non moins outrancièrement par les biographes d'aujourd'hui, Karl semble avoir été surtout un médiocre, bien incapable de soupçonner le génie de Beethoven. Mais on comprend que le garçon ait été exaspéré par l'attachement aussi tyranique que passionné de cet oncle jaloux, tracassier furibond ou répandu en tendresses éplorées, et tellement maladroit qu'il finit par se transformer en geôlier de l'adolescent.

A lire les biographes récents, Beethoven, dès sa quarantième année, était une sorte d'épave, miné par la syphilis selon l'Anglais Newman qui lui a consacré une étude monumentale, créant partout où il habitait un désordre sordide, une figure d'épouvantail avec son gros mufle sur un corps trapu et court, ses vieilles redingotes poussiéreuses, sa crinière noire et hirsute, un Harpagon calculant durant des semaines le pain et la soupe qu'il pouvait accorder à ses domestiques, un déséquilibré consternant son entourage par ses colères démentielles pour une paire de chaussettes égarée, un aboulique à qui on ne parvenait plus à arracher la moindre décision, qu'il s'agît d'engager une fille de cuisine ou de fixer le départ pour une villégiature.

Mais à force d'éplucher des carnets de blanchisseuses et des « Cahiers de Conversation » sur le coût du bois de chauffage, ces auteurs paraissent avoir oublié ce que Beethoven composait à son piano délabré, à sa table bancale. Fermé par sa surdité dans l'univers intérieur où fermentaient et s'élaboraient les symphonies, les quatuors, la sonate op. 106, Beethoven avait bien quelques excuses, qu'il n'est pas indispensable de rechercher dans ses complexes d'enfant, à faire figure d'éternel inadapté quand il retombait dans ce bas monde où il lui fallait, n'étant pas cousu d'or, reviser les comptes de ménage. Bourgeois ou aristocrates, ses amis l'avaient bien mieux compris que les psychanalystes du XXᵉ siècle. Ils savaient que cet homme frappé du pire malheur qui eût pu l'atteindre, se débattait constamment avec de farouches et impérieux fantômes, que sa nature ombrageuse puis sa maladie l'avaient fait rebelle à toute autorité et toute hiérarchie. Ils passaient sur ses grossièretés d'ours et ses fureurs de sangliers, parce que rien ne comptait que la musique inouïe où cet extravagant redevenait le maître de ses contradictions, réalisait le grandiose équilibre devant quoi s'effaçaient les incohérences et le désordre de sa vie quotidienne.

A la répétition générale de *Fidelio,* l'un des trois bassons manquait dans l'orchestre : « N'en faisons pas un drame, dit le prince Lobkowitz qui était présent, personne ne s'en apercevra. » Outré de cette légèreté, Beethoven le soir même frappait à la porte du palais de son bienfaiteur en hurlant : « Crétin de Lobkowitz ! » Mais le prince se contentait d'en sourire. Et pour effacer son incartade, Beethoven lui dédiait bientôt la Cinquième Symphonie. Tout cela, on le voit, est difficilement réductible au code courant de la civilité...

L'ŒUVRE. LES SYMPHONIES

On ne cite plus guère aujourd'hui que pour mémoire la fameuse division de l'œuvre de Beethoven en trois manières, définie au milieu du XIXᵉ siècle par le critique russe Wilhelm Lenz : des premiers essais de jeunesse à la Troisième Symphonie, de la Troisième à la Neuvième, enfin de la Neuvième aux derniers quatuors. Catégories en effet discutables puisque d'un genre à l'autre le style diffère souvent dans les œuvres d'une même période. La définition de Liszt reste beaucoup plus juste et pénétrante : il

distingue chez Beethoven deux manières, celle où la forme traditionnelle régit encore la pensée, la seconde où la pensée détermine,
recrée, façonne la forme.

A l'époque quasi religieuse du culte pour Beethoven, entre
1875 et 1910, on négligeait toutes ses œuvres de jeunesse, antérieures à *l'Eroïca*. On est devenu plus équitable pour elles. On a su
reconnaître par exemple que le Septuor de 1 800 pour clarinettte,
cor, basson, violon, alto, violoncelle et contrebasse, bien que son
enjouement et son élégance soient aux antipodes de l'inspiration
prométhéenne, est une réussite délicieuse, un jeu de timbres aussi
séduisant que ceux de Mozart mais avec des combinaisons nouvelles. On aime retrouver les bourgeons du romantisme dans les
premières sonates pour piano, certains accents des premiers
quatuors, le menuet de la Première Symphonie, déjà impérieux,
nerveux comme un scherzo dont il devrait porter le nom.

Il y a là, ne le cachons pas, une part de raffinement à rebours.
On a repris goût à des œuvres malgré tout mineures parce que
l'on était saturé des chefs-dœuvre consacrés. La vulgarisation
intensive des grandes symphonies de Beethoven nous a rendus
sévères pour elles. Il est peu de mélomanes qui après les avoir longtemps entendues avec émotion puis dévotion n'aient fini par
souhaiter plus ou moins ouvertement qu'on les allégeât de quelques-unes de leurs opiniâtres reprises et que l'on apportât à leur
instrumentation quelques respectueuses retouches.

Mais les reprises sont chez Beethoven, plus que chez tout autre
compositeur, une nécessité de l'architecture. On ne pourrait en
supprimer une seule sans rompre l'équilibre de l'ensemble, comme
si l'on murait un des portails d'une façade gothique. Si ces reprises
deviennent réellement fastidieuses dans le Concerto pour violon
et orchestre en *ré* — une demi-douzaine d'expositions identiques
du motif dans le mouvement lent — c'est qu'à part le quatrième
et le cinquième concertos pour piano, le génie de Beethoven se
manifeste assez peu dans sa littérature concertante. Le concerto
pour violon, en particulier, malgré quelques brillantes idées mélodiques, est d'une substance assez mince pour son extrême longueur
et sacrifie trop aux formules décoratives du soliste.

Quant à l'orchestration de Beethoven, qui a soulevé tant de
commentaires contradictoires, il faut s'y arrêter un moment. Les
historiens qui cherchent à diminuer chez Beethoven le novateur
observent que sauf dans le finale de la Neuvième Symphonie, il se
sert du même orchestre que Haydn et Mozart, se contentant d'y

adjoindre épisodiquement un troisième cor (dans *l'Éroïca*), u .e petite flûte, un contrebasson et trois trombones dans la *Cinquième,* deux trombones et encore une petite flûte dans la *Pastorale.* Et cependant, dès la Seconde Symphonie, l'oreille la moins exercée distingue bien que nous avons changé de siècle. Cela ne tient pas seulement aux effectifs plus nombreux de nos instrumentistes, répondant beaucoup mieux du reste aux intentions de Beethoven, qui de son vivant ne put jamais obtenir un nombre suffisant d'archets pour contrebalancer ses parties de bois et de cuivres. Même avec les trente maigres pupitres de ses premières exécutions, *l'Éroïca* ne sonne plus du tout comme Mozart : « Moins bien », affirment la plupart des compositeurs et des critiques de notre temps. Cela est vrai dans un idéal de transparence, de légèreté, de fraîcheur des timbres. Ce qui permet aux amateurs de rosseries de dire que le Septuor, encore instrumenté dans cet esprit, fait pressentir le musicien qu'aurait pu être Beethoven s'il n'était devenu sourd. Beaucoup plus sérieusement, dans sa méticuleuse étude sur l'exécution de la Neuvième Symphonie, Wagner constate que Beethoven est souvent arrêté ou embarrassé par la facture des instruments de son époque, en particulier les cuivres qui n'étaient pas encore pourvus de mécanismes chromatiques, les flûtes et les hautbois dont le registre supérieur demeurait incertain (il suggère d'ailleurs quelques retouches qui firent crier au vandalisme mais dont maints chefs d'orchestre depuis ont discrètement fait leur profit). Haydn et Mozart avaient connu les mêmes difficultés, mais ils y pliaient leurs idées, d'où la sensation d'aisance, d'habileté souriante qu'ils nous laissent toujours. Beethoven, avec un matériel identique, avait besoin pour s'exprimer de transgresser leurs règles élégantes et raisonnables. Cela n'allait pas sans des tâtonnements, des impossibilités physiques dont le maître eût trouvé sans peine la solution une quarantaine d'années plus tard.

Telle quelle, l'instrumentation des symphonies de Beethoven est compacte, épaissie encore par de fréquents doublages des cordes par les vents. Les rentrées massives et régulières des cuivres, chargées de souligner la structure tonale de l'œuvre, sont assez monotones. Une fois sourd, Beethoven avait certainement perdu la sensibilité aux timbres, qui n'ont rien chez lui de bien délectable. Mais il imprime à tout ce gros orchestre une activité inconnue avant lui. Il assigne à chaque famille, voire chaque catégorie d'instruments un rôle dramatique nouveau, dont maints effets ne se sont jamais épuisés : le grondement des contrebasses dans le scherzo de la

Cinquième, le véhément récitatif des violoncelles dans le finale de
la *Neuvième,* les nombreuses interventions des timbales tirées de
leur modeste domesticité, pour devenir conductrices des rythmes,
apporter toute une gamme d'accents mystérieux, impératifs,
menaçants.

Beethoven est architecte jusque dans son instrumentation. Il la
traite par grands blocs, bois, cuivres, de poids égal. Il crée avec
eux des plans successifs, un relief sonore inconnu auparavant,
l'équivalent en quelque sorte de ce qu'est la stéréophonie par
rapport à l'enregistrement monaural. A ce titre, il est bien le père
du grand orchestre symphonique qui a régné sur tout le XIXᵉ siècle,
une notable partie du XXᵉ, et fournit encore le fond des fresques
de Messiaen, des *Gruppen* de Stockhausen.

Les symphonies de Beethoven ont pris pour nous un aspect
cloisonné qui tient beaucoup à la rigueur de leur structure tonale,
précisée, rappelée jusqu'à la satiété. Mais cette affirmation tenace
de la tonalité, le plus souvent dès le premier thème, est chez le
maître un principe à la fois de force, de virilité, de grandeur et
d'unité technique. C'est le ciment de ce bâtisseur, ce ciment qui
fait de la *Cinquième Symphonie* un bloc musical sans une faille,
avec son légendaire motif de quatre notes qui tient une telle place
dans la structure de l'œuvre que l'on a pu justement le considérer
comme une « cellule cyclique ». On sait par les nombreux cahiers
d'esquisses qui sont parvenus jusqu'à nous que Beethoven multipliait les ébauches, les brouillons, raturait et se corrigeait beaucoup
avant de s'arrêter à une version définitive de tel ou tel fragment.
Ses principaux thèmes étaient le fruit de maintes retouches. On
en a déduit une certaine difficulté chez lui à l'invention mélodique.
C'est bien plutôt le signe d'un nouvel âge de la musique, la meilleure illustration du mot de Liszt sur la pensée qui préexiste
désormais à la forme et la modèle selon ses besoins. D'où, phénomène nouveau lui aussi, une œuvre assez peu étendue, relativement
à celles du XVIIIᵉ siècle, 135 numéros pour une carrière presque
deux fois plus longue que celle de Mozart. Les morceaux de circonstance, sans doute, n'en sont pas absents, comme la pittoresque
Bataille de Vittoria. Mais la plupart des œuvres sont abordées par
Beethoven comme un aventure intérieure, l'expression méditée,
élaborée d'une confidence de plus en plus profonde. Les esquisses
de la *Cinquième Symphonie* sont particulièrement touffues, tâton-
nantes. Il faut les juger à leur résultat. La sombre et majestueuse
rhétorique de l'andante est issue de versions précédentes, d'une

lourdeur assez triviale. Quant aux quatre fameuses notes initiales,
« *sol, sol, sol, mi* », c'est le génie de Beethoven que de s'être
décidé, non sans débats, pour ce motif d'une brièveté presque
primitive, mais d'une telle résonance dramatique, et capable de
soutenir les plus amples développements.

Nous connaissons trop les symphonies de Beethoven, comme les
palais, les statues devant lesquels nous passons matin et soir. Nous
savons bien cependant qu'elles font partie de ces chefs-d'œuvre
que l'on redécouvre toujours, à la faveur d'un éclairage nouveau,
d'une heureuse disposition d'esprit, ou d'une exécution hors pair.
Nous aurons sans doute peine à nous remettre au diapason de
Romain Rolland, qui voit « un monde planétaire en fusion » dans
le finale de la *Neuvième,* devenu pour nous un exemple du gigantisme par entassement que l'on n'a que trop copié, et dont la
percussion systématique, cymbales, timbales, triangle, grosse caisse,
nous abasourdit plus qu'elle ne nous exalte (alors que l'introduction
orchestrale de ce Finale est admirable). Mais que Karajan lève sa
baguette sur le menuet de la *Huitième*, et nous revoilà subjugués
par les proportions monumentales que Beethoven a données à cet
ancien divertissement, transformé en poème du rythme. Rien
d'étonnant si des musiciens cultivés mais imbus de tradition
comme Ferdinand Hiller et Mendelssohn n'y comprenaient rien
lui imprimant un banal mouvement de valse, et si Wagner fut l
premier à savoir le diriger exactement.

« FIDELIO » « MISSA SOLEMNIS »

On sait que Beethoven peina beaucoup sur son unique opéra,
Fidelio, en partie à cause du mauvais mélodrame de Bouilly — une
jeune femme déguisée en garçon pour sauver son mari injustement
prisonnier — dont il s'était entiché. Il fit subir à sa partition quatre
remaniements, le dernier, en 1814, de fond en comble, écrivit
pour elle quatre ouvertures, dont la plus belle est la *Léonore n° 3*.

L'œuvre porte les traces de ce difficile labeur. Après en avoir
fait un inégalable sommet, on a dû reconnaître que le génie de
Beethoven s'adaptait mal au théâtre, qu'il marquait un recul sur
Mozart, supérieur à lui pour le mouvement scénique, la création
des personnages. Mais on ne doit pas pour autant négliger maintenant les beautés éparses de l'œuvre. Si les duos du premier acte
par exemple, d'ailleurs très agréables, sont encore soumis à Mozart,

le chœur des prisonniers est une émouvante trouvaille dramatique. L'originalité de Beethoven éclate surtout dans les deux
grands airs, chefs-d'œuvre de sa musique vocale, celui de Florestan au second acte, plus encore celui de Léonore. Ces larges
volutes, ces magnifiques péroraisons servent aussi admirablement
la voix que les plus beaux airs napolitains, en possédant une
ampleur, une force d'accent que l'on ne trouvera pas en Italie
avant Verdi. En outre, l'orchestre puissant, bien timbré, devenu
indépendant des voix, tient dans le drame un rôle absolument
neuf, et sera pour Wagner un stimulant, un modèle sans prix.

L'immense *Messe Solennelle* de 1823 participe superbement
des entreprises gigantesques du dernier Beethoven. Née elle
aussi d'un travail long et acharné, elle subit de nos jours une
certaine désaffection, qui tient sans doute à notre admiration
grandissante pour Bach. On ne peut pas éprouver tout à fait
le même élan successivement pour la nef de Chartres — la Messe
en *si* mineur — et la coupole de Saint-Pierre de Rome : la Messe
solennelle. D'autre part, l'inspiration de Beethoven crée une
amphibologie qui nous freine pour le suivre constamment dans
ses ascensions. Si l'Homme, seul maître désormais du monde est
omniprésent dans l'œuvre, comme on nous invite à le penser
aujourd'hui, pourquoi s'exprimet-il encore par ces chants de
foi et d'actions de grâces ? S'il s'agit du déisme romantique
et incertain de Beethoven, ce sentiment est bien éloigné de nous.
Mais cette attitude peut-être trop subjective ne nous empêche
pas de nous incliner avec vénération devant des prodiges sonores
aussi grandioses que le *Gloria*, la fugue du *Credo*, l'*Agnus Dei*,
même s'il nous apparaît que le texte liturgique pèse trop sur
eux.

A côté de ces monuments de la musique vocale, on n'oubliera
pas le touchant cahier *A la Bien-Aimée lointaine*, le premier
en date des cycles de lieder, si fin dans sa modeste coupe strophique, ses transitions du piano, et que Schubert et Schumann
eurent toujours à leur chevet.

SONATES ET QUATUORS

L'histoire du XIXᵉ siècle musical serait incompréhensible si l'on omettait la Messe, les symphonies de Beethoven, comme leurs détracteurs modernes nous y inviteraient presque. *Cinquième, Septième, Huitième,* scherzos de *l'Éroïca,* de la *Neuvième,* autant de musiques douées d'une musculature inconnue avant elles, qui les armaient irrésistiblement pour l'avenir.

Pourtant, les symphonies ne sont pas le dernier mot de Beethoven. Si prodigieusement qu'il en élargisse le cadre, qu'il en oppose les thèmes, il y est encore lié à des traditions de carrure, de symétrie. Jusque dans la *Neuvième,* on relève des cadénces, des transitions, des précautions harmoniques qui viennent tout droit de l'héritage du XVIIIᵉ siècle.

C'est dans ses trente-deux sonates pour piano et ses seize quatuors, comme on le reconnaît aujourd'hui unanimement, que Beethoven est le plus grand inventeur et le plus grand poète, « qu'il est allé le plus loin au-dedans de lui-même », selon la juste formule de M. Claude Rostand.[1] La musique est en effet pour lui le langage de sa vie intérieure, révolte contre son amère destinée, lutte pour surmonter celle-ci, rêve de l'existence de passion et de bonheur partagés qu'il n'a pas eue, à la façon des romanciers créant le héros qu'ils auraient voulu être. La musique de chambre lui permet d'exprimer ce tréfonds de soi beaucoup plus librement que la symphonie dont il doit soutenir à bout de bras l'énorme appareil et où il s'engage chaque fois devant le public dans une périlleuse partie.

N'oublions pas non plus que le clavier était le prolongement le plus naturel de sa pensée pour Beethoven, pianiste réputé depuis son enfance, dédaignant le brio des virtuoses de carrière, mais au jeu très personnel.

La chronologie parle mieux ici que n'importe quelle analyse. La sonate en *mi* bémol majeur, op. 7, avec son « Largo » déjà si grave et dramatique, a été publiée en 1797. La puissante et mélancolique sonate en *ré,* n° 3 de l'op. 10, et la fameuse *Pathétique* datent de 1798, donc antérieures de deux ans à la Première Symphonie encore si proche de Haydn. La sonate en *la* bémol majeur, op. 26, avec ses admirables variations, est de 1801. La sonate

---

1. Les Sonates pour piano et violon, les Trios, entre autres les variations du *Trio à l'Archiduc,* seraient des pages maîtresses chez tout autre musicien. Mais chez Beethoven, auprès des sonates pour piano et des quatuors, ils font figure d'œuvres de circonstance.

« quasi una fantasia » n° 2 de l'op. 27 — la « Clair de Lune »
selon la dénomination feuilletonesque de Rellstab — cette quintessence de la rêverie et de la fougue romantiques, est de 1802,
l'année de la *Deuxième Symphonie,* charmante et robuste, mais
pétrie de conventions si on la compare au « presto agitato » de la
sonate. Tantôt le génie de Beethoven le pousse en avant, tantôt
son respect du style traditionnel le ramène en arrière. (Les adeptes
de la vieille division auraient pu dire que le Beethoven des sonates
avait déjà inauguré depuis un bon moment sa seconde période
quand celui des symphonies n'était pas encore sorti de la première.)
On observe parfois ces oscillations au cours de la même pièce.
Dans le scherzo de la sonate op. 26, le romantisme du sentiment
habite une forme toujours classique de coupe. Tandis que par sa
facture libre et son esprit inquiet l'allegro qui termine l'œuvre
annonce Chopin.

Dès ses débuts, Beethoven traite avec désinvolture la division
et le principe d'alternance « allegro-andante » de la sonate classique, en trois ou quatre parties. Il supprime le plus souvent le
menuet, il écrit un andante comme premier mouvement. Parfois,
il remplace le scherzo par un mouvement lent, ou bien il abrège
l'adagio qui n'est plus qu'une introduction. Il écrit plusieurs
sonates en deux parties seulement. Mais ces innovations demeurent
superficielles auprès du renouvellement intérieur que, sauf dans
quelques œuvrettes de détente, le n° 3 de l'op. 31, l'op. 79 « alla
tedesca » où il s'amuse à revenir au style galant, Beethoven fait
de plus en plus subir à ses sonates. Ce sont les grands poèmes
orageux, coupés d'intenses méditations, *l'Appassionnata* de 1804,
l'op. 53, « l'Aurore » — encore un titre imaginé par les éditeurs
mais qui correspond à un tableau d'une grandeur cosmique —
datant de la même année, *Les Adieux* de 1810, l'op. 90 en *mi*
mineur, moins tourmenté, qui est de 1815. Dans ces œuvres,
Beethoven s'empresse de mettre à profit les perfectionnements
mécaniques du piano, mais beaucoup moins pour y faire briller la
virtuosité que pour en tirer les suggestions orchestrales qui donnent
à son clavier une si splendide résonance. C'est sans doute le fait
d'un sourd, trompant ainsi sa nostalgie de l'orchestre dont il est
de plus en plus éloigné, mais aussi la géniale anticipation, et qui
ne sera guère comprise avant Liszt, du rôle complet que peut
tenir le piano. Maints caractères, dans l'écriture de ses sonates,
rappellent les symphonies contemporaines, avec beaucoup plus
de liberté : thèmes conducteurs courts et simples, se prêtant à

tous les développements, chargés de plus en plus d'une fonction cyclique, andantes et adagios d'une ligne mélodique très ample et soutenue, où l'on perçoit quelquefois un souvenir des arias de Bach et des Italiens, mais transformés par les accents personnels du musicien, une intarissable invention rythmique, un penchant de plus en plus fréquent pour la variation, qui est peut-être la forme suprême de la musique, et en tout cas le triomphe de Beethoven.

Les cinq quatuors nᵒ 7 à 11 contemporains de ces sonates célèbres − écrits entre 1806 et 1810 − ne sont pas moins saturés de poésie, encore plus libres dans leur facture. Aussi longtemps qu'ils n'auront pas la gloire du Concerto de l'Empereur, beau morceau mais combien superficiel et prolixe en comparaison, on considérera que le goût musical reste boiteux. Toutes les pages seraient à citer. Notre prédilection va souvent au 8ᵉ Quatuor en *mi mineur,* pour les contrastes entre les grands accords arrachés et les traits rapides de son allegro, l'effusion mélodique de l'adagio. Mais qui pourrait dire que le 10ᵉ avec son adagio, ses variations finales, que le 11ᵉ Quatuor « sérieux » avec ses combats, sont moins beaux ?

La belle Sonate pour piano op. 101 de 1816, malgré son plan qui rejette tous les usages, peut encore se rattacher aux précédentes. Mais la Sonate op. 106 de 1819 nous jette brusquement dans un autre monde, cette zone étonnante des dernières années de Beethoven où ne pénétreront que le piano et les quatre archets. Les proportions mêmes de l'œuvre deviennent paradoxales : trois quarts d'heure d'audition, ce qui ne la désigne évidemment pas pour les programmes des concerts-exhibitions. Les grammairiens peuvent bien s'efforcer d'y reconstituer les schémas classiques. Ces schémas ont volé en morceaux sous le poids et les chocs d'une pensée qui daigne à peine se soucier du clavier qu'elle utilise : de là cette réputation de « laideur » pianistique qu'ont eue longtemps, même pour Debussy, les dernières sonates de Beethoven. Nous sommes mieux placés aujourd'hui pour savoir ce qu'elles apportent, avec leurs extensions dans l'aigu et le grave.

Mais ce ne sont encore que des détails. Tandis que l'adagio de l'op. 106 devient une expédition dans un pays musical totalement inconnu alors, rarement prospecté depuis, contrée d'hallucinations, de tourments, où Beethoven fait des découvertes dont on n'a peut-être point encore tiré toutes les conséquences. Et une autre aventure singulière lui fait suite, la fugue dans sa superbe indépendance.

Au cours des sonates op. 109 et 110, quelques formules traditionnelles tentent un retour, mais pour être aussitôt balayées par
les rythmes impérieux, rageurs, ou le grand souffle du *cantabile*,
l'andante de l'op. 109 étant particulièrement émouvant. Et
comment ne pas signaler au moins, parmi tant de beautés, les
variations de cette sonate, et le chapitre autobiographique de
l'op. 110, composée après la maladie de 1821, que dit l'arioso
mourant, auquel succède le raidissement de la volonté, le retour
vainqueur à la vie, le condensé de toute une existence ?

Mais l'insurpassable chef-d'œuvre reste l'ariette — quelle ironie
cachée dans ce terme d'opéra-comique ! — de l'op. 111, le thème
le plus suave, le plus immatériel de toute la musique, que Beethoven
précipite dans la cataracte des variations, d'où elle revient, encore
plus ineffable, par une *coda* qui est une transfiguration. L'op. 111
n'a que deux mouvements. Rien n'aurait pu succéder à la sublime
ariette. Ce n'est plus seulement la fin de la 111 mais de toute la
sonate de piano. Beethoven l'a reçue des mains de Haydn et
de Mozart, régulière, un peu grêle, élégante avec ses alternances
de bonne densité que sa forme, après lui, n'aura plus de sens.
Schumann s'y essaiera encore quelquefois, et ce ne seront pas ses
grandes pages. Liszt n'en fera qu'une seule expérience, sans
pouvoir se départir de sa veine rapsodique. Chopin baptisera « sonates » deux suites de pièces sans liens. Ensuite, il n'y aura
plus guère sous ce nom que de l'académisme, ou alors des musiques
d'une tout autre essence.

Beethoven ayant tout fait dire à la sonate revient au quatuor
qu'il avait délaissé depuis dix ans. Ce sera la chaîne des six derniers
quatuors, du douzième au seizième, entre 1822 et 1826. Il ne
faut plus y rechercher la beauté sonore, « symphonique », de
leurs frères de 1806 à 1810. Le pur enlacement des cordes dans
l'adagio du 12ᵉ est exceptionnel. Beethoven songe encore moins
que dans ses sonates aux exécutants éventuels, à leur technique
de l'archet : musique d'un sourd, mais dont le génie a tiré de sa
propre infirmité son élargissement et son approfondissement. Un
chef-d'œuvre domine encore tous ces chefs-d'œuvre, le treizième
Quatuor op. 130, avec ses six mouvements, aussi étrangers que
possible, quoi que l'on en ait dit, à un retour aux *Suites* du XVIIIᵉ,
son Presto qui remet à leur modeste place toutes les Reines Mab
et Ariels du romantisme prochain, les variations de l'andante, le
charme de la danse *alla tedesca*, l'admirable méditation de la
Cavatine (toujours ces titres badins, d'une férocité secrète, pour

les pages les plus sublimes : « Vous voulez des cavatines, tas de
bœufs et d'ânes ? En voilà une... »). L'op. 130 devait se terminer
sur la gigantesque Fugue, dans la même tonalité de *si* bémol
majeur. Épouvantés par les dimensions et l'implacable sévérité de
ce finale, l'éditeur et les amis de Beethoven le conjurèrent de le
remplacer. Beethoven y consentit, non sans lutte, et dépêcha un
allegro charmant, mais qui fait mesurer toute la distance avec ce
qu'il écrivait dans sa seule impulsion. Jouer comme on le fait
toujours l'allegro au lieu de la Grande Fugue publiée sous l'op. 133,
c'est mutiler ce chef-d'œuvre qui est avec les sonates 106 et 111
un des plus grands monuments de Beethoven, encore plus magnifique, quoique moins connu, que la *Neuvième* et la *Messe*.

A propos de la Grande Fugue et de celle de l'op. 106, Pierre
Boulez observe très justement qu'elles sont un conflit « entre des
formes qui restent le symbole du style rigoureux et une pensée
harmonique qui s'émancipe avec une virulence accrue ». C'est
un drame purement musical parmi tous les autres drames de
Beethoven, malgré la bataille légendaire qu'il lui livra, lui donna
des solutions relativement traditionnelles, en somme imposées
par le cadre de la Messe.

On pourrait encore parler indéfiniment de la logique suprême
du vieux Beethoven liquidant toute la scholastique. On pourrait
scruter longtemps la simplicité, presque ingénue ou ascétique,
dans les quatuors comme dans les sonates, des cellules mélodiques
et rythmiques, dont les mutations, l'épanouissement se passent
au plus haut niveau de la forme, mais une forme sans cesse recréée,
réinventée, excluant tout formalisme, sans cesse nourrie de vie,
de combats, de lyrisme. Mais aurions-nous pour autant progressé
vers le cœur de ces œuvres prodigieuses ? Les littérateurs se sont
rués sur le Beethoven des dernières années, très vainement, hormis
Thomas Mann, aussi bon musicien qu'écrivain évocateur dans ses
pages du *Docteur Faustus* sur l'op. 111. Mais une analyse en règle,
isolant les ponts, conduits modulants, canons, sujets et réponses,
est encore plus inutile. André Boucourechliev a raison dans sa
remarquable monographie de Beethoven : le vocabulaire musical
indispensable à l'étude de ces œuvres n'existe pas. C'est assez dire
la place qu'elles tiendront encore dans l'avenir de la musique.

Un an après l'op. 111, Beethoven rouvrait son piano pour les
Trente-trois Variations sur un thème de Diabelli op. 120, non
moins révolutionnaires à leur façon que la Sonate 106 qu'elles
égalent en durée. Dès la première mesure, Beethoven plie dans sa

poigne l'innocent thème de valse, que n'importe quel autre prétexte pouvait remplacer. Lui qui a déjà écrit au cours de trente
œuvres les plus étourdissantes ou les plus émouvantes variations
de l'ère classique, il va encore les transcender. Il en fait une suite
de métamorphoses, d'événements musicaux indépendants les uns
des autres, reliés pourtant dans une unité presque inexplicable,
où la notion de thème en tout cas a été pulvérisée. Son imagination
débridée s'offre une fête fantasque, galopante, confidentielle,
humoristique, semée de surprises à tout instant. Jamais il n'a été
plus brillant, plus en verve, et jamais plus éloigné de la virtuosité
gratuite. Son dernier divertissement, si l'on ose encore employer
un tel mot pour de telles pages, est à sa taille de géant.

Quand on songe que ce chef-d'œuvre n'apparaît à aucun programme, que l'on en compte au plus deux enregistrements, on
peut se dire que nos innombrables princes du clavier, rois des
récitals, sont les parasites de la musique beaucoup plus souvent
que ses serviteurs.

En remettant à son éditeur le manuscrit de la Sonate 106,
Beethoven lui disait : « Voilà une sonate qui donnera de la besogne
aux pianistes lorsqu'on la jouera dans cinquante ans. » Il n'avait
donc aucun doute sur la portée prophétique de telles pages. Dans
sa lutte contre la fatalité et pour la conquête de son art, principe
de ses plus grandes œuvres, il avait triomphé, et il le savait bien.

CHAPITRE II

WEBER ET SCHUBERT

WEBER : ENTRE LE CLASSICISME
ET LE ROMANTISME

Carl-Maria von Weber, dont la famille avait reçu au XVIIᵉ siècle un titre de baronnie, naissait le 18 décembre 1786, à Eutin, dans le duché l'Oldenbourg, où son père, Franz-Anton était depuis un certain temps le Kappelmeister peu assidu du prince-évêque. Ce Franz-Anton, personnage aventureux, catholique et maçon, ancien militaire blessé à Rossbach, ancien fonctionnaire des finances, violoniste de talent, oncle d'Aloysia Weber et de Constance la femme de Mozart, avait épousé en secondes noces à cinquante ans une frêle Viennoise de seize ans, Geneviève von Brenner. Il nourrissait par-dessus tout une passion pour les entreprises théâtrales qu'aucun échec ne rebutait. Très tôt, le petit Carl-Maria suivit comme toute la famille les prérégrinations de la troupe paternelle, où brillaient trois de ses demi-sœurs, les unes et les autres très bonnes cantatrices.

Il devait conserver de cette enfance l'habitude d'une vie itinérante. On le trouve en 1797-98 à Salzbourg, où il reçoit de Michel Haydn ses premières leçons sérieuses et perd sa mère qui meurt de phtisie. Il y écrit ses premières compositions, petites fugues et sonates pour piano, un « opéra » (en fait Singspiel comique), *Die Macht der Liebe und des Weines, La puissance de l'Amour et du Vin.* Il compose à quatorze ans son second opéra, *Das Waldmädchen, La Fille des Bois,* sur un sujet ultra-romantique, et l'année suivante le troisième, *Peter Schmoll und seine Nachbarn, Peter Schmoll et ses voisins.* En même temps, devenu un excellent pianiste, il entreprend de nombreuses tournées de concerts. Puis il complète à Vienne son éducation musicale auprès d'un bon pédagogue, l'abbé Vogler.

Fin 1804, à dix-huit ans, il est chef d'orchestre du théâtre de Breslau. De 1806 à 1810, il est à Carlsruhe et à Stuttgart au service des ducs de Wurtemberg, familier du duc Louis, jouant la comédie déguisé en Cléopâtre, se répandant en épigrammes, en chansons humoristiques sur les travers de ces cours provinciales, mais composant aussi un quatuor avec piano, des *Variations sur un air norvégien* pour piano et violon, un *Rondo à la hongroise* pour alto et orchestre. Son vieux vagabond de père, qui est venu le rejoindre avec une contrebasse et deux caniches pour tout bien, l'escroque d'une somme qu'il devait remettre à l'un des créanciers du duc. Il emprunte pour rembourser, est escroqué à son tour, passe quinze jours en prison malgré sa bonne foi, est expulsé du Wurtemberg.

Pendant quatre ans, il circule à travers la Suisse, la Bohême, toute l'Allemagne de Baden-Baden à Berlin. Il s'y produit comme pianiste, guitariste, chanteur, exécute ses deux concertos pour piano, dirige la création à Munich de son opéra comique *Abu-Hassan*, à Francfort de *Silvana,* remaniement de *La Fille des Bois.* C'est un jeune homme de petite taille, au nez saillant, aux yeux gris et très vivants, boitillant du fait de la tuberculose osseuse qu'il tient de sa mère, maigre et de poitrine étroite, mais avec une vigueur musculaire des bras et des mains qui le sert admirablement au clavier. Il est toujours bien mis, très empressé auprès des femmes. Ses liaisons se succèdent, avec de jeunes comédiennes, des cantatrices, des danseuses. Il est cultivé, lit beaucoup, publie régulièrement des critiques musicales très acerbes, tient son journal intime, entreprend un roman autobiographique, *Vie d'artiste,* qu'il n'achèvera pas. Il noue de nombreuses amitiés parmi les écrivains romantiques, Jean-Paul, Tieck, Brentano et surtout Hoffmann.

Les trois années suivantes, 1813-1816, le voient à Prague, directeur-chef d'orchestre de l'Opéra. Il tombe sérieusement amoureux d'une comédienne de vingt ans, Caroline Brandt, à qui il propose le mariage. Caroline, suspectant avec raison sa fidélité, le repousse. C'est la première femme qui lui résiste, et comme de juste celle qu'il épousera quelque temps après son arrivée en 1817 à Dresde, où il est nommé à la direction d'un nouvel opéra.

Malgré les intrigues et l'hostilité des troupes italiennes, ces années de Dresde sont les plus heureuses de sa vie. Ses appointements sont confortables. Il prend goût à une carrière plus sédantaire, il est heureux en ménage. Il compose des messes, des cantates, la brillante *Jübelouvertüre* qui s'achève par le *God save the King*, de la musique de chambre, *L'Invitation à la valse*, et surtout, pendant l'année 1820, le *Freischütz*, sur un livret du poète Kind. Le triomphe de ce *Freischütz*, créé à Berlin en juin 1821, bientôt joué dans toute l'Allemagne, lui apporte la gloire en quelques mois. Vienne lui commande un nouvel opéra, *Euryanthe*, qui sera représenté en 1823. Son nom franchit les frontières germaniques. Le *Freischütz* est très rapidement traduit et chanté en Angleterre. A Paris, bien que défiguré par l'adaptation éhontée d'un certain Castil-Balze, ancien notaire provençal, il est joué très fréquemment à l'Odéon sous le titre de *Robin des Bois* durant l'année 1825.

L'énergie que Weber avait toujours déployée pour faire face malgré sa débilité à ses travaux et à ses fonctions, devint héroïque à la fin de sa vie. La tuberculose du larynx dont il souffrait depuis 1818 s'était aggravée en 1823 et gagnait peu à peu les poumons. Au début de 1825, Weber recevait du directeur de Covent Garden la commande d'un opéra pour Londres. Il choisit pour sujet *Obéron*, d'après un poème de Wieland inspiré de la légende française de *Huon de Bordeaux*. Le scénariste anglais y ajouta des emprunts au *Songe d'une nuit d'été* et à *La Tempête* de Shakespeare. Weber y travailla malgré les progrès de sa maladie durant toute l'année 1825. En février 1826, alors qu'il se savait condamné — « Je vais en Angleterre pour gagner de l'argent, disait-il, mais aussi pour y mourir » —, il prenait le chemin de Londres où l'attendait une belle somme en livres pour la création de son *Obéron* et la direction de plusieurs concerts. Les Anglais le reçurent princièrement. Crachant le sang, étouffant, brûlé de fièvre, il conduisit douze représentations d'*Obéron* dont le succès était considérable, quatre concerts d'oratorios, des concerts symphoniques. Six jours avant sa mort, qui eut lieu dans la nuit du 4 au 5 juin, il était encore au pupitre pour diriger le troisième acte du *Freischütz*. Londres lui fit des obsèques magnifiques dans la chapelle catholique de Moorfield. En 1844, ses cendres furent solennellement ramenées à Dresde, en grande partie sur l'initiative de Wagner, alors chef d'orchestre de la cour de Saxe, qui donna un éclat national à la cérémonie funèbre et prononça devant le cercueil son premier discours-manifeste sur l'opéra allemand.

Par les 308 numéros de son œuvre, Weber continue la tradition artisanale du XVIIIe siècle. On le trouve toujours prêt à satisfaire une commande, à brocher une pièce de circonstances pour les anniversaires et les cérémonies des cours dont il dépend. Il y a dans cette production trop copieuse un déchet fatal, surtout parmi les messes, les cantates. Des deux symphonies, écrites à vingt ans, l'une est disparate, l'autre assez terne. L'unique quatuor, de 1809, est inégal, peu équilibré, comme le Quintette à cordes avec clarinette.

On pourrait au contraire tirer de l'oubli un certain nombre de pages de l'abondant répertoire du pianiste-virtuose, d'une charmante verve mélodique, aux rythmes changeants, et où grâce à l'étendue exceptionnelle de sa main − il couvrait aisément un intervalle de dixième − à l'agilité de ses « damnés doigts », comme il disait lui-même, il annonçait les prouesses au clavier, la technique transcendante de Liszt et de Chopin. Le *Concertstück* pour piano et orchestre, avec ses glissandi et ses arpèges fringants, a pu reparaître agréablement dans nos programmes. Le *Trio* op. 63, pour flûte, violoncelle et piano mériterait d'y figurer quelquefois, de même que la seconde (op. 39 en *la* bémol) des quatre sonates pour piano. *L'Invitation à la Valse,* si galvaudée que les mélomanes ne daignent plus lui accorder un seul instant d'attention, n'est aucunement négligeable. Avec son introduction lente, les contrastes de ses rythmes rapides et de son thème balancé, elle a été le modèle de toutes les grandes valses, depuis celles des Strauss de Vienne, toujours un peu alourdies par leurs cuivres, jusqu'au poème de Maurice Ravel. Écrite pour le piano, orchestrée avec autant de goût que de brio par Berlioz, elle a inspiré un chef-d'œuvre de la chorégraphie, *Le Spectre de la rose,* et l'on ne réentend jamais sa fanfare sans revoir l'apparition bondissante de Serge Lifar sur la scène (Nijinsky, selon ceux qui l'ont connu, était encore plus prodigieux) : une image qui prend place, elle aussi, parmi les beaux souvenirs musicaux. Si l'on a trop joué, et souvent bien mal *L'Invitation à la Valse* en France, on y connaît trop peu les lieder de Weber, ses pièces à quatre voix d'hommes, tout proches des sources populaires allemandes, ses chants patriotiques qui transportaient d'enthousiasme Gérard de Nerval.

Lorsque on s'est informé suffisamment de toutes ces œuvres, on éprouve une difficulté inattendue à situer leur auteur. Weber, pour la plupart des historiens comme pour l'ensemble des mélomanes, est le chef de file du jeune romantisme. Mais s'il admire une œuvre encore respectueuse de maintes traditions comme *Fidelio,* s'il la dirige avec la flamme et les soins qu'il met à toutes ses tâches d'excellent chef d'orchestre, ce romantique reste fermé aux symphonies de Beethoven dès *l'Éroïca* dont il regrette la « confusion, l'instrumentation contre nature », et qui lui paraît « dépasser les limites du bizarre ». Quand il vient saluer le maître à Vienne — les deux hommes s'estiment malgré leurs divergences, et Beethoven aime le *Freischütz* — il rend hommage à l'auteur de *Fidelio*, mais aussi de *La Bataille de Vittoria*, du *Christ au Jardin des Oliviers*, de la *Fantaisie pour piano et orchestre*, c'est-à-dire de ses compositions les plus superficielles.

La nouveauté fondamentale du romantisme, l'expression personnelle des pensées et des sentiments, souveraine justement chez Beethoven, échappe en grande partie à ce brillant improvisateur. Les modèles auxquels il se réfère sont toujours Gluck, Haendel, Haydn. Son écriture pianistique subit encore l'influence du très conservateur Clementi. Bien qu'il sache relever leurs conventions et les faiblesses de leur métier, il apprécie la verve tempérée, la « clarté naturelle » de ses contemporains français, Grétry, Isouard, Boïeldieu, Méhul. Il va même jusqu'à l'admiration presque sans réserves pour l'académisme de Cherubini, le seul Italien qui trouve grâce devant ses yeux, parce que le plus francisé.

Pourtant, cet homme aux goûts si peu révolutionnaires ignore ou néglige la grande leçon des classiques dont il se recommande, l'organisation des formes selon une logique purement musicale. S'il aborde ces formes, dans sa musique de chambre, dans ses symphonies, c'est pour les distendre, les diluer, tout en y restant assez mal à son aise.

Frivolité, instabilité d'un compositeur trop répandu dans le monde, trop peu exigeant envers ses talents ? Insuffisance de sa formation musicale, comme on l'a dit assez souvent ? La réponse va nous être donnée par l'autre partie de son œuvre, moins étendue, inégale elle aussi, maltraitée par le temps, mais où il s'est mis tout entier.

LE THÉÂTRE DE WEBER. « LE FREISCHÜTZ »

Enfant de la balle par la marotte de son père, Weber a reçu du théâtre ses premières impressions et en a toujours subi l'attrait. Nous avons vu qu'il était déjà à moins de quatorze ans l'auteur d'un Singspiel qui a disparu. *Peter Schmoll*, un Singspiel sentimental, révèle déjà chez le musicien de quinze ans à peine une précoce sensibilité aux timbres. Les quelques pages qui nous sont parvenues de *Rübezahl,* tribulations du géant Compte-Navets, ne nous permettent pas de juger ce premier essai de Weber dans la féerie. L'ouverture, remaniée en 1811, se laisse encore écouter, grâce à son mouvement théâtral : tempête, accalmie, retour de la tempête. *Turandot,* (1810), musique de scène pour la pièce de Schiller, vise à l'exotisme (l'héroïne est une princesse chinoise). Notons que la «couleur locale», résumée par le thème de l'ouverture, et qui passe pour un apanage des romantiques, est encore ici à l'état d'intention, comme d'ailleurs la plupart des motifs espagnols, hongrois, polonais ou norvégiens de Weber, à la manière des compositeurs du XVIIIe siècle que l'authenticité ne préoccupe guère.

Le Singspiel de *Silvana* (1800), refonte de *La Fille des Bois* porte le sous-titre « opéra romantique ». Le sujet est bien en effet dans le style troubadour, Moyen Age, donjons, châtelaine mélancolique, chevalier amoureux de la mystérieuse et ravissante sauvageonne qui se cache dans la forêt. Mais la musique, pâlotte, sauf pour animer un rôle d'écuyer bouffon, demeure sous l'influence de Mozart, de même que *Abu Hassan*, petite turquerie comique en un acte, écrite peu après *Silvana*, et dans son genre d'une meilleure venue.

Durant dix ans, Weber ne compose plus pour le théâtre que quelques musiques de scène sans importance. Il voit tout ce qu'il y a de prématuré, de léger et de relâché dans ses essais d'adolescent et de jeune homme. Il précise ses idées sur la musique dramatique, qui sont intelligentes et neuves pour le temps. Il veut la faire participer constamment à l'action, et regrette avec juste raison que Beethoven n'y soit pas parvenu dans son *Fidelio*. Il pressent que les simples thèmes de réminiscence, tels qu'on les trouve dans *Don Juan*, peuvent devenir les leitmotive, « des mélodies heureusement et finement agencées, traversant l'œuvre comme des fils légers et lui donnant une consistance spirituelle ».

C'est donc un artiste mûri, ayant la pleine conscience de ses moyens, qui revient en 1819 à la musique de théâtre pour lui consacrer presque entièrement les sept années qui lui restent à vivre. Il mène de front un opéra-comique, *Les Trois Pintos* où il exerce son humour, mais dont n'ont subsisté que des esquisses, la musique de scène pour *Preciosa* et *Le Freischütz*. La partition de *Preciosa*, agréable, un peu molle, est fâcheusement liée à un drame niais, injouable depuis plus d'un siècle. Mais *Le Freischütz* va immortaliser son auteur.

Le livret de Kind adapte la légende allemande, remontant à la Renaissance, du chasseur maladroit, Max, qui pour obtenir la main d'Agathe, la fille qu'il aime, devrait être vainqueur d'un concours de tir. Désespérant de franchir cette épreuve, il accepte, sur les conseils de Caspar, suppôt du démon Samiel, d'utiliser des balles ensorcelées, atteignant infailliblement la cible, sauf la dernière, que le diable dirigera selon son bon plaisir. Dans la légende, cette dernière balle tuait la fiancée du chasseur, qui devenait fou. Kind préféra détourner cette balle, avec l'intervention d'un saint ermite, sur Caspar qui succombe en maudissant la puissance céleste. L'ouvrage est encore conçu dans la forme du *Singspiel*, les dialogues alternant avec les airs et les ensembles chantés.

Tous les écrivains amis de Weber furent consternés par la puérilité de ce livret, le caractère en effet insignifiant de ses personnages, à l'exception du démoniaque Caspar. Mais le musicien laissa dire, sachant mieux que personne combien cette imagerie avait servi son génie. Avant lui, Spohr dans son *Faust*, E.T.A. Hoffmann dans son *Ondine* — on oublie trop souvent qu'il fut compositeur presque autant que conteur — avaient choisi des scénarios féeriques, médiévaux, « romantiques », selon la mode qui commençait à s'emparer de ce terme. Mais leurs partitions illustrent ces magies nouvelles, et bien qu'Hoffmann fût un admirateur très ardent et clairvoyant de Beethoven, sont toujours tributaires du XVIIIᵉ siècle, surtout de *Don Juan*, « l'opéra de tous les opéras » pour Hoffmann. Dans *Le Freischütz*, une poésie romanesque, inconnue jusque-là de l'opéra, imprègne la musique, dès la première page de l'ouverture, où les cors chantent *mezza voce* le mystère de la grande forêt. Sans doute, dans le courant de l'ouvrage, on retrouvera encore des souvenirs mozartiens, du reste très gracieux, en particulier le rôle de soprano léger, Annette, la petite cousine d'Agathe, qui tient la place de la soubrette traditionnelle. Mais l'ensemble est d'une évidente originalité.

La présence d'un livret nouait l'imagination de Beethoven. Elle excite au contraire celle de Weber. Son instrumentation, où il a été toujours habile, devient beaucoup plus personnelle chez cet homme de théâtre. Par des combinaisons de timbres expressives et imprévues, il en fait son moyen favori pour animer, caractériser ses personnages, dire leurs sentiments, créer le décor des péripéties qu'ils vivent. Les trouvailles de l'harmonie, les libres séries de dissonances ajoutent leurs vibrations à cette couleur weberienne qui peut enfin suggérer le fantastique, une intime communion avec la nature sans recourir aux clichés démonétisés des classiques. La mélodie emprunte encore par instants des tournures italiennes, voire françaises, mais son inspiration est avant tout celle du lied. Dans ses larges et libres courbes, dans ses longues tenues passe le souffle d'un lyrisme national qui ne s'était pas encore fait entendre et ne perd pas son accent, même lorsqu'il penche un peu vers la romance sentimentale. Les chœurs du *Freischütz*, chœurs des paysans, des chasseurs, ronde nuptiale des jeunes filles, sont encore plus proches du terroir, ce qui ne signifie pas qu'ils puisent directement dans le folklore. Le musicographe anglais Edward J. Dent a noté, très justement à notre sens, que rien auparavant dans le folklore allemand n'offrait ces caractères harmoniques et mélodiques. Ainsi, l'auteur du *Freischütz*, après avoir été un musicien de cour, un concertiste mondain, ne semble pas tant redevable du folklore que créateur de chants devenus rapidement populaires et imités à l'envi grâce à leur intime connivence avec la sensibilité germanique.

Weber n'appuie pas sur le satanisme de son sujet comme Berlioz ou Liszt, il ne nous demande pas d'y croire outre mesure, et son *Freischütz* a pu conserver ainsi le charme et la fraîcheur d'une imagerie d'époque. Cela n'empêche pas le tableau nocturne de la Gorge au Loups, où Caspar fond les balles ensorcelées, au milieu de la tempête et des apparitions fantastiques, d'être une saisissante réussite théâtrale, remplie de trouvailles, le « parlé », les appels en écho de Caspar et de Samiel qui sur *l'ostinato* des contrebasses et des violoncelles font songer au *Sprechgesang* du XXᵉ siècle. Weber innove aussi, sans rompre tout à fait avec la traditionnelle distribution par « numéros » vocaux, en enchaînant souvent ses airs, en les liant par des récitatifs pour former des scènes d'un mouvement dramatique ininterrompu. On regrette d'autant plus que ces magnifiques élans musicaux se brisent pour faire place aux dialogues prosaïques ou anodins du *Singspiel* qui, aplatis encore par des traduction indigentes, ont compromis depuis longtemps chez nous les représentations du *Freischütz*. L'ignorance où sont tant de mélomanes français de cette œuvre clé si séduisante n'en est pas moins impardonnable. Tous devraient posséder dans leurs discothèques un des excellents enregistrements allemands du *Freischütz*, où le dialogue est réduit à un texte de liaison dont on se passerait, mais assez bref pour ne plus dissiper la magie musicale.

Weber lui-même considérait si bien le *Singspiel* comme un

pis-aller qu'aussitôt après *Le Freischütz*, il fit *d'Euryanthe* un véritable opéra, chanté sans interruption, le seul qu'il ait signé. Mais il eut le tort de s'adresser pour son livret à un bas-bleu renforcé, la poétesse Helmina von Chezy, qui n'avait jamais touché au théâtre. Elle confectionna une mouture médiocre d'après une des légendes médiévales alors à la mode, le roman français de Gérard de Nevers et de sa fiancée Euryanthe, princesse de Savoie, faussement accusée d'infidélité par un rival jaloux. Weber déçu proposa des retouches qui furent désastreuses. Alors qu'il savait bien mieux écrire que sa poétesse et possédait une tout autre expérience de la scène, il se laissa entraîner par son goût pour la fantasmagorie musicale. Onze fois remanié, le canevas devint d'une inextricable absurdité, décourageant tout essai de résumé.

Cette tare a été fatale à *Euryanthe*. Seule a survécu l'ouverture, la plus belle peut-être de Weber, d'un style serré et soutenu qui lui était inhabituel jusque-là. Mais l'œuvre n'a jamais remporté qu'un bref succès d'estime, même dans les premières représentations de Vienne et de Dresde, bien qu'elle fût interprétée par les deux plus grandes cantatrices allemandes de l'époque, dans les plus brillantes années de leur jeunesse et de leur voix, Henriette Sontag, une des rivales de la Malibran, et Wilhelmine Schrœder-Devrient, la future créatrice de *Rienzi*, du *Vaisseau fantôme*, du rôle de Vénus dans *Tannhäuser*. Il est malheureusement impossible de séparer du livret aberrant une musique émouvante, lumineuse, que Schumann comparait à « un collier de joyaux étincelants ». L'embrouillamini de l'intrigue empêche même les exécutions de concert à l'italienne. Les enchaînements de la musique, qui suit le texte de près, ne permettent guère d'en constituer une anthologie sur disque. On ne peut plus deviner les beautés enfouies *d'Euryanthe* qu'à travers de pâles pianotages de la partition.

Weber mourut trop vite pour transformer *Obéron* en opéra par des dialogues chantés comme il se le proposait. La musique, tour à tour noble, humoristique, d'une exquise transparence, est donc restée dispersée au milieu d'une pièce à grand spectacle, assez hétéroclite et puérile, infiniment moins féerique qu'elle. L'orchestration y est d'un raffinement dont les romantiques les plus colorés retrouveront difficilement le secret, et dont on a un exemple dans le début *adagio* de l'ouverture, distribué d'une main si sûre et légère entre le cor, la flûte et les clarinettes aux notes piquées, le *pianissimo* des trompettes, les cordes. Maintes pages de la partition, d'une facture aussi achevée, entre autres tout le finale, auraient la même célébrité s'il était un peu moins difficile de monter *Obéron* sans le trahir.

Les successeurs immédiats de Weber sur les scènes allemandes lui furent très inférieurs, son influence sur eux resta très superficielle. Spohr, son aîné de deux ans, mais qui vécut jusqu'en 1859, ne se départit pas d'un tiède pseudo-classicisme. Marschner (1795-1861), Lortzing (1801-1851) ont beau emprunter leurs sujets à Byron, à Walter Scott et encore à l'*Ondine* de La Motte-Fouqué, ils n'en font que des *Singspiele* vulgarisant les clichés du romantisme à l'usage d'un public de petits bourgeois qui est au niveau de leur musique.

Il y a déjà un reflet plus authentique du *Freischütz* dans quelques scènes de la gentille *Dame Blanche* du Français Boïeldieu (1825), dont les Allemands ont du reste toujours fait plus de cas que nous. Mais il faut attendre les grands novateurs de la génération suivante pour trouver les vrais disciples de Weber, Berlioz, Liszt et surtout Wagner. De tous les précurseurs que l'on a voulu donner à Wagner, Weber est le seul qui soit indiscutable. Dans ses trois derniers ouvrages les accents préwagnériens abondent, dans *Le Freischütz* une grande partie du rôle de Max, la couleur des cuivres, des bassons dans la scène de la Gorge aux Loups, la basse caverneuse, soutenue par les trombones de l'ermite qui pourrait donner la réplique à l'Alberich de *L'Or du Rhin* ; tout le long d'*Euryanthe*, la tendance à fondre les airs et les récitatifs dans un style *arioso*, qui s'épanouit avec *Obéron*, le magnifique air de Rezia, *Ozean*, aux phrases ascendantes illuminées par les trompettes et les trombones ; et dans *Obéron* encore, le premier air du ténor, celui du serment, *Schreckenschwur !* Wagner, assez peu loquace sur ses sources, comme la plupart des musiciens, a d'ailleurs proclamé très haut sa dette à l'endroit de Weber.

SCHUBERT

De dix ans le cadet de Weber et mort dix-huit mois après lui, Franz Schubert est son contemporain le plus direct. Mais s'ils appartiennent par la chronologie à la même période transitoire entre le classicisme et le romantisme, ils la vivent très différemment, bien qu'ils en portent l'empreinte chacun à sa façon. Schubert échoue, non sans s'inspirer parfois de lui, là où Weber réussit, à la scène. Mais si la musique instrumentale sacrifie elle aussi de temps à autre aux facilités de la mode, elle ne descend jamais aux complaisances du Weber le plus superficiel, elle garde une tout autre dignité artistique. Les deux musiciens ont dépassé leur époque, mais Weber par son instinct de dramaturge, Schubert par les audaces que lui dictait une sensibilité bien plus profonde. L'importance de Weber est aujourd'hui surtout historique et ne tient plus qu'à quelques œuvres trop peu jouées, tandis que Schubert, chez qui nous avons tous encore maintes découvertes à faire, n'a cessé de gagner en universalité.

Il naquit le 31 janvier 1797 à Vienne, dans le quartier de Liechtental. Mais son père, un instituteur qui avait déjà onze enfants, était un Allemand de Moravie, et sa mère Élisabeth Vietz, venait de la Silésie autrichienne (sur les cartes actuelles, la région d'Ostrava). Elle avait été quelque temps cuisinière avant son mariage. La profession du père, plus relevée que dans le courant du XVIIIe siècle, situait la famille dans la petite bourgeoisie peu argentée. Les instituteurs autrichiens de l'époque étaient tenus à des connaissances musicales assez poussées, et le père Schubert fut le premier maître de Franz. A onze ans, l'enfant entrait par concours comme chanteur à la chapelle impériale et en même temps au collège municipal, le « Stadtkonvikt », dirigé par des Frères piaristes, maison austère et laborieuse où l'on instruisait musicalement les petits chanteurs tout en les préparant pour l'Université. Schubert, très bien noté, travaillait le piano, le violon, son professeur de composition était Salieri, le disciple préféré de Gluck, Viennois d'adoption depuis quarante ans, mais baragouinant à peine l'allemand, auteur d'une cinquantaine d'opéras napolitains, mais qui ne pouvait guère instruire ses élèves dans les grandes disciplines contrapunctiques et polyphoniques. Le collège possédait son orchestre. Schubert y tenait le premier violon et montait de temps en temps au pupitre du chef. C'est ainsi qu'il fit connaissance avec les dernières symphonies de Mozart, celles de Haydn et la *Deuxième* de Beethoven, qui devaient rester ses modèles de prédilection. Quand il quitta le « Konvikt » en 1813, au bout de cinq ans, il y avait écrit des Fantaisies pour piano à quatre mains, des Ouvertures, des lieder, au moins six quatuors dans la suite de Haydn et de Mozart.

L'existence de Schubert fut aussi effacée que celle de Weber avait été remuante et mondaine. Un an après sa sortie du collège, à la fin de 1814, n'ayant pas réussi à faire jouer son premier opéra, *Le Château du diable*, il acceptait un poste d'instituteur auxiliaire dans l'école de son père, métier pour lequel il n'avait pas le moindre goût, et dont il se dégagea à peu près complètement au bout de deux ans. Comme Mozart dans ses dernières années, il refusait les contraintes qui auraient pesé sur son inspiration. Sans protecteurs, sans obéir à des commandes, il cherche à vivre de son art dans une société où la bourgeoisie, qui impose de plus en plus ses goûts, n'éprouve aucun besoin des musiques raffinées et originales que favorisaient les dilettantes de l'ancienne aristocratie. Plus de livrées. Mais elles sont remplacées par une nouvelle servitude. Le musicien dépend maintenant des éditeurs, il lui faut les appâter par des démarches souvent plus humiliantes et bien moins profitables que le service des grands seigneurs.

Schubert, qui vendait peu sa musique et à petits prix, mena donc une vie de bohème au jour le jour. Il s'était épris, tout jeune, d'une certaine Thérèse Grob, qui en épousa un autre, un boulanger. Après cet échec, il ne projeta plus aucun mariage. Il eut certainement d'autres amours en tête, mais seule sa musique nous en a parlé, et toutes les suppositions à ce propos relèvent du feuilleton-cinéma. Court de taille, un peu bedonnant, il se fit une philosophie de vieux garçon au physique plus ou moins disgracié. Les auberges, les « Weinstuben », les brasseries tenaient une grande place dans son célibat. Il n'était pas alcoolique, mais aimait vider les chopes de bière et les carafes de vin blanc en compagnie joviale. Ses quelques voyages ne le conduisirent jamais plus loin que Salzbourg.

On a écrit à tort et à travers sur l'inculture de Schubert, et l'auteur de cette *Histoire* doit lui-même faire amende honorable de différents textes anciens. On lui déniait tout discernement littéraire parce qu'il y a dans les paroles de ses six cent trente-quatre lieder des versifications indigentes qu'il acceptait par camaraderie ou pour des raisons musicales. Mais aussi souvent il choisissait les plus grands poètes du romantisme allemand, Gœthe, Schiller, les frères Schlegel, Novalis, Körner, Rückert, Uhland, pour finir avec Henri Heine, que l'on ne connaissait guère alors en Autriche. Si Hölderlin et Eichendorff manquent à cette anthologie, ce ne doit être que fortuitement. On a un peu trop vu le culte de l'amitié, si vif chez Franz, sous l'aspect des fameuses « schubertiades », qui commençaient en musique — d'innombrables lieder y eurent leur première audition — et s'achevaient en bamboche. On y buvait sec en effet, et les demoiselles que l'on y rencontrait ne devaient pas être d'imprenables vertus. Mais les familiers de ces réunions étaient tous des jeunes gens d'un esprit distingué, d'une sérieuse culture, tels Franz von Schober, futur chambellan de Weimar, Mayrhofer, poète dans le sillage de Schiller, très versé en littérature anglaise. Après la musique, les lectures de Shakespeare et les punchs, quand les discussions de ces romantiques passablement exaltés s'élevaient à la philosophie, Schubert n'y était pas le moins du monde déplacé, apportait au débat des vues solides et originales. Parmi les intimes, on comptait encore Grillparzer, le premier dramaturge autrichien de l'époque. Schubert était donc le centre d'un des cénacles intellectuels et artistiques les plus animés et les plus brillants de Vienne. Tous ces amis, dont la fidélité ne se démentit jamais, étaient convaincus du génie de leur cher Franz. Si leurs conseils ne furent pas toujours sûrs, leur affection adoucit les échecs du musicien, il leur dut d'atteindre au moins à une renommée locale, et ils servirent sa mémoire de leur mieux.

On est pris d'indignation en lisant les chipotages et les refus des éditeurs de Schubert, en songeant que dans les années où il multipliait les chefs-d'œuvre, il aurait connu la misère sans les secours de ses amis. Cependant, Schubert mena bien la vie pauvre mais libre qui convenait le mieux à sa nature, celle qui pouvait être la plus féconde pour lui. Et sans doute éprouvait-il plus de soulagement que de dépit quand après avoir tenté de se ranger et posé sa candidature à une fonction quelconque, il la voyait repoussée par les bureaux.

En 1823, Schubert fut atteint de graves malaises, d'origine syphilitique. Les pharmacopées de l'époque lui procurèrent une apparence de guérison, sur laquelle il se faisait peu d'illusions : « Figure-toi, écrivait-il à un ami, un homme dont la santé ne se refera jamais, et qui, par le chagrin que cela lui cause, voit son état empirer au lieu de s'améliorer. » Le tréponème, en effet, le minait lentement. Son organisme ne put résister à une typhoïde qui le terrassa en trois semaines, au mois de novembre 1828. Il n'avait pas trente-deux ans. Il mourut, selon différents témoignages, en murmurant le nom de Beethoven. Il est enterré près de lui dans le cimetière central de Vienne.

LES CAPRICES D'UNE OEUVRE

De tous les grands musiciens, Schubert est sans doute celui qui échappe le plus aux définitions et aux catégories. L'un de ses meilleurs exégètes modernes, Alfred Einstein, le voit encore traditionnellement comme « le classique du romantisme », ce qui est vrai pour les œuvres, la plupart mineures, où il se rattache à Haydn et Mozart, mais n'a plus grand sens lorsqu'on se réfère à tant d'autres pages prodigieusement émancipées dans leur style comme dans leur esprit.

Lorsqu'on fait de Schubert un poète hanté par la mort, tantôt s'y abandonnant comme à la consolatrice baudelairienne, tantôt désespéré par sa fatalité, on rapproche des œuvres éparses sur toute une carrière, et souvent contemporaines des partitions les plus joyeuses. Si le *Voyage d'hiver,* achevé dans l'automne 1827, est tragiquement accordé au déclin physique d'un grand malade – qui écrivait cependant quelques semaines plus tard le trio burlesque du *Rôti de noces* pour une dernière « schubertiade » – *Le Roi des Aulnes*, le lied de *La Jeune Fille et la Mort* datent de 1815 et de 1817. Méfions-nous donc de ces généralisations qui semblent toujours supposer que les artistes avaient sur leurs biographies les mêmes clartés que nous.

L'œuvre de Schubert défie à peu près tout classement chronologique. Elle pousse avec une si capricieuse liberté, image de l'existence du musicien, qu'il est presque impossible d'y découvrir une courbe d'évolution. L'adolescent dépêche des quatuors anodins à la manière de Haydn. Mais à dix-sept ans, en 1814, il passe soudain devant tous les auteurs contemporains de ballades, de romances, de mélodies, y compris le Beethoven de *La Bien-Aimée lointaine,* avec les lieder de la *Consolation à Elise,* de *Laure en prière, Laure chantant* et l'émouvante *Marguerite au rouet* de Gœthe, où l'accompagnement tournoyant et monotone qui traduit l'obsession de la jeune fille s'interrompt avec une dramatique soudaineté quand elle évoque le baiser fatal de Faust. Un an plus tard, après avoir lu deux ou trois fois la ballade de Gœthe, il jetait en quelques instants sur le papier *Le Roi des Aulnes (Erlkönig),* qui concentre dans la chevauchée précipitée des octaves du piano – ce simple piano qui suffit à créer un décor de cauchemar – dans ses brusques et angoissants contrastes cinquante années de romantisme à venir, et va même plus loin avec le réalisme des deux mesures du récitatif

final[1] . Mais quelques mois après, le génial novateur revient au style
galant de 1770 dans ses sonatines pour piano et violon. Encore
deux ans, et ce poète de toutes les nuits et toutes les amours germaniques, parce qu'il a entendu et applaudi Rossini, va italianiser
à tire-larigot, d'ailleurs avec beaucoup d'esprit et d'agrément dans
ses *Ouvertures en ré* et en *ut*, ses ariettes et jusque dans ses lieder.
Et d'autre part, les gaucheries de la *Fantaisie en ut* pour piano et
violon, op. 159, la creuse facilité du *Notturno* en trio op. 148,
qui sont de 1826 ou 1827, ne laissent guère soupçonner que leur
auteur avait derrière lui tant de chefs-d'œuvre de la musique instrumentale.

Seuls quelques historiens spécialisés font une place dans l'œuvre
de Schubert à sa musique de théâtre. Il s'y est pourtant escrimé
durant toute sa courte existence; non que ce fût chez lui une
vocation irrésistible, mais parce qu'un succès à la scène était pour
un compositeur pauvre le plus sûr moyen d'atteindre à la notoriété
et à l'aisance. Sa première grande entreprise, à laquelle il songeait
sans doute depuis l'âge de quinze ans, fut un opéra, *Le Chevalier
au miroir* sur une ineptie du détestable Kotzebue, bientôt suivi
d'une féerie à grand spectacle, *Le Château du diable,* d'après un
texte du même cacographe. Deux jours encore avant sa mort, il
discutait d'un projet nouveau d'opéra avec les amis venus à son
chevet. Dans l'intervalle, il avait composé une quinzaine de
Singspiele dramatiques, d'opéras à l'italienne *(Alfonso et Estrella),*
de *Singspiele* comiques, d'opérettes *(Les Amis de Salamanque,
Claudine de Villabella, Les Frères jumeaux),* une réplique de *La
Flûte* de Mozart, *La Harpe enchantée,* la musique de scène de
Rosamonde, princesse de Chypre, quatre actes de la redoutable
Helmina von Chézy, la collaboratrice de Weber pour *Euryanthe.*
Dans la seule année 1815, Schubert avait écrit coup sur coup
quatre de ces ouvrages, à la cadence de production des anciens
Napolitains les plus expéditifs. Mais au contraire de ceux-ci, tra-
vaillait le plus souvent sans commande, en mettant ses espoirs
dans la bienveillance ou le goût des directeurs qui recevraient son

---

1. Schubert avait adressé à Gœthe, dont il espérait l'appui, sa *Marguerite* et son *Roi
des Aulnes.* Gœthe les lui fit renvoyer sans un mot et fut aussi méprisant pour les
soixante-dix autres lieder que Schubert écrivit sur ses poèmes. Un grand esprit sans
doute, mais le plus sourd à la musique des écrivains allemands, et un bien piètre juge
des artistes de son temps. *Le Roi des Aulnes* avait été soumis également pour examen
par un éditeur à un vieux musicâtre de Dresde qui se nommait aussi Franz Schubert et
s'étrangla de fureur à l'idée qu'un audacieux « pistolet » avait eu le toupet d'abuser de
son nom pour signer un ouvrage ridicule.

manuscrit. Cette ingénuité était fort peu payante. *Les Frères jumeaux* l'un de ses rares opéras acceptés par un théâtre, n'eurent pas plus de six représentations. La musique de *Rosamonde* fut supprimée au bout de deux soirées.

De tout ce répertoire, un seul morceau a eu droit à la popularité, et c'est le plus faible, trivial même, l'Ouverture dite de *Rosamonde,* qui n'a d'ailleurs pas été écrite pour *Rosamonde* mais pour *La Harpe enchantée.* Çà et là, dans tel autre de ces « opéras » qui sauf *Alfonso et Estrella* comportent tous des dialogues parlés, on est arrêté par d'heureux détails d'instrumentation, de jolies pages vocales d'un mouvement le plus souvent mozartien. Mais aucune de ces partitions n'est dans son ensemble suffisamment solide et attachante pour mériter de voir ou de revoir la scène. Schubert acceptait trop souvent, par amitié, par manque de compétence ou par faux calcul des livrets mal fichus, voire indéfendables. Il n'avait pas assez d'autorité, d'assurance en ses propres forces pour refuser de se soumettre aux poncifs qui régnaient sur les planches viennoises. On doit tenir compte aussi de sa jeunesse à l'époque de ses tentatives. L'expérience aurait pu lui venir. Si Weber n'avait pas vécu dix ans de plus que lui, son bagage théâtral n'aurait guère été plus consistant.

La musique religieuse de Schubert — neuf messes selon le catalogue définitif, deux *Stabat,* sept *Salve Regina,* des psaumes — est d'une meilleure tenue. Il peut s'y appuyer sur une tradition confirmée, Mozart, Haydn, Pergolèse. Pour notre goût, nous aurions aimé qu'il y fût moins fidèle. Il prolonge souvent, sans y ajouter beaucoup, le rococo fleuri des petites messes-opéras de Mozart. Ou bien, quand il vise plus haut, il se conforme aux usages, emploie le style fugué aux moments liturgiques où il est pour ainsi dire réglementaire, tout cela d'un métier plus ferme que celui des *Singspiele,* mais où l'on devine l'application. On remarquera que l'auteur de *l'Ave Maria,* extrait d'un cycle de chants d'après Walter Scott — une de ses mélodies les plus banales dans sa ligne tout italienne — était dans le privé d'un anticléricalisme truculent, en réaction contre le milieu bigot, famille et collège, de son enfance, qu'il vitupérait violemment la « prêtraille », autrichienne et sa dictature. Comme la plupart des musiciens romantiques, il avait lâché les dogmes pour un déisme assez fluctuant. Il avait écrit, disait-il, et nous n'avons aucune raison de ne pas le croire, ses meilleures pages religieuses dans les instants de ferveur d'une croyance en somme intermittente. Comme les milliers de messes qui jalonnent l'histoire de la musique depuis Guillaume de Machaut, celles de Schubert n'étaient pas toutes nées cependant d'un besoin d'élévation. Elles étaient aussi pour lui un débouché, pouvant compenser jusqu'à un certain point ses échecs au théâtre. Si c'était encore trop d'optimisme, la plupart de ces messes, peu après avoir été écrites, furent exécutées avec quelques succès. La messe en *la* bémol majeur, tonalité insolite pour cette musique liturgique, domine toutes les autres. Son *Sanctus,* dont les premières mesures sont si audacieusement chromatiques, peut compter parmi les grandes pages de Schubert.

LES LIEDER

Les Lieder sont le cœur de l'œuvre de Schubert. Il y a trouvé sans effort, dès ses débuts, la forme et l'expression naturelles de son génie. Il n'y connaît plus aucune contrainte. Avec eux s'effacent les souvenirs du XVIIIᵉ qui pallient les incertitudes de la musique de théâtre et de la musique d'église. Ils appartiennent complètement à leur siècle, dont ils demeurent un des grands témoignages musicaux.

Le lied, de nom, remonte aux Minnesänger, c'est-à-dire aux origines de la musique allemande. Dans notre acception, il n'est pas antérieur à Schubert. Chez Mozart, chez Haydn, chez Beethoven, il reste encore tributaire de l'aria à l'italienne ou de la romance française. Les Allemands du Nord, Reichardt (1752-1814), Zelter (1758-1832), ne se détournaient des italianismes que pour des imitations simplifiées du « mode populaire », d'un pauvre métier. Si Schubert, durant ses années d'école, étudia avec un certain profit les ballades du Wurtembergeois Zumsteeg, inspirées de la déclamation sur fond musical du mélodrame, cette influence n'a pu être qu'assez superficielle. Il est bien le créateur du lied, où la mélodie vocale accompagnée, vivifiée au contact de la grande poésie allemande, devient elle-même un poème musical, qui est l'expression la plus directe et la plus intime de l'âme germanique : sensibilité inclinant à la mélancolie, participation à la nature inconnue des Latins — le lied est rempli de paysages, tantôt idylliques, tantôt maléfiques — inquiétude métaphysique « diffuse dans les réflexes les plus humbles de la race », selon Marcel Beaufils, qui ajoute « qu'en ce sens toute la famille humaine se retrouve dans le lied immédiatement et entièrement ».

Ces caractéristiques sont plus littéraires que musicales. Mais historiens et critiques avouent presque tous leur impuissance à décrire les affinités musicales pourtant si manifestes à l'oreille, d'une lignée qui de Schubert à Richard Strauss a couvert tout le XIXe siècle et n'est peut-être éteinte aujourd'hui qu'en apparence. On a souvent voulu relier le génie de Schubert à l'inspiration populaire, lorsqu'on attendait de celle-ci, entre 1880 et 1920 approximativement, une régénérescence de la musique. La connaissance beaucoup plus sérieuse que l'on a maintenant de l'ancien folklore germanique, relativement pauvre en somme, ne laisse plus subsister grand-chose de cette filiation. Elle vaut à la rigueur pour la chanson de la *Rose des bruyères, Heidenröslein,* sur les petits vers de Gœthe. Mais ni *La Truite,* ni *Le Tilleul,* pour citer les exemples les plus connus, n'ont eu de modèles populaires. C'est le peuple autrichien et allemand qui les a adoptées pour leur fraîcheur, leur simplicité qu'il a encore allégée. Ainsi *Le Tilleul, Der Lindenbaum,* familier dès l'école à toutes les lèvres germaniques, comporte une modulation en mineur que les interprètes ingénus omettent le plus souvent. Schubert est bien moins un héritier du folklore qu'un créateur de chants populaires. Il conserve habituellement la coupe strophique, mais pour l'élargir, la varier à son gré. Et il connaît, il emploie aussi toutes les ressources du récitatif et de l'arioso. Nous sommes aussi loin que possible avec lui des étroites théories du XVIIIe siècle sur la subordination de la mélodie au poème, à laquelle se tiennent encore Gœthe et son entourage académique. Le lied schubertien traduit au plus juste les sentiments des vers, mais en conservant toute son indépendance musicale. C'est pourquoi les deux admirables recueils de *La Belle Meunière* — un garçon meunier amoureux de sa belle patronne et évincé par un galant chasseur — du *Voyage d'hiver* — un jeune homme blessé par la vie et l'amour et qui ne voit plus devant lui que la mort — ont pu être composés sur d'assez faibles textes de Wilhelm Müller, poète de troisième rang.

Les plus beaux lieder de Schubert, dans leurs brèves dimensions, sont tous des drames, ce qui explique sans doute les échecs du compositeur au théâtre. Son sens dramatique voulait une forme concentrée. Il lui inspire ces subites modulations qui d'une mesure à l'autre transforment l'éclairage de la mélodie, de plus en plus inattendues, frappantes et d'une audace indifférente à tous les préceptes scholastiques, à mesure que Schubert avance dans sa courte vie. Le mode majeur fait souvent les apparitions les plus imprévues, comme dans l'épilogue de *La Belle Meunière*, où sur le mouvement ralenti des croches il berce au fond de l'eau le cadavre du garçon avec une douceur plus poignante que les plus noirs accords. Dans le *Regard en arrière, Rückblick*, du *Voyage d'hiver*, c'est le cri en si majeur, « ardent comme une brûlure » dit Einstein, de la nostalgie charnelle : car Schubert n'est pas un puritain comme Beethoven, les sens existent pour lui comme pour Mozart. Une modulation de ré mineur en ré majeur rompt tout à coup avec une ironie déchirante la tendresse de la première mélodie du *Voyage, Bonne Nuit, Gute Nacht*.

L'accompagnement de piano n'est plus un simple soutien. Il fait corps avec le chant, le commente, prend parfois même sa place. Dans les deux cycles, *Belle Meunière et Voyage* — *Le Chant du Cygne* est un recueil arbitrairement composé après la mort de Schubert — les tonalités se succèdent comme par caprice, hors de toute règle, mais il existe une unité bien plus subtile, psychologique et poétique, celle « d'un drame qui se révèle à nous en une succession d'instantanés lyriques ». (Richard Capell).

Encore que des interprètes parfaits, tels que Fischer-Dieskau et Gérard Souzay aient largement ouvert le répertoire schubertien, longtemps limité à une trentaine de mélodies, bien des découvertes sont encore à faire dans la forêt des lieder. Et nous ne savons presque rien en France d'un domaine voisin, celui des chœurs, surtout pour voix d'hommes, parmi lesquels on compte maintes des pages les plus nobles ou les plus magiques de Schubert, *Le Chant de l'Esprit sur les eaux, la Sérénade* pour voix de femmes, mais écrite d'abord pour contralto solo et chœur d'hommes sur un texte de Grillparzer — ne point confondre avec la *Sérénade* très connue et d'une veine plus facile sur des paroles de Rellstab — *Clarté nocturne, Clair de lune* pour ténor-solo, ténor et trois basses, *Le Gondolier*.

LA MUSIQUE INSTRUMENTALE

Les lieder ne sont pas seulement fabuleux par leur nombre, par la perpétuelle variété de leur invention mélodique, dramatique, harmonique, rythmique. Presque toutes les plus belles œuvres instrumentales de Schubert y ont pris leur source. Des exemples célèbres viennent aussitôt à l'esprit, les variations du Quintette de *La Truite*, sur un rang artistique bien plus élevé le quatuor de *La*

Jeune Fille et la Mort. Mais écoutons la grande sonate posthume pour piano en *la* majeur n° 20 (959 du catalogue Deutsch). Les deux premiers mouvements, l'allegro surtout, qui se réfèrent visiblement à des modèles beethovéniens, tout en accueillant encore les conventions qu'ils ont éliminées, sont d'une rhétorique un peu creuse. Après le scherzo, déjà beaucoup plus personnel, d'une imagination rythmique annonçant Schumann, le dernier mouvement, rondo allegretto, se souvient d'un lied récent, *Au Printemps*, et une charmante musique se met à couler.

La mélodie de Schubert a si bien sa vie propre, elle se déroule avec un tel naturel, elle se suffit tellement à elle-même qu'elle refuse de se prêter aux analyses, aux découpages par segments que Beethoven pratique sur ses motifs. A côté du constructeur Beethoven, Schubert est le chanteur — opposition schématisée, cela va de soi, puisque Beethoven connaît aussi, par exemple dans ses adagios, les plus pures rêveries mélodiques. Schubert se préoccupe assez peu de choisir un thème en fonction des développements qu'il pourra fournir. Il développe en déployant ses lieder, trop proches de son cœur pour qu'il consente à les disséquer. D'où les reprises nombreuses du même chant. Ces mélodies ont un tel rayonnement poétique que nous éprouvons le même plaisir à les voir reparaître que Schubert à se les chanter de nouveau.

Ce sont les symphonies qui s'accommodent le moins de ces délicieuses libertés. Pour couper court aux imprécisions des manuels — rappelons que Schubert en a écrit neuf, dont celle en *mi* de 1821, à laquelle manquent en grande partie l'instrumentation et l'harmonisation, reconstituées par le chef d'orchestre Félix Weingartner. Une dixième, dite de Gmunden-Gastein, a été perdue, si toutefois elle a bien existé. Les musicographes sont divisés à ce sujet.

Des six premières symphonies, les trois le moins rarement jouées, la Quatrième en *ut* mineur, (la « Tragique ») de 1816, la Cinquième en *si* bémol majeur de la même année, la Sixième en *ut* majeur (« la Petite ») oscillent encore entre Mozart — la majeure partie de la Cinquième, de la Sixième — et Beethoven — la « Tragique » presque toute entière, le vigoureux menuet et le scherzo dans les deux autres — mais un Beethoven dont le dualisme est étranger à Schubert. Tout le monde sait aujourd'hui que si la Huitième resta inachevée ce ne fut point à cause de la mort de Schubert, qui vécut encore six ans. Mais on n'a jamais pu déterminer pour quelles raisons il laissa dans cet état la partition, dont le manuscrit ne fut retrouvé qu'en 1865 au fond d'un coffre, chez le frère d'un de ses amis, Anselm Hüttenbrenner, un vieux misanthrope excentrique. On a supposé que ces Hüttenbrenner en auraient perdu une partie sans le dire, ce qui n'est pas impossible. Mais il est bien plus vraisemblable que Schubert buta sur le troisième mouvement, le scherzo, dont il existe une ébauche, qui, écrit Alfred Einstein, « produit après l'andante l'effet d'un lieu commun ». Schubert était allé si loin dans la gravité avec les deux premiers mouvements qu'il devenait épineux de les faire suivre d'un morceau plus vif. Le « charme » dans lequel l'artiste avait composé, aurait été provisoirement rompu. Tous les grands maîtres ont connu ces pannes de l'imagination. Un romantique comme Schubert, s'engageant de plus en plus intimement dans ses œuvres, répugnait à terminer sur un cliché, ainsi que l'eût fait sans aucun complexe un musicien du XVIIIᵉ. Il aurait donc mis de côté sa symphonie en attendant qu'il lui vînt une inspiration digne d'elle, et pour travailler sur d'autres idées, dont il n'était jamais à court. On ne peut croire en tout cas qu'il aurait abandonné cette œuvre parce qu'il se méprenait sur sa valeur, ou poussé le non-conformisme jusqu'à vouloir signer une symphonie en deux mouvements. Mais plutôt que de chercher la clé introuvable de cette énigme, mieux vaut essayer de se refaire une oreille à la fois ingénue et très attentive digne de ce chef-d'œuvre solitaire dans son époque, avec sa complète liberté harmonique — le second mouvement n'est pas comme l'exigerait la règle en ré majeur, relatif de si mineur, mais en mi majeur ; les modulations du second thème de cet andante, sur le dialogue de la clarinette et du hautbois, passent en quelques mesures par sept tonalités — avec son orchestration transparente, d'une si discrète sûreté, et ses mélodies si chantantes — le thème des violoncelles, dans l'allegro, est un ländler — d'une douce tristesse, semblant chercher une issue pour se heurter toujours à la musique sombre et abrupte qui les retient prisonnières.

La Neuvième, la « Grande » en *ut* majeur, refusée en 1828 à Vienne par la Philharmonique à qui Schubert l'offrait peu après l'avoir écrite, reparut grâce à Schumann qui la découvrit en 1839 chez Ferdinand Schubert, l'un des frères de Franz, dans un monceau de manuscrits inédits. Confiée à Mendelssohn, elle était exécutée deux mois après sous sa direction au Gewandhaus de Leipzig. Mais son succès fut modeste et en tout cas resta local. A Paris, le célèbre Habeneck, directeur des Concerts du Conservatoire, qui avait révélé Beethoven aux Français, la mit en répétition. A Londres, elle fut condamnée par les instrumentistes du Royal Philharmonic Orchestra, qui pouffaient de rire en la déchiffrant. Partout ses exécutions furent très rares jusque vers les années 1920-30 où Toscanini et d'autres grands chefs la réhabilitèrent enfin. Il nous est impossible de comprendre ce dédain de près d'un siècle pour une œuvre accueillante, heureuse, bien sonnante, trop longue peut-être de dix minutes, mais parce qu'elle déborde de chants. Schumann a remarqué le premier, dans la belle étude qu'il lui consacra, qu'elle est entièrement indépendante de Beethoven, dont la mort l'année précédente, quoique déplorée par Schubert, semble bien l'avoir affranchi d'un modèle à la fois écrasant et fascinant. En donnant à une œuvre de cette ampleur son unité sans lui imposer le corset d'un « plan tonal » qui servait à merveille le génie de Beethoven mais point tous les tempéraments musicaux, Schubert annonçait les grandes épopées symphoniques de Bruckner, de Mahler et de Strauss, sans leurs excroissances, car son « Ut majeur », toute géante qu'elle soit, est parfaitement proportionnée.

C'est cependant la musique de chambre qui contient avec les lieder les plus pures réussites de Schubert, parce qu'il s'y autorise le plus de libertés, que les cordes et le piano sont des instruments chanteurs comme la voix humaine, et pour Schubert des interprètes de lieder. Les quatre chefs-d'œuvre universellement reconnus sont les Quatuors en *la* mineur de 1824, en *ré* mineur et en *sol* majeur, tous deux en 1826, et le Quintette à cordes en *ut* majeur de 1828. Ce quintette, avec la basse veloutée et chaleureuse de ses deux violoncelles, est sans doute « le chef-d'œuvre de ces chefs-d'œuvre » par l'élévation spirituelle de son adagio, par la maîtrise, la maturité de la forme auxquelles Schubert atteint dans les derniers mois de sa vie. On retrouve dans le quatuor en *la* mineur le lied nostalgique *Les Dieux de la Grèce*, dans celui en *ré* mineur le lied de *La Jeune Fille et la Mort*. Mais ce ne sont pas des redites, l'emploi d'un matériel thématique éprouvé. Schubert sait que ces mélodies, confiées aux voix instrumentales, ne dépendant plus des paroles d'un poème, vont déployer tout leur lyrisme. Avec un tact admirable, il s'interdit tout brio d'écriture dans les variations de *La Jeune Fille et la Mort*, qui se meuvent dans les dégradés d'une seule tonalité. Si belle que soit cette page, le quatuor en *ré* mineur tout entier est à sa hauteur, tourmenté, poignant, avec le martèlement funèbre de son scherzo qui a tragiquement le dernier mot sur les consolations murmurées par le trio. A l'inverse de ces ouvrages, le beau quatuor en *sol* majeur, beaucoup plus grave que sa tonalité ne l'annonce, renferme le premier état d'un lied qui deviendra la *Solitude* désespérée du *Voyage d'hiver*.

A ces partitions, on omet trop souvent de joindre une page qui ne leur cède pas en intensité et en valeur musicale, le *Quartettsatz* en *ut* mineur, en quelque sorte l'« Inachevée » de la musique de chambre, puisque c'est un premier mouvement de quatuor que Schubert ne poussa pas plus loin, dramatique fragment qui n'en forme pas moins un tout. Personne n'en a mieux parlé qu'Olivier Alain, pour une pochette de disque, réceptacle à l'ordinaire de la plus sotte littérature musicale, lorsqu'il dit de sa première mélodie « qu'elle apparaîtra toujours dans une tonalité étrange, comme si Schubert voulait préserver en elle une qualité d'irréel lyrisme, un refuge spirituel, sans commune mesure avec la tristesse environnante ».

Après ces sommets, nous redescendons évidemment à un art beaucoup plus facile avec le *Quintette de la Truite*, pour violon, alto, violoncelle, contrebasse et piano. Mais nous ne renierons pas le plaisir que nous y prenons, chaque fois que nous le réentendons avec des musiciens discrets, spirituels et d'une rythmique irréprochable comme il se doit, notre sourire quand les cinq variations défilent tout bonnement, mais avec de si jolis détails, exposées à tour de rôle par les quatre archets et le piano, et au dernier mouvement, le plus finement écrit, quand le motif reparaît dans tous ses atours brodés par le clavier. Sérénade plutôt que Quintette ? Sans doute. Mais qu'importent ces catégories quand le charme joue ? Comparons ce Quintette à une peinture d'un dessin un peu ingénu, mais d'une pâte aux nuances et aux glacis délicieux.

Pour l'*Octuor*, tiré d'un oubli complet il y a une trentaine d'années par le disque, nous voulons le placer tout près des plus parfaites créations de Schubert. On reconnaît aisément son modèle. C'est le brillant Septuor où le jeune Beethoven disait adieu au xviiie siècle. Schubert en conserve les trois instruments à vent, cor, clarinette, basson, et ajoute seulement aux cordes un second violon. Il choisit les mêmes rapports de tonalités, garde la coupe en six mouvements héritée du *Divertimento* des classiques. Mais l'éclairage et l'esprit de son œuvre appartiennent à un autre monde. L'*Octuor* est une chaîne de lieder, composés pour lui, et parmi les plus exquis. Schubert se les dit et redit — l'*Octuor* dure presque autant que la Symphonie en *ut* majeur mais ces reprises n'engendrent aucune monotonie, tant il sait les varier par des jeux de timbres d'une mobilité ravissante, par cette finesse dans les recherches sonores qu'il a poursuivies aussi dans ses chœurs, et dont Beethoven n'eut jamais idée, même avant sa surdité. Comment pourrait-on reprocher à la coda du premier mouvement de paresser un peu, quand elle amène les dernières mesures, chantées par le cor le plus mélodieux de tout le romantisme ? Stravinsky, qui adore Schubert, disait à son propos : « Qu'on ne vienne pas me parler de longueurs quand je suis au Paradis ! » On aime croire qu'il pensait alors à l'*Octuor*. Dans cette œuvre, on remarque encore un trait assez fréquent chez Schubert et révélateur de sa nature. Au contraire des musiques les plus poignantes de Mozart qui s'achèvent souvent par une pirouette ramenant l'insouciance, l'*Octuor*, cette œuvre aux couleurs printanières, bleu d'azur, vert ensoleillé, argent, s'assombrit dans son dernier mouvement avec un andante presque tragique. L'angoisse funèbre resurgit même sous les images les plus riantes de la vie.

Les sonates pour piano de Schubert, dont la plus belle est sans doute l'op. 42 en *la* mineur, de 1825, ignorent les formidables distorsions que Beethoven venait de faire subir aux siennes. Elles restent à peu près fidèles au cadre classique, mais y répandent une sensibilité toute neuve, le plus souvent avec la complicité des lieder. Si riches qu'elles soient, on leur préfère encore les courtes pages des *Impromptus*, des *Moments musicaux*, encore un autre trésor mélodique, tout à fait étranger, dans son intimité sans apprêts au brio en surface des rondos, des capriccios brochés par Weber pour ses concerts de salons, et qui devance maintes pièces « libres » de Mendelssohn, de Schumann et de Chopin. Longtemps méconnue parce que ses grandes difficultés effrayaient les pianistes, la *Wandererphantasie* est passée au répertoire des interprètes modernes, mais pour s'attirer les réserves de quelques censeurs. Il est vrai que Schubert, pour plaire au mécène très fortuné à qui il l'avait dédiée, y rivalise avec les effets de vélocité de Hummel, l'ancien élève de Mozart et de Salieri, dont les improvisations faisaient fureur à Vienne. Mais Schubert, en quelque circonstance que ce fût, ne pouvait rien avoir de commun avec ce pseudo-classique élégant et vide. La *Wandererphantasie*, sorte de libre sonate dont les mouvements se jouent sans interruption, comporte des traits de virtuosité que Schubert, pianiste moyen, exécutait d'ailleurs assez mal, mais qui se fondent dans le climat poétique de l'œuvre, cette errance sous l'orage du lied déjà très sombre du « Wanderer », le Voyageur, interrompue seulement par un scherzo en soi très raffiné, mais quelque peu insolite ici.

L'essai de péroraison fuguée, qui tourne court dans le final de la *Wandererphantasie*, nous ramène à la controverse, plus ou moins apaisée aujourd'hui, sur les insuffisances de Schubert. On a rappelé que dans les derniers mois de sa vie, il avait projeté de reprendre des leçons de contrepoint avec un théoricien viennois, Simon Sechter. Alfred Einstein se demande avec raison ce que Schubert, auprès de Sechter, aurait pu apprendre qu'il ne sût pas. Il semble n'avoir guère connu de Bach, et tardivement, que *Le Clavecin bien tempéré*, dont on perçoit quelques réminiscences dans ses dernières œuvres. Mais il avait été formé très tôt au contrepoint mozartien et, sur ce modèle, il a pu remplir sa musique d'église de fugues parfaitement bien constituées. Son œuvre fourmille de passages d'un contrepoint instinctif. S'il ne le pousse pas plus loin, c'est que son génie limpide se coule mieux dans des formes moins strictes, mais qu'il ne faut pas confondre avec l'improvisation. Schubert sait où il va, même quand il s'écoute chanter un peu trop complaisamment. Auprès des momumentales « structures » beethovéniennes, les siennes apparaissent bien ingénues. Mais quoi ? Personne n'a jamais parlé de l'égaler à Beethoven. Cela n'empêche point qu'il soit après Beethoven, Wagner et Schumann, l'un des quatre plus grands musiciens du XIXᵉ siècle allemand.

Le XIXᵉ Siècle

CHAPITRE III

ROSSINI. LE « GRAND OPÉRA »

Nous avons déjà eu plusieurs fois au cours de cette histoire, quand nous abordions la musique de théâtre, le sentiment de rétrograder, en tout cas de piétiner. Nous allons l'éprouver encore souvent au cours de la période dans laquelle nous entrons maintenant et qui s'étend sur la première moitié du XIXᵉ siècle.

Beethoven peut bien écrire ses symphonies, bouleverser le langage musical avec ses dernières sonates et ses derniers quatuors, ouvrir les plus étonnantes perspectives aux quelques hommes de vrai génie qui vont lui succéder. Ces événements se déroulent dans un autre monde, qu'ils ignorent ou qu'ils saluent de très loin, pour les compositeurs d'opéras, persuadés de représenter la forme suprême de la musique, « celle qui s'adresse directement au cœur », confirmés dans cette opinion par les foules qu'ils remuent, les fortunes qu'ils gagnent, les honneurs qu'on leur décerne, les hautes fonctions qu'on leur réserve. Au jugement de ces seigneurs, les œuvres de l'Allemand solitaire et mal renté, lorsqu'ils daignent y jeter un coup d'œil, ne sont que les efforts décousus d'un excentrique qui tente de masquer son infirmité sans remède, une impuissance à la mélodie. Si l'on parvient à leur faire admettre qu'elles ne sont pas entièrement dépourvues de science, ils se hâtent d'ajouter qu'un tel genre de savoir serait funeste à la scène, où la règle d'or est de charmer et d'émouvoir le plus grand nombre en « faisant parler les passions au naturel ».

Ce chapitre est assez complexe, bien qu'il y soit question d'ouvrages qui ne le sont guère, qui pèchent plutôt par une simplicité proche de l'indigence, mais à cause de leurs voyages, de leurs rencontres, de tout ce qui en a résulté. Le nationalisme musical qui germe un peu partout n'empêche pas que dans les mêmes pays se constitue et triomphe un genre cosmopolite entre tous, le « grand opéra ».

En France, les années révolutionnaires ont suscité d'immenses compositions chorales, dont le nombre d'exécutants était illimité puisque en principe tout le peuple devait y participer, hymnes patriotiques, *Te Deum* pour la fête de l'Etre Suprême, chants de victoire, chants funèbres, chants d'anniversaires, dithyrambes en l'honneur de l'Agriculture, des époux républicains, pour l'inauguration d'un temple de la Liberté, soutenus par des bataillons d'instrumentistes. Toutes les célébrités de l'époque, Gossec, Méhul, Lesueur, Catel, Cambini, Giroust travaillèrent avec la même conviction qu'ils mirent un peu plus tard dans leurs hymnes impériaux à ces travaux de propagande sonore, à ces morceaux d'éloquence populaire, parfois très redondants, parfois soulevés d'un véritable élan révolutionnaire, d'une facture simplifiée, prohibant le contrepoint, les variations, les développements thématiques. Ce répertoire contient des pages qui vivraient certainement encore dans un peuple moins rebelle au chant d'ensemble que les Français depuis un siècle.

Le temps des grandes fêtes civiques révolu, tous ses chantres se retrouvèrent dans la confection des opéras-comiques, où survivaient les galanteries et la sensiblerie du style Marie-Antoinette, et qui n'avaient du reste pas quitté l'affiche, même en pleine Terreur. La plupart de ces auteurs poursuivirent leur industrie jusque sous la Restauration. Quand l'un d'eux, celui qui a la plume la plus ferme, s'empare d'un livret teint de quelques couleurs religieuses, qu'il y élève l'ariette jusqu'à la romance, on crie au chef-d'œuvre immortel, et c'est le *Joseph* de Méhul (1807) qui part pour une carrière de cent ans et dont tous les ténors français chanteront encore le grand air dans les premiers temps de l'enregistrement électrique.

Dans un artisanat ronronnant, que dix mesures de Mozart rejettent au néant — et que Mozart d'ailleurs déconcerte, *Don Juan* à Paris en 1805 est un demi-four, on lui reproche « un excès de musique » et la critique conclut que le maître allemand n'a rien écrit « qui puisse s'égaler à *La Bonne Fille* et à *La Frascata* » — un LUIGI CHERUBINI (1760-1842), Florentin fixé en France à l'âge de vingt-huit ans et bientôt naturalisé, fournisseur de chants révolutionnaires, assez mal vu de Napoléon, porté au pinacle par la Restauration, surintendant de la musique, directeur du Conservatoire, membre de l'Institut, pouvait sans doute assez facilement faire figure de maître. Ce qui nous est incompréhensible, c'est que Haydn et Beethoven l'aient tenu en grande estime, que Berlioz si rétif devant les vieilles gloires ait vu en lui « un modèle sous tous les rapports » pour les jeunes musiciens, que Schumann, au jugement si sûr, et plus tard encore Hans de Bülow lui aient conservé leur admiration. Leurs raisons nous échappent, qui étaient sans doute fondées sur l'honorabilité de l'homme, sur une certaine solidité de son enseignement.

Lorsque le nom de Cherubini passe dans nos mémoires, il évoque surtout le portrait par Ingres (un Ingres peu inspiré) du maestro renfrogné que couronne une muse plutôt ménagère et très bitumeuse. Nous mettons encore sur cette figure bourgeoise quelques anecdotes, son exécration de Weber et de Beethoven, « l'Antéchrist de l'art », son refus d'accueillir Liszt au Conservatoire, son sobriquet de « Royer-Collard de la musique », mais avec beaucoup plus de peine un seul de ses airs.

Nous devons à Mᵐᵉ Maria Callas, attirée par les effets de fureur qu'elle y pouvait placer, l'exhumation de la *Médée* de Cherubini, qui date de 1797. Dès les ponts-neufs et flonflons de l'ouverture, c'est le plus morne exemple d'un pseudo-classicisme que n'a jamais effleuré une ombre de vie, qui ne parvient même pas à l'espèce de pompe de l'académisme conséquent. C'est une musiquette tracée par une main timorée sur une fable sauvage dont de vagues épigones de Ducis ont éponché tout le sang, qu'ils ont réduite à une insipidité. Ce défilé d'insignifiances, de lieux communs se voulait probablement noble et sérieux : ce qui lui retire même les petits agréments des fioritures que le moindre fabricant de l'époque savait tourner. Mais pas un effort non plus pour essayer de traiter une situation musicale ou dramatique. Les quelques « grands airs » tombent à plat. Pas un ensemble qui soit un peu étoffé, pas un finale de quelque ampleur. Le rideau du dernier acte tombe sur un « Fuyons, fuyons » de quinze mesures ridiculement et minablement écourtées. Pas un élément de spectacle. Et par-dessus le marché, l'action, réduite à des monologues savonnés, est totalement inintelligible.

Une telle soirée n'encourage guère à pratiquer des fouilles dans les mètres cubes des partitions religieuses de Cherubini — dix-huit messes, des motets, des oratorios — à première vue musiques de fonctionnaire, complètement momifiées. Sous l'Empire, on jugeait cependant Cherubini trop « savant », trop « allemand ». C'est dire à quel point le goût, la culture musicale avaient pu déchoir dans notre pays.

Un autre Italien francisé, GASPARO SPONTINI (1774-1851), est resté plus curieux, au moins par ses ambitions et sa physionomie. Né dans les Marches près de Jesi, la patrie de Pergolèse, il était venu à Paris à vingt-neuf ans, à peine dégrossi, n'ayant à son actif que quelques pauvres opéras bouffes. Les opéras « français » de Gluck, inconnus en Italie, furent son coup de foudre. Quatre ans plus tard, en 1807, il faisait représenter *La Vestale*, qui lui valut d'emblée de passer pour un génie nouveau. Son *Fernand Cortez* (1809, remanié en 1817) fut plus long à s'imposer. Vindicatif, dictatorial, d'un orgueil extravagant, Spontini ne supporta pas les triomphes de Rossini quand celui-ci vint se fixer à Paris. Bien que naturalisé Français et marié à une fille du facteur de pianos Erard, il alla prendre à Berlin la direction de la musique, y donna l'opéra *Agnès de Hohenstaufen*, mais se fit également détester des Prussiens par son caractère et dut se démettre en 1842 après avoir essuyé de sanglantes avanies. Wagner, qui le reçut à Dresde deux ans plus tard pour une reprise de *La Vestale*, a laissé de lui dans *Ma Vie* un portrait fort pittoresque et reproduit les propos de sa fabuleuse vanité. Le vieillard estimait très sérieusement qu'il n'était plus possible d'écrire des opéras après lui, puisqu'il en avait traité tous les sujets, épuisé toutes les combinaisons musicales.

Le livret de *La Vestale* est un échantillon typique du style et du goût « Empire » dans cette matière. La jeune romaine Julia est devenue vestale pendant que son fiancé Licinius guerroyait en Gaule. Lorsqu'il rentre vainqueur et veut la revoir, elle lui ouvre nuitamment les portes du temple. Pendant qu'ils s'entretiennent tendrement, catastrophe : le feu sacré s'éteint. Les prêtres condamnent à mort Julia pour sacrilège et manquement à son office, puis Licinius qui se dénonce à sa place. Mais la foudre d'un orage rallume le feu. Devant ce prodige, le *pontifex maximus* gracie la vierge et le guerrier et autorise leur mariage.

Il n'est guère possible de juger, d'après la seule lecture de la partition, un ouvrage qui a disparu du répertoire depuis près d'un siècle, et dont les innovations, qui intéressèrent quelque temps le jeune Wagner concernaient avant tout la mise en scène et l'orchestre. Celui-ci est très chargé en parties de trompettes et de trombones — la grande marche du premier acte — certainement inspirées par les fanfares des parades napoléoniennes. Quoi qu'il en soit de *La Vestale* et de *Fernand Cortez*, on ne doit pas se tromper beaucoup en disant, comme cela s'enseigne

communément, que Spontini y fait la transition entre Gluck dont
procède sa mélodie pompeuse, et le prochain « grand opéra ».

APPARITION DE ROSSINI

Spontini et Cherubini sont devenus des étrangers pour les
Italiens qui s'isolent de plus en plus dans leur péninsule, convaincus de détenir seuls la vérité musicale. Les historiens ne sont guère
de cet avis, et terminent ordinairement leur étude du XVIIIe siècle
par un constat de décadence complète du théâtre lyrique italien.
Il serait plus approprié de parler d'un creux. En effet, moins de
vingt années s'écouleront entre *Le Mariage secret* de Cimarosa et
les premiers succès de Rossini.

Creux ou décadence, cette période n'est pas moins meublée de
noms et d'œuvres que les plus brillantes années de l'école napolitaine. C'est qu'il est nécessaire de fournir les innombrables théâtres,
toujours aussi courus. Une nuée de compositeurs rapides en
besogne y pourvoient : Benedetto Negri dit Neri, Ferdinand Paer
(1771-1839) qui écrit une vingtaine d'opéras pour Venise, pour
Milan, pour Parme sa ville natale avant d'aller faire une carrière
officielle en France, Romani, Zingarelli, auteur de *Juliette et
Roméo,* Vincenzo Lavigna (1776-1836), un Napolitain, le futur
professeur du jeune Verdi, Solliva dont *La Testa di Bronzo,* qui
emballe un peu vite Stendhal et utilise déjà le sujet de *La Tosca*
mais renversé (le condamné à mort n'est fusillé qu'avec des car-
touches à blanc); toute la bande des Allemands entièrement
italianisés et considérés comme des enfants du pays, Gallenberg,
Weigl, Winter dont le *Mahomet* contient une « preghiera » qui
passe pour « sublime », Simon Mayr dont Donizetti sera l'élève.

Aux uns et aux autres, le public ne demande que des airs
convenant bien aux vedettes préférées. Les mœurs n'ont guère
changé. Stendhal se plaint que sa loge obscure ne lui permette pas
de lire le journal pendant les arias de Mme Colbran dont le timbre
lui déplaît. On admet que l'*Elena* de Mayr ne vaut pas le diable,
hormis un « sestetto » de six minutes, mais si suave que l'on
revient pour lui tous les soirs. Chaque opéra est l'objet de discussions véhémentes, d'ovations délirantes ou de huées, comme si le
monde entier tournait autour de la Scala, la Fenice, le San Carlo,
et qu'il ne pût exister ailleurs de musique digne d'être écoutée.

D'une œuvre à l'autre, les variantes sont infimes, tout le monde travaillant sur les mêmes schémas musicaux, en nombre très restreint. On continue à désigner l'opéra de tendances nobles par l'étiquette *seria*. Si cet *opera seria* a cependant évolué depuis l'antiquité en carton de Métastase, c'est d'abord par le choix des livrets, où la mythologie est enfin remplacée par des sujets historiques un peu moins lointains que les exploits d'Alexandre et de Cyrus, voire par de puériles falsifications de Shakespeare. Simon Mayr passe pour avoir été l'un de ceux qui se sont le plus préoccupés d'assouplir, de vivifier un peu le vieux cérémonial de l'*opera seria*, d'étoffer plus ou moins l'harmonie et l'orchestre, où les instruments à vent, renforcés, se voient confier un rôle mélodique. Bien entendu, ces quelques nouveautés, accommodées pour un public qui se hérisse dès qu'il soupçonne une concession à la « manière allemande », demeurent extrêmement timides et presque imperceptibles pour nos oreilles.

Au milieu de cette routine, un tout jeune homme, bien planté, bien en chair, à la lèvre épicurienne, au regard positif et malicieux, GIOACCHINO ROSSINI, gagnait petit à petit ses galons de maestro avec autant de philosophie que de persévérance. Il était né le 29 février 1792 à Pesaro, sur les bords de l'Adriatique. Son père, issu d'une famille romagnole qui avait compté jadis des patriciens mais ruinée depuis longtemps, avait épousé la fille d'un boulanger, gagnait sa vie comme inspecteur des boucheries et en jouant de la trompette — ou du cor — dans l'orchestre municipal. Sa francophilie, ses idées libérales lui avaient fait perdre ses places et tâter de la prison. Il était entré dans une troupe d'opéra avec sa femme, douée d'une jolie voix : première expérience des planches et des coulisses pour le petit Gioacchino. Le gamin, très doué, recevait ses premières leçons grâce à la protection d'une famille d'aristocrates, les Malerbi, entrait au lycée de musique de Bologne, y apprenait le chant, la harpe, gagnait ses premiers écus comme accompagnateur, montait lui-même sur la scène à l'improviste dès l'âge de douze ans, et à quatorze devenait à la Philharmonique de Bologne l'élève du Père Mattei, lui-même successeur du célèbre Père Martini et d'une érudition presque aussi considérable. L'éducation de Rossini fut donc beaucoup plus sérieuse qu'on ne l'a dit. Il complétait même de son propre chef les lacunes de ses maîtres, étudiait tout seul à fond les quatuors de Haydn et de Mozart, ce qui le faisait traiter de « Tedeschino », petit Allemand, par Mattei, qui considérait comme une sorte de vice cet intérêt pour de la musique instrumentale étrangère.

A dix-huit ans, sans un sou en poche, il faisait jouer son premier opéra bouffe, *La Cambiale di Matrimonio* dans un pauvre et minuscule théâtre de Venise, le San Moïsé. Son salaire de deux cents lires lui parut inépuisable. A l'automne suivant, son second opéra bouffe était représenté à Bologne, *L'Equivoco stravagante*, dans la plus joyeuse tradition de l'amoralisme napolitain : un amoureux sans argent parvient à évincer son rival fortuné en le persuadant que la dame de leurs désirs est un eunuque travesti ! L'année suivante, troisième farce : *L'Inganno Felice*. Son succès incitait la ville de Ferrare à commander au jeune maestro un opera seria avec chœurs, *Cyrus de Babylone*, qui sombra rapidement. Tout cela se déroulait dans une atmosphère picaresque, salles souvent minables, orchestres de raccroc où le barbier du coin jouait la partie de clarinette, surprises avec les chanteurs de contrebande auxquels il fallait seriner la partition à mesure qu'elle était composée sur un méchant piano — Rossini ne se mettait guère au travail que trois semaines avant la première représentation — décors rafistolés, vanité délirante des *prime donne*, intrigues de leurs mères, de leurs protecteurs, réactions imprévisibles mais toujours fracassantes du public. Rossini assure que pour *Cyrus*, sa seconde chanteuse, outre « une laideur terrifiante », ne possédait qu'une note acceptable, le ré mineur du médium, et qu'il lui composa un « air » où elle n'avait à émettre que cette note, l'orchestre se chargeant du reste. L'air fut applaudi et la dame très fière de son succès[1].

A vingt-trois ans, avec une quinzaine d'opéras de tous les genres derrière lui, Rossini s'était déjà fait le nom le plus populaire de toute la musique italienne. Il s'était imposé à la Fenice de Venise, à la Scala. Il avait même vaincu au San Carlo le particularisme féroce des Napolitains, chez lesquels régnait le vieux pédant Zingarelli, qui avait interdit à ses élèves de jeter un seul coup d'œil sur les partitions de « ce démon du Nord » et ne tolérait d'ailleurs pas davantage qu'on lui parlât de Mozart. Paisiello, autre gloire de Naples, méchant comme la gale, ne portait pas une haine moins active à l'intrus malgré ses soixante-quatorze ans. Mais contre ces illustrissimes pontifes, Rossini avait trouvé un allié imbattable en la personne du signor Barbaja, directeur du

---

1. On trouve bien d'autres détails non moins pittoresques dans l'un des livres les plus charmants, les plus complets et les plus intelligents qui aient été consacrés au maestro, le *Rossini* de Lord Derwent, délicieux mélomane anglais (Éd. Gallimard).

San Carlo, ancien plongeur de vaisselle, ayant fait fortune en inventant une crème au café et en installant des tables de jeu dans le foyer de la Scala, grossier comme un charretier calabrais, ignorant comme un capucin, mais imprésario munificent et un vrai devin pour le flair.

Les opéras « sérieux » de cette première jeunesse rossinienne, même *Tancrède* dont l'air « Di tanti palpiti » fit soupirer toute l'Europe, même *Elisabeth reine d'Angleterre* où pour la première fois un compositeur italien supprime entièrement le *recitativo secco* et impose à ses interprètes de chanter les ornements qu'il a écrits, ne ressortiront sans doute jamais des immenses cimetières musicaux, manquant par trop de conviction dans la gravité, et affublés de livrets insanes : amateurs ou professionnels faméliques, les librettistes italiens du début de ce siècle sont les plus piteux gribouilleurs que l'on ait comptés dans ce genre déjà peu relevé. Mais les opéras bouffes, les petites farces du début, *Signor Bruschino,* les trois ravissantes turqueries, *La Pierre de Touche, L'Italienne à Alger, Le Turc en Italie,* ont ressuscité, frétillants et pimpants comme au premier jour sitôt que quelques gens d'esprit, metteur en scène, décorateur et chanteurs, ont bien voulu s'occuper d'eux. De si près qu'elle suive la bouffonnerie, leur musique, dans son humour, ne porte pas une trace de vulgarité. Avec sa jolie prisonnière, se pavanant dans son élégante robe Empire ou dans des pantalons bouffants, nullement émue d'être captive des terribles Barbaresques puisqu'elle ne doute pas de les conduire par le bout du nez comme tous les autres hommes, *L'Italienne à Alger,* écrite en moins d'un mois, n'est peut-être qu'un brimborion, mais délicieux, pétillant du plaisir que l'auteur y prit tout le premier, ce garçon qui rit de la farce comme un étudiant dont il a l'âge, mais la conduit avec l'expérience d'un vétéran des planches et la fleurit d'une musique si fraîche qu'elle devient par elle seule poésie. Cette fantaisie est aussi le premier des opéras italiens, bientôt innombrables, où retentit un chant patriotique, le rondo « Pensa alla patria », qui accrut encore le succès de l'œuvre, mais ne rompt pas sa gaieté, puisque le premier devoir des Italiens ainsi réveillés est de se déguiser en « Pappataci » moliéresques, sur une musique qui ne va plus s'accorder un instant de répit jusqu'au crescendo final.

1. On trouve bien d'autres détails non moins pittoresques, mais aussi les plus charmants, les plus complets et les plus intelligibles qui aient été consacrés au maestro, le *Journal de Lord Derwent,* délicieux *mélomane anglais* (Ed. Gallimard).

« LE BARBIER DE SÉVILLE »

Dans le courant de janvier 1816, à Rome, Rossini commençait pour le théâtre Argentina un nouvel opéra bouffe, *Le Barbier de Séville*. Une quinzaine de jours plus tard, la musique était achevée. Le livret n'en avait pas demandé plus de onze à un certain Sterbini. Le 20 février, malgré plusieurs chanteurs de premier ordre, le ténor espagnol Garcia, père de la Malibran, le baryton Zamboni, la signora Righetti-Giorgi, la première représentation faisait un fiasco abominable : cris d'animaux, sifflets, insultes, la plupart des airs, et même le « Largo al Factotum » inaudibles dans le vacarme. Au snobisme infernal des Romains, coutumiers de ces gentillesses par quoi ils prétendaient manifester leur raffinement suprême, s'ajoutait une cabale des admirateurs de Paisiello, scandalisés de voir un « gamin » s'attaquer à un sujet immortalisé par le maître. Le lendemain, sans éprouver la moindre vergogne de leur retournement, les mêmes Romains, de la même ardeur, faisaient une ovation au *Barbier*, qui peu après partait à la conquête de l'Italie, de l'Europe, et l'on peut dire du monde, puisque Manuel Garcia devait le chanter en 1826 avec sa troupe familiale à New York et au Mexique. Succès universel, sauf auprès des journalistes. Pour ceux de Bologne et de Florence, Rossini se copiait lui-même, tout en pillant ses prédécesseurs. Ceux de Milan avaient quitté la salle au second acte qui les faisait bâiller. A Paris, pour *Le Moniteur* et *La Gazette de France*, *Le Barbier* était vide de mélodies avec un orchestre envahissant, « informe et sans intérêt » pour *Le Censeur Européen*.

Ces discordances et ces moues de la critique désignent presque infailliblement les chefs-d'œuvre. *Le Barbier* en est bien un, le sommet d'un genre qui après un tel accomplissement ne pourra plus que déchoir. Les vrais musiciens les plus sévères pour les négligences du maestro, tels Schumann ou Wagner, n'ont jamais pu résister au charme du *Barbier*. Tout est d'une seule coulée, malgré les emprunts que selon son habitude Rossini a fait à ses opéras précédents pour cinq ou six morceaux, mais qui semblent avoir été destinés de toute éternité au *Barbier*. Seule l'ouverture, la moins bonne page, paraît un peu plaquée, ce qui n'est pas très surprenant puisqu'elle avait déjà servi pour l'*opera seria Aurélien* et pour *Elisabeth d'Angleterre* ! Pour cette fois au moins la flemme de Rossini n'était peut-être pas en cause. Il aurait composé, sur des motifs espagnols, une autre ouverture, mais qui resta introuvable au moment des représentations.

Appogiatures à la basse, rapidité et piquant des modulations, ligne mélodique d'une allure souvent instrumentale, fantaisie audacieuse des acrobaties vocales, emploi des *crescendi* conduits par l'orchestre, coupés de courtes accalmies pour s'achever sur un *rinforzando* effréné : tous ces caractères du style rossinien ne sont nulle part plus nets que dans *Le Barbier*. Mais leur énumération ne nous apprend pas grand-chose sur la véritable originalité de l'œuvre, l'apparente facilité de ces mélodies dont il faudrait analyser souvent note par note les subtiles inflexions, les déplacements d'accents, pour saisir sur le vif le secret de leur grâce ou de leur mordant. Rossini n'est sans doute pas Mozart. Il n'est jamais parvenu à cette unité organique d'une œuvre, à laquelle Mozart rompu aux grandes formes instrumentales, aboutit naturellement dans *Don Juan* et qui ne sera réalisée à la scène italienne que par le *Falstaff* de Verdi. Mais dans une écriture moins serrée, dans un autre esprit, il est le premier qui ait su après lui faire de la création mélodique un langage aussi personnel.

La comédie de Beaumarchais offrait un mouvement déjà presque musical qui guidait les plus médiocres librettistes, leur prêtait une sorte d'adresse. Cela n'avait pas empêché, outre Paisiello, une demi-douzaine de compositeurs estimables d'écrire déjà des *Barbiers* qui ne dépassaient pas une gentillesse édulcorée. Mais Rossini était très intelligent, le Voltaire de la musique, a dit Stendhal. Il rencontrait chez Beaumarchais une intelligence de la même famille que la sienne, prompte à l'ironie, sachant trop bien observer l'humanité pour garder des illusions sur elle, qualités précieuses mais peu fréquentes chez un auteur d'opéras bouffes. On ne s'étonne pas qu'il ait été « porté » par ce modèle comme il ne le fut plus jamais. On a parlé d'un certain diabolisme du *Barbier*. Le mot peut être retenu, à condition que l'on n'en force pas, que l'on n'en noircisse pas le sens. La variété incessante des figures musicales, airs, récitatifs, duos, ensembles, l'élan rythmique qui les possède créent un tourbillon de vie. La volubilité du débit est d'une cocasserie insurpassable. Mais la *vis comica* de la musique va plus loin que la simple bouffonnerie. Elle n'anime plus seulement des pantins. Sans cesser de rire, elle a des griffes contre le barbon et le jésuite Basile. Figaro a dépouillé le manteau de Scapin pour devenir un personnage aussi vivant et concret que celui de Mozart, sans le copier en rien.

On regrette un peu qu'une idée ravissante comme le départ de la cavatine de Rosine, « Una voce poco fà » aille se dissoudre en traits et en vocalises, qui devaient être du reste bien moins mécaniques du temps de Rossini, où le rôle, selon la version originale, revenait à un mezzo qui vocalisait plus lentement qu'aujourd'hui. Mais beaucoup d'autres *passi d'agilità*, au lieu de leur gratuité ordinaire, sont mis « en situation », tels, selon la pertinente analyse du musicologue italien Rognoni, les « agréments » de la première cavatine d'Almaviva, « Ecco ridente il cielo », dont les difficultés, à la condition que le ténor sache jouer avec elles et avec leur vive écriture, traduisent l'intrépidité du jeune comte, que n'arrête aucun obstacle.

Enfin, pour en revenir aux simples impressions du mélomane, quand on entend dans une exécution parfaite le sextuor terminant le second acte du *Barbier*, quand on songe que cette merveille d'écriture vocale a été tracée au courant de la plume, en deux heures peut-être par un garçon de vingt-quatre ans, on plaint celui qui ne reconnaît pas à cet instant-là l'image la plus charmante et la plus heureuse du génie.

Avec *Le Barbier* s'ouvrait pour Rossini une ère de suprématie complète, telle qu'aucun musicien ne l'avait connue et ne devait la connaître à cet âge. Il écrasait ses contemporains italiens, les délogeait les uns après les autres de tous les théâtres. A Vienne, qui le découvrait en se pâmant fin 1816 avec *L'Inganno Felice*, on allait monter en trois ans *huit* de ses ouvrages. A Paris, les piques des journalistes, la xénophobie toujours latente des compositeurs français, surtout ceux de troisième ordre, ne pouvaient plus rien contre l'engouement du public.

Cependant, presque toutes les nouvelles œuvres du maître n'étaient plus à la hauteur de cette gloire qu'elles accroissaient encore. A part la romance du Saule, *Otello*, qui suivit d'une dizaine de mois *Le Barbier* n'est même plus écoutable à titre de curiosité, bien que les scène italiennes l'affichent encore quelquefois pour des *aficionados* vraiment pétris d'indulgence. Même s'il n'avait pas été anéanti par celui de Verdi, cet *Otello* serait une pauvre chose. Le librettiste, un marquis napolitain, très homme du monde, avait, en l'affadissant ridiculement, vidé le drame shakespearien de toute psychologie et toute vraisemblance, et Rossini ne fit pas le moindre effort pour relever un peu cette absurdité. A l'intention des villes dont le cœur était trop sensible, il avait même improvisé un second dénouement, où Othello et

Desdémone, réconciliés *in extremis*, prenaient congé des spectateurs par un joyeux petit duo d'amour.

La Cenerentola, Cendrillon (1817), l'un des trois grands opéras bouffes avec *L'Italienne à Alger* et *Le Barbier*, n'a plus tout à fait le même éclat, en dépit d'airs très gracieux. Le conte de Perrault est aplati par le livret, sa féerie réduite à un quiproquo. Mais il ménage deux rôles de basses bouffes qui remettent en pleine verve Rossini. La musique ne lui avait pris que vingt-quatre jours, un mois après celle d'*Otello*. Le temps le pressait tellement qu'il avait commandé à un vague confrère les « arie del sorbetto », ceux que l'on n'écoutait guère parce qu'ils étaient chantés pendant que l'on passait les glaces.

Sans dételer, Rossini s'attaquait pour Milan à *La Gazza Ladre*, *La Pie voleuse*, intitulée opéra bouffe malgré la cruauté du sujet : une jeune servante accusée du vol d'un collier de perles, torturée et pendue, alors que le collier devait être découvert dans le nid d'une pie qui l'avait emporté. L'histoire était paraît-il authentique. Le librettiste prit soin naturellement de faire retrouver les perles juste avant que l'on passât la corde au cou de l'innocente. L'ouverture de *La Gazza Ladra*, l'une des meilleures de Rossini, débute par un « maestoso marziale », une de ces marches militaires qui vont sévir dans tant d'opéras. Celle-ci du moins garde une légèreté qui la désigne plutôt pour un défilé de grenadiers d'opérette autrichienne.

Le *Moïse*, opéra-oratorio (1818), sur un livret pitoyablement embrouillé, est à tout prendre la seule partition « sérieuse » de Rossini qui mérite encore d'être réentendue, surtout pour les chœurs, mais il vaut mieux ignorer le délirant commentaire qu'en a fait Balzac dans *Massimilia Doni*, et ses épithètes sublimes, décernées aux ponts-neufs les plus relâchés — ils sont malheureusement très nombreux — du « divin » maestro.

En 1822, durant son séjour à Vienne, Rossini alla voir Beethoven, qu'il admirait vivement — il était à peu près le seul compositeur italien dans ce cas — pour ses quatuors, ses sonates et l'*Eroïca*. On connaît cette visite par le récit qu'il en fit à Wagner : « Vous êtes l'auteur du *Barbier de Séville ?* lui dit Beethoven. Je vous en félicite, c'est un excellent opéra bouffe. Tant qu'il existera un opéra italien on le jouera. Mais ne cherchez jamais à faire autre chose, ce serait forcer votre destinée. Donnez-nous quantité de *Barbiers*. »

Rossini s'était déjà fort écarté de ce judicieux programme avec

Richard et Zoraïde où il revenait à l'*opera seria* classique pour la grande joie des Napolitains, avec des mélodrames, *Edouard et Christine, Mathilde de Sabran* ou *Beauté et Cœur de fer.* Il systématisait de plus en plus ses effets, ses fameux *crescendi,* bourrait de plus en plus ses nouveaux opéras d'emprunts à ses œuvres antérieures. A l'automne 1823, après avoir donné à Naples sa *Sémiramis* qui passe longtemps pour un de ses sommets, marié à une de ses interprètes, la Colbran, Espagnole et mezzo-soprano, dont la voix déclinait, mais riche et encore belle, Rossini désertait l'Italie, allait faire un tour de six mois en Angleterre, le temps d'y gagner une fortune de 175 000 francs-or, et en juillet 1824 venait s'installer à Paris. Il allait y prendre la direction du Théâtre Italien, alors à la salle Favart, où la plupart de ses ouvrages avaient été déjà applaudis, malgré l'obstruction des pontifes du Conservatoire et de l'Institut : pour sa candidature de membre étranger à l'Académie des Beaux-Arts, toute la section musicale avait voté contre lui, tandis que peintres, sculpteurs et architectes lui apportaient avec enthousiasme leurs voix.

LA TRAHISON DE ROSSINI. L'AVÈNEMENT DE MEYERBEER

A ce moment, la majeure partie de l'école française persistait dans l'opéra-comique dérivé du XVIIIe siècle, d'une écriture vocale beaucoup plus grêle et étriquée que celle des Italiens, ne se permettant jamais les facéties débridées de l'opéra bouffe, s'ornant chez Boïeldieu de quelques touches de couleur d'un romantisme très mitigé. On allait entendre *Les Deux Cousines* d'Auguste Panseron, démarquées de Grétry, *Léonore et Félix* de l'organiste François Benoist, *Le Philosophe en voyage* de Kreubé, un élève de ce Kreutzer, fameux violoniste, qui avait dédaigné la dédicace de la sonate de Beethoven.

Parmi ces médiocrités, DANIEL-FRANÇOIS-ESPRIT AUBER (1782-1871) n'avait pas beaucoup de peine à passer pour un grand maître. Un seul signe subsiste de sa réputation qui traversa tout le XIXe siècle : son nom donné en 1874 à la principale artère proche du nouvel Opéra de Garnier. Auber, né par hasard en Normandie, était un pur Parisien, dont presque toute la longue vie s'écoula sur le boulevard, faiseur de mots, affable, sceptique même quant à la valeur de sa musique, ce qui le distinguait du pédantisme gourmé de ses confrères de l'Institut, sans doute un type de vieux civilisé très agréable à fréquenter. Il avait été l'élève de Cherubini. Il écrivit dix opéras et trente-sept opéras-comiques où il adaptait à la « modération française » les effets de Rossini. On voudrait bien trouver un charme désuet à son *Fra Diavolo*, son *Domino Noir*, qui eurent plus de mille représentations, mais ils pèchent par un conformisme vraiment trop bourgeois.

Sa *Muette de Portici*, (1828) épisode de la révolte du peuple napolitain en 1647, a du moins l'honneur d'être encore citée dans tous les manuels. Souvent encore, on en fait le départ du « grand opéra ». C'est une vue schématique. Auber n'avait rien d'un pionnier. La *Sémiramis* de Rossini était déjà un jalon dans l'évolution commencée avec Spontini pour le remplacement de l'*opera seria* tout à fait momifié. Un an avant *La Muette*, Michel Carafa (1787-1872), un Italien francisé, avait fait représenter à Paris sur le même sujet *Masaniello*, mais le tromphe de l'ouvrage d'Auber l'éclipsa. Avec sa facilité mélodique, *La Muette* diffère bien peu des partitions plus légères d'Auber. L'ouverture, incapable de suggérer une action tragique, fait retentir le plus indiscrètement grosse caisse, cymbales, triangle, ophicléide, et un tambour régimentaire pour souligner les temps forts. L'un des chœurs de *La Muette*, banal mais entraînant, *Amour Sacré de la Patrie*, eut une fortune politique qui le rendit longtemps célèbre. Le 25 août 1830, des Bruxellois qui venaient de l'entendre au théâtre, très échauffés le reprirent à pleine voix dans les rues. Un cortège se forma, et ce fut le début de la révolution qui rendit la Belgique indépendante.

Depuis son installation à Paris, Rossini n'avait guère produit que des rafistolages, *Le Comte Ory* dont la plupart des morceaux étaient tirés d'un opéra-cantate de circonstance, *Le Voyage à Reims*, écrit pour le sacre de Charles X, une nouvelle mouture de son *Moïse*, un pot-pourri désinvolte de ses premières œuvres intitulé *Ivanhoé*, *Le Siège de Corinthe*, refonte de son *Mahomet II* avec des allusions qui ne pouvaient manquer de porter à la guerre gréco-turque pour laquelle toute la France se passionnait, des couplets patriotiques, une bénédiction des drapeaux grecs. Mais il se préparait surtout à frapper un grand coup avec *Guillaume Tell*, qu'il destinait à l'Opéra National de la rue Le Peletier, où il fut représenté le 3 août 1829, devant un public qui avait payé sa place jusqu'à cinq cents francs-or.

Avec *Guillaume Tell*, Rossini ne créait pas réellement le grand opéra, mais il lui apportait son prestige et en donnait le modèle le plus complet. Ainsi en avait-il décidé dans sa stratégie musicale, pour se trahir d'ailleurs lui-même. Le plus italien de tous les compositeurs, ayant eu le génie de s'identifier mieux qu'aucun de ses devanciers à la faconde et la vivacité d'un peuple, ne pouvait pas se mêler d'un genre international sans que l'artiste en lui ne perdît ce que le maestro à la mode y gagnait. Beethoven, s'il avait vécu assez longtemps pour lire *Guillaume Tell,* y aurait trouvé une illustration de son sage conseil : « Fuyez l'opéra sérieux. » L'inconsistance, les roulades et les sautillements intempestifs de sa *Sémiramis,* un sujet qui appelait au premier chef la majesté, auraient dû avertir Rossini qu'il faisait fausse route. Le projet de *Guillaume Tell* l'avait occupé pendant près de trois ans, la composition pendant plus de dix mois et l'instrumentation l'avait mis sur les dents. Symptômes inquiétants chez un homme de prime saut, si rapide et si assuré quand il suivait sa pente naturelle.

L'ouverture débute par une longue, grave et belle cantilène des violoncelles. Mais à cette image d'un Rossini qui aurait pu s'ouvrir à une poétique nouvelle, succède sans autre transition qu'un pianissimo des cordes l'orage non moins conventionnel que tous ceux du xviiie siècle. C'est ensuite, sans plus de liaison, le ranz des vaches débité sans le moindre humour par la plume qui avait pourtant tracé *Le Barbier* et *L'Italienne à Alger.* Le galop final confirme cette trivialité martiale pour laquelle l'opéra français du temps n'avait déjà que trop de penchant, en même temps qu'il inaugure cette musique de cirque dont les Italiens n'ont plus pu se départir dans leurs chants officiels et leurs marches militaires. Pas l'ombre d'une élaboration thématique, comme si les ouvertures de Mozart, de Beethoven, de Weber, que Rossini n'ignorait cependant pas, n'avaient jamais existé. Nous sommes devant une série de chromos. Le corps de l'œuvre n'est rien d'autre, avec la barcarolle du pêcheur, la romance de Mathilde, le ballet tyrolien, la tempête, les airs qui ont été jusqu'au xxe siècle des scies, « Asile héréditaire », « Amis, secondez ma vaillance », ou la prière de Tell, « Je te bénis en répandant mes larmes ». Le livret, des nommés Jouy et Hippolyte Bis, bien que moins absurde que celui des *Tancrède* et *Sémiramis,* affadit le drame de Schiller par un épisode sentimental, et scéniquement il est mal fichu : l'action devient de plus en plus statique dans les deux derniers actes où elle devrait se précipiter.

Ce pseudo-chef-d'œuvre, qui ne quitta pas l'affiche de l'Opéra de Paris jusqu'à la guerre de 1914, débuta assez difficilement.

On ne reprochait pas à Rossini l'alourdissement de son style mélodique. Mais ces quatre actes, durant plus de quatre heures, réclamaient malgré leurs complaisances un gros effort musical des auditeurs habituels d'Auber ! *Guillaume Tell* fut jugé aride. On mutila bientôt la partition. Ce fut le ténor Louis Duprez qui renfloua l'ouvrage par la puissance et la vaillance de ses notes hautes de poitrine dans le rôle d'Arnold. Le public se rua à ce phénomène. *Guillaume Tell* devait d'ailleurs rester, aussi longtemps qu'il se maintint au répertoire, l'opéra-concours des forts ténors.

Les Parisiens de 1829 ne soupçonnaient guère qu'à trente-sept ans, avec *Guillaume Tell*, Rossini prenait congé du théâtre, et pour ainsi dire de la musique. Il projetait assez nonchalamment d'écrire un *Faust*, dont il voulait exclure « tous les démons et fantômes lugubres », voyageait princièrement en Espagne où il composait son *Stabat* pour un prélat, en Allemagne avec un des Rothschild. Il retourna pendant plusieurs années en Italie, réorganisa le Conservatoire de Bologne, mais fut écœuré en 1848 par les manifestations des révolutionnaires qui s'en prenaient à sa fortune, et un peu plus tard par l'attitude de la société bolonaise qui l'accusait de collaboration avec l'occupant autrichien. En 1855, il venait se réinstaller à Paris, se partageant entre son appartement de la Chaussée-d'Antin et sa maison de campagne à Passy, avec sa seconde femme, Olympe Pélissier, une ancienne cocotte dignement retraitée. Il consacrait beaucoup de temps à la gastronomie, inventait des recettes, avait un réseau international de fournisseurs pour se procurer le meilleur gorgonzola, le meilleur Johannisberg. Les lauriers sur lesquels il vivait n'étaient nullement fanés. Toute l'Europe littéraire et artistique défilait dans son salon, sans que cette gloire altérât sa malicieuse bonhomie. A une jeune et belle admiratrice anglaise qui lui demandait si elle devait l'appeler maître sublime ou prince des compositeurs, le vieil amateur de femmes répondait en soupirant : « J'aimerais mieux que vous m'appeliez : mon petit lapin... » Il n'écrivait plus que des piécettes pour piano qu'il intitulait « L'amour à Pékin », « Petite promenade de Passy à Courbevoie », « Canon antisavant dédié aux Turcos par le singe de Pesaro », auxquelles s'ajouta en 1863, une *Petite Messe Solennelle*, qu'il dédiait à Dieu le Père en s'excusant auprès de lui des réminiscences de l'opéra bouffe qu'il y trouverait. Cette *Petite messe* est d'ailleurs une vaste partition où les vocalises théâtrales voisinent avec les hommages d'un musicien cultivé aux vieux maîtres du XVIIᵉ siècle italien. Statufié à Pesaro en 1864, grand-officier de la Légion d'honneur, haut dignitaire de tous les grands ordres européens, Rossini mourut le 13 novembre 1868 à soixante-seize ans, ayant à son chevet deux de ces princesses du chant pour lesquelles il avait tant écrit, Maria Alboni et Adelina Patti, qu'il appelait sa « piccola Pattina ».

LE REGNE DE MEYERBEER

On s'est souvent interrogé sur la retraite prématurée de Rossini, que Stendhal avait curieusement prédite dès 1819. Il faut y faire la part de l'épicurisme et du scepticisme de l'homme. Rossini n'était pas de ceux qu'une impérieuse nécessité intérieure pousse à créer. Il ne prit cependant pas non plus sa décision du jour au lendemain, comme le voudraient certaines anecdotes. Mais il sentait que *Guillaume Tell* lui avait réclamé un effort inusité parce qu'il y désobéissait à son instinct. Il se méfiait surtout des œuvres nouvelles qu'il voyait surgir, celles entre autres de Meyerbeer, dans la voie qu'il avait contribué à ouvrir. Il se refusait à entrer en compétition avec ce « sabbat », comme il disait.

MEYERBEER (1791-1864), israélite berlinois, de son vrai nom Jacob Liebmann Beer, y avait ajouté celui d'un de ses parents, Meyer, qui lui léguait sa fortune, et adopta un peu plus tard le prénom de Giacomo pour suivre la mode italienne. Précoce, il étudia d'abord le piano avec Clementi, puis la composition avec l'abbé Vogler, chez lequel il rencontra Weber, son aîné de six ans qui ne tarda pas à devenir son ami. Il débuta par deux oratorios, *Dieu et la Nature*, *Le Vœu de Jephté*, puis un opéra-comique, *Alimelek* (1813), dont Weber, qui le dirigea à Dresde, louait très haut la musique « vraiment allemande », bien qu'elle regardât aussi du côté de Grétry et de Méhul. *Alimelek* n'ayant guère réussi, Meyerbeer découragé pensait à se faire pianiste virtuose. Mais sur le conseil de Salieri, il partit pour l'Italie et ne tarda pas à y donner une demi-douzaine d'ouvrages consciencieusement calqués sur l'*opera seria* et sur Rossini, entre autres *Semiramide riconosciuta*, *Emma di Resburgo* (1819) qui fit crier Weber furieux à la trahison contre l'art allemand, et *Il Crociato in Egitto* (1824), son premier succès durable.

Après un premier séjour à Paris, pour y tâter le terrain qui lui avait paru favorable il y revenait en 1830 pour douze ans, et débutait à l'Opéra en novembre 1831 avec le triomphe fracassant de *Robert le Diable*. Auditeurs et critiques transportés ne doutaient pas d'avoir eu la révélation d'un génie. Meyerbeer était enfin lancé, à quarante ans. Patient, calculateur, cherchant à réunir tous les atouts, il prit cinq ans pour échafauder son second opéra « français », *Les Huguenots* (1836). Cette longue attente était aussi une adresse tactique. Elle excitait l'engouement, la curiosité des Parisiens, qui acclamèrent le nouvel ouvrage encore plus follement que *Robert le Diable*. En Allemagne, le succès de ces opéras était beaucoup plus mitigé. Le roi de Prusse appela cependant Meyerbeer en 1842 à Berlin pour y devenir directeur général de la musique à la place de Spontini que ses humeurs rendaient impossible. Il fit désormais le plus souvent la navette entre les deux capitales, remaniant et rebaptisant ses partitions en conséquence. Ainsi, *Das Feldlager in Schlesien* (*Le Camp de Silésie*) devenait pour Paris l'opéra-comique *L'Étoile du Nord*, sur les amours de Catherine Ire et de Pierre le Grand, tandis que *Le Pardon de Ploërmel*, autre opéra-comique bretonnant, était transformé en une *Dinorah* pour le goût allemand. Mais c'est à la France qu'il destinait d'abord ses deux derniers grands opéras, *Le Prophète* (1849) et *L'Africaine* qu'il corrigeait encore quand il mourut à Paris en 1864. Elle fut représentée l'année suivante, dans une atmosphère d'admiration quasi religieuse. Le seul critique qui se fût permis des réserves, Alexis Azevdo — à vrai dire parce qu'il jugeait Meyerbeer trop avant-garde ! — passa pour un vrai goujat. Dix mois plus tard, on célébrait la centième du « chef-d'œuvre », un cas probablement unique dans l'histoire de notre Opéra.

Meyerbeer a sombré depuis cinquante ans dans une telle faillite qu'il ne peut plus être question de l'attaquer. Nous sommes davantage amusés quand nous recherchons dans des disques de plus en plus rares ces airs, ces morceaux qui bouleversèrent nos grands-parents et dont raffolèrent jusqu'en 1914 les plus grands chanteurs (au Metropolitan Opera de New York, entre 1890 et 1905, dans *Les Huguenots* : Nelly Melba, Félia Litvinne, Lilli Lehmann, les frères de Reszké, Caruso, Pol Planson, Journet etc.). Mais bien vite on comprend de nouveau le mépris que vouaient à ce faiseur toujours triomphant les véritables artistes qui payaient d'une vie précaire, harassante, leur intransigeance et leur sincérité, Wagner, Schumann qui pour tout compte-rendu du *Prophète* écrivait une date, 1849, celle de la représentation, et traçait dessous une croix mortuaire.

Commerçant richissime, Meyerbeer est un pauvre musicien.

Des livres parus ces dernières années veulent encore louer son habileté. Il faudrait s'entendre sur ce mot. Meyerbeer, flanqué de Scribe, possède bien le gros tour de main des industriels du théâtre et aujourd'hui du cinéma qui ont pour principe de viser bas, de satisfaire le public dans ses penchants les plus médiocres, tout en lui procurant par la boursouflure du spectacle l'illusion de s'élever jusqu'à l'art. Mais que l'on ouvre *Robert le Diable* à la scène qui fut la plus célèbre, le ballet du 3e acte, où à minuit, dans le cimetière d'un couvent en ruines, sur l'appel du « Roi des Enfers », des nonnes damnées sortent de leurs tombeaux et dansent une bacchanale. Un simple coup d'œil sur ces pages y révèle d'assez piteuses indigences de l'écriture.

Il n'y a pas l'ombre d'originalité chez ce cosmopolite que l'on ne peut rattacher à aucune école nationale. Il est venu en imitateur derrière Auber et Rossini. Il amalgame la plus plate romance française, les fioritures italiennes, l'orchestre ronflant de *Guillaume Tell*. Mais tout est chez lui d'un tissu plus gros, plus vulgaire que chez ses contemporains. On ne lui connaît pas d'autre marque personnelle. Il pousse jusqu'au ridicule les répétitions de mots, de syllabes, amusantes dans l'opéra bouffe, déjà incongrues dans l'*opera seria*.

Les airs et les ensembles des *Huguenots*, véhiculant des rengaines pour chevaux de bois (« Mes serments et ma foi » dans la Bénédiction des Poignards) sont calqués sur un schéma immuable, avec crescendo imité de ceux de Rossini et grimpée dans l'aigu, le tout soutenu par le chahut des trombones et des timbales. Et il en sera ainsi jusque dans *L'Africaine*, aucun compositeur n'ayant été moins capable de renouvellement. Même dans un morceau d'intentions pastorales et légères comme le petit chœur féminin au second acte des *Huguenots*, l'accompagnement instrumental ne parvient pas à se dégager de sa grosse carrure militaire dont l'apothéose sera la marche du *Prophète*, ce sommet légendaire du pompiérisme. Convenons que ces musiquettes tonitruées portaient les chanteurs, à la condition qu'ils pussent gravir sans défaillance les notes-records guettées par le public. Le ténor des *Huguenots*, Raoul, monte dans le Septuor du duel jusqu'au contre-ut dièse, à l'ut bémol et au ré bémol dans le duo du 4e acte; Valentine, une falcon – la même voix que nos sopranos dramatiques – a plusieurs contre-uts dans son rôle, et Marguerite, soprano lyrique, va jusqu'au contre-ré.

Il n'y a pas la moindre touche de romantisme dans cette musique d'un ami de Weber et qui est contemporaine de Schumann, de Chopin, de Liszt. Meyerbeer n'a jamais soupçonné que le secret d'une nouvelle couleur musicale était dans l'harmonie. La sienne reste toujours scolaire, prévue.

Son spectacle, dont il retourne et agence sans fin les éléments, repose sur les situations les plus conventionnelles, les plus sottes fadaises sentimentales. *Les Huguenots* nous apprennent que si le massacre de la Saint-Barthélemy a eu lieu, c'est parce que le protestant Raoul de Nangis, amoureux de la catholique Valentine de Saint-Bris qui ne l'aime pas moins, a cru qu'elle le trompait à la suite de quiproquos vaudevillesques et a refusé sa main. Sur quoi le vieux père noble Saint-Bris, pour venger l'outrage fait à sa fille, décide ses amis à exterminer les hérétiques. Dans *Le Prophète*, l'anabaptiste Jean de Leyde, qui fut en réalité un énergumène polygame avec dix-sept épouses, se perd pour les beaux yeux de sa fiancée Bertha.

LES ÉMULES FRANÇAIS DE MEYERBEER

Meyerbeer eut un rival et un imitateur direct en la personne de Jacques-Fromenthal-Elie Lévy, dit Halévy (1799-1862), Parisien de bonne compagnie, si l'on en juge par la longue amitié que lui portait, tout en détestant sa musique, Delacroix, difficile dans ses relations. De ses trente et quelques opéras, aucun n'atteignit au gigantesque succès de *La Juive* (1835), terrible mélodrame médiéval et raciste. La Juive Rachel, amoureuse du prince chrétien Léopold, le dénonce comme son amant quand elle apprend qu'il est marié. Elle lui fait encourir ainsi la peine capitale. Mais elle est elle-même condamnée au bûcher par le cardinal Brogni. Au moment où elle expire dans les flammes, Brogni apprend de la bouche du juif Eléazar que cette Rachel qu'il a fait brûler était sa fille... C'est toujours, comme chez Meyerbeer, le défilé devant la rampe, dans un ordre très calculé, du fort ténor, du soprano dramatique, du soprano léger, de la basse. Les répétitions de mots sont encore plus fastidieuses — ou comiques. La longue romance à vocalises de Rachel, au second acte, est presque tout entière écrite sur les trois mots : « Il va venir. » Meyerbeer ne se fût pourtant pas permis de traiter comme une sorte de brindisi l'air qui devait être le plus pathétique de tout l'ouvrage, celui où Eléazar exhorte Rachel à mourir sans peur :

> Il te donne
> La couronne
> Des martyrs.

Pour compenser ces légèretés, Halévy déclenche à intervalles réguliers un tintamarre de cuivres. Quand il tente un effort d'animation, comme le quintette sur fond de chœurs à la fin du premier acte, cela tourne court aussitôt.

L'air *da capo* « Rachel, quand du Seigneur, la grâce tutélaire... » qui fut archicélèbre malgré sa fadeur, est un curieux exemple des prérogatives qu'exerçaient alors les chanteurs. Le grand ténor Nourrit en dicta les paroles à l'inévitable librettiste Scribe, pour y placer les syllabes les plus favorables à sa voix.

On a écrit quelquefois que la mort prématurée de FERDINAND HÉROLD (1791-1833) avait privé la France d'un musicien qui aurait pu devancer Georges Bizet. Il n'y apparaît guère dans ses deux opéras-comiques restés longtemps au répertoire, *Le Pré aux Clercs* et *Zampa* (1831), sur les aventures feuilletonesques d'un farouche capitaine de corsaires, bourreau des cœurs, qui s'exprime par des ariettes sautillantes et finit comme Don Juan entraîné aux enfers par la statue d'une de ses victimes. Dans cette musique surannée, on retrouve encore l'alternance primitive des fadaises langoureuses et de la cuivrerie d'une lourde crudité. Hérold était pourtant le fils d'un élève alsacien de Philippe-Emmanuel Bach. Mais il se défendait contre cette tradition, fuyait la musique allemande « trop serrée », un risque que la sienne n'encourait certainement pas.

L'un des musiciens les plus faibles de ce moment, parmi ceux du moins dont les noms ne sont pas entièrement oubliés, fut sans doute ADOLPHE ADAM (1803-1856), suiveur d'Auber dans *Le Chalet*, imitateur très édulcoré de Rossini dans *Le Postillon de Longjumeau*, que Proust a pris pour exemple de l'insignifiance musicale. Si le ballet de *Giselle* a survécu, il ne le doit assurément pas aux flonflons sentimentaux qu'Adam traça d'après le livret de Théophile Gautier.

Les succès de Meyerbeer et de ses rivaux ou disciples plus ou moins avoués firent de Paris un foyer qui fascina tous les compositeurs européens. Mais le prestige de notre capitale y gagna beaucoup plus que la musique française.

BELLINI ET DONIZETTI

Deux Italiens, dont le succès fut facilité par la retraite de Rossini, qui les patronna d'ailleurs chaleureusement, allaient ambitionner et connaître aussi la consécration de Paris.

Vincenzo Bellini, né à Catane en 1801, mort à Puteaux en 1835, a laissé à tout le XIXe siècle un souvenir ému par son élégance aristocratique, son charme de dandy blond, ses aventures amoureuses et sa disparition en pleine jeunesse et en pleine gloire. Chopin adorait ses mélodies. Elles firent même verser quelques larmes au jeune Wagner.

Très occupé par les femmes, par le monde, de faible santé et d'une minutie dans le travail exceptionnelle chez les Italiens il n'écrivit que neuf opéras. Il en subsiste trois : *La Somnambule, Norma* (1831) et *Les Puritains* (1835). *Norma,* qui nous est redevenue familière grâce à Maria Callas, a pour livret une sombre affaire de collaboration, que Scribe a démarquée dans *La Juive*. Grande Druidesse, fille du grand-prêtre des Gaulois, Norma a eu pour amant clandestin pendant sept ans le proconsul des occupants romains, Pollione, qui lui a fait deux enfants. Mais Pollione, fatigué de cette mère de famille, convoite la fraîcheur de la pucelle Adalgise, jeune prêtresse. Il projette même de l'emmener à Rome pour l'épouser. D'où le drame. Norma, après diverses manœuvres pour tenter de récupérer son proconsul, passe à la résistance. Mais quand les maquisards gaulois l'invitent à poignarder elle-même Pollione qu'ils ont fait prisonnier, le courage lui manque. Elle préfère avouer sa trahison sentimentale, et l'expier sur le bûcher aux côtés de son Romain.

Bien que le compositeur Ildebrando Pizzetti et l'excellent musicologue américain D. J. Grout aient poussé leur ferveur pour Bellini jusqu'à vouloir réhabiliter son harmonie, celle-ci est à peu près inexistante, moins peut-être par ignorance du musicien qu'à cause de son indifférence. Son orchestre est un crincrin d'accompagnement. La plupart des pages de *Norma,* en dépit de leurs difficultés réservées aux virtuoses de l'époque, ne s'élèvent guère au-dessus d'une joliesse point très personnelle et assez uniforme : la jeune Adalgise semble chanter constamment les mêmes mesures. On entend donc tout cet opéra pour deux moments d'inspiration mélodique, mais ceux-là d'une poésie exquise : la célèbre « Casta Diva », qui est la « preghiera » traditionnelle, mais adressée ici à la déesse Lune, accompagnée en sourdine par un chœur sur lequel

se détache encore mieux sa courbe lumineuse; et plus tard le
ravissant duo de la réconciliation entre Norma et Adalgise.

Le rôle de Norma est intrépidement écrit pour un soprano dramatique capable de coloratures très brillantes et très ouvragées.
Aussi ne faut-il pas s'étonner qu'il n'ait guère qu'une ou deux
titulaires authentiques par génération.

Les joyaux tels que « Casta Diva » sont encore moins nombreux
dans *La Somnambule* (l'air d'Amina « Ah ! non credea mirarti »),
dans *Les Puritains* (« Qui la voce sua soave »). Dans ces pages, la
voix soliste s'élève aussi sur le fond discret du chœur, qui tient
dans cet art entièrement vocal la place de l'orchestre n'existant
plus que pour mémoire. Bien entendu, Bellini ne pouvait venir
qu'après Rossini. Mais outre la mélancolie voluptueuse qui lui est
très personnelle dans ses meilleurs instants, il possède une sincérité
dont ne s'encombrait pas dans ses opéras « sérieux » l'auteur
d'*Otello* et de *Sémiramis*.

Son rival, GAETANO DONIZETTI (1797-1848), né et mort à
Bergame, était porté par la même conviction, au moins dans son
chef-d'œuvre, *Lucie de Lammermoor* (1835). Chef-d'œuvre dont
les premières scènes laissent pantois le mélomane formé par les
classiques et les romantiques allemands, par les novateurs du
XXe siècle. Cet orchestre mirlitonant, les poncifs éhontés des
cadences le transplantent dans un monde primitif dont il n'ima-
ginait plus l'existence. La régression sur les Italiens du XVIIIe , sur
le Rossini le plus négligé est telle qu'elle en devient bouffonne. Puis
Donizetti s'échauffe, les vieux sortilèges du *bel canto* retrouvent
leur pouvoir. S'il ne se pique pas de psychologie, le livret, d'après
un des romans de Walter Scott qui défilèrent presque tous à
l'opéra comme aujourd'hui les « best-sellers » sur l'écran, est l'un
des plus plausibles et des plus vigoureusement ramassés de
l'époque : un drame familial, une jeune fille amoureuse d'un
garçon qui l'aime, contrainte d'en épouser un autre qu'elle déteste,
et le poignardant durant leur nuit de noces. Le sextuor du second
acte est à lui seul un *capo d'opera*, faisant songer que la musique
a pu employer d'autres ressources, mais qu'avec celles-là, elle a
atteint dans ce ruissellement, cette explosion sonore, un de ses
sommets. En tout cas, par la puissance du mouvement, par la
magistrale complexité de l'agencement, un des sommets du chant
italien. On a fait aussi bien ensuite dans cette forme — le quatuor
de *Rigoletto*, le quintette des *Maîtres chanteurs,* qui ont eu *Lucie*
pour modèle — on n'a jamais fait mieux.

Le romantisme du cadre et du sujet, Écosse, vieux château, orage, cimetière, poignard, démence, reste encore dans *Lucie* extérieur à la musique, qui est incapable de se colorer aux tons de la tragédie. L'air de la folie, autre grande réussite de construction vocale, conviendrait aussi bien, avec ses trilles, ses roulades, pour une chasse aux papillons que pour les cris et les hallucinations de cette jeune femme dans sa blanche robe de mariée tout éclaboussée du sang d'un époux exécré. C'est avant tout de l'interprète que dépend ici l'expression dramatique.

Donizetti n'a pas les intuitions poétiques de Bellini, mais davantage de métier, et dans les limites de son style une verve mélodique plus drue, plus constante. Il était, même parmi les Italiens, un monstre de facilité. En vingt-cinq ans de carrière, il composa soixante-dix opéras, sans compter quinze symphonies — inattendues chez un homme qui traitait l'orchestre aussi nonchalamment — des quatuors à cordes, un grand nombre de messes, cantates, oratorios. Il faudrait sans doute connaître *Lucrèce Borgia* (1833), dont certains passages annoncent, dit-on, *Lucie*. Il y a de jolis airs dans *L'Élixir d'Amour* (1832), mi-comique mi-sentimental, qui a conservé un public en Italie. Le finale de son premier acte est très réussi. Des cantatrices ont récemment exhumé quelques pages de *Robert Devereux*, assez typiques du schéma qui permettait à Donizetti d'écrire deux actes en vingt-quatre heures, « sans l'instrumentation, toutefois », notait-il modestement : un récitatif lent avec quelques notes très perchées, puis la ritournelle de l'orchestre, amorçant l'aria qui se déroule sur fond de canzonnette, avec des ornements avant la cadence finale.

En 1839, écœuré par la censure italienne qui interdisait son *Polyeucte*, Donizetti vint s'établir à Paris qu'il connaissait déjà. Il y fit une incursion dans l'opéra-comique à la Boïeldieu avec *La Fille du Régiment*, y commit sur un mélo larmoyant de Baculard d'Arnaud *La Favorite* qui fut en même temps l'un des grands succès populaires du siècle et la pire des infamies musicales au jugement des mélomanes cultivés. Peu après cependant, Donizetti écrivait en une semaine son meilleur ouvrage avec *Lucie*, *Don Pasquale* (1843), charmant de naturel, de vivacité, le seul opéra bouffe soutenant la comparaison avec ceux de Rossini, à qui l'on pourrait attribuer un ensemble aussi brillant que le finale du second acte, dont le comique est obtenu par des moyens purement musicaux : le barbon Don Pasquale, très mécontent, refuse de s'associer au motif en triolets du soprano, du ténor et du baryton, puis se laisse gagner par son entrain et l'entonne à son tour.

L'année suivante, Donizetti, qui avait aussi composé pour Vienne *Linda di Chamounix,* opéra *semiseria,* donnait les premiers signes de ramollissement cérébral. Il fallut l'interner dans un asile à Ivry. Épuisé par la noce et le travail, il mourut à Bergame, en état de complète démence.

Nous avons dit plus haut la part considérable qui revenait aux interprètes dans ce répertoire, tant italien que parisien. Il formèrent une constellation du chant qui n'a sans doute jamais été égalée, et méritent une place dans l'histoire de la musique presque au titre de créateurs. C'étaient, parmi les ténors, Rubini, qui aurait atteint le contre-fa dans *Les Puritains,* Tamberlick, Giuseppe Mario, le Parisien Louis Duprez, le Montpelliérain Adolphe Nourrit, qui se suicida à trente-neuf ans parce qu'il croyait que sa voix baissait, l'Espagnol Manuel Garcia; chez les basses Luigi Lablache, qui avait autant de talent dans l'opéra bouffe que dans le drame lyrique, Tamburini, encore plus célèbre, Levasseur, Galli et sa voix gigantesque; parmi les cantatrices, la Pasta, qui créa *Norma,* Giulia Grisi, Adélaïde Fezzolini, Marie-Cornélie Falcon dont la voix se brisa en scène après cinq ans de carrière, Rosine Stoltz, la Persiani, « reine du chant léger », Henriette Sontag, née à Coblenz, Sophie Cruwell dite Cruvelli, une autre Allemande, et les deux filles de Garcia, nées l'une et l'autre à Paris, mais Andalouses de sang, Maria-Felicia et Pauline. Maria-Felicia, mezzo-soprano d'une étendue extraordinaire, actrice au tempérament de feu, allait immortaliser le nom d'un vieux mari épisodique, le sieur Malibran. Sa sœur Pauline, épouse de l'écrivain Viardot, très beau contralto, fut l'interprète de Rossini, Meyerbeer, Gounod, Gluck, et tint jusqu'à près de quatre-vingt-dix ans l'un des salons littéraires et artistiques les plus fréquentés de Paris.

Un au moins sur deux de ces artistes n'était pas italien. Mais tous avaient été formés directement ou non par l'Italie. Les « gosiers d'or » dont les naturels de la Péninsule seraient dotés par un miracle physiologique et géographique, appartiennent donc à la légende. Mais dès le Moyen-Age, ce pays cultivait l'art vocal avec une prédilection qui tenait à l'hédonisme de la race, à son goût des prouesses individuelles, à sa langue mélodieuse. De tradition, l'enseignement du chant y était incomparable et se perfectionna encore dans le premier tiers du XIXe siècle, surtout avec la nouvelle technique des « sons couverts », qui permettait aux ténors d'aborder l'aigu à partir du fa sans changer de registre et d'y conserver toute leur puissance pour les rôles tragiques ou héroïques, au lieu de passer comme auparavant en voix de fausset.

Mais l'écriture musicale devait se plier elle aussi à cette priorité de la voix, choisir toujours les « bons degrés », c'est-à-dire les plus favorables aux chanteurs, et qui sont naturellement en nombre limité, enferment la mélodie dans un système de consonances à la fois rassurant et assez monotone, et jalonné pour l'oreille de l'auditeur par des repères, des points fixes tous plus ou moins identiques. Il n'est pas étonnant qu'avec ces ressources brillantes mais volontairement restreintes, le *bel canto* de 1840 ne connaisse que des expressions musicalement voisines pour la joie comme pour la douleur, et qu'il paraisse encore très arriéré auprès du *Voyage d'hiver* de Schubert, de son intensité dramatique et de ses imprévisibles modulations.

CHAPITRE IV

BERLIOZ

Aucun musicien français n'a été plus âprement et obstinément dénigré que Berlioz par les professionnels de son pays, critiques, théoriciens et compositeurs. De son vivant, ses grands succès en Allemagne, en Hongrie, en Russie, en Angleterre excitaient encore davantage cette hargne nationale. Elle n'a cessé de le poursuivre au-delà du tombeau jusqu'à nos jours où de jeunes musicographes ont fait enfin justice de cette vieille animosité, libérés qu'ils sont par l'étude des œuvres modernes des préjugés dont elle se fortifiait.

Durant plus d'un siècle, les « gens du bâtiment » se sont repassé les mêmes sentences dédaigneuses à propos de Berlioz : il avait mal appris son métier, il n'en savait même pas l'orthographe, ses développements sont incohérents, la conduite de ses voix trop incertaine, ses basses détestables. Le tout assaisonné, sur son ignorance, de ces anecdotes parisiennes trop piquantes pour ne pas être des plus suspectes. Ces vues de pions, à la fois tranchantes et superficielles, ont fait injure à tant de mélomanes cultivés qui ont toujours applaudi *La Damnation,* à Liszt, propagandiste inlassable de son ami Hector, à Schumann qui a écrit l'une des plus intelligentes analyses de *La Fantastique* : Liszt, Schumann, qui n'ont jamais passé pour ne pas connaître leur grammaire... De tels jugements aboutissaient à placer l'un des musiciens français les plus originaux au-dessous de ternes praticiens tels que Clapisson, Onslow, Ambroise Thomas, accueillis par l'Institut bien avant lui, et qui, eux, n'oubliaient pas de mettre cette fameuse orthographe que toute la musique vivante allait bientôt démentir. On voudrait être certain que tous ces radotages, sentant le pédagogue limité et stérile ravi de prendre en faute un créateur célèbre, appartiennent au passé, maintenant qu'il existe enfin une étude complète de l'esthétique de Berlioz, les deux volumes de Jacques Barzun. Mais ceux-ci ont paru à Londres, en anglais, et personne n'a encore éprouvé le besoin de les publier chez nous !

Il faut songer à l'état de la musique française lorsque le jeune Hector Berlioz, né à La Côte-Saint-André dans l'Isère, en 1803, débarquait à dix-huit ans à Paris, bien décidé à lâcher au plus vite les études médicales que son père, médecin lui-même de La Côte, prétendait lui imposer. A l'Institut et dans ses parages, au Conservatoire, au théâtre, Cherubini, Boïeldieu qui interdisait à ses élèves de moduler dans leurs devoirs d'harmonie, Gossec, Plantade, Paër, Berton continuaient un pseudo-classicisme presque aussi fourbu que celui de leurs collègues de l'Académie française, Andrieux, Baour-Lormian, Parseval-Grandmaison, Casimir Delavigne ou Soumet, poète « épique ». Tous professeurs, leur enseignement ne portait guère que sur la cantate et l'opéra-comique, le genre qui avait la prédilection de la « classe montante » des nouveaux bourgeois. La disparition des petits orchestres privés de l'aristocratie avait réduit la musique de chambre, si active durant le XVIIIᵉ siècle, au rôle de parent pauvre. Les éditeurs repoussaient quatuors et sonates, mais payaient à prix d'or n'importe quelle romance, *Depuis longtemps j'aimais Adèle, La Sensitive et le Papillon.* Méhul, mort depuis peu, faisait figure d'insurpassable génie.

Berlioz, assez petit de taille, mais avec un masque étonnant d'aigle ébouriffé, promenait dans ce monde étriqué, avec ses rêves d'œuvres colossales, sa passion pour Shakespeare, puis pour Beethoven lorsque les premiers concerts d'Habeneck lui révéleraient ses symphonies. Il avait au Conservatoire deux maîtres, Lesueur et Reicha. On admet que Lesueur, (1763-1837), entré dans la musique avec ses cantates pour les fêtes révolutionnaires, orchestrateur médiocre, usant et abusant de l'écriture verticale dans ses chœurs, ne lui ait pas été d'un grand secours, sinon pour l'encourager au gigantisme et aux commentaires littéraires en marge des partitions. Mais Anton Reicha (1770-1836), Tchèque d'origine, ami de jeunesse de Beethoven, était un vrai savant, à peu près le seul contrapunctiste qualifié de Paris, un théoricien assez audacieux pour souhaiter l'emploi du quart de ton et la suppression de la barre de mesure. Malheureusement, cet éminent pédagogue n'a pas pu écrire, parmi ses opéras, ses symphonies, ses concertos, ses quatuors, une seule page capable de lui survivre, si l'on excepte quelques bibelots pour flûtes ou cors. D'autre part, ses hardiesses imaginaires ne l'avaient aucunement disposé à comprendre les œuvres de son temps. Selon lui, pour écrire un morceau de musique romantique, « il suffisait de n'y observer ni plan, ni unité, ni proportions symétriques, ni développement d'idées ».

De tels propos ne pouvaient que hérisser Berlioz. Mais il y a loin de là à prétendre, comme on l'a fait si souvent, que le Dauphinois n'avait rien appris chez ses professeurs. Leurs leçons ne contenaient aucune notion qui dépassât un garçon ayant aussi incontestablement des dons innés. D'ailleurs, après trois concours, Berlioz, qui avait déjà obtenu le second prix de Rome, décrochait le premier en 1830 avec sa cantate *Sardanapale*. Or, il eût été invraisemblable que l'Institut décernât sa plus haute récompense à un candidat qui déjà l'inquiétait, s'il n'avait pas possédé son bagage scolaire complet, le seul critère du reste sur lequel se fondât ce jury.

Souligner à coups de crayon rouge les « mauvaises basses » de Berlioz, ce n'est vraiment qu'un signe de demi-culture musicale, tant elles sont faciles à détecter. L'explication est ailleurs. Berlioz lui-même l'a amorcée quand juste après son prix de Rome, il écrivait à Adolphe Adam — bien mal fait pour l'entendre — que pour obtenir la récompense, il avait dû truffer sa cantate « de lieux communs, d'instrumentations triviales », ce dernier point à retenir tout particulièrement, car le goût officiel en la matière était atroce. Un peu plus tard, dans une lettre à son père, Berlioz disait que n'ayant plus à craindre les académiciens, il venait d'ajouter à sa cantate un morceau d'imagination autrement réussi que tout le reste. Il était donc extrêmement conscient de ce qu'il faisait. Et qu'on les juge opportunes ou non, il faut tenir pour volontaires la plupart de ses « irrégularités », au lieu de les mettre sommairement sur le compte d'une formation insuffisante.

LA « FANTASTIQUE »

A la fin de cette même année 1830, juste avant son départ obligatoire pour Rome, Berlioz faisait exécuter sa *Symphonie fantastique*, terminée au mois d'avril précédent. C'était l'entrée dans la musique française du vrai romantisme musical, celui qui ne tient plus seulement au choix d'un argument, mais transforme la couleur harmonique et mélodique. C'était aussi, à moins que l'on ne voulût accorder une importance qu'elles n'ont jamais eue aux œuvrettes haydniennes de Méhul et de Gossec, la première symphonie française. Les antiberlioziens lui ont d'ailleurs reproché de ne pas rompre avec la morphologie beethovénienne. La première partie, en effet, « Rêverie-Passion », relève de la forme sonate. Mais les quatre autres, Bal, Scène Champêtre, Marche au Supplice, Sabbat, déjà peu traditionnelles par leur nombre, s'émancipent de plus en plus. Du reste Berlioz, en cela assez voisin de Schubert dont il ignorait comme chacun les œuvres instrumentales, ne s'attache pas du tout au conflit des thèmes qui est le grand ressort de l'art beethovénien. « C'est bien ce que nous vous disions, reprennent les détracteurs, qui ne se préoccupent pas trop d'enchaîner leurs idées. Chez Berlioz, le littérateur l'emporte toujours. Il met de la musique sur sa littérature. De la musique à programme, invention bâtarde, détestable. »

La *Fantastique* s'accompagnait en effet à l'origine d'un copieux argument, de la main de Berlioz. Mais Schumann, bien que son puritanisme s'effarouchât de cette confession publique, reconnaissait que le programme de la symphonie ne l'avait dérangé que quelques instants. Depuis, on a réduit le fameux programme à quelques lignes d'un sens très large, sans que la musique en fût le moins du monde obscurcie pour des centaines de milliers d'admirateurs : rêveries et cauchemars d'un jeune homme malheureux en amour et que poursuit partout l'image de l'aimée. Le programme de la *Verklärte Nacht* de Schœnberg, inspiré du poète Dehmel, est bien autrement livresque, sans que l'on eût jamais considéré que la partition du maître viennois en devenait moins émouvante. Berlioz, sans doute, est tout le contraire d'un génie abstrait, il lui faut s'appuyer sur des images frappantes, des sentiments éprouvés. Mais sa grande réussite de la *Fantastique,* c'est d'avoir su faire du fantôme féminin, de « l'idée fixe » qui hante le héros une figure purement musicale, un « thème varié », soumis à maints avatars, mais toujours reconnaissable, traversant toute l'œuvre, devenant son principe d'unité.

A propos des singularités de la syntaxe de Berlioz, c'est encore Schumann qui répondait d'avance et le plus finement aux grammairiens les imputant à un manque de métier : « ... De quelle main hardie tout cela est exécuté, en sorte que rien absolument ne se puisse ajouter ou effacer sans enlever à la pensée son acuité d'expression, sa force ! » Quant aux « mauvaises basses », on peut donner la parole à un berliozien français très lucide et convaincu d'aujourd'hui, M. Frédéric Goldbeck, qui après avoir rappelé que Berlioz harmonise souvent de la façon la plus classique, note justement à propos de l'accord de quarte et sixte du début de la

Fantastique : « Mais d'autres et fréquentes fois, et jusqu'à nos jours les grammairiens n'en sont pas revenus, sa basse n'a plus pour fonction d'expliciter ce que sa mélodie impliquait, mais au contraire de contraster avec elle, d'être un élément autre, étranger et étrange, qui ajoute la perspective et la valeur, à la fois de structure et de « caractère » d'un second plan. »

On voit ainsi que Berlioz a commis sciemment, dans un but expressif, la plupart de ses « fautes », et que les corrections élégantes qui en ont été proposées ne sont plus qu'une calligraphie banale auprès d'une écriture mouvementée mais où se lit un grand tempérament.

Autre controverse : la *Fantastique* est-elle ou non le premier en date des poèmes symphoniques ? « Certainement pas, affirment les « anti », Berlioz était incapable de créer une forme nouvelle. La priorité revient bien à Liszt ». Du point de vue strictement formel, la *Fantastique,* avec ses cinq parties, ne correspond pas à la définition du poème lisztien. Mais il ne devrait plus être nécessaire de démontrer sa parenté d'esprit et d'esthétique avec lui à des auditeurs de bonne foi. De toute évidence, Berlioz a aiguillé Liszt, qui a d'ailleurs souvent parlé de l'extraordinaire révélation qu'il reçut de la *Fantastique* et de sa suite (plus que décousue), le monodrame lyrique de *Lélio.*

Pour clore tous ces débats, rien de mieux que de réentendre la *Fantastique,* pour admirer dès les premières mesures cet admirable souffle mélodique, ample et long, qui n'a jamais abandonné Berlioz, pour reconnaître à nouveau que la « Scène aux champs », avec son cor anglais déjà si tristanien, est infiniment moins descriptive, au mauvais sens du mot, que plus d'un ouvrage classique : son bref orage est bien plutôt intérieur que météorologique... Jamais peut-être la jeunesse n'a été plus véridiquement exprimée dans une œuvre musicale, avec ses outrances massacrantes et son lyrisme éperdument clamé.

Berlioz avait vingt-six ans et quatre mois quand il termina la *Fantastique.* Et cependant, avec toute cette verdeur juvénile, outre ses libertés harmoniques, son imagination mélodique, il possédait à fond déjà cette science de l'orchestre que lui ont reconnue ses adversaires les plus injustes[1]. Éveillée par l'exemple de Weber, elle lui inspirait une variété ignorée avant lui dans les combinaisons

---

1. Le célèbre *Traité d'Instrumentation* de Berlioz, bible de trois générations au moins de musiciens français et étrangers, reste d'une lecture très attachante et historiquement pleine d'intérêt.

des timbres, depuis les plus transparentes jusqu'aux plus chargées en couleurs. Il se livre à des alliages prohibés, ne pouvant selon les règles aboutir qu'à une cacophonie ou à des sonorités bouchées, et qui avec lui sonnent merveilleusement. Plutôt que de science, on devrait parler d'une poétique de l'orchestre. L'instrumentation n'est pas chez Berlioz un coloris surajouté plus ou moins heureusement à l'édifice musical. Elle est souvent sa pensée première, à laquelle se plieront dessins mélodiques et dispositions harmoniques, comme chez le peintre qui entreprend un tableau pour tels accords de couleurs. Avec un modèle devant eux comme les cuivres rouge sang de la « Marche au Supplice », les Meyerbeer et les Halévy sont encore moins pardonnables d'avoir fait retentir leurs ridicules orphéons. Le dernier morceau de la *Fantastique*, le « Sabbat », est le plus disparate, avec des naïvetés, un poncif du galop infernal que Liszt et beaucoup d'autres reprendront à satiété, mais aussi les diableries savoureuses des violons, cette marche aux contrebasses et au quatuor des cordes, coupée par les brefs sarcasmes des trombones, dont personne encore n'avait eu l'idée ou le culot, et le grouillement de rythmes et de timbres de l'épisode final, qui sans doute n'a plus rien « d'effrayant » pour nous mais reste si pittoresque.

« LA DAMNATION DE FAUST »

Près de *La Fantastique*, nous placerons *La Damnation de Faust* dont Berlioz avait publié dès 1829 huit scènes, parmi les plus réussies de l'œuvre et qui lui ont donné le ton : les chœurs de Pâques, tout le tableau de la Taverne, la Chanson Gothique et la romance de Marguerite, le Concert des Sylphes, le chœur des soldats, la Sérénade. Seize ans plus tard, Berlioz retrouva avec une facilité toute stendhalienne cette veine truculente, impertinente, capricieuse, élégiaque, chansons à boire, gaillardises de troupiers, chahuts d'étudiants, parodies des vieilles perruques, nostalgie charnelle, qui sont aussi les voix mêmes de la jeunesse.

Berlioz innove toujours plus hardiment dans son instrumentation; cuivres en sourdine pour accompagner la berceuse « Voici des roses », l'un des airs les plus suaves de l'ouvrage, traits des flûtes et des clarinettes pour le chœur massif des soldats. Berlioz a condamné d'avance le pesant militarisme à la Meyerbeer : « Et surtout, qu'on oublie les habitudes de caserne ! » Mais il sait s'amuser à la citation gauloise et presque littérale d'un refrain régimentaire, les trompettes sonnant la retraite. Sa rythmique, dont ses censeurs ne soufflent mot, est de plus en plus mordante, imprévue. Il multiplie les irrégularités, les *sauts* dans la conduite de ses mélodies (« D'amour l'ardente flamme, *consume* mes jours »), qui ont malheureusement éloigné de *La Damnation* les plus grands chanteurs, entre autres les Italiens, mais dessinent, dans un système essentiellement diatonique, le profil si original et vivant de ces mélodies, qui font que de toutes les « Chansons de la Puce » et « Sérénades de Méphisto » du XIXe siècle, celles de Berlioz sont de loin les plus belles par leur détente nerveuse, leur verdeur, leur mobilité.

« *HAROLD* », « *LE REQUIEM* », « *ROMÉO ET JULIETTE* »

La *Fantastique*, *La Damnation* sont bien les deux chefs-d'œuvre de Berlioz, et le grand public ne s'y est pas trompé en leur marquant fidèlement sa préférence depuis près d'un siècle. *Harold en Italie*, grande symphonie avec alto principal, gagnerait cependant de nombreux admirateurs s'il était un peu moins rarement exécuté. Sa division en quatre parties se rapproche du cadre traditionnel, mais le contenu s'en éloigne pour annoncer aussi le poème. L'alto solo est peu concertant (une raison pour que les virtuoses ne s'y intéressent pas). Le ton, comme dans la *Fantastique,* est celui de la rêverie lyrique beaucoup plus que de la description. Contrastant avec les délicatesses estompées de maints détails, la violence orchestrale du dernier mouvement n'a déjà plus tout à fait la même sincérité abrupte mais prenante que la Marche au Supplice.

Les effets gigantesques du *Requiem* (1837) s'émoussent assez vite, faute d'être soutenus par une harmonie plus neuve, ayant plus de prise sur l'imagination. L'intérêt de l'œuvre est davantage dans le contraste entre la masse instrumentale et les lignes dépouillées, se souvenant des modes grégoriens, de certaines parties vocales; et encore dans le pressentiment des recherches du XXe siècle sur la musique spatiale avec les quatre orchestres de cuivres dispersés. Procédé purement décoratif selon Pierre Boulez, mais qui n'est pas, comme on l'a dit, banalement imité de Lesueur, lequel formait aussi des groupes d'instruments séparés les uns des autres, mais pour que l'on distinguât mieux les « sentiments » dévolus à chacun d'eux.

Dans *Roméo et Juliette* (1839), « symphonie dramatique » d'une heure et demie, le caractère hybride de la conception devient d'une évidence décevante. Berlioz fait expliquer la rivalité des familles, décrire la mort des deux jeunes gens par un chœur psalmodiant, par des récitatifs du contralto et de la basse, Frère Laurent, dont la monotonie fait payer assez cher à l'auditeur les belles et longues mélodies de la Tristesse de Roméo, les accents passionnés des stances qui chantent les vœux des deux amants, la finesse du scherzo de la Reine Mab, avec ses cordes divisées, son impalpable *staccato* (cette page célèbre n'a cependant pas le scintillement, la fantaisie rythmique des Follets de *La Damnation*). Même l'émouvante sensualité de l'adagio (altos, violoncelles, cors) de la Scène d'Amour ne peut plus nous dissimuler l'incertitude de cette musique à programme qui n'est ni appuyée sur un texte dramatique ni développée selon des exigences purement musicales. Bien qu'il eût l'habitude des entreprises paradoxales, Berlioz n'est pas parvenu à faire passer toute son émotion dans ce chant d'amour où il ôte la parole aux deux amants.

Toutes ces œuvres de concert, qui malgré leurs inégalités dominaient de très haut les médiocrités françaises de l'époque, n'avaient remporté que des succès factices et sans lendemain dans le Paris louis-philippard. Il restait à Berlioz de chercher une revanche au théâtre, seule source de profit et de notoriété dans la vie musicale de ce temps. Mais en dépit de toutes les idées tragiques et comiques qui se bousculaient dans sa tête, il lui manquait le sens de la scène que possédaient, à défaut de quelque autre talent, de grossiers industriels. On le vit bien au four complet de *Benvenuto Cellini* (1838), plein de pages brillantes mais mal liées, avec des passages très conventionnels, et sur un livret à la fois statique et confus.[1]

Partie en flèche, la carrière de Berlioz déclinait donc prématurément.

On peut en voir une cause dans les découragements, l'amertume d'un artiste déjà porté par nature à la cyclothymie, qui ne trouvait pas dans ses tournées à l'étranger, aux succès fatalement plus ou moins éphémères, malgré les « bulletins de victoire » passablement gonflés par lesquels il s'efforçait d'en répandre le

---

1. *Benvenuto Cellini*, que les caricaturistes du temps appelaient *Malvenuto*, n'a jamais pu se relever en France de sa première chute. Une reprise toute récente (1966), à Londres, sur la scène de Covent Garden, s'est déroulée favorablement. Mais les très sympathiques mélomanes anglais ont actuellement une telle boulimie d'opéras qu'on se demande si ce phénomène n'est pas destiné à demeurer local.

bruit, une compensation suffisante à ses mécomptes dans son pays.

Mais il faut aussi parler de lacunes graves chez lui, bien qu'elles aient échappé aux pédagogues dénonçant ses « fautes » de mauvais écolier.

Dès l'irrésistible *Fantastique* et les *Huit Scènes de Faust*, son art était fixé. Après ce double coup de génie, d'autant plus éclatant de se produire dans le Paris d'Auber, un garçon de vingt-six ans, peu enclin à la modestie, avait quelques droits à juger qu'il tenait en mains tous ses moyens d'expression. Mais pas au point de se laisser distancer ensuite par des cadets sur lesquels il avait quinze ans d'avance. Or, il n'allait plus évoluer, sinon, sur le tard, vers un apaisement qui serait aussi un appauvrissement.

On pourrait croire à un phénomène d'isolement, si Berlioz n'avait pas été le musicien français le plus cosmopolite de son temps, en relations étroites et suivies avec l'élite musicale de l'Europe, Liszt, Schumann, Mendelssohn, Stephen Heller, Wagner, autant d'hommes qui, outre leur talent ou leur génie, possédaient dans leur art une immense culture, en dissertaient indéfiniment. Cela n'a laissé aucune trace dans sa biographie. Lui qui a tant écrit sur la musique ne se pose pour ainsi dire aucune question sur les recherches nouvelles et les expériences qu'elles pourraient, qu'elles devraient lui inspirer.

Ce que l'on distingue chez Berlioz, ce ne sont pas des « trous » de métier, une infériorité vis-à-vis des forts en thème, mais un refus d'en apprendre davantage. C'est-à-dire, au point où il était arrivé si vite, à un âge où Beethoven tâtonnait encore, non pas de se remettre sous des férules grammaticales, mais de scruter ses exigences intérieures, et en fonction de celles-ci, d'affiner, de mûrir sa technique, de se livrer à ce mystérieux travail de la sensibilité, de l'artisanat supérieur et des audaces logiques qui allaient en conduire d'autres de *Rienzi* à *L'Or du Rhin*, de *L'Enfant Prodigue* à *L'Après-Midi d'un faune*.

Berlioz ne ressentit pas ces exigences. On dira que c'est le signe d'une organisation musicale incomplète. Oui, mais aussi et surtout d'un hiatus avec la tradition profonde, dans laquelle baignaient naturellement dès leurs premiers gribouillages un lascar aussi rétif et impatient que Wagner, un talent mineur comme Mendelssohn. Il ne s'agit pas là seulement de Berlioz, mais de sa génération, sinon de son pays, puisque en France la rupture avec les grandes formes musicales datait de la mort de Rameau, dans le temps même où ces formes connaissaient, de Haydn à Beethoven, de si prodigieuses mutations.

Du demi-divorce entre Berlioz et cette tradition, nous avons quantité de preuves. Il a pu, chaque fois où il l'a voulu, écrire des fugues et des canons très corrects. Mais il n'éprouvait pas le besoin de prolonger ces exercices, il n'y voyait pas un enrichissement possible de son langage. Il s'est répandu sur Bach en plaisanteries faciles, rappelant celles des potaches sur les tragédies classiques au sortir de leur rhétorique. Dans la *Passion selon saint Matthieu* qu'il avait entendue à Berlin, il n'était guère sensible qu'à la puissance de la masse chorale, qui lui avait « coupé le souffle », mais ne s'intéressait pas aux lignes de l'échafaudage contrapunctique. Le fond de sa pensée sur Mozart est sans doute dans les boutades, déguisées en paradoxes, où il bâille sur l'ennui des *Noces de Figaro*, et de ces autres opéras « qui se ressemblent tous, dont le beau sang-froid fatigue et impatiente ».

Parce qu'il n'avait pas senti la nécessité de dépasser son éducation musicale trop française, Berlioz ne comprit pas les apports essentiels de Liszt et plus encore de Wagner. La Bibliothèque nationale possède l'exemplaire de *Tristan* que Wagner avait dédié « au cher et grand auteur de *Roméo et Juliette* » et que celui-ci cribla d'annotations scandalisées et rageuses. Comment aurait-il pu pénétrer *Tristan* puisque déjà il n'avait pu supporter à Weimar au-delà de trois quarts d'heure l'audition de *Lohengrin* dirigé par Liszt ? C'est la clé de ses rapports heurtés et dissonants avec Wagner, où la plupart des historiens n'ont vu que mesquineries réciproques, alors qu'il s'agissait d'une antinomie et de malentendus esthétiques. Le cadet toujours aux abois comptait trouver chez l'illustre aîné un compagnon de batailles, un allié pour sa grande réforme du théâtre lyrique, et n'avait rencontré qu'un censeur grincheux. Le superbe aventurier de 1830 n'avait plus bougé d'un pas, et pour contredire les nouveautés qui lui étaient indéchiffrables, prenait même figure de réactionnaire. Et sans doute cette répugnance pour le grand courant musical qui allait féconder toute la fin du siècle contribua-t-elle pour beaucoup à la misanthropie de sa vieillesse, lui faisant ignorer, durant son dernier voyage à Saint-Pétersbourg les Russes de la jeune école, ses disciples les plus directs et les plus fervents. S'il sentait une telle cassure entre son temps et lui, ce n'était pas seulement à cause de la bêtise ambiante, des lenteurs du public, mais parce qu'il était resté en chemin, désorienté et incrédule, devant « la musique de l'avenir ».

« LES TROYENS »

Les Troyens, achevés en 1858, sont l'illustration de tout ce que nous venons de dire. D'abord pour l'insigne maladresse de l'auteur à la construction théâtrale, *La Damnation de Faust*, où il n'a pas eu à y songer, puisqu'il en fit une suite de tableaux sans autres liens que sa fantaisie, étant paradoxalement la seule de ses œuvres qui se maintienne à la scène pour laquelle elle n'a pas été conçue. Berlioz voulait tellement oublier les réalités du théâtre qu'il composa une partition beaucoup trop longue pour être exécutée en une soirée, mais trop courte pour en occuper deux. Cette erreur de coupe devait peser sur toute la destinée de l'œuvre. Amputée ou condensée, celle-ci n'a jamais pu trouver son équilibre.

Le livret, déjà, est très éprouvant. Journaliste de premier ordre, écrivain plein de pittoresque et d'esprit quand il se raconte, Berlioz est un versificateur au-dessous du médiocre. Qu'on se rappelle ses rimes dans les « raccords » de *La Damnation* : « Riantes campagnes, Altières montagnes... Quel sentiment j'éprouve en ce moment fatal. » *Les Troyens* renchérissent encore sur cet académisme presque enfantin, ne nous épargnent pas un « Qu'entends-je ? », un « Que vois-je ? » un « Justes dieux ! ». On a peine à s'expliquer comment un homme de cette culture, de ce talent de plume, pouvait avoir l'illusion de transporter dans ces pauvretés la poésie virgilienne. Nous sommes obligés d'admettre qu'il croyait cette rhétorique de patronage indispensable au grand opéra. Il se conformait à la platitude du genre et de l'époque, disposition fâcheuse dans le moment où il voulait réaliser ses plus hauts rêves d'artiste. Le plus volcanique des romantiques faisait parler les héros de l'antiquité dans la prosodie de Le Franc de Pompignan.

Musicalement, cette œuvre écrite dans l'obsession de l'antiwagnérisme, comme en fait foi la correspondance de Berlioz, et dans un rêve de latinité revigorée qui ne répondait guère à la nature de l'auteur, manque par trop d'assises contrapunctiques et de rigueur formelle pour prétendre au classicisme. Avec ses « marches » unitoniques, ses modulations à la relative, ses kyrielles de cadences parfaites, elle est souvent beaucoup plus près d'un décourageant pseudo-classicisme, quand ce n'est pas d'un pompiérisme dans lequel s'ébroue le duo de Cassandre et de son fiancé Chorèbe (les duos n'ont guère porté chance à Berlioz, celui de Faust et de Marguerite, « Ange adoré », est une des rares pages conventionnelles de *La Damnation*). Tout à coup, le tableau de la chasse — peu importe qu'il soit un hors-d'œuvre — nous rend le bel orchestre berliozien, moins chargé mais aux couleurs aussi vibrantes que dans la jeunesse. Dans la dernière partie de l'ouvrage, le ton s'élève, les imprécations, les adieux de Didon sont de nobles, pures et émouvantes mélodies, descendantes lointaines de Gluck, d'une écriture qui porte évidemment mieux les chanteurs que les piquantes irrégularités de *La Damnation*, et bien qu'elle reste étrangère au *bel canto* que Berlioz abhorrait.

Mais ces beautés éparses ne peuvent compenser les infirmités congénitales des *Troyens*. Tous les essais pour les introduire dans le répertoire, sous différentes versions plus ou moins bien découpées, ont échoué depuis un siècle. La dernière expérience, loyalement tentée sans plus de bonheur à l'Opéra de Paris en 1962, peut être tenue pour définitive. *Les Troyens* sont injouables, avant tout par la faute de Berlioz.

Un peu avant cette épopée bancale, en 1855, il avait remporté avec son oratorio *L'Enfance du Christ* un de ses succès parisiens les plus vifs, mais qui lui inspira plus d'ironie que de joie, puisqu'il allait à une œuvre très éloignée de sa manière, gracieuse, apaisée, plus réellement classique que *Les Troyens*, avec des archaïsmes d'un charme raffiné. L'une de ses dernières partitions, *Béatrice et Bénédict*, un opéra-comique écrit pour le Théâtre de Bade (1862), n'a été représenté à Paris, et fugitivement, que cent quatre ans plus tard, salle Favart, en 1966. On ne peut dire non plus que ce soit une injustice criante. Le livret, tiré par Berlioz de *Beaucoup de Bruit pour rien* de Shakespeare, manque de mouvement, de ressorts comiques. La musique, égrenant ses airs, duos, trios, chœurs, est tiède, pâlie, comme le genre auquel elle se conforme. On est bien loin de *La Fantastique*, mais le chemin que l'on a parcouru n'a guère cessé de descendre.

Berlioz avait gouverné sa vie encore plus mal que son art. Elle fut saccagée par deux mariages désastreux, le premier avec Harriett Smithson, actrice irlandaise, l'inspiratrice de *La Fantastique* quand elle jouait Shakespeare à l'Odéon, mais devenue une oie lymphatique quand Berlioz l'épousa, le second avec Marie Recio, une peste, de surcroît cantatrice sans voix et prétendant chanter, la calamité suprême pour un compositeur. Berlioz avait un sens aigu de sa publicité, mais il en abusait, et ses hâbleries se retournaient souvent contre lui.

Ni ses défauts ni les égalités de sa musique ne sauraient justifier cependant l'indifférence des Parisiens à son endroit, alors qu'il n'existait aucun autre musicien français de son rang. Il est navrant de penser que sa *Damnation de Faust* ne fut pour lui qu'une catastrophe financière. Il dut, pour joindre les deux bouts, s'assujettir pendant trente ans au journalisme musical, où il mit beaucoup de talent, mais en sacrant contre ces « balivernes », parce qu'il avait évidemment d'autres choses à faire. Il mourut à Montmartre, rue de Calais, le 8 mars 1869. Les dernières années de son existence avaient été sinistres. Couvert de décorations, honoré dans toutes les capitales européennes, il n'avait rien réalisé de ce qui lui tenait au cœur. Il sentait venir la mort en même temps que le succès qu'il ne verrait pas : « Si l'on pouvait vivre un siècle et demi, grognait-il, on finirait par avoir raison de ces gredins de crétins. »

Les anciens manuels donnaient à Berlioz un satellite, auquel ils consacraient plusieurs pages, le Provençal Félicien David (1810-1876). Il était le musicien du groupe des Saint-Simoniens, et accompagna même le « Père » Enfantin en Egypte dans sa quête de la Femme-Messie. Ce voyage lui inspira une ode-symphonie, *Le Désert* (1844). Comme ce n'était qu'une grande vignette musicale, d'une couleur locale anodine et conventionnelle, elle enchanta le public parisien, qui pensa y découvrir tout l'exotisme de l'Orient. Le quart du succès remporté par ce *Désert* aurait comblé Berlioz. Lancé, Félicien David put faire au théâtre une carrière fructueuse. Vingt-cinq ans après sa mort, il ne subsistait plus une note de toutes ses compositions.

CHAPITRE V

LA GÉNÉRATION DE 1810

ROBERT SCHUMANN

Hasard ou secrets inexplorés de la procréation — on ne peut s'empêcher de songer à la coïncidence des dates avec l'aventure napoléonienne — cinq des plus grand musiciens du XIXᵉ siècle, et un sixième qui tint à côté d'eux un rôle éminent, naquirent dans un espace de quatre années : Liszt et Mendelssohn en 1809, Schumann et Chopin en 1810, Wagner et Verdi en 1813. Nous réunirons les quatre premiers dans ce chapitre, comme ils le furent souvent dans leur art et dans la vie.

Robert Schumann est un Saxon de la petite ville de Zwickau, où son père, écrivain manqué, tient une librairie, l'initie aux poètes romantiques allemands, encourage ses premières improvisations au piano, mais meurt malheureusement trop tôt. A dix-huit ans, Robert, lecteur passionné de Jean-Paul Richter, de Goethe, de Schiller, hésite encore entre la musique et la littérature. Il a ébauché des romans, des drames. Pour rassurer sa mère, il va étudier le droit à Leipzig. La vie musicale très active de la grande ville élargit son horizon artistique. Leipzig possède un célèbre pédagogue, le professeur de piano Friedrich Wieck, qui par sa rude méthode est en train de faire une grande virtuose de sa fille Clara, âgée de neuf ans. Schumann se place sous sa férule. Mais avec son caractère mouvant et inquiet, il hésite encore sur son avenir. Il s'inscrit à l'université d'Heidelberg, accomplit seul, à pied, un très romantique voyage en Italie par les Alpes, jusqu'à Venise. En 1830, après un concert de Paganini entendu à Francfort, il se décide enfin, s'installe chez Wieck pour y faire son apprentissage de pianiste virtuose. Pendant six mois, en 1831, il travaille aussi la composition, qu'il n'a étudiée jusque-là que par bribes.

Ici se place l'épisode bien connu : Schumann s'estropie en ligatu-
rant le médius de sa main droite pendant ses exercices de piano
pour augmenter l'indépendance de ses autres doigts. Le médius
reste paralysé. Schumann doit renoncer à la virtuosité. Il se donne
tout entier à la composition et à la défense de la vraie musique. Il
a déjà écrit à vingt et un ans un article retentissant sur les premières œuvres de Chopin qu'il ait entendues : « Chapeau bas,
Messieurs, voici un génie » ; il a du reste été congédié aussitôt du
journal « sérieux » qui avait eu l'imprudence de publier ce dithyrambe. En 1834, il fonde avec Wieck sa propre revue, la « Neue
Zeitschrift für Musik », qui est à la fois un brûlot, l'organe de
l'imaginaire Société des Davidsbündler, consacrée à l'extermi-
nation des Philistins, et un recueil d'études de haute valeur.
Schumann fut un des plus grands critiques musicaux de son
temps, celui qui soutenait ses jugements par les analyses les plus
poussées et les plus ingénieuses. Le plus féroce également. Mais il
avait aussi l'élégance et l'honnêteté de savoir se déjuger, par
exemple pour *Tannhäuser* dont la lecture l'avait déçu, mais qu'il
louait très vivement quinze jours plus tard après l'avoir entendu.

1835 est pour Schumann l'année qui va décider de toute son
existence. Clara Wieck, âgée de seize ans, devenue une pianiste
internationale, rentre d'une brillante tournée en France. Robert,
déjà très attiré par l'enfant géniale et un peu sauvage qui a été sa
petite compagne dans la maison de Wieck, est ébloui par la jeune
fille. Il l'aime, ils s'aiment. Mais ils vont se heurter à la fureur du
père Wieck. Le vieux disait cependant peu avant de Schumann :
« C'est un être un peu fantasque, têtu, mais noble, splendide,
enthousiaste, admirablement doué, d'une vaste culture, écrivain
et musicien de génie. » Pourrait-il rêver d'un meilleur gendre ?
Mais Wieck ne veut pas de gendre, en tout cas pas celui-là, dont il
devine l'ascendant qu'il prendra sur sa fille. Wieck couve Clara
comme son chef-d'œuvre lentement façonné, et avec une jalousie
où la psychanalyse trouverait une belle pâture. Il se refuse catégo-
riquement à ce mariage. Il travaille à séparer, à brouiller les jeunes
gens par des procédés abjects, calomnies, mensonges, ou par un
chantage sinistre à l'amour filial. Schumann vit toutes les affres
de l'attente, de la séparation, du désespoir, mais rien ne peut
ébranler ses sentiments. Cela dure cinq ans, avec des épisodes
magnifiques de romantisme vécu : en 1837, Clara qui n'a pu voir
Robert depuis plus d'un an, joue dans un grand concert du
Gewandhaus où il est présent ses *Études Symphoniques* pour lui

dire sa fidélité. En 1839, les jeunes gens se décident enfin à demander aux tribunaux d'autoriser leur mariage sans le consentement de ce père qui passe toutes les bornes, couvre d'injures devant les juges Schumann qui l'attaque en diffamation. Robert et Clara seront unis au mois de septembre 1840.

L'histoire de Schumann, pendant une douzaine des années qui suivent, est celle de son bonheur conjugal, de ses œuvres et des soucis d'une famille nombreuse : Clara lui donnera huit enfants. Il est lié fraternellement avec Mendelssohn, cordialement avec Liszt, Wagner, un des premiers collaborateurs de sa revue mais qui ne plaisent pas à Clara (entre la faconde bouillonnante de Wagner et le laconisme de Schumann, le dialogue est d'ailleurs malaisé). Il rencontre Chopin, Berlioz qu'il a si bien défendus. Il fait en accompagnant Clara dans ses tournées quelques voyages en Autriche, en Hollande, en Russie. En 1844, le ménage quitte Leipzig pour Dresde : une erreur, car la vie y est beaucoup plus provinciale, et la musique très négligée. En 1850, toute la famille est heureuse de quitter cette capitale somnolente pour Düsseldorf, où l'on offre à Robert la direction de l'excellent orchestre.

Mais Schumann a toujours souffert de dépressions nerveuses, avec hantise du suicide, crainte de devenir fou, hélas fondée : une de ses sœurs s'est tuée à seize ans dans un accès de démence. Ces états s'aggravent, s'accompagnent de troubles de la parole. Schumann doit abandonner bientôt la direction de son orchestre. Il a cependant la joie de voir venir à lui deux garçons d'élite de la nouvelle génération, le grand violoniste Joseph Joachim et le jeune Johannes Brahms. Il écrit encore quelques ouvrages. Mais ses crises deviennent de plus en plus fréquentes. Il est la proie d'hallucinations auditives, tantôt splendides, tantôt terrifiantes. Il divague à haute voix durant des nuits entières. Lorsqu'il recouvre la raison, il est obsédé par la peur de commettre un crime dans un moment d'inconscience. Le 27 février 1854, voulant sans doute échapper à la folie par la mort, il se jette dans le Rhin. Des bateliers le repêchent. Mais le choc l'a brisé définitivement. Il délire. On doit l'interner à l'asile d'Endenich, près de Bonn. Il y végète durant deux ans, d'abord avec des retours de lucidité, puis de plus en plus prostré, et y meurt le 29 juillet 1856.

SCHUMANN A SON PIANO – LE CYCLE DE CLARA

Son œuvre se groupe autour de trois chapitres faciles à distinguer. Pendant une dizaine d'années, elle est uniquement pianistique. Puis Schumann s'adonne à la musique vocale, sous la forme du lied. Enfin, il aborde tous les autres genres, de la symphonie à l'opéra.

C'est très naturellement que Schumann choisit d'abord le piano, son confident depuis l'enfance, l'instrument sur lequel il pense encore faire carrière de virtuose lorsqu'il publie ses premières œuvres, qui continuent ses improvisations, ses recherches de sonorités, d'accords. Alors que les dernières sonates de Beethoven sont d'impérieuses spéculations qui oublient ou violentent la réalité du piano, l'œuvre de Schumann naît, comme l'a très bien observé Émile Vuillermoz, « d'une palpation attentive et voluptueuse de la touche... de la docilité du compositeur aux réactions du clavier, de sa patiente auscultation des vibrations de la corde » qui lui inspirent directement ses plus précieuses harmonies.

Dès son second essai, les *Papillons*, op. 2, de 1830, alors qu'il n'a encore entrepris aucune étude théorique mais cultivé Bach chaque jour, Schumann est déjà présent tout entier, avec sa facture et sa poétique originales, contrastes des rythmes rompus et des nuances, vivacité qui ne parvient pas à secouer l'inquiétude, ne débouche jamais sur la joie franche, sources littéraires qui stimulent l'imagination de l'auteur, mais n'empiètent pas sur la démarche de la musique, lui laissent toute sa liberté. Le titre a trompé les contemporains, qui croyaient entendre ici de gracieux voltigements. Les « papillons », dansant sur de subtiles mesures à 3/4 sont les fantômes d'un bal baudelairien avant la lettre, inspiré de Jean-Paul, bal où se croisent sous les masques Vult et Walt, figurant déjà cette dualité de Schumann qui brisera un jour sa raison, jusqu'à ce que « les cors de l'aube » dispersent la féerie et soufflent ses lumières.

Le *Carnaval* (1834-1835) est aussi une fête masquée, mais pleine d'une animation où domine la gaieté de la jeunesse. La plus exquise fête galante de toute la musique, dont Schumann, qui la conçut d'abord comme une suite de variations sur quatre notes, la, mi bémol, do, si, semble avoir désigné après coup les personnages donnant leurs noms à une dizaine des vingt morceaux : Pierrot, Arlequin, Eusebius, le double nocturne et sentimental de Schumann, Florestan, son double diurne, remuant et frondeur, Pantalon et Colombine, Chopin, Paganini, Estrella, silhouette fort idéalisée d'une fiancée provisoire et assez insignifiante, Ernestine von Fricken, enfin Chiarina, qui est déjà la petite Clara Wieck, le véritable amour du musicien, sans qu'il en ait encore vraiment conscience. L'écriture, dont il n'est pas un pianiste, amateur tâtonnant ou professionnel, qui n'ait admiré l'étourdissante et ravissante diversité, a conquis l'assurance qui lui manquait encore dans les *Papillons* pourtant déjà si schumanniens, cette assurance qui entraîne l'assaut final des Davidsbündler contre les innombrables Philistins.

Les *Études Symphoniques* de 1834 montrent comment à vingt-quatre ans, ce qui est encore l'âge de tous les mimétismes pour le commun des mortels, Schumann sait échapper à l'écrasant modèle des variations beethovéniennes, sans perdre de vue l'unité de l'œuvre. Somme de virtuosité transcendante, les *Études Symphoniques* ne sacrifient cependant jamais l'expression musicale et son interprétation aux données purement mécaniques.

Au printemps 1835, Schumann découvrait son amour pour Clara Wieck, et pouvait bien s'avouer qu'il avait vu grandir ce sentiment en même temps que la fillette dont il notait déjà dès sa treizième année tous les caprices et tous les charmes dans son journal. Comme l'écrit André Boucourechliev dans l'excellent petit livre qu'il a consacré au musicien, la plupart des romantiques « ont rêvé de ces amours enfantines où se confondent toutes les magies, où tout est inexprimable, impondérable et reste irréalisé ». Seul Schumann a vécu réellement « en compagnie d'une enfant ange-musicien ce pèlerinage aux sources de la vie et de la poésie ».

Durant les cinq longues années de lutte avec Wieck, d'espérances, de découragements qui vont s'écouler jusqu'à son mariage, tout ce que compose Schumann forme un vrai « cycle de Clara ». La jeune fille hante chacune de ces pages, même les *Danses des Compagnons de David, Davidsbündlertänze* (1837), où les faits et gestes de la turbulente confrérie tiennent infiniment moins de place que l'impatience trépidante de Florestan, la mélancolie d'Eusebius. Schumann, commentant sa partition pour Clara, lui écrit d'ailleurs : « L'histoire est celle d'une veille de noces, et tu peux en imaginer le début et la fin. » Les chefs-d'œuvre succèdent aux chefs-d'œuvre : ces *Davidsbündlertänze*, la *Fantaisie op. 17* en *ut* majeur (1836), les *Scènes d'Enfants* de 1838 (elles n'ont pas été inspirées comme on le croit trop souvent par les jeux des enfants de Schumann, mais par son rêve familial et ses souvenirs), les *Kreisleriana* et les *Novelettes* de la même année 1838, la Sonate en *fa* dièse mineur op. 11 de 1835, dont le lyrisme déborde les cadres traditionnels, celle en *sol* mineur op. 22 de 1837, plus ordonnée mais aussi passionnée. Entre toutes ces œuvres admirables, la plus belle est encore la Fantaisie en *ut* majeur, avec les oppositions de son emportement et de sa tendresse triste, ces élans et ces chutes de la mélodie qui deviendront comme la signature du musicien, le rythme d'une puissance inquiétante de son second mouvement, la montée de l'andante final vers une lumière qui n'est pas celle du bonheur et s'assombrit bientôt. Schumann la composa dans les jours les plus cruels de 1836 où il se sentait abandonné par Clara que son père avait forcé à lui renvoyer ses lettres et la sonate qui lui était dédiée. Il passait d'une fièvre désespérée à une tentative de résignation et à des retours d'espoir. Aucun programme, aucune clé dans la Fantaisie, et cependant tout y est dit dans le ton le plus poignant ; et par comparaison, la *Fantastique* de Berlioz, pourtant sincère à sa manière, apparaît factice, théâtrale : « Le premier mouvement de ma Fantaisie, écrivait plus tard Schumann à Clara, est ce que j'ai composé de plus passionné, c'est une profonde plainte à cause de toi. » Ce serait même, s'il n'y avait eu le troisième acte de *Tristan*, la plus grande plainte amoureuse de la musique.

Dans tout ce « cycle de Clara », Schumann innove à chaque instant : gammes en doubles notes, accentuation des basses, élargissement des intervalles, emplois inédits du *staccato*, du *legato*. Mais en même temps, les pièces en apparence les plus simples, comme les adorables *Scènes d'enfants* – où les cadences inachevées prolongent si délicatement et mystérieusement les petits poèmes – sont d'une rigueur de construction qui relève bien d'un sens inné du style chez ce jeune homme presque autodidacte mais conduit par Bach. Une écriture à quatre voix, aussi ferme que subtile, domine presque partout. Aucun romantique n'a été plus proche que Schumann des grandes sources où la musique allemande a puisé sa suprématie.

LES LIEDER

Composé dans la capitale autrichienne, durant une période d'euphorie où Schumann entrevoit la défaite du sinistre Wieck, le brillant *Carnaval de Vienne* (1839), d'une facture plus large que le premier *Carnaval*, mais d'une inspiration plus extérieure, ferme ce « cycle de Clara », dont l'auteur a magistralement réussi tout ce qu'il s'est proposé, depuis les miniatures des *Scènes d'enfants* jusqu'aux grands développements de la *Fantaisie*, des *Kreisleriana* : cycle où l'on perçoit les pulsations, les sautes d'humeur d'un journal intime, mais dont le moindre fragment, malgré tout ce contenu affectif et littéraire que Schumann se garde bien de révéler, obéit d'abord à une parfaite logique musicale.

Rentré de Vienne, Schumann obtient enfin de Clara qu'elle s'adresse avec lui à la justice, mais après des atermoiements, des hésitations qui le laissent brisé, ahuri, comme indifférent à la certitude du bonheur prochain. Pendant près de dix mois, il ne trace plus une note.

Brusquement, en février 1840, il sort de cette prostration. Clara sera sienne cette année. Il composa de nouveau, et merveille ! c'est de la musique vocale, dont il ne s'était jamais occupé jusque-là, et pour laquelle il se sent aussitôt incomparablement inspiré : « Depuis hier matin, j'ai écrit vingt-sept pages de musique, dont je ne puis te dire que ceci : c'est qu'en les composant j'ai ri et pleuré de joie. » C'est la floraison subite des lieder, cent trente-huit mélodies avant la fin de 1840, la plus belle couronne de fiançailles pour Clara que Schumann épousera à l'automne et que cette verve nouvelle éblouit : le *Liederkreis* op. 34 et *Les Amours du poète* sur les vers de Heine, le *Liederkreis* op. 39 sur ceux d'Eichendorff, *L'Amour et la Vie d'une femme*, *Les Myrtes*, qui contiennent l'immortel *Noyer*, la mystérieuse *Fleur de lotus*.

Plus tard s'y ajouteront le cycle de *Wilhelm Meister*, les sept lieder sur les vers de la petite poétesse Élisabeth Kulmann, morte à dix-sept ans, le cycle trop rarement chanté de *Marie Stuart*, les *Six Poèmes* d'après Lenau, les deux cycles espagnols *(Aus dem Spanischen Liederspiel, Spanische Liebeslieder)*, les trois recueils des *Romances et Ballades*, les *Trois Chants* sur des poèmes de Byron. En tout, 110 nouveaux lieder, parmi lesquels presque autant de chefs-d'œuvre, souvent moins célèbres mais à tort, que dans la première éclosion.

Schumann a toujours considéré que pour le lied il était le

débiteur de Schubert qu'il admirait vivement. Il ne l'a pourtant jamais imité. Aucune confusion n'est possible pour l'oreille entre le lied schubertien et le lied schumannien. Mais leurs différences sont plus difficiles à décrire. Comme nous l'avons vu, le lied est la première expression de Schubert, la source de toute son œuvre. Chez Schumann, il éclôt de l'œuvre pour piano et garde avec elle de nombreux liens. Si Schubert avait déjà élargi et varié le rôle du clavier d'accompagnement, Schumann va beaucoup plus loin. Le piano devient le partenaire du chant. Il le précède. Souvent il se charge de conclure, en prolongeant et dépassant même le sens des mots. Par ses reprises, il est le principe d'unité des grands cycles. Il devient le double railleur, le Florestan du chanteur Eusebius, dont il moque par ses gambades à contretemps la voix émue et douloureuse dans le poème de Heine, *Ein Jüngling liebt ein Mädchen (Un garçon aime une fille)*.

Quinze ans à peine séparent *Le Voyage d'hiver* de Schubert des *Amours du poète*. Cependant, si l'on songe à la sensibilité s'exprimant dans les deux œuvres, il semble que de l'une à l'autre, l'on ait changé de siècle. Schumann est entièrement étranger au romanesque ingénu dans lequel baigne encore Schubert. Il est tout proche de nous par son impressionnisme, sa concision, ses nerveuses libertés (*Le Noyer* qui débute comme au milieu d'une phrase; dans une des premières pages des *Amours du poète*, *Die Rose, die Lilie*, la mélodie qui passe, tourbillonne un instant et disparaît, gracieusement insaisissable). Il transforme ainsi, marque d'un accent inoubliable les idées musicales apparemment les plus simples. Quand il garde la coupe strophique, c'est pour en estomper les contours. Il est trop raffiné pour se rapprocher du peuple comme Schubert. Il peut écrire pourtant une vraie ballade, telle que *Les Deux Grenadiers*, mais l'amplifie par sa transposition épique de *La Marseillaise*, qu'il avait déjà fait danser sur un 6/8 irrésistible dans *Le Carnaval de Vienne*. Il est d'un réalisme direct dans *La Cartomancienne*. Il pratique fréquemment l'humour, léger ou amer, auquel Schubert était fermé. Entre lui et un vrai poète proche de sa nature contradictoire comme Heine, se tissent d'étroites et fécondes correspondances, la mélodie puise sa vie dans le poème. Pourtant, le plus littéraire des musiciens est non moins éloigné que Schubert de la falote théorie gluckiste qui réduit la musique à servir modestement la poésie. *L'Amour et la Vie d'une femme*, le recueil sans doute le plus profondément et admirablement schumannien par la fusion de l'idéalisme et du désir sensuel, et qui est aussi avec la mort de l'époux une émouvante prémonition du destin de Robert et de Clara, transfigure les platitudes sentimentales versifiées par Chamisso, déploie son chant passionné bien au-dessus de ces faibles mots.

LES SYMPHONIES ET LES AUTRES OEUVRES

Avec ses pièces pour piano et ses lieder, Schumann, dès sa trentième année, avait donné le meilleur de lui-même. Dans sa courte maturité, il devait encore écrire des pages magnifiques, mais qui ne dépasseraient pas les chefs-d'œuvre de sa jeunesse.

Dès après leur mariage, Clara, pour une fois d'accord avec Liszt qu'elle n'aimait pas, et pleine d'ambitions pour son époux, l'engageait à ne plus se satisfaire seulement de son piano et de se mesurer avec de grandes formes dignes de son génie. Schumann répondait bientôt à ce vœu avec sa *Première Symphonie* en *si* bémol majeur, appelée le *Printemps* (1841), et une seconde symphonie en *ré* mineur, exécutée en décembre de la même année au Gewandhaus de Leipzig, mais que le compositeur fit éditer sous le n° 4 après l'avoir remaniée en 1851. Entre-temps, il avait écrit deux autres symphonies, la *Deuxième* en *ut* majeur, qui aurait dû porter en fait le n° 3, (1845), et la *Troisième*, la « Rhénane », en *mi* bémol majeur (1850).

On a longtemps reproché à ces quatre symphonies les faiblesses de leur orchestration. Puis la mode est venue de prendre le contrepied de ce jugement. En réalité, Schumann a toujours manqué d'une expérience sérieuse de l'orchestre; on le vit bien lorsqu'il échoua, aux derniers temps de sa vie, dans la direction des concerts de Düsseldorf. Les timbres n'entrent guère dans sa pensée musicale qui durant des années s'est exprimée entièrement par les contrastes d'ombres et de lumière, le « noir et le blanc » du clavier. Il éprouve de visibles difficultés à distribuer cette pensée entre les différents pupitres. Il est vrai que ses symphonies sonnent souvent « bouché », qu'elles sont assez ternes et opaques auprès des transparences de Weber et de Schubert, des éclatants coloris de Berlioz et de Liszt. Mais on devine bien que ces couleurs ne leur étaient pas indispensables, puisque toutes les tentatives pour les en doter, entre autres celle de Mahler, ont échoué et les ont dénaturées. On passe volontiers sur l'uniformité relative de leur camaïeu, sur le tour assez conventionnel de leur écriture instrumentale devant des idées aussi personnelles que la chaleureuse et tendre introduction du larghetto de la Première Symphonie, le superbe tumulte du mouvement initial de la Rhénane, dans la Romance de la Quatrième les ravissants triolets du violon solo, enlacés aux croches descendantes des autres cordes, et leur subtile et non moins exquise variante dans le double trio du scherzo suivant. L'influence inéluctable de Beethoven apparaît assez souvent, comme dans ce scherzo d'un rythme d'ailleurs magnifiquement viril, dans celui de la Première, aux nombreuses reprises, dans l'éloquence du premier mouvement de la Quatrième. Mais Schumann n'en a pas moins réussi, comme il se le proposait, à distendre, sinon à rompre tout à fait le cadre beethovénien pour y couler sa poétique. On ne doit surtout pas juger Schumann d'après la symétrie classique et le procédé constant chez Beethoven d'opposition des thèmes à l'intérieur d'un même mouvement. Il cherche un autre principe d'unité, manifeste dans la Quatrième Symphonie, la plus belle, en faisant circuler ses motifs initiaux à travers toute l'œuvre, en créant entre eux d'ingénieuses et expressives relations.

En même temps que la symphonie, Schumann abordait la musique de chambre avec les trois quatuors op. 41 (1842), dont des historiens aux organes auditifs très déficients ont affirmé qu'ils péchaient par une écriture beaucoup trop pianistique. Au contraire, le style polyphonique de Schumann s'adapte naturellement aux quatre voix des cordes. Mais la substance mélodique n'y a jamais autant d'originalité que dans les lieder et les pièces de piano. Le troisième quatuor en *la* majeur de l'op. 41, sans doute le plus achevé et le plus éloquent, montre bien les libertés que Schumann prend avec la forme sonate même quand il semble s'y plier. Le second mouvement de ce quatuor est en variations d'un charme assez schubertien. Mais on sent bien aussi qu'en dépit de tout le génie du compositeur, l'avenir du genre est fermé, les derniers quatuors de Beethoven sont insurpassables.

Schumann dut le comprendre également. Il n'existe pas d'autres quatuors dans son œuvre. Le Quintette avec piano, op. 44, de 1842, est une de ses compositions les plus équilibrées, trop même selon Liszt qui y décelait un penchant académique, et de ce fait était peu sensible à la belle gravité de ses motifs.

Durant ces premières années si fécondes de son mariage, Schumann écrit encore la Fantaisie pour piano et orchestre en *la* mineur, qui complétée en 1845 devient le Concerto pour piano,

le plus émouvant et le plus riche de tous les concertos romantiques, parce qu'il est en quelque sorte un anti-concerto, qu'il tourne
le dos à l'esthétique trop cloisonnée des cinq partitions de Beethoven comme au clinquant des grands batteurs d'estrades. Il unit selon
un équilibre nouveau le clavier et l'orchestre, d'une limpidité exceptionnelle chez Schumann, il introduit une poésie intime dans le
genre devenu le plus tapageur, il spiritualise la virtuosité lorsqu'elle
intervient : ce que devraient bien méditer un peu les pianistes modernes qui mécanisent cette grande œuvre jusqu'à nous en fatiguer.

Allemand jusqu'aux moelles, prêt à saborder sa chère revue
quand il fut question de l'imprimer en typographie latine, remplaçant dans ses manuscrits les traditionnelles indications italiennes
par des termes allemands, Schumann rêvait comme Weber d'un
opéra national, et c'eût été la fierté de sa vie que d'y contribuer.
Mais ce n'était guère dans ses dons. De ses nombreux projets, un
seul aboutit, *Geneviève (Genoveva)*, d'après la légende de la
princesse de Brabant injustement accusée d'adultère, (1848).
Le livret, auquel Schumann avait collaboré, était mince, languissant, la musique trop diluée et digressive. L'échec fut complet,
et cette malheureuse *Geneviève* n'a rencontré depuis cent ans
qu'un seul défenseur, Alfred Einstein. Il loue dans cette œuvre la
continuité de l'action, l'effort pour fondre les airs dans l'ensemble
d'une scène, au lieu de persister à les isoler comme les Italiens
que Schumann détestait en bloc. Autant de caractéristiques en
effet qui montrent que Wagner n'était pas seul à remuer ses idées
sur le drame musical. Mais pour les faire passer de l'intention à la
vie, Schumann manquait par trop d'instinct théâtral.

Il fut beaucoup plus à son aise, n'y étant pas soumis aux lois
de la scène, dans sa partition de *Manfred* (1848), quinze pièces
d'orchestre destinées à commenter et soutenir une déclamation
du poème de Byron, pour la plupart d'un vrai rayonnement poétique, notamment l'ouverture, l'apparition de la Fée des Alpes,
l'invocation à Astarté.

Le grand dessein de Schumann dans sa maturité fut son *Faust*
conçu en forme d'oratorio, et qui l'occupa près de dix ans,
puisqu'il le commença, par la fin, en 1844, et n'écrivit l'ouverture
qu'en 1853. Comme Berlioz, il ne chercha pas à édifier une
construction dramatique. Mais tandis que les tableaux de *La
Damnation* étaient presque uniquement pittoresques, Schumann
choisit les treize scènes où la musique pouvait le plus fidèlement
prolonger l'esprit du poème. Il les distribua en trois parties :

Marguerite, l'apogée de Faust et sa mort, sa transfiguration. L'ensemble est d'une noble et poignante gravité; la dernière partie surtout s'élève à une hauteur spirituelle digne de son sujet. De tous les *Faust* musicaux du XIXᵉ siècle − il en existe au moins une dizaine − celui de Schumann est le plus proche de la pensée de Gœthe. Au regard de la qualité de l'œuvre, le nombre des Français qui l'ont entendue est dérisoire. La faute en incombe aux lacunes et aux routines de nos institutions musicales. Quant au beau *Requiem pour Mignon*, une pièce pathétique pour soli, chœur et orchestre, contemporaine du *Faust*, il ne nous souvient pas de l'avoir jamais vue inscrite à un programme de concerts français.

Entre ses compositions de grande envergure, Schumann revint au piano avec son *Album pour la Jeunesse*, écrit cette fois pour les petits doigts, les *Scènes de la forêt*, les *Bunte Blätter (Feuillets Multicolores)*. Ce dernier recueil, négligé par les virtuoses, date des mois de 1849 où les troubles nerveux de Schumann s'aggravaient et ne lui laissaient presque plus de répit. C'est un dramatique témoignage sur l'état de l'artiste luttant contre sa désagrégation mentale. L'écriture pianistique est toujours admirable, les idées nombreuses et fortes. Mais elles ne parviennent plus à se développer, s'enchaîner. Les rythmes tournent à une violence sinistre. La musique s'efforce durant quelques mesures à une fausse gaieté qui grince aussitôt et va s'engloutir dans les sombres basses. C'est encore au piano que Schumann adressa sa dernière confidence, les *Gesänge der Frühe (Chants de l'Aurore)*, quelques semaines avant de se précipiter dans le Rhin.

On a regretté que sous l'influence de Clara, qui tenait certainement du père Wieck un caractère exclusif, dominateur, Schumann eût été tenu à l'écart des pionniers, de Wagner, de Liszt, ses vrais pairs. Mais ceux-là, avec toute leur effervescence, étaient des gaillards parfaitement équilibrés. Schumann, dans ses inquiétudes morbides, son instabilité, avait besoin du régulateur qu'il trouvait dans une certaine tradition. Moins confiné au « clan » qu'avait formé Clara, il fût allé plus loin peut-être en hardiesse, mais sans doute pour se perdre plus vite. Sa vie étroitement familiale ne lui était pas moins indispensable. Ces mœurs de « petit bourgeois allemand », pour parler comme la plupart des biographies, étaient le contrepoids au monde de rêves et d'angoisses où ses yeux se perdent dans chacun de ses portraits. La sécurité, les joies apaisantes qu'il y éprouva ont imprimé à maintes pages de ce grand et noble musicien ce ton d'intimité qui est un de leurs charmes les plus profonds.

MENDELSSOHN (1809-1847)

Son grand-père, Moses Mendelssohn, issu du judaïsme pratiquant et militant, avait été un philosophe influent dans l'Allemagne du xviiiᵉ siècle. Son père, riche banquier de Hambourg, l'avait fait baptiser dans la confession luthérienne. Il tenait ainsi à la fois de l'élite juive et de l'élite protestante. Né dans la fortune, il avait reçu une éducation princière, bientôt complétée par de nombreux voyages. A onze ans, il était déjà pianiste de concert. Il montrait à peine moins de précocité dans le dessin, la poésie. En outre, une culture exquise, des manières élégantes, un physique agréable, appelant la sympathie : tous les dons du monde, sauf celui du tempérament.

A dix-sept ans, il faisait jouer son *Ouverture du Songe d'une Nuit d'été*, pleine d'esprit, de fantaisie poétique. On n'avait encore jamais vu chez un compositeur de cet âge une pareille maîtrise de l'écriture instrumentale aussi fine, aussi délicatement colorée que celle de Weber. Mais Félix Mendelssohn-Bartholdy (la famille avait pris ce second nom après sa conversion) ne devait jamais faire mieux. Dans la *Symphonie Italienne* (1833), l'*Écossaise* (1842), le Concerto pour violon, les idées mélodiques sont exactement appropriées à chaque situation musicale, jolies mais sans aucun caractère. Crescendi, tutti se produisent à point nommé. En plein xixᵉ siècle, on retombe sur une musique aussi prévue que celle de Telemann, constamment arrondie, charmante dans ses meilleurs moments, mais d'un charme toujours tempéré, comme ses couleurs. Mendelssohn faisait des aquarelles sur ses carnets de voyage, à la manière des jeunes touristes anglaises de l'époque. Il est aquarelliste aussi quand il veut évoquer dans ses symphonies les collines de bruyères écossaises ou le « saltarello » sous le soleil napolitain. Sa peinture musicale la plus vigoureuse est encore son *Ouverture de la Grotte de Fingal*.

Dans le premier mouvement de son Concerto pour violon, bien longuet pour son contenu, on sent que Mendelssohn se croirait coupable d'hérésie s'il abrégeait un seul des développements réglementaires, pourtant de simple remplissage. La *Symphonie Réformation* (1830), destinée à célébrer le tricentenaire de la

Confession d'Augsbourg, a plus de corps, grâce aux citations de chorals célèbres, « l'Amen de Dresde » que Wagner emploiera à son tour pour le thème du Graal dans *Parsifal*, et dans le dernier mouvement *Ein' feste Burg* orchestré avec éclat. Mais entre les deux, Mendelssohn a inséré un Allegro vivace d'un caractère rustique vaguement beethovénien, tout à fait intempestif. Le compositeur s'est servi d'un cliché au lieu de plier une forme traditionnelle à l'esprit religieux de son œuvre. C'est assez dire combien Mendelssohn reste extérieur à sa musique.

Ses deux concertos pour piano sont d'une insignifiance mondaine. Il a encore écrit de nombreux lieder qui comparés à ceux de Schubert et de Schumann ne s'élèvent pas au-dessus des facilités de la romance, deux oratorios de dimensions considérables, *Elie* et *Saint Paul*, qui lui valurent en Angleterre une renommée fabuleuse, mais n'ajoutent pas grand-chose à Haendel dont ils sont dignement issus.

Avec *La Grotte de Fingal*, l'ouverture et la partition postérieure du *Songe d'une Nuit d'été*, quelques pages de musique de chambre (la sonate pour violoncelle et piano op. 45), le meilleur de Mendelssohn est encore dans ses *Quarante-neuf Romances sans paroles* pour le piano, dont les brèves dimensions servent son goût, sa joliesse mélodique, et qui, sans rien innover, sont d'une écriture pianistique assez fine. Les milliers d'apprentis-pianistes qui les ont jouées penvent grâce à elles situer facilement le talent de leur auteur.

La composition fut loin d'absorber toute l'activité musicale de Mendelssohn. A vingt ans, il dirigeait à Berlin *La Passion selon saint Matthieu* de Bach, complètement oubliée depuis la mort du cantor. Il la faisait entendre successivement à Francfort, à Breslau, à Kœnigsberg, à Dresde. En 1833, c'était au tour de la *Passion selon saint Jean*, puis, à Londres, de la *Messe en si mineur*. Ces titres de gloire très réels ne peuvent cependant nous faire oublier que ces monuments étaient restitués avec bien des altérations, que la *saint Matthieu* par exemple était chantée avec des récitatifs d'un nommé Schelble. En 1835, Mendelssohn devenu l'un des chefs les plus réputés de sa génération, prenait la tête du célèbre orchestre de Leipzig, le Gewandhaus, et créait dans cette ville un Conservatoire renommé, mais que Liszt n'allait pas tarder de juger trop réactionnaire. En 1842, il était nommé à Berlin directeur général de la musique de Prusse, mais conserva de nombreux liens avec Leipzig, où il mourut presque subitement en 1847.

Mendelssohn a été l'académicien aimable du romantisme. On s'explique sans peine qu'il ait été placé de son vivant et longtemps après sa mort au rang des plus grands maîtres. Le public et la plupart des critiques préfèrent toujours, au premier abord, les œuvres de second ordre qui leur offrent de l'art révolutionnaire une version tempérée, de bonne compagnie, dans une forme qui ne heurte aucun préjugé d'oreille.

CHOPIN

Le père de Frédéric, Nicolas Chopin était un Français de Nancy, parti en 1787 pour la Pologne, où il allait devenir précepteur chez le comte Skarbek. En 1806, il épousait une jeune fille, Justine Kryzanowska, dame de compagnie de la comtesse, d'excellente éducation, parlant français, chantant agréablement, jouant du clavecin. Frédéric Chopin, le second enfant de cette union, naissait le 1ᵉʳ mars 1810, dans une dépendance du château, à Zelazowa-Wola, près de Varsovie.

Frédéric avait commencé à composer dès ses premières leçons de piano. Nous savons qu'il avait déjà écrit une petite Polonaise en sol mineur à sept ans. L'année suivante, il donnait à Varsovie son premier concert public. Tous les salons de l'aristocratie polonaise s'ouvraient aussitôt pour ce petit prodige au visage de fille. Ses deux principaux maîtres, le Tchèque Zywny pour le piano, le Silésien Josef Elsner pour la composition, le formaient selon les plus fermes principes du classicisme allemand, de Bach et de Mozart qui devaient rester les bases de sa culture musicale.

En 1826, il était invité pour un assez long séjour chez l'une des plus illustres familles de la noblesse polonaise, les Radziwill. Il entrait à l'École Supérieure de Musique que Josef Elsner venait de fonder à Varsovie. A partir de 1828, son grand et très original talent de pianiste l'entraînait à des tournées internationales, d'abord à Berlin, puis à Vienne, Prague, Dresde. Ses œuvres s'accroissaient rapidement, valses, nocturnes, mazurkas, les deux Concertos pour piano. A l'automne 1830, il quittait Varsovie pour une nouvelle tournée européenne, quelques semaines avant l'insurrection de la Pologne contre les Russes. En septembre 1831, dans la semaine où l'insurrection polonaise s'achevait par la chute de Varsovie, il arrivait à Paris. Il comptait n'y faire qu'un assez bref séjour avant de se rendre à Londres. En fait, il s'y fixait pour la fin de sa vie. Il ne tarda pas à y retrouver l'aristocratie polonaise qui émigrait en masse et le présenta à toute la société parisienne. Son premier concert eut lieu salle Pleyel, le 26 février 1832. Il n'y jouait que son concerto en *fa* mineur et ses variations sur « La ci darem la mano » de Mozart, mais ce fut une victoire immédiate et définitive.

Malgré sa nostalgie de la Pologne, il ne devait jamais y retourner, ce qui lui eût été cependant assez facile. Sa vie se partagea entre sa musique, des concerts de plus en plus espacés (il préférait les séances intimes, mieux faites pour son jeu nuancé), des amitiés précieuses comme celles de Heine, de Delacroix, et quelques figures de femme. Chopin, avec son visage fin, ses beaux cheveux châtain, son élégance, son air « de jeune prince en exil », aurait pu connaître tous les succès auprès de ses belles écouteuses. Mais imaginatif avant tout, il hésitait devant les « réalisations ». Son plus grand amour fut sans doute pour Maria Wodzinska, d'une famille polonaise archi-noble, qui presque encore fillette avait été se première élève dans le château paternel où le jeune musicien était déjà reçu comme une gloire nationale. Ils se revirent à Dresde en 1835, alors que Maria, svelte jeune fille aux longs cheveux noirs qu'elle tenait d'une aïeule italienne, avait dix-neuf ans. Ils furent bientôt très épris l'un et l'autre. La comtesse Wodzinska, la mère de Marie, protégeait leur idylle et autorisa leurs fiançailles, l'année suivante. Mais elle ne put vaincre les préjugés du comte, qui repoussait cette mésalliance. Elle-même était alarmée par la fragile santé de Chopin. Maria s'inclina devant le veto de son père, et en 1837, tout était rompu. Ce fut pour Chopin le coup le plus cruel de son existence. Quelques mois plus tard, il revoyait George Sand, qui à leur première rencontre, en 1836, lui avait fort déplu avec ses cigares et ses pantalons d'homme. Dans l'hiver suivant, commença entre le musicien et la romancière l'étrange liaison qui devait se prolonger durant neuf années.

C'étaient les amants les plus dissemblables, Chopin séduisant, aristocrate dans tous ses goûts et toutes ses opinions, citadin dans l'âme, toujours un peu égrotant, George Sand hommasse, courtaude, campagnarde, d'une forte vitalité, démocrate, constamment entichée de quelque poète ou penseur en blouse et sabots. Mais Chopin avait besoin d'une consolatrice qui fût aussi garde-malade. Ce rôle convenait parfaitement à George Sand, à ses instincts d'amoureuse maternelle. A l'en croire, elle vécut durant plusieurs années « comme une vierge » à côté de son « Chopinet », pour ménager ses forces. Nous ne saurons jamais l'exacte vérité, George Sand ayant détruit le document qui nous eût éclairés, ses lettres à Chopin qu'Alexandre Dumas fils avait retrouvées à la frontière polonaise et que par discrétion il remit à la romancière. Mais il est certain que Chopin ne fut pas malheureux durant sa vie très conjugale et bourgeoise auprès de George, surtout dans les long étés à Nohant, la propriété berrichone, où il composa d'abondance, et où il animait le petit théâtre de la maison avec ses dons innés de mime, apparaissant tantôt en empereur d'Autriche, tantôt en vieux juif polonais, tantôt dans une imitation de Liszt. Car il ne faut pas se l'imaginer perpétuellement sombre et douloureux. Ce ménage commença à se défaire dans de menues bisbilles à partir de 1846. La romancière publia *Lucrezia Floriani*, où son amant, sous le nom du « prince Karol », figurait portraituré en pied assez cruellement. Chopin prit parti contre George dans des querelles de famille. Ils rompirent définitivement en 1847. L'état de Chopin, phtisique depuis longtemps, ne cessa plus d'empirer. Il mourut à Paris, place Vendôme, le 17 octobre 1849. On peut fort bien admettre comme André Maurois dans *Lélia*, sa biographie de George Sand, que celle-ci prolongea de plusieurs années l'existence de son « petit Chopin », qu'un certain nombre de ses chefs-d'œuvre n'auraient pas vu le jour sans elle.

Musicalement, le cas de Chopin est assez singulier. Sauf en Pologne, depuis assez longtemps on n'écrit pour ainsi dire plus sur lui. Dans son œuvre, constamment divulguée de bout en bout, il ne subsiste aucun coin qui permette ces découvertes que l'on fait encore chez Schubert, chez Mozart et même chez Schumann. Sa vogue n'a jamais connu ces éclipses qui favorisent la littérature des « retours », les plaidoyers pour réparer tel oubli, telle injustice. Il offre peu de prises aux méthodes habituelles des historiens. Impossible, ou presque, de distinguer chez lui une évolution, des « manières » différentes. C'est à peine si l'on peut parler d'une période de formation. Dès le premier cahier de ses *Études*, à vingt et un ans, il a trouvé son style, sa technique, et il lui a suffi pour cela d'écarter l'orchestre, d'élire le piano seul. On connaît ses « sources » : Bach, Mozart, Hummel, Field, Rossini, Bellini, Weber. Mais elles sont indiscernables, sauf dans quelques compositions de son adolescence; elles lui ont fourni des impulsions beaucoup plus que des modèles.

On peut établir l'historique des grandes formes et grands courants musicaux sans prononcer son nom. Pas une allusion à

lui dans les querelles, les manifestes, l'enseignement des wagnériens, des franckistes, des néo-classiques, des atonalistes; ce serait
à croire qu'ils n'en ont jamais entendu une note; de même des
debussystes, malgré les justes protestations de Debussy, qui ne
cessa de l'admirer. Chopin lui-même était demeuré en marge des
puissants mouvements artistiques et intellectuels de son temps.
Hormis quelques opéras italiens, il était indifférent, sinon hostile,
à la musique de ses contemporains. Son ami Delacroix a d'ailleurs
noté, sans le lui reprocher, qu'il ne portait pas davantage d'intérêt
à la peinture et à la littérature.

Nietzsche et Schumann exceptés, l'Allemagne n'a jamais pu
s'intéresser sincèrement à Chopin. Ses grands pianistes ont toujours été inaptes à le jouer.

Aujourd'hui, jeunes mélomanes et jeunes compositeurs se
méfient de son charme comme d'une facilité.

Contrapunctistes, polyphonistes, feuilletant ses petites pièces,
haussent un sourcil dubitatif : « Quoi ! c'est de la mélodie accompagnée. »

Tout se passe au fond comme si les spécialistes reléguaient
Chopin dans le domaine de la romance, sublime, mais romance
quand même.

Mieux vaut reconnaître qu'un musicien de génie peut s'exprimer dans des formes très simples. De cette simplicité, Chopin ne
s'est jamais départi, jusqu'au bout de sa carrière. Si elle a déconcerté les grands architectes des sons, elle a du reste beaucoup
contribué à la popularité de son œuvre. Mais à l'intérieur de ces
constructions si simples — même celles des compositions de
longue haleine, les deux grandes sonates étant avant tout des
suites de ballades, de scherzos, de marches ou de nocturnes — les
plus exquises et les plus rares audaces harmoniques se donnent
libre cours. Notre goût nous porte davantage sans doute aujour-
d'hui vers des musiques plus complexes, vers le dernier style de
Beethoven par exemple. Pourtant, nous avons tous pu observer,
si nous avons l'oreille honnête, que les traits les plus brillants et
les plus éloquents de Beethoven, lorsqu'on les entend aussitôt
après ceux en doubles notes, en octaves, après les ornements
chromatiques de Chopin, prennent souvent l'apparence d'éléments plus ou moins préfabriqués.

L'écriture harmonique de Chopin, ses accords de neuvièmes
non préparés, ses appoggiatures aux résolutions retardées ou
même supprimées, son chromatisme n'ont presque aucun rapport

avec les découvertes analogues des Allemands de son époque.

Cette indépendance devant le romantisme germanique, la ciselure parfaite, la concision, la limpidité de tant de pages de ce Parisien, fils d'un Lorrain et portant un nom du pur terroir, pousseraient à se demander si nous n'avons pas fait assez inconsidérément cadeau à la Pologne d'un des plus grands musiciens français. Mais Chopin, tout le premier, se fût élevé avec violence contre cette naturalisation. Le sang maternel l'emportait indiscutablement sur l'autre dans son cœur. La musique nationale polonaise, bien qu'il ne s'en inspirât jamais directement, a fait l'unité de son œuvre, elle a contribué à son accent si personnel avec son emploi des échelles modales, ses particularités rythmiques comme le *rubato*. Chopin a même précédé ainsi tous les nationalismes musicaux du xixᵉ siècle. Il n'en reste pas moins qu'il a fallu une ascendance à moitié française pour que l'on vît naître un musicien d'un tel rang en Pologne, où Chopin n'a jamais eu d'égal non plus que de successeur. Miracle d'un alliage de races qui explique bien des choses pour l'interprétation de cette musique, où n'ont excellé que les Slaves et les Français, avec quelques « Danubiens », Roumains ou Hongrois. Interprétation semée pour les meilleurs pianistes d'étranges difficultés, soit dit en passant. La musique de Chopin a des caprices d'aristocrate. Vous n'y apportez pas assez de fantaisie : elle reste inerte, terne. Trop de fantaisie, et elle se déhanche, se disloque ou s'affadit. Elle nous a fait épouser ses exigences, qui étaient déjà celles de son créateur. Nous ne pouvons plus l'entendre qu'avec des traducteurs exceptionnels, voisins du génie.

Peu d'œuvres sont d'une qualité plus constante. Écartons-en l'*Allegro de Concert*, trop superficiellement italien, l'*Andante Spianoto*, les mélodies pour voix de femme, la moitié des *Nocturnes*, où la rêverie élégiaque s'étale un peu trop, à l'exemple de l'Irlandais John Field, créateur du genre, quelques infidélités assez inutiles au clavier, le *Trio*, la *Sonate* et la *Polonaise* pour piano et violoncelle. Voilà pour le « déchet ». Laissons à leur place mineure les deux concertos, à cause des faiblesses de l'orchestre. Tout le reste est d'une égale valeur. Qu'il prenne pour point de départ des exercices d'une destination pédagogique très précise comme les admirables *Études*, des danses nationales, mazurkas, polonaises figées par l'usage ou dénaturées par les musiciens de salon, Chopin transforme tout en poèmes. Chacune des *Polonaises* a sa physionomie, héroïque, martiale, sauvage, douloureuse. Les *Valses* ont été réhabilitées, dans leur gracieuse élégance et la finesse de leurs détails, par l'adorable et poignant disque de Dinu Lipatti, rassemblant pour lui ses dernières forces de leucémique, et à qui le souffle de la mort semble avoir apporté la voix même de Chopin.

Il faut réentendre sans interruption les quatre *Ballades*, construites sur le même plan, ou le cahier des cinquante-huit *Mazurkas*, pour bien se pénétrer de l'inimitable diversité que Chopin apporte dans des formes presque identiques. On comprend alors mieux que jamais pourquoi les professeurs de développement, dont le triomphe consiste à faire porter par un agrégat de quatre notes tout un mouvement de symphonie, restent courts devant ce chanteur qui négligeait ces recettes précieuses mais scolaires parce qu'il lui venait une idée nouvelle toutes les dix mesures. On comprend que les abstracteurs l'écartent, parce qu'il n'y a pas de musique qui soit moins faite « à la table », qui soit davantage inspirée par la volupté sonore, par les ressources d'un instrument à chaque instant sollicité, consulté, le seul instrument qu'ait eu besoin de connaître Chopin, puisqu'il y faisait tenir tout un univers.

Songeons encore aux richesses mélodiques et rythmiques prodiguées dans les vingt-quatre *Préludes*, dont l'audition intégrale dure moins d'une heure de temps. Songeons à tout ce qu'il y avait d'insolite, de prophétique, vers 1845, dans des chefs-d'œuvre tels que la *Barcarolle* et la *Berceuse*, dont les tonalités « noyées », les demi-teintes, les frissonnements devancent d'un demi-siècle toute l'école impressionniste du piano. Admirons également que ce grand malade ait conservé jusque dans ses dernières pages la même fermeté d'écriture, démentant tous les clichés sur le Chopin efféminé, languide, et qu'il ait toujours refusé d'ajouter la moindre parcelle de littérature à ses œuvres : d'où le pouvoir illimité d'évocation qu'elles ont gardé.

Lorsque on a suffisamment parlé des irrégularités rythmiques toujours expressives de Chopin, de ses marches chromatiques à la basse, de ses accords élargis, de ses dissonances qu'il isole et savoure de la façon la plus française — celle de Fauré, de Ravel, de Debussy — c'est encore à l'essence de ses mélodies qu'il faut revenir. Nous savons qu'elles débutent souvent par la dominante, que les ornements qui l'enveloppent s'inspirent des vocalises du *bel canto* en conservant toujours une fonction poétique, que la phrase a fréquemment la même coupe que les airs d'opéra,

Chopin faisant chanter à merveille son clavier, alors qu'il est timide, mièvre quand il lui arrive d'écrire pour la voix humaine.

Mais après toutes ces considérations, on doit s'avouer que l'on n'a pas abordé l'essentiel. Richard Strauss a dit : « On enseigne tout dans les Conservatoires, sauf, avec le sérieux et la profondeur nécessaires, ce qui me semble le plus important, c'est-à-dire l'art de former une mélodie... il s'agit en réalité d'un des problèmes techniques les plus difficiles qui soient. » On peut le dire aussi d'une analyse en profondeur des mélodies de Chopin, des plus amples — les motifs principaux des *Ballades*, le chant de la cinquième étude en *mi* mineur — comme des plus brèves, qui ne sont pas les moins chargées de secrets. Mais les préoccupations musicales de notre temps n'inclinent guère à ces subtils travaux. Laissons donc, pour Chopin, le dernier mot aux poètes, plus clairvoyants, pénétrants et véridiques que les hommes de métier. A Baudelaire : « ... Cette musique légère et passionnée qui ressemble à un brillant oiseau voltigeant sur les horreurs d'un gouffre. » A Marcel Proust : « Les phrases, au long col sinueux et démesuré, de Chopin, si libres, si flexibles, si tactiles, qui commencent par chercher et essayer leur place en dehors et bien loin de la direction de leur départ, bien loin du point où l'on avait pu espérer qu'atteindrait leur attouchement, et qui ne se jouent de cet écart de fantaisie que pour revenir plus délibérément — d'un retour plus prémédité, avec plus de précision, comme sur un cristal qui résonnerait jusqu'à faire crier — vous frapper au cœur. »

LISZT

Les scénaristes de cinéma et les feuilletonistes n'ont guère eu de peine à romancer sa vie : il s'en était chargé avant eux. Son enfance déjà n'avait pas manqué de couleurs et d'événements, avec sa passion pour les crincrins et les cymbalums des tziganes de la plaine hongroise (il y était né en 1811, à Raiding, d'un père de petite noblesse mais sans fortune, régisseur des Esterhazy et d'une mère d'origine allemande), sa découverte du piano émerveillant son père lui-même bon musicien, dès onze ans ses premiers concerts à Vienne et Beethoven montant sur l'estrade pour l'embrasser. A douze ans c'était son arrivée à Paris. Cherubini refusant de l'admettre parce qu'étranger au Conservatoire, mais sa conquête immédiate du public ; à quatorze ans, sa composition d'un opéra aussitôt joué, une expérience que d'ailleurs il ne renouvellerait jamais.

A dix-huit ans, dandy byronien grand et mince dans sa redingote, avec le visage étroit et nerveux, les longs cheveux pendants du jeune Bonaparte, il s'éprenait d'une de ses élèves, de son âge, Caroline de Saint-Cricq, fille du comte de Saint-Cricq, ministre de Charles X. Elle était en extase devant lui. M. de Saint-Cricq, qui ne se souciait pas d'avoir un gendre croque-notes, brisa avec courtoisie l'idylle et l'enseignement. Caroline devait garder durant toute sa vie, qui fut terne, le souvenir ébloui de son professeur. Celui-ci, de désespoir, songea d'abord à se faire prêtre. La révolution de 1830 le guérit. Il se jeta dans le sillage des Saint-Simoniens, de Lamennais. Il prenait conscience de ses lacunes, s'instruisait par énormes tranches, dans des lectures épiques, engloutissant pêle-mêle Homère, Platon, Gœthe, Montaigne, Pascal, Chateaubriand, Hugo. Il rapprenait en même temps le piano par quatre ou cinq heures d'exercices quotidiens.

En 1835, il disparaît avec une grande dame du Tout-Paris, la comtesse Marie d'Agoult, son aînée de six ans. Le scandale mondain est retentissant. Les heureux amants sont en Suisse, en Italie. Ils font trois enfants, deux filles et un garçon. En souvenir d'un été sur le lac de Côme, la seconde des fillettes est prénommée Cosima. Franz Liszt accumule les compositions pour piano, écrit les premières pièces de ses *Années de pèlerinage*. Quand l'argent se met à manquer, il reprend ses tournées de virtuose, bien qu'il n'ait plus désormais d'illusions sur « ce métier de baladin et d'amuseur de salons ». Pour relever cette besogne, il invente le récital : au lieu des programmes panachés de chant, de violon, de piano, un seul artiste pour une soirée entière, ce que personne n'avait encore osé avant lui. Il donne des cycles complets de Bach et de Beethoven. Il lui arrive de gagner quarante mille francs-or par semaine. En un an il pourrait faire une fortune définitive. Mais il est aussi prodigue que généreux. Il souscrit à toutes les œuvres charitables, il traîne avec lui une troupe de parasites qui l'amusent. Il organise des banquets, de formidables ribotes de cent couverts dont il ne sort pas toujours très d'aplomb. Il se fait construire sa fameuse roulotte de bohémien génial, gigantesque voiture où il couche, prend ses repas, étudie son piano. De Vienne, où il a joué devant l'Empereur, il retourne dans son pays natal qu'il n'a pas revu depuis son enfance. Après son premier concert à Budapest, vingt mille admirateurs lui font cortège avec des flambeaux. Il leur adresse un discours en français, parce qu'il a oublié le hongrois et ne sait pas encore assez bien l'allemand. La noblesse magyare lui offre un grand sabre d'honneur recourbé, serti de pierres précieuses, qui fera la joie des caricaturistes. Le héros de ces fêtes n'a pas encore trente ans...

Sa vie nomade desserre peu à peu ses liens avec Marie d'Agoult, qui souffre de la quarantaine mondaine qu'elle subit et se mue en femme de lettres (elle prépare un roman autobiographique et des livres de politique libérale sous le pseudonyme de Daniel Stern). Une passade de Franz avec la célèbre panthère Lola Montès, la prochaine maîtresse du roi Louis Ier de Bavière, fournit le prétexte de la rupture, consommée en 1844.

Liszt est cependant voué aux bas-bleus, comme par un secret besoin après toutes ses aventures d'un jour où seuls comptent le charme et la jeunesse de la partenaire. En 1847, après un concert à Kiev, il devient l'amant d'une Polonaise de vingt-huit ans, la princesse Caroline de Sayn-Wittgenstein, épouse séparée d'un officier russe, noiraude et fumant le cigare comme George Sand — dont Liszt avait fui les avances ! — incroyablement riche, violemment catholique, entichée de philosophie et d'études religieuses, et malgré tout ne manquant pas d'esprit. Elle décide bientôt d'épouser le musicien, convaincue qu'elle obtiendra sans peine de Rome l'annulation de son mariage forcé.

En attendant, l'année suivante, elle s'installe à Weimar avec Liszt qui y a été nommé directeur de la musique. Cette année est celle aussi où se noue une amitié qui va devenir fraternelle entre Franz et Richard Wagner. Pendant onze ans, Liszt exerce une sorte de souveraineté artistique à Weimar, dont il fait le foyer de la musique moderne. Malgré « l'exiguïté des moyens » — selon ses propres termes — il défend avec une énergie et une foi magnifiques Berlioz, Schumann, *Le Vaisseau fantôme*, *Tannhäuser*, *Lohengrin* dont il donne la première représentation. Il met en outre sur pied un admirable répertoire, tous les opéras de Mozart, *Fidelio*, la *Neuvième Symphonie*, Gluck, Haendel, Weber, le meilleur de Rossini. La princesse et lui se partagent la même maison cossue, l'Altenburg, mais ils commencent chaque journée par une prière en commun. La Polonaise vit emmitouflée comme une vieille femme, dans des nuages de tabac. Elle a entrepris un ouvrage qui aura vingt-quatre volumes sur *Les Causes intérieures de la faiblesse extérieure de l'Église* : Mais elle a décidé son virtuose à travailler enfin pour lui. C'est d'abord grâce à elle que durant la période de Weimar, la Sonate en *si* mineur, la *Messe de Gran*, presque toute l'œuvre symphonique de Liszt voient le jour.

En 1859, déçu par des cabales, jugeant qu'il ne peut aller plus loin dans sa tâche, Liszt remet sa démission au grand-duc de Weimar. En 1861, il rejoint à Rome la princesse qui croit avoir enfin obtenu l'annulation de son mariage. Mais le Vatican découvre de nouvelles difficultés dans le dossier. Les deux amoureux vieillissants comprennent qu'ils ne pourront jamais s'épouser et renoncent à leur vie commune. Liszt se retire dans une sorte de petit ermitage près de Rome. En 1865, il demande et reçoit les ordres mineurs. Le voilà devenu abbé, portant soutane, lisant le bréviaire, ce qui ne l'empêche pas de succomber, sans l'ombre d'hypocrisie, à plus d'une tentatrice, entre autres une comtesse cosaque prénommée Janina. Sa fille Cosima, mariée à son meilleur élève, le pianiste et chef d'orchestre Hans von Bülow, quitte celui-ci pour devenir la maîtresse puis la femme de Wagner. Liszt cesse pour plusieurs années toutes relations avec cet audacieux ménage. La guerre de 1870 le navre : il a pour gendres à la fois le premier ministre de l'Empire français, Émile Ollivier, et le porte-drapeau artistique du nationalisme allemand. Puis il se réconcilie avec les Wagner qu'il n'a cessé de chérir. Désormais, il se partage entre Weimar, Budapest, Bayreuth et Rome, où la princesse continue de rédiger son immense traité. Il est chanoine, mais toujours suivi d'une troupe de belles élèves, qu'il embrasse et qui lui baisent les mains. Ses derniers flirts, toutefois, sont platoniques.

Il dirige encore ses œuvres aux quatre coins de l'Europe, sans baguette ni partition, ce qui a longtemps scandalisé mais fait partie maintenant de son génie. Il a beaucoup vieilli, son visage de conquérant s'est couvert de verrues. Mais le regard est toujours magnifique de bonté joyeuse, de droiture et d'intelligence. Il est ouvert à tous les nouveaux talents, Borodine, Moussorgski, Fauré, Albeniz. La mort de Wagner, qu'il a quitté à Venise quelques semaines plus tôt le laisse serein : « Lui aujourd'hui, moi demain. » Paris lui offre en 1886 son dernier triomphe : l'exécution, dirigée par Édouard Colonne, de sa *Sainte Élisabeth* devant sept mille personnes, au Trocadéro. Dans la seconde quinzaine de juillet, bien que souffrant, il se rend à Bayreuth pour le cinquième festival wagnérien. Il prend froid dans le train. Il entend malgré tout deux représentations. Mais une congestion pulmonaire se déclare, s'aggrave rapidement. Le 31 juillet 1886, Liszt meurt. Selon des anecdotes antiwagnériennes mal contrôlées, Cosima l'aurait forcé à venir, déjà moribond, au théâtre dans un but de publicité, pour lui refuser ensuite un prêtre, parce qu'elle avait abandonné le catholicisme en épousant Wagner. Elle bâcla en tout cas son enterrement, pour ne pas endeuiller les pompes mondaines du festival. Peu importe. Ce qu'il faut retenir, c'est que l'avant-dernier mot de Franz Liszt expirant fut : « *Tristan...* »

Quelle est la place parmi nous de cet artiste si foncièrement sympathique que l'on voudrait aimer chaque page sortie de sa main, à qui l'on cherche des excuses pour ses faiblesses, sauf quand il devient tout à fait agaçant ?

Il est à la fois universellement populaire et aux trois quart ignoré.

Les compositeurs de la nouvelle école, ceux qui pour notre époque tiennent à Donaueschingen, à Darmstadt, au « Domaine Musical » de Paris le même rôle que lui à Weimar, semblent avoir oublié son existence.

Quand on invite à parler de lui des historiens hongrois, leur chauvinisme passe toutes les bornes. Liszt est pour eux le musicien capital, le soleil du XIXᵉ siècle, et qui éclaire encore le XXᵉ. Il a déclenché la grande révolution musicale des temps modernes, et Wagner n'a été que son suivant, son débiteur sournois : « Si Liszt fut le premier compositeur modal, affirme M. Émile Haraszti, il fut aussi le premier impressionniste, le premier linéaire, le premier cubiste, mais toujours musicien du subconscient. Nos contemporains se partagent l'héritage prodigieux qu'il nous a légué. Tous les compositeurs modernes, polyharmonistes, dodécaphonistes descendent en ligne directe de Liszt. »

À côté de cette intempérance magyare qui frise l'enfantillage, des musicographes sérieux, de plus en plus nombreux, s'occupent cependant à recenser les innovations de Liszt, les jalons qu'il a posés : emploi de la gamme par tons, des échelles modales irrégulières, évasion hors des formes fermées (souvent, dès le second recueil des *Années de Pèlerinage*, et de façon presque constante dans les œuvres pour clavier de sa vieillesse, il part du vide et supprime toute cadence conclusive), son traitement du piano comme un instrument de percussion dans la *Csardas Macabre* de 1882 qui devance sans conteste Bartok; surtout, résumant ses innombrables singularités harmoniques qui ne tiennent plus aucun compte des règles de la modulation, son besoin d'échapper au système tonal. Il souhaitait carrément « la suppression de la tonalité » en 1873 devant le jeune Vincent d'Indy, lequel suffoquait encore, quarante ans plus tard, lorsqu'il rapportait ce propos destructeur.

Mais pour la majorité des mélomanes, ces références, quand ils les lisent dans un manuel ou une revue, n'éveillent à peu près rien. Ils ne connaissent Liszt qu'à travers les cinq ou six pièces à effet que promènent perpétuellement d'un continent à l'autre de trop célèbres acrobates du clavier, celles des dix-neuf *Rhapsodies hongroises* qui confinent à la musique de brasserie, et les deux concertos pour piano, brillants mais de substance beaucoup trop mince pour avoir résisté à leur vulgarisation effrénée par des pianistes changés en robots. Il faut un artiste complet, tel qu'Aldo Ciccolini, pour oser enregistrer presque intégralement, dans un style épuré et d'une sensibilité admirable, les trois *Années de Pèlerinage*, deux heures et demie de musique, où quelques banalités (*Pastorale*, *Le Mal du pays*) se laissent vite oublier parmi tant d'autres pages toujours neuves : *Au bord d'une source* – avec ses délicieuses dissonances de secondes qui accrochent les scintillements de la lumière comme les touches de Monet – les *Jeux d'eaux dans la villa d'Este*, qui n'ont laissé à Debussy et à Ravel presque rien à dire sur ces motifs; les trois très belles pièces sur les *Sonnets de Pétrarque*, surtout le 104e Sonnet avec son large thème enveloppé de traits et d'arpèges légers, reposants, purs de tout exhibitionnisme; *Après une lecture de Dante, sonata quasi una fantasia*, les étranges et abruptes méditations intitulées *Aux Cyprès de la Villa d'Este*.

On n'exécute plus que de loin en loin les grandes compositions orchestrales et chorales, la *Dante-Symphonie* qui est sans doute le chef-d'œuvre de Liszt, en tout cas son effort le plus soutenu et le plus heureux, l'ouvrage où il a été le plus près d'atteindre ses plus vastes ambitions. On a fait le même sort à ses partitions religieuses, la *Messe de Gran* (1856), la *Messe du Couronnement* (1867), *La Légende de sainte Élisabeth* (1862), *Christus* (1886) qui, en dépit de leurs défauts, un « plain-chant » qui ressemble assez au gothique de Viollet-le-Duc, pour *Sainte Élisabeth* un mauvais livret d'opéra inspiré par la princesse Caroline, sont les monuments les plus flamboyants du romantisme catholique.

Quelques chefs d'orchestre, pour renouveler leurs programmes, puisent de temps en temps dans les douze poèmes symphoniques composés à Weimar entre 1849 et 1858 : *Ce que l'on entend sur la montagne, Le Tasse, Les Préludes, Orphée, Prométhée, Mazeppa, Bruits de fête, Héroïde Funèbre, Hungaria, Hamlet, Bataille des Huns, Les Idéaux*, auxquels s'ajoute *Du Berceau à la Tombe*, qui date de 1881. De ces prospections un peu hasardeuses, il ressort surtout que rien n'est supérieur aux violoncelles et aux cors des *Préludes*, seuls devenus populaires, et affligés du reste d'un « allegro tempestuoso » diablement poncif.

Liszt, malgré les titres qu'il affectionne, est beaucoup moins littéraire que le Berlioz de *Roméo et Juliette*. Il ne s'empêtre pas comme lui dans un programme. Il traduit la secousse ressentie à la lecture de Dante, de Shakespeare, de Hugo, qui lui fournit un point de départ, un fond de coloris (*Les Préludes* n'ont paraît-il rien à voir avec Lamartine comme nous l'avons appris de vingt auteurs, et se rapportent à un texte de Joseph Autran, poète marseillais). Les défaillances de Liszt tiennent bien davantage à sa longue carrière de virtuose et aux tziganeries qui devraient inviter à un peu plus de circonspection ses panégyristes hongrois.

Pianiste phénoménal, empirique, faisant participer à son jeu les muscles des épaules, du dos, le buste, ce qui ne semble guère s'être pratiqué avant lui, Liszt dut ses premiers triomphes, comme la plupart des « lions » de l'époque, à ses improvisations. Il ne s'en débarrassa jamais tout à fait. De leur vivant, Chopin et Schumann, tout en étant éberlués par sa vélocité et sa puissance, déploraient les fioritures qu'il ne pouvait s'empêcher d'ajouter à leurs ouvrages. Liszt, tout prophète en harmonie qu'il fût, conservait là les vieilles habitudes des organistes et clavecinistes classiques, en les assortissant de tout le tremblement romantique.

Ce Liszt de l'estrade s'en est donné à cœur joie dans ses nombreuses paraphrases et transcriptions d'opéras et de symphonies, complètement caduques depuis longtemps. Mais on le retrouve aussi dans son style le plus élevé. La Sonate en *si* mineur peut combiner avec une belle audace dans son mouvement unique l'allegro de sonate avec l'habituelle construction en trois parties, recréer son unité, bien que moins clairement que Schumann ne le fait, par la circulation « cyclique » des motifs : il n'empêche que nous ressentons avant tout son caractère rhapsodique, qui est bien la signature de Liszt, comme dans tant d'autres pièces.

Il avait gardé dans l'oreille les violons et les cymbalums des tziganes de son enfance. Il les retrouva avec délices vingt ans plus tard. Nous savons aujourd'hui que les tziganes, tant en Hongrie qu'en Roumanie ou en Russie, ont déformé jusqu'à la rendre méconnaissable la musique populaire par leur jeu pittoresque — rythmes pointés et syncopés, broderies, alternance du mineur et du majeur — mais vite caricatural et·qui a été leur seul apport, puisqu'ils sont incapables d'inventer une cellule mélodique. Cosmopolite de destinée et de goût, grand Européen en pleine fermentation des nationalismes, partagé entre la France — il garda toujours l'empreinte de ses longues années parisiennes — entre l'Allemagne, l'Italie et la Hongrie, Liszt crut se donner une patrie musicale avec ce répertoire factice sur lequel il se trompait comme Haydn et Brahms, confondant les fantaisies tziganes et le folklore hongrois. Au lieu d'un costume national, il choisissait un déguisement qu'il a porté dans beaucoup de ses œuvres et qui répondait à toute une part de sa nature. C'est le Liszt soutaché, avantageux, cravachant piano et orchestre, qui a trop bien rempli son dessein de « devenir le rhapsode » de ce qu'il prenait pour l'épopée musicale de son pays natal. Jusque dans ses poèmes symphoniques, cependant plus travaillés, on reconnaît le double mouvement traditionnel de tout numéro tzigane, le *lassu* lent et le *friska* lancé à toute vitesse.

Lorsqu'il oublie les ménétriers nomades de la *puszta*, est-ce à cause de ses origines demi-hongroises que l'emphase, l'héroïsme grandiloquent de ses *Funérailles* nous rappellent le pseudo-gothique de Pest, de fière allure à quelque distance, mais qui lui aussi sonne un peu le creux ? Ce n'est peut-être là qu'une comparaison fortuite qui vient à l'esprit d'un voyageur. Le romantisme français pratiquait aussi l'éloquence ronflante, et Liszt en a été imprégné pour la vie. Les contrastes du *lamento* et du *trionfo* dans le poème symphonique *Le Tasse*, des fanfares et cymbales belliqueuses avec le motif religieux dans *La Bataille des Huns*, sont de la même famille esthétique que les antithèses hugolesques, tout en faisant trop bon ménage avec d'importunes réminiscences de l'opéra meyerbeerien.

Lorsque on fait la somme du meilleur Liszt, en ajoutant à tout ce que nous avons cité les *Six grandes Études pour piano d'après Paganini*, de 1838, les *Douze Études d'exécution transcendante* dont la poésie ne se révèle qu'aux rares interprètes capables d'en dominer les embûches, les deux belles légendes de *Saint François de Paule* et *Saint François d'Assise*, les esquisses atonales de la vieillesse comme les fameux *Nuages gris* partout cités et jamais joués, on a l'impression de magnifiques richesses dispersées avec cette prodigalité émouvante chez l'homme qui mourut pauvre comme un vieux curé de campagne après que des millions lui fussent passés par les mains, mais qui était inquiétante pour l'artiste. Le très savant Olivier Alain écrit qu'écartelé entre tous ses trésors, « Liszt eut rarement la puissance (ou la patience, ou le loisir ?) d'en méditer une synthèse technique. A cheval sur plusieurs esthétiques, distrait par la foule de ses idées, il n'a pas su concentrer ces leçons... » C'est bien ce qui nous empêche de le placer au premier rang des grands créateurs. Eut-il conscience de ce qu'il aurait pu lui-même, et qu'il avait manqué, en lisant les partitions de Wagner, découverte qui se traduisit dans son âme généreuse par un dévouement illimité à ces œuvres et à leur auteur ? Que cette hypothèse ait été mise en style romancé par Guy de Pourtalès, ce n'est pas une raison pour la rejeter.

On ne peut quitter Liszt sans dire quelques mots de tous les autres seigneurs du clavier, surgis en même temps que lui, et avec lesquels il fut en compétition durant la première moitié de sa carrière.

Ils succédaient à la première génération de pianistes, dont ils avaient été les élèves, Clementi, Cramer, Czerny, Hummel, Ludwig Berger, bons théoriciens, mais formalistes, pour qui la musique s'arrêtait à Mozart, qu'ils croyaient continuer avec leurs grêles élégances. Ils se nommaient Henri Herz (1803-1888), Franz Hünten (1793-1878), Sigismund Thalberg (1812-1871), Allemands ou Autrichiens, Ignaz Moscheles (1792-1870), Alexander Dreyschock (1818-1869), Tchèques d'origine, Stephen Heller (1813-1888) né à Budapest, John Field, Irlandais (1782-1837), Henri Litolff (1818-1891), de père français et de mère anglaise, Charles Morhange dit Alkan, Français (1813-1888). Ils étaient tous stimulés par les derniers perfectionnements du piano-forte, le double échappement mis au point par Érard en 1818 aussitôt adopté par les autres facteurs, qui permettait des exécutions beaucoup plus rapides et sonores, l'amélioration des pédales, l'invention du cadre métallique qui triplait les cordes pour les aigus.

Comme Liszt, ils avaient pour modèle non pas un pianiste, mais « l'ange et le démon du violon », le Génois Niccolo Paganini (1782-1840) qui fascina aussi Schubert et Schumann, que Delacroix peignit comme un nécromant de l'archet, et dont la réputation diabolique était si bien établie que l'Église refusa pendant des années une sépulture chrétienne à ses restes. Son « satanisme », staccati volants, pizzicati de la main gauche donnant l'illusion d'entendre deux violons, traits en doubles cordes, passages en dixièmes sont maintenant à la portée des bons élèves de conservatoires, mais après avoir transformé toutes les écoles de violon.

Et si Paganini allait jusqu'à des tours de saltimbanque, quand il exécutait par exemple sur deux cordes tous les airs d'un opéra, ses concertos, qu'un Yehudi Menuhin n'a pas dédaigné d'enregistrer, sont encore fort écoutables, surtout, il est vrai, pour la chaleur mélodique de leurs mouvements lents.

Les pianistes de 1830 adaptèrent aux octaves de leurs claviers cette virtuosité foudroyante. Thalberg, que l'on a statufié en redingote sur une des promenades de Naples où il mourut, fut le rival de Liszt en agilité et en puissance, et phrasait, dit-on, avec une finesse et un moelleux inconnus avant lui. Mais ces dompteurs de gammes publièrent autant qu'ils jouèrent. Ce fut une avalanche de concertos que Schumann, éreintant ceux de Henri Herz, comparait à « des rhumes de cerveau artistiques », de *Fantaisies Brillantes*, de *Galops*, d'*Allegri de bravura* qui sous les doigts de leurs auteurs transportaient le public, mais donnaient à croire que les magnifiques instruments d'Érard, de Pleyel, de Broadwood, de Bechstein n'avaient été créés que pour glorifier une virtuosité aussi futile que celle de l'ancien opéra italien. Les lions du piano n'avaient de romantiques que la crinière et les envols de manchettes. Aussi fermés le plus souvent à Beethoven et à Schubert qu'au contrepoint des classiques, ils faisaient feu de banalités.

Ce fut l'honneur de Schumann, de Chopin et de Liszt dans ses grands jours que de maintenir la littérature du piano très au-dessus de cette marée du mauvais goût. Mais leurs œuvres restaient alors l'exception, bien moins diffusées que les « grands morceaux de concert » et les *Caprices* des illustres broyeurs d'ivoire, qui avec les opéras de Meyerbeer et ceux des Italiens formèrent pendant quarante ans le fond sonore de la société européenne.

Un garçon de la génération suivante, Karl Tausig (1841-1871), Tchèque né en Pologne, avait donné les plus grands espoirs. Il semble avoir été le pianiste le plus transcendant de son siècle, supérieur même à son maître Liszt. Il donnait en même temps tous les signes d'un de ces génies musicaux destinés à aller beaucoup plus loin que la virtuosité. A seize ans, il était tombé chez Wagner quadragénaire, qui égayé par son mélange de gamineries et de maturité, ébloui par ses exécutions, fit de ce gosse un de ses compagnons familiers, en attendant d'être dépanné par lui à diverses reprises. Mais Tausig mourut à trente ans, ayant brûlé sa vie, et ne laissant derrière lui qu'un pharamineux souvenir.

CHAPITRE VI

WAGNER

Doch einer kam (Quelqu'un est venu)
LA WALKYRIE, 1er ACTE

LES GRANDES DATES D'UNE EXISTENCE

Littéraires ou monumentales d'érudition comme l'ouvrage de Newmann, les biographies de Wagner, à commencer par celle qu'il dicta lui-même à Cosima, composent toute une bibliothèque. On récrira encore cette vie fabuleusement remplie dans des perspectives nouvelles, d'après des documents mal connus. Ce ne peut être notre propos ici. D'autre part, les notices succinctes énumèrent des faits rapportés partout. Comme pour Mozart et Beethoven, nous nous en tiendrons donc à une chronologie fournissant les repères indispensables.

1813 : le 22 mai, au lendemain de la bataille de Bautzen, naissance à Leipzig de Richard Wagner, neuvième enfant de Frédéric Wagner, secrétaire à la direction de la police, qui meurt six mois plus tard. Sa veuve se remarie dans les plus courts délais avec l'acteur Ludwig Geyer, ami intime de la famille, et qui est peut-être bien le vrai père de Richard.

1820-1832 : Weber procure au jeune Richard ses premières et violentes impressions musicales. Etudes secondaires assez accidentées du garçon, qui se rebelle très tôt contre toute forme du pédantisme. Vive inclination pour le théâtre, que Geyer, mort en 1821, a mis à l'honneur dans cette famille agitée et bohème : trois sœurs et un frère de Richard feront carrière à la scène. A treize ans, premières émotions poétiques. A quinze, bouleversé par Hamlet et Macbeth, il écrit une énorme tragédie shakespearienne ruisselante de sang, puis décide d'apprendre la musique pour l'ajouter à ses drames, qui lui paraissent incomplets sans elle. Il a la révélation de l'orchestre en écoutant au Gewandhaus les ouvertures et les premières symphonies de Beethoven. Il travaille d'abord seul, puis avec un professeur d'harmonie, Gottlieb Muller, dont l'enseignement l'horripile. Il compose à sa façon un quatuor, une sonate, des ouvertures. Exclu du lycée où il ne mettait plus les pieds, il s'inscrit comme *studiosus musicae* à l'université de Leipzig dont il ne suit pas davantage les cours. Jeux de cartes et beuveries. Une de ses ouvertures, qui comporte à chaque mesure un coup de grosse caisse, est exécutée dans un concert et pétrifie les auditeurs. Il se décide à reprendre sérieusement ses études musicales, travaille le contrepoint avec un excellent professeur, Weinlich, cantor de Saint-Thomas et ancien élève du Père Martini. Il progresse si vite qu'au bout d'un semestre Weinlich déclare n'avoir plus rien à lui enseigner. Il compose quelques mois plus tard (1831) une Symphonie en *ut* majeur, influencée par la *Jupiter* de Mozart.

1833 : Après un séjour à Vienne et à Prague, où il a entrepris et abandonné un opéra épouvantablement tragique, *Les Noces,* Richard, pour gagner sa vie devient chef des chœurs au petit théâtre de Würzbourg. Il participe aux représentations de *Robert le Diable* de Meyerbeer, auquel il finit par trouver de l'intérêt. Sous cette impulsion, il compose, livret et musique, ainsi qu'il le fera toute sa vie, un opéra fantastique et symbolique, *Les Fées*, qui ne compte pas moins de treize premiers rôles.

1834-1835 : Passion subite pour la musique de Bellini. Dans un article, le premier qu'il écrive, il sacrifie Weber à l'Italien. D'autre part, de mauvaises exécutions de la Neuvième Symphonie l'ont détourné de Beethoven. Période « décadente » de son goût, dira-t-il plus tard. Dans ce nouvel état d'esprit, il entreprend un opéra d'après *Mesure pour mesure* de Shakespeare, *La Défense d'aimer (Liebesverbot)*, où il veut « glorifier hardiment la libre sensualité ». Il accepte le poste maigrement rétribué de chef d'orchestre au théâtre de Magdebourg pour les beaux yeux d'une des vedettes de la troupe, Minna Planer, jolie fille, mais qui a déjà eu de nombreux amants malgré son aspect réservé. Elle devient sa maîtresse. Le théâtre de Magdebourg fait faillite. Avant de le quitter, au printemps 1836, Wagner parvient à y faire représenter sa *Défense d'aimer*, pour un seul soir et dans les pires conditions. Il est sévèrement endetté.

1836-1839 : Séjour à Berlin, où le *Fernand Cortez* de Spontini fait grande impression sur lui. Chef d'orchestre au théâtre de Königsberg, où il épouse Minna, qui ne tarde pas à faire avec un « bienfaiteur » une fugue que Richard pardonne. Chef à Riga (août 1837-juillet 1839). Il se met à la composition de *Rienzi*, drame du XVIᵉ siècle italien, d'après un roman anglais et sous l'influence de Spontini. Mésentente avec le théâtre de Riga. Dettes, menace de prison. Le ménage Wagner décide de gagner Paris, où Richard se flatte de trouver des appuis. Fuite en mer, sans passeports, à bord d'un petit voilier qui essuie deux violentes tempêtes, doit se réfugier plusieurs jours dans un fjord norvégien. Au cours de ces péripéties, Wagner a la première idée du *Vaisseau fantôme*. Escale à Londres. Arrivée à Paris le 16 septembre 1839.

Septembre 1839-avril 1842 : Paris. Echec de tous les projets de Wagner. Il ne subsiste très pauvrement que par de basses besognes, quatorze suites pour cornet à piston, cinq arrangements de *La Favorite* de Donizetti. Il se fait toutefois une petite notoriété avec des articles dont la traduction paraît dans *La Gazette musicale*. Achèvement de *Rienzi*. Wagner découvre la musique de Berlioz, « monde tout nouveau » qui lui inspire à la fois admiration et perplexité. Une belle audition de la Neuvième Symphonie par l'orchestre du Conservatoire, alors le premier d'Europe, efface tous ses doutes sur Beethoven. La période « décadente » de son goût « prend fin dans la honte et le repentir ». Quinze jours de prison pour dettes (le créancier est un Allemand !). Retraite à Meudon. Wagner y écrit en sept semaines de l'été 1841 la musique, moins l'instrumentation, du *Vaisseau fantôme (Der Fliegende Holländer, Le Hollandais volant)*, dont l'Opéra de Paris a accepté le livret, mais pour le confier à un autre compositeur. (Ce sera un nommé Dietsch). Lectures sur les anciennes légendes allemandes, où Wagner puise les premières idées de *Tannhäuser* et de *Lohengrin*. Au printemps 1842, apprenant que *Rienzi* est accepté par l'Opéra de Dresde et *Le Vaisseau fantôme* par l'Opéra de Berlin, Wagner regagne l'Allemagne avec Minna.

1842-1849 : Grand succès à Dresde de *Rienzi*, malgré la longueur démesurée du spectacle. Mais dans la même ville, en janvier 1843, échec du *Vaisseau fantôme* que l'Opéra de Berlin tardait à monter. Cependant, porté par *Rienzi*, Wagner est nommé chef d'orchestre de la Cour de Saxe. A ce poste, il ne pourra d'ailleurs faire aboutir aucun de ses projets de réforme artistique et administrative. Au printemps 1843, achèvement du poème du du *Venusberg*, premier titre de *Tannhäuser*. *1844 :* Début de l'amitié avec Liszt. *1845 :* achèvement de la partition de *Tannhäuser*. Plan scénique de *Lohengrin*. En octobre, création à Dresde de *Tannhäuser,* succès limité à une élite d'auditeurs, parmi lesquels apparaissent les premiers wagnériens fanatiques. La critique demeure très hostile. *1847 :* d'avril à août, composition de *Lohengrin*. Dettes inquiétantes de Wagner qui comptait sur la publication de ses opéras, dont il n'a rien retiré. *1848 :* Lectures sur les vieux mythes germaniques des Niebelungen et de Siegfried. *1849 :* Esquisse d'un drame, *Jésus de Nazareth,* de tendances socialistes, et où se dessine le thème de l'amour rédempteur. Poème de *La Mort de Siegfried,* qui deviendra *Le Crépuscule des dieux*. Liszt monte *Tannhäuser* à Weimar avec un certain succès. Mai : révolution à Dresde, le roi quitte la ville. Wagner, lié depuis quelque temps avec le nihiliste russe Bakounine, prend fait et cause pour les insurgés républicains, s'agite beaucoup, participe aux conseils de guerre des conjurés. Le mouvement ayant échoué après une semaine de combats et de confusion, il doit fuir. Un mandat d'arrêt est lancé contre lui. Avec l'aide de Liszt, il parvient à passer en Suisse, toute l'Allemagne lui étant interdite. Minna a refusé de l'accompagner. Leur vie commune sera désormais intermittente. Wagner se fixe à Zürich. Rédaction de ses deux premiers traités théoriques. *L'Art et la Révolution*, *l'Œuvre d'art de l'avenir*.

1850 : Escapade à Bordeaux, brève liaison avec une jeune Américaine, Jessie Laussot, mal mariée à un négociant en vins. Ils projettent de fuir ensemble en Orient. Mais cette chaude aventure se termine bientôt en vaudeville. Création à Weimar de *Lohengrin,* dirigé par Liszt. Wagner, banni de l'Allemagne, ne peut y assister. Il n'entendra son œuvre que onze ans plus tard. Ecrits littéraires : brochure du *Judaïsme dans la musique,* qui fait à Wagner de nouveaux ennemis dont il n'avait guère besoin ; le gros ouvrage *Opera et Drame*, opposant la frivolité décadente de l'opéra moderne à la noblesse de la tragédie antique. Arrivée à Zürich du jeune Hans de Bülow, qui devient l'élève de Wagner pour la conduite de l'orchestre.

1851 : Poème du *Jeune Siegfried*, destiné à précéder *La Mort*. Plan définitif de la tétralogie de *L'Anneau du Nibelung,* en trois parties et un prologue : *L'Or du Rhin, La Walkyrie, Siegfried, Le Crépuscule des dieux*. Ces quatre journées ont donc été conçues au rebours de leur ordre chronologique. *1852 :* achèvement du poème de *L'Anneau du Nibelung*. Ascensions dans l'Oberland bernois (Wagner est féru d'alpinisme). *Tannhäuser* commence à faire son chemin en Allemagne. Première rencontre avec le ménage Wesendonck, Otto, riche négociant en soieries, Mathilde, belle blonde de vingt-quatre ans, tous deux d'origine rhénane et qui s'installent à Zürich. *1853 :* Succès de Wagner à Zürich. Il tire ses principales ressources des petites rentes que lui fait un cercle d'amis. Etude au piano d'œuvres de Liszt, dont Wagner n'a rien entendu depuis cinq ans. Wagner commence à écrire la musique de *L'Or du Rhin*. Il n'a plus rien composé depuis cinq ans et demi. *1854 :* *L'Or du Rhin* achevé en mai. Travail à *La Walkyrie*. Intimité grandissante avec Mathilde Wesendonck, très troublée par la musique du maître. Découverte de Schopenhauer, qui fascine Wagner. *La Walkyrie,* sauf l'instrumentation, est achevée à la fin de l'année. Projet d'un *Tristan* confié à Liszt. *1855 :* La Philharmonique de Londres invite Wagner pour une série de huit concerts qui sont bien accueillis, quoiqu'on lui reproche de diriger par cœur. *1856 :* Audition des poèmes symphoniques de Liszt, dont Wagner déclare qu'ils ont fait de lui un nouvel harmoniste. Composition de *Siegfried*.

1857 : En avril, première esquisse de *Parsifal*. Amour passionné de Wagner et de Mathilde Wesendonck. Au milieu de l'été, Wagner abandonne *Siegfried* au milieu du second acte et décide d'écrire *Tristan et Isolde*. Le poème est composé en quelques semaines, la musique du 1er acte en trois mois. Composition des *Wesendonck Lieder* sur des poèmes de Mathilde. Visite de Hans de Bülow et de sa jeune femme Cosima, fille aînée de Liszt. *1858 :* A Zürich, esclandre de Minna, qui brise la liaison de Wagner et de Mathilde. Wagner doit s'éloigner, et se réfugie à Venise où il reprend *Tristan* au second acte. *1859 :* Wagner porte ses pénates à Lucerne où il achève *Tristan*. Septembre : Wagner se réinstalle à Paris, élégamment, rue Newton, près de l'Etoile. Minna l'y rejoint.

1860 : Paris. Trois concerts aux Italiens (avec première audition du prélude de *Tristan*), que le public applaudit, qui électrisent Baudelaire, mais sont éreintés par la critique. Déficit pour Wagner. Napoléon III ordonne de représenter *Tannhäuser* à l'Opéra de Paris. Pour remplacer le ballet traditionnel qu'il refuse d'ajouter à son œuvre, Wagner reprend et développe la Bacchanale du 1er acte. *1861 :* Après des difficultés sans nombre qui ont défrayé toute la chronique et 164 répétitions, *Tannhäuser* est joué le 13 mars 1861, et sombre sous les sifflets et les cris d'animaux des très aristocratiques membres du Jockey Club qui se conduisent en voyous stupides sous prétexte qu'il n'y a pas de ballet au second acte. La troisième représentation dégénère en bataille, une partie notable du public soutenant l'œuvre contre les perturbateurs acharnés. Wagner retire sa partition. Il a gagné 750 francs dans une année de Paris. Mais il s'est fait en France des partisans, au premier rang desquels Baudelaire, plus ardents et plus intelligents qu'aucun de ses admirateurs d'Allemagne. Projet d'un Théâtre Wagner à Paris. Ovations pour Wagner à Vienne où il entend pour la première fois son *Lohengrin*. Retour à Paris. Il loge à l'hôtel Voltaire sur les quais. Il y écrit dans l'euphorie le poème des *Maîtres chanteurs*, terminé en janvier 1862.

1862-1865 : Wagner vit quelque temps à Biberich, sur le Rhin. Séparation complète avec Minna. Sentiments de plus en plus prononcés pour Cosima de Bülow. Liaison avec Mathilde Maier, 29 ans, fille d'un notaire, puis à Vienne avec une actrice, Frédérique Meyer. Concerts à Vienne, Prague, puis Saint-Pétersbourg et Moscou, ceux-ci avec un grand succès musical et financier. Wagner s'installe avec un certain faste à Vienne, où *Tristan* doit être représenté. Il a valet, cuisinière, et une jolie femme de chambre avec laquelle il couche. Mais après 77 répétitions, *Tristan*, considéré comme injouable, est abandonné. Défection de l'éditeur Schott. Aucune ressource en vue. Démarches infructueuses à travers l'Allemagne. En mars 1864, Wagner doit fuir Vienne où son arrestation pour dettes est imminente. Il erre, sans le sou, songeant au suicide. Le 4 mai 1864, il est rejoint à Stuttgart par un envoyé du nouveau roi de Bavière, Louis II, un jeune homme de dix-neuf ans, wagnérien extatique, qui appelle le maître près de lui « pour écarter à jamais de sa tête les médiocres soucis de chaque jour... afin qu'il puisse déployer librement les ailes puissantes de son génie ». Wagner accourt à Munich où il est immédiatement couvert de bienfaits par le roi. Hans de Bülow est nommé chef d'orchestre de l'Opéra sur ses instances. Cosima devient sa maîtresse. Reprise du travail sur *Siegfried*. Le 12 avril 1865, Cosima accouche d'une fille de Wagner, Isolde, tandis que Bülow, qui sait tout de son infortune, commence les répétitions de *Tristan*. Le 10 juin, première de *Tristan*. Public venu de toute l'Europe, mais succès mitigé. Esquisse du poème de *Parsifal*. Campagnes violentes des Munichois contre Wagner, qu'ils accusent de circonvenir le roi, de grever le budget, et qui scandalise en outre par l'adultère notoire avec Cosima. En décembre,

Louis II cède aux injonctions de ses ministres, et demande au « sublime et divin ami » de quitter Munich. Mais il lui maintient une substantielle pension.

1866-1871 : Mort solitaire de Minna. Wagner et Cosima s'installent à Tribschen, sur le lac de Lucerne. Mémoires de Wagner, *Ma Vie*, dictés à Cosima. Composition des *Maîtres chanteurs*, représentés en juin 1868 à Munich sous la direction de Bülow. En 1869, première visite à Tribschen de Nietzsche. Naissance de Siegfried Wagner. Visite de Catulle Mendès et de sa femme la belle Judith, fille de Théophile Gautier (l'une des dernières maîtresses de Wagner ?). Wagner est décidé à avoir son propre théâtre. Mariage avec Cosima en août 1870. *Siefgried-Idyll.* Février 1871 : Achèvement de *Siegfried.* Choix de Bayreuth en Franconie pour y construire le théâtre idéal. Nietzsche, sans doute secrètement amoureux de Cosima, écrit *La Naissance de la Tragédie*, que l'on attend comme un bréviaire du wagnérisme. Travail au *Crépuscule des dieux.*

1872 : Pose de la première pierre du théâtre à Bayreuth, où les Wagner s'installent et se font construire une villa, « Wahnfried ». Cosima se fait protestante. Grosses difficultés financières aplanies par une avance de Louis II qui permet l'édification du théâtre, le Festspielhaus. 1874 : achèvement du *Crépuscule des dieux. 1876* : Première représentation de *l'Anneau du Nibelung* au Festspielhaus sous la direction de Hans Richter (13-16 août) devant l'empereur Guillaume 1er. Grande affluence internationale. L'atmosphère mondaine écœure Nietzsche qui s'écarte désormais de Wagner. Le succès artistique n'empêche pas un lourd déficit. Le théâtre va rester fermé six ans. Voyage des Wagner en Italie.

1877 : Janvier-février : poème de *Parsifal.* Symptômes d'une maladie de cœur. *1878-1879* : Travail à la musique de *Parsifal*, plus lent que d'habitude. *1880* : Six mois à Naples et à Sienne. *1881* : Séjour à Wahnfried de Gobineau, le dernier ami. Hivernage à Palerme. *1862* : *Parsifal* terminé à Palerme le 12 janvier, créé à Bayreuth en juillet (16 représentations) sous la direction d'Hermann Levi. La famille Wagner loue à Venise un étage du palais Vendramin, sur le Grand Canal, pour y passer l'hiver.

1883 : Le 13 février, Wagner meurt d'une crise cardiaque dans le palais Vendramin. Selon certains témoignages, il aurait été terrassé en faisant l'amour à une camériste. Triomphe mortuaire à travers l'Italie et l'Allemange pendant le transfert du corps à Bayreuth où ont lieu les funérailles nationales.

LE PLUS CALOMNIÉ DES ARTISTES

Bach, Mozart, le Beethoven des quatuors et des dernières sonates ont été d'aussi grands musiciens que Wagner. Mais aucun musicien n'a comme lui tenu une telle place sur cette terre, de son vivant et bien après sa mort, par l'énormité du bruit qui accompagna son nom, les événements qu'il traversa et ceux auxquels son œuvre a été mêlée, la qualité des esprits qu'il subjugua, les tempêtes d'idées, d'enthousiasme ou de haine qu'il souleva. Aucun compositeur, avant lui, n'était sorti de sa spécialité, pour employer un mot assez affreux, s'agissant de Schubert ou de Schumann. Celui-là, avec les exigences sans précédent de son art, son retentissement inouï, devint un phénomène social, historique, politique. Nous ne serons donc pas surpris qu'il ait été âprement contesté, dans chaque aspect de sa vie et de son œuvre, à la façon des grands chefs d'Etat, des grands entraîneurs d'hommes, qu'il le soit encore aujourd'hui.

« J'admire le musicien. Mais l'homme était détestable. » Le mot a fait le tour du monde depuis un siècle. Lorsqu'on cherche à savoir sur quoi il est fondé, on s'aperçoit qu'il est digne du *Dictionnaire des Idées reçues* de Flaubert.

Un premier sujet d'indignation, c'est le choix que Wagner fit de ses maîtresses parmi les épouses de ses meilleurs amis, quelquefois de ses bienfaiteurs. On préférerait évidement pour sa mémoire qu'il n'eût jamais reçu d'argent de Wesendonck, que Bülow n'eût pas été un de ses plus dévoués disciples. Mais c'étaient justement les circonstances qui créaient cette intimité captieuse, enjôlant et enflammant le musicien toujours demi-vagabond, doué de la sensualité puissante et prolongée des grands créateurs, découvrant au moins dans deux femmes supérieures, Mathilde et Cosima, la compagne spirituelle qui lui avait tant manqué. Et puis, dans ces adultères, ces inspiratrices eurent largement leur part. Nous n'avons jamais entendu dire qu'elles eussent fait grande résistance à ce singulier séducteur, petit, malingre, avec une tête trop grosse, mais libre de tout complexe depuis qu'à l'âge de vingt ans il avait fait la première expérience de son pouvoir sur les femmes. On pourrait lui savoir gré encore de son honnêteté avec Minna, fille-mère de petite vertu, qu'il se crut obligé d'épouser après avoir un peu couché avec elle, qui partagea courageusement ses années de misère mais fut pour lui un vrai boulet à cause de son ignorance et de sa vulgarité d'esprit.

Wagner fut un tapeur opiniâtre. Mais ceux qui s'en offusquent encore aujourd'hui semblent avoir oublié qu'il n'aurait pas été contraint de mendier aussi souvent s'il avait été un peu moins volé par les managers et les éditeurs, s'il avait été compris plus vite, et surtout s'il était descendu à des concessions qui représentaient pour lui la pire bassesse, une trahison de soi-même.

Il est étrange qu'un homme de cette envergure − le seul à peu près dans ce cas, puisque personne ne reproche plus à Debussy son « égoïsme sacré », sa froide cruauté avec sa première épouse qui faillit en mourir − ait été jugé selon les critères les plus bourgeois, que l'on retrouve encore récemment dans des livres anecdotiques, collections de ragots centenaires et de lieux communs malveillants, ou dans l'indigeste essai du critique allemand Adorno, qui met en branle toute une démonstration socio-philosophique du caractère bourgeois de Wagner pour nous prouver surtout son propre pédantisme, dont les effets rejoignent ceux de la plus grossière inintelligence. On pense, en lisant ces auteurs, aux Munichois de 1865, qui étaient encore des provinciaux gourmés, confinés, et qui fulminaient contre le luxe sardanapalesque et les orgies de Wagner, parce qu'après trente ans de vache enragée le pensionné de Louis II s'offrait des robes de chambre en soie et débouchait quelques bouteilles de champagne en l'honneur de ses vieux amis.

On aurait voulu que Wagner, tout en créant son Walhall, conservât une échine de petit fonctionnaire, demeurât éternellement, comme l'espérait la pauvre Minna, le maître de chapelle d'une cour arriérée, ployant devant la bureaucratie et consacrant ses jours à monter des opéras de Marschner et de Spohr. Mais il avait en lui la certitude de sa supériorité, de tout ce que réclamait l'œuvre colossale qu'il portait dans sa tête.

Dès 1848, *L'Anneau* était conçu dans ses grandes lignes. Dès 1853 il prenait sa forme musicale avec *L'Or du Rhin*, renfermant une trentaine au moins de leitmotive qui traverseront les quatre journées. Que l'on imagine l'homme attelé à cette épopée, cette cosmogonie qui ne pouvait prendre vie que sur la même scène que *Les Huguenots* et *La Favorite;* cet homme n'ayant plus le moindre doute sur son génie, mais sachant aussi quelle rupture avec deux cents ans d'opéra, quelle révolution son entreprise supposait;

et se voyant lui-même violemment contesté, quand par hasard
on les jouait, dans ses œuvres antérieures qui n'étaient plus pour
lui que des étapes dépassées ; et proscrit, de santé précaire, pis
que pauvre, enfoncé dans les dettes jusqu'au cou, sans aucune
ressource régulière à près de quarante ans, ne subsistant que grâce
aux avances de quelques fidèles sur de problématiques succès à
venir, alors qu'un Meyerbeer, pour avoir consommé l'avilissement
du goût public, nageait dans l'or.

Il faut lire ensuite les lettres à Franz Liszt, à qui Wagner disait
tout : « Bonté du Ciel ! des sommes comme celles que je pourrais
gagner en Amérique, les gens devraient m'en faire cadeau, sans
me demander en échange autre chose que ce que je fais, et qui
est ce que je puis faire de meilleur... Je ne demande au monde
que de l'argent. Tout le reste, je l'ai... Quiconque connaît réellement la nature de mes travaux, quiconque sent ce qu'ils ont de
particulier et d'original est obligé de reconnaître que je devrais
moins que personne être dans la nécessité de faire de mes œuvres
une marchandise. Si l'on a tant soit peu le sentiment de la justice,
on comprendra que je me trouve dans une situation absolument
indigne de moi, s'il me faut renoncer à ma liberté, si je ne dois
plus tenir compte de l'intérêt artistique de mes œuvres. » Cette
brutale franchise, que résume le célèbre cri : « Le monde me
doit ce dont j'ai besoin » a choqué et choquera encore beaucoup
de pense-petit. Mais nous devons y entendre le langage de l'orgueil
le plus lucide et le plus fondé, puisque n'importe quelle page de
Tristan, de *L'Anneau* ou des *Maîtres* le justifie. Wagner avait
raison, et nous sommes les derniers à pouvoir le contester dans
notre temps d'universel compromis des artistes avec le plus
vulgaire commerce.

Wagner acheva son existence dans une gloire que ne connurent
ni Mozart ni Beethoven. Mais elle couronnait trente années d'une
lutte où se fût brisé n'importe quel autre caractère. Wagner qui
jusqu'à *Parsifal* eut toujours le travail rapide, employa trois fois
moins de temps à composer huit opéras qu'à les imposer en les
expliquant par d'innombrables écrits, en les inculquant mesure par
mesure aux chanteurs et aux instrumentistes effarés, en faisant
édifier pour eux son théâtre idéal : avec les terribles dépenses
d'énergie, les polémiques, les controverses, les démarches cent
fois reprises, les déceptions toujours surmontées, les casse-tête
financiers qu'entraînait une semblable tâche. Notre époque, qui
essaie de compenser sa férocité par le culte de l'infra-humain,

placerait sans doute Wagner parmi ses saints s'il avait flanché,
s'était coupé la gorge en 1864 ou empoisonné au charbon.
Mais sitôt que l'on retrouve le sens des vertus supérieures, c'est
pour admirer l'exaltante leçon de volonté que le vagabond
jamais abattu, l'indomptable constructeur de Bayreuth nous
a laissée.

Se traduisit-elle pour ses proches par le despotisme qu'imputent
au maître des livres écrits bien après sa mort ? Sans doute, la vie
quotidienne ne devrait pas être toujours facile auprès de ce grand
nerveux. Le tact ne fut guère son fort, comme chez beaucoup
d'Allemands ! Mais comme tous les vrais orgueilleux, il ne pontifia
jamais. Détendu, dans l'intimité, c'était un homme cordial,
ouvert, hospitalier. Les témoignages, sur ce point, sont innombrables, depuis le jeune Nietzsche qui après ses visites à Tribschen
parlait de « l'ensorcelante gentillesse » de Wagner, jusqu'à Renoir
faisant son portrait à Palerme, tout épaté d'entendre l'auteur du
Crépuscule des dieux l'interroger jovialement sur les derniers
potins du boulevard. La gaieté de Wagner créait souvent de
véritables tourbillons; d'autres fois, elle était farceuse, il retrouvait
ses talents innés d'acrobate, marchait sur les mains à plus de
cinquante ans, grimpait le long des façades.

Pour ce qui fut de son antisémitisme, personne n'a été plus
qualifié pour s'en expliquer qu'Hermann Lévi, le créateur du
Parsifal, qui écrivait : « La postérité finira bien par reconnaître
un jour que Wagner est aussi grand comme homme que comme
artiste. Même sa lutte contre ce qu'il appelle « le Judaïsme »
dans la musique et la littérature se fonde sur les motifs les plus
élevés. » Les Israélites de tous pays comptèrent d'ailleurs parmi
les propagateurs les plus passionnés de sa musique.

On a encore fait de Wagner l'incarnation du pangermanisme.
Les victoires de 1870, la proclamation de l'empire allemand lui
montèrent sans doute quelque temps à la tête, comme ce fut
le cas pour la plupart de ses compatriotes. Mais il déchanta :
« Laissez-moi tranquille avec votre Bismarck. S'il avait été clairvoyant, il aurait dû conclure la paix avec les Français après
Sedan. En continuant la guerre jusque sous les murs de Paris, il a
divisé les deux nations pour tout un siècle. » Des deux côtés du
Rhin, vers 1880, bien peu de nationalistes étaient capables de
cette vue européenne. Il eut des paroles encore plus sévères pour
la pesanteur germanique que pour la frivolité française. Il estimait
finalement que les wagnériens français, de plus en plus nombreux

et chaleureux vers la fin de sa vie pénétraient mieux son œuvre que les Allemands.

Faut-il encore parler d'*Une capitulation* ? Ce fut une de ces sottises que la plupart des écrivains commettent dans un moment d'excitation et qu'ils traînent ensuite jusque devant la postérité. La cruauté de cette comédie prétendument aristophanesque ne tient guère qu'à son titre, puisque elle fut jetée sur le papier quelques semaines après Sedan. Mais enfin, dépêche d'Ems ou non, qui avait déclaré cette guerre ? Et s'il fallait écarter les auteurs de tous pays qui dans de semblables circonstances ont un peu piétiné l'adversaire, nous viderions nos bibliothèques. Mais dans *Une capitulation*, l'épaisseur de l'humour, la niaiserie l'emportent de beaucoup sur la méchanceté. C'est surtout une charge confuse contre l'Opéra de Paris et ses intangibles ballets, que les directeurs des théâtres d'Allemagne, à peine moins ridiculisés, viennent d'ailleurs admirer béatement. Une querelle de coulisses, une revanche contre la chute de *Tannhäuser*, mais fort dépourvue d'esprit. En fait de mauvaises plaisanteries, les Jockey-Club et Wagner étaient quittes. Le chauvinisme greffa làdessus des campagnes stupides. On affirmait que Wagner avait réclamé en 1870 la destruction de Paris par le feu. A la suite de quoi, en mai 1887, des milliers de Parisiens descendaient dans la rue pour se livrer à une manifestation furibonde contre *Lohengrin* que Charles Lamoureux dirigeait à l'Eden-Théâtre, et dont ils ne connaisaient naturellement pas une note. Pierre Boulez, il y a quelque temps, a balayé ces inepties, qui ont eu la vie longue, d'un mot que l'on aime à croire définitif : « Ce n'est pas Guillaume II qui a composé les opéras de Wagner. »

Il faut enfin dire un mot du parti que d'impertinents quidams ont voulu tirer contre Wagner des pamphlets de Nietzsche. De par les natures de leurs génies, le conflit entre Wagner et Nietzsche était fatal. Il se déroula à des altitudes où nos petits esprits perdent pied. Nietzsche nous l'a signifié lui-même, en interdisant à qui que ce fût d'autre que lui de s'en prendre à Wagner, « d'avoir la gueule pleine d'un aussi grand nom ». Avec une douloureuse violence, Nietzsche sacrifia Wagner à ce qu'il tenait pour sa propre vérité. Mais l'inoubliable ami de sa jeunesse — « Je ne voudrais à aucun prix rayer de ma vie les jours que j'ai passés à Tribschen » — demeura sa grande obsession jusqu'aux dernières minutes de son existence consciente. Et chaque fois qu'il réentendit sa musique, il oublia ses préventions morales, politiques, philosophiques. Et pour en parler, on a rarement usé de mots plus profonds, plus justes et plus émouvants que lui : « Je pense connaître mieux que quiconque les choses formidables que peut Wagner, et les cinquante univers d'extase pour lesquels personne d'autre que lui n'avait les ailes qu'il fallait... J'en suis encore aujourd'hui à chercher dans tous les arts une œuvre d'une aussi dangereuse séduction, d'une aussi douce, aussi terrible infinité que le *Tristan.* Tous les mystères de Léonard de Vinci se dépouillent de leur magie à la première note du *Tristan...* »

LES LEITMOTIVE ET LEUR VIE

L'œuvre de Wagner a provoqué presque autant de malentendus que sa vie et son caractère. La substance intellectuelle, sentimentale qu'il y entassa, hétéroclite mais d'une extraordinaire richesse, a déconcerté puis irrité presque tous les compositeurs, limités à leur seul métier, et qui soupçonnaient dans cet amas d'idées un élément extra-musical.

Les références à la carrière, aux écrits du maître incitaient aux contre-sens. Wagner avait été le moins précoce de ses grands contemporains, celui qui avait fait les études les plus brèves. Ses ouvrages théoriques sont très inégaux. De magnifiques éclairs n'y compensent pas toujours les démonstrations et les digressions décourageantes, où une pensée se cherche au courant de la plume en tournant sur elle-même. S'il y est amplement question de la régénération des arts, de « l'homme historique », de linguistique, de politique, des conditions d'un théâtre national, l'auteur, sauf pour des détails d'interprétation d'une admirable clarté, ne s'y explique pas plus que Beethoven ou Chopin sur sa technique musicale, la texture de ses accords, de son orchestre, qui ont fourni après lui des gloses immenses, passionnantes[1], mais dont aucune n'a pour nous le prix des analyses que nous aurions tant aimé recueillir du maître lui-même.

L'ardeur plus naïve que compétente des poètes, des romanciers dans la grande vague du wagnérisme, entre 1880 et 1900, ne fit qu'accroître l'équivoque. On oubliait l'ivresse dans laquelle

---

1. Un amateur parisien, Jean Dauven, a même consacré une étude, *La Gamme mystique de Richard Wagner,* à une symbolique de chaque note dans l'œuvre wagnérienne, *ut* la matière, *ré* la lumière, *mi* le mouvement, etc., (chaque altération apportant une nuance de la note voisine) le tout illustré d'une curieuse quantité d'exemples.

les représentations de Bayreuth avaient jeté des compositeurs
aussi peu suspects de cérébralité que Chabrier, Fauré et André
Messager. On ne pouvait nier à Wagner — c'eût été trop difficile — ses dons de dramaturge. Mais il devenait le type du musicien
pour littérateurs, autrement dit pour ceux qui n'entendent rien
à la musique. C'est contre lui que l'on inventa la notion de la
musique « pure », qui eût fort étonné Bach, lequel s'évertuait
surtout à rendre ses Passions et ses cantates bien émouvantes,
bien édifiantes. On discréditait, on écartait ainsi des vrais « professionnels » un concurrent terriblement encombrant.

C'était sans aucun doute plus facile que d'affronter les problèmes nouveaux posés à la musique par son existence, mais
tout à fait erroné. S'il y eut un domaine où Wagner demeure un
amateur, ce fut la philosophie. Il lui manquait l'habitude du vocabulaire, des enchaînements dialectiques, qui ne peut guère s'acquérir dans l'âge mûr lorsque on a fait comme lui des études
classiques décousues. Il a confessé ses difficultés à la lecture de
Kant, de Hegel et même de Schopenhauer. Ce qui ne l'empêcha
pas de philosopher avec surabondance pour son propre compte.

Il était homme de théâtre presque de naissance, ayant comme
Mozart et Verdi le sens de la scène à faire, tous les talents d'un
habile régisseur, et sur eux la supériorité d'être son propre
librettiste. Mais il nous a fourni lui-même la clé de son génie
dans ce mot trop rarement cité : « Je voyais le drame dans la
musique. » De toutes ses intentions métaphysiques, mystiques,
psychologiques, sociales, de sa culture, de ses sujets légendaires,
il ne fût resté qu'une curieuse logomachie s'il n'avait été d'abord
un musicien, et l'un des plus grands du monde. Toutes ses idées
se métamorphosaient en musique, celle-ci leur donnait sang,
chair et forme. Il n'a pas éprouvé le besoin de nous exposer les
recettes de sa musique, parce qu'elle était son langage naturel,
qui s'imposait par lui-même. Il l'avait appris avec une rapidité
qui révèle bien la profondeur de ce don. Parce qu'il projetait
spontanément la musique dans le drame, une fois les rudiments
acquis, il tâtonna quelque peu, le drame musical étant une entreprise qui réclame une autre expérience que la composition d'un
cahier de lieder. Beaucoup mieux avisé et organisé que Berlioz,
il sut tirer un enseignement des procédés de Bellini, de Halévy,
de Meyerbeer, au lieu de les mépriser en bloc comme le Dauphinois, ce qui ne l'empêcha pas de rejeter par la suite encore
plus vigoureusement que lui ce répertoire dépassé. Ses débuts

furent assez conventionnels parce qu'il n'était pas mûr lui-même. Il forgea son outil au fur et à mesure de ses nécessités intérieures, comme du reste Mozart et Beethoven ; mais encore fallait-il pour créer un tel outil les plus étonnantes facultés musicales.

Liszt, Bülow, Chabrier, d'Indy, Bruckner, les premiers musiciens wagnériens, un peu plus tard Richard Strauss et Mahler l'avaient fort bien pressenti. Pour eux, selon la formule si juste de Vuillermoz, « le wagnérisme était d'abord un état de l'ouïe », comme pour le mélomane débutant qui n'a que les plus vagues notions sur la forêt des symboles tétralogiques, mais reçoit un choc éblouissant de la marche funèbre de Siegfried, des Adieux de Wotan. N'hésitons pas à dire que l'allergie à Wagner est de nos jours le symptôme d'un arrêt dans le développement des facultés auditives, dont les perceptions ne vont pas au-delà du classicisme. A moins que l'on ne soit, tels Ravel et Stravinsky, un créateur pour qui il est nécessaire d'oublier cette œuvre obsédante.

Les leitmotive wagnériens ont été l'objet de brocards innombrables : la « carte de visite » dont Wotan se fait précéder, le guide-âne qui permet à l'ignorant, pourvu qu'il sache l'épeler, de se croire initié à tous les mystères musicaux. Mais on peut se demander si ce ne sont pas surtout les compositeurs, souvent auditeurs très paresseux, qui n'ont perçu dans les leitmotive que des repères émergeant d'une pâte indistincte. Le procédé en soi date des premiers âges du théâtre lyrique ; on l'observe chez Monteverdi. Mais il était resté durant deux siècles primitif, la carte de visite en effet, accolée à un personnage. Wagner le premier allait, outre ce rôle étendu aux sentiments, aux situations, aux abstractions, aux forces de la nature, assigner aux leitmotive une fonction musicale essentielle. Ils ne sont pas plaqués sur la trame symphonique. Ils la nourrissent, lui sont consubstantiels. Ils peuvent se dissimuler dans le flot orchestral, se laisser porter par lui, ou en resurgir impérieusement, pour le déchirer, mais le reformer aussitôt. Ils s'opposent, s'épousent, s'étagent en pleine polyphonie, se scindent, déclenchent comme dans le Voyage sur le Rhin du *Crépuscule* de puissants développements. Harmonie, rythmes, timbres concourent à leur physionomie, aux déguisements qu'elle revêt. Le tout, à le considérer selon les praticiens classiques, représente le travail thématique le plus étonnant d'ingéniosité, de science tantôt instinctive tantôt lucidement calculée, mais où l'artisan magistral joue avec cent éléments, alors que les symphonistes précédents œuvraient sur deux ou trois cellules.

Et puis, quelle que fût la fonction de ces thèmes, encore fallait-il les inventer, trouver les figures sonores répondant à la majesté du Walhall, à l'éclair de l'Épée, au brasillement du Feu, au balancement de la Mer, sans jamais recourir à l'imitation naturaliste. Il n'existe nulle part dans la musique un tel répertoire de formules frappantes, chargées, en si peu de notes, d'une pareille force expressive et poétique.

Plus d'un demi-siècle a été nécessaire pour que l'on arrivât à définir la complexité de l'écriture wagnérienne, qui est celle des musiques les plus savantes, d'une musique portée au plus haut point de toutes ses fonctions : « Chimie à dose infinitésimale ou massive... parenté inextricable du semblable et du divers », a dit un de ses meilleurs analystes français, Marcel Beaufils.

L'orchestre, qui s'ouvre de nouveaux espaces dans l'aigu comme dans le grave, acquiert une densité inconnue par les doublages d'instruments que l'on condamnerait partout ailleurs comme une lourdeur. Mais dans ce bloc géologique, comme dans l'épaisseur d'une délectable pâte picturale, les mélanges de timbres font courir des veines bigarrées qui à leur tour se superposent pour créer d'autres tons. On songe à la technique par transparence — la plus somptueuse, la plus difficile — des anciens peintres, les Vénitiens, Rubens, que Wagner, bien qu'il n'ait guère eu de goût plastique, rejoint d'ailleurs dans la « ténébreuse et profonde unité » des correspondances baudelairiennes. Mais cet orchestre peut être aussi démultiplié par la division des pupitres. Même un commentateur aussi malveillant qu'Adorno s'incline très bas devant un tel métier, au point d'affirmer « qu'il n'y avait pas d'art de l'orchestration avant Wagner », ce qui est hyperbolique. Il est vrai cependant qu'auprès de cette fusion de la pensée et des timbres, même l'écriture instrumentale de Berlioz, dont Wagner fit son profit, demeure un brillant coloriage. Wagner veut que sa couleur orchestrale soit, comme il l'a dit, « une action », qu'elle tienne dans le drame un rôle de premier plan. D'autres y avaient bien pensé avant lui, mais s'en étaient tenus à des velléités dérisoires, (sauf par instants chez Weber), comparées à cette participation totale de cent vingt instruments soumis à un continuel brassage qui détruit l'équilibre classique opposant cérémonieusement les « familles », cuivres, bois,

cordes, mais pour créer un autre équilibre qui fait de l'orchestre
un seul instrument, émettant des ondes multiples, transformées,
reformées dans un mouvement incessant. Instrument si docile, si
malléable, tout en étant si riche de pouvoirs, qu'à partir de
Lohengrin chaque opéra de Wagner aura sa propre couleur
orchestrale.

Wagner, écrit-on souvent, a su trouver l'orchestre de sa musique.
Nous préciserons en disant : l'orchestre de son harmonie, qui lui
est organiquement lié, s'illumine, s'assombrit, menace ou s'exalte
avec elle. L'évolution de cette harmonie est une aventure artistique que l'on ne peut suivre que d'œuvre en œuvre. En termes
techniques, c'est la libération des accords. Dans la réalité de la
vie, c'est l'effort victorieux d'un poète des sons pour repousser
les limites du langage musical, lui faire chanter des sentiments,
des conflits, des phénomènes, des abstractions qui semblaient
incompatibles avec sa nature, avec les règles qui l'organisaient.
Rien jamais n'est gratuit, entrepris à titre d'expérience. Les
analyses de ces accords, souvent contradictoires, presque toujours
discutables quand elles prétendent dégager un système, rem-
plissent de longs rayons de bibliothèques. Ces études à la loupe
ont plus ou moins dissimulé à bien des musicographes un autre
caractère important de l'écriture wagnérienne, sa tendance contrapunctique, « faux contrepoint » en quelque sorte puisque l'œuvre
entière ne renferme qu'une seule fugue constituée, la Bâtonnade
des *Maîtres chanteurs,* mais très lisible dans la conduite presque
constante au sein de la polyphonie d'une harmonie à quatre voix,
avec une liberté et une souplesse des voix moyennes qui servirent
de modèle à Schœnberg dans ses débuts.

Symétries brisées mais qui se reconstituent en formes classiques
ou plutôt éternelles à une échelle géante, selon un plan que l'on
ne peut distinguer que par survol, dont on perçoit cependant
obscurément à l'audition qu'il assure la fermeté de tout l'édifice.
Un édifice qui malgré sa masse est ciselé dans le détail. « Orchestre
fouillé jusqu'au plus subtil », dit Marcel Beaufils. Nietzsche fut
un des premiers attentif à cette minutie de Wagner, pour en tirer
des arguments polémiques, mais l'admirer sans réserves dans un
morceau aussi large de souffle que le Prélude de *Parsifal* « où la
netteté de la musique fait penser à un bouclier d'une facture
achevée ». Le grand critique anglais Neville Cardus, mélomane
subtil, dit très justement de la première scène de *La Walkyrie,*
avec son dialogue des bois et des cordes, qu'elle est écrite comme

de la musique de chambre. Dans cette scène et la suivante, la respiration de la musique est celle même des personnages.

On citerait cent autres exemples de ces raffinements, en parfaite contradiction avec la légende de Wagner assourdissant, bourreau des tympans. Légende qui n'a été accréditée que par des interprétations grossières, d'autant plus impardonnables que Wagner, en logeant ses instrumentistes dans la fameuse fosse couverte de Bayreuth qui place les cuivres au gradin le plus bas, sous la scène, avait manifesté le plus clairement du monde ses intentions. Il a déclenché, quand il le jugeait nécessaire, des paroxysmes sonores inconnus avant lui et qui sont devenus familiers après lui à Strauss, Mahler, Alban Berg, Stockhausen. Mais il suffit de feuilleter les partitions pour voir que les fortissimi de l'orchestre n'interviennent que dans les incises ou les épisodes symphoniques, et que les chanteurs, dans une interprétation fidèle, n'ont guère à craindre d'être « couverts ». Lorsque ces chanteurs possèdent l'étoffe et le volume indispensables à leurs rôles, ils n'ont pas plus à craindre d'être usés prématurément par la musique wagnérienne que par Verdi ou les véristes, à la condition qu'ils soient d'excellents musiciens. Wagner sait à sa manière écrire pour les voix aussi « humainement » et savamment que les Italiens. Toutes les récriminations sur l'impossibilité de le chanter ont en fait concerné son style beaucoup plus que ses tessitures et que les efforts qu'il réclame. Le temps est heureusement révolu d'un puritanisme hérité des franckistes où l'on admettait et préférait même dans Wagner des voix ternes, déficientes, pourvu que leur déclamation fût exacte. Sans doute n'a-t-on jamais mieux chanté Wagner que de nos jours, où un Vickers, une Birgit Nilsson, vocalement d'une stature héroïque, pratiquant dans la Tétralogie et dans *Tristan* l'attaque directe à l'italienne, réconcilient le wagnérisme et le bel canto.

L'ARIOSO CONTINU

Lorsque on la replace dans son temps, en pleine apogée de Meyerbeer et de Donizetti, la décision d'écrire *L'Anneau du Nibelung* apparaît insensée. Porter au théâtre l'orchestre beethovénien, en faire un acteur du drame au même titre que les chanteurs, c'était déjà une provocation à l'égard d'un public pour qui les flonflons du *Prophète* représentaient le sommet de la symphonie, de la redoutable « musique savante ». (Notons que les oreilles de ce public accoutumé au tintamarre de son « grand opéra » n'étaient pas déchirées par le volume des fanfares wagnériennes, mais par l'inouï de leur harmonie). Il était encore plus téméraire de proposer à ces bourgeois, pour leurs soirées digestives, des méditations symboliques sur la destinée du monde. Mais le comble de l'extravagance, chez le diable saxon, était bien son principe de la mélodie continue.

On conçoit l'effarement des premiers auditeurs et le pénible travail de ceux qui devinaient à travers ce mur de sons des beautés inconnues. Wagner renversait deux siècles d'usages en même temps que les cloisons qui compartimentaient les airs par « numéros » depuis les Vénitiens et les Napolitains, et qui avec les récitatifs circonstanciels paraissaient la seule manière imaginable de représenter une action en musique. A l'intérieur de sa mélodie ainsi libérée, Wagner effaçait les points fixes traditionnels dans l'écriture des Italiens, des Français, des Allemands, qui proposaient leur sécurité à l'attention ou plutôt l'inattention du public.. Il leur substituait les étrangetés déroutantes des dissonances, d'un chromatisme d'œuvre en œuvre plus insinuant. Le récit se muait en aria, l'aria s'alignait en récit sans que rien eût signalé ces phénomènes anarchiques. L'auditoire protestait qu'il n'y avait plus de chant, alors que l'arioso chantait à présent tout le temps. Nous parlons ici du Second Empire et des années qui l'ont suivi. Mais aujourd'hui encore, bien des amateurs d'opéras, en Italie et dans la France méridionale, tout en reconnaissant les beautés de l'orchestre de Wagner, regrettent « qu'il y ait du chant dessus », la symphonie et la voix humaine leur paraissant toujours incompatibles, s'endommageant mutuellement.

Wagner fut sans aucun doute un énergumène, comme Rembrandt, comme Beethoven, comme Dostoïevsky et Rimbaud. Mais cet énergumène, ce plébéien enfant de la balle, ce Teuton mal éduqué possédait, lorsqu'il parlait en musique, le sens de la grandeur qui avait aussitôt subjugué un aristocrate de l'esprit tel que Baudelaire : « L'immensité sans autre décor qu'elle-même, écrivit celui-ci... Les appétitions de l'esprit vers un Dieu incommunicable... L'extraordinaire volupté qui circule dans les lieux hauts... Le style héroïque jaillit avec une impétuosité naturelle, une solennité d'accent superlative. » Cette escalade de la musique vers un au-delà indéfinissable, peut-être chimérique, auquel la condition humaine ne peut cependant s'empêcher d'aspirer, s'exprime par l'éclat nimbé d'héroïsme des timbres, mais surtout par la force ascensionnelle de la mélodie, que favorise la disparition de la cadence; cette cadence qui ramène au contraire toujours au sol, après leurs plus aériennes voltiges, les airs italiens, enroulés sur eux-mêmes.

Dans cet enchaînement continuel des mélodies, « où la "bonne note" est comme cueillie par le passage d'une nouvelle vague harmonique qui nous emmène aussitôt vers d'autres régions », la cadence parfaite, lorsqu'il lui arrive d'intervenir, revêt par sa rareté une ampleur noble, inconnue chez les classiques où elle n'était qu'un signe de ponctuation. Elle devient, aux instants culminants du drame, une formule frappante d'affirmation, « de loyauté » dit Lavignac : « Sein Ritter ich bin Lohengrin gennant (Et Lohengrin son chevalier, c'est moi); Siegfried mein seliger Held (Siegfried, mon noble héros), les mots de Brunnhilde qui à la fin du *Crépuscule* effacent les trahisons et les serments funestes.

Wagner, que l'on a tant accusé de système, ne croyait donc pas déroger en usant quelquefois des formules les plus simples lorsque elles lui paraissaient les plus expressives. René Leibowitz, que son rôle important dans la musique contemporaine n'empêche pas d'être un mélomane universel, a rappelé encore que Wagner, s'il a bien dans l'ensemble des œuvres de sa maturité brisé les moules clos de l'ancien opéra, ne s'est pas astreint à suivre aveuglément ce principe, et revient à ces formes quand il les juge utiles ou belles, fidèle en cela à ses idées sur la continuité nécessaire entre la tradition et l'évolution. Mais il les renouvelle, les plie à son esthétique. Les courts duos de Tristan et Isolde à la fin du premier acte (45 mesures), de Brunnhilde et Siegfried (57 mesures) dans le finale de *Siegfried* n'interviennent après de longs dialogues que pour célébrer naturellement un paroxysme de passion aussi bien que pour ménager avant le baisser du rideau un de ces crescendos « enlevants » auxquels s'entend à merveille l'homme de théâtre Wagner. Au début du second acte de *Tristan,* le bel hymne d'Isolde à Da : Minne, la déesse germanique de l'amour, d'un dessin assez italien malgré son chromatisme, peut être considéré comme un récitatif (de onze mesures) et aria, mais sans clausule, et baigné dans le flot ininterrompu de l'immense nocturne. Même dans cet exemple d'italianisme, il n'y a plus rien de commun avec l'air isolé, enchâssé entre la ritournelle d'orchestre et le *da capo.*

Les ensembles, peu fréquents, puisqu'ils constituent l'élément le plus étranger à la mélodie continue, sont cependant d'une très grande qualité, très travaillés, d'une écriture vocale aussi souple et habile que celle des Italiens, avec beaucoup plus de raffinements harmoniques. Cette rareté en même temps que cette perfection font leur célébrité, l'attraction qu'ils exercent : les trios des Filles du Rhin dans *l'Or* et surtout dans *Le Crépuscule*, dans ce même *Crépuscule* le chœur sauvage et superbe des guerriers de Hagen, les huit Walkyries dans la Chevauchée, le sextuor des Filles-Fleurs de *Parsifal*, le Quintette des *Maîtres chanteurs*, que l'on rapproche souvent d'un des chefs-d'œuvre du genre, le quatuor de *Rigoletto*. La plupart de ces ensembles sont appelés par la situation (chœur des matelots, très bref, dans *Tristan*, trio du pacte de mort au second acte du *Crépuscule*), ou bien, plus développés, résonnent au début d'un acte, comme pour entraîner, activer le fleuve musical qui va suivre. On peut observer que les Nornes, qui ouvrent avec une anxieuse majesté la tragédie du *Crépuscule*, ne forment pas un trio, comme c'eût été le cas dans n'importe quel opéra traditionnel. C'est qu'elles ont un rôle de narratrices et de prophétesses que l'on ne distinguerait plus avec la même netteté dans un ensemble. Aussi leurs voix ne se joignent-elles qu'à la fin de la scène, pour sept mesures à l'unisson. Un exemple, entre cent, de la lucidité et de la maîtrise de Wagner dans ses décisions.

Nous nous étendrons peu sur le chapitre des emprunts de Wagner, lieu commun ancien, mais repris de temps à autre par des chroniqueurs mal renseignés, de l'antiwagnérisme qui parlait même de pillages.

Wagner a infiniment moins emprunté que les classiques des âges précédents où les échanges de motifs faisaient partie des mœurs et ne choquaient personne. Nous ne voyons pas pourquoi on reprocherait à des romantiques ce que l'on admet si aisément chez Bach. On est souvent revenu sur la dette de Wagner à l'endroit de Liszt. Mais textes en mains, les ressemblances invoquées, cueillies dans la Sonate, les Années de Pèlerinage ou *Les Clochers de Strasbourg*, apparaissent très fugaces, fortuites, ou sollicitées par des analyses extrêmement spécieuses. Si Wagner a transporté au théâtre l'esprit dramatique de l'orchestre beethovénien, les origines de sa langue musicale sont dans la famille de Weber et de Liszt. Deux musiciens aussi proches de goûts, de tempéraments, aussi intimes que Liszt et lui ne pouvaient manquer de s'influencer réciproquement. Wagner tout le premier a dit le profit qu'il avait tiré des innovations harmoniques de Liszt. Mais de là à déduire qu'il le plagia... On fait trop bon marché de la chronologie quand on veut traiter des apports de Liszt à Wagner. La Chevauchée des Walkyries, par exemple, ne peut procéder de *La Bataille des Huns* de Liszt, comme on le prétend encore souvent, puisqu'elle lui est antérieure de dix-huit mois au moins : Wagner, qui achèvera *La Walkyrie* fin mars 1856, en expédie à Liszt au mois d'octobre 1855 les deux premiers actes, où la Chevauchée est déjà largement développée ; Liszt n'annonce à son ami l'achèvement de sa *Bataille* qu'en février 1857, et ne la lui enverra qu'en 1860. Même si les dates n'étaient pas à ce point formelles, il faudrait considérer, au-delà d'une très vague parenté entre ces deux musiques – qui ne nous fera pas dire d'ailleurs que Liszt a pillé son cadet – leur complète différence d'esprit. *La Bataille* est un cinémascope musical très extérieur, exploitant le poncif romantique du galop mis en vogue par la *Fantastique* de Berlioz et la cuivrerie militaire du «grand opéra». La Chevauchée exprime l'âme des cavalières du Walhall. Elle n'évoque des images militaires que si elle est mal exécutée, hors des prescriptions de Wagner qui spécifie bien : « Pas trop vite, presque solennellement, et l'accent sur la première note. »

Il faut surtout songer aux conséquences que Wagner a su tirer des trouvailles harmoniques qui l'avaient alerté et séduit chez Liszt, mais sont restées éparses, épisodiques dans l'œuvre déjà si dispersée de celui-ci. On préfère d'ailleurs se refuser à pousser davantage, par amitié pour la belle figure de Liszt, la confrontation imprudemment sollicitée par quelques-uns de ses fanatiques, et qui se trournerait contre lui.

Pour quelques autres réminiscences, à notre avis plus évidentes que les « souvenirs » de Liszt, le thème de la Poursuite dans le prélude de *La Walkyrie*, celui de la Forge des Nibelungen, dont le premier rappelle l'accompagnement du *Roi des Aulnes* et le second le scherzo du quatuor de *La Jeune Fille et la Mort*, on ne peut guère en tirer argument que pour admirer les puissantes métamorphoses entre les mains de Wagner de ces simples rythmes schubertiens ; de même que le majestueux usage qu'il fait, pour le thème du Graal dans *Parsifal*, de l'Amen liturgique de Dresde, déjà « emprunté » par Mendelssohn, et qui appartient à tout le monde.

Enfin, que pèsent ces exceptions laborieusement recensées, auprès des innombrables et célèbres motifs, auxquels on n'a jamais pu découvrir la moindre « source », d'un des inventeurs les plus originaux de toute la musique ?

On a encore beaucoup médit des sorcelleries de Wagner, réduisant ses auditeurs à merci par l'écrasante longueur de ses ouvrages, par une tension, des incantations qui ne se relâchent jamais, agissent sur les nerfs comme une sorte de stupéfiant.

L'envoûtement wagnérien est en effet un phénomène indéniable, très éprouvant. Mais la musique ne retrouve-t-elle pas ainsi, à travers tous ses raffinements, une de ses plus anciennes fonctions, la magie ? Parce qu'il n'y a eu au cours de l'histoire que fort peu de compositeurs capables d'exercer ce pouvoir, doit-on les tenir pour des sortes de monstres, au lieu de s'incliner devant leur génie ? Les opéras de Wagner ne sont pas trop longs. Ils se déroulent dans une durée shakespearienne, nécessaire pour que l'action se développe, que les personnages prennent du corps, évoluent, malgré les ralentissements du chant. Ce sont les autres opéras, la plupart d'entre eux en tout cas, qui sont trop courts, n'animent plus que des silhouettes et des anecdotes. Wagner empoigne l'auditeur pour ne plus le lâcher, pour réclamer de lui une écoute active, comme les meilleurs et les plus hardis des compositeurs d'aujourd'hui. Une soirée wagnérienne vraiment vécue est une assomption dont on redescend à la fois exalté et meurtri. C'est l'honneur et l'essence même de cette musique que d'imposer les épreuves de l'initiation et du don de soi à ceux qui sauront atteindre par là aux joies profondes de sa connaissance.

DE « RIENZI » A « PARSIFAL »

Défilés, processions, acclamations, serments, ballet, fanfares sutout, martelées, insistantes, omniprésentes : *Rienzi* (1842), le moins wagnérien des opéras, est en somme celui qui répond le plus au vieux cliché de la musique wagnérienne massive et assourdissante. Meyerbeer, Halévy, Spontini guident visiblement le jeune homme de vingt-neuf ans qui engage là sa première grande bataille. Il ne dispose pas encore d'un vocabulaire approprié au tumulte de ses idées; il y supplée par une surenchère de gros effets, comme les écrivains débutants qui croient donner plus de force à leurs adjectifs conventionnels en les entassant. Il se contente de poncifs harmoniques et rythmiques qui font alterner de molles vulgarités dans la manière du mauvais Donizetti avec ces « doubles croches militaires » immanquables dans les « grands opéras » parisiens de l'époque. Mais toute cette grosse cavalerie se déploie et charge avec un entrain qui a bientôt alarmé le froid spéculateur Meyerbeer. Les grands airs, les duos, les trios, les chœurs défilent selon les rites italiens. Mais le tempérament intransigeant de Wagner, secouant toutes les habitudes, se manifeste par les dimensions de l'œuvre, encore plus longue dans sa version originale que *Le Crépuscule des dieux*. L'auteur fut tout de même terrifié, le soir de la première, de constater qu'après quatre heures de spectacle, deux actes restaient encore à chanter. Ce fut néanmoins un triomphe, auquel avait sa part le livret, qui déroule avec beaucoup plus de mouvement que de fidélité à l'histoire la carrière de Rienzi, tribun populaire de Rome au XIVe siècle, vainqueur des patriciens, mais trahi par la plèbe et l'Église.

Wagner aurait pu faire fortune en imitant ses confrères parisiens et italiens, c'est-à-dire en recommençant dix fois *Rienzi* sous d'autres titres. Mais *Rienzi*, qui lui avait coûté près de quatre ans de travail, n'était pas encore représenté, qu'il avait déjà écrit en sept semaines un autre opéra, *Der Fliegende Holländer, Le Vaisseau fantôme*. Ce *Vaisseau* se ressent d'une telle rapidité de composition. Il n'est pas homogène, les personnages secondaires y chantent encore quelques cavatines à la Meyerbeer ou à la Donizetti, plus élégantes d'ailleurs que leurs modèles. C'est cependant un des grands tournants de l'art wagnérien. La partition est toujours conçue par « numéros », mais s'enchaînant, grâce à l'orchestre qui est en train de prendre son grand rôle de commentateur, qui impose déjà les leitmotive fermement dessinés. Mais surtout, l'harmonie a subi depuis *Rienzi*, dont elle n'est séparée que par une dizaine de mois, une brusque et saisissante mutation, annoncée dès les premières quintes au début de l'ouverture, affirmée dans les pages maîtresses de l'œuvre, la Ballade de Senta, tout le rôle du Hollandais, à l'exception de son duo italien avec le marchand Daland. Sans doute, Wagner, reprenant conscience de son germanisme après deux années d'échecs parisiens, se retourne-t-il vers Weber. Mais jamais, chez le Weber qui se veut le plus sincèrement dramatique et mystérieux, on ne trouve pareille gravité, pareille insistance dans les registres sombres des instruments et des voix. L'ouverture du *Vaisseau* peut voisiner souvent dans les programmes avec les fragments wagnériens les plus puissants de la maturité : on distingue mieux alors des naïvetés dans son élaboration, mais elle ne crée aucune disparate. Enfin, avec ce capitaine maudit, errant éternel des tempêtes, qui ne peut être racheté que par l'amour d'une femme fidèle jusqu'à la mort, Wagner vient de pénétrer dans sa vraie patrie, la légende, avec ses héros qu'accompagne un halo trouble mais surnaturel.

On ne peut s'empêcher de sourire, en relisant le livret de *Tannhäuser*, à ce combat de l'amour sacré et de l'amour profane tellement étranger à notre siècle, cette apologie de la chasteté que toute l'existence de Wagner a si allègrement contredite. Mais dès que la musique s'élève, nous oublions les bizarreries de ce schéma, nous sommes transportés dans un monde chevaleresque où ce sont nos petites ironies, notre réalisme quotidien qui deviennent dérisoires. A trois ans de distance du *Vaisseau fantôme*, Wagner fortifie son esthétique. Il adopte pour ne plus s'en écarter, sauf dans *L'Or du Rhin* qui sera un prologue, sa coupe en trois actes, la plus logique et la plus solide, le seul cadre qui convienne à ses grandes « surfaces » musicales. Ecrit pour une voix de ténor claire, ouverte, encore proche de la tradition italienne bien que ne montant pas très haut, le rôle de Tannhäuser est plutôt statique, malgré les violentes oscillations morales du personnage, qui renie la Vénus païenne pour la Vierge mais retombe deux fois sous son empire. Statique aussi, au second acte, le tournoi des chevaliers trouvères de la Wartburg, qui a fourni à Wagner la première idée de son œuvre. On a pu ainsi rapprocher assez justement *Tannhäuser* de l'opéra-oratorio, dont les masses chorales dessinent l'architecture. Dans les intervalles, les airs, les duos sont toujours séparés selon la construction par numéros ; mais on y sent le génie mélodique de Wagner en pleine lutte, avec des fortunes diverses, pour se libérer des influences antérieures. Les italianismes se raréfient. La romance à l'Étoile ressortit encore à des modèles français mais avec plus de distinction (surtout après ses premières mesures), les chaleureuses strophes de l'accueil de Wolfram à Tannhäuser sont issues du lied beethovénien, mais amplifié, affîné. L'hymne à Vénus, que le ténor reprend quatre fois – c'est beaucoup – chaque fois un demi-ton plus haut, reste trop corseté dans une carrure bien martiale pour un chant de volupté. Mais dans les airs d'Elisabeth, Wagner assouplit la ligne mélodique avec une élégance ferme et délicate qui déjà n'appartient plus qu'à lui. Dans le long récit du

Voyage à Rome, magnifique page qu'un ténor inintelligent peut rendre mortellement ennuyeuse, Wagner est le maître presque absolu de ce nouveau style de déclamation qui dominera toute son œuvre future, où l'arioso réchauffe, soulève le récitatif, peut exprimer les mouvements et les nuances des âmes les plus pathétiques. D'autre part, *Tannhäuser* s'est enrichi d'un tableau où se déploie toute la puissance wagnérienne, la grandiose et farouche bacchanale, dont personne n'a mieux parlé que Baudelaire, et qui fut écrite en 1860, de la plume qui avait déjà tracé *L'Or du Rhin*, *La Walkyrie* et *Tristan*. Ce rajout de couleurs orchestrales beaucoup plus montées n'entraîne pas de disparité, grâce à l'adresse des transitions. Mais quand on se rappelle que Wagner composa ce formidable « supplément » pour apaiser les abonnés de l'Opéra qui exigeaient un ballet, on se dit qu'il y avait bien chez lui une impossiblité biologique aux concessions.

Dans son brillant décor féodal, *Lohengrin* chante une fable aux sens nombreux : le mythe lointain de Psyché, la fragilité de l'Eve éternelle aux prises avec le démon de la perversité, la solitude de l'être supérieur. Au contraire de *Tannhäuser*, le scénario est plein de mouvement. Après le prélude translucide, construit avec une audacieuse virtuosité sur un seul thème uniquement varié par le jeu des timbres durant son crescendo et son decrescendo, un récitatif vite mené suffit à nouer le drame, la terrible accusation de fratricide lancée contre la jeune princesse Elsa par Frédéric de Telramund. Les événements courent ensuite, l'apparition d'Elsa d'abord accablée puis remettant sa défense à un chevalier inconnu que les trompettes appellent plusieurs fois en vain mais qui survient soudain miraculeusement, le serment qu'il réclame à Elsa, l'amour qu'il lui déclare, son duel vainqueur avec Telramund dans le jugement de Dieu. Tout cela est dit par des airs vibrants de lyrisme mais qui ne dépassent guère une vingtaine de mesures, suivis et commentés par le chœur avec une sobre émotion. Wagner peut donc être concis lorsqu'il le juge à propos. Et c'est encore une sottise que de le prétendre embarrassé quand il met plus de deux personnages en scène. Au second acte, le dialogue, très développé celui-ci, entre Frédéric et Ortrude, sa femme et sa sinistre inspiratrice, n'obéit plus, sauf dans quelques mesures de récitatif courant, à aucun modèle préexistant à Wagner. Le dernier acte, avec le grand duo consonant jusqu'à la facilité, très vocal, incurvé souvent à l'italienne, avec les déclarations solennellement isolées de Lohengrin, se souvient davantage du grand opéra. Mais à ses sommets — le récit du Graal, les adieux de Lohengrin, le surhomme qui redevient dans un élan si émouvant l'amoureux navré — la noblesse de l'accent et de la ligne mélodique métamorphose ce qui n'était que redondance chez les faiseurs parisiens. Et tout au long de la partition, les leitmotive deviennent plus actifs, apprennent à tenir un rôle plus subtil, de même que l'orchestre, les « bois » humains, compatissants, qui accompagnent toujours Elsa, tandis que Lohengrin, l'être d'en haut, est porté sur les cordes aériennes, comme l'a remarqué Marcel Beaufils.

Avec *Le Vaisseau*, *Tannhäuser* et surtout *Lohengrin*, Wagner, tué sur les barricades de Dresde en 1849, serait déjà demeuré comme l'un des auteurs les plus originaux et les plus attachants du drame lyrique au XIXᵉ siècle. Mais ses plus intimes confidents eussent été bien en peine de soupçonner ce qui disparaissait avec ce musicien de trente-six ans.

On a toujours quelques instants de stupéfaction, redisons-le, quand on songe à la date où fut composé *L'Or du Rhin* : de septembre 1853 à mai 1854. Provocation d'une splendide impertinence ! Tandis que le plus grand succès européen est *L'Etoile du Nord* de Meyerbeer, que la *Martha* de M. le comte de Flotow passe pour un pur chef-d'œuvre allemand même chez des musiciens sérieux, que M. Ambroise Thomas fait presque figure de pionnier pour le public parisien qui considérera dans quelque temps que le *Faust* de Gounod « plane dans des régions inaccessibles à l'intelligence des profanes », Wagner invente l'opéra cosmogonique, métaphysique, et loin de risquer là une tentative isolée, s'apprête à en faire l'œuvre la plus monumentale de sa carrière, en quatre immenses partitions.

Sur le sens ou plutôt les sens de ces quatre journées de *L'Anneau du Nibelung*, que nous appelons en France du beau mot de *Tétralogie*, on a tout écrit, mais, pour toutes les plumes, avec les mêmes difficultés à une synthèse.

Le nain Alberich dérobe à ses gardiennes l'Or, instrument de la toute-puissance. Pour pouvoir accomplir ce rapt, il a renoncé à l'amour. Le dieu Wotan à son tour vole le nain, sans parvenir à désamorcer la malédiction dont Alberich a frappé l'Or. Les héros terrestres issus de lui, Siegmund puis Siegfried son fils, succomberont, tués par le sortilège, qu'abolira seulement le sacrifice final de Brunnhilde, dans la catastrophe qui engloutit le vieil ordre, mais dont les flammes apocalyptiques allument aussi l'espoir d'une rédemption du monde par l'amour.

Ce synopsis, offert dans tous les théâtres de l'Occident à la perplexité des néophytes, n'est que l'enveloppe d'un grouillement de pensées, de symboles, d'énigmes dont on dresse l'inventaire depuis près d'un siècle. L'une des significations dominantes de l'œuvre, c'est sans conteste l'annonce, avant Nietzsche, de la mort du Dieu unique du Credo chrétien, omnipotent, créateur du ciel et de la terre. *Le Crépuscule* est une figuration de sa fin. Mais Wotan appartient à une théogonie à la fois plus familière à notre pensée et immémoriale. C'est le dieu qui, en exerçant sa volonté de puissance a commis le péché originel, un dieu enchaîné par les lois qu'il a édictées lui-même pour l'ordre du monde, impuissant devant leurs lacunes ou leurs méfaits, et dominé comme le Zeus grec, sur une vertigineuse échelle métaphysique, par l'indéchiffrable Destin.

Au règne des dieux succède celui de l'homme, affranchi des lois célestes et des morales qui ne reposaient que sur des impostures. (On voit combien cette pensée wagnérienne, donnée souvent pour le comble du romantisme, est au contraire proche de nous.) L'homme ne réalise son destin qu'en écartant les dieux. Siegfried est cet anarchiste et l'homme de la nature dans sa fraîcheur et son ingénuité. Mais là s'arrêtent les similitudes avec Rousseau et sa descendance des progressistes primaires. Siegfried, le Fils des bois, a l'instinct du guerrier qui veut affirmer sa force. Sur le plan même du monde, Wagner voit dans l'écroulement de tout la condition des renaissances supposées beaucoup plus que prédites.

Dans cette nébuleuse intellectuelle, gravitent des fragments de toutes les théologies connues, brahmanisme, bouddhisme, cultes grecs, religions nordiques, christianisme. Nous savons aussi qu'entre la première conception de la *Tétralogie* et son terme, près de trente années s'écoulèrent. Le Wagner de 1874 notant les derniers accords du *Crépuscule* est bien éloigné du socialiste de 1848, ami de Bakounine, qui en écrivant le poème de *La Mort de Siegfried* faisait du pouvoir maudit de l'or le symbole du capitalisme. Il est parti du naturalisme de Feuerbach, il est passé par la morale schopenhauérienne de la pitié. On ne sait pas très bien comment il faut comprendre « la renonciation à l'amour » et « la rédemption par l'amour ». Mais aucune mythologie, aucun système religieux ne sont exempts de ces contradictions et de ces énigmes. Le critique français Marcel Schneider note finement « qu'il y a la même difficulté à concilier dans la pensée de Wagner le déterminisme fatal et la liberté du héros que dans le christianisme la toute-puissance de Dieu et le libre arbitre de l'homme ».

Ce qui importe, c'est que Wagner a créé une mythologie. Il
demeure le seul à l'avoir réussi dans l'histoire de l'opéra, tout en
étant fidèle aux origines de cet opéra, qui pendant plus de cent
ans n'avait cessé de faire chanter Orphée, Ariane, Andromède,
Thésée. Mais Monteverdi, Cesti, Lully, Rameau ne disposaient
plus que d'une mythologie exsangue, pouvant tout au plus servir
de support aux arias et aux allégories officielles. Wagner a ressuscité les vieux dieux et héros nordiques enfouis dans les parchemins
des sagas. Il leur a inventé une âme personnelle. Wotan, Siegfried,
Brunnhilde, Alberich sont des êtres vivants tout en restant auréolés
de légende. Les obscurités, çà et là, de leurs propos et de leurs
actes procèdent en quelque sorte de leur essence mythique.
Wotan n'occuperait pas la scène depuis bientôt un siècle avec une
« présence » que rien n'a entamé, s'il parlait une langue aussi
limpide que celle de Voltaire. Ces dieux ne sont pas aussi enfermés
qu'on l'a cru dans leur germanisme. Les mises en scène stylisées
jusqu'à la nudité de Wieland Wagner, le petit-fils du maître,
nous ont révélé que le Walhall est beaucoup moins loin qu'on
ne le pensait de l'Olympe, un Olympe habité par un Zeus que les
pseudo-classiques n'ont pas encore bichonné, ayant comme
Wotan maille à partir avec les Géants, et comme lui habitué aux
frasques amoureuses. Dépouillé par Wieland de ses casques à
cornes et de ses autres ferrailles. *Le Crépuscule des dieux* se
déroule sous les nuées d'une fatalité eschylienne. Wagner ne se
trompait pas quand il espérait renouer avec l'esprit de la tragédie
grecque.

L'Or du Rhin est une adéquation prodigieuse de la musique à
ce qu'elle doit exprimer : un monde « cyclopéen », contemporain
des Titans, à peine dégagé de la matière originelle que semble
encore rouler le *mi* bémol du Rhin, peuplé d'êtres surnaturels
mais voués à toutes les violences primitives. Pour cette peinture
sonore, qui ne pouvait être tentée que par l'extravagance et
l'assurance du génie, Wagner, l'inépuisable chanteur de *Lohengrin*,
a supprimé tout ce qui pouvait encore ressembler à un air constitué. On a beaucoup trop dit qu'il traitait la voix humaine comme
un instrument de l'orchestre ; mais pour *L'Or du Rhin*, cette
définition abusive est presque constamment exacte. La partition
se construit de blocs musicaux massifs, asymétriques ; ou bien
elle charrie une nappe de matière épaisse, qui n'a point encore

trouvé le moule où elle prendra forme. Et même certains tâtonnements de Wagner, aux prises avec les singularités de sa création
semblent participer du travail de cette genèse. Mais tout ce monde
à peine équarri est revêtu des puissantes couleurs, tantôt sombres,
tantôt éclatantes, d'un orchestre qui reste moderne même pour
les oreilles du XXe siècle. Avec ses ondines, ses nains, ses géants,
ses tours de magie, *L'Or du Rhin* peut être entendu comme un
immense conte de fées, mais un conte dit par un démiurge qui
commande à un peuple souterrain, aux voix des gouffres, au
tonnerre, au feu, à l'arc-en-ciel. La musique s'est ouverte au
cosmos tout entier.

Avec *La Walkyrie*, nous redescendons sur terre. Nous retrouvons une musique humaine, charnelle, qui renoue aussi avec son
passé. Elle s'arrondit, se laisse même entraîner quelques instants
à la romance (les premières mesures de l'Hymne au Printemps,
morceau traditionnel de bravoure pour ténor). Mais elle n'ignore
pas non plus le merveilleux, et elle y est étincelante. Dans ce
continuel passage de la sensualité au surnaturel, les dieux maintenant aiment, souffrent comme les mortels, et Wagner n'est
jamais plus sûr de lui et plus émouvant que lorsqu'il fait chanter
ces sentiments très simples. Cette irrésistible *Walkyrie renferme
cependant* deux scènes auxquelles achoppent encore les wagnériens les mieux entraînés, les deux longs dialogues, au second
acte, de Wotan avec son épouse Fricka, l'aigre Junon de ce
Jupiter, puis avec sa fille Brunnhilde. Aux voix, le récitatif se
traîne en formules monotones. A l'orchestre subitement terni,
les leitmotive se succèdent par associations mécaniques avec le
texte, des éléments rythmiques médiocres servent vaille que
vaille de liant entre eux. Wagner s'est pourtant acharné à ce
labeur ingrat, parce qu'il y expose la servitude du dieu. Mais la
musique se rebelle contre ces abstractions, se retire. Et son
absence nous prouve que c'est bien elle, et non une philosophie
plus ou moins ambiguë, qui est dans cet art le principe de vie et
la signification de tout.

Si les idées philosophiques de Wagner ont été assez hétérogènes
et flottantes, il y a eu dans ses idées d'artiste une continuité prodigieuse. La composition de *Siegfried*, interrompue par *Tristan*
au milieu du second acte, n'a été reprise que dix ans plus tard. On
ne perçoit cependant pas la moindre faille dans l'œuvre, ce radieux
scherzo de la sonate tétralogique. Wagner a repris le fil de son
épopée comme s'il l'avait quittée la veille. Mais si le style et le ton

conservent leur unité, la facture s'est encore élargie et enrichie. Avec *Tristan* et *Les Maîtres chanteurs*, nés durant la longue halte du *Fils des bois*, Wagner a franchi une nouvelle étape. Il est au faîte de son art. Il sait arracher à l'orchestre de son *Anneau* des couleurs encore plus vibrantes et lumineuses. Ses leitmotive chargés déjà d'une longue histoire se succèdent, s'unissent, se défont, se refont avec une liberté purement musicale, dans la plus glorieuse polyphonie, dans le flot symphonique que plus rien n'interrompt. Les voix déroulent des mélismes illimités. Et dans cette fête, cette verve, les basses marchent d'un pas de plus en plus large et puissant, ramenant au sein de toutes les audaces un des grands principes de la construction classique.

Le Crépuscule des dieux ajoute son pathétique à la splendeur sonore de *Siegfried*. Le scénario, qui durant deux actes soude laborieusement au mythe les péripéties barbares de la vieille légende, est pourtant le moins bien venu des quatre journées. (Wagner l'avait écrit en premier lieu.) Mais la musique plane bien au-dessus de ce texte. C'est en elle que se joue formidablement le vrai drame. Dans les deux scènes du prologue, dans le troisième acte tout entier — le plus beau des quatre journées — elle n'a jamais eu plus de pouvoir, avec des thèmes qui ont cependant circulé à travers plus de mille pages de partitions, mais qui loin de s'être usés nous bouleversent comme des figures vivantes dont le destin s'accomplit. Seules, après le grandiose monologue de Brunnhilde, les toutes dernières mesures de l'orchestre fléchissent. Porté sur une harmonie facile, le motif de la Rédemption par l'amour, d'un contour plutôt sentimental, s'exalte artificiellement. La musique, pas plus que ses auditeurs, n'a une foi réelle dans cette vague et problématique espérance, peut-être indispensable à l'esprit de Wagner, mais restée floue pour lui-même, comme le sont hélas ! presque toutes les notions des penseurs et des poètes qui veulent être « constructives », comme l'Eternel Retour de Nietzsche.

Nous dirons un dernier mot sur la langue des livrets de la Tétralogie. Avec son système d'allitérations sonores, ses archaïsmes, son vocabulaire martelé mais court, on conçoit qu'après avoir interloqué beaucoup d'Allemands, elle ne soit plus pour eux qu'une fabrication assez puérile. Peut-être sommes-nous plus libres pour apprécier les intentions de Wagner, qui a voulu doter ses héros épiques et mythiques d'un langage qui n'appartient qu'à eux, dont les accents en tout cas coïncident admirablement avec la musique. Et puis, aurait-on préféré que Wagner se crût obligé, comme Berlioz, d'adopter les pâles poncifs de règle chez les librettistes professionnels du XIXᵉ siècle ?

Parmi toutes les singularités qui ont jalonné la vie de Wagner, l'une des plus étonnantes est bien l'idée qu'il se faisait de *Tristan et Isolde* au moment de l'entreprendre. Il se flattait d'écrire une œuvre « absolument abordable... offrant aux théâtres une tâche aisée », et qui une fois traduite entrerait facilement dans le répertoire des chanteurs italiens. Il comptait bien, par ce succès assuré, se remettre suffisamment à flot pour pouvoir terminer *L'Anneau* sans tracas de finances.

L'amour devait l'emporter sur tout. Wagner allait vivre la plus grande aventure amoureuse de sa vie avec Mathilde Wesendonck, la jeune femme de son mécène zurichois. On ne sait pas exactement quand cette belle Allemande, très cultivée et raffinée, devint sa maîtresse. Mais elle était jour par jour, dès 1855, la première auditrice de ses livrets, des pages qu'il venait de composer. Elle lui présentait ses propres poèmes, qu'il mettait en musique, les cinq *Wesendonck Lieder,* qui sont de véritables études pour *Tristan.* En 1857, par une curieuse générosité de Wesendonck, qui a fait don à Wagner, moyennant un léger loyer, d'une petite maison à côté de sa villa, les deux amants n'ont plus qu'un sentier à traverser pour se rejoindre. Mais Minna, l'ombrageuse épouse, est aux aguets.

C'est dans cette intimité passionnée et menacée que naît le premier acte de *Tristan.* Le second s'ébauche déjà, au printemps 1858, quand un trivial esclandre de Minna rompt le charme. La vie auprès des Wesendonck devient impossible. Wagner doit se résigner péniblement à quitter Zürich. Il s'installe au mois d'août à Venise. Il y compose durant sept mois le second acte, tout en adressant à Mathilde une flamboyante correspondance, en tenant pour elle un journal de son œuvre, des phases d'exaltation et d'abattement par lesquelles il passe, tantôt émerveillé – « Quelle musique cela devient ! Jamais je n'ai rien fait de tel » – tantôt consterné par la misérable marche de son travail. C'est en corrigeant la gravure des deux premiers actes qu'il prend tout à fait conscience d'avoir écrit là « sa musique la plus étrange et la plus hardie ». Le troisième acte est composé à Lucerne, durant le printemps 1859, dans des affres cruelles. Wagner n'avance qu'avec des difficultés terribles dans la grande scène du délire de Tristan. Sa propre musique le brise, elle le vide. Il se lamente auprès de

Liszt : « Je ne saurais te dire combien je me sens piètre musicien...
un ignorant... rassemblant quelque misérable fatras... un bou-
silleur. » Le mois suivant, ses piles sont rechargées. Il se joue les
scènes qu'il vient d'écrire, se félicite : « Richard, tu es un diable
d'homme ! » Il est apaisé, il peut revoir assez tranquillement les
Wesendonck. La fin sereine et lumineuse de sa partition ne lui
coûte aucun effort. Mais aussitôt il songe aux incroyables obstacles
que vont soulever les représentations de ce *Tristan* qui devait être
un intermède facile au milieu de la *Tétralogie*. Il souhaite presque
qu'elles restent médiocres : « Si elles étaient parfaitement bonnes,
les gens deviendraient fous. »

 Aucune des œuvres de Wagner n'a donc davantage échappé au
dessein initial de son auteur, n'a obéi à une nécessité intérieure
plus pressante et brûlante. Il a possédé la femme qu'il a le plus
ardemment désirée, il a été arraché d'elle au plus fort de leur
exaltation de l'esprit et des sens. Cette crise a précipité l'évolution de son art. Sa plume est devenue un stylet planté dans
son cœur pour en retracer les angoisses, les décrochements, les
bonds. Et ce graphique fiévreux s'est traduit par le chromatisme
à jamais célèbre de *Tristan,* s'imposant comme le seul langage
d'un tel drame dès les quatre premières mesures du prélude, qui
ont jeté les harmonistes classiques dans une déroute dont ils ne
sont pas revenus. Avec les enchaînements d'accords « vagues »,
n'ayant plus de fonction précise, leurs renversements contre
toutes les règles, les altérations continuelles, les septièmes
et neuvièmes ni préparées ni résolues, la tonalité se dissout,
ne se rétablit un instant que pour s'évaporer à la mesure suivante.
Chaque note tend à devenir une *sensible*. Un vocabulaire tout
neuf, aux nuances insoupçonnées, s'ouvre ainsi au musicien.
Dans ce milieu mouvant, au long rythme de houle cent fois
célébré – et par Marcel Proust incomparablement – les leitmotive,
moins nombreux, presque tous psychologiques, acquièrent une
fluidité, une ductilité qu'ils ne retrouveront nulle part. Et la
mélodie, loin d'être contractée par le perpétuel chromatisme, en
reçoit une nouvelle sève; elle s'épanouit, elle plane. Bien que les
locutions italiennes ou weberiennes y aient presque entièrement
disparu, *Tristan* est l'œuvre wagnérienne la plus magnifiquement
« chantante », la plus vocale, à la condition bien entendu d'être
servie par des interprètes dignes d'elle en tout, et que d'une
génération à l'autre on a toujours dénombré sur les doigts.

 Mais on se tromperait en portant ces admirables trouvailles

de l'instinct au compte d'une improvisation échevelée. Si Wagner a composé dans des tourbillons de souffrance, de bonheur, d'ébriété artistique dont les signes sur sa partition lui paraissaient encore, bien des années plus tard, issus d'un miracle, il n'a jamais perdu son contrôle. Tout en gardant à son orchestre sa puissance, il en éteint les couleurs les plus vives, travaille en camaïeu avec les cordes, interdit le pittoresque aux « bois » ; et aucune instrumentation ne pouvait être plus poétique pour *Tristan*, un peu trop compacte seulement, de l'avis même de Wagner, qui eût certainement approuvé les interprétations modernes, moins appuyées sans sacrifier un seul pupitre, surtout pas parmi les soixante-quatre archets indispensables aux fusées de la Délivrance par la mort, du grand nocturne à l'entrée du second acte. L'idée géniale de Wagner, on le sait, fut d'ôter au philtre son rôle matériel, d'avoir imaginé Tristan et Isolde s'aimant dès la première rencontre et ne se l'avouant que lorsqu'ils croient avoir bu le poison mortel. Sur cette idée, la construction dramatique, où poème et musique ne peuvent se dissocier, est incomparable, avec les plus belles « lenteurs » de Wagner — l'entrée de Tristan, la scène du breuvage d'amour, la « chanson d'aube » de Brangaene — avec ses plus saisissantes ellipses, comme la fin brusquée et bruyante du premier acte, qui précipite les amants éperdus dans le monde réel et désormais incompréhensible. Aucune autre œuvre lyrique n'a su animer d'une vie aussi intense une action tout intérieure, dépouillée de toute anecdote. Isolde est femme par chaque fibre. Que l'on écoute son premier mot d'amour à Tristan : « *Treuloser Holder !* Cher infidèle ! » Sous cette caresse de cinq notes, la griffe de la princesse offensée pointe encore, le tendre reproche pour les jours où ils auraient pu s'aimer déjà s'il ne l'avait pas fuie. Tandis que Tristan, *lebhaft mit Steigerung, allegro appassionato*, est tout de suite pâmé : « *Seligste Frau !* Femme céleste ! »

Nulle part Wagner n'a plus complètement réalisé son idéal d'unité que dans cette tragédie à deux personnages et deux confidents, en triptyque : le premier acte, celui d'Isolde ; le second, de Tristan et Isolde ; le troisième, de Tristan. L'érotisme de cette musique, qu'aucun spasme ne saurait apaiser, finit par ne plus appartenir à la terre. Le pathos schopenhauérien qui avait ému Wagner s'est effacé, comme toutes les philosophies. Il reste l'immortelle histoire d'un amour trop beau pour ne pas aspirer à la mort, l'amour tel que chacun, quelque jour, a rêvé de

le faire, et tel qu'on ne le fera jamais. *Tristan,* dont le dépouillement rejoint le grand classicisme, a épuisé aussi le romantisme
dans ses tempêtes comme dans ses effusions. Mais ce sommet
unique conduit à un autre versant, plein de promesses, celui où
vit la musique de notre temps.

Les Maîtres chanteurs de Nuremberg sont l'exemple le plus
étonnant de la plasticité du génie wagnérien. Au chromatisme
lancinant de *Tristan* succède l'apothéose diatonique la plus imprévisible. Mais Wagner n'y est pas moins personnel. Il symbolise
l'Allemagne du XVIᵉ siècle par des couleurs qui n'appartiennent
qu'à lui, sans verser dans aucun pastiche, en encadrant sa comédie
avec des chorals stylisés, très évocateurs d'une vieille société
artisanale et bourgeoise, un peu lourde mais saine, aux croyances
bien assises, ayant grandi dans un terroir musical dont les chants
font pressentir les grands artistes futurs. Car Wagner, bien entendu,
ne pouvait pas rester folklorique, local, et il fait tenir dans son
Nuremberg toute la vieille Germanie.

Cet opéra-comique est donc encore une œuvre de proportions
monumentales, aux puissantes fondations polyphoniques, mais
traversée des rythmes les plus variés, les plus lestes qu'ait dessinés
Wagner. Le thème des *Maîtres* préside à la fête, digne, avec tout
juste ce qu'il faut de pompe un peu trop affichée pour nous faire
sourire de ces braves gens. Les autres leitmotive ont acquis la
même indépendance que dans *Tristan. Les Maîtres* sont aussi une
partition « chantante », avec moins d'ampleur que *Tristan,* mais
un libre et très heureux usage des formules les plus mélodiques,
ne dédaignant pas les notes d'ornement, s'insérant dans l'arioso
ou se développant dans de vrais airs, d'un lyrisme qui n'appartient
qu'à cette œuvre. Le comique s'ébroue par moments avec des
souliers assez bruyants, mais il n'est pas vulgaire.

Après avoir fait chanter les dieux, Wagner a créé avec Hans
Sachs, le cordonnier-poète, un personnage d'une magnifique
humanité, représentant d'une aristocratie populaire, sage, intelligent, dont la bonhomie s'entoure d'une sorte de majesté patriarcale, teinté d'un peu de mélancolie par sa tendresse amoureuse
pour Eva, dont il pourrait être le père, et qui nous vaut des
finesses ravissantes. Sachs expose dans ses monologues admirables
et ses conseils au jeune poète Walter son esthétique qui est aussi
celle de Wagner et de tous les grands artistes : que la tradition
sache reconnaître les novateurs, mais que ceux-ci ne méprisent
jamais la tradition dans ce qu'elle a de fécond et de juste. A côté de
ce large bon sens, Beckmesser incarne la tradition sclérosée, vétil-

leuse, hargneuse, bref la critique académique qui a toujours été l'ennemie de Wagner. C'est une caricature, fort bien à sa place dans la
comédie. Si elle semble souvent trop chargée, la faute en est surtout
aux interprètes. *Les Maîtres* sont avec *Tristan* l'œuvre la plus parfaitement équilibrée, la mieux unifiée de Wagner, née d'une joie et
d'une verve créatrice de chaque instant. Nous n'y voyons qu'une
seule faiblesse, toute relative, le chant de concours de Walter,
repris sept fois, ce qui est un peu beaucoup pour une mélodie
gracieuse mais assez molle.

Nous dépasserions par trop les limites de ce livre si nous
voulions entrer dans l'exégèse philosophique, aussi touffue que
contradictoire, de *Parsifal.* On y a relevé des empreintes védiques,
bouddhiques, pythagoriciennes, manichéennes, cathares, le souvenir de Schopenhauer persistant dans la rédemption par la pitié,
l'influence plus récente du racisme de Gobineau dans la pureté du
sang. On y a vu le symbole d'une victoire progressive de l'esprit
sur la matière, qui pourrait se relier à Teilhard de Chardin. Nous
constatons l'insuffisance des plaisanteries de Nietzsche, qui se
moque de cet idéal de virginité, insolite en effet sous la plume de
Wagner, comme nous le disions à propos de *Tannhäuser,* mais à
qui l'on peut trouver plusieurs sens ésotériques. Nier tout rapport
de l'œuvre avec le christianisme comme on le fait encore parfois
est certainement paradoxal. On approche davantage de la vérité
en disant que Wagner, qui évoluait sous l'influence de Cosima
vers une spiritualité aux contours peu définis, avait dans l'esprit
un syncrétisme religieux assez voisin de la Tradition, telle que
l'entendait René Guénon.

S'il y a un catholicisme de *Parsifal,* il est avant tout musical,
parce que Wagner, pour créer son atmosphère mystique, s'inspira
avec sa liberté habituelle du grégorien tel qu'on le connaissait à
son époque, et de Palestrina, de Victoria. Mais la Consécration du
Graal et la Cène n'ont aucunement le sens de la communion
catholique. Wagner, pessimiste de toujours, s'il se rapprochait du
christianisme en y voyant un remède à la bassesse de l'humanité,
n'en créa pas moins une liturgie purement personnelle, indépendante de tout dogme.

Parsifal reste encore aujourd'hui l'œuvre la moins facilement
accessible du répertoire wagnérien. C'est aussi, avec *Tristan,* la
plus audacieuse, la plus en avance sur son époque. Le chromatisme règne partout, et Wagner n'a peut-être rien écrit qui fût
harmoniquement plus étrange que le petit prélude du troisième

acte. Sauf l'ensemble des Filles-Fleurs, traité d'ailleurs avec la plus originale flexibilité, et les magnifiques chœurs de la Consécration qui ressortissent, si l'on veut, à l'oratorio scénique, toute trace de l'opéra traditionnel a disparu. A l'arioso fait place une déclamation par courtes cellules mélodiques constamment altérées qui n'allège pas l'audition des austères récits de Gurnemanz, le vétéran de la chevalerie, mais chante aussi l'érotisme sauvage ou captieux, l'affrontement torturant de la chair et de l'esprit dans la longue scène entre Parsifal et Kundry, la plus déroutante au premier contact, l'une des plus dramatiques et des plus prophétiques de Wagner quand on a appris à l'entendre.

Mais la séduction immédiate de *Parsifal,* c'est son orchestre immatériel, translucide, « qui semble éclairé par-derrière », disait Debussy, ou parfois tout à coup étrangement trouble, avec des simplifications qui sont le contraire d'un appauvrissement, des rapports de timbres absolument imprévisibles au xixe siècle, bref cette magistrale faculté qu'eut Wagner d'offrir à chacune de ses œuvres une couleur orchestrale qui lui fût propre.

LA MUSIQUE DE L'AVENIR

Au lendemain du désastre de *Tannhäuser,* en mars 1861, la presse parisienne, accablant le vaincu, exultait avec un bel ensemble : « L'épreuve est faite ! La *musique de l'avenir* est enterrée ! » Quelques jours plus tard, Baudelaire répliquait à ces journalistes : « Les gens qui se croient débarrassés de Wagner se sont réjouis beaucoup trop vite; nous pouvons le leur affirmer. Je les engage vivement à célébrer moins haut un triomphe qui n'est pas des plus honorables d'ailleurs, et même à se munir de résignation pour l'avenir. »

Depuis, l'on a enterré vingt fois Wagner, et chaque fois c'est le mot de Baudelaire qui a eu raison contre les fossoyeurs. Passé le temps des absurdes chahuts du chauvinisme français et de la wagnérite suraiguë, tant littéraire que musicale de 1880 à 1900, une réaction s'était produite avec Debussy, Ravel, Stravinsky, réaction nécessaire, salutaire, mais qui aurait pu se dispenser d'être injuste. Cette nouvelle génération de musiciens s'inclinait encore, à l'exception de Stravinsky, irréductible, devant la puissance du vieux sorcier, mais en condamnant ses impuretés et en prédisant que de ses orgueilleux monuments il ne subsisterait bientôt plus que quelques beaux pans de ruines. Ce qui n'empêchait point Bayreuth de prospérer et les théâtres qui affichaient des cycles wagnériens de faire salle comble.

Au lendemain de 1918, ce fut le grand public qui s'opposa à la fielleuse campagne de Saint-Saëns réclamant sous prétexte de patriotisme l'exclusion de toute la musique écrite en Allemagne depuis 1870 et de Wagner avant tout. De 1920 à 1935, tandis que l'opéra reprenait fastueusement tout le répertoire de *Tannhäuser* à *Parsifal*, que Bayreuth donnait au Théâtre des Champs-Élysées une saison mémorable, les concerts parisiens exploitaient jusqu'à l'abus les festivals Wagner, avec les mêmes morceaux souvent exécutés vaille que vaille, mais sûrs d'attirer ainsi les foules. Il en allait de même dans la plupart des capitales. Cependant l'intelligentsia européenne, les musiciens néoclassiques d'Allemagne, de France, d'Italie se tenaient dédaigneusement à l'écart de cette passion populaire, reléguaient une fois pour toutes Wagner parmi les vieilles lunes les plus démodées, ne se donnaient plus la peine ni de le discuter ni de l'entendre. Honegger se faisait blaguer parce qu'il osait avouer son goût pour la *Tétralogie*. Les mélomanes et les musicographes qui persistaient à affirmer l'importance de *Tristan* dans l'évolution de l'écriture ne rencontraient que des sourds quand ils parlaient aux compositeurs.

Pour comble de discrédit, Wagner, de par le volonté de Hitler, était devenu le musicien officiel du IIIᵉ Reich. Lorsque en 1945 le Festspielhaus de Bayreuth fut transformé en théâtre d'opérette à l'usage des troupes noires américaines, on put se demander si une longue nuit n'allait pas descendre sur l'œuvre du maître. Mais six ans plus tard, Bayreuth rouvrait triomphalement avec les mises en scène des petits-fils de Richard, Wieland et Wolfgang Wagner, et l'on découvrait que *L'Anneau*, que *Parsifal* s'accommodaient admirablement de ce modernisme, que jamais ils n'avaient paru aussi glorieusement intemporels et universels.

Durant ces mêmes années d'après-guerre, la subite diffusion, dans le monde entier, des œuvres de Schœnberg, d'Alban Berg, d'Anton Webern, rappelait à tous ceux qui avaient pu l'oublier le rôle de précurseur tenu par Wagner dans le courant le plus fécond de la musique contemporaine. La suspension chez Schœnberg du système tonal (atonalité) avec toutes ses conséquences, dérive en effet directement du chromatisme de *Tristan*, où si souvent il n'existe plus de tonalité définissable.

Antoine Goléa écrit : « La genèse directe de toute musique du XXe siècle, c'est le *Tristan* de Wagner. » Et Alfred Einstein, pourtant bien éloigné du fanatisme wagnérien : « Avec *Tristan*, c'est une ère harmonique qui s'achève et une autre qui commence. » Wagner a été ainsi le plus grand accélérateur de l'histoire musicale.

On a souvent fait de Wagner, tout en l'admirant, un génie solitaire qui ne pouvait avoir de successeurs. Sans doute, il était hors de question de recommencer après lui *La Tétralogie*. D'autre part, il a existé, surtout en France, une séquelle très médiocre du wagnérisme, comme nous le verrons un peu plus loin, et qui pouvait justifier le sentiment que l'art du maître était mort avec lui. Mais Bruckner, Gustav Mahler, Richard Strauss, Hugo Wolf, Schœnberg, Alban Berg, ses héritiers immédiats, lui ont composé, il nous semble, une assez fière suite. Ils ont même représenté tout ce qui s'est créé de plus durable en Allemagne, à l'exception de Brahms, de 1880 à la Seconde Guerre mondiale. Dans tous les pays, le théâtre lyrique a reçu l'empreinte de Wagner, ne fût-ce que par la place qu'y a prise l'orchestre. Les grands intervalles vocaux, supérieurs à une octave, dont il a usé le premier, sont devenus de règle dans toute la musique dramatique. Maints détails dans l'instrumentation des dernières parties de la *Tétralogie*, de *Parsifal*, annoncent la « mélodie de timbres », *Klangfarbenmelodie*, sur laquelle a tant travaillé l'école sérielle. Sans affirmer comme Igor Markevitch que la direction d'orchestre n'existait pas avant Wagner, on peut dire que c'est lui qui en a fait un art précis, qu'après lui seulement et le plus souvent pour servir d'abord son œuvre, les chefs d'orchestre sont devenus ces officiants, ces recréateurs sans lesquels la vie musicale s'effondre. Et c'est encore lui qui à travers sa dramaturgie a formé l'oreille des Français pour toutes les autres musiques de leur temps, leur a appris l'écoute polyphonique.

Ce sont les ironies antiwagnériennes dont Jean Cocteau, Darius Milhaud, Paul Hindemith étaient prodigues vers 1925 qui paraissent aujourd'hui démodées. Une anecdote nous renseigne sur la légèreté d'esprit dont elles procédaient, chez les Parisiens du moins. Peu de temps avant sa mort, Francis Poulenc, l'un des « Six » et des iconoclastes de 1920, entendait au cinéma dans un assez méchant film quelques fragments de *Lohengrin*, de *Tristan*, de *La Tétralogie* et s'écriait émerveillé : « Mais Wagner est un magnifique musicien ! » Il lui avait fallu attendre 1955 pour le découvrir...

Aujourd'hui, la location pour le festival de Bayreuth est close huit mois d'avance. L'autre hiver, des milliers de Parisiens se levaient à cinq heures du matin et se battaient devant les guichets de l'Opéra pour entendre *Tristan* avec Birgit Nilsson. Covent Garden, le Metropolitan Opera, Vienne, Salzbourg, Munich multiplient les représentations wagnériennes sans fatiguer la passion de leurs auditoires où les jeunes gens sont souvent les plus nombreux. Les « intégrales » de *La Tétralogie* se succèdent dans les éditions phonographiques. L'on n'a sans doute jamais mieux joué Wagner que de nos jours, avec plus d'intelligence, de finesse et de vie, jusqu'au San Carlo de Naples, temple du *bel canto* qui a une prédilection pour *Gli Maestri Cantori di Nurimberga*. Enfin, Pierre Boulez dirige maintenant *Parsifal* à Bayreuth, exécutions admirables de subtile fidélité, hommage d'un vrai novateur au maître qui a été tant dénigré par les fausses avant-gardes. Wagner n'était pas égaré par la mégalomanie quand il pensait écrire « la musique de l'avenir ». Le « spectacle total » dont il rêvait obsède l'imagination de nos hommes de théâtre. Sans avoir rien perdu de sa magie, Wagner est entré dans l'immortalité des grands classiques.

CHAPITRE VII

VERDI

A Venise, au bout de la Riva dei Sette Martiri, deux bustes gardent l'entrée des jardins publics où ont lieu les expositions de la Biennale : celui de Richard Wagner et celui de Giuseppe Verdi. Seule rencontre, en effigie, des deux plus grands créateurs du drame lyrique. Ils se connaissaient pourtant fort bien, s'épiaient l'un l'autre à travers leurs œuvres. A la mort de son illustre conscrit, Verdi devenu non moins célèbre confiait à ses carnets intimes son émotion : « Triste, triste, triste... J'en ai été absolument atterré... C'est une grande individualité qui disparaît. Un nom qui laissera une empreinte puissante dans l'histoire de l'art. » Wagner, s'il eût été le survivant, lui eût-il rendu le même hommage ? On en doute, puisque il n'a jamais cité le nom de Verdi, alors qu'il ne pouvait ignorer ses ouvrages, comme en fait foi le second acte indéniablement « verdiste » du *Crépuscule des dieux*. Il avait certainement reconnu en lui sont plus puissant rival. Mais leur gloire même les séparait, et la troupe des disciples jaloux, bien plus sectaires que les maîtres. Tant de querelles s'étaient envenimées dans la critique, dans le public, qu'une entrevue des deux vieux artistes fût devenue une affaire d'Etat. D'ailleurs, il n'en va guère autrement de nos jours. Parce qu'ils passaient pour être les deux pôles antinomiques de la musique moderne, Stravinsky et Schœnberg ont vécu plus de dix ans sur les mêmes coteaux d'Hollywood sans s'adresser une seule fois la parole.

Giuseppe Verdi était né le 10 octobre 1813 aux Roncole, un hameau de la commune de Busseto, entre Parme et Plaisance. La région formait alors l'un des départements français « d'au-delà des Alpes », le Taro, et l'acte de naissance du petit Verdi fut rédigé en français. Son père tenait un cabaret rustique, sa mère

était fileuse. Comme il le répéta toute sa vie, il était donc bien
« un paysan ». Mais un paysan aux attaches élégantes, à la taille
élancée, aux traits fins. Il faut d'ailleurs, pour le bien connaître,
s'arrêter un moment à son iconographie. Ses airs les plus familiers
à notre mémoire nous font imaginer un personnage exubérant.
Verdi au contraire, avec ses yeux gris, son teint pâle, son air
renfermé, portait en lui un fond de tristesse, de méfiance à
l'endroit de la vie, et son pli volontaire, au-dessus du nez aquilin,
le marque jusque dans les dernières photographies du beau
vieillard d'allure patricienne.

S'il manifesta aussi peu de goût, sa vie durant, pour les écrits
théoriques, les confrontations d'idées, bref s'il fut aussi peu que
possible un intellectuel, cela ne tenait pas tant, comme il l'affirmait volontiers, à ses origines modestes. Malgré la pauvreté de
sa famille, il avait pu faire au collège de Busseto des études
secondaires très convenables, lire abondamment les classiques
latins, italiens et étrangers. Cependant, ses penchants musicaux
l'emportaient dès l'âge de quatorze ans. Il apprenait le rudiment
sous la direction d'un nommé Provesi, compositeur raté mais
cultivé. Il étudiait sur une épinette détraquée, puis sur un piano,
et devenait pour ainsi dire seul un assez brillant pianiste. Il
brochait sans arrêt des pièces pour orgue, pour flûte, pour
clarinette, pour orphéon, des marches, des ouvertures, des airs
de danse. Il se faisait ainsi une réputation de jeune prodige,
mais à l'échelle de son canton. Il fallait voir plus loin. A dix-neuf
ans, muni d'une petite bourse, Verdi arrivait à Milan, s'y voyait
refuser, parce que trop âgé, l'entrée du Conservatoire, et se
mettait à travailler avec Lavigna, admirateur de Paisiello, bon
contrapunctiste. Sous sa férule, pendant trois ans, le jeune
Verdi alignait fugues et canons, sans qu'on lui apprît rien, dit-il,
de l'instrumentation ni de la musique dramàtique. Lavigna était
pourtant l'auteur d'un assez grand nombre d'opéras bouffes et
d'opéras « sérieux ». Mais bien que l'opéra dominât toute la
musique italienne, on ne l'enseignait nulle part.

Verdi avait donc reçu la même formation classique que trois
quarts de siècle plus tôt les élèves du père Martini à Bologne.
A Carissimi, Marcello, Corelli, il ajoutait, surtout pour son
propre compte, l'étude de Haydn, de Mozart, Haendel, Bach,
Beethoven, puis plus tard de Weber, de Berlioz, de Mendelssohn,
de Schumann, Liszt, Brahms, Wagner. Il s'en était constitué
une petite bibliothèque intime qui ne le quitta jamais. Ce n'était

pas faute de connaissances qu'il devait tenir sur la musique instrumentale tant de propos déconcertants.

L'OPERA GAGNE-PAIN

A vingt-trois ans, sans diplôme officiel, sans aucune fortune, sans grandes relations, Verdi sur le point de se marier n'avait guère d'autre avenir devant lui que les fonctions de maître de chapelle, c'est-à-dire d'organiste et de directeur d'un petit orchestre d'amateurs dans le seul endroit où il eût quelque notoriété, à Busseto, une ville minuscule, presque une bourgade. Encore ce poste lui était-il âprement disputé.

La scène était pour lui, comme pour la plupart des musiciens italiens, la seule chance, mais très problématique, d'échapper à cette médiocrité. Il connaissait assez bien le nouveau répertoire de la Scala, Rossini, Auber, Bellini, Donizetti. Il avait assisté au grand duel vocal de la Malibran et de la Pasta, dont l'Italienne devait sortir vaincue. Avec cette expérience assez courte, Verdi composait durant l'année 1836, au petit bonheur la chance, son premier opéra, *Oberto, conte di San Bonifacio,* sur un méchant livret à la mode moyenâgeuse de l'époque, une banale histoire d'amour en style troubadour et des rivalités de seigneurs féodaux. Après plusieurs remaniements, il devait attendre trois ans pour le voir jouer, mais à la Scala, faveur très rare pour un débutant, et avec un succès qui ne se maintint pas très longtemps, mais somme toute encourageant.

L'opportunité matérielle semblait bien avoir dans cette affaire plus de part que le choix artistique. Pourtant, dès la première œuvre de Verdi, la vigueur décidée et même passionnée avec laquelle il traitait les éléments les plus dramatiques du livret indiquait qu'il venait de découvrir sa vocation. C'est ce qu'avait tout de suite deviné Merelli, imprésario de la Scala et du Théâtre de Vienne, en offrant au jeune auteur d'*Oberto* un contrat pour trois opéras destinés à être représentés dans l'un ou l'autre de ses deux théâtres. Peu après, au début de 1840, Merelli demandait que le premier de ces ouvrages fût un opéra bouffe dont il avait absolument besoin dans son répertoire. Mais alors qu'il se mettait au travail, Verdi, sortant lui-même d'une sérieuse maladie, perdait sa jeune femme, enlevée par une méningite sans doute tuberculeuse ; les deux bébés qu'elle avait mis au monde étaient morts à un an, vraisemblablement contaminés par leur mère. Brisé de douleur, Verdi était tenu de faire face à ses obligations et de mettre en musique les quiproquos, les facéties d'un livret intitulé *Un Giorno di Regno*. Écrite dans de telles conditions, cette œuvre ne pouvait être que médiocre, avec des bouche-trous hâtivement imités de Rossini. Elle tomba dès sa première et unique représentation.

Découragé, recru de tristesse, Verdi après cet échec voulait abandonner la composition. Ce fut encore Merelli qui en revenant plusieurs fois à la charge, le contraignit à lire un livret biblique, *Nabuchodonosor*, et le persuada que lui seul pouvait en écrire la musique. Le 9 mars 1842, ce *Nabuchodonosor*, devenu *Nabucco* par une abréviation qui ne choque pas les Italiens, mais a pour nous Français une résonnance d'opérette assez incongrue, était représentée à la Scala avec un succès immédiat, gigantesque.

Nabucco est d'une construction extrêmement simple. Verdi se modèle sur l'opéra de Donizetti, sur celui d'Auber et sur l'opéra-oratorio à la façon du *Moïse* de Rossini. Les airs, les duos ne sont guère différenciés les uns des autres. L'orchestre ne connaît que le grand boucan cuivré ou les accords d'accompagnement les plus faciles. De l'ensemble, nous retenons aujourd'hui surtout les chœurs, à l'unisson ou à plusieurs parties, qui firent d'ailleurs le triomphe de l'œuvre. Ils sont la voix du peuple juif réduit en esclavage par Nabuchodonosor, l'orgueilleux roi de Babylone, et qui espère sa libération. Verdi leur a imprimé la plus entraînante vigueur. Les Italiens n'avaient pas de peine à y entendre l'allégorie de leur sort : la Lombardie et la Vénétie retombées depuis le traité de Vienne sous la coupe de l'Autriche qui avait installé aussi ses archiducs en Toscane, à Parme, à Modène, intervenait partout contre les libéraux avec sa police, sa censure, ses régiments d'occupation. D'où les transports des Milanais. Verdi partageait à fond leurs sentiments. Il mettait l'opéra « militaire » d'Auber et d'Halévy au service d'un patriotisme très vif, qui allait donner à ses œuvres, durant tout le « Risorgimento », un rôle autant politique que musical, faire de lui l'une des plus grandes figures de la lutte pour la libération et l'unité de l'Italie.

Lancé par *Nabucco*, Verdi allait connaître pourtant ce qu'il nomma plus tard ses « années de galère », dans une vie musicale dont les conditions n'avaient guère changé depuis la jeunesse picaresque de Rossini. Les imprésarios se le disputent, parce qu'ils font avec lui de bonnes affaires, mais il est soumis aux clauses de leurs contrats, qui laissent bien peu de liberté. Ces commerçants lui imposent pratiquement les livrets, presque toujours très médiocres, parce qu'ils sont eux-mêmes peu cultivés et qu'ils engagent des rimailleurs au rabais. Les délais draconiens l'obligent à composer en hâte, souvent en s'adaptant aux moyens de troupes improvisées, aux insuffisances de telle vedette sur le déclin mais qui a encore la faveur du public. Il lui faut diriger les répétitions dans la ville où va se jouer l'ouvrage. Pendant des semaines, il travaille de huit heures du matin à minuit.

Des vingt-six opéras qu'il signera durant sa vie (si l'on ne compte pas *Jérusalem* et *Aroldo*, remaniements des *Lombardi* et de *Stiffelio*), douze datent de cette période, à une cadence de production qui rappelle celle des vieux Napolitains et dont on ne retrouvera plus d'autre exemple dans l'histoire du théâtre lyrique. Ils ont pour titre *I Lombardi alla prima crociata (Les Lombards à la première croisade*, 1843), *Ernani*, d'après le drame de Hugo (1844), *I due Foscari* (1844), *Giovanna d'Arco (Jeanne d'Arc*, 1845), *Alzira* (1845), *Attila* (1846), *Macbeth* (1847), *I Masnadieri (Les Brigands*, d'après Schiller, 1847), *Il Corsaro (Le Corsaire*, 1848), *La Battaglia di Legnano* (1849), *Luisa Miller*, d'après Schiller (1849) et *Stiffelio* (1850).

Leur qualité est aussi variable que l'intérêt que Verdi y a pris. Les *Lombardi*, qui chantent leur Italie lointaine avant de mourir en Terre Sainte, sont écrits sur la lancée de *Nabucco*, dont ils décalquent les chœurs les plus fameux, et avec la même sincérité patriotique qui leur vaut un succès presque aussi éclatant. Cette même veine nationale − de Wagner et de Verdi, le nationaliste à tous crins est l'Italien, pour la plus juste des causes d'ailleurs − reparaît dans *Attila*, dans *Macbeth*, dans *La Bataille de Legnano*. Les airs y servent surtout à introduire les chœurs, véritables appels à l'insurrection, sur des paroles sans équivoque : « Chère Italie, autrefois mère et reine... Aurais-tu l'univers, l'Italie me resterait... Qui meurt pour la patrie... Viva l'Italia ! » Ce que le public attend d'abord de Verdi, ce sont ces cris de guerre, qui chauffent les salles à blanc, y déchaînent une folle excitation : pour la première, à Rome, de *La Bataille de Legnano*, douze jours avant la proclamation de l'éphémère République romaine, un patriote, ne sachant plus comment manifester son émotion, jette sur la scène toute une rangée de fauteuils.

Lorsque l'œuvre nouvelle ne leur propose pas ces hymnes et ces chants d'assaut, les auditeurs sont déçus. Mais ces curieux critères n'entraînent pas de grosses injustices. Si le « maestro de la révolution » se réveille pour célébrer l'amour de la terre italienne, il besogne souvent à contrecœur dans *Alzira, Les deux Foscari, le Corsaire, Jeanne d'Arc* (dont on pourrait sauver les ensembles, l'air de Jeanne au début du dernier acte), éreinté par sa perpétuelle course contre le temps, démoralisé par des livrets cottonneux ou ineptes. Il instrumente en quelques jours, juste avant la première représentation, « aussi vite que s'il copiait de la musique », et cela ne se sent que trop à l'indigence, à la trivialité de son orchestre, qu'il n'« entend » certainement pas lorsqu'il le note. S'il veut par hasard soigner une page instrumentale, comme le lever de soleil dans *Attila*, il use de procédés si puérils, marches d'harmonie, batteries sur le même accord, qu'auprès de lui Félicien David, don il imite *Le Désert*, devient un grand coloriste et un éminent technicien. Le synchronisme beaucoup trop fréquent entre les rythmes de la mélodie vocale et l'accompagnement contribue fâcheusement à l'allure orphéonesque de cette musique. Sur le terrain même de Verdi, celui du chant, le récitatif n'est guère que du remplissage conventionnel. Ce qui tient debout, ce qui reste écoutable — les nombreuses parties chorales, ou par exemple certains airs de baryton des *Masnadieri* — ne le doit qu'au tempérament dynamique, à l'instinct dramatique encore à peine organisé du paysan de Busseto.

Richard Strauss a qualifié fort exactement *Macbeth* de « Drehorgelmusik », musique d'orgue de Barbarie, Verdi, à son insu du reste, ne pouvait qu'échouer à découper Shakespeare selon les numéros de l'opéra traditionnel, d'autant que le livret sur lequel il travaillait était d'une lamentable gaucherie. Le public italien lui-même, quoique fort peu versé dans la poésie shakespearienne, eut conscience de l'énormité de l'hiatus. Verdi pourtant, après avoir achevé *Macbeth*, le considérait comme son meilleur ouvrage, ce qui, de son point de vue, se concevait. Il y faisait bouger des personnages caractérisés, au lieu que la plupart de ses héros jusque-là étaient des entités, des porte-parole de la « patria » se découpant sur le fond populaire des chœurs. Deux ans plus tard, *Luisa Miller*, d'après le drame bourgeois de Schiller *Cabale et Amour*, est encore un chapelet de cavatines à la Donizetti, mais dans un registre de sensibilité et d'intimité nouveau chez Verdi et qui annonce *La Traviata*.

LA MATURITÉ : DE « RIGOLETTO » A « AÏDA »

En 1948 et 1849, le soulèvement de l'Italie du Nord et du Centre a été brisé par l'armée autrichienne. L'espoir de libération et d'unité repose désormais sur la Maison de Savoie et l'habile diplomatie de son ministre Cavour, moins inspirante pour un musicien que la révolte armée. Verdi, qui a déjà gagné une assez jolie fortune, commence à secouer ses chaînes. Il a rompu depuis 1847 avec la Scala, où l'on sabotait les représentations de ses œuvres. Comme la plupart des compositeurs italiens, il a pour maîtresse, une cantatrice retirée depuis peu de la scène où elle a été son interprète, la Strepponi, une femme fine, très cultivée, qu'il épousera en 1859 et qui se dévouera à son grand homme aussi totalement que Cosima à Wagner.

Toutes ces circonstances comptent dans l'évolution de Verdi. En deux ans, il donne *Rigoletto* (Venise, 11 mars 1851), *Le Trouvère (Il Trovatore,* Rome, 19 janvier 1853) et *La Traviata* (Venise, 6 mars 1853). Selon la terminologie des musicographes italiens, c'est « la trilogie populaire », qui forme toujours une des bases du répertoire dans tous les théâtres lyriques du monde, alors que sauf en Italie où *Nabucco* fait encore les beaux soirs de la Scala, on ne connaît presque plus rien des œuvres précédentes.

Populaire, Verdi l'est plus que jamais par sa fidélité au mélodrame musical, dont il épluche, soupèse, fait remanier les livrets avec un soin déconcertant quant à ses résultats. Car si les textes de *Rigoletto* et de *La Traviata* sont à peu près cohérents grâce à leurs modèles français — *Le Roi s'amuse* de Victor Hugo, *La Dame aux Camélias* de Dumas fils — *Le Trouvère*, où se mêlent la soif de vengeance d'une vieille tzigane dont la mère a été brulée vive sur le bûcher et la rivalité amoureuse d'un troubadour et d'un cruel seigneur ignorant qu'ils sont frères, est une élucubration à peu près inintelligible. Mais Verdi est indifférent à la pauvreté des vers de mirliton qu'on lui soumet, aux laborieuses complications des intrigues mal imaginées et gauchement conduites.Ce qu'il lui faut, même si elles sont amenées par des péripéties invraisemblables et confuses, c'est un certain nombre de « situations fortes », selon ses propres termes, de paroxysmes dramatiques où les sentiments des héros se déchaînent. Au fond, n'a-il pas raison contre ses prédécesseurs français ou italiens, alignant des milliers de notes fades pour nous exposer des circonstances, pour tenter de débrouiller des méprises et des complots qui ne nous préoccupent guère ? Il reste fidèle à la vieille esthétique de Provenzale, d'Alessandro Scarlatti, de Jommelli, qui reportaient sur les arias tout l'intérêt de leurs opéras. Mais leurs personnages fabuleux étaient interchangeables, tandis que Verdi rend les siens concrets, vivants, il se met dans leur peau avec toute sa conviction de dramaturge-né.

Cet accent de vie fait passer sur les facilités de l'écriture, comme le duo de Rigoletto et de sa fille Gilda, « Si, vendetta », d'une martialité assez banale, mais que les bons interprètes italiens sauvent sans peine en le martelant avec une violence bien « verdienne ». Des trivialités comme le bal au début de *Rigoletto* semblent tenir au peu de goût qu'a Verdi, comme la plupart de ses compatriotes pour la musique de danse ; mais d'autres, comme la première scène de *La Traviata,* sont volontaires et utiles. Facile ou plus travaillée, la mélodie est intarissable. On a conservé les brouillons de Rigoletto qui offrent souvent d'un seul air trois ou quatre versions différentes et rarement négligeables. Rarement aussi, cette mélodie oublie son euphonie, jusque dans ses désespoirs les plus déchirants — Rigoletto sur le cadavre de sa fille — de même que les Christs morts, les martyrs des peintres vénitiens et toscans gardent leur beauté corporelle. C'est la noblesse de cette musique d'un plébéien, le signe chez elle de l'esprit gréco-latin, mais sans l'académisme dans lequel il s'est si souvent figé.

A partir de la trilogie populaire, les airs traditionnellement détachés tendent surtout à s'organiser en scènes continues, animées d'un même mouvement dramatique, et liées par la déclamation que Verdi nommera « la parole scénique », plus chantante que le récitatif mais plus réaliste que l'arioso wagnérien. Le chef-d'œuvre de cet art qui va droit à son but, avec ses raccourcis, ses antithèses, c'est le quatrième acte de *Rigoletto*, la première réussite d'aussi longue haleine chez Verdi, sans un fléchissement, et dont le célèbre quatuor est une merveille de construction musicale, en même temps qu'il exprime chaque personnage dans toute la vérité de sa nature et de ses impulsions. Dans *Le Trouvère,* l'éparpillement, le méli-mélo de l'action font obstacle à cette unité, et l'on a pu dire qu'en comparaison avec *Rigoletto,* les formes de cet opéra faisaient retour à un certain archaïsme. En revanche, le lyrisme jaillit de chaque air presque à l'état brut, mais avec une impétuosité qui exige quatre très grandes voix que malheureusement bien peu de théâtres peuvent réunir sur la même affiche.

De *La Traviata,* nous retiendrons surtout le charme, qui n'a sans doute pas de plus émouvante et harmonieuse expression que le prélude instrumental du quatrième acte, qui n'ose pas encore affirmer son autonomie, se contente de chanter comme la *prima donna,* mais pour dessiner une mélodie sinueuse, flottante, libérée des supports habituels, dont le développement est tout nouveau chez Verdi et nous indique la variété des directions que son génie pouvait prendre.

Cette *Traviata* à qui nous ne reprocherions que d'être trop accessible, chuta brutalement à la Fenice de Venise, jusque-là l'un des théâtres les plus favorables à Verdi, sans que l'on pût l'expliquer par la niaiserie des critiques assez peu écoutés, qui depuis *Rigoletto* s'alarmaient des trahisons du maître à l'égard du bel canto. Le fiasco fut accueilli par Verdi avec son flegme ordinaire, mais le décida à se rendre de plus en plus indépendant des imprésarios, des éditeurs, de travailler à sa guise, sans s'astreindre à des délais épuisants, d'avoir le libre choix de ses sujets et de ses interprètes, de surveiller en personne la création de ses futurs ouvrages.

Les deux partitions suivantes, *Les Vêpres Siciliennes* (1855), écrites pour l'Opéra de Paris où Verdi vit pendant plus d'un an, *Simon Boccanegra* (1857) n'ont cependant pas le même relief que la trilogie. Dans *Les Vêpres,* le compositeur est gêné par la coupe française en cinq actes, il délaie. Dans *Simon Boccanegra,* il se livre à des expériences sur le récitatif qui sont compromises par un livret pâle et boiteux.

C'est avec *Le Bal Masqué (Un Ballo in Maschera,* 1859), si longtemps méconnu chez nous, que commence la grande ascension de Verdi. Soumis d'abord comme beaucoup d'autres à des tribulations burlesques par la censure autrichienne, le livret, broché d'après l'assassinat historique de Gustave III de Suède, est de ceux qui convenaient parfaitement à Verdi; il lui permettait de tranformer un mélo dans le drame humain de trois êtres nobles brisés par la fatalité. Les deux premiers actes peuvent à une première audition sembler écourtés, assez minces : une de ces mises en train familières aux Italiens du XIXᵉ siècle. Mais leur désinvolture est indispensable au crescendo dramatique si admirablement ménagé par Verdi. On y plaisante les présages funestes, on s'y déguise, ils sont le visage romanesque et galant de l'aventure qui tournera à la tragédie sanglante. Puis, le *bel canto* s'épanouit, se prodigue, son flot assure les transitions, ce *continuo* scénique auquel tend de plus en plus Verdi. C'est une esthétique complète par elle-même, qui ne laisse place à aucune nostalgie d'un art plus médité, plus complexe, on n'ose dire plus savant, tant il y a de science dans le « montage » de cette suite vocale, dans cette alternance des soli, des duos, des ensembles. Des fontaines mélodiques jaillissent vers le ciel, se mêlent ou bien se répandent en nappes surabondantes. Et sans jamais cesser d'être voluptueuse, séduisante, cette musique sait exprimer le sarcasme, l'effroi, la douleur, le désespoir.

La Forza del Destino (1862) fut écrite selon l'habitude de Verdi d'une seule traite mais après une longue incubation, où selon la Strepponi « il mâchait et remâchait son sujet avant de laisser la bride à la musique ». Cet opéra lui avait été demandé par Saint-Pétersbourg, où il se rendit en compagnie de sa femme, avec une cargaison de salami, de gorgonzola et de macaroni. Le livret, digne d'un roman noir de 1820, est aussi embrouillé qu'atroce : deux vendettas pour des malentendus, puisque le père de Leonora, l'héroïne, a été tué par accident, et que le frère de Leonora la poursuit férocement et la trucide parce qu'il la croit déshonorée, alors qu'elle est pure comme un ange. Deux actes de ce mélo se déroulent parmi des moines, dont Leonora, pour tout simplifier, a revêtu clandestinement la bure. On ne peut reprocher très sévèrement à Verdi de ne pas avoir pris toutes ces extravagances à la lettre et d'en avoir reçu des inspirations inégales. A de grands coups d'ailes du *bel canto* succèdent des banalités ronronnantes, des cabalettes fort légères pour d'aussi cruelles situations et des ritournelles de l'orchestre qui se voudraient symphoniques. L'une des curiosités de *La Force du Destin*, c'est la truculence très réussie et nouvelle chez Verdi, à laquelle il donne libre cours, avec quelques intentions anticléricales, dans le rôle de l'un des moines.

Sur un livret romançant la sinistre rivalité de Philipe II et de son fils, *Don Carlos* (1867) est le second opéra écrit par Verdi pour Paris, mais d'un tout autre rang que *Les Vêpres Siciliennes*. Il passa par-dessus la tête des Parisiens, public et critique, déconcertés de ne pas y retrouver la verve et la concision de *Rigoletto*. Il en a conservé longtemps chez nous une réputation de monotonie, d'austérité rebutante. C'est au contraire une des grandes œuvres de Verdi, peut-être son chef-d'œuvre avant *Otello*. Il y réussit cet opéra à la française, plus ample, plus spectaculaire que l'italien, dont Meyerbeer avait tracé le cadre, mais sans pouvoir échapper à sa vulgarité commerciale, et pour lequel Gounod et ses successeurs n'eurent pas assez de souffle. Avec ses fanfares et ses chœurs si largement traités, l'acte de l'autodafé devant la cathédrale est l'idéal de cette esthétique, où l'animation et la couleur vraie se substituent enfin à la bouffissure. Si l'œuvre, dans sa majeure partie, est sombre, c'est que Verdi approfondissant son art a voulu s'imprégner de l'atmosphère d'un règne où le brio des « cabalettes » n'avait guère de place. Les historiens rangent encore *Don Carlos* parmi les opéras à forme « fermée », mais c'est surtout pour une facilité de classement. On mesure bien toute l'évolution accomplie par Verdi depuis qu'il emboîtait le pas à Donizetti, en écoutant le monologue de Philippe II à l'aube, après une nuit blanche, devant sa table de travail : *« Ella giammai m'amô,* elle ne m'a jamais aimé. »* Les grammairiens peuvent encore y distinguer un air introduit par un récitatif et avec reprises et coda. Mais entre ces articulations de la syntaxe traditionnelle, la phrase se déploie avec une liberté, une envergure encore inconnues dans l'opéra italien. L'accent est d'une noblesse grave à laquelle l'art populaire de Verdi n'avait encore jamais atteint. Ce monologue est aussi pathétique que celui de Boris Godounov et d'une écriture bien plus accomplie.

Au début de 1870, par l'intermédiaire du grand archéologue Mariette et de Du Locle, directeur de l'Opéra-Comique de Paris, le khédive d'Egypte Ismaïl, souverain cultivé et très occidentalisé, invitait Verdi, comme le plus célèbre des musiciens vivants, à composer un opéra pour le Théâtre du Caire, où il serait représenté à l'occasion de l'ouverture définitive du canal de Suez. Si le maestro refusait, le khédive, qui offrait cent cinquante mille francs-or, comptait s'adresser à Wagner ou à Gounod.

Verdi accepta. Le livret de cette *Aïda,* dont Mariette avait eu l'idée, lui plaisait. Selon son habitude, il le refaçonne avec son poète Ghislanzonni, ils cherchent ensemble, souvent syllabe par syllabe, les vers qui porteront le mieux tel accent, telle mélodie. Le livret établi, la musique ne demande pas plus de quatre mois à Verdi. Retardée par la guerre franco-allemande, la représentation a lieu au Caire le 23 décembre 1871. Le maître n'a pas voulu faire le voyage. Mais le khédive a invité les critique musicaux les plus réputés d'Europe, qui se confondent en louanges, certains comme Ernest Reyer distinguant toutefois dans l'œuvre un penchant nouveau vers le germanisme. Quelques semaines plus tard, *Aïda* est chantée à la Scala, avec laquelle Verdi s'est réconcilié. Il a dirigé lui-même de très près répétitions et mise en scène. Trente rappels. Les notables de Milan remettent au compositeur un sceptre d'ivoire et d'or. Mais la critique, parmi ses éloges, parle beaucoup du wagnérisme de Verdi.

Aïda est, plus encore que *Don Carlos*, un opéra à grand spectacle, d'un style moins soutenu; l'indigence rythmique des ballets montre bien que la danse n'inspirait décidément pas Verdi, qui les a encore écrits par-dessous la jambe. Mais si l'œuvre, entourée d'un grand respect à l'étranger, n'a pas très bonne réputation en France, cela tient surtout au pompiérisme de carnaval dont on l'affuble sur nos théâtres. Il vaut mieux, pour l'entendre, laisser au vestiaire un certain nombre de délicatesses. Mais l'on s'aperçoit alors que les trop fameuses trompettes ne sont qu'un épisode dans le vaste finale du second acte, qui est avec ses chœurs une des grandes réussites de la musique décorative. Tout au long de la partition, Verdi passe du récitatif au *cantabile* par un « fondu enchaîné » qu'il ne réalisait pas aussi heureusement, même dans *Don Carlos*. Et c'est une de ses idées les plus exquises et les plus poétiques, en même temps qu'un beau dédain pour les effets réputés obligatoires, que la mort amoureuse de Radamès et d'Aïda, ce duo decrescendo jusqu'au pianissimo qui ferme l'œuvre et pose comme une auréole tendrement funèbre au-dessus de ses fastes et de ses fracas.

LE VIEILLARD PRODIGIEUX

Le triomphe mondial d'*Aïda* porte au pinacle la célébrité de Verdi. Aucun musicien, depuis la Renaissance, n'aura accumulé autant d'honneurs, en les ayant moins recherchés. Bien qu'il soit resté de goûts simples, sa vie devient seigneuriale. Quand il quitte sa belle villa Sant'Agata près de Busseto pour Gênes, une de ses villes préférées, il y demeure dans le palais princier des Doria-Pamphili. Il est sénateur à vie. A Cologne, au cours d'un festival, il reçoit une couronne d'or et d'argent. Il est grand officier de la Légion d'honneur et sera grand-croix après *Otello*. A Paris, il est reçu comme un chef d'État à l'Elysée, le président de la République y organise pour lui des dîners de cent couverts.

Ce beau patriarche, constamment sollicité, respectueusement interrogé, répond volontiers par des oracles assez déroutants. Une de ses idées essentielles, à en juger par la ténacité avec laquelle il

la répète, c'est que les Italiens doivent se détourner de la musique
instrumentale, « une plante qui ne pousse pas sous nos climats ».
Il refuse la présidence d'une Société de concerts symphoniques
créée à la Scala, en déplorant « le chaos dans lequel des tendances
et des études contraires à notre naturel ont englouti l'art musical
italien; car entendons-nous bien : notre art n'est pas l'art instrumental ». Étrange opinion d'un artiste si soucieux cependant de
faire mieux connaître le patrimoine national, celui de Palestrina,
de Marenzio, d'Allegri, d'Alessandro Scarlatti, mais qui veut
oublier que l'Italie de Gabrieli, de Frescobaldi, de Corelli, de
Vivaldi a été le berceau de la musique instrumentale, qu'elle a
enseigné à toute l'Europe la sonate, le concerto et la symphonie.

Ces vieux maîtres appartiennent sans doute pour lui à une
musique de cour surannée, à un classicisme scolaire sur lequel il
a trimé dans sa première jeunesse, tandis que des compositions
vocales bien plus anciennes lui paraissent toujours vivantes. On
insinuerait cependant volontiers qu'il prêche pour son saint, tant
son orchestre, dans une quinzaine au moins de ses ouvrages, est
bâclé, sommaire, plaquant paresseusement des accords de grande
mandoline, ou chaudronnant et criard quand il veut se faire
entendre davantage. Mais il faut se rappeler que Verdi, vers 1875,
est plus encore qu'un chef d'école : une des figures patriotiques
en qui s'incarne l'orgueil de l'Italie libérée. A fleur de peau, il
a cette prévention contre l'art « tedesco » ancestrale chez les
Italiens, et qui s'est tournée en chauvinisme durant tout le temps
où l'Autrichien a été l'oppresseur. Or, le wagnérisme commence à
s'introduire en Italie. Un des amis les plus chers de Verdi, Mariani,
a dirigé avec succès *Lohengrin* à Bologne. Face à ces opéras
symphoniques et symboliques qui intriguent ou enfièvrent les
meilleurs esprits, l'auteur de *Rigoletto* cherche à sauvegarder
l'originalité de la musique italienne. Elle est pour lui dans le
chant humain, et sans remonter plus haut, il n'a en effet que le
choix des références dans les cent années qui se sont écoulées
depuis les débuts de Cimarosa. Il faut bien aussi qu'il réponde
indirectement à ces critiques qui lui chauffent les oreilles en
décelant maintenant du wagnérisme dans toute musique un peu
corsée, et jusque dans la sienne.

Mais Verdi est beaucoup trop intelligent et renseigné pour ne
pas avoir conscience de ses points faibles. S'il reproche à Wagner
ses obscurités, son abus de notes tenues, « une action qui va
aussi lentement que les mots », il se garde bien de méconnaître la

puissance et la nouveauté de ce qu'apporte cet Allemand.

Tandis qu'il se répand officiellement en propos saugrenus contre la musique de chambre et la symphonie, il écrit dans le secret un quatuor à cordes dont il interdira pendant plusieurs années l'exécution publique. On comprend qu'il ne tire pas grande vanité de ces pages prudentes, qui se modèlent sur les quatuors mozartiens du jeune Beethoven, déroulent un *fugato* très scolastique. Mais ce qui est fort intéressant, c'est qu'à soixante ans sonnés, le musicien le plus acclamé depuis la mort de Rossini éprouve l'intime besoin, par cet exercice, de se refaire la main à l'écriture contrapunctique.

Il prescrit pour *Aïda* un orchestre presque semblable à celui de Wagner, d'une sonorité beaucoup plus équilibrée, étudiée, nourrie. Il a retouché quelques-uns de ses opéras, *Simon Boccanegra, La Forza del Destino* dont l'ouverture à grand orchestre romantique débute par de vigoureux accords beethovéniens, mais ne parvient pas à se développer, reste un catalogue d'airs juxtaposés. Le seul travail important de Verdi est la *Messe de Requiem* (1874) à la mémoire du poète patriote Manzoni, superbe composition hardiment théâtrale, d'une intrumentation presque aussi brillante que celle de Liszt, du même art que ces grandes « Crucifixions » et ces grands « Martyres » de Véronèse dont l'opulence n'étouffe pas la dramatique sincérité. L'aveugle hostilité de Pie IX au « Risorgimento » a rendu Verdi âprement anticlérical, et on ne lui a jamais connu de pratiques religieuses, mais il est encore plus éloigné de l'athéisme.

Le temps passe. A toutes les propositions des éditeurs, des directeurs de théâtres, Verdi répond qu'il ne veut plus écrire d'opéras, en ajoutant souvent qu'il n'aurait rien à y gagner, sinon de s'entendre dire qu'il est devenu un épigone de Wagner. Cependant, sans en rien laisser percer, il est à la recherche d'un sujet, qu'il préférait comique, pour démentir l'opinion souvent répétée de Rossini, qui lui déniait toute aptitude dans cette veine. Durant l'été 1879, sur l'initiative de l'éditeur Ricordi, il rencontre Arrigo Boito, la conversation tombe sur l'*Othello* de Shakespeare, aussi éloigné que possible de la comédie. Mais Verdi, en vrai dramaturge, a toujours été tenté par le grand Anglais, il a pensé un moment à composer un *Roi Lear*. Trois jours plus tard, Boito lui apporte l'esquisse d'un livret d'*Otello*. Plus jeune que Verdi de vingt-neuf ans, il est du parti des germanisants. Il admire les grands musiciens romantiques d'Allemagne, il a traduit en italien le texte de

Lohengrin. Cela n'apparaît guère dans son opéra *Mefistofele* (1868, nouvelle version en 1875), œuvre artificielle sur laquelle sont plaquées des coloratures de *bel canto*. Mais pour la première fois Verdi peut travailler avec un lettré, un homme de goût qui a le sens, sinon le don, de la poésie.

Boito l'aide d'abord aux remaniements de *Simon Boccanegra*, de *Don Carlos*, après lui avoir remit un livret pour *Otello* presque entièrement achevé. Le bruit court que Verdi va en tirer un opéra qu'il intitulera *Iago*. Mais la composition suivie de l'œuvre, qui s'appellera décidément *Otello*, ne commence qu'à la fin de 1884. Verdi aura besoin de presque toute l'année 1885 pour la terminer, puis d'une dizaine de mois de 1886 pour revoir la partition. Aucun de ses manuscrits n'a été autant raturé, corrigé. La première a lieu enfin à la Scala le 5 février 1887 (Verdi est dans sa soixante-quatorzième année) devant trois mille sommités artistiques et politiques de toute l'Europe. Le rôle d'Otello est chanté par le ténor Tamagno, à la voix gigantesque, et celui de Iago par le baryton français Victor Maurel, devenu l'un des interprètes favoris de Verdi.

Cette fois, la critique, bien qu'elle soit loin d'avoir pénétré tout l'ouvrage, ne parle plus de wagnérisme. Elle a raison, et les fidèles de Bayreuth, ennemis de « l'italianisme », qui feront un peu plus tard une respectueuse exception pour le Verdi de la vieillesse, celui d'*Otello* et de *Falstaff*, n'useront pas toujours de bons arguments. Il n'y a pas plus de trace de wagnérisme dans ces deux opéras que dans les précédents. Comme les vieux paysans qui se répandent en propos sceptiques sur les nouvelles méthodes de culture de leurs voisins, mais en surveillent les résultats et les appliquent à leurs champs, Verdi, tout en tenant son rôle de rival latin du Saxon, s'est bien gardé de négliger son exemple, et l'élargissement de son art à partir de *Don Carlos* en témoigne. Mais ce qu'il retient de ces nouveautés, il l'intègre immédiatement à son monde propre.

Depuis que l'on s'est mis à analyser Verdi comme les grands classiques, on a découvert chez lui des hardiesses insoupçonnées d'écriture, hétérophonies, dessins chromatiques. Ce ne sont pourtant que des détails dans l'ensemble d'*Otello* qui obéit à l'harmonie traditionnelle : différence fondamentale entre elle et le bouleversement wagnérien. Mais sans toucher à ce système de consonances, Verdi parvient à en tirer un langage expressif qui tranche de plus en plus, à mesure qu'il avance dans sa carrière, sur les formules stéréotypées du chant italien. *Otello*, dans ce sens, marque encore un progrès sur *Don Carlos* et *Aïda* (et cette aspiration au progrès, presque tout au long de la vie de Verdi, est un des signes de sa grandeur artistique). L'un des rares morceaux de bravoure de l'ouvrage, le « Credo » de Iago, d'ailleurs magistral, le grand finale du troisième acte maintiennent les liens avec l'ancien répertoire dans ce qu'il avait de plus robuste et de plus brillant. Mais ce qui domine, c'est une déclamation mélodique empruntant pour les dépasser toutes les formes du récitatif, chef-d'œuvre de cette « parole scénique » que Verdi plie avec plus d'intelligence et de force que jamais à tous les sentiments de ses personnages. Quant à l'orchestre, à la fois plus riche et plus subtil, où les instruments à vent prennent le pas sur les cordes, il déborde vigoureusement ses anciennes fonctions pour commenter le drame, l'entourer de ses couleurs. Mais justement, sauf peut-être quelques rencontres fortuites dans les accords graves des cuivres, il est inutile d'y chercher un rappel des couleurs wagnériennes. Le miracle d'*Otello*, ce n'est pas celui d'un septuagénaire se mettant génialement à l'école d'un génie rival. C'est qu'une œuvre de cette valeur ait pu voir le jour en 1887 sans porter le moindre signe de ces contaminations tétralogiques ou tristaniennes qui situent et diminuent aussitôt tant d'imitateurs. Et lorsque on a dissipé ainsi trop d'équivoques tenaces, tout resterait encore à dire sur ce superbe aboutissement dans *Otello* du classicisme lyrique, sur la puissance ramassée de la forme et des moyens, la définition musicale des caractères, l'émotion poétique et dramatique du vieux maître, le seul musicien qui ait pu s'identifier au génie de Shakespeare.

Verdi, au lendemain d'*Otello*, a publiquement déclaré que sa carrière était achevée. Il fait construire à ses frais un hôpital près de sa villa de Sant'Agata; il veut fonder à Milan une maison de repos pour les vieux musiciens. Malgré ses récriminations, toute l'Italie célèbre en 1889 son jubilé, cinquantenaire de ses débuts au théâtre avec *Oberto*. Mais pour lui, le grand événement de cette année, c'est le livret que lui écrit Boito pour le *Falstaff* auquel il pense depuis longtemps, un livret parfait dans ses trois actes d'une souple symétrie. Verdi se prépare à ce *Falstaff* en écrivant des fugues. Puis il travaille par à-coups. En quelques semaines il trace le premier acte. Ensuite il flâne durant de longs mois, il se plaint que « le *Pancione* (le Ventru) n'avance guère ». Il craint d'être trop vieux pour arriver au bout de son ouvrage. Quand sa partition est d'aplomb, il emploie presque toute l'année

1892 à la fignoler, il semble de ne plus pouvoir s'en séparer.

La première, avec Maurel dans le rôle de Falstaff, a lieu à la Scala le 9 février 1893. Verdi a conduit les répétitions pendant cinq semaines, à raison de huit heures par jour, sans accuser la moindre fatigue. La critique confesse sa stupeur admirative devant le défi à la vieillesse d'un homme de quatre-vingts ans. *Falstaff* est en effet aussi bien la somme des expériences artistiques de toute une vie que le prodige d'une verve qui n'a jamais été plus drue. Verdi, pendant qu'il le composait et qu'on lui en demandait des nouvelles, répondait souvent : « Je m'amuse. » L'œuvre a cette fraîcheur, cette liberté d'un jeu, tout en étant pesée, contrôlée dans ses moindres détails, un triomphe à la fois du métier et de la faconde naturelle. Les morceaux, les airs ont entièrement disparu : le petit *scherzetto* du « Pancione », « Quand' ero paggio », dernier souvenir du morceau à effet, est inséré dans le mouvement musical. Ce qui règne, comme le dit Alfred Einstein, c'est « un *parlando* vertigineux », mais qui conserve le charme, l'élan, la plastique de la mélodie. Sans écraser les voix, l'orchestre galopant, raffiné et musclé, conduit toute la mascarade. Il geint ou exulte avec l'énorme Matamore dont les violoncelles imitent cocassement la lourde démarche, il s'effare, il court en tous sens, il semble bondir soudain sur la scène.

On ne saurait être plus loin de Wagner. On songe surtout à un Mozart plus robuste, plus coloré. Verdi a eu la coquetterie de prodiguer toute la science dont il est capable quand il le veut, ses subtilités harmoniques, ses trois finales magistralement développés, sa fugue impeccable tout en éclatant de rire pour la conclusion joyeusement sceptique : « *Tutto nel mondo è burla !* Tout en ce monde est une blague. » Le plus populaire des génies de la musique dit son dernier mot dans un divertissement aristocratique, où il accueille la féerie et la poésie légère avec une pointe délicieuse de raillerie. *Falstaff* résume tout l'opéra bouffe après s'être débarrassé de ses conventions, de ses mécanismes, pour le dépasser, atteindre à la comédie de caractère sans perdre un instant son humeur facétieuse. Ce fut une des heures enchantées de l'histoire musicale, une œuvre imprévisible et restée unique, si parfaite que personne n'a plus été de taille à rivaliser avec elle, dans sa forme et dans son accent.

Verdi, après la création de *Falstaff*, vécut encore huit années, glorieusement mélancoliques, n'écrivant plus que quelques pièces religieuses, enterrant ses vieux amis et son excellente

épouse, s'attristant de sa solitude au milieu de sa célébrité universelle. Une congestion cérébrale l'emporta à Milan le 27 janvier
1901. On l'ensevelit aux sons du premier de ses chœurs patriotiques, celui de *Nabucco*, entonné par neuf cents chanteurs que
dirigeait un jeune chef du nom de Toscanini.

CHAPITRE VIII

LE ROMANTISME ALLEMAND APRÈS WAGNER

BRAHMS (1833-1897)

A l'automne 1853, Schumann reprenait sa plume de journaliste, qu'il avait abandonnée depuis dix ans, pour saluer un inconnu, arrivant de Hambourg, qui venait de lui faire visite à Düsseldorf : « Johannes Brahms : un nouveau génie ! »

Cet enthousiasme s'expliquait sans peine par les trois sonates pour piano qu'apportait dans ses bagages le jeune Brahms, la troisième surtout, en *fa* mineur, pleine d'un feu superbe. Schumann avait la joie d'y reconnaître, outre une maturité du métier exceptionnelle chez un garçon de vingt ans, son héritier artistique, s'inspirant de lui sans servilité — le scherzo si schumannien de la sonate, l'habile retour dans le quatrième mouvement du premier thème selon la forme cyclique, militant comme lui pour le respect de la tradition établie depuis Beethoven.

Johannes Brahms était né à Hambourg, le 7 mai 1833, dans une famille très modeste, dont le père jouait de la contrebasse. Tout gamin, il tenait déjà le piano dans les brasseries de sa ville. Il fit ses études musicales avec des pédagogues consciencieux, attardés et assez obscurs. A quatorze ans, il avait déjà une petite réputation locale de pianiste. C'est à vingt ans, au cours d'une tournée avec le violoniste hongrois Remenyi dont il était l'accompagnateur, qu'il rencontra Liszt, Joachim et surtout Schumann qui le lança aussitôt. Sa vie fut tout entière terne et calme. En 1862, il s'installa définitivement à Vienne. Il y dirigea pendant quelques saisons, sans grand éclat, les concerts de la Singakademie, une association chorale surtout spécialisée dans l'ancienne musique religieuse, puis la *Gesellschaft der Musikfreunde* (Société des Amis de la Musique), beaucoup plus importante, mais qui l'astreignait trop. Il aurait préféré, disait-il, demeurer à Hambourg, mais deux fois la direction vacante de la Philharmonique de sa ville natale lui avait été refusée, et il en avait gardé de l'amertume. Il passait ses vacances en Suisse, dans les Alpes autrichiennes, dans les villes d'eaux allemandes, ou poussait quelques pointes en Italie. Sa vie sentimentale est restée presque aussi énigmatique que celle de Beethoven. Il fut amoureux cinq ou six fois, sans dénouement, en dernier lieu de Julie Schumann, la troisième fille, très jolie, de Robert et de Clara, qui ne lui manifestait que froideur. C'était en fait un célibataire invétéré, très simple de mœurs, habitué des cafés comme Schubert, bonne fourchette, grand buveur de bière, de bourgogne et de vins du Rhin, peu liant, défendant souvent sa solitude avec une humeur de dogue, mais très fidèle à un petit groupe d'amis, le critique Hanslick, le grand violoniste Joachim, son interprète idéal, Johann Strauss le roi de la valse, et surtout Clara Schumann, l'admiration de sa première jeunesse, à laquelle l'attachait une affection familiale — ils se tutoyaient — et qui fut jusqu'à sa mort, onze mois avant lui, l'une de ses conseillères artistiques les plus écoutées. Il ne laissa pousser sa barbe légendaire qu'à l'âge de quarante-cinq ans. Il mourut à Vienne le 3 avril 1897, d'un cancer du foie, dans le garni de trois petites pièces où il vivait depuis un quart de siècle.

Il avait eu depuis longtemps, en Allemagne comme en Autriche, tous les succès et toute la renommée qu'il pouvait souhaiter, troublés cependant par les querelles avec les « musiciens de l'avenir », c'est-à-dire Liszt et Wagner. Ce fut plutôt une bataille entre disciples qu'entre maîtres, mais on ne saurait dire, comme l'ont essayé quelques historiens, que Brahms n'y eut point de part. Il semble, malgré d'assez nombreuses contradictions, avoir toujours reconnu le génie musical de Wagner, s'il faisait des réserves sur son système dramatique, et se disait volontiers « le meilleur de tous les wagnériens ». Il avait de l'estime pour Bruckner, wagnérien fanatique. Mais s'il se réconcilia apparemment avec Liszt, il détesta toujours sa musique, qu'il jugeait selon son humeur « fabuleuse d'ennui », « insensée », ou tout simplement « odieuse et horrible ». De son côté, Hugo Wolf, moderniste à tous crins, vengeait l'auteur des *Préludes* en affirmant « que dans un seul coup de cymbale de Liszt il y avait plus d'esprit et de sentiment que dans l'ensemble des symphonies de Brahms ». Ce qui nous enseigne que les compositeurs ont encore damé le pion aux critiques en matière d'énormités musicales et d'aveugles injustices. Mais d'autre part, Romain Rolland est au moins incomplet lorsqu'il écrit que « tout ce qu'il y avait à Vienne de rétrograde en musique, tout ce qui dans la critique était ennemi de toute liberté et de tout progrès en art, avait rendu à Brahms le détestable service de se grouper autour de lui et de se réclamer de son nom ». Ces lignes sont assez exactes, s'agissant du critique Hanslick, le modèle de Beckmesser. Mais sans parler de Hans de Bülow, ulcéré par son cocuage, et dont la bruyante conversion au classicisme fut par conséquent assez suspecte, deux des plus grands chefs de Bayreuth, Hermann Levi et Hans Richter se firent les meilleurs propagandistes des symphonies et des grandes pages chorales de Brahms dès leur apparition. Leur culte pour le magicien de *Tristan* et de *Parsifal* ne les empêchait pas de savoir distinguer la vraie musique partout où elle naissait.

Aussi âprement dénigrée que défendue durant son siècle, l'œuvre de Brahms n'échappe pas non plus dans le nôtre à une certaine ambiguïté.

Fruit d'une production régulière, elle compte à peu près le même nombre de numéros – 122, plus quelques pages détachées – que celle de Beethoven. Hormis l'opéra, elle recouvre tous les genres, avec une prédilection pour la musique de chambre et la musique vocale : trois trios pour piano et cordes, un pour piano, violon et cor, un autre pour clarinette, piano et violoncelle, trois quatuors à cordes et trois pour piano et cordes, deux quintettes à cordes, un pour piano et cordes, un pour clarinette et cordes, deux sextuors à cordes, des sonates, de nombreuses pièces de piano, quelque trois cents lieder, quatuors vocaux ou chœurs sans accompagnement, le *Requiem allemand,* le *Chant du Destin (Schicksalslied)* et plusieurs autres ouvrages pour chœurs et orchestre. Les partitions purement orchestrales sont les quatre symphonies, les *Variations sur un thème de Haydn* dont il existe aussi une version pour deux pianos, le concerto pour violon et orchestre, les deux concertos pour piano, le double concerto (pour violon et violoncelle), les deux *Sérénades,* l'*Ouverture académique* et l'*Ouverture tragique.*

Pour la première fois depuis le début du xixᵉ siècle, nous sommes avec Brahms devant un musicien allemand d'une indéniable valeur qui ne crée pas sa forme. Il a adopté celle de Beethoven. Avec de nombreux hommages au style de Schumann, il lui sera fidèle toute sa vie. S'il l'a dotée de nouvelles dispositions thématiques, il respecte presque toujours son ordonnance des tonalités par rapport à la succession des mouvements; mais il reste très en deçà des audaces architecturales du dernier Beethoven, de même qu'il s'est rarement permis les libertés harmoniques, chromatiques de Schumann.

Devant l'existence de Brahms, égale, laborieuse sans grands à-coups, on est tenté de penser qu'il était attardé dans son siècle, qu'il écrivait régulièrement de la musique de forme beethovénienne, de la même façon que les compositeurs de cours du XVIIIe, dont les fonctions lui eussent si bien convenu, alignaient avec tranquillité pour les besoins du seigneur leurs concertos et leurs symphonies. Ce serait oublier le romantisme sincère qui souffle très souvent chez Brahms, dans presque toutes ses œuvres de jeunesse, dans les Sextuors, dans le troisième Trio en *ut* mineur pour piano, violon et violoncelle, dans l'imposant et tumultueux concerto pour piano et orchestre en *si* bémol majeur, dans le Concerto pour violon, dont la haute virtuosité n'étouffe jamais le lyrisme, le plus beau concerto pour violon du XIXe siècle, bien supérieur à celui de Beethoven, et naturellement dans les quatre symphonies.

On a voulu définir ce romantisme de Brahms par ses origines d'Allemand du Nord — vie intérieure tourmentée sous les ciels gris et bas hantés par les vieilles ballades — ce qui est à notre sens une notion plus littéraire que réellement musicale. Hambourg est après tout une cité plus bruyante et remuante que Munich, les différences des vieux folklores du Holstein, de la Prusse, de la Rhénanie ou du pays de Bade ne sont guère perceptibles qu'à une poignée de spécialistes, et Brahms s'inspira tout autant, en le recréant également, du folklore hongrois ou supposé tel, très répandu à Vienne. La mélancolie qui formait le fond de son caractère s'explique davantage par les échecs amoureux de l'homme jeune que par le climat natal. Brahms est surtout encore plus foncièrement allemand que Schumann, encore plus fermé à toute influence latine. On a voulu y voir la raison de sa très lente acclimatation en France, où il n'a vraiment pris rang de grand classique qu'après la Seconde Guerre mondiale. En fait, les mélomanes français capables d'accéder à un style aussi sérieux et soutenu avaient presque tous été éduqués par Wagner, ils étaient peu enclins à faire effort pour une musique d'aspect si réactionnaire lorsqu'ils sortaient de *Tristan* ou de la *Tétralogie*. Le public ayant fait ses « humanités » musicales, auquel Brahms s'adresse d'abord, public sans doute moins intuitif que le nôtre mais bien entraîné, a toujours été plus large en Allemagne et même en Angleterre que chez nous.

Mais nous n'avons pas tort si nous sommes plus rétifs que nos voisins au célèbre slogan des trois B — Bach, Beethoven, Brahms — lancé par Hans de Bülow pour compenser les épigrammes dont il avait lardé dans sa ferveur wagnérienne l'auteur du *Requiem allemand*. Tout génie mis à part, Bach n'est bien entendu comparable à personne au XIXᵉ siècle par son esthétique. La référence à Beethoven embarrassa Brahms beaucoup plus qu'elle ne le flatta. Il redoutait cette confrontation, au point d'avoir attendu l'âge de quarante-trois ans (1876) pour terminer et faire jouer sa première symphonie en *ut* mineur, de toutes ses œuvres celle qui lui demanda le plus de temps et de travail. Il était hanté par le souci de se distinguer de son écrasant modèle, tout en s'affirmant très haut son héritier. Le public et les journalistes contribuaient surtout à énerver ces scrupules en appelant sa première symphonie « la Dixième », sa seconde « la Pastorale », sa troisième « l'Héroïque ». Rapprochements assez puérils, même si l'on tient compte des réminiscences non dissimulées de la Neuvième dans le beau finale de la Première. Ces symphonies, qui ont pris une juste place dans le grand répertoire des concerts, sont d'une éloquence trop élevée et convaincue pour verser dans la pompe. Mais le parallèle est impossible entre cette forte rhétorique et le drame beethovénien, fondé sur ce dualisme, cette lutte de deux éléments que Brahms entendait éviter. Il lui substituait une pluralité des motifs — on n'en compte pas moins de huit, principaux ou secondaires, dans l'allegro de la Première — soumis à un travail thématique habile et très poussé. Mais ces thèmes ne sont pas d'une frappe nette. Les admirateurs les plus fidèles de Brahms conviennent que s'il a un sens très vif du rythme, sa mélodie n'est pas très originale, ce que l'on constate jusque dans les lieder, les plus attachants étant presque tous aussi les plus proches de l'inspiration populaire. D'où cette fausse sensation de prolixité qu'il laisse assez souvent, alors qu'il est relativement concis, prend soin, beaucoup plus que Beethoven, de respecter les proportions du classicisme.

Bülow, vraiment très versatile, après avoir porté aux nues les symphonies de Brahms au point de diriger deux fois de suite la Troisième dans le même concert, s'en était lassé, et pestait contre la grisaille qu'elles introduisaient dans les programmes « de la façon la plus monotone ». En effet, l'orchestration de Brahms, plus sûre que celle de Schumann, est uniforme et souvent opaque.

On a beau dire qu'elle répond à la construction des œuvres, ce dédain de la couleur, ce peu de sensibilité aux timbres chez un musicien allemand venant après Weber, après Berlioz, après Liszt et Wagner, relèvent d'une attitude qu'il faut bien qualifier de réactionnaire.

C'était aussi le propre d'un artiste peu enclin à exprimer la joie. Il n'a sans doute jamais été mieux défini que par Antoine Goléa, qui ne recule jamais — et il a bien raison — devant le pittoresque de plume, lorsqu'il écrit : « Le sérieux de Brahms, son lyrisme déchirant, sa profonde mélancolie, sa puissance d'éléphant tendre et désespéré... » Pour que le portrait fût complet, il suffirait d'ajouter qu'en quarante-cinq années de carrière, dans son siècle et dans son pays où la musique en continuel mouvement obéissait à de magnifiques agitateurs, Brahms ne connut pour ainsi dire aucune évolution. Il acquit chemin faisant plus de maîtrise, mais ses dernières œuvres diffèrent peu en esprit et en technique des premières, sinon par un penchant pour un académisme estompé, assez languissant, que l'on met pieusement sur le compte de la gravité et de la profondeur des méditations du vieil homme.

Brahms est bien, avec Schumann, le musicien de l'intimité germanique. Mais il ne faut pas attendre de lui des idées d'autant plus ravissantes qu'imprévisibles comme celles de la Quatrième Symphonie de son maître, non plus que le mordant, la mobilité, les admirables saillies des *Kreisleriana,* du *Carnaval,* de la Fantaisie en *ut* majeur. Si l'on tient à rappeler ces vérités premières, c'est à cause de la surenchère, des dithyrambes forcés dont Brahms a été l'objet. Il est pourtant évident que chez lui l'homme de métier l'emporte sur le poète.

Les chefs-d'œuvre les plus accomplis de Brahms sont sans doute le *Requiem allemand* (1866-67) et ses différentes Variations. Le Requiem, en sept parties, sans aucune destination liturgique, est composé sur des fragments de la Bible traduits en allemand. Une croyance sereine dans la vie éternelle y fait suite au deuil. Brahms y retrouve naturellement, en évitant les archaïsmes trop visibles, la majesté, l'ampleur et le ton de persuasion des vieux luthériens tels que Schütz. C'est un des monuments de la musique germanique qui soutient depuis un siècle le voisinage avec les *Passions* de Bach et la *Missa Solemnis* de Beethoven. Quant aux Variations (pour piano sur un thème de Paganini et surtout sur un thème de Haendel, pour orchestre puis pour deux pianos sur un thème de Haydn emprunté d'ailleurs par Haydn lui-même à un

vieux choral de marche), c'est là que Brahms, libéré des soucis
formels, rompu à ce style par sa longue étude de Bach et de
Beethoven, déploie la plus séduisante et la plus riche imagination.
C'est par cette verve logique, par la robustesse des basses sur
lesquelles il pouvait échafauder sans vaciller toutes les fantaisies
harmoniques et rythmiques, par l'ingénieuse virtuosité de ses
variations doubles, par son retour enfin à des formes oubliées
comme la Passacaille des Variations pour orchestre et de la
Quatrième Symphonie que le conservateur Brahms deviendrait l'un
des modèles du révolutionnaire Schœnberg : disciple inattendu,
chez qui le maître épouvanté eût eu bien de la peine à reconnaître
ses leçons.

ANTON BRUCKNER (1824-1896)

Anton Bruckner fait figure dans l'histoire musicale de l'idiot
du village. Un de ses biographes les plus complets, Werner Wolf,
a intitulé le livre de langue anglaise qu'il lui a consacré *Rustic
Genius*, ce que les éditeurs allemands ont traduit par *Genie und
Einfalt, Génie et Niaiserie*. Bülow disait de lui : « *Halb Genie,
halb Trottel*, moitié génie, moitié crétin », et Gustav Mahler dans
une variante : « *Halb Gott, halb Tropf*, moitié Dieu moitié dadais ».

Ses bourdes remplissaient la chronique de Vienne. Comme le
grand chef Hans Richter venait de diriger la répétition d'une de
ses symphonies, Bruckner lui glissa dans la main un pourboire de
cocher. On a publié les invraisemblables *et cætera* de sa lettre à
Cosima au lendemain de la mort de Wagner : « ... mes profondes
condoléances pour l'indicible perte du phénoménal artiste, etc.,
etc. » Avec un physique de sacristain, il fut toute sa vie tracassé
par des projets de mariage. Bien que fort saint homme, il était
émoustillé par les fillettes à peine nubiles. A cinquante-six ans,
pendant un séjour à Oberammergau, il s'était épris d'une petite
Bavaroise de seize qui jouait dans la Passion, se précipita chez les
parents pour demander sa main, et fut tout étonné de s'entendre
rétorquer l'énorme différence d'âge. A soixante-dix ans, il se
préparait encore à épouser une jeune femme de chambre de
l'hôtel Kaiserhof de Berlin ; mais elle était luthérienne et refusa de
passer par l'église catholique pour devenir Frau Bruckner, ce que
le musicien ne pouvait admettre.

Il était né en 1824, près de Linz, en Haute-Autriche, dans le village d'Ansfelden, dont son père était l'instituteur. A treize ans, son père mort et sa mère chargée d'enfants plus jeunes, il entrait par faveur à l'école de chant de la grande abbatiale de Saint-Florian, un des chefs-d'œuvre du baroque autrichien. Diplômé de l'école à dix-sept ans, il fut quelque temps aide-instituteur, c'est-à-dire pion, dans de minuscules villages des environs, dont il faisait danser les paysans le dimanche avec son violon. Rentré à Saint-Florian, il y fut nommé organiste « à titre temporaire ». Il disposait d'un instrument magnifique dont il revint souvent jouer tout le long de sa vie, et sous lequel on l'a enseveli, comme il l'avait demandé dans son testament.

Les rares textes français concernant Bruckner sont passablement erronés. Ils en font un autodidacte, alors qu'on lui avait enseigné à Saint-Florian la basse chiffrée, le piano, le violon, l'orgue, les notions classiques d'harmonie, qu'il s'y était familiarisé avec Haydn, Mozart, avec des œuvres de Bach aussi ardues que *L'Art de la fugue.* Dans une région aussi saturée de musique, des maîtres même modestes comme les siens devaient être de solides éducateurs. On a dit qu'il n'avait guère écrit avant quarante ans. Or, sur les cent vingt et quelques numéros de son catalogue, la moitié est antérieure à 1863, la date cruciale de sa carrière. Ce sont sans doute pour la plupart des ouvrages qui se rattachent à ses fonctions, pièces liturgiques, fugues pour orgue, lieder pour chœurs d'hommes. Mais Bach ne travailla pas en somme autrement durant toute sa vie, et Bruckner tenait suffisamment à certains de ces morceaux pour les avoir révisés dans sa vieillesse, comme le *Pange Lingua* à quatre voix, qui doit dater de sa onzième ou douzième année.

A trente-deux ans, Bruckner devenait organiste de la cathédrale de Linz. Il reprit alors toutes ses études, et particulièrement le contrepoint, sous la direction de Simon Sechter, le théoricien viennois à qui Schubert, dans les derniers temps de sa vie, avait demandé des leçons. Bruckner allait le voir quelquefois à Vienne, mais travaillait surtout avec lui par correspondance. Sechter disait qu'il n'avait jamais eu d'élève plus merveilleusement appliqué.

En 1863, Bruckner entendait pour la première fois une œuvre de Wagner, *Tannhäuser,* à l'Opéra de Linz. Ce devait être le plus grand événement de sa vie, la révélation de ce que pouvait la musique, limitée jusque-là pour lui à un classicisme scolaire, et de ce qu'il pouvait lui-même. Sous le choc de cette découverte, après quelques exercices de pur wagnérisme — une symphonie en *fa* mineur, une ouverture — il composait en 1864 sa Messe en *ré* mineur, la première œuvre d'un accent « brucknérien », préface à sa Symphonie n° 1 en *ut* mineur, achevée dix-huit mois plus tard. Il assistait à une des premières représentations de *Tristan* à Munich. Il s'installait en 1868 à Vienne où il était nommé professeur de basse chiffrée, de contrepoint et d'orgue au Conservatoire. En 1869, sa renommée d'organiste lui valut d'être invité à Nancy, à Paris où il donna un concert à Notre-Dame, à Londres où il joua des orgues du Crystal Palace. Sa vie se confondit ensuite avec l'élaboration de ses neuf symphonies, dont le succès d'estime se limitait à peu près à Vienne. Il fut l'hôte de Bayreuth en 1876 pour la création de la *Tétralogie* et en 1882 pour celle de *Parsifal*. En 1884, le jeune et déjà illustre chef d'orchestre hongrois Arthur Nikisch découvrait émerveillé la Septième Symphonie de Bruckner — « on n'a rien écrit de plus grand depuis Beethoven » — et la dirigeait triomphalement au Gewandhaus de Leipzig. Ce fut subitement la gloire pour le musicien de soixante ans. Ses symphonies, son *Te Deum* achevé en 1885 se répandirent à travers toute l'Allemagne, en Hollande et même à New York et Chicago. En 1891, Bruckner recevait le titre auquel il était plus sensible qu'à tous les applaudissements et tous les éloges : celui de docteur *honoris causa* de l'Université de Vienne, qu'il avait déjà bizarrement sollicité de Cambridge, de Philadelphie et de Cincinnati. Mais ses forces diminuaient. Il avait souffert durant toute sa vie de graves dépressions nerveuses. Il mourut à Vienne le 11 octobre 1896. Dans la matinée, il avait encore travaillé au finale, qui resta inachevé, de sa Neuvième Symphonie.

On aurait pu s'étonner qu'un homme élevé puis claquemuré jusqu'à près de quarante ans dans une tradition aussi stricte eût pris fait et cause pour Wagner dès le premier contact. Mais Bruckner était un simple en même temps qu'un grand réceptif. La musique de Wagner l'avait bouleversé. D'autre part, son auteur, malgré les batailles qui se livraient encore autour de lui, était aux yeux de l'organiste de Linz « une autorité », dont toutes les audaces dès lors se trouvaient consacrées. Bruckner n'avait d'ailleurs à peu près aucune idée du contenu intellectuel, mythique et même dramatique des œuvres de Wagner. A l'issue d'une représentation de *La Walkyrie*, il demandait : « Mais pourquoi donc Brünnhilde a-t-elle été finalement brûlée ? » Mais s'il ne comprenait presque rien à ce qui se passait sur la scène, cette musique était pour lui un enchantement sonore, qui le transforma, d'obscur maître de chapelle, en grand symphoniste. Et sa patauderie ne l'empêcha pas d'avoir été l'un des premiers à *savoir entendre Tristan*, à un moment où la plupart des musiciens et des critiques n'y percevaient qu'un chaos de notes. Sa gratitude et son culte pour Wagner — à Bayreuth, il n'en finissait pas de lui embrasser les mains, ce qui agaçait prodigieusement le maître — ont souvent passé pour le comble de l'obséquiosité. N'était-ce pas plutôt une manifestation de sa perpétuelle candeur ?

Pour la transformation que Wagner opéra en lui, Bruckner peut être compté parmi ses disciples. Wagnériennes sont les proportions monumentales de ses symphonies, la démarche de leurs thèmes, wagnériens certains détails de leur orchestration, surtout dans les parties des cuivres à la fois somptueux et moelleux, bien que ces rencontres soient moins nombreuses qu'on ne l'a dit, et que Bruckner, s'il fait un large et superbe usage des tubas, n'emploie pas des instruments typiquement bayreuthiens comme la clarinette basse, la trompette basse, le cor anglais. Mais l'harmonie brucknérienne reste classique, affirmant de toute sa force la suprématie de la gamme diatonique, que le chromatisme wagnérien n'altère que très accidentellement. Dans la Troisième Symphonie, que Bruckner intitula lui-même « la Wagner », dans la Huitième — parmi les plus belles avec la Septième — les leitmotive wagnériens que cite ou évoque le compositeur restent étrangers au milieu musical où ils sont transplantés, alors qu'ils se fondront parfaitement avec lui lorsque Schœnberg et Alban Berg à leur tour citeront *Tristan.·*

Bruckner, le paysan mal dégrossi, naïf, mais non dépourvu de petites ruses, protégeait d'ailleurs ainsi d'instinct sa personnalité. Ses biographes allemands et anglais ont remarqué avec raison que sa forme procède beaucoup moins de Wagner que du Schubert de la grande symphonie en *ut* majeur. Chez l'un et chez l'autre, avec toutes les différences naturellement de l'inimitable génie mélodique de Schubert, c'est la même joie franche à « faire de la musique pour la musique », à s'oublier avec elle dans le temps quitte à s'allonger à l'excès. Chez Bruckner s'y ajoutent encore les complaisances de l'organiste accoutumé à se perdre bienheureusement dans ses improvisations. C'est encore en organiste que Bruckner instrumente souvent comme s'il combinait sa registration.

La référence des musicographes modernes à Schubert eût été incompréhensible aux Viennois de 1890, puisqu'ils ignoraient presque tous la Symphonie en *ut* majeur. Si Bruckner, compositeur

d'église jusqu'à l'âge de quarante ans, admirateur de Wagner mais
fervent de l'accord parfait, se trouva rangé parmi l'avant-garde, ce
fut surtout l'œuvre du misonéisme hargneux d'Eduard Hanslick.
La taille de ses symphonies provoqua d'autres fantaisies. On
admettait mal que des ouvrages de telles proportions n'eussent
pas obéi à un programme. Bruckner en fournit après coup autant
qu'on voulait, mais qui n'avaient ni queue ni tête. Après sa mort,
on découvrit qu'il avait été un mystique musical. Mais le mysticisme suppose une activité spirituelle insoupçonnée de Bruckner
qui était simplement dévot jusqu'à la bigoterie. Son sens d'une
grandeur purement musicale, que lui avait révélé Wagner, mais
très différent de l'élan wagnérien vers l'inconnu, propage les ondes
d'une religiosité généreuse et diffuse culminant souvent en choral,
et dans lesquelles se noient avec une pieuse émotion les foules des
auditeurs autrichiens, allemands, néerlandais, scandinaves, qu'ils
soient catholiques ou protestants. Dans toute l'Autriche, Bruckner
est une sorte de héros populaire.

En France, il passe encore pour l'un de ces musiciens — Brahms
fut longtemps du nombre — que l'on disait trop lourdement
germaniques pour s'acclimater jamais chez nous. Il est vrai que
pour la pensée modeste qu'ils véhiculent, ses développements
paraissent infinis, qu'ils ne sont pas soutenus par une véritable
imagination mélodique, que la solennité désincarnée de ses
adagios nous fait attendre longtemps le déclenchement de ses
scherzos qui ont gardé chez ce paysan envoûté par l'orgue une
saveur terrienne. Il est vrai encore que Bruckner construit ses
énormes édifices sur un plan presque immuable. Pourtant,
ses Messes, son *Te Deum*, la plus condensée de ses œuvres,
mériteraient beaucoup mieux d'être connus que tant de musiques
religieuses si superficielles du XVIIIᵉ siècle. Et pour leur beauté
sonore qui ne se dément jamais, pour la robustesse de leurs assises
classiques, les plus éloquentes de ses symphonies chasseraient
avantageusement de nos programmes Tchaïkowski, que les chefs
d'orchestre choisissent par paresse, ou pour flatter les goûts les
plus faciles de leur public.

HUGO WOLF (1860-1903)

Il était lui aussi Autrichien, de Windischgraetz en Styrie. C'est bien la seule parenté qu'on puisse lui trouver avec Bruckner, quoiqu'il le suive dans presque toutes les histoires de la musique, et qu'il ait été l'un de ses plus fougueux défenseurs.

Dès l'âge de quinze ans, il était entré au Conservatoire de Vienne, mais s'en faisait expulser pour son caractère indomptable deux ans plus tard. Il poursuivit ses études seul, en prenant quelque peu les conseils de Bruckner, et en menant de front la musique avec d'immenses lectures littéraires.

Il laissa presque toutes inachevées ses premières compositions. Il semblait avoir trouvé davantage sa voie dans la critique, où il prit aussitôt contre les réactionnaires de Vienne le parti de Wagner et des wagnériens avec une véhémence qui se souciait assez peu d'équité, comme nous l'avons vu à propos de Brahms. A vingt-huit ans, il se mit tout à coup à composer des lieder, en écrivit durant une vingtaine de mois près de deux cents, sur des vers d'Eduard Mœrike, de Goethe, d'Eichendorff, de Gottfried Keller, sur des poésies espagnoles et italiennes, dans une fiévreuse joie créatrice. En pleine débauche de musique symphonique, il avait su se tenir à la forme la mieux faite pour son tempérament instable, rebelle aux longs efforts. Sa veine se tarit aussi brusquement qu'elle était apparue, le laissant au désespoir. Après deux années où il n'avait plus tracé une note, une brève résurgence en novembre 1891 lui permit d'écrire un nouveau recueil de lieder italiens. Puis il retomba dans un silence navrant de cinq années. En 1895, l'inspiration revint. Hugo Wolf composa en trois mois d'après Alarcon un opéra-comique, *Le Corregidor*, ensuite d'autres lieder italiens, mit en musique les poèmes de Michel-Ange. Mais en septembre 1897, il donna soudain de tels signes de dérangement cérébral qu'il fallut l'interner dans un asile psychiatrique de Vienne. Il y mourut, paralytique général et tout à fait fou, le 16 février 1903. Il avait toujours vécu pauvre, soutenu seulement par un petit groupe d'amis, méprisé des auditeurs, inconnu du public, entre des crises d'exaltation et d'abattement, avec une conscience amère et fière de sa valeur, qui fut reconnue dans toute l'Allemagne sitôt après sa mort.

Son *Corregidor*, complètement ignoré en France, n'a jamais eu de chance sur les scènes allemandes. Sa *Sérénade Italienne* pour quatuor à cordes est grêle, tourne vite court. Mais l'auteur des lieder a sa place non loin de Schubert et de Schumann, comme il l'avait affirmé lui-même, tout en gardant vis-à-vis d'eux une entière liberté. Il est beaucoup moins spécifiquement germanique, comme l'indique le grand nombre des textes espagnols et italiens dont il s'inspira. Il pensait d'ailleurs avoir du sang latin dans son ascendance.

Hugo Wolf adapte au lied la déclamation et l'arioso wagnériens de la façon la plus personnelle. Sa culture littéraire lui permettait de serrer de très près le sens psychologique des poèmes qu'il illustrait, mais sans aucunement y sacrifier la ligne vocale, ce qui rend assez erroné le qualificatif de « littérateur en musique » qu'on lui applique souvent. Par la mobilité et la variété de son harmonie, par ses brusques ruptures de la tonalité, il est certainement, avant Schœnberg, le musicien allemand qui a poussé le plus loin les conséquences de l'émancipation tonale inaugurée par Wagner. Il est surprenant que des pièces aussi raffinées, fouillées et subtiles, où pas une note n'est laissée au hasard aient été composées presque toutes en si peu de temps. Durant ces brèves et spasmodiques périodes de fécondité, Hugo Wolf était soumis à une tension intérieure qui explique ses chutes dans l'épuisement et sa catastrophe finale. Le destin nietzschéen de cet artiste qui lui aussi attisa le feu sacré jusqu'à faire sauter sa machine, se reflète dans ses plus beaux lieder, drames en raccourci comme les admirables chants de Mignon, les fusées lyriques de *Ganymède*, de tant d'autres poèmes musicaux sur *Le Divan* de Goethe et les vers de Mœrike. Ses pièces légères (*die Sprœde, Epiphanie*) sont moins originales, mais la partie de piano — car on ne saurait parler d'accompagnement — y est toujours inimitable de finesse, d'imprévu, d'invention. Dans une œuvre limitée, Hugo Wolf a plus d'une fois touché au génie.

GUSTAV MAHLER (1860-1911)

C'était un petit israélite de Bohême né à Kalischt, élevé à Iglau (Jihlava) en Moravie, dans une famille médiocre et assez tarée. Le père tenait une auberge et un commerce de liqueurs, la mère boitait, s'était résignée à ce mariage faute de mieux; les scènes entre les époux étaient fréquentes et violentes, et six de leurs douze enfants moururent en bas âge.

En 1875, il entrait au Conservatoire de Vienne avec la mention

« musicien-né ». Il allait s'y lier intimement avec Hugo Wolf, qui lui fit aussitôt partager sa passion pour Wagner. Ils faillirent même être renvoyés ensemble pour leur effervescence et leur indiscipline. Mieux soutenu par un de ses professeurs, Mahler put terminer assez brillamment ses études, qu'il complétait à l'Université avec des cours de philosophie et d'histoire. Il a précisé lui-même qu'au contraire de ce que l'on écrit encore souvent, il n'a jamais travaillé avec Bruckner, mais qu'il se considérait moralement comme son élève grâce à la sollicitude amicale que lui portait le vieux musicien. Il avait concouru en 1881 avec sa cantate *Das Klagende Lied* pour un prix Beethoven qui se décernait chaque année à Vienne, mais que Brahms et Hanslick, membres du jury, lui firent refuser. Dès l'âge de vingt ans, il battait la mesure de *Martha* ou d'*Orphée aux Enfers,* pour gagner un peu sa vie, dans de minuscules théâtres, à Hall, à Laibach (Ljubljana), à Olmütz. Il apportait une telle compétence à ces besognes qu'en 1883 il était déjà second chef de l'Opéra royal de Cassel, exerçait bientôt les mêmes fonctions à Prague, à Leipzig où il remplaçait Nikisch malade. En 1888, il devenait directeur de l'Opéra de Budapest, y débutait par de sensationnelles représentations de *L'Or du Rhin* et de *La Walkyrie*. On le retrouvait ensuite chef à l'Opéra de Hambourg, où il devait diriger presque tous les soirs durant six ans. Au printemps 1897, il se fit baptiser. Quelques mois plus tard, il était nommé chef et peu de temps après directeur de l'Opéra de Vienne sur lequel il régna durant dix ans. En mars 1902, il épousait une très brillante et jolie jeune fille de la société viennoise, Alma Schindler, passionnée de politique d'extrême droite, future admiratrice de Mussolini, mais qui devint par son mariage et son intelligence l'une des premières égéries de l'avant-garde musicale européenne, à laquelle elle a consacré dans sa vieillesse — elle est morte en 1964 à quatre-vingt-cinq ans — des souvenirs fourmillant de vie et de détails ignorés.

En 1907, Mahler se démettait de ses fonctions à Vienne, était appelé à New York comme chef du Metropolitan Opera, où il ne demeura que durant deux saisons. Il dirigea ensuite un orchestre symphonique constitué pour lui par un comité de dames milliardaires. Il souffrait du cœur depuis plusieurs années. En 1911, alors qu'il comptait pouvoir enfin déposer sa baguette et se consacrer uniquement à sa musique, il fut atteint d'une infection streptococcique que ni les médecins de New York ni ceux de

Paris ne parvinrent à soigner. On le transporta à Vienne où il mourut cinq jours après son arrivée, le 18 mai.

Selon tous les témoins, Mahler fut le plus grand chef d'orchestre entre la mort de Wagner et l'avènement de Toscanini. Bruno Walter, qui fut son assistant à Hambourg et l'un de ses plus fidèles disciples, l'a dépeint au pupitre, « véritable incarnation du maître de chapelle Kreisler d'Hoffmann », petit, maigre, agité, avec un front immense, une crinière noire, des lunettes pétillantes, un visage que se partageaient « le chagrin et l'humour ». Il déployait une autorité inflexible, orageuse, faisant fi de toutes les contingences officielles ou administratives, ce qui explique les cabales qui malgré ses succès arrivèrent partout à le déboulonner. Il ne limitait pas ses exigences à l'orchestre, aux chanteurs, mais au spectacle entier. Il commanda au peintre Alfred Roller les premières mises en scène stylisées de Wagner et de Mozart. Ce qu'il réalisa à l'Opéra de Vienne fut rarement surpassé.

« *BATIR UN MONDE AVEC LA SYMPHONIE* »

Ce n'était cependant point une raison pour que le Larousse du xxᵉ siècle, dans son édition de 1933, relatât en détail la carrière du grand chef, mais fît allusion en une ligne et demie à ses ouvrages. Cette notice, qui n'aurait jamais pu être imprimée dans aucun autre pays civilisé, reflétait cependant assez justement l'opinion du monde musical français à l'égard de Mahler.

Nous avons déjà relevé, à propos de Brahms et de Bruckner, ces rescrits des musicologues, des journalistes, des chefs d'orchestre de chez nous qui avaient décidé que certaines musiques d'outre-Rhin par leur épaisseur, leur confusion, leur manie du colossal — que l'on écrivait avec un « K » — rebuteraient toujours notre clair instinct, la délicatesse de notre goût, et que ce serait nous forcer brutalement, nous intoxiquer que de vouloir nous imposer de telles nourritures.

Personne n'a autant pâti que Mahler de ces décrets péremptoires. En 1910, comme il dirigeait à Paris aux concerts Colonne sa Deuxième Symphonie, il avait pu voir Debussy, Paul Dukas et Gabriel Pierné — Pierné chef d'orchestre de Colonne ! — quitter ostensiblement la salle au milieu du second mouvement. Debussy, très satisfait de son geste, le commentait un peu plus tard par écrit : « Ouvrons l'œil (et fermons l'oreille)... Le goût français n'admettra jamais ces géants pneumatiques à d'autre honneur que de servir de réclame à Bibendum, » Les Parisiens avaient bien pu applaudir longuement la Deuxième et son auteur : les gardiens de leur pureté musicale et nationale veillaient, et prendraient toutes mesures pour écarter d'eux à jamais d'aussi répugnantes tentations.

L'École des « Six », durant l'entre-deux guerres, n'était pas mieux disposée à l'endroit des Teutons. Les chefs d'orchestre étrangers de passage en France étaient avertis de ne point offusquer les oreilles indigènes s'ils tenaient à faire recette.

Il fallut l'interdiction de jouer Mahler sous le IIIe Reich à cause de ses origines juives — interdiction d'autant plus aberrante que ce juif converti avait eu pour dieu durant toute sa vie Wagner, le musicien officiel du régime hitlérien — pour qu'après 1944 l'on se souvînt chez nous de son nom et de sa musique avec quelque remords. La France en somme a accueilli Mahler grâce à ses titres de résistant, bien qu'il fût mort plus de vingt ans avant l'accession de Hitler au pouvoir. Ainsi les Parisiens découvrent-ils peu à peu avec un vif plaisir les dix symphonies du Bohémien (la dixième est inachevée), son *Chant de la Terre (Das Lied von der Erde),* ses cycles de lieder une soixantaine d'années après la Hongrie, la Croatie, la Finlande et les villes du Middlewest américain.

Cette initiation leur coûte assez peu de peine. Mahler est un musicien très « public », encore plus long que Bruckner — cinq de ses symphonies, les 2e, 6e, 7e, 8e et 9e durent une heure vingt, la Troisième plus d'une heure et demie — mais aussi varié, changeant qu'est uniforme dans sa rhétorique l'organiste de Saint-Florian : « Je suis, disait-il, un compositeur d'été. » C'était en effet seulement durant ses vacances campagnardes, après dix mois consacrés à cet harassant travail de chef dont il avait fait un apostolat artistique, qu'il pouvait reprendre son papier, s'y délivrer des musiques qui bouillonnaient en lui. Sa femme, Alma, disait qu'elle ne lui avait jamais connu un instant de repos. L'auditeur sans préjugés partage bientôt la tension fébrilement entretenue de cet homme qui brûla sa vie, qui se mit tout entier dans chacune de ses pages, avec la sincérité nue, l'impudeur irrésistible et nécessaire des vrais créateurs.

Wagner considérait déjà qu'écrire des symphonies après Beethoven, c'était ramasser les débris d'une forme qui avait éclaté dans les mains du grand sourd, tenter de les recoller pour y meubler ses idées. Pour Debussy, l'inutilité de la symphonie depuis la

mort de Beethoven était amplement démontrée. Ils pensaient
l'un et l'autre à la symphonie-sonate, régie par son principe
d'unité interne, à laquelle se tient encore Brahms. Mais pour
Mahler, composer une symphonie « c'est bâtir un monde, avec
toutes les ressources techniques dont dispose un musicien...
la symphonie doit être pareille à l'univers, elle doit tout embrasser ».

Mahler n'a pas été infidèle à cette ambition bien digne d'un
fanatique de la *Tétralogie*. Sa Deuxième Symphonie est le poème
de la mort, de la vie et de la résurrection, la Troisième le poème
de la Nature. La Quatrième passe de l'Enfance au Paradis. La
Huitième, dite Symphonie des Mille, du nombre de ses premiers
exécutants − huit cent cinquante choristes et cent cinquante
instrumentistes − s'ouvre sur le *Veni Creator* et s'achève sur la
scène finale du *Second Faust*, l'apothéose de l'Éternel féminin.
La Neuvième, que Mahler n'entendit pas, est remplie par le pressentiment de la mort et l'adieu à la vie universelle.

Pour construire ces gigantesques édifices, toutes les formes et
tous les moyens sont bons. Mahler opère depuis Haydn jusqu'à
Berlioz, Liszt et Bruckner un syncrétisme de tous les genres symphoniques qui est bien dans la logique de son époque. La Neuvième
Symphonie est tour à tour sonate, variations doubles, rondo,
lied, concerto, fugue, et la dissolution de chacun de ces schémas.
Mahler, pour ses quatre premières symphonies, hésite entre les
programmes explicites, qui lui paraissent stérilisants, antimusicaux,
et la nécessité de pourvoir le public « de quelques poteaux indica-
teurs », puisque « tout tableau musical provient d'une expérience
vécue par l'artiste ». Il reconnaît « qu'il en arrive toujours au
point où il doit faire appel à la parole comme support de son idée
musicale », à la façon de Beethoven dans le finale de sa Neuvième.
Les voix des solistes ou des chœurs interviennent en effet dans
quatre de ses symphonies parmi les plus typiques et les plus
jouées, la 2ᵉ, la 3ᵉ, la 4ᵉ et la 8ᵉ. Il déploie le grand orchestre
wagnérien, aux pupitres de cuivres et de bois encore renforcés, il
y ajoute l'orgue (dans la 2ᵉ et celle des Mille), le xylophone, le
piano, l'harmonium, des mandolines, des guitares, des clochettes
de troupeaux. Son esthétique est très mêlée. Le prophétisme, le
lyrisme le plus poignant y côtoient souvent des trivialités que les
premiers auditeurs français et plus d'un en Allemagne jugeaient
inadmissibles, mais sur lesquelles il insiste à dessein, parce qu'il
veut exprimer, en vrai baroque qu'il est − un baroque qui se

souvient du gothique flamboyant — à la fois le sublime et le grotesque de la vie.

Cet art forcené n'évite pas toujours la boursouflure, oublie que la véritable grandeur ne se traduit pas fatalement par accumulations. Mais la conviction de son pathos l'emporte. Mahler roule dans sa tête un fatras philosophique, métaphysique bien plus hétéroclite que celui de Wagner. Mais comme Wagner, il est d'abord un poète des sons, un « Ton-Dichter » qui ne se laisse jamais étouffer par l'idéologue. On lui a reproché d'avoir puisé sans arrêt, durant toute la première partie de sa carrière, dans le *Knaben Wunderhorn*, *Le Cor enchanté de l'Enfant*, le recueil publié en 1805 par Achim von Arnim et Brentano de poésies et de chansons arrangées dans le sentiment populaire. Mais on n'avait pas à réclamer de Mahler un travail de folkloriste professionnel. Ce qui compte pour nous, c'est le parti que son imagination a tiré d'une source plus ou moins apocryphe, les saisissantes estampes militaires des *Wunderhorn Lieder* pour chant et orchestre, déserteurs qui marchent au poteau, fantômes des cavaliers tués revenant enlever leur bien-aimée, et leurs reprises dans les symphonies.

Dans son romantisme, Mahler fait voisiner la vignette et les visions faustiennes. Nous ne le suivons pas toujours dans ses ascensions. Il arrive que nous restions à mi-côte, en observant avec un sourire son escalade à grand renfort de choristes et de cuivres. Mais on le trouve bien rarement en peine d'invention et de pittoresque. La Troisième Symphonie, la « Nature », appelée aussi « Le Gai Savoir », est un des exemples les plus complets de cette diversité qui deviendrait salmigondis sans la dose de génie qu'y répand Mahler. La nature en train de s'éveiller ne répond d'abord à l'appel des huit cors que par des rythmes sourds, des bourdonnements de violoncelles et de contrebasses. Un récitatif des trombones, dont la distinction n'est pas la qualité dominante, fait entendre, paraît-il, « la voix des rochers de la montagne ». Une énorme marche militaire, très marquée, salue pendant une centaine de mesures l'entrée de l'Été, en *fa* majeur, racole au passage de nouveaux thèmes, fait rouler son tambour, se tait, revient dans d'autres tonalités. Le deuxième mouvement est un *Tempo di minuetto* assez viennois, « insouciant comme seules savent l'être les fleurs ». Le troisième mouvement, *commodo scherzando*, ramène un souvenir attendri et humoristique — humour assez appuyé — du *Wunderhorn* sur la mort du coucou que le rossignol doit remplacer dans sa fonction météorologique. Un cor schubertien se met à chanter, si joli, si rêveur que Mahler n'a plus le courage de lui couper la parole. Il en profite pour reprendre sa cantilène après une brève interruption des trompettes. De cette idylle, nous sautons à Nietzsche, avec le quatrième mouvement qui confie à une voix d'alto le poème de *Zarathoustra : « O Mensch, gib Acht ! Was spricht die tiefe Mitternacht ? »* Pour accompagner un aussi grand texte, les cors jouent vraiment un peu trop les rondeurs. Mais la voix féminine prend bientôt de la hauteur, une ampleur émouvante. Cependant, de *Zarathoustra* nous passons sans transition au Paradis d'imagerie du cinquième mouvement où, par les voix d'un chœur d'enfants qu'encadrent les sonneries de quatre cloches, les anges chantent sur un petit air naïf leur joie d'apprendre que saint Pierre est absous de ses péchés. On se demande un peu ce que viennent faire ici quelques grosses intrusions des cuivres. Le dernier mouvement, *adagio*, s'ouvre par une grande phrase d'amour, très chantante, des cordes, qui monte jusqu'à l'aigu des violons, une de ces pages « venues du cœur » que Mahler réussit toujours. Elle reparaît trois fois, victorieuse des trompettes et des trombones qui prennent largement leur revanche, avec cymbales et timbales, dans le finale en apothéose, à grands accords tannhäusériens. Le tout a duré une heure quarante-cinq, avec des facilités monumentales elles aussi, mais compensées au moment où on allait les juger impardonnables par les libres trouvailles, la générosité du mélodiste qui voulait faire chanter « même les timbales », et sans que nous ayons éprouvé un instant de fatigue.

Il faudrait encore parler des *Lieder eines fahrenden Gesellen, Les Chants du compagnon errant* (1883-1884), reprenant à Schubert mais dans un registre moins sombre le thème du garçon qui court le monde après avoir été frappé d'une peine d'amour ; les déchirants *Kindertotenlieder, Chants pour des Enfants Morts*, sur des poèmes de Rückert, liés à des circonstances lugubres. Mahler les acheva en 1904, alors qu'il était le père de deux petites filles, auprès de sa femme Alma épouvantée de l'entendre chanter des enfants morts quand les siens étaient bien vivants et joyeux. Trois ans plus tard, la diphtérie emportait l'aînée des fillettes.

L'avant-dernière partition que termina Mahler, *Le Chant de la Terre, Das Lied von der Erde* (1906), est probablement son chef-d'œuvre. Il s'agit d'une suite de six lieder très développés, confiés alternativement à un contralto (ou un baryton) et un ténor, avec un grand orchestre qui les commente ou les prolonge par ses interludes, sur une traduction de poèmes chinois élégiaques ou sarcastiques, plaçant l'homme mortel devant la nature qui renaît toujours. Mahler l'intitula « symphonie », sans lui donner de numéro, parce qu'elle eût été sa « neuvième », chiffre fatidique depuis Beethoven. D'esprit, de durée (une heure), de facture, *Le Chant de la Terre* est bien en effet une symphonie, où la voix comme dans Wagner est un instrument parmi les autres, mais un instrument privilégié; symphonie pourtant de la forme la plus libre, qui convient idéalement à la multiplicité de Mahler. Celui-ci, justement parce qu'il était wagnérien jusqu'aux moelles, se refusa au théâtre, où la confrontation avec le vieux titan eût été si redoutable. C'est la contradiction de son art si chargé de pensées, de sentiments, de drames, qui fait de ses symphonies malgré leur éloquence des sortes d'opéras sans paroles, où subsiste quelque chose d'inexprimé, même lorsque les voix des solistes et des chœurs y participent. *Le Chant de la Terre,* lui, est complet, bouclé. Et l'écriture vocale de Mahler y est si personnelle, si heureuse qu'elle mériterait d'être citée beaucoup plus souvent parmi les grandes réussites de la déclamation lyrique. Dans le troisième poème, pour ténor, le plus court, la pastorale, seul rappel des facilités de Mahler, penche un peu vers le chromo allemand de Bœcklin, de Hans Thomas. Mais on ne se lasse pas, tout au long de l'œuvre, de ces vastes crescendos remuant un monde de rêves, de méditations, de nostalgies, d'immenses espaces. La partie du contralto, tout entière, est admirable, touche au sublime dans le dernier morceau, *Der Abschied, L'Adieu.* Le diminuendo final, «*ewig, ewig,* éternellement, éternellement », sur les tenues de *mi* et de *ré* enveloppées d'une aura nietzschéenne, est une des idées de Mahler les plus émouvantes et de la poésie la plus pure.

Ce beau musicien n'a pas tenu un rôle aussi considérable qu'on le dit à présent dans la filiation qui, de *Tristan* à Anton Webern, a sapé puis aboli la tonalité. On relève chez Mahler, dans ses modulations, son orchestre, maints wagnérismes flagrants, ingénus même, qui se placent souvent aux premières pages de ses œuvres, comme s'il en attendait une impulsion. Mais son écriture harmonique est presque constamment en retrait sur celle de Wagner. C'est la cause des hiatus entre ses intentions et ce qu'il nous donne à entendre. Malgré ses contorsions, son insistance, sa surenchère orchestrale, la ronde infernale de la Deuxième Symphonie, qui voudrait être une terrifiante fresque du Mal, continue surtout les traditionnelles diableries du romantisme. Le Wagner sombre, avec quelques dissonances, est autrement inquiétant, insolite, voilé de mystère pour faire surgir Erda des abîmes, annoncer les sinistres complots de Hagen, la malédiction de l'Anneau ou la décadence des dieux.

Mahler, ayant vécu soixante-dix ans au lieu de cinquante et un, eût-il abouti à l'atonalité, comme le font plus ou moins pressentir quelques passages de ses deux dernières symphonies ? Rien ne permet de l'affirmer. On penserait plutôt que sa veine mélodique, nourrie de diatonisme, était trop vigoureuse pour qu'il pût adopter le radicalisme de Schœnberg. Ses liens avec Schœnberg et ses élèves Alban Berg et Webern furent d'abord d'amitié et d'estime réciproques. Schœnberg, dans son *Traité d'Harmonie*, le cite au chapitre du « Style et des Idées ». C'était par là, en effet, plus que par la nature de ses accords, qu'il intéressait musicalement les futurs dodécaphonistes viennois; par son remueménage des formes, sa conception de la polyphonie, par l'expressionnisme qui allait prendre une telle importance dans l'esthétique allemande, y compris celle de Schœnberg, de Berg, et dont il fut un des pionniers, en le faisant vivre dans son milieu encore tonal. Mahler était neuf aussi par l'individualité qu'il prêtait à chaque instrument bien avant nos orchestres de solistes, par la discontinuité de ses timbres − une couleur pour chaque note − poussée cette fois beaucoup plus loin que Wagner, par des crudités qui n'étaient guère tolérées avant lui.

On a vu en Mahler un des grands représentants de la pensée musicale juive. Mais il faudrait préciser le contenu de cette pensée, et pour cela l'exemple de Mahler nous semble très mal choisi. Le musicien, sans avoir la foi, a rencontré le catholicisme dès que son inspiration prenait un tour religieux, il a été imprégné, hanté par ses chants, son dogme, ses légendes. Il a surtout été fidèle à un germanisme de terroir demeuré bien plus vivant dans les petites communautés allemandes de Moravie que dans les grandes cités et les provinces industrielles. Il est resté sensible aux impressions d'enfant qu'il en a reçu, fanfares de grenadiers et de hussards, laendler, valses, chansons d'écoliers et de fêtes paysannes, qui parcourent toute son œuvre, sont plutôt regrettables lorsque leur sentimentalité et leurs cuivres militaires se conjuguent pour célébrer le Retour Éternel, mais forment aussi la pâte de son réalisme, avec ses lourdeurs préméditées et ses saveurs.

Mahler est inégal, parfois hétéroclite, mais toujours substantiel. C'est son abondance qui nous attire et nous entraîne dans un temps où l'on nous a proposé trop de sonates squelettiques, de concertos pitoyablement carencés en vitamines. Jean Cocteau, pressentant le dessèchement de Stravinsky et de ses épigones, criait en 1918 : « On demande du pain musical. » Il ne soupçonnait guère que de jeunes musiciens, infiniment plus évolués et « modernes » que ses camarades du groupe des Six, trouveraient ce pain, quarante ans plus tard, chez l'élève le plus romantique, le plus torrentiel de Wagner.

La lignée wagnérienne a compté en Allemagne d'autres noms presque tous aujourd'hui bien ternis, et sur lesquels il ny a guère à s'attarder avant de rencontrer de nouveau, avec Richard Strauss, un grand artiste. Peter Cornelius (1824-1874) fut un ami intime de Wagner. Son opéra-comique *Le Barbier de Bagdad*, d'après *les Mille et Une Nuits*, monté par Liszt à Weimar sans beaucoup de succès puis devenu assez populaire outre-Rhin, est élégant, tiède, faiblement personnel, avec une légère teinture de *Lohengrin* − arioso, quelques leitmotive − et des ensembles assez bien tournés, où l'on reconnaît un homme ayant honnêtement pratiqué Mozart. Un burlesque, August Bungert (1845-1915) singea *L'Anneau du Nibelung* sans le moindre talent dans une tétralogie, *Le Monde Homérique*, pour laquelle il prétendait faire édifier un nouveau Bayreuth sur le Rhin, à Godesberg. Engelberg Humperdinck (1854-1921), un Rhénan, intelligent, musicien adroit, qui collabora avec Wagner pour la création de *Parsifal*, a laissé, entre beaucoup d'autres partitions oubliées, une féerie d'un goût charmant, *Hænsel et Gretel*, d'après les contes de Grimm, que l'on pourrait appeler les Scènes d'Enfants du wagnérisme, est restée partout au répertoire, sauf en France où elle avait eu cependant un assez vif succès à sa création en 1900, à l'Opéra-Comique. De son élève Siegfried Wagner, le fils de Richard et de Cosima (1869-1930), homme affable, distingué, qui s'appliqua dans une douzaine d'opéras et de poèmes symphoniques à porter honorablement son accablant patronyme, il ne subsiste plus que le mot rosse mais assez juste de Debussy : « un feuillage pâle sur un vieux tronc. » Eugen d'Albert (1864-1932), l'un des grands pianistes de son époque, disciple de Liszt, chercha à populariser le style wagnérien en l'amalgamant au vérisme de Mascagni et Puccini dans une série de drames lyriques, dont un au moins, *Tiefland*, a fait longtemps recette dans les théâtres allemands. Max von Schillings (1868-1933), auteur de l'opéra *Mona Lisa*, n'est plus qu'un mauvais copiste de ces Italiens.

Au milieu de tous ces romantiques et dramaturges plus ou moins doués, plus ou moins spontanés, le classicisme allemand, dans un rayon beaucoup plus modeste, n'abdique pas. On peut oublier Max Bruch (1838-1920) qui ne survit, et encore grâce aux virtuoses de l'archet dont le répertoire n'est pas très meublé, que par un concerto pour violon, du Brahms décoloré. Le nom à retenir est celui de MAX REGER (1873-1916), extrêmement fécond, eu égard à la brièveté de sa carrière et aux postes importants qu'il occupa dans l'enseignement presque jusqu'à sa mort. Ce Bavarois était une de ces natures érémitiques qui aspirent à s'isoler dans le passé. Il n'aurait pas fallu le forcer beaucoup pour lui faire dire que l'art musical s'arrêtait à Bach. Son classicisme, dans ce sens, était bien plus authentique que celui de Brahms. Son œuvre est presque uniquement instrumentale, et de musique « pure », quatuors, pièces d'orgue, sonates pour violon ou violoncelle seuls, austères jusqu'à l'aridité, concertos, variations, sérénades. Les compositeurs français l'ont peu étudié, à tort, car ils auraient trouvé dans sa lecture des bases plus sérieuses que celles de nos Conservatoires et des gardiens parisiens ou provinciaux des traditions. Il décourage souvent l'auditeur par une prolixité à l'inverse de sa minceur mélodique et à laquelle l'induit une science du contrepoint dont il n'a jamais fini d'épuiser les artifices. Cette démesure, privée de l'éloquence de Bruckner et de la poétique orchestrale de Mahler, le rattache sans doute inconsciemment à son époque. Il n'a pas échappé non plus à la contagion du chromatisme wagnérien qui, insinué dans les formes strictes du XVIIIᵉ siècle, est devenu une des caractéristiques de ses ouvrages. Il a eu sur le néo-classicisme allemand entre les deux guerres mondiales une influence considérable mais très discutable dans ses résultats. Cependant, Schœnberg n'a pas dédaigné de le consulter.

CHAPITRE IX

LE ROMANTISME ALLEMAND
APRÈS WAGNER (suite)

RICHARD STRAUSS

La précocité, la longévité de RICHARD STRAUSS (1864-1949) et son art même sont assez embarrassants pour les musicographes soucieux d'ordre chronologique. Richard II, comme l'appelait Bülow par une boutade flatteuse alors qu'il n'avait pas vingt-cinq ans, est né à Munich, sujet de la monarchie bavaroise, dans le mois où Louis II montait sur le trône. Il a connu, toujours au premier plan des honneurs et de la renommée, l'apogée de l'empire des Hohenzollern, sa défaite, les convulsions de la République de Weimar se débattant entre le bolchevisme et le nazisme. Il est mort à l'âge atomique, après avoir assisté à l'écroulement du IIIᵉ Reich et au partage de l'Allemagne. A cheval sur deux siècles pour les dates, il est aussi peu que possible un artiste de transition, Disparu vers 1900, il fût resté comme l'une des figures les plus typique du XIXᵉ, en tout cas de son romantisme flamboyant dans le sillage de Wagner; c'était d'ailleurs le portrait que traçaient de lui tous les critiques et historiens de l'époque. Mais pour les trois quarts de sa carrière, il appartient au XXᵉ siècle, c'est-à-dire à l'époque la plus tourmentée, la plus mouvante de la musique, où se sont succédés le debussysme, le stravinskysme, l'atonalité, le dodécaphonisme, auxquels se juxtaposaient, s'opposaient folklorisme et néo-classicisme. Cependant, ces révolutions, ces chocs en retour qui ont marqué tous les autres musiciens de quelque valeur n'ont laissé aucune trace sur lui, sans qu'il y eût de sa part ignorance ou hostilité, car il fut longtemps très renseigné, et n'était nullement sectaire; c'est ainsi qu'il aida Schœnberg, lui fit obtenir un poste de professeur, bien qu'il n'eût aucun goût pour sa musique.

Était-il donc un attardé de ce post-romantisme auquel les historiens l'associent faute de mieux ? Pas le moins du monde. Il écrivit jusqu'à ses derniers jours la musique la plus vivante. Mais une olympienne confiance en soi le rendait indifférent aux modes comme aux découvertes les plus troublantes d'autrui. Il se sentait à l'aise chez lui. Il avait forgé son langage dès sa jeunesse, il n'éprouvait aucun besoin d'emprunter à celui des autres pour dire tout ce qu'il avait à dire. Son aisance et sa puissance de créateur justifiaient cette attitude qui eût enfermé des natures moins riches dans leur présomption et dans une solitude académique. Les tragédies politiques et militaires qui se déroulèrent durant sa longue existence ne l'atteignirent d'ailleurs pas davantage. Dans une époque vouée au collectif, Strauss a remporté une des rares victoires de l'individu. Nos difficultés à le situer, qui tiennent pour beaucoup à nos habitudes d'auteurs et d'éditeurs, à la rigidité de nos chapitres, l'eûssent pleinement satisfait. Elles lui auraient confirmé qu'il était bien au-dessus du temps. Il faudrait écrire une histoire de la musique montée comme un film. De séquence en séquence, entre les batailles célèbres, *Pelléas, Le Sacre du printemps,* au milieu des affrontements d'écoles et de cénacles, des reniements, des expériences, des paradoxes, des échecs et des réussites imprévisibles, on verrait reparaître Richard Strauss immuable avec sa haute taille de sapin spectateur détaché — mais sans morgue, le plus souvent souriant — des tourmentes de son art et de son temps, accompagné de sa puissante et voluptueuse musique toujours fidèle à elle-même.

Son père était premier cor à l'Opéra de Munich, professeur de son instrument au Conservatoire de la ville, d'un rang supérieur par conséquent à l'artisanat musical, et d'autant qu'il avait épousé une demoiselle Pschorr, d'une des plus riches familles de brasseurs bavarois. Bien qu'il eût donné à son fils le prénom de Richard, Franz Strauss, homme irascible, était d'un classicisme intransigeant, et à Munich l'un des ennemis les plus acharnés de Wagner, avec lequel il eut de nombreuses prises de bec lors de la création de *Tristan* et des *Maîtres,* mais qui lui pardonnait tout, paraît-il, à cause de sa merveilleuse sonorité. Richard, qui composait déjà à six ans, reçut donc une éducation strictement conforme aux goûts paternels, qui admettaient à peine Schubert et Mendelssohn. Des professeurs, collègues de son père, venaient lui enseigner à domicile le piano, le violon, l'harmonie, le contrepoint, l'orchestration. Il faisait en même temps de bonnes études secondaires au lycée. De douze à vingt ans, il écrivit deux symphonies, en *ré* mineur et *fa* mineur, deux quatuors à cordes, une Sérénade et une Suite pour treize instruments à vent, des lieder, des pièces pour piano, un concerto pour violon et orchestre. Pour autant que l'on connaisse ces œuvres, dont certaines n'ont pas été publiées, d'après ce qu'en ont dit de bons juges, il ressort que le jeune Strauss possédait toutes les facilités, un métier déjà très sûr, mais composait le plus souvent à vide une musique pseudo-classique issue de Mendelssohn, et fort dépourvue de caractère. Il avait entendu *Tannhäuser, Lohengrin, Siegfried,* n'y comprenait rien et s'en vantait avec de grosses plaisanteries qui devaient réjouir son père. Mais il n'était pas attiré davantage par Brahms. Plusieurs de ses *juvenilia* eurent un succès immédiat, et point seulement auprès des traditionalistes. A dix-sept ans, en 1881, Strauss avait déjà pu entendre sa symphonie en *ré* mineur dirigée par Hermann Levi. Bülow avait inscrit à ses programmes la Sérénade pour instruments à vent. L'année même de sa composition, en 1884, la Symphonie en *fa* mineur était jouée à New York.

Comme Bruckner, comme Mahler, comme Hugo Wolf, Richard Strauss devait être accouché par Wagner, enfin pénétré grâce à un prosélyte intelligent et cultivé, Alexandre Ritter, simple violoniste dans l'orchestre de Meiningen, la dernière en date des petites principautés allemandes vouées à la musique, où le jeune Munichois faisait lui-même en 1885 ses premières armes de chef sous la tutelle de Bülow. En s'ouvrant aux enchantements wagnériens, c'est-à-dire à la musique de son temps, Strauss ne pouvait manquer de percevoir la médiocrité du classicisme scolaire dans lequel il venait de s'essayer, et qui n'était même pas copié d'après les grands modèles – le Beethoven de la fin effarouchait encore les milieux conservateurs dont Strauss sortait, mais d'après des épigones.

LES POÈMES SYMPHONIQUES

Il allait se dégager de ce milieu par quelques étapes rapides. *Burlesque* pour piano et orchestre (1886), œuvre d'une virtuosité enjouée, toujours fort écoutable avec un soliste transcendant, les *Impressions d'Italie (Aus Italien)* de 1887, fruit d'un voyage de plusieurs mois dans la Péninsule obéissent encore au cadre de la symphonie-sonate, mais déjà beaucoup moins académiquement suivi. Avec *Macbeth*, de 1886-87, retouché en 1889, et surtout *Don Juan*, de 1888, Strauss est tout à fait libéré, il inaugure la série de ses grands poèmes symphoniques en un seul mouvement, qui reprennent l'héritage de Liszt, pour y ajouter combien de richesses.

Avec son thème initial clamé, cambré − l'un de ces magnifiques « départs » familiers à Strauss, destinés à subjuger en trois mesures l'auditoire − avec son éclat, sa plasticité, son bouillonnement, *Don Juan* est le premier chef-d'œuvre de cette longue carrière, et de toute façon une œuvre exceptionnelle. Dans les partitions ultérieures, les développements seront conduits avec plus de maîtrise, l'étoffe instrumentale sera encore plus somptueuse. Mais il est bien rare dans l'histoire de la musique, même en remontant aux plus grands noms, de rencontrer un compositeur de vingt-quatre ans ayant su dégager sa personnalité avec une telle assurance et un tel bonheur que les grands traits de son art en seront fixés pour toute sa vie. Et la mort de Don Juan, descente fatale de toute créature dans le néant, sans aucune allusion eschatologique, est d'autant plus poignante que Strauss la traite avec une simplicité et une discrétion qu'il oubliera trop souvent plus tard.

Les poèmes symphoniques, qui entrent aussitôt dans le répertoire de base de tous les concerts du monde, vont se succéder durant quinze ans. Ils déploient le grand orchestre wagnérien à pupitres complets, plus charnu, beaucoup moins apte que chez Wagner aux effets de finesse, de translucidité, de mystère, plus fondu que chez Mahler, avec moins d'imprévu dans les alliages ou les juxtapositions des timbres, cultivant dans ses fortissimi la surpuissance comme presque tout l'école germanique de l'époque : autant de comparaisons qui du reste ne rendent pas compte de sa couleur bien à lui, brillante, opulente, toujours triturée, disposée, étalée par une main magistrale. Ces poèmes sont nés de programmes dramatiques, anecdotiques, autobiographiques, souvent dénigrés, mais sur lesquels il faut s'expliquer un peu.

Dans le seul livre, hormis une ou deux plaquettes, qu'un musicologue français ait consacré à Richard Strauss, mais un maître-livre pour son information, sa compétence, son équité et son pouvoir de suggestion, Antoine Goléa a sur l'esprit et la nature du compositeur une vue très neuve et sans doute décisive. Bien différent du portrait de l'intellectuel forcené, harnaché de haute philosophie allemande qu'en ont tracé longtemps les critiques de chez nous, Strauss était un artiste du concret, amoureux de la

vie sous toutes ses formes, « ancré dans les réalités de cette vie
avec des racines d'une force incomparable », et qui a été inférieur
à ses dons ou a même tout à fait échoué quand il a voulu se
colleter avec des abstractions. Strauss était un païen, et dirons-
nous, pour prolonger la pensée de Goléa, un païen au sens moderne,
ne voyant rien au-delà de la terre, étranger au besoin de transcendance de l'agnosticisme wagnérien, à l'inquiétude, juive si l'on
veut, de Mahler tournant autour de la foi catholique; le premier
en date des musiciens — Debussy sera moralement de la même
famille — chez qui l'on ne puisse relever une seule mesure d'inspiration religieuse, qu'elle vînt du cœur ou fût simplement de
convenance, d'habitude. Chez Strauss, l'idéalisme est d'essence
esthétique, la grandeur, quand elle intervient, exprime l'orgueil
d'une destinée d'artiste puissamment et largement remplie.

Selon ces données qui ne paraissent plus réfutables, Antoine
Goléa propose un nouveau et très judicieux classement du catalogue straussien. Ainsi, l'œuvre qui suivit *Don Juan* est *Mort et
Transfiguration, Tod und Verklærung,* de 1889, qui n'a donc pas
été inspirée, selon une erreur que reproduit le savant Heinrich
Strobel et que rectifie enfin Goléa, par la grave maladie pulmonaire
qui mit en danger les jours de Strauss, puisqu'elle lui est
antérieure de deux ans. Un pauvre homme va mourir, solitaire sur
son grabat. Il soutient désespérément contre la Camarde un
suprême combat. Il agonise en revoyant toute sa vie. Il rend le
dernier soupir, et se trouve transporté dans les sphères célestes où
il devient un corps glorieux. Il est clair aujourd'hui que Strauss
« ne pouvait avoir aucun lien profond, authentique avec un semblable sujet », d'où les inflexions sentimentales de l'œuvre qui ont
d'ailleurs contribué à sa popularité, et ses banalités harmoniques
lorsqu'elle tente son ascension vers le surnaturel auquel son
auteur croyait si peu. Venant d'un musicien que les spéculations
philosophiques et métaphysiques ne préoccupaient guère,
l'hommage à Nietzsche, *Also sprach Zarathustra, Ainsi parlait
Zarathoustra* (1896) devait rester assez superficiel ou plus exactement hypertrophié, avec des glissades assez cocasses dans la valse
viennoise, malgré la splendeur de cet orchestre romantique,
immense comme la nature, forêt, fleuve, sources, glaciers, brise,
murmures, tempête, foudroiements, du moins quand il revit sous
la baguette d'un Karajan.

Antoine Goléa observe avec raison que ces ambitieuses symphonies sont les plus soumises à leur programme littéraire, anecdotique, alors que celui-ci laisse toute leur liberté aux farces de *Till Eulenspiegel*, le lutin flamand (1895), au *Don Quichotte* de 1897 : « Le programme », ici c'est un parfait échafaudage que le maître d'œuvre enlève une fois l'œuvre achevée : et voici que l'œuvre tient debout, en toutes ses parties, que l'on s'amuse à penser ou non à ce qui a servi à l'élever. » L'irrésistible *Till*, le morceau symphonique le plus spirituellement enlevé et orchestré de tout le XIXᵉ siècle, le *Don Quichotte* rempli d'humour, de truculence et d'humanité, sont avec *Don Juan* les trois réussites vraiment magistrales de Strauss dans ses poèmes. Or, tous trois ont été construits dans la forme d'un rondeau qui a discipliné leur fantaisie, lui prête cette netteté de reliefs et de contours si plaisante pour l'auditeur. Dans le superbe *Don Quichotte*, s'y ajoutent la verve, le stupéfiant métier des dix variations, correspondant à des épisodes célèbres, introduites ou paraphrasées par le violoncelle solo qui est la voix du Chevalier Errant, tandis que la clarinette basse, le tuba et surtout l'alto solo nous font entendre celle de Sancho. Les oppositions de couleurs et de rythmes, l'ampleur de la conception, la magnifique transposition musicale des symboles vont bien au-delà du pittoresque instrumental auquel le compositeur se divertit, comme c'est son droit, et nous avec lui. Et Strauss, cette fois, a su s'interdire les facilités mélodiques qui ne lui sont que trop familières.

Les variations de *Don Quichotte* s'étendent sur une quarantaine de minutes. *Une vie de héros, Ein Heldenleben* (1898), la *Symphonie domestique* (1903) sont encore plus développées. On dirait de la croissance naturelle d'un bel arbre. Les Français les jugent trop longues, et ils ont tort. Le caractère autobiographique des deux symphonies — le héros, c'est Strauss tel qu'il se rêve, et le ménage de la *Symphonie domestique,* c'est le sien — a prêté à l'ironie. Mais celle-ci n'est pas absente des intentions de l'auteur. On recommandera même d'entendre avec une bonne dose d'humour le capricieux violon atribué à la femme du héros, ou la dispute conjugale de la *Domestique* en forme de fugue comique. Le héros déchaîne sans doute contre ses ennemis, critiques et philistins de Munich et de Vienne, une artillerie instrumentale d'une violence inouïe, qui médusa les premiers auditeurs parisiens, mais qu'il ne faut pas plus dramatiser que ne l'a fait Strauss lui-même. Les deux œuvres regorgent de franche musique, très habilement répartie sous ses dehors tumultueux entre les cases de la suite, de la sonate ou de la symphonie d'autrefois. La *Domestique*, méconnue en France, est aussi diverse que vaste, elle répand à profusion des idées étincelantes, charmantes de cocasserie ou de lyrisme.

Strauss revendiquait le droit de chanter ainsi son bonheur intime, comme d'autres le font de leurs échecs et de leurs détresses. C'était en effet un homme heureux. Il avait épousé en 1894 une jeune cantatrice, fille de général, Pauline Ahna, dont les extravagances, les gaffes qui ont laissé des souvenirs désopilants à l'auteur de ce livre après une visite chez le vieux maître, dont les humeurs follement imprévisibles auraient fait fuir bien des prétendants, mais qui enchantaient beaucoup plus qu'elles ne l'agaçaient la veine comique de Strauss — « de ma femme, disait-il épanoui, on pourrait faire dix pièces » — au cours de cinquante-cinq années de vie commune où ils s'aimèrent profondément. En même temps qu'il composait, Strauss poursuivait très régulièrement une carrière fructueuse de chef, qu'il exerça à Weimar, à Munich, à Berlin, à Vienne où il fut aussi codirecteur de l'Opéra, et n'abandonna jamais complètement. Elle le conduisit dans de grandes tournées à travers toute l'Europe et les deux Amériques. Sans apporter à ce métier la passion d'un Mahler, c'était un excellent chef, très sobre de gestes, efficace, féru de précision. A côté de son art, où il déversait sa fantaisie, sa poésie, sa libido, il s'était organisé l'existence de bourgeois cossu dont il avait besoin. Les lavallières, crinières, barbes, auxquelles la plupart des musiciens restaient fidèles, n'étaient pas de son goût. Avec sa moustache écourtée, son nœud papillon, il ressemblait à un riche industriel. Le succès de ses poèmes symphoniques faisait de lui le musicien vivant le plus connu d'Allemagne. Les éreintements des réactionnaires, comme celui du merveilleux *Till* par le pied-plat Hanslick, servaient sa publicité. (Au contraire d'Hanslick, le vieux Bruckner aimait tellement *Till* que gravement malade, véhiculé dans un fauteuil roulant, il avait tenu à l'entendre deux fois; ce rustaud était décidément un homme de goût.)

LE MUSICIEN DE THÉÂTRE

A quarante ans, Strauss n'avait encore subi que deux défaites, toutes deux au théâtre, avec *Guntram* (1893) et *Feuersnot* (1901). Il y retombait sous la coupe de Wagner, dont il avait pourtant su se rendre suffisamment indépendant avec ses poèmes symphoniques. C'était l'épreuve à laquelle Mahler, qui en devinait les dangers, s'était refusé. *Guntram,* tragédie lyrique, lourdement démarquée de *Tannhäuser,* de *Lohengrin* et de la *Tétralogie,* avait été un four noir. Strauss, très mortifié, n'avait récidivé que huit ans plus tard avec *Feuersnot,* opéra-comique, satirique et symbolique, sous l'influence cette fois des *Maîtres chanteurs,* accueilli d'une façon un peu moins décourageante, mais qui donnait à penser que le symphoniste Strauss ne serait jamais un vrai musicien de théâtre.

Salomé (1905), sur le texte d'Oscar Wilde, allait démentir tous les pronostics. La tragi-comédie symphonique de *Don Quichotte* annonçait bien d'ailleurs un tempérament qui tôt ou tard aurait besoin de la scène pour s'accomplir. Strauss, avec *Salomé*, a su vaincre la hantise de Bayreuth en ouvrant les vannes à l'érotisme le plus cru, le plus brûlant que l'on ait jamais osé exprimer par des notes. Au-delà du goût, de la civilité, de la décence, avec son orchestre incendié, ses fantoches libidineux, sa vierge folle de sang et d'amour, c'est une musique turgescente, en érection durant une heure trois quarts. Quand elle trouve ses vrais interprètes, on ne peut en sortir que hagard, rompu comme après une tempête sur un cap de Bretagne ou une formidable orgie. Pour escompter de son art une telle puissance d'envoûtement physique, malgré le précédent accablant de Wagner, il fallait toute la confiance que possédait Strauss dans ses forces. Elles ne le trahirent pas. A l'exception de la danse des Sept Voiles, la page la plus connue de la partition mais la seule dont l'écriture flanche parce que Strauss eut le tort de l'écrire après coup, il put soutenir jusqu'au bout ce paroxysme dramatique et sexuel, couronné par l'immense arche mélodique du dernier chant de Salomé.[1]

Le succès international, en forme de trombe, de *Salomé,* faisait définitivement de Strauss un musicien de théâtre. *Elektra* (1908),

---

1. Il est curieux de rappeler que lors de la création de *Salomé* à l'Opéra de Paris en 1910, avec Muratore, Dufranne, André Messager au pupitre de chef, le rôle titulaire était tenu par Mary Garden, demeurée dans l'histoire comme l'interprète idéale de l'innocente et fragile Mélisande.

elle aussi en un seul acte de près de deux heures, est la sœur jumelle de *Salomé,* la dépassant encore en frénésie, avec un orchestre encore plus gigantesque. Tornade d'une haine qui s'assouvit en orgasme — musique et livret suggèrent sans détours la sexualité en ébullition sous le couvercle de la légende — mais qui laisse malgré tout l'esprit critique plus libre que le délire charnel de *Salomé.* Son outrance même nous empêche de la prendre tout à fait au tragique. Et lorsque la valse viennoise, éternelle tentation de Strauss, affleure dans cette boucherie familiale des Atrides, nous ne réprimons pas un sourire, mais qui n'a rien à voir avec le mouvement vainqueur de l'œuvre, ce mouvement que Strauss imprime à tout ce qu'il crée chaque fois où il est lui-même.

La polytonalité, superposition de tonalités différentes, qui apparaissait déjà dans *Don Quichotte,* dans *Une vie de héros,* est fréquente dans l'écriture de *Salomé* et d'*Elektra,* ce qui valut à ces deux opéras une réputation d'archi-modernisme. Strauss n'apportait pourtant dans ces audaces aucun esprit de système. Il s'en servait pour des effets comiques comme l'inénarrable pilpoul des cinq docteurs juifs de *Salomé,* pour des rôles torturés comme celui de la Clytemnestre d'*Elektra,* qui frôle l'atonalité. Mais il ne pensait pas du tout à en faire une règle générale du langage musical. Ses « cruautés » voisinent, surtout dans *Elektra,* avec une harmonie tonale que l'on voudrait même un peu moins confortablement assise.

Strauss, pendant qu'il travaillait à *Elektra,* avait demandé à son librettiste, Hugo von Hofmannsthal, de lui préparer un sujet gai pour son prochain ouvrage. C'était beaucoup mieux que l'adaptation de l'*Orestie* dans les cordes d'Hofmannsthal, auteur lui-même de fines petites comédies, poète, dilettante, un de ces civilisés qui n'avaient pu être formés que par la vieille monarchie autrichienne sur le point de mourir. Il apporta à Strauss, dont il devait rester le collaborateur jusqu'à sa mort en 1929, le délicieux livret du *Rosenkavalier (Le Chevalier à la rose),* « comédie pour de la musique », où l'histoire du barbon dupé est transformée par le rôle, juste teinté de ce qu'il faut de mélancolie, de la Maréchale, la jeune femme de trente ans, qui perd son amant adolescent, le pleure un peu, mais sait bien qu'elle le remplacera.

On a dit qu'avec *Le Chevalier à la rose* (1910), Richard Strauss avait rejoint le néo-classicisme. Aucun terme, avec ce qu'il sous-entend de formalisme et de sécheresse, ne convient moins à la grande fête baroque du *Chevalier,* à la sensualité cette fois galante,

libertine ou de la plus fraîche jeunesse que respirent les personnages et leur auteur. L'écriture, comparée à celle des poèmes et
de *Salomé*, n'y déchoit nullement. Si elle préfère de nouveau la
sécurité tonale, elle garde toute son opulence polyphonique, qui
la réserve bien aux connaisseurs, quoi que l'on en dise dans la
jeune école. Le style vocal de la « conversation en musique » que
Strauss substitue au récitatif et à l'arioso continu, est une réussite
piquante, celle qu'appelaient la vivacité et les saillies du livret. On
ne peut plus reprocher ici à Strauss son penchant pour les trois
temps de la valse, qui deviennent inséparables de cette voluptueuse
atmosphère, et dont l'anachronisme joyeusement avoué au milieu
de ces décors d'une Vienne XVIIIe , contribue à transporter la
comédie dans la féerie. Car sans aucun doute, le *Rosenkavalier*
est surorchestré, surharmonisé, en ce sens qu'il déploie des moyens
d'un faste sans mesure avec le badinage des situations. Antoine
Goléa écrit gaiement que l'entrée sur un si majeur irradiant, après
un immense crescendo, du jeune Chevalier porteur de la rose dans
le salon des bourgeois Faninal conviendrait plutôt « à l'arrivée de
Lohengrin devant le roi du Brabant ». Mais ce si majeur ne nous
dit-il pas que nous sommes en pleine féerie, que du reste cette
ambassade imaginée par Hofmannsthal des beaux pages brandissant
une rose d'argent auprès des jeunes fiancées appartient beaucoup
plus au conte de fées qu'à la comédie de mœurs ? Et puis, ne
faut-il pas entendre Strauss comme on regarde Véronèse ? Ce
n'est pas parce que Véronèse les a bizarrement invitées auprès des
Pèlerins d'Emmaüs que ses patriciennes et ses fillettes en robes de
brocart sont moins merveilleuses.

Nous nous refuserons encore à distinguer des longueurs dans le
trio final dont l'ampleur effrayait Hofmannsthal lui-même. C'est
la voix d'un poète heureux qui a encore et toujours quelque
chose à dire de savoureux, de vibrant, de tendre, un flot d'idées
musicales qui s'enivrent de leur propre substance, s'engendrent
les unes les autres.

On conviendra plus facilement que la somptueuse draperie
instrumentale étouffe souvent le texte, alourdit le rythme du
spectacle. Mais nous avons entendu dans le petit théâtre de
Glyndebourne, édifié par un vieil Anglais, Mr. John Christie,
aussi riche que délicieusement excentrique, un *Rosenkavalier*
« di camera », avec un orchestre resserré, auquel ne manquait
cependant pas un seul timbre, et même plus chatoyant, plus
mordant, comme dégagé de sa pâte trop généreuse. Toutes les

charmantes subtilités du livret passaient la rampe, et l'ensemble était enchanteur. On a réalisé ainsi un des vœux de Strauss, puisque le vieux maître, très intéressé par le projet de Glyndebourne, voulait alléger lui-même l'instrumentation de son *Chevalier* et que la mort seule l'en empêcha.

En mai 1914, Strauss dirigeait à Paris un ballet biblique, *La Légende de Joseph* (l'épisode avec la femme de Putiphar), que lui avait commandé Serge de Diaghilev, une partition boursouflée, écrite à contrecœur sur un sujet qui l'ennuyait. Les tueries de la Première Guerre mondiale lui répugnèrent très vite. Il se réfugia dans son travail, après avoir refusé de signer, contrairement à ce que l'on a dit si souvent, le fameux manifeste des intellectuels allemands contre « la barbarie française, » De ces années datent *La Symphonie des Alpes,* son dernier poème d'orchestre, récit musical d'une ascension, rempli de virtuosité mais surchargé de détails assez puérils, ainsi que l'opéra de *La Femme sans ombre.* Strauss travaille sept ans (1911-1917) à cette allégorie abstraite dont les prolongements métaphysiques rejoignent la morale de la Pitié selon Schopenhauer et le thème de la Rédemption par l'amour cher à Wagner comme à tous les romantiques allemands. Le symbole de l'ombre attachée à chaque être, dont les Anciens avaient reconnu le sens profond de la vie intérieure des personnages imaginés par le librettiste Hofmannsthal imposèrent au compositeur un langage particulier; la partition resplendit de timbres chatoyants et son lyrisme généreux prête à l'œuvre une puissance de rayonnement jusqu'alors inégalée. A la même époque il remania et acheva surtout, après en avoir donné sans succès une première version, *Ariane à Naxos* (1916), aussi séduisante que *Le Chevalier* et plus originale dans sa paradoxale réussite. Un riche Viennois du XVIIIe siècle a convoqué pour une fête qu'il donne dans son palais une troupe d'opéra bouffe et une troupe d'*opera seria.* Il décide que les deux œuvres seront représentées simultanément, au violent désespoir du jeune compositeur de l'*opera seria,* une *Ariane.* Strauss sauva ce canevas sophistiqué d'Hofmannsthal, préfiguration assez saugrenue du « spectacle au second degré » des dramaturges d'aujourd'hui, par une faconde aussi heureuse dans l'ironie et la mobilité du prologue que dans le *bel canto,* à faire pâlir d'envie tous les Italiens, de la Zerbinette qui anime l'opéra bouffe, du grand lamento d'Ariane, du finale avec la rayonnante apparition de Bacchus. Strauss, qui avait besoin jusque-là de cent vingt pupitres, découvrait aussi la saveur et le raffinement des orchestres réduits avec *Ariane* écrite pour trente-cinq instruments qui sonnent à ravir.

Le maître s'était installé maintenant à Vienne où il faisait construire une maison, et possédait sa résidence d'été à Garmisch, dans les Alpes bavaroises. Il enrichissait la collection de ses cent cinquante lieder, dont les premiers, telle la célèbre *Sérénade (Ständchen)* datent de sa vingtième année, qui ont fait le tour du monde avec tant de grandes cantatrices, de l'inoubliable Elisabeth Schumann à Elisabeth Schwarzkopf, flexibles, charnels, amusés ou passionnés, et qui nous introduisent au plus intime de sa création musicale, avec leur alternance d'enchaînements harmoniques traditionnels et de libres et soudaines modulations qui sont le parfum, la chaleur de ces mélodies.

Durant l'entre-deux-guerres, Strauss qui restait pour le monde entier le plus illustre des compositeurs allemands écrivit six opéras. *Intermezzo* (1923), mettant en scène un quiproquo vaudevillesque survenu réellement dans le ménage Strauss, *La Femme silencieuse* (1935), autre sujet « domestique », sont d'excellents opéras-comiques où la vivante « conversation musicale » et leur commentaire symphonique s'équilibrent à la perfection. *Arabella* (1933), déplorablement inconnue en France, est un pendant au *Chevalier à la rose,* mais dans la Vienne de 1875, avec une sensualité plus directe, plus profonde, des pages qui comptent parmi les plus ardemment lyriques de Strauss. Dans *Hélène d'Égypte* (1927), sur un beau livret inspiré d'Euripide qu'Hofmannsthal tarabiscota inutilement, la musique qui se voudrait légère est encombrée, hybride et pour tout dire assez plate. Avec *Daphné* (1938), Strauss prend de plus en plus ses distances à l'égard d'une époque qui lui devient odieuse; l'œuvre est toujours d'une belle matière musicale, mais la sérénité à laquelle elle aspire nuit à son mouvement scénique, d'autant que ses épisodes dramatiques manquent de relief. *Jours de paix* (juillet 1938), pour ce que nous en pouvons juger d'après un enregistrement bourbeux, est un ouvrage de circonstance dont on retiendra surtout le pacifisme très méritoire dans l'année où au milieu des bruits de bottes et des hurlements des boutefeux de tous les clans l'Europe se préparait à un nouveau massacre.

« *CAPRICCIO* »

Bien que son fils unique eût épousé une Juive et que Stefan Zweig, son librettiste depuis la mort d'Hofmannsthal fût juif aussi, Strauss n'avait pas voulu quitter l'Allemagne hitlérienne. Sa musique comptait infiniment plus pour lui que toute l'opinion mondiale et que les tragédies ambiantes. Il avait accepté quelque temps, « pour éviter des maux plus grands », le poste de président de la Chambre de Musique du Reich auquel l'avait nommé Joseph Goebbels, mais s'en était démis après que la censure eut voulu supprimer le nom de Zweig des affiches de *La Femme silencieuse*. Il obtint non sans peine que sa belle-fille ne fût pas inquiétée, et continua à travailler confortablement sous un régime qu'il réprouvait, qui le tenait pour suspect, mais n'osait pas le toucher. Au mois de juin 1940, il terminait un fastueux opéra mythologique, *L'Amour de Danaé*.

On lui a beaucoup reproché d'avoir implicitement servi la propagande du IIIe Reich en refusant d'émigrer. Mais nous devons à son égotisme artistique un des joyaux musicaux du xxe siècle, *Capriccio*, représenté à Munich en octobre 1942.

Comme celui d'*Ariane à Naxos*, le livret de ce *Capriccio*, élaboré en étroite collaboration par Richard Strauss et son ami le grand chef d'orchestre Clemens Krauss, semble être à la lecture un paradoxe décourageant. En 1775, aux environs de Paris, dans le salon d'une jeune comtesse veuve et jolie, on dispute de la grande querelle du jour entre gluckistes et piccinistes, en même temps que du divertissement que l'on doit monter pour l'anniversaire de la comtesse. Le musicien Flamand défend la suprématie de la musique, le poète Olivier celle de la poésie. Pour l'imprésario La Roche, poème et partition importent assez peu si la mise en scène est bonne. La comtesse arbitre le débat, tout en écoutant les hommages passionnés du musicien et du poète, l'un et l'autre platoniquement amoureux d'elle. En bref, des pointes d'épingles pour soutenir un spectacle de deux grandes heures.

Mais la comtesse Madeleine est la plus ravissante figure féminine, entre toutes celles qui ont été l'âme du théâtre de Strauss. Sur un canevas apparemment impossible se succèdent les inventions les plus délicieuses dans les timbres, l'harmonie, les contrepoints, la déclamation qui passe avec une dextérité et un bonheur incomparables du « quasi parlando » à l'arioso le plus fougueux ou le plus suave. Aucune trace de pastiche. L'évocation de l'époque est

tout entière dans la vivacité des dialogues, l'élégance et le raffinement de l'écriture. Et quand le jour est tombé, que les personnages
se sont dispersés, il nous semble voir le vieux Strauss qui sourit
malicieusement et nous dit. « Maintenant que nous en avons
terminé avec le livret, si nous faisions encore un peu de musique,
rien que pour le plaisir ? » Un cor sonne un adorable nocturne,
tendrement poignant. La comtesse revient en scène. Elle va
l'occuper seule pendant près d'une demi-heure, repassant dans sa
tête et dans son cœur les épisodes du marivaudage, amusée, rêveuse,
troublée, chantant à la harpe à pleine voix le délicat sonnet du
poète que le compositeur a mis passionnément en musique. Entre
Olivier et Flamand, va-t-elle choisir ? Non, la musique d'ailleurs
ne le permettrait plus, trop aérienne pour conclure. La comtesse
s'en remettra au hasard ou à la finesse de son instinct. Son miroir
vient de lui dire qu'elle est toujours aussi jolie. Elle sourit aux
prochaines surprises de la vie, et s'en va gaiement souper seule.
Le rideau tombe sur le sillage de sa robe rose.

Strauss a tressé ces pages exquises et admirables, dernier des
grands monologues de presque toutes ses héroïnes, comme une
immense corbeille de fleurs déposée aux pieds des belles cantatrices qu'il a tant aimées, dédiée à l'éternel féminin. En composant
à soixante-dix-huit ans son *Capriccio*, il pensait naturellement au
Falstaff de Verdi, qu'il affectionnait. Mais la magnifique vitalité
des deux vieillards est le seul point commun entre les deux
œuvres. Sans parler de la différence complète de sujet et de ton.
Verdi à quatre-vingts ans renouvelle son art, tandis que Strauss
reste fidèle au sien, mais pour en faire une éblouissante synthèse
et pour l'épurer. Il s'est magistralement corrigé des complaisances,
du luxe instrumental trop étalé, des déhanchements rythmiques
trop soulignés que l'on doit relever même dans le radieux *Chevalier*.
L'orchestre est toujours étincelant dans sa polyphonie, sa couleur,
mais il est devenu limpide, aéré. Une fine sensibilité où un lyrisme
nerveux prennent la place de la sentimentalité. Les traits comiques
sont d'un humour rapide, irruption du souffleur ahuri, numéro
des chanteurs italiens. *Capriccio* est le chef-d'œuvre du théâtre de
Strauss. Et ce chef-d'œuvre de poésie et de gaieté, cet hommage
adressé à l'esprit français en pleine guerre, quand la Wehrmacht
occupait Paris, était bien aussi la plus digne, la plus éloquente
réplique qu'un vieux seigneur de notre civilisation pût lancer à la
barbarie.

Le bombardement de Munich, qui détruisit l'opéra, fut sa plus grande tristesse durant la guerre. Elle lui inspira les *Métamor-phoses* pour vingt-trois cordes, sombre et noble thrène dont la polyphonie rejoint presque Bach, mais cependant signé par son chant. Strauss eut à supporter les bassesses de ses compatriotes. Pendant la dictature hitlérienne, la population de Garmisch n'avait pas eu assez d'avanies pour ses petits-fils demi-juifs. Sitôt après l'effondrement de mai 1945, elle s'en prit avec la même férocité au « nazisme » du grand-père, contre qui les dénonciations fleuris-saient à travers toute l'Allemagne. Ce furent les Américains et les officiers français de l'armée « Rhin et Danube » qui dédouanèrent courtoisement l'auteur du *Chevalier à la rose,* lui permirent de passer en Suisse avec sa femme. Strauss était à peu près ruiné. Mais en 1947, les Anglais l'invitèrent à diriger des concerts à Londres, l'accueillirent royalement. Il écrivait encore de petites œuvres instrumentales, puis en 1948 les quatre dernières mélodies pour soprano et orchestre, superbes airs de concert de sa plume la plus ferme, et qui sont l'adieu d'un vieux païen à la vie qu'il aima tant. Au printemps de 1949, il regagnait Garmisch, sous des arcs de triomphe... Il y mourut le 8 septembre, après quelques semaines de maladie. Pauline, son épouse, ne lui survécut que huit mois.

La postérité lui est non moins favorable que ne le fut sa vie. Il n'a jamais été autant joué et applaudi que depuis sa mort. On entend même souvent dire qu'il a été le dernier en date des grands créateurs musicaux. C'est faire trop bon marché de tant de beaux novateurs; c'est nier dans un sentiment rétrograde toutes les chances d'évolution ouvertes à la musique. Mais les composi-teurs des jeunes écoles sont non moins injustes et illogiques dans leur aversion affichée pour Strauss, qui est avant tout une affaire de mode. Car en même temps il admirent Mahler. Or il n'y a aucune raison de reprocher à Strauss les facilités mélodiques, les fautes de goût, la sentimentalité viennoise, les amplifications excessives quand on les passe si aisément à Mahler. Strauss appar-tient sans doute par ses courbures et ses enlacements au « moderne style » de 1900, mais il est un des rares artistes, peintres, sculpteurs, architectes, décorateurs, musiciens, qui aient su l'élever à la grande tradition baroque. Il est après Mozart, Wagner et Verdi celui qui a donné à la scène le plus d'œuvres assurées d'une longue carrière. Dans un moment où la déclamation lyrique semble à bout de forces, c'est de l'inconséquence que de négliger les magistrales solutions qu'il en a proposées jusque dans son *Capriccio.* Nous avons vu trop de musiciens se noyer en poursuivant à la nage le dernier bateau pour ne pas éprouver une heureuse sécurité dans la compagnie de ce grand individualiste qui comptait d'abord sur ses propres forces. Richard Strauss rappelle à notre temps complexé que les innovations formelles ne sont pas tout, qu'une œuvre de large syncrétisme peut prendre une place enviable dans l'histoire quand elle est née d'un grand tempérament. Les jeunes compositeurs, durcis par une époque de fer, de violences universelles, réprouvent le « beau son » dans lequel Strauss se complaisait jusqu'à l'abus, qui les plonge dans une sorte de malaise. Il faudra bien cependant que sauf à se dessécher, se déshumaniser entièrement, la musique rapprenne un jour le secret de l'hédonisme dont l'auteur du *Chevalier*, des lieder, d'*Arabella*, de *Capriccio* a été le poète superbe et inépuisable.

La même année que Richard Strauss, mourait à Salzbourg Hans Pfitzner (1869-1949). C'était un personnage instable, quinteux, fermé, qui cherchait vainement un équilibre entre son romantisme intime et son besoin de discipline classique. Il était révulsé par la musique de Schœnberg et de ses élèves, polémiqua contre eux avec autant d'aveuglement que de mauvaise foi. Ses idées artistiques le rapprochaient du national-socialisme, dont il fut plus ou moins le musicien officiel. Son nom n'a guère franchi les frontières d'Allemagne. Il écrivit des cantates pangermanistes, *Von Deutscher Seele*, *Das Dunkle Reich*, divers opéras où il méprisait volontairement les exigences de la scène. Nous avons entendu le plus connu de ces ouvrages, *Palestrina* (1912), où Pfitzner s'identifie au vieux maître italien, s'exprime sous son nom comme le sauveur de l'art musical qui court à sa perdition. Certains détails d'écriture modale sont, paraît-il, intéressants dans cet opéra dont nous avons gardé, peut-être à tort, un souvenir invinciblement somnifère.

parmi les bourges que dans le public. Pendant longtemps, on n'a

années.

CHAPITRE X

L'ACADÉMISME FRANCAIS.BIZET

Les trente années de musique française qui se sont écoulées
entre le déclin de Berlioz et la première audition, en 1894, du
Prélude à l'Après-midi d'un faune de Claude Debussy ont beaucoup perdu à nos yeux de l'importance qu'on leur attribuait
encore jusqu'à la veille de la Seconde Guerre mondiale. Il semble
bien que ce jugement du temps soit désormais sans appel. Des
événements que l'on avait crus capitaux se sont réduits à des
dimensions épisodiques. Le déchet dans les œuvres est tel que
celles qui survivent ont souvent l'air de le devoir à une inadver-
tance des auteurs.

On a essayé de ranger ces musiciens sous l'emblème de la tradition française. Celle-ci, Berlioz en étant bien entendu exclu,
Rameau et le Couperin des grandes œuvres religieuses étant
oubliés, ne peut guère se rapporter qu'à une prédilection pour le
demi-caractère, pour une harmonie menue et prudente, pour une
mélodie qui se meut dans un *ambitus* restreint, redoute les grands
parcours du lyrisme allemand, les enjambées et la voltige du *bel
canto* italien.

Cette voie moyenne descend de l'opéra-comique et du « grand
opéra » édulcoré à la française. Jusque sous le second Empire,
c'est toujours à ce théâtre tiède et machinal que, par le biais de la
sempiternelle cantate, l'enseignement officiel prépare surtout les
jeunes musiciens. Halévy est resté le pontife de cet enseignement
jusqu'à sa mort en 1862. Henri Reber (1807-1880) qui lui succède
et qui composera un bon traité scolaire d'harmonie, Théodore
Gouvy (1819-1898) font encore vers le même temps figure
d'excentriques parce qu'ils écrivent presque uniquement des symphonies, d'un classicisme d'ailleurs complètement anodin.

La vraie culture musicale est lente à se répandre aussi bien parmi les bonzes que dans le public. Pendant longtemps, on n'a pu entendre régulièrement de la musique symphonique qu'à la Société des Concerts du Conservatoire, aux exécutions remarquables, mais limitées en nombre et en audience, et pratiquement fermée aux auteurs vivants. Un riche dilettante très « fashionable », le prince de la Moskowa, fils du maréchal Ney, a créé sous la fin du règne de Louis-Philippe une société de musique vocale classique et religieuse, se consacrant aux polyphonistes italiens et français de la Renaissance, à Palestrina, à Bach, à Haendel. Mais seul un petit cercle de gens du monde y a participé durant quelques années.

D'une toute autre importance, surtout pour l'avenir, est la création par le Suisse Louis de Niedermeyer d'une nouvelle École d'enseignement, sur des bases beaucoup plus solidement classiques qu'au Conservatoire. En 1861, Jules Pasdeloup, un ancien violoniste, inaugure au Cirque d'Hiver, avec des places à 75 centimes, ses Concerts populaires de musique classique. Malgré des exécutions flottantes, il fait entendre à un public qui s'élargit de saison en saison, pêle-mêle avec bien des brouilles, les grandes œuvres symphoniques de Haydn, de Beethoven, de Schumann, de Berlioz, des fragments de Wagner. Il sera imité, avec plus de discernement, de soins et encore plus de succès par Edouard Colonne en 1873, par Charles Lamoureux en 1881.

Vers la fin du second Empire, une évolution se dessine ainsi dans le monde musical, artistes et auditeurs. Elle coïncide avec la poétique nouvelle de Baudelaire et de Verlaine, les débuts de l'impressionnisme pictural. C'est après 1870 que l'on voit percer les talents les plus originaux, qui se groupent autour de la Société nationale de Musique, fondée par le professeur de chant Bussine, par Saint-Saëns et Alexis de Castillon pour révéler les œuvres des jeunes compositeurs français. A partir de 1880, Franck et ses disciples exercent une influence de plus en plus sérieuse, contribuant à étendre le prestige de la musique symphonique et de la musique de chambre.

Mais cette reconquête de la dignité musicale ne va pas sans résistances, de la part des académiciens, de la foule à l'ouïe primitive, de la critique fossile à quelques exeptions près. Jusqu'à la fin du siècle, c'est toujours le théâtre, bridé par des règles conventionnelles et par le goût bourgeois qui crée les réputations... et les fortunes : Bizet calcule que deux succès d'opéras-comiques rapportent cent mille francs-or, et un succès comme *Le Prophète* un million. On ne s'étonne donc pas que les petits maîtres soient beaucoup plus nombreux que les grandes figures.

D'ingénieuses et savantes analyses ont dégagé chez ces petits maîtres un filon modal que l'on rattache, par le plain-chant d'église et la musique populaire, à l'essence de la musique française depuis ses origines médiévales, en l'opposant à la tradition tonale de la musique allemande née beaucoup plus tard, cette tradition qui ne devait pas résister au romantisme.

Certains faits musicaux absolument indéniables, et dont on s'étonne qu'ils aient échappé à tant de commentateurs, ont été ainsi remis en lumière. Mais il ne faudrait pas non plus bâtir sur eux tout un système historique, ni même s'exagérer leurs conséquences dans le dernier tiers du XIXᵉ siècle, où le chromatisme germanique a exercé sur les Français une action souvent néfaste mais autrement étendue. D'autre part, le plaisir de détecter ces gallicismes ne devrait pas dispenser de rechercher jusqu'à quel point ils ont contribué à uniformiser, décolorer ou rétrécir bien des pages françaises de cette époque.

AMBROISE THOMAS

Aucun problème d'esthétique ne se pose avec AMBROISE THOMAS (1811-1896), prix de Rome à vingt et un ans, membre de l'Institut à quarante-cinq, directeur de Conservatoire — autant d'honneurs qui témoignaient de la prédilection des bourgeois officiels pour l'insignifiance — et tête de Turc devenue légendaire grâce à sa longévité de tout ce qui était un peu neuf et remuant dans trois générations de musiciens. Combarieu, qui lui est indulgent, écrit que « sur trois de ses pensées musicales il croyait devoir en consacrer deux à la romance et une à la danse ». Après une longue série d'opéras-comiques dérivés de Boïeldieu et d'Adam, ses lauriers académiques le portèrent aux grands sujets : la *Divine Comédie*, Goethe, Shakespeare, un *Songe d'une nuit d'été*, un *Hamlet* qui n'a laissé d'autre souvenir que le portrait par Manet du baryton Faure dans le rôle titulaire, une *Tempête*, une *Francesca de Rimini* où déambulent Virgile, Dante et Béatrice. Il ne pouvait mieux démontrer la petitesse de sa musique qu'en l'accolant à de tels livrets. *Mignon* (1866), après avoir surnagé durant près d'un siècle, semble avoir quitté définitivement l'affiche de la salle Favart. On l'emploie encore aux soirées « lyriques » sur les estrades des banlieues des faubourgs les plus déshérités, comme si la musique de cette sorte était bien suffisante pour le peuple. Ambroise Thomas est le responsable de l'orchestration officielle, si piètre, de *La Marseillaise*, alors que l'on n'entend jamais celle de Berlioz, qui est superbe.

GOUNOD

CHARLES GOUNOD (1818-1893) était un élève d'Halévy, de Lesueur presque octogénaire, et de Paër, autre vieille perruque. Mais son instinct lui disait que sa culture était à refaire — ou à faire — ailleurs. En 1840, à Rome où l'Institut l'avait envoyé, il s'émerveillait à entendre Fanny Mendelssohn, la sœur du compositeur, lui révéler les sonates pour piano`de Beethoven — cette époque où l'on pouvait être prix de Rome sans connaître les sonates de Beethoven ! —, il s'ennuyait aux opéras de Donizetti, de Mercadante, tous du même moule, mais admirait les vieux polyphonistes italiens à la Sixtine. Félix Mendelssohn l'emmena à Leipzig pour l'initier à Bach sur l'orgue même de Saint-Thomas.

Parvenu à tous les honneurs, considéré pendant trente ans comme le plus grand des compositeurs français, il fut de très loin le plus intelligent et le plus courageux des académiciens, défendant énergiquement les meilleures causes, mais aussi les plus difficiles, celle de Wagner — « Puisse Dieu, disait-il après le scandale de *Tannhäuser*, me donner quelque jour une chute pareille ! » — celle du jeune Debussy. L'homme était charmant, Parisien de vieille souche, blagueur, chaleureux. Catholique fervent — sous l'influence de Lacordaire il avait porté quelque temps la soutane — mais souvent tiraillé entre la foi et la chair. Sa plus célèbre fredaine lui fit à cinquante ans passés déserter le foyer conjugal pour aller vivre pendant quatre ans en Angleterre auprès de sa maîtresse, une Mrs. Weldon. Mais durant tout ce temps il n'arrêta pas de composer des messes et des oratorios...

On a fait dater de Gounod la « renaissance française ». C'est beaucoup dire. On a réhabilité son nom, mais on ne peut citer à l'appui que bien peu de sa musique. On l'a félicité d'avoir rétabli sur la scène française le sens de la mesure après les rodomontades de Meyerbeer. Cela n'empêche pas qu'il eût été beaucoup mieux avisé d'éviter un sujet aussi peu fait à sa taille que *Faust*. Ce *Faust*, dont le succès populaire n'a jamais faibli mais qu'aucun compositeur n'a entendu depuis cinquante ans, mérite mieux sans doute que sa réputation d'opéra caricatural à la façon du *Million* de René Clair. Il le doit à son beau prélude sombre et grave — dommage que Gounod n'ait pu persévérer dans la couleur de ces quelques mesures — à une partie de l'acte du Jardin, au rôle de Marguerite presque d'un bout à l'autre très joliment écrit parce qu'il convenait bien mieux à l'auteur que le diabolisme. L'air des Bijoux est une des rares pages françaises de l'époque dont le brio vocal soutienne la comparaison avec le *bel canto* italien. Mais enfin, toute cette partition est en prose musicale, pour ne rien dire du pompiérisme naïf des chœurs, du ballet qui prétend évoquer la Nuit de Walpurgis. *Roméo et Juliette* (1867) est plus italianisé, sans que les ensembles, comme dans *Faust*, aient jamais la fermeté et la vie qu'on leur connaît chez Donizetti ou Verdi. Gounod fait un emploi agréable et élégant des lieux communs, mais qui restent néanmoins des lieux communs inaptes à caractériser un personnage. Une belle phrase émouvante des cordes graves ouvre le grand duo de Roméo et Juliette (celui de l'alouette et du rossignol), mais elle vient se casser sur le récitatif du soprano. Gounod n'a pas su lier le chant avec ce bref épisode de lyrisme instrumental. Dans ses meilleurs passages, il retombe sur des finales mollement arrondies (« Il me trouverait be-elle » dans l'air des Bijoux). Nous abandonnerons aux festivités méridionales de plein air *Mireille* d'ailleurs si peu provençale d'accent et sa « légère hironde-e-e-e-elle ». Même si l'on déplore la négligence des Français pour leur patrimoine lyrique, il n'y a rien à tirer de *La Nonne sanglante*, de *Sapho*, du *Tribut de Zamora*, de *La Reine de Saba*, de *Polyeucte*, de *Cinq-Mars*, les derniers en date de ces opéras, loin de marquer quelque progrès, n'étant plus qu'une enfilade de romances et de cavatines. Il est plus charitable de ne pas insister sur la comparaison avec le contemporain Verdi, écrivant dans la même période onze opéras aboutissant à l'admirable renouveau d'*Otello* et de *Falstaff* et qui tous aujourd'hui font encore gaillardement leur service dans les théâtres du monde entier.

Les cinq messes de Gounod — messes de Sainte-Cécile, du Sacré-Cœur de Jésus, de Jeanne d'Arc, etc. — ses oratorios, *Tobie*, *Gallia*, *Les Sept Paroles du Christ*, *Jésus sur le lac de Tibériade*, *Rédemption* (1882), *Mors et Vita* (1885) souffrent tous des faiblesses de son écriture chorale qui parvient mal à déplier les accords, à assurer dans la continuité du contrepoint l'indépendance

des parties. C'est de la musique théâtrale d'église dans le goût du
XIXe siècle, sans les couleurs et la flamme de Liszt. Elle a totalement disparu du répertoire du jour où les grandes œuvres de Bach
ont commencé à se répandre chez nous.

Il reste de Gounod, avec les meilleures pages de *Faust* et de
Roméo et Juliette, un spirituel et vivace petit opéra-comique,
Le Médecin malgré lui, les trois petites symphonies en ré (1855),
en mi bémol (1885) et pour dix instruments à vent (1888) qui
sont de jolis hommages à Mozart et Haydn; enfin sur quelque deux
cents mélodies une trentaine au moins, entre autres *L'Absent*,
Le Soir, *Le Vallon*, *L'Aube*, *O ma belle rebelle* et la *Venise* très
souvent citée, que leur charme poétique distingue des romances
avec lesquelles elles voisinent souvent. Elles sont semées de
discrètes trouvailles, dissonances, modulations, balancements
d'accords qui créent parfois une atmosphère déjà impressionniste
et dont Fauré, Debussy, Ravel ne manqueront pas de se souvenir.

En 1862, le critique de la *Revue des deux mondes*, un nommé
Paul Scudo, déplorait que Gounod eût « le malheur d'admirer les
parties altérées des derniers quatuors de Beethoven, source
troublée d'où sont sortis les mauvais musiciens de l'Allemagne
moderne, les Liszt, les Wagner, les Schumann... » Le vrai malheur,
c'est que cet imbécile ait eu si complètement tort, et que le seul
romantique allemand dont l'auteur de *Faust* se rapproche parfois
soit son ami de jeunesse Mendelssohn. Après un siècle bientôt,
le bagage posthume de Gounod est mince. Nous sommes loin
« du trône d'or sur lequel il recevra l'encens des générations
futures » que Saint-Saëns prophétisait pour lui. Telle fut l'erreur
d'avoir voulu égaler aux artistes universels un petit maître agréable
dans ses limites et qui se crut à son tour obligé de forcer sa
voix.

On a conservé l'habitude de citer après Gounod quelques
grands prix de Rome qui eurent surtout la sagesse de ne pas
s'aventurer au-delà des opéras-comiques inoffensifs, déjà désuets
à leur création : François Bazin (1816-1878), auteur de *Maître
Pathelin*, du *Voyage en Chine* qui est du Labiche musiqué;
Aimé Maillart (1817-1871, *Les Dragons de Villars*), Victor
Massé (1822-1884) dont *Les Noces de Jeannette* se sont maintenues à l'affiche grâce à leur sentimentalité populaire.

REYER

Le Marseillais Ernest Rey (1823-1909) avait éprouvé le besoin de germaniser son nom en REYER. Son *Sigurd*, avec Walkyrie, Walhall et tout le tremblement, a disparu des théâtres en même temps que Meyerbeer dont il était bien plus proche que de la Tétralogie, dont Reyer, à l'époque de son travail, en 1872, ne devait guère connaître que le livret. Il est amusant de songer que l'on a pu écrire, des bonnes grosses cadences bien pataudes de *Sigurd* (« La Walkyrie est ta conquête... ») qu'elles préparaient utilement le public français à l'audition de Wagner; encore plus cocasse de se rappeler que la phobie du wagnérisme était alors telle en France que le pauvre *Sigurd* dut attendre treize ans avant que l'Opéra de Paris se risquât à le monter. On ne s'arrêtera pas aux autres ouvrages de Reyer, par exemple *La Statue, Salammbô,* dont personne ne réentendra sans doute plus jamais une note. Mais on n'oubliera pas que ce brave homme, qui savait assez mal son métier de musicien, fut un des très rares critiques intelligents de son temps. Il batailla pour son ami Berlioz, pour *Tannhäuser,* pour *Lohengrin;* il fut à peu près le seul à distinguer dans *Carmen* un chef-d'œuvre, un des premiers à savoir définir la valeur de César Franck. Après avoir assisté à *La Walkyrie* − la vraie − Reyer écrivit dans un article célèbre : « Il ne nous reste plus qu'à tomber avec grâce. » Il y avait bien d'autres choses à faire. Mais en face d'une œuvre qui réduisait la sienne à néant, cet aveu d'humilité et d'admiration était émouvant, et on l'a rarement entendu de la bouche d'un compositeur.

DELIBES

LÉO DELIBES (1836-1891) fut le premier qui sut écrire, avec *La Source* (1866), *Coppélia* (1870), *Sylvia* (1876) des musiques de ballets écoutables sans chorégraphie, d'une orchestration fraîche et variée, tout en étant parfaitement adaptées à leurs fonctions scéniques (avant lui, on demandait surtout aux fournisseurs de ballets « romantiques », Adam ou Pugni, de se faire entendre le moins possible). Mais l'exotisme de *Lakmé* (1883), opéra-comique « hindou », est de la pacotille, et il n'y a guère de plus insipide exercice pour sopranos mécaniques que les cocottes de l'air des Clochettes. Richard Strauss avouait un faible pour

un petit opéra-comique de Léo Delibes, *Le Roi l'a dit,* qui grâce
à lui sans doute a survécu sur les scènes allemandes alors qu'en
France on l'a oublié depuis longtemps, peut-être à tort.

L'ÉCOLE NIEDERMEYER

Parmi ces frivolités et ces gentillesses, il existait depuis 1853
une thébaïde, l'École de musique classique et religieuse ouverte à
Montmartre par Louis de Niedermeyer (1802-1861), né à
Nyon, sur le lac Léman, d'une famille aux lointaines origines
bavaroises.

La seule musique de Niedermeyer dont on ait gardé le souvenir
est sa romance assez mirlitonesque sur *Le Lac* de Lamartine, qui
lui valut un immense succès dans les salons balzaciens de 1830.
Il écrivit aussi une messe, des opéras à succès. Mais l'érudit valait
mieux chez lui que le compositeur. Bien que protestant, il était
passionné par les anciennes œuvres catholiques du Moyen Age et
de la Renaissance, et voulait réagir par leur étude contre la décadence boursouflée de la musique d'Église. Il souhaitait donc avant
tout former des organistes et restaurer le plain-chant, dont il se
faisait d'ailleurs une idée qui devait révulser un peu plus tard les
doctes bénédictins de Solesmes, puisqu'il consacra un traité à son
« accompagnement ». Mais le programme de l'École était vaste,
très poussé pour l'harmonie professée par Gustave Lefèvre,
d'esprit bien plus libre que les pions officiels — il prit la direction
de la maison à la mort de Niedermeyer — pour le piano avec la
pratique quotidienne des clavecinistes français et italiens, de Bach,
Haydn, Mozart, Beethoven, Weber, encore ignorés au Conservatoire. Avec son austérité, cet enseignement était autrement solide
que celui qu'on pouvait suivre dans les classes d'Halévy, de
Marmontel ou d'Ambroise Thomas. L'École ne recevait que des
internes mais sans concours. Elle compta parmi ses élèves Gabriel
Fauré, qui y fit toutes ses études, les organistes Eugène Gigout,
Boëllmann, Henri Expert, le grand rénovateur des polyphonies de
la Renaissance, mais aussi, et curieusement, tout un peloton
d'auteurs d'opérettes, André Messager, Edmond Audran, Claude
Terrasse, le musicien d'*Ubu roi*...

SAINT-SAENS

CAMILLE SAINT-SAËNS (1835-1921) avait été pendant un certain temps professeur de piano à l'École Niedermeyer et se recommandait souvent de son esprit. C'était un Parisien, né dans une famille de bourgeois fortunés qui s'extasièrent devant sa précocité, encouragèrent de tous leurs moyens ses débuts et sa formation. A onze ans, il était déjà un virtuose complet du piano, donnait son premier concert salle Pleyel. A dix-huit, il faisait la conquête de Liszt. A vingt-cinq ans, il avait écrit trois symphonies, un oratorio, un quintette, un concerto pour violon. Il peignait, versifiait, s'occupait de sciences, de philosophie positiviste. Sa mémoire tenait du miracle. Il stupéfiait Wagner qui l'avait invité à Tribschen en lui jouant par cœur tout *Tristan*.

Ce brillant jeune homme, devant qui s'ouvraient tous les salons et tous les cénacles d'Europe, allait faire montre du plus détestable caractère. Sous le prétexte de défendre la pureté de l'art français, il versa dans une xénophobie absurde, puis dans une haine de tout talent nouveau. Il commença par chercher noise à Verdi quand les succès du grand Italien se multiplièrent à Paris. Il manifesta publiquement et grossièrement son dégoût pour le beau quintette de Franck qui lui avait pourtant été dédié et qu'il interprétait. Après avoir prôné Wagner, il le vilipenda, réclamait son éviction de tous les concerts et de toutes les scènes de France. Il fut odieux avec Debussy, usa contre lui d'arguments d'une dégradante sottise. En 1916, il faisait retirer d'un programme une œuvre de Maurice Ravel, alors volontaire aux armées, parce qu'il la prétendait « de style boche, munichois » !

Si l'on insiste sur ces anecdotes, c'est parce qu'elles nous donnent la clé de l'homme et probablement de sa musique. Les aversions de Saint-Saëns désignent presque infailliblement les meilleurs ouvrages de son époque, tandis que ses hyperboles allaient aux petits musiciens, aux médiocrités — sauf dans le cas de Massenet, qu'il couvrit de fiel; mais là, il s'agissait notoirement de concurrence commerciale. Le personnage était trop intelligent et cultivé, le technicien trop averti pour se tromper en toute naïveté avec une telle constance. Il avait dû se jauger, comprendre qu'à se mesurer avec les grands novateurs, il ne ferait jamais auprès d'eux que figure de suiveur, et se composer une personnalité dans l'élégance académique, pour se persuader à la fin que c'était bien le seul but à quoi pût aspirer encore l'art musical, et s'en tenir rageusement à cette position insoutenable, qui lui permettait du moins de déguiser sa jalousie.

Pendant longtemps, il était utile de louer le métier de Saint-Saëns pour posséder son brevet de bon connaisseur en grammaire et en orthographe musicales. Cette grammaire et cette orthographe, déjà contestées à l'époque de la *Danse macabre*, n'existent plus. Le dernier artiste qui pouvait encore apprendre des tours de main dans Saint-Saëns, ce fut le classique Ravel : encore faudrait-il examiner jusqu'à quel point cette étude ne le desservit pas. Aucune considération scolastique ne nous embarrasse plus pour dénombrer, dans les deux cents numéros de Saint-Saëns, tout ce qui est allé au cimetière des partitions hors d'usage, encore plus attristant que celui des vieilles ferrailles. Ce sont d'abord les énormes paquets des pièces « brillantes », danses, « études », fantaisies pour piano, dont le froid bavardage sacrifie aux modes les plus niaises de deux générations; l'exotisme frelaté des morceaux d'orchestre, *Suite algérienne*, *Nuit à Lisbonne*, *Jota aragonaise*, *Havanaise avec violon solo*, *Africa*, chromos d'un riche voyageur qui fit le tour du monde, mais les oreilles probablement bouchées, puisqu'il n'en rapporta pas un échantillon authentique de folklore, de rythmes primitifs, d'instrumentation ou de gammes orientales.

C'est encore cet amas d'opéras, *Henri VIII*, *La Princesse jaune*, *Etienne Marcel*, *Déjanire*, *Le Timbre d'argent* et dix autres titres, que Saint-Saëns s'acharnait à entasser malgré une succession de fours qui exaspéraient sa bile. Si le public se permettait de préférer *Rigoletto*, *Aïda*, *La Walkyrie* et *Les Maîtres chanteurs* à *Frédégonde*, à *Phryné*, aux *Barbares*, ce ne pouvait être pour l'auteur furieux de ces pannes que le signe d'une décadence du sentiment national.

L'opéra-oratorio de *Samson et Dalila*, que Liszt créa en 1877, reparaît seul de temps à autre à l'affiche, mais s'y maintient de plus en plus difficilement. Saint-Saëns est allé là au bout de ses possibilités dramatiques, ce qui ne veut pas dire que l'intérêt théâtral de l'ouvrage soit fort soutenu. Les parties vocales conservent une dignité qu'elles doivent beaucoup à l'influence de *Tannhäuser* et de *Lohengrin* qui n'empêche point cependant un affadissement de la plupart des airs. L'orchestre n'est qu'une grande guitare d'accompagnement, tous les récitatifs sont très conventionnels. On comprend que les forts ténors et les mezzos dramatiques gardent un penchant pour le grand duo de la fin du second acte, habilement écrit pour les mettre en valeur; mais c'est à chaque instant que l'on rencontre chez Verdi des pages semblables, d'une ligne plus ferme et qui ont plus de souffle.

Les quatre poèmes symphoniques, *Le Rouet d'Omphale* (1871), *Phaéton* (1873), *La Danse macabre* (1875), *La Jeunesse d'Hercule* (1877) ressassés durant soixante ans dans les concerts dominicaux, ne sont que des tableautins trop léchés, uniquement descriptifs.

Le Deuxième et le Cinquième Concertos pour piano et orchestre ont encore d'assez nombreux interprètes. Que l'on écoute le Deuxième : dans les multiples traits de virtuosité, c'est toujours la calligraphie de Saint-Saëns quand il vise au grand style, élégante mais académique, du Liszt plus régulier mais dont on a coupé le panache. On sait d'ailleurs par Alfred Cortot qui l'entendit souvent que le jeu de Saint-Saëns au piano était d'un mécanisme impeccable mais sec. La musique de chambre — les trios, le Quatuor à cordes op. 112, le Quatuor et le Quintette pour piano et cordes — n'est pour ainsi dire plus exécutée, parce qu'un programme complet de Saint-Saëns serait inconcevable, et qu'en dépit de pages d'une bonne tenue, cette musique est trop inégale et trop froide pour supporter le voisinage des chefs-d'œuvre romantiques, de Fauré, de Debussy, de Ravel.

Restent la IIIe Symphonie avec orgue en ut mineur, de 1886 — sur ses cinq symphonies, Saint-Saëns en renia deux — et le Septuor pour trompettes, piano et cordes de 1881. La Symphonie avec orgue, dédiée à la mémoire de Liszt, tient une place assez monumentale dans un domaine où la France n'est point trop riche. Son plan est remarquablement bien équilibré. Le finale côtoie l'emphase, mais ne manque pas son effet. C'est une idée heureuse que d'avoir introduit dans l'orchestre un piano dont les arabesques brillent sur le majestueux fond sonore de l'orgue. La Troisième Symphonie est surtout l'une des rares œuvres où Saint-Saëns, ce matérialiste dépourvu de l'épicurisme de Strauss, laisse percer une mélancolie assez émouvante. Pour le Septuor, jolie réussite d'instrumentation, et si l'on veut *Le Carnaval des animaux,* ils indiquent que leur auteur a étouffé en lui un petit maître non dépourvu d'esprit par crainte de nuire à sa réputation culminante, à ses décorations et à ses titres.

On l'a souvent appelé le Mendelssohn français, ce qui est exact pour l'abondance des dons innés en même temps que pour l'absence totale de génie. Mais Mendelssohn, s'il n'a pas écrit la Symphonie avec orgue, avait plus de sensibilité.

Il a fallu attendre près d'un demi-siècle après sa mort pour que l'on appliquât enfin à Saint-Saëns son vrai qualificatif. C'est un Parnassien. Il a comme les poètes du « Parnasse Contemporain » le souci de la forme — mais d'une forme empruntée — la tendance antilyrique à choisir pour son art dans le temps et l'espace des motifs trop disséminés, Antiquité, Bible, Barbares, Moyen Age, Renaissance, Chine, Espagne, pour ne pas être traités par le dehors et en anecdotes. C'est assez dire combien il est loin de nous, et que nous n'éprouvons guère plus d'envie de le réentendre que de rouvrir Leconte de Lisle.

LALO

EDOUARD LALO (1823-1892), né à Lille, de lointaine ascendance espagnole, avait tiré beaucoup plus d'enseignements de ses études de violon avec l'Allemand Baumann qui l'initia aux grands classiques germaniques et de son travail professionnel dans un excellent quatuor où il tenait le pupitre d'altiste que de son passage au Conservatoire de Paris. Dans un autre temps et un autre milieu, sa vocation évidente de symphoniste aurait sans doute pu le conduire plus loin qu'elle ne le fit. Mais dans son unique *Symphonie en sol mineur*, il reste corseté par la tradition qu'il n'ose pas enfreindre. Ses ouvrages pour violon et orchestre, *Concerto en ut mineur, Symphonie espagnole, Rapsodie norvégienne, Concerto russe,* son *Concerto* pour violoncelle, toujours interprétés parce que les virtuoses de l'archet n'ont pas grand choix dans leur répertoire, sont moins creux que les concertos académiques et mécaniques de l'époque; il s'y laisse cependant trop entraîner par le brio d'estrade des solistes. Son Quatuor, ses trios sont oubliés depuis longtemps, peut-être injustement. Sa meilleure partition, et la plus libre, est le ballet de *Namouna* (1882) dont la composition dans des délais draconiens faillit le tuer et auquel Gounod mit fraternellement la dernière main. Avec la trompette de sa fête foraine qui fait songer à *Petrouchka,* son orchestre clair et vif, sa trame nourrie, son animation, *Namouna* annonce les grands ballets symphoniques du XXᵉ siècle. Cette nouveauté indigna la critique, les danseurs et les abonnés de l'Opéra. L'œuvre ne s'est jamais relevée du scandale de sa création. L'Opéra en a tiré aujourd'hui un lever de rideau, *Suite en blanc*, exercice chorégraphique sans livret, dont les spectateurs écoutent bien peu la musique.

Lalo, qui n'était connu, et seulement après 1870, que des habitués de la Société nationale, aspirait comme tous ses contemporains à un succès au théâtre pour lequel il n'était guère fait. Aucun directeur n'avait accepté son premier opéra, *Fiesque*, écrit en 1867, et dont seuls quelques fragments furent exécutés au concert. Achevé après une pénible gestation, son second ouvrage, *Le Roi d'Ys,* dut attendre une dizaine d'années pour être représenté en 1888 à l'Opéra-Comique. Malgré les réticences de la critique, ce fut une réussite, mais trop tardive pour que Lalo, paralysé, profitât de cette revanche.

Une reprise récente du *Roi d'Ys* à l'Opéra s'est déroulée dans la consternation générale. On aurait aimé rendre hommage à la mémoire d'un artiste probe, d'un homme distingué que la vie ne favorisa pas. Mais l'œuvre, sauf la belle ouverture où l'on reconnaît le symphoniste, est irrémédiablement démodée, trop terne pour le grand public, trop mince et trop conformiste pour les mélomanes. Lalo a peiné consciencieusement sur une légende qu'il ne sentait pas, qui eût réclamé les couleurs et les accents les plus dramatiques au lieu de tant de timidité et de formules conventionnelles. Rien n'est plus morne, plus pâle et plus essoufflé. Les musicographes qui continuent de ranger *Le Roi d'Ys* parmi les chefs-d'œuvre du répertoire lyrique français auraient bien dû s'astreindre à le réentendre, plutôt que de parler d'après de vagues souvenirs ou de se recopier les uns les autres.

BIZET

On a hâte de se retrouver avec un musicien d'une autre taille que les précédents. Voici GEORGES BIZET (1838-1875), fils d'un professeur de chant parisien. A neuf ans il entre au Conservatoire. Il y est élève de Zimmermann, de Marmontel, de Benoist, d'Halévy dont il épousera la fille. Il apprend en s'amusant la fugue, l'harmonie, la composition, le piano sur lequel il réduit à vue une partition d'orchestre. A dix-sept ans, il écrit une charmante petite symphonie en ut majeur qu'il oubliera, que l'on ne retrouvera qu'au début du XXe siècle, et qui pourrait être d'un Rossini sortant d'une lecture de Mozart. A dix-huit ans, il remporte avec *Le Docteur Miracle,* ex æquo avec Charles Lecocq, un prix d'opérette créé par Offenbach, et l'année suivante le prix de Rome.

Nous avons rencontré souvent depuis Lully de ces enfances et de ces adolescences prodigieuses dont les fruits ont été décevants. Bizet, dont l'humour est célèbre parmi ses camarades, et qui, pour son envoi de Rome, expédie à l'Institut fort choqué un opéra-bouffe, *Don Procopio*, semble bien vouloir marcher sur les traces d'*Orphée aux Enfers*. Mais il admire aussi Meyerbeer, et c'est l'influence du *Prophète*, des *Huguenots*, de Donizetti, de Rossini — point toujours le meilleur — avec quelques touches de Wagner qui dominent dans ses trois opéras-comiques, *Les Pêcheurs de perles* (1863), *La Jolie Fille de Perth* (1867), *Djamileh* (1872), les uns et les autres composés sur des livrets embrouillés et factices.

L'esprit de Bizet s'est formé plus lentement que son métier. C'est vers la trentaine qu'il répudie les boursouflures de Meyerbeer, « l'école des roulades, des flonflons, du mensonge » pour mettre Beethoven au-dessus de tout, écouter d'une oreille nouvelle Berlioz, Schumann et Wagner. Nous n'avons plus d'opinion sur ses deux pages symphoniques oubliées depuis longtemps, *Roma* et l'ouverture de *Patrie* (1874). Depuis que le mélodrame d'Alphonse Daudet a disparu des affiches, on n'entend plus dans son état original la musique de scène de *L'Arlésienne* (1872), avec ses six chœurs, ses vingt et un morceaux d'orchestre brefs ou développés. L'album des *Jeux d'enfants*, écrit d'abord pour piano, est plus proche, du moins pour son sens de l'obervation et de l'humour, de Moussorgski entièrement inconnu de Bizet, que de Schumann. Instrumenté en partie pour l'inauguration des Concerts Colonne, il a fourni une suite d'orchestre agréable et remuante, dont les chorégraphes de notre siècle se sont emparés. Mais bien entendu, on ne prononcerait plus que très rarement le nom de Bizet sans sa dernière œuvre, *Carmen*, créée le 3 mars 1875 à l'Opéra-Comique.

C'est à qui citera, comme exemples de surdité et d'imbécillité, les critiques parisiens après la première de *Carmen* : « Ce n'est que par-ci par-là que nous avons découvert quelque bout de phrase accessible... Cette partition touffue manque d'ordre, de plan et de clarté... M. Bizet n'a pas encore trouvé sa voie... il lui faudra désapprendre bien des choses pour devenir un compositeur dramatique... Voici longtemps que dure la plaisanterie des apôtres de l'avenir... Cet opéra est de la musique cochinchinoise, on n'y comprend rien. » Ce furent d'insurpassables âneries. Mais si tout le monde depuis a reconnu l'éclatante valeur de *Carmen*, on continue à en parler dans une étrange confusion. D'un auteur à l'autre, on nous dit que le livret de Meilhac et Halévy — Ludovic, le neveu du compositeur de *La Juive* – est une infamie, ou que c'est un des meilleurs de toute l'histoire de l'opéra. Il s'agit en fait d'un travail moins sot et plus adroit que celui de la plupart des Italiens ou Français de l'époque, et qu'il ne faut pas juger selon la littérature. On ne peut pas le comparer au conte de Mérimée, mais il a permis à Bizet de s'en rapprocher.

On considère souvent *Carmen* comme une sorte de fourre-tout où voisinent l'excellent et le pire. Sans doute, pour convaincre de ses qualités un mélomane austère ou rebroussé par les pots-pourris orphéonesques, on chercherait les exemples dans le rôle de la gitane, presque tout entier écrit sur des motifs de danse qui la dessinent si parfaitement, puis dans des ensembles, tels que le quintette du deuxième acte, « Nous avons en tête une affaire », d'un mouvement que l'on dirait mozartien, le chœur des contrebandiers avec ses septièmes, ses quintes altérées, et naturellement le trio des Cartes. On conviendrait que dans d'autres fragments les facilités et les lieux communs sont indéniables. Mais cela n'empêche point que *Carmen* soit indivisible, qu'il faille l'écouter ainsi, et que ce soit un des secrets de sa jeunesse bientôt séculaire.

On a longuement reproché à Meilhac et Halévy d'avoir introduit dans leur livret le personnage de Micaela, ingénue falote, et d'avoir ramené avec elle Bizet aux poncifs du vieil opéra-comique. Il est vrai que le duo de cette fillette avec Don José au premier acte est bien sucré, une des pages les plus conventionnelles de la partition. Mais si Bizet a concédé aux directeurs de théâtres que Carmen pourrait être chantée à la rigueur par un soprano, il a bien conçu le rôle, avec un sûr instinct, pour un contralto ou du moins un mezzo-soprano possédant le grave sombre propre à évoquer les « sonidos negros », les « sons noirs » du chant gitan (et toute autre distribution est une hérésie artistique). Comme l'a observé René Leibowitz, peu suspect d'indulgence pour le pompiérisme, l'inconsistante Micaela devient alors, avec son soprano léger, nécessaire à l'équilibre musical de l'œuvre. Son air *da capo* du troisième acte, qui tient lieu de la « preghiera » des Italiens, d'une écriture assez large, est d'ailleurs fort écoutable. Et le duo « gnangnan » du premier acte n'est pas inutile, puisqu'il nous indique – c'est toujours Leibowitz qui parle – le caractère de Don José, moins carré et décidé que dans Mérimée, tiraillé entre le souvenir de sa mère, son devoir et sa passion, bon bougre de troupier qu'affole la bohémienne provocante, capricieuse et griffue, par plus d'un côté le frère aîné du pauvre soldat Wozzeck.

D'autre part, Debussy disait qu'entre l'auteur de *Carmen* et lui il y aurait toujours l'air du Toréador. Et l'on a souvent répété que Bizet, à propos de cet air consenti au goût du public et des chanteurs, grognait : « Puisqu'ils veulent de la m..., en voilà ! » Le mot est peut-être authentique. Mais si Bizet avait réellement méprisé le « Toréador », en aurait-il fait un usage qui devient par contraste si poignant dans son admirable quatrième acte ? Sur sa partition de *Carmen,* que l'on a conservée, Nietzsche avait écrit en marge de l'ouverture, cette exposition abrupte, rudimentaire de trois motifs placés bout à bout, dont les deux plus triviaux de la partition, la « Feria » et le « Toréador » : « *Prachtvoller Circuslärm !* Superbe chahut de cirque ! » Une exclamation qui ne concerne certainement pas le troisième motif, si beau et pathétique, de la Mort, et résume à merveille le dessein de Bizet. Celui-ci laisse ses thèmes à nu, côte à côte, sans variations ni transitions, non point par insuffisance de métier, mais pour nous jeter d'emblée dans le mouvement de l'œuvre, dans le contraste entre la vie turbulente, chaude, criarde, et la sourdine toujours proche de l'inéluctable destin. Sa syntaxe est ici, et dans beaucoup d'autres pages suivantes, celle des romanciers, des reporters qui pour exprimer l'instantané, font sauter les verbes, les conjonctions, écrivent par phrases de cinq mots, en coups de poing.

Carmen est donc bien un tout que l'on ne peut pas chipoter, sauf à n'y rien sentir ni comprendre. Bizet est le Manet de notre musique. Ses *Pêcheurs de perles,* sa *Jolie Fille de Perth* équivalaient encore aux machines historiques ou prétendument orientales que les rapins de l'époque tartinaient pour le Salon officiel. Après un sérieux retour sur soi, il a rompu avec cet académisme. Comme le peintre de l'*Olympia* et du *Bar des Folies-Bergère,* il ne veut plus connaître que la réalité, sa meilleure inspiratrice.

Comment définir la vulgarité en musique ? C'est l'écart entre la redondance et la platitude d'un Meyerbeer, la pleurnicherie des véristes, les ritournelles du mauvais Rossini, la molle banalité de leur langage, et les sentiments nobles ou tragiques qu'ils voudraient dire. Les crudités de Bizet sont comparables au contraire à celles des impressionnistes. La bourgeoisie ne s'y trompa pas, agressée dans ses goûts fades et niais qu'elle avait su imposer depuis cinquante ans, aussi scandalisée par le réalisme et les couleurs ensoleillées de *Carmen* que par les tableaux de Renoir, de Manet, de Claude Monet, que par Degas demeurant un aristocrate du dessin même en peignant un bohème hirsute de Montmartre et une petite putain attablés devant deux verres d'absinthe.

Dans *Carmen*, les grosses formules mélodiques, les souvenirs d'opérettes, l'argot musical si adroitement introduit et précédant celui de Stravinsky, de Darius Milhaud, d'Alban Berg, tout concourt à la vérité de l'atmosphère populaire, à la marche vers le drame, au mouvement de la *fiesta* dont les couplets, les rires et les danses déboucheront soudain sur la mort. L'accusation de wagnérisme aboyée contre *Carmen* par la critique de 1875 était particulièrement inepte, puisque seul le thème funèbre pouvait rappeler plus ou moins l'harmonie wagnérienne, et que Bizet offrait le meilleur exemple d'un compositeur français entièrement indépendant de Wagner tout en l'admirant (« Moi qui l'aime tant, disait-il, les journalistes vont-ils me dégoûter de lui ? »), alors que le wagnérisme mal digéré allait provoquer tant de dégâts en France. Personne en revanche, parmi les Parisiens, n'était capable de distinguer dans cette musique d'acier souple l'étroite association de l'harmonie et du contrepoint, qui faisait la supériorité de Bizet sur tous ses contemporains du théâtre lyrique français.

Les insulteurs de *Carmen* n'étaient pas seulement stupides. Avec une férocité involontaire, ils privaient de sa dernière joie Bizet, mort trois mois après la création, d'un abcès à la gorge, en croyant que son œuvre avait sombré. Eût-il vécu encore une année, il eût savouré sa revanche avec la conquête subite de l'Europe par *Carmen*. Dès le mois de novembre 1875, elle triomphait à l'Opéra de Vienne, devant des admirateurs aussi divers que Wagner qui en était féru sans réserves, se la jouerait souvent au piano — Wagner aimant à fredonner « Je revois mon village » : c'est historique ! — que Bülow, que Brahms qui allait l'entendre au moins dix fois. On voit donc que parmi tous les « bizetistes » allemands, bien meilleurs juges que les Français du ferme classicisme de cette musique, Nietzsche, le plus célèbre apologiste de *Carmen*, arriva bon dernier, ne l'ayant entendue, avec son existence errante et provinciale qu'à Gênes, en novembre 1881 (« Hourra ! Une belle œuvre, un opéra de Georges Bizet. Qui est-ce ? ») alors qu'elle était jouée à travers toute l'Allemagne beaucoup plus souvent à elle seule que la totalité des drames wagnériens. Mais Nietzsche faisant retentir les rues nocturnes de Gênes du « Halte-là ! Qui va là ? » de Don José... Combien connaissons-nous d'œuvres qui demeurent entourées de tels souvenirs ?

L'arrivée de *Carmen* en Espagne devait être une autre aventure.

Les hispanisants français, épris de *cante jondo* authentique, professent en général le plus complet dédain pour *Carmen*. Or, c'est l'Espagne imaginaire du Parisien Bizet, stylisée d'après les *zarzuelas* qu'il avait dû lire, mais avec infiniment plus de mordant et de métier, qui révéla la véridique Espagne musicale à ses propres habitants. Les travaux des musicographes sur le folklore de la péninsule étaient restés ignorés du grand public des villes aux oreilles complètement italianisées, et qui tenait guitares et « chant profond » pour des divertissements de la populace. Ce fut la création triomphale de *Carmen* à Madrid, en 1876, qui mit soudain sur toutes les bouches le mot *flamenco*, et provoqua cette vogue de la musique gitane qui depuis n'a plus cessé.

Après cette consécration par l'étranger, *Carmen* reparut à Paris en 1883, bientôt victorieuse de toutes les résistances et pour être représentée près de mille fois en vingt ans, malheureusement avec l'affreux « parlé » des textes de liaison, auquel il était pourtant si facile de substituer, comme on s'y est enfin décidé de nos jours, les sobres et discrets récitatifs écrits par Ernest Guiraud, l'un des amis intimes de Bizet. Tranchant par ses muscles et ses nerfs sur les fadaises de l'opéra-comique à la mode parisienne, typiquement française par sa clarté, sa concision, *Carmen* est dans son siècle le chef-d'œuvre national de notre musique dramatique, le seul qui ne pâlisse pas auprès des chefs-d'œuvre italiens et allemands.

Jamais sans doute l'école française n'a fait une perte aussi déplorable et irréparable qu'avec la mort à trente-sept ans, en pleine maturité artistique, de Georges Bizet.

L'OPÉRA-ROMANCE

J ULES M ASSENET (1842-1912) cumula gloire, millions en or, décorations, titres, pour avoir fondé le succès de ses vingt-trois opéras sur la romance de salon. Ce confiseur émotif, maniéré, superstitieux, eût été atterré si on lui avait prédit, ce qui n'exigeait aucun don miraculeux, que vingt ans après sa mort trois tout au plus de ses ouvrages survivraient encore. On ne parvient plus à imaginer comment les « premières » d'*Hérodiade* – où saint Jean-Baptiste tombe amoureux de Salomé ! – d'*Esclarmonde*, de *Grisélidis* purent être des événements internationaux, avec campagnes de presse, mobilisation de la critique dans l'attente religieuse du nouveau chef-d'œuvre, étalage de toutes les élégances de Paris, de Vienne ou de Londre. La fortune de Massenet auprès de la foule de ses belles écouteuses n'est concevable que si l'on se rappelle que la plupart des femmes du meilleur monde n'ont jamais éprouvé sincèrement d'autres émotions musicales que celles de leurs femmes de chambre.

On se demande par quoi les musicologues peuvent encore bien justifier leurs éloges du métier de Massenet, qui est incapable de prolonger une idée mélodique sans recourir aux marches d'harmonie et aux reprises les plus rebattues, dont les ébauches de fugues ou d'ensembles vocaux tournent court après trois mesures. Il savait jusqu'à un certain point traiter l'orchestre — beaucoup moins dans les cartes postales de ses *Scènes alsaciennes* ou *napolitaines* que dans son Ouverture de *Phèdre* coloriée à la Berlioz — mais le laissa contaminer lui aussi par la romance : la « méditation » de *Thaïs*, le « clair de lune » de *Werther*, le solo de violoncelle de *Don Quichotte*. Ce fut un imitateur fébrile, sans cesse préoccupé de mettre ses produits au goût du jour, mais en fonction de sa clientèle, reprenant les tournures les plus mièvres de Gounod, appliquant à son *Esclarmonde* une vague teinture wagnérienne, emboîtant le pas aux premiers véristes italiens dans *La Navarraise* et *Sapho*, mais en conservant dans chaque recette un fond de sauce doucereuse.

Les théâtres étrangers ont oublié jusqu'à son nom. Seuls, sa *Manon*, où la critique de 1884 croyait entendre le galop des Walkyries, et son *Werther* de 1892 gardent encore chez nous quelque audience populaire. Des deux, *Werther* est encore le moins indéfendable. Mais que de faiblesses, mirlitons de l'orchestre, indigence des transitions, de tout ce qui est récitatif... On se demande où les contemporains pouvaient bien placer le fameux sens du théâtre qu'ils reconnaissaient à Massenet même quand ils réprouvaient ses complaisances. Il n'y a pas l'ombre de progression dramatique dans ces quatre actes aux personnages immobiles, où Werther n'ouvre la bouche que pour brailler invariablement son désespoir.

Massenet, qui aurait eu tant à apprendre, enseigna pendant près de vingt ans la composition au Conservatoire. Sa classe était la plus courue. De ses nombreux élèves, ALFRED BRUNEAU (1857-1934) et GUSTAVE CHARPENTIER (1860-1956) furent ceux dont on cita le plus souvent les noms, surtout à cause de leur longévité. Avec une de ces têtes de caniche à lorgnons qui ont peuplé l'époque naturaliste, Alfred Bruneau avait d'abord

écrit une *Penthésilée,* poème symphonique ! Il ne tarda pas à
choisir une voie plus conforme à ses penchants avec l'illustration
musicale de Zola, soit qu'il empruntait directement aux romans,
Le Rêve (1891), *L'Attaque du moulin* (1893), *La Faute de l'abbé
Mouret* (1907), soit que Zola lui écrivît lui-même des livrets :
Messidor (1897), *L'Ouragan, L'Enfant-Roi.* Concurremment avec
Mascagni et Leoncavallo, il voulait faire accéder les « humbles »,
la boulangère, le paysan, le fantassin à la dignité du drame lyrique.
Il n'aboutit qu'à un amalgame monotone du vérisme et des sirops
de son maître Massenet. Ce socialiste avait le plus sincère désir de
s'adresser au peuple. Mais le peuple, pas plus du reste que les
mélomanes cultivés, ne se souciait d'entendre une musique vocalement aussi ingrate. Si l'honnête Bruneau dut à ses convictions
républicaines un fauteuil à l'Institut, il ne connut jamais un
succès de quelque durée.

C'était une des curiosités de Montmartre, avant la dernière
guerre, qu'une visite à Gustave Charpentier dans son poussiéreux
appartement de célibataire. On y trouvait un petit vieillard coiffé
d'une casquette à oreilles, très malicieux, très positif, qui marchait
alors gaiement et vigoureusement sur ses quatre-vingts ans (il
devait aller jusqu'à quatre-vingt-seize). Il vous ouvrait le petit
bureau en faux Henri II où il tenait la comptabilité de ses tantièmes
de *Louise,* dont il vivait sans soucis depuis trente-cinq ans, et sans
avoir écrit apparemment une note de musique après le fiasco, en
1913, de son *Julien.* On a voulu, pour son centenaire, rejouer ses
pages symphoniques, *Impressions d'Italie, Impressions d'Allemagne, La Vie du poète,* les *Poèmes chantés.* Navrante rétrospective. Ces choses sont devenues inaudibles. Pour autant qu'il
avait quelque ambition de style dans ses ouvrages de concert,
Charpentier sacrifia à ce chromatisme flasque où s'enlisaient alors
(vers 1895) maints talents de l'école française. Les motifs n'ont
aucun intérêt, leur « traitement » pas davantage. L'orchestration
est opaque ou maigre, sans aucun détail inventé. Les auteurs de
manuels seuls maintiennent encore les noms de ces cadavres musicaux, qui disparaîtront à leur tour de ces cimetières, comme les
inscriptions des vieilles pierres tombales, comme ont disparu les
dernières traces des concertos de Herz, des symphonies de Gaston
Carraud.

Louise (1900) n'est qu'un pâle décalque des véristes, comme
les opéras d'Auber l'étaient de Rossini et de Donizetti. On ne
s'explique pas que les premiers auditeurs aient crié à la nouveauté

devant ces vestons, ces pantalons de velours et ces cousettes sur une scène lyrique, deux ans après avoir assisté à *La Bohème* de Puccini. Le livret écrit par Charpentier est une mixture de platitudes quotidiennes — « Je sens que je ne suis plus jeune... Qui ferait donc bouillir la marmite ? » — et d'emphase feuilletonesque. L'orchestre est très primitivement collé au texte, puérilement narratif. La déclamation sans relief, sans aucun imprévu, piétine constamment sur les mêmes degrés, avec quelques notes perchées pour faire valoir les chanteurs, qui sont bien autrement favorisés chez les véristes. Pas un accent un peu plus vif ou spirituel pour la scène dans l'atelier des midinettes. Quand Charpentier prétend à la mélodie, c'est pour filer la romance à la Massenet. Ce n'est même pas vulgaire. Une incongruité serait la bienvenue au milieu de « ces cantilènes chlorotiques » comme disait Debussy écœuré. *Louise* n'a été populaire que grâce à son insignifiance.

Massenet eut encore pour élèves les frères Hillemacher, Xavier Leroux, auteur d'une *Astarté,* Fernand Leborne (*Les Girondins*), Camille Erlanger (*Le Juif polonais*). De classes voisines provenaient Émile Paladilhe (*Le Passant, Patrie*), Charles Lefebvre, Benjamin Godard (*La Vivandière, Jocelyn*). Le frigide Théodore Dubois, dont personne ne pourrait plus citer un seul titre, succéda à Ambroise Thomas à la direction du Conservatoire. Les uns et les autres furent les dignes confrères en poncifs des peintres médaillés, Cormon, Roybet, Detaille, Jean-Paul Laurens, Rochegrosse qu'ils côtoyaient à l'Institut.

On est beaucoup moins loin de la musique avec JACQUES OFFENBACH (1819-1880), né à Cologne, fils d'un musicien ambulant d'origine juive, venu à Paris dès l'âge de quatorze ans, ayant débuté comme virtuose du violoncelle sur lequel il exécutait des morceaux classiques ou des clowneries selon le public. Nous ne pensons pas tant à son seul ouvrage de style sérieux, *Les Contes d'Hoffmann,* auquel il travaillait encore lorsqu'il mourut, mais à ses opérettes, dont les plus célèbres, *Orphée aux enfers*, *La Belle Hélène, La Vie parisienne, La Grande-Duchesse de Gerolstein, La Périchole* datent toutes du second Empire et sont inséparables des mœurs du temps. Offenbach était sans doute avant tout un amuseur, qui cherchait le succès financier, avait mis au point un genre de spectacle à peu près infaillible, dans des théâtres où il était son propre directeur. Mais c'était aussi un musicien renseigné, à la main très sûre. S'il put parodier le grand opéra de son époque avec une saveur qui subsiste encore, c'est qu'il en connaissait la technique et les origines bien mieux que maints pontifes. Il n'échoua que dans la parodie de Wagner, dont l'écriture lui échappait. Ses airs blagueurs mais qui épousent les formes du _bel canto,_ ses ensembles, ses finales rossiniens aussi précis qu'endiablés, dont Chabrier et Richard Strauss se régalaient, veulent de vrais chanteurs, comme en Allemagne où une Elisabeth Schwarzkopf ne dédaigne pas d'interpréter _La Veuve joyeuse_ de Lehar et _La Chauve-Souris_ de Johann Strauss sous la direction de Karajan. Malheureusement, on les abandonne en France à des comédiens aphones, qui ne parviennent pas à mener au succès les reprises de _La Belle Hélène_ ou de _La Vie parisienne._

Florimond Ronger, dit Hervé (1825-1892), cocasse personnage, cumulant les fonctions de grave organiste à Saint-Eustache, de chef d'orchestre éméché des théâtres à petites femmes et de ténorino comique, avait précédé de peu Offenbach dans l'opéra bouffe. Il n'est pas facile de délimiter l'influence qu'ils exercèrent l'un sur l'autre. Hervé s'ébrouait joyeusement dans la loufoquerie avec _L'Œil crevé_ (1857), _Le Petit Faust, Chilpéric_ que fait revivre une des toiles célèbres de Toulouse-Lautrec, _Mam'zelle Nitouche_ enfin qui fut en quelque sorte son autobiographie. Offenbach, et à un degré moindre Hervé quelque peu éclipsé par lui, eurent pour successeurs tous les compositeurs français d'opérettes qui prospérèrent durant les premières décennies de la Troisième République : Charles Lecocq (_La Fille de Madame Angot,_ 1872, _Le Petit Duc,_ 1878), Robert Planquette (_Les Cloches de Corneville,_ 1877, _Rip_ 1884), Louis Varney (_Les Mousquetaires au couvent,_ 1880), Edmond Audran (_La Mascotte,_ 1880, _Miss Helyett,_ 1890). Mais alors qu'Offenbach savait persifler la dictature de Badinguet, la bourgeoisie épanouie de son temps, les traîneurs de sabres, et recréait le mouvement de l'opéra bouffe, ses héritiers, s'ils utilisaient un orchestre moins criard, restaient avec leurs livrets et leurs airs anodins à mi-chemin entre le vaudeville à couplets et la gentillesse émoussée du vieil opéra-comique. Nous retrouvons donc la tradition française du demi-caractère jusque dans le genre qui autorisait toutes les fantaisies. Cela n'empêche pas de penser qu'il valait mieux écrire le chœur des Muscadins de _La Fille de Madame Angot,_ qui allait être fredonné par trois ou quatre générations, que les opéras momies de MM. Saint-Saëns, Victorin de Joncières et Véronge de la Nux.

C'est encore plus vrai pour ANDRÉ MESSAGER (1853-1929), sans doute le plus grand chef d'orchestre français, que se disputèrent

Covent Garden, le Colon de Buenos Ayres, l'Opéra qu'il dirigea quelque temps, les Concerts du Conservatoire, créateur de *Pelléas et Mélisande* jamais remplacé selon les premiers debussystes, non moins parfait dans Wagner. Il était beaucoup trop fin et cultivé pour ne pas connaître ses limites, ne pas savoir que certaines ambitions ne sont permises qu'aux génies. Plutôt que de commettre de la fastidieuse « musique de chef », bâtarde de tous les chefs-d'œuvre qu'un grand conducteur a dans sa mémoire, il préféra consacrer ses loisirs aux couplets sans prétention mais bien bâtis et trottant vivement de *La Basoche* (1890), *Fortunio, Véronique* (1898), *Les P'tites Michu, Coups de Roulis*. Cette charmante sagesse mérite bien une mention dans l'histoire de la musique noble, dont Messager fut le plus fidèle et le plus intelligent serviteur.

Covent Garden, le Colón de Buenos Ayres, l'Opéra où il dirigea quelque temps, les Concerts du Conservatoire, créateur de Pelléas et Mélisande jamais remplacé selon les premiers odautsystès, non moins parfait dans Wagner qu'il a beaucoup trop fait et cultivé pour ne pas connaître ses limites, ne pas savoir que certaines ambitions ne sont permises qu'aux génies. Plutôt que de commettre de la ... aut de sa manière ... tibiés à la portée ... chefs-d'œuvre qu'il ... préféra consacrer ses loi ... mais bien bâtis et méritait l'avènement ... ie. (écrivain (1938). Les Pri ... Michau, Cours de Routir. Cette charmante sagesse mérite bien une mention dans l'histoire de la musique noble, dont Messager ... et le plus intelligent ...

CHAPITRE XI

CÉSAR FRANCK ET SON ÉCOLE
DEUX INDÉPENDANTS :
CHABRIER, FAURÉ

CESAR FRANCK

La désaffection actuelle pour l'œuvre de César Franck est aussi excessive que le culte dont on l'entoura naguère et qui ne fut pas d'une sincérité irréprochable. Depuis qu'il est admis que les hagiographes ont outré l'importance de l'auteur des *Béatitudes*, beaucoup de mélomanes se vengent de l'ennui respectueusement inavoué qu'ils ont éprouvé avec lui en écartant ses œuvres de leurs discothèques et en désertant les concerts de moins en moins fréquents où on les exécute.

Le premier malentendu sur Franck a concerné ses origines. Un musicien né à Liège (en 1822), ne parlant d'autre langue que la nôtre, naturalisé dès l'âge de quatorze ans, ayant fait toute sa carrière à Paris et rempli tous ses devoirs de bon citoyen sous quatre régimes, pouvait bien passer pour aussi complètement français que son compatriote Grétry. Mais César Franck, sans une goutte de sang wallon, était de double ascendance germanique, son père et sa mère, née Frings, appartenant à de vieilles familles allemandes d'Aix-la-Chapelle, et sa grand-mère paternelle étant une Hollandaise de Norbeck. Or, ces origines laisseront leur marque dans son œuvre.

Elles comptèrent peu, en revanche, dans son éducation, commencée dès l'âge de sept ans avec des professeurs liégeois, poursuivie à partir de 1835 à Paris, d'abord avec des maîtres privés, ensuite au Conservatoire. De Nicolas-Joseph Franck, le père de César — qui avait reçu en baptême les deux prénoms accablants de César-Auguste — on possède un daguerréotype effrayant. C'était un tyran domestique, un Grandet pour l'avarice, un magister inflexible pour ses enfants. Aigri lui-même par sa médiocre situation d'employé de banque, il rêvait pour son aîné César et le cadet Joseph des carrières de virtuoses qu'il aurait dirigées à son gré. Il exploita rigoureusement les dispositions assez brillantes de César pour le piano. Il l'exhibait dès l'âge de douze ans dans des concerts publics, où le gamin interprétait ses premières compositions, ballades, rondos, fantaisies sur les airs d'Auber et de Hérold.

Les études de César se ressentirent de ces visées. Reicha, le théoricien tchèque, le professeur le plus sérieux du Paris de l'époque, ne l'influença pas autant qu'on l'a dit, puiqu'il ne l'eut comme élève qu'une dizaine de mois avant de mourir. Franck au Conservatoire fut un bon apprenti en contrepoint. Mais il subissait surtout le dressage mécanique des pianistes du temps, s'échinant sur d'insipides concertos de Hummel n'ayant qu'une connaissance fragmentaire de Haydn, de Mozart, de Beethoven, à peu près nulle de Bach. Quant à sa formation littéraire, elle n'avait pas eu la moindre place dans cet enseignement.

Ce petit jeune homme presque inculte, au physique terne, que l'on exerçait pour des prouesses tout extérieures, allait pourtant écrire à dix-huit ans un *Trio* en fa dièse mineur pour piano, violon et violoncelle, qui lui valut bientôt l'approbation chaleureuse de Liszt et a conservé une place très honorable dans ses œuvres complètes. Les franckistes lui ont attribué une grande importance en y voyant l'inauguration géniale par un garçon encore sur les bancs de l'École du principe cyclique qui devait gouverner presque tous ses ouvrages : retour périodique des thèmes avec réaffirmation finale du thème principal dont la priorité n'a cessé d'être soulignée. Mais ce procédé, destiné à renforcer l'unité d'une œuvre se rencontrait déjà, chez Schubert, chez Schumann – le Concerto pour piano – chez Liszt. Il est donc abusif – le dernier biographe du maître, Léon Vallas, dit même « fantaisiste » – d'en faire une innovation de César Franck. On pourrait plutôt lui reprocher d'avoir systématisé la formule cyclique, au désavantage de sa musique. Cela n'empêche pas le Trio en fa dièse mineur, malgré bien des développements de remplissage, de prouver la maturité d'écriture de son jeune auteur, et le profit qu'il avait su tirer de ses trop rares bonnes lectures, de Weber ou de Schumann. Il était surtout assez étonnant de voir à Paris, en 1840, un élève du Conservatoire manifester pour la première fois son talent en écrivant de la musique de chambre. Ce petit Belge de sang allemand tranchait décidément sur ses camarades français.

Curieusement, ce début en somme prometteur allait rester longtemps sans suite. Après avoir presque fait figure d'enfant prodige, César Franck devait être le plus tardif des musiciens. En effet, sauf quelques pages pour l'orgue, toutes ses œuvres notables ont été écrites après sa cinquantième année. Cette singularité ne peut guère être imputée qu'à la nature passive de Franck, qui a été interprétée tantôt comme la résignation d'un esprit franciscain, tantôt comme une mollesse de caractère.

Sur une décision de son despote de père qui jugeait sans doute trop improductives financièrement ces longues années d'étude, Franck quitta le Conservatoire avant d'avoir pu concourir pour le prix de Rome. Ce fut sans doute aussi sur l'initiative de son père, à la recherche d'une formule de musique rentable, qu'il écrivit l'oratorio de *Ruth* (1845), travail tiède et pâle, exploitant naïvement le succès du *Désert* de Félicien David. Cette *Ruth* avait été applaudie et honorée du patronage de Liszt. Mais Franck était trop peu combatif pour savoir tirer parti de ces atouts. Il demanderait ses ressources aux leçons de piano. Seul acte d'énergie : il épousa en 1848, malgré l'opposition du vieux Franck, une de ses élèves, Eugénie Jaillot-Desmousseaux.

C'était tomber sous une autre coupe. Eugénie à son tour allait prétendre à diriger la carrière de ce mari vertueux mais timide. Elle était la fille de deux sociétaires du Français, une duègne et un père noble. Pour elle, comme d'ailleurs pour la plupart de ses contemporains, un musicien ne pouvait se faire un nom qu'à la scène. Elle engagea César dans diverses entreprises théâtrales, tout à fait inutiles sinon lamentables, car il n'y apportait aucun don et s'en acquittait comme d'autant de corvées : *Le Valet de ferme* (1853), un opéra-comique d'une telle médiocrité qu'il est resté inédit, deux opéras, *Hulda*, farouche légende scandinave qui eût réclamé un tempérament de grand dramaturge (écrit en 1886), et *Ghisella* dont les disciples de Franck terminèrent l'instrumentation laissée inachevée à sa mort. *Hulda* fut représentée une seule fois en 1894 et *Ghisella* n'eut pas plus de chance en 1896.

Franck courait le cachet à trente ou quarante sous dans les collèges parisiens, allait régulièrement tenir à Orléans le piano dans des concerts à cavatines et chansonnettes. Il ne semblait pas souffrir de cette médiocrité besogneuse. Il tenait l'orgue de différentes petites paroisses. En 1858, il devenait maître de chapelle et premier organiste de Sainte-Clotilde, la nouvelle église pourvue d'un des puissants instruments symphoniques construits depuis peu par le facteur Cavaillé-Coll. Ses improvisations à la console de ce monumental instrument, ses concerts dans d'autres églises parisiennes lui firent une certaine renommée. Mais ses œuvres restaient faibles : deux messes, des offertoires dans un ton melliflue analogue au style sulpicien dans la peinture, ou déplorablement martial, et semés de gaucheries alarmantes chez un homme de quarante ans sonnés. Seules méritent d'être sauvées les *Six Pièces pour grand orgue.*

Deux circonstances extérieures à Franck allaient donner un tour nouveau à cette carrière jusque-là si médiocre : la fondation en 1871 de la Société nationale de Musique, née d'un réflexe patriotique après la défaite, et qui se proposait de servir exclusivement la nouvelle musique française; la nomination en 1872 de César Franck à la classe d'orgue du Conservatoire. La Société nationale qui avait demandé à Franck d'être un de ses membres fondateurs, lui offrait la certitude de se faire entendre, alors qu'il ne figurait auparavant que dans des concerts de raccroc. Son enseignement au Conservatoire, vivant, direct, qui voulait introduire la musique même dans les exercices, réunit très vite autour de lui des jeunes gens en rupture d'académisme, se vantant bruyamment de ne suivre aucun maître. Presque tous issus de l'aristocratie ou de la bourgeoisie aisée, nantis de titres universitaires, ils étaient d'un tout autre niveau intellectuel que leur professeur. Ces disciples le stimulaient, élargissaient son modeste horizon, à leur contact il prenait une nouvelle confiance en soi. Souvent cité, le mot de Charles Bordes contient trop de vérité pour qu'on ne le rappelle pas : « Le père Franck ? Ce sont ses élèves qui l'ont formé. »

Les quinze ou seize partitions majeures qui s'échelonnent de 1872 à la mort de Franck ont très inégalement soutenu l'épreuve du temps. Si on les a durant plus d'un demi-siècle confondues dans le même respect, c'est que chez presque toutes apparaissent les caractères du style franckiste enfin parvenu à maturité, mais à bien des égards hybride. Franck se souvient en effet constamment de son métier d'organiste dans sa musique symphonique et sa musique de piano, tout en restant pianiste et symphoniste à son orgue. De là son orchestration qui manque d'air, les basses qui rappellent le pédalier, les parties doublées à la façon des claviers accouplés. La rythmique n'a guère de variété. La construction tonale est très ferme. Mais entre ces points d'appui qu'il se fixait, dit-on, avant d'avoir écrit une note, Franck se complaît

à moduler par progression de demi-tons souvent en partant chaque
fois de la même note stable. Dans ce procédé qui inflige à la
mélodie une marche traînante, on reconnaît l'improvisateur de
Sainte-Clotilde. L'influence de Liszt prédomine dans cette écriture sur celle de Wagner dont le chromatisme est infiniment plus
libre. D'ailleurs, César Franck, qui n'avait pas voyagé en Allemagne,
ne connaissait Wagner que par des lectures ou des fragments
exécutés au concert.

Nous ne courons plus guère le risque d'entendre *Rédemption*,
« poème-symphonie » pour mezzo, chœur mixte et orchestre,
écrite en 1872, remaniée l'année suivante après son échec. L'œuvre
a une certaine importance historique dans la carrière de Franck
parce qu'il y développe pour la première fois l'antithèse entre
l'humanité livrée à ses conflits, à des jouissances grossières, et la
gloire sereine du royaume des cieux, antithèse qu'il reprendra
inlassablement. Mais elle est surannée, tant par sa facture que par
sa rhétorique. L'interlude symphonique, qui a seul survécu, gonfle
par crescendi, non sans pathos, une idée unique. La fanfare symbolisant le Rédempteur est plus lourde que majestueuse. *Les
Béatitudes*, que Franck acheva en 1879 après y avoir travaillé
près de dix ans et qu'il n'entendit jamais intégralement, souffrent
d'une naïveté de conception qui ne tient pas seulement au livret
versifié par une certaine Mᵐᵉ Colomb. Chacune des huit béatitudes
du Sermon sur la Montagne (selon l'évangile de saint Matthieu),
est traitée en diptyque contrasté : un volet pour dire les vils plaisirs
des mauvais riches, la terreur des impies devant la mort, la férocité des belliqueux, l'autre consacré à la promesse du Christ, sur
un thème qui revient dans chaque partie et joue le rôle de motif
cyclique. Cette dichotomie reprise huit fois engendre une monotonie lancinante, d'autant que Franck tombe dans des banalités
et des vulgarités pompiérisantes dès qu'il veut évoquer la violence,
l'orgie, les démons.

Dans le court poème symphonique des *Éolides*, achevées en
1876, l'orchestre est allégé. Le chromatisme, encouragé peut-
être par une audition chez Pasdeloup du prélude de *Tristan*, bien
qu'il étire la même figure, amène quelques inflexions séduisantes,
qui n'ont du reste rien d'éthéré. Dans leur brièveté, ces *Éolides*
sont une des pages agréablement poétiques de Franck. *Le Chasseur
maudit*, autre poème symphonique (1883), sur une vieille légende
allemande mise en ballade par Bürger, est une des partitions les
plus directement wagnériennes de Franck, avec des souvenirs

presque textuels de *La Walkyrie* dans les traits des violons, les harmonies cuivrées qui sont ici de remplissage. C'est aussi l'une des moins personnelles, venant après tant d'autres galops romantiques. Du troisième poème symphonique, *Psyché*, qui comprenait six parties avec des chœurs, dont on ne joue plus que des fragments, le chromatisme, trop radouci pour qu'on puisse le dire tristanien, ne manque pas de charme, tout en continuant d'étirer la ligne mélodique : Mme Franck, bourgeoise austère, férue d'opéras mais à la condition que leurs livrets fussent expurgés, détestait cette *Psyché* trop voluptueuse et l'interdisait à ses enfants comme une inconvenance...

Les Djinns pour piano et orchestre (1885), d'après la pièce de Hugo — le genre de poésie que pouvait goûter Franck — n'est que la mise en notes d'un effet facile de crescendo et decrescendo par un musicien dont l'imagination rythmique était trop courte pour qu'il y apportât de l'imprévu. Bien que d'une meilleure qualité, l'autre œuvre pour piano et orchestre, les *Variations symphoniques*, auxquelles les virtuoses français sont encore attachés, reste de second ordre. Dans le travail du piano, la modulation n'en finit pas de se développer sur un dessin monotone. Il y a du Liszt dans les traits, les transitions. Celle qui amène l'allegro non troppo final appartient à la rhétorique romantique la plus rebattue. On s'étonne que l'improvisateur Franck soit demeuré aussi réservé dans les variations proprement dites, la forme qui ouvre le champ le plus large.

La Symphonie en ré mineur (1889) a figuré durant plus de cinquante ans dans les programmes dominicaux presque sur le même rang que Beethoven. L'excès d'honneur ne faisait point de doute. Pendant qu'il l'écrivait, l'œuvre avait pris pour le vieux compositeur devenu chef d'école l'importance d'un manifeste, d'une démonstration. C'est la raison d'une architecture méditée et formaliste à outrance, dont l'exemple le plus connu est la reprise obstinée de l'introduction et de la première idée transposées en fa mineur, reprise que Franck jugeait indispensable à la régularité de son plan tonal. Pour animer cet édifice, il eût fallu l'orchestre le plus coloré et le plus mouvant, alors que celui de la Symphonie est compact, mal éclairé, parfois de la main la plus lourde de Franck. Celui-ci bâtit bien sa partition sur le principe de la bitonalité, ré mineur et fa mineur, mais ne soupçonne pas l'usage neuf qu'il pourrait en faire. Il est vrai que cette Symphonie représentait en France une forme noble épurée de toute littérature, qui faisait depuis plus d'un siècle la gloire de l'Allemagne, et dont nous n'avions produit que de maigres succédanés pseudo-classiques. Toutefois, la symphonie pour orgue de Saint-Saëns l'avait précédée de trois ans. Avec la montée vers la joie et la lumière de son dernier mouvement, la Symphonie en ré mineur conserve cependant aujourd'hui encore une part de son éloquence beaucoup plus simple que les détours techniques qu'elle emprunte. Mais on ne peut s'étonner que sa renommée ait décliné à mesure que s'imposaient chez nous les symphonies de Brahms et surtout celles de Mahler, auprès desquelles la « ré mineur » fait évidemment assez grise et languissante figure.

C'est pour la musique de chambre de Franck que nous pouvons épouser presque sans réserves l'admiration de ses anciens fidèles. Il avait bien eu dans ce domaine quelques prédécesseurs chez nous, mais trop mondains – Saint-Saëns – trop timides – Lalo – ou encore confidentiels – Fauré. Avec ses trois grandes partitions, le *Quintette* pour piano et cordes en fa mineur (1880), la *Sonate* en la majeur pour piano et violon (1886), le *Quatuor* en ré majeur (1889), le Liégeois de sang germanique César Franck comblait une lacune humiliante de l'école française comparée à l'allemande. Les problèmes de construction, résolus avec une allégresse ingénieuse malgré leur complexité, n'entravent plus la sève mélodique. Le premier thème de la sonate s'étend sur vingt-sept mesures, le premier du quatuor sur quatorze. Le lyrisme de la sonate, un peu oubliée par les grands violonistes de nos jours après qu'ils en eurent abusé, mérite d'être remis à l'honneur. Dans cette sonate, on voit comment les retours cycliques peuvent garder de l'imprévu lorsque Franck écrit sous une dictée intérieure.

D'une qualité encore plus haute que le quatuor où restent quelques traces de sentimentalité, le Quintette s'impose dès ses premiers accords d'une virilité beethovénienne, puis par la vigueur des tutti, l'allure fière et passionnée de l'ensemble qui se communique à tout le développement et à ses reprises. Le deuxième mouvement, « lento con molto sentimento », chante sans aucune fadeur. L'élan ne faiblit pas dans le dernier allegro, « non troppo ma con fuoco ». La fin est puissante et sobre, avec le retour triomphant de la belle cellule cyclique. Les structures rythmiques sont partout beaucoup plus fermement dessinées que dans les ouvrages symphoniques. Pour notre part, nous ferons du beau quintette le chef-d'œuvre de Franck, celui qu'il faut réentendre lorsqu'on est tenté de négliger son auteur. Ces pages ont aussi leur secret, qui n'a jamais été entièrement percé, mais ne laisse plus de doutes après les recherches du musicographe lyonnais Léon Vallas. On a répandu de Franck une image assez niaisement béate, alors que son catholicisme était très élargi, et qu'il connut à l'époque du quintette, la cinquantaine sonnée, une grande crise amoureuse. On pense que l'héroïne en fut son élève, la belle Irlandaise Augusta Holmès, à laquelle il pardonnait même les romances de salon où elle concurrençait Mme Chaminade. Le quintette, si visiblement traversé d'une fièvre sensuelle, serait alors une victoire orageuse acquise sur la chair mais qui n'éteindrait point l'amour. Mme Franck avait cette œuvre en horreur...

Le *Prélude, Choral et Fugue*, austère, très médité, n'est plus pour nos oreilles « un des dix plus grands chefs-d'œuvre de la littérature de piano », comme l'écrivait Alfred Cortot. Mais pour la France où cette littérature était outrageusement dégénérée, le triptyque de Franck et dans une moindre mesure son pendant de 1888, *Prélude, Aria et Finale*, représentaient un retour aux traditions de Bach et de Beethoven qui n'avait d'autre tort que d'intervenir bien tard dans ce siècle.

Franck écrivit pour l'orgue sa dernière œuvre, les trois Chorals de 1890, en forme d'imposantes variations, d'un plan très personnel. A propos de l'orgue, on rappellera que Franck, improvisateur plein d'imagination, négligeait beaucoup de détails dans la technique de l'instrument qu'il enseignait assez mal à ses élèves. C'est surtout par ses ouvrages qu'il a participé à la grande renaissance de l'orgue, amorcée déjà par l'École Niedermeyer, qui se poursuivit avec Eugène Gigout, Léon Boëllmann, Charles-Marie Widor, longtemps doyen de la musique française, mort à quatre-vingt-douze ans en 1937, Louis Vierne, Charles Tournemire, Joseph Bonnet, Alexandre Cellier, et qui se prolonge de nos jours avec André Marchal, Maurice Duruflé, Marcel Dupré, Jean-Jacques Grünenwald, la belle dynastie des Alain, Albert, Jehan tué en 1940, Marie-Claire. La plupart de ces excellents musiciens ont réagi contre la pompe et les effets outrés des orgues romantiques et travaillé à retrouver un style qui n'écrase pas le contrepoint des classiques.

César Franck, dont la santé s'était altérée à la suite d'un accident de voiture, mourut d'une pleurésie dans sa maison du boulevard Saint-Michel le 8 novembre 1890. Il avait connu auprès du public plus d'échecs que de succès. Cruelles injustices, a-t-on dit. Pourtant, nous avons bien ratifié le jugement d'auditeurs

avertis comme ceux de la Société nationale, qui étaient déjà
rebutés par les mêmes œuvres que nous, et applaudissaient au
contraire celles qui restent vivantes, le Quintette, la Sonate, le
Quatuor.

LES FRANCKISTES

Henri Duparc avait été, avant la guerre de 1870, le premier
élève de César Franck. Quand le maître fut nommé professeur
d'orgue au Conservatoire, il le suivit, bientôt rejoint par Arthur
Coquard, Alexis de Castillon, Vincent d'Indy, Camille Benoît,
puis plus tard par Ernest Chausson, Pierre de Bréville, Charles
Bordes, Guy Ropartz, enfin, dernier venu, Guillaume Lekeu.

Le cours de Franck portait sur la composition autant que
sur l'orgue. Il n'avait rien de doctrinal, les vues esthétiques s'y
résumaient à quelques conseils généraux. Ce qui attirait les élèves,
outre la droiture et la bonhomie du maître, c'était la liberté de
son enseignement surtout en matière d'harmonie, les aspirations
de sa propre musique, son culte pour les grands classiques, bref
tout ce qui faisait défaut dans les classes voisines des « théâtreux »,
Massenet, Ambroise Thomas, avec leur académisme à la fois
pointilleux et frivole.

Les jeunes gens de la « bande à Franck » étaient tous de bonne
maison, comme nous l'avons dit, cultivés, bien rentés, tranchant
sur le commun plus ou moins artisanal des croque-notes, tous
aussi passionnément wagnériens, avec une connaissance bien plus
approfondie des opéras du grand Allemand que celle de leur
professeur. Le premier prosélyte parmi eux du wagnérisme avait
été Henri Duparc. Grâce à Lavignac qui eut la patience de copier
et de publier les listes des voyageurs français à Bayreuth, nous
savons qu'entre 1876 et 1896, Vincent d'Indy et Pierre de Bréville ne firent pas moins de six fois chacun ce pèlerinage, Ernest
Chausson trois fois, Charles Bordes deux fois.

Après avoir été traités de futuristes, ils furent entourés d'une
grande considération. On vit en eux, dans le sillage de leur maître
Franck, les rénovateurs de la musique française si longtemps
humiliée par la suprématie de l'Allemagne. Comparée à l'importance qu'on leur attribua, leur place dans la musique au XXe siècle
n'a cessé de se réduire. Plusieurs d'abord furent victimes de la
destinée. HENRI DUPARC (1848-1933) fut frappé à moins de

quarante ans d'une maladie nerveuse sur laquelle personne ne s'est clairement expliqué et qui lui interdit toute création artistique. Cruellement doué pour l'autocritique, produisant peu, il détruisit encore certains de ses manuscrits, ne laissa que deux courts poèmes symphoniques, *Lénore* (1875), *Aux Étoiles*, exécuté en 1911, et ses treize mélodies, qui sont pour la plupart des œuvres de première jeunesse : la *Chanson triste* est de 1868, *L'Invitation au voyage* de 1870. Treize courtes pièces, et sur les treize seulement six ou sept vraies réussites, mais qui suffisent pour longtemps encore à sauver un nom de l'oubli. Union parfaite de la mélodie et des paroles, d'autant plus difficiles à réaliser que les poèmes de Baudelaire, par exemple, ont leur musique propre; finesse des inflexions, des nuances sous l'apparente simplicité des moyens, richesse d'un commentaire du piano qui appelle la transcription symphonique, sentiment d'intimité pénétré d'un parfum de salon bourgeois au charme un peu ambigu : c'était la première fois qu'un Français s'élevait au-dessus de la romance pour approcher de l'intensité du lied sans perdre son accent national. Dans ce mince recueil Duparc ne devait d'ailleurs presque rien à Franck, qui s'inspira plutôt de lui dans les mélodies de ses dernières années, *Cloches du Soir, La Procession.*

Alexis de Castillon, qui avait été officier de cavalerie avant de se consacrer à la musique, mourut à trent-cinq ans en 1873. Il écrivit un quatuor et un quintette pour piano et cordes, un quatuor à cordes, un concerto pour piano et orchestre. Ces œuvres pourtant très sages excitèrent étrangement la fureur du grand public, en particulier le Concerto, hué sans pitié, peut-être à cause de ses développements diffus, chaque fois que l'on tenta de le produire chez Pasdeloup du vivant de l'auteur, puis plus tard chez Lamoureux ou chez Colonne. La dernière de ces expériences doit remonter à 1904... Guillaume Lekeu, Belge de Verviers, le dernier en date des élèves de Franck, fut emporté à vingt-quatre ans en 1894 par une fièvre typhoïde. Il laissait une sonate pour piano et violon, une Fantaisie symphonique sur deux airs angevins. Ernest Chausson (1855-1899) avait abordé presque tous les genres : un drame lyrique, *Le Roi Arthur*, une symphonie en si bémol, un poème symphonique, *Viviane,* un *Poème* pour violon et orchestre, de la musique de chambre, des recueils de mélodies, *Serres chaudes, La Chanson perpétuelle.* Il était riche, entouré d'amis. Il se tua à quarante-quatre ans dans une chute de bicyclette. Guy Ropartz (1864-1955), figure de barde breton, auteur de cinq symphonies, de poèmes symphoniques, de Psaumes, d'une demi-douzaine de quatuors, Pierre de Bréville (1861-1949), qui écrivit le drame lyrique *Eros vainqueur*, n'ont atteint un grand âge que pour voir leurs œuvres disparaître dans les sables d'une complète indifférence.

Le franckisme n'eût jamais été ce qu'il fut sans VINCENT D'INDY (1851-1931), dont la personnalité pour parler de son caractère plutôt que de sa musique, trancha sur celle de tous ses camarades. Il était né à Paris, mais d'une ancienne famille d'aristocrates du Vivarais où il possédait un château et qu'il considéra toujours comme sa terre paternelle. Très tôt, sa grand-mère Mᵐᵉ Théodore d'Indy, bonne musicienne, le fit entrer au Conservatoire. Dès 1869, son ami Duparc l'avait détourné de ses premières admirations, Meyerbeer et Reyer, pour lui révéler Bach et Wagner. Sa vocation musicale ne l'emporta cependant sur ses autres projets, juridiques et militaires, qu'à son entrée dans la classe de Franck. Bien que sa fortune le dispensât de gagner sa vie, il voulut pour parfaire son acquis professionnel tenir pendant quelque temps l'orgue d'une paroisse, puis les timbales et ensuite la place de chef des chœurs aux Concerts Colonne, ce qui était tout à son honneur. En 1873, il séjournait chez Liszt à Weimar. En 1876, il assistait à Bayreuth à la création de la Tétralogie et en 1882 à celle de *Parsifal*. Il fut reçu cordialement par Wagner. Sa *Trilogie de Wallenstein*, trois ouvertures symphoniques pour les drames de Schiller (1874-1880), sa légende dramatique *Le Chant de la Cloche* primé par la Ville de Paris (1885), sa *Symphonie sur un thème montagnard* (1885) répandaient le nom du compositeur. A la fin de 1886, en décidant d'y exécuter des œuvres étrangères contre l'avis formel de Saint-Saëns, il provoquait une scission à la Société nationale qui tombait désormais sous sa coupe et devenait le foyer du franckisme. En 1896, il s'associait à l'entreprise de la Schola Cantorum créée deux années plus tôt par Charles Bordes (1863-1909) qui avait à peu près abandonné la composition pour ses recherches dans le folklore français et la musique ancienne. La Schola, comme auparavant l'École Niedermeyer, mais avec un programme étendu à toute la musique, était destinée à pallier les lacunes du Conservatoire. Vincent d'Indy y enseigna aussitôt la composition et devint son directeur en 1904. En 1912, sur les instances de son ami Gabriel Fauré, il accepta également une classe au Conservatoire.

Auteur malgré tant de charges de trois drames lyriques, de trois symphonies, de plusieurs poèmes ou plutôt paysages symphoniques (*Jour d'été sur la montagne, Poème des rivages, Diptyque méditerranéen*), d'une abondante musique de chambre, il passa entre 1890 et 1920 pour l'un des compositeurs les plus importants de l'École française. En relisant *Monsieur Croche antidilettante*, on constate avec quelle révérence Debussy qui dans le privé pourfendait ses œuvres, parlait publiquement de lui. A la veille de sa mort, d'Indy était encore plein d'activité, dirigeait des concerts, silhouette hors du siècle, avec sa redingote grise, au menton sa mouche blanche à la duc d'Aumale, un œil bleu que se partageaient la bienveillance et la méfiance.

Il pratiquait un catholicisme abrupt, un nationalisme intégral, professait que l'art n'existe pas sans la foi en Dieu et le culte de la patrie. Son gallicanisme musical était au moins paradoxal chez un compositeur formé par un maître pétri de germanisme et lui-même hanté par Wagner. Mais son caractère d'une seule pièce lui interdisait d'admettre cette contradiction.

C'est le cas singulier d'une intelligence vive, nourrie d'une culture universelle, mais bloquée par son dogmatisme. Le cours de composition de Vincent d'Indy, qui fut religieusement écouté durant trente ans, proclame comme un article de foi le culte de l'ordre tonal : orientation constante des modulations dans le même sens, soit vers les quintes ascendantes soit vers les quintes descendantes, mais jamais dans deux directions contradictoires; assises tonales fixées pour la durée entière de l'œuvre sur deux ou trois tonalités prépondérantes. Toute la musique est jugée selon ce principe « inéluctable ». A ce bachot scholastique, Schubert, Schumann, Brahms sont recalés sans espoir, le premier pour « l'inexistence d'un plan tonal » dans ses ouvrages, les deux autres pour « le désordre de leurs modulations ». Beethoven lui-même, l'alpha et l'oméga après lequel toute évolution musicale devient suspecte ou négligeable, se fait tancer à l'encre rouge pour s'être permis une inflexion exagérée vers la sous-dominante dans l'allegretto de sa Huitième Symphonie. Bien entendu, César Franck, qui a proféré la Loi – « La structure tonale est le principe fondamental et vital de toute œuvre musicale » – est reçu *magna cum laude*, malgré ses sauts hétérodoxes dans les derniers mouvements de son Quintette. En fin de compte, M. Vincent d'Indy ne trouve d'exemples vraiment impeccables que dans ses propres ouvrages.

Mais cet inflexible censeur demeurait passionnément attaché à Wagner, perturbateur notoire de la sécurité tonale. Impossible

conciliation. Avec toute la force de son entêtement, d'Indy s'y
attela pourtant, par des dissections harmoniques que l'on traiterait
bien de gags, si le terme n'était par trop inusité dans ces matières
ardues. Aux prises avec *Tristan* et sa dissolution des tonalités, il
excluait de ses analyses les notes qui l'embarrassaient, le contre-
disaient, qu'il considérait comme « des dissonances artificielles,
dues uniquement au mouvement mélodique des parties, mais
étrangères à l'accord ». Il prétendait dégager ainsi « la *carcasse de
l'harmonie*, qui seule joue un rôle de construction et permet de
saisir les fonctions tonales ». Dès le premier accord du prélude, il
éliminait donc le *si* qui le chiffonnait particulièrement. A ce
compte, l'harmonie de *Tristan* devenait vite aussi limpide que
celle de Telemann ! Mais le moins que l'on puisse dire de ces
subterfuges, c'est qu'ils manquaient absolument du sérieux dont
s'enorgueillissait l'austère maison de la rue Saint-Jacques[1].

Le plus déconcertant, c'est que malgré leur apostolat de l'ordre
tonal, Franck, d'Indy et la plupart de leurs disciples, en amalgamant le système de modulations *a priori* du maître belge et
l'écriture wagnérienne, aboutirent dans beaucoup trop de leurs
œuvres à « ce chromatisme à froid, cette reptation pseudo-
sensuelle, ce cache-cache languide entre tonalités » que décrit
Marcel Beaufils, et qui est si caractéristique, entre autres, des
pages symphoniques de Duparc, de presque toute la musique de
Chausson. Disons sans métaphores qu'avec eux le chromatisme
qui décuplait chez Wagner les ressources expressives et dramatiques dégénérait en ces modulations sans objet de thèmes sans
caractère, d'une insoutenable monotonie que des mélomanes aux
bonnes âmes prenaient pour de l'élévation morale. Que l'on y
ajoute l'emprunt constant à Wagner de ses quintes augmentées,
de ses dispositifs instrumentaux les plus fréquents, et l'on comprendra que le wagnérisme ait pu passer en France pour un fléau
stérilisant tous ceux qu'il atteignait. Le tort fut d'en accuser le
maître de Bayreuth plutôt que de s'en prendre aux faiblesses ou
aux errements de ses épigones français.

---

1. On s'étonnera peut-être que nous nous soyons arrêtés à un détail qui semble aussi
archaïque que les disputes du XIᵉ siècle sur le triton, *diabolus in musica*. Mais nous
avons le regret de dire qu'un de nos éminents médiévalistes, M. Jacques Chailley, beaucoup plus heureux quand il s'occupe de Pérotin, partagé entre son admiration pour
Wagner et son horreur de l'atonalité, tente de nier contre l'évidence la filiation de
Tristan à Schœnberg et Alban Berg par des analyses du chef-d'œuvre, développées en
1963 dans son cours de la Sorbonne, et qui sont à peine moins spécieuses, pour ne
pas dire farfelues, que celles de Vincent d'Indy.

Vincent d'Indy n'échappa à ses marottes et à ses préjugés que dans quelques œuvres inspirées du terroir, telle que la *Symphonie sur un thème montagnard* − la Cévenole − où la saveur des idées humanise la rigueur de la construction, et dont l'orchestre a plus de couleur que celui de Franck. Ses deux autres symphonies, la majeure partie de sa musique de chambre sont impitoyablement systématiques et abstraites. On peut être indulgent au wagnérisme encore ingénu et assez vivant des trois ouvertures pour Wallenstein. Mais *Fervaal* « action dramatique en trois actes » (1897) est un démarquage de *Parsifal* pour le livret et la musique, avec jardin enchanté, pur chevalier investi d'une mission divine et enjôlé par une tentatrice orientale. Autre action dramatique, *L'Étranger* (1903) est une nouvelle rédemption par l'amour dans le décor du *Vaisseau fantôme* ! *La légende de saint Christophe*, écrite entre 1908 et 1915, est un opéra pamphlet contre la République drey-fusarde et anticléricale.

Parmi les élèves de Vincent d'Indy, Déodat de Séverac (1873-1921) ne se rappela guère ses dix années de Schola dans ses albums pour piano, tableautins de sa Cerdagne natale, dont l'impressionnisme aujourd'hui pâli inclinait davantage du côté de Debussy. Albert Roussel, que nous retrouverons plus loin, prit lui aussi, lorsqu'il eut vraiment quelque chose à dire, ses distances avec la maison où il avait enseigné pourtant le contrepoint durant douze ans. Paul Le Flem, né en 1881, professeur intelligent et éclectique, a été d'une sensibilité très fauréenne et debussyste dans ses œuvres symphoniques. Jean Poueigh, Jean Canteloube, Gustave Bret, Gustave Samazeuilh se consacrèrent surtout au folklore et à la musicologie. Georges-Martin Witkowski (1867-1943), auteur de *Mon Lac* et du *Poème de la maison*, fonda à Lyon une annexe de la Schola et en dirigea pendant une trentaine d'années les concerts symphoniques où il accueillait les œuvres les plus réprouvées par son maître, *Le Sacre du printemps* et *Le Rossignol* de Stravinsky inclus. Chez les d'indystes les plus fidèles, on ne voit guère à citer qu'Albéric Magnard (1865-1914), un misanthrope solitaire qui composa quatre symphonies rugueuses et un drame ouvertement tétralogique, *Guercœur*. Il mourut durant la bataille de la Marne, fusillé par les Allemands pour avoir abattu un de leurs soldats qui pénétrait dans son parc, étrange fin du plus germanisant des musiciens français.

Les franckistes et la Schola avaient contribué à secouer en France l'inertie ou la niaiserie du public, à remettre en honneur

la musique ancienne, encore que les symphonies de Mozart, ce
libertin, n'aient droit qu'à quelques lignes condescendantes dans
les écrits de Vincent d'Indy. Cette école douée de tant de savoir
et de qualités morales aurait pu exercer une action bien plus profonde et durable. Elle y échoua par la faute de son chef, accroché
à un sectarisme et à un conservatisme stériles, wagnérien ignorant
volontairement l'apport le plus neuf de Wagner, doctrinaire fermé
à tout ce qui allait faire vivre la musique du xxe siècle, et d'abord
la musique française. Vincent d'Indy est responsable d'un des
chapitres les plus décevants de l'histoire musicale[1].

DEUX INDÉPENDANTS : CHABRIER, FAURÉ

CHABRIER

Auvergnat d'Ambert, EMMANUEL CHABRIER (1841-1894),
avait fait du droit, pour entrer à vingt ans comme bureaucrate
au ministère de l'Intérieur. Avant de s'installer à Paris, il avait
travaillé le piano avec deux obscurs Espagnols, certainement
beaucoup moins doués que lui : il était pianiste-né. Il avait étudié
harmonie et contrepoint avec un prix de Rome, mais se plaignit
toujours de n'avoir pas appris son métier à fond.

Il s'était lié très vite avec l'avant-garde de son temps, c'est-à-dire
les premiers wagnériens, les jeunes franckistes qui renâclaient à
l'enseignement officiel et se faisaient mettre à la porte de certains
cours du Conservatoire pour y avoir apporté la partition des
Maîtres Chanteurs, les poètes symbolistes, les peintres impressionnistes contre lesquels se déchaînaient les journalistes et la
foule. On aimait Chabrier dans ce milieu pour sa rondeur et sa
verdeur, son brio au clavier. Il se donnait d'abord pour un amateur,
écrivait quelques mélodies, des opérettes débridées et qu'il ne
termina pas sur des canevas de Verlaine, *Fisch-Ton-Khan, Vauco-
chard et Fils Ier*, puis deux opéras bouffes, *L'Étoile* (1877),
L'Éducation manquée (1879), qui lui valurent les vifs encouragements de Gabriel Fauré, de Messager. L'année de *L'Éducation
manquée*, il abandonnait son bureau pour se consacrer uniquement à la musique. Pour lui aussi, le grand choc avait été, quelque

---

1. L'École César-Franck, née d'une scission de la Schola après la mort de Vincent
d'Indy, est ouverte aujourd'hui aux recherches de la nouvelle musique.

temps auparavant l'audition de *Tristan et Isolde* à Munich où l'avait entraîné son ami Henri Duparc, le plus ardent des prosélytes wagnériens. En 1881, il devenait répétiteur et chef des chœurs chez Lamoureux, surtout pour y participer aux célèbres exécutions de concert, acte par acte, de *Tristan*, destinées à suppléer l'Opéra défaillant, seul des grands théâtres lyriques à ignorer encore l'existence du chef-d'œuvre.

En 1883, il remportait son premier succès populaire, et à peu près le seul, avec *España*, sa rhapsodie pour orchestre. Il venait de publier pour le piano ses *Trois Valses romantiques*, ses *Pièces s Pittoresques*, dont il orchestra une partie sous le titre de *Suite pastorale*. En 1886, il terminait un opéra, *Gwendoline*, sur un livret de Catulle Mendès. C'était l'histoire de Judith et Holopherne retournée et transportée chez les Scandinaves et les Saxons du VIIIe siècle. Gwendoline, chargée de tuer le Danois Harald, s'en éprenait, lui remettait son glaive pour l'aider à se défendre et, quand il était capturé, mourait avec lui. L'influence wagnérienne est partout dans ces trois actes. Harald figure une sorte de Siegfried corsaire. Les Walkyries et le Walhall sont à l'arrière-fond du drame. Si Chabrier revient à l'opéra par morceaux détachés, s'il conserve une rondeur qui a bien de la peine à exprimer l'héroïsme, il utilise aussi les leitmotive avec une indiscrétion naïve, il déchaîne toutes les puissances de l'orchestre.

Mais l'année suivante, ce compositeur capricieux donnait *Le Roi malgré lui*, un opéra-comique d'allure très française. Il allait écrire encore une courte et truculente pièce symphonique, *Joyeuse Marche*, pour le piano sa *Bourrée fantasque* qu'instrumenta le chef allemand Félix Mottl. Il avait commencé un second opéra, *Briséis*, sur un livret d'Éphraïm Mikhaël et Catulle Mendès où s'opposaient paganisme et christianisme. L'obsession de *Parsifal*, entendu par le compositeur à Bayreuth en 1889, s'y retrouve presque à chaque page. Mais Chabrier ne put écrire que le premier acte. Il souffrait des prodromes de la paralysie générale qui l'emporta à cinquante-trois ans après quelques mois d'une triste déchéance.

Chabrier, le boute-en-train aux admirations enthousiastes, n'avait eu que des amis parmi les artistes et les écrivains de son entourage. Mais le grand public le connaissait mal. Il eut sa grande revanche quand Maurice Ravel puis les jeunes musiciens français de la première après-guerre reconnurent en lui un de leurs maîtres de prédilection. On a multiplié alors les études sur les innovations de son harmonie « libre comme l'air », ses enchaînements de neuvièmes et de septièmes, son emploi à l'improviste des gammes modales, de l'échelle pentatonique, l'incessante diversité de son invention rythmique. Il a en effet une place originale dans l'évolution de l'écriture harmonique, mais grâce à un assez petit nombre de pages, de mesures, pourrait-on dire, puisqu'il s'agit souvent de détails fugitifs, dans une œuvre de toute façon assez restreinte : ses premiers opéras bouffes, puisque l'on reconnaît qu'ils ont plus de saveur que *Le Roi malgré lui*, d'une écriture plus soignée mais plus conventionnelle, ses deux courtes fantaisies symphoniques, *España* et *Joyeuse Marche* ses meilleures pièces pour piano et quelques morceaux de chant.

Les fidèles de Chabrier ont regretté que ses amis les franckistes, voyant ses dons, l'eussent incité à composer ses opéras, grandes machines contraires à son esprit et au-dessus de ses forces. Mais les dates sont en contradiction avec ces regrets, de même que l'autre opinion, qui voudrait que, désespéré par le gigantesque génie de Wagner, Chabrier eût cherché refuge dans l'humour. En 1881, il confiait bien à ses intimes son dégoût de sa propre musique, depuis qu'il avait reçu de *Tristan* « le coup du lapin ». Mais deux ans plus tard, après un voyage au-delà des Pyrénées, il écrivait *España*, étincelant pastiche du faux pittoresque des espagnolades, avec les trouvailles orchestrales les plus personnelles comme le chant des trombones en force sur le léger battement des cordes, et en même temps hommage stylisé aux rythmes populaires de Castille et d'Andalousie que les citadins de Madrid, de Valence et de Séville méprisaient encore. Chabrier s'était déjà plongé dans les partitions de Wagner quand il s'amusait à *L'Étoile* et à ses couplets de « haute graisse ». Il lançait la *Joyeuse Marche* et chaussait les sabots auvergnats de la *Bourrée fantasque* tout en méditant les leitmotive de *Briséis*. Les jeunes musiciens d'aujourd'hui se disent déroutés et déçus par ces inconséquences. Il vaudrait mieux parler de la dualité d'un tempérament dont Chabrier avait fort bien conscience et sur laquelle il s'est clairement expliqué : une sensibilité très vive, vibrant aux grandes formes lyriques sous une enveloppe rubiconde et gaillarde.

Le meilleur de Chabrier est dans sa gaieté qui l'a fait comparer à ses amis les peintres impressionnistes, dont il possédait une collection, entre autres *Le Bar des Folies-Bergère* de Manet, qui aurait fait de lui un multimilliardaire de nos jours. Plus proche encore de ces peintres que Bizet, il incarnait avec eux le goût des couleurs fraîches dans une époque dont on a trop oublié à quel point elle cultivait la tristesse : noirceur de Zola et de tous les romanciers naturalistes, gémissements des symbolistes, fureurs hagardes de Léon Bloy, amères platitudes du Théâtre libre, bitumes et mélodrames des peintres officiels, nostalgie d'un Duparc, inconsolable grisaille d'un Chausson. On voit bien encore la parenté entre les thèmes familiers de ses amis peintres, et Chabrier répandant ses trouvailles harmoniques dans les genres les plus décriés, opérettes, romances de salons, et même chansons de café-concert, et en mêlant à sa faconde une sentimentalité en somme charmante – *La Sulamite*, l'*Ode à la musique*, toutes deux pour solo et chœur féminin – venant en droite ligne de Gounod pour lequel ce fanatique de Bayreuth était plein d'estime. On lui a reproché autrefois de masquer avec le piquant de son harmonie la brièveté de ses développements. S'il y avait tenu, il aurait pu aussi bien que tant d'autres, apprendre la construction franckiste avec « ponts », sections, retour cycliques des thèmes. Il préférait juxta-poser des sensations, ce qui le rapprochait bien encore de la famille impressionniste et ferait de lui le précurseur de tout un style musical.

Il est inutile sans doute de faire intervenir l'amitié des franck-istes dans la composition de *Gwendoline* et de *Briséis*. Le wagnérisme flamboyant du bon Auvergnat y suffisait, le poussant à un mimétisme qui était bien dans sa nature directe et ingénue, à la tentation de se mesurer avec cette esthétique fascinante. Le tort de Chabrier fut de se confier pour ses livrets à des symbolistes de troisième zone, introduits dans l'avant-garde de l'époque, mais d'une médiocrité alambiquée – *Le Roi malgré lui* souffre aussi d'un canevas embrouillé qui a compromis sa carrière. Mais on se trompe en comparant ces opéras à *Sigurd* et au *Roi d'Ys*. Le wagnérisme de Chabrier a plus de corps. C'est en l'honneur de ses deux héroïnes malheureusement factices que le compositeur de la *Bourrée fantasque* a imaginé ses surcharges intrumentales et harmoniques les plus curieuses et parfois les plus colorées. Il ne saurait être question de reprendre *Gwendoline* à la scène, bien qu'elle ait eu autrefois un certain succès en Allemagne. Mais il faudrait que l'œuvre de Chabrier fût beaucoup plus étendue pour que l'on pût négliger entièrement ses opéras, comme le faisaient ses admirateurs de 1920. On devrait en tirer une anthologie substantielle, qui aurait sa place au concert.

GABRIEL FAURÉ

La vie de GABRIEL FAURÉ (1845-1924) fut à l'image de sa musique, discrète, régulière, exempte de grands événements. Il était né à Pamiers, sixième enfant d'un sous-inspecteur de l'enseignement primaire qui appartenait à une vieille famille de forgerons et de bouchers ariégeois. Le petit Gabriel, dont la vocation s'était éveillée et avait été reconnue dans un milieu où l'on ignorait pourtant tout de la musique, entrait à neuf ans comme pensionnaire à l'École Niedermeyer de Paris. Il devait y faire toutes ses études pendant onze ans, y eut Saint-Saëns pour professeur et y écrivit ses premières mélodies.

A vingt ans, tout en étant incroyant, il commença modestement la carrière d'organiste à quoi préparait son école, d'abord à Rennes, puis à Clignancourt, ensuite à Saint-Honoré d'Eylau. Il composait de la musique de chambre, des mélodies, des pièces de piano qui ne se vendaient pas, mais lui ouvraient des salons : prélude à cette réputation de « Massenet pour femmes du monde » qui le pourvuivit toute sa vie. C'est ainsi qu'il s'éprit de la fille cadette de Pauline Viardot, la célèbre cantatrice, sœur de la Malibran, mais fut repoussé par cette jeune personne après quelques mois de fiançailles, seul épisode romanesque de sa biographie, et dont il semble avoir cruellement souffert. En 1883, il épousait la fille de Frémiet, sculpteur très officiel, l'auteur de la *Jeanne d'Arc* de la place des Pyramides et des statues du pont Alexandre III. Le ménage joignait péniblement les deux bouts. Sa principale ressource était dans les leçons de piano de Fauré, qui s'astreignait chaque jour à trois heures de chemin de fer pour se rendre chez ses élèves de Versailles, de Saint-Germain-en-Laye, de Louveciennes. Rempli d'admiration pour Wagner, il ne put faire le voyage de Bayreuth que grâce aux largesses d'un mécène. Il en revint émerveillé, mais ayant très sagement compris que son talent n'avait aucune parenté avec cet art gigantesque.

Il connut enfin une certaine aisance avec sa double nomination, en 1896, au grand orgue de la Madeleine et à une classe de composition au Conservatoire, dont il allait devenir, en 1905, le directeur : il possédait alors des amitiés très agissantes parmi les hauts fonctionnaires de la IIIe République. Son cours resta célèbre par les noms des élèves qu'il y forma, Ravel, Enesco, Florent Schmitt, Alfredo Casella, Nadia Boulanger, Charles Kœchlin, Louis Aubert. Fauré n'était cependant guère porté à la pédagogie, il n'avait à offrir ni doctrine ni esthétique. La réussite de son enseignement tenait aux effets de la sympathie – il ne pontifiait jamais, était très abordable, avec une belle tête à la fois de vieux vigneron et de vieux gentilhomme – à des conseils familiers, à de petites recettes, et quand le métier était bien acquis, à une grande liberté laissée au tempérament des jeunes gens, qu'il devinait mieux que personne. Directeur, il fit une très utile besogne pour aérer la vieille maison, éliminer les bonzes fourbus et les trafiquants d'influences, briser les routines les plus voyantes, sans parvenir à faire supprimer l'absurde cantate pour le prix de Rome.

Mais dès 1903, il avait commencé à souffrir de la surdité, qui ne cessa de s'aggraver, avec une complication d'une affreuse cruauté. S'il percevait de plus en plus faiblement mais justement le médium de l'échelle sonore, les aigus et les graves subissaient dans ses malheureuses oreilles des distorsions et des décalages intolérables. A partir de 1910, il n'entendit pratiquement ·plus une note de ce qu'il écrivait. Les concerts et les soirées théâtrales étaient un supplice pour lui. Son infirmité, bien qu'il la dissimulât autant qu'il se pouvait, devenait paradoxale chez le directeur du Conservatoire. En 1920, le ministère le contraignit au départ. Il emportait la plaque de grand-officier, mais ses années de service dans l'administration étaient insuffisantes pour lui donner droit à une retraite... Toutefois, lorsqu'il mourut, quatre ans plus tard, on lui fit des obsèques nationales. Son successeur au Conservatoire, Henri Rabaud, s'empressa de rétablir derrière lui les prérogatives de l'académisme qu'il avait si bien combattu.

Gabriel Fauré a eu des panégyristes qui ne consentaient aucune réserve sur la moindre de ses mesures. Il n'est plus possible de les suivre, si tant est qu'on l'ait jamais pu. A chacune des reprises que l'on en a risquées, *Pénélope*, le seul opéra de Fauré, qui lui coûta cinq années d'un travail échinant (1907-1912), a sombré sous l'ennui respectueux des mélomanes doués de la meilleure volonté, et malgré les objurgations du carré des fidèles. C'est une œuvre trop dépourvue de mouvement dramatique et surtout trop méfiante à l'endroit du lyrisme pour être capable de passer la rampe. Relativement populaire, le *Requiem*, cette berceuse païenne pour les morts, paraît aux musiciens assez fade. Son célèbre *Pie Jesu* n'est pas tellement éloigné des élégies sulpiciennes. *Prométhée* (1900), une importante musique de scène pour une adaptation d'Eschyle représentée avec huit cents exécutants aux arènes de Béziers, comporte des pages d'une indiscutable puissance. Mais pour les entendre, il faudrait supporter entre-temps des proses ridiculement ampoulées de Jean Lorrain et de Ferdinand Hérold. Et détachées de ce texte, elles perdent leur sens. Certains de ces fragments rappellent que Fauré savait orchestrer ingénieusement quand il y était obligé. Mais ce travail ne l'intéressait pas. Dès qu'il le put, il abandonna l'instrumentation de son *Prométhée* au chef de musique d'un régiment d'infanterie ! Il refusa de publier, sans doute à bon escient, une symphonie, un concerto pour violon et orchestre de sa jeunesse. Ce qui subsiste de son œuvre symphonique est minuscule, la *Ballade* pour piano et orchestre, frêle comme un plume, la Suite pour *Shylock*, celle pour *Pelléas et Mélisande*, destinée à accompagner la pièce de Maeterlinck, l'une de ses rares pages où l'on distingue une influence, très édulcorée d'ailleurs, de *Tristan*.

Tout Fauré, ou presque, est donc dans sa musique de chambre, qui couvre son existence entière, depuis les premiers essais à l'École Niedermeyer, jusqu'au quatuor qu'il acheva quelques semaines avant de mourir : une centaine de mélodies, la multitude des pièces de piano, les deux quatuors et les deux quintettes pour piano et cordes, les deux sonates pour piano et violon, les deux autres pour violoncelle et piano, le trio pour piano, violon et violoncelle, enfin l'unique et suprême quatuor à cordes en mi mineur de 1924, qui porte le numéro d'opus 121.

La manière la plus intelligente d'apprécier Fauré est celle des gourmets, dont le plus fin et le plus convaincant fut Émile Vuillermoz, isolant et dégustant mesure par mesure les condiments harmoniques de cet art. Ils ont un grand choix parmi ces friandises : modulations tantôt brusques tantôt sinueuses aux tons éloignés, arpèges ménageant des transitions imprévues, résolutions insolites ou bien appoggiatures non résolues, retards, cadences rompues, frottements de secondes, fausses sorties. D'autre part, si l'on a exagéré l'influence des modes anciens sur les musiciens de cette époque, Fauré est certainement celui qui a su le mieux utiliser, pour renouveler son langage, les vieilles échelles ecclésiastiques avec lesquelles il s'était familiarisé à l'École Niedermeyer et dans son métier d'organiste. Par exemple, dans le mouvement initial du quintette op. 89 en ré mineur, l'introduction du si bécarre crée une analogie indéniable avec le premier mode grégorien.

Les subtiles modulations sont dictées par le sentiment poétique

dans une mélodie qui reste admirable comme *Soir*. Ailleurs, il
s'agit parfois davantage d'un jeu, comme dans le *Clair de Lune*,
autre délicieuse réussite, écrit en si bémol mineur, mais qui
module capricieusement en majeur avec un ré bécarre juste
sur les mots de Verlaine « en chantant sur le mode mineur »,
charmant « trompe-l'oreille » qui nous donne la sensation d'un
renversement plaintif de la tonalité. Mais qu'elles soient de pur
divertissement ou nées de recherches plus profondes, les dissonances, les libertés harmoniques de Fauré ne poursuivent aucun
but révolutionnaire. Si loin qu'elles paraissent s'en être écartées,
elles rejoignent toujours par un détour ou un autre le bercail de
la tonique.

On a voulu scinder cette œuvre en plusieurs périodes. C'était
un travail inutile. Fauré est toujours demeuré fidèle au même
style et à la même inspiration. S'il a évolué, dans les dix dernières
années de sa vie, ce ne fut pas, comme on l'a prétendu, vers
l'ascétisme et l'abstraction, mais par besoin d'une écriture plus
ferme, moins complaisante au brio de surface. Que l'on compare
les deux sonates pour violon et piano, séparées par un intervalle
de quarante années. La première est encore toute pleine de
souvenirs schumanniens, mais surveillés, rétractés, semblables à
des oiseaux de volière au ramage mélodieux, incapables cependant
des grands essors du piano romantique. Les imitations entre
clavier et violon, les transitions sentent encore fort l'école. Un
thème de ronde populaire chausse des escarpins. Le finale, avec
ses longs traits en croches, se plie à la coutume des conclusions
brillantes. La seconde sonate (1916) est plus sobre, sans que cela
l'ait desséchée comme on l'a dit. Mais la construction reste tout
à fait traditionnelle, très proche en somme, la sensibilité en plus,
du pseudo-classicisme de Saint-Saëns qui fut sa vie durant
l'intime et l'un des conseillers les plus écoutés de son ancien
élève. C'est à l'intérieur de cette forme apprise et dont il se
garde de bousculer l'ordonnance que Fauré pratique ses raffinements harmoniques. On reconnaît aussi ses penchants constants
dans les petites chatteries du violon, qui ne tardent pas à être
trop sucrées, dans les basses du piano, ces basses où Fauré s'interdit tout écart, et qui sont tellement monotones. Quant à
l'invention rythmique, elle est faible chez ce musicien.

On pourrait se livrer aux mêmes rapprochements avec les
pièces pour piano, que Fauré n'a commencé d'écrire que vers la
quarantaine. Chopin, Schumann, Liszt aussi, sont toujours

présents à sa pensée et dans ses doigts, mais il reste loin derrière eux en audace. Il sauve sa ligne mélodique de la sentimentalité qui le guette souvent, mais en estompant son profil. Les développements, comme d'habitude, sont fort prévisibles, malgré les récréations harmoniques du parcours. Les pièces tardives (après 1900) conservent les titres « antidescriptifs » auxquels tenait Fauré, Nocturnes, Barcarolles, Préludes, Impromptus. Elles ne flirtent plus avec la musique de salon. La part de l'improvisation y est beaucoup plus réduite. Les neuf Préludes de l'op. 103 (1910-1911) sont plus variés d'esprit et de facture. Mais ils n'apportent, eux non plus, aucune innovation dans la forme. La gamme par tons, les sonorités liquides du 5e Impromptu en fa dièse mineur, op. 102, ont souvent fait crier — et non les moindres musicographes ! — à la prémonition géniale des conquêtes de Debussy. On a simplement omis de contrôler les dates. L'Impromptu est de 1909, donc postérieur de plusieurs années aux gammes orientales, aux gammes par tons des *Estampes* et des *Images* pour piano de Debussy. Ce qui transforme le précurseur en un suiveur assez modeste[1].

LES MÉLODIES DE FAURÉ

Une soixantaine des mélodies de Fauré se répartissent en trois albums groupant des pièces très diverses par ordre plus ou moins chronologique, et dont le troisième renferme les cinq mélodies dites de Venise, sur des poèmes des *Fêtes Galantes* et des *Romances sans paroles* de Verlaine. Les autres forment cinq cycles, au même sens que chez Schubert et Schumann, par leur unité d'inspiration et jusqu'à un certain point d'écriture. Le premier, *La Bonne Chanson*, sur les vers de Verlaine, est de 1892-1893. Les quatre suivants appartiennent à la vieillesse du musicien : *La Chanson d'Eve* (1906-1910), *Le Jardin clos* (1914-1915), *Mirages* (1919) et *L'Horizon chimérique*, de 1921.

C'est avec les mélodies que Fauré a le plus cédé à ses facilités, à une inclination héritée de Gounod pour la romance de salon qui a fait sa renommée de charmeur un peu mièvre, et dont *Les Roses d'Ispahan* (1884) sont un des plus aimables échantillons.

---

1. La gamme par tons, plus exactement gamme par tons entiers, refuse les demi-tons et utilise dans l'octave six notes seulement, à un intervalle d'un ton entier les unes des autres : *do, ré, mi, fa dièse, sol dièse, la dièse, do.*

Dans les mélodies de Venise, dans *La Bonne Chanson*, il est bien plus près que Debussy de la sensibilité de Verlaine. Dans presque toutes ses œuvres vocales, Fauré garde son indépendance vis-à-vis du texte, ne recherche pas l'illustration musicale de tels mots ou tel vers détachés, mais une arabesque répondant à l'idée ou à la sensation poétiques. On lui a reproché son manque de discernement littéraire. A vrai dire, on ne connaît aucun compositeur, même Hugo Wolf, celui dont le goût était le plus sûr, qui n'ait mis en musique que des chefs-d'œuvre de la poésie, et nous avons vu que Schubert, Schumann ont tiré de pauvres versifications quelques-uns de leurs plus émouvants recueils. Mais il existe chez Fauré vieillissant des affinités regrettables entre sa musique et les chromos des plus médiocres poétereaux du symbolisme, Van Lerberghe pour *La Chanson d'Eve*, *Le Jardin clos*, et pour *Mirages*, la dame de Brimont, baronne et poétesse : « Voici que la lune ouverte se balance... Au fond du Passé bleu, mon corps mince n'était qu'un peu d'ombre mouvante... » Le chant de Fauré n'est guère moins fade. Sa prosodie est plate, les mouvements et les rythmes sont d'une lassante uniformité. En cherchant un tracé plus distingué, en évitant les courbes un peu trop arrondies, les joliesses un peu molles de ses anciens albums, Fauré se prive de ce qui faisait son charme naturel. Dans *L'Horizon chimérique*, les vers moins flasques de Jean de La Ville de Mirmont, un jeune écrivain tué en 1914, l'ont mieux soutenu, quoique le profil du chant reste trop amorti. Avec la dernière mélodie de ce suprême recueil, « Vaisseaux, nous vous aurons aimés en pure perte », le souffle s'élargit, non sans noblesse, la péroraison est belle. Mais Fauré y rejoint Duparc...

On aimerait pouvoir comparer à Corot cet artiste de la nuance et de la discrétion; mais il n'a jamais eu la virilité, la luminosité du grand peintre des paysages italiens. Fauré fut d'une modestie insigne, que les honneurs n'entamèrent jamais, et qui est des plus touchantes. Jusqu'à la dernière année de sa vie, il avait eu scrupule à se mesurer avec le quatuor à cordes, qui était pour lui depuis Beethoven une forme sacrée. Dans son testament, il réclamait que le quatuor en mi mineur, qu'il venait d'achever fût soumis à l'examen de ses amis les plus compétents, pour qu'ils décidassent s'il méritait ou non d'être publié. Mais parmi ces juges en suprême instance, on est un peu surpris de trouver le nom de Camille Bellaigue, archiréactionnaire pour qui la musique s'était arrêtée à Gounod. Cela nous rappelle que si curieux et bienveillant qu'il fût, Fauré n'était pas aussi complètement ouvert qu'on l'a dit aux œuvres neuves. Il faisait effort pour apprécier Debussy.

Avec tant de détails raffinés que recèle presque chacune de ses pages, Fauré mérite mieux que l'ignorance de l'étranger à son endroit (si l'on excepte quelques cercles de mélomanes anglais), que l'indifférence des grands interprètes internationaux. Mais on ne peut pas non plus s'étonner que cet art tiède, plus frôleur que voluptueux, monochrome, bridé, ait si difficilement franchi nos frontières.

Fauré comblait chez nous le goût d'une bourgeoisie distinguée, casanière, assez réfractaire à l'art conquérant de Wagner, de Debussy, de Stravinsky, de Strauss, qui se retrouvait chez l'auteur d'*Après un Rêve* et des *Nocturnes* à la fois en sécurité et en communion avec des valeurs classiques. Ses admirateurs ont voulu l'égaler aux plus grands noms. Ce fut l'origine de malentendus qui durent encore. Fauré, avec toutes ses qualités, est un petit maître, le plus élégant et le plus racé dans la tradition française de la voie moyenne qui serpente agréablement au pied des grands massifs musicaux.

CHAPITRE XII

LES RUSSES

Jusqu'à l'avènement de Pierre le Grand, il n'avait existé d'autre musique en Russie que les chants religieux et les chants populaires, qui étaient d'ailleurs en étroite osmose. La musique liturgique russe dut à l'influence des mélodies populaires l'originalité de son système modal qui la distinguait de la musique byzantine dont elle était issue. Les rythmes impairs étaient nombreux. Cette musique se chantait et se chante toujours *a cappella*, parce que l'on attribuait aux instruments une origine diabolique, avec plus de rigueur encore que dans l'ancienne Église romaine. En plein XVIIe siècle, des patriarches puritains ordonnaient toujours à Moscou de gigantesques autodafés des instruments de musique.

L'évolution de ce beau répertoire liturgique est restée obscure. La Russie ignorait en effet la notation occidentale, et les neumes rudimentaires de ses manuscrits anciens sont indéchiffrables. Les premières recensions datent seulement du XVIIIe siècle.

La musique populaire, qui n'a pas entièrement disparu aujourd'hui, était d'une extrême richesse. Elle prolongeait le panthéisme des siècles de la Russie païenne, suivait le cours des saisons : chants rituels pour les travaux de la terre, les solstices d'hiver et d'été, l'équinoxe de printemps. Le cérémonial des mariages se déroulait sur plusieurs jours avec une vingtaine de chants traditionnels. Les chants paysans, d'abord très frustes, s'étaient développés sous l'influence des chanteurs venus des villes. Ils empruntaient aussi à la liturgie. Ce folklore se déroulait sur trois modes correspondant plus ou moins au dorien, au lydien et au phrygien. Il était rebelle à tout chromatisme. On l'accompagnait sur la gouzla, qui deviendrait plus tard le cymbalum, la balalaïka, guitare nordique, le torban d'origine polonaise et qui était une sorte de théorbe. Les instruments à vent, trompettes, flûtes, ressemblaient à ceux d'Occident. Toute la musique populaire russe usait d'une grande liberté rythmique — la poésie populaire elle-même n'obéissait à aucune règle — avec une prédilection pour les rythmes impairs comme la liturgie. Ce caractère reparaît bien dans certaines pièces de Moussorgski, comme son *Chant de Yarem,* et plus encore dans *Le Sacre du printemps* et *Noces* de Stravinsky.

La politique d'ouverture sur l'Europe vigoureusement instaurée par Pierre le Grand livra le Russie à la musique italienne. La première troupe de chanteurs italiens se produisit en 1730 avec un succès immédiat. Les compositeurs arrivèrent bientôt, Locatelli, Manfredini, Galuppi, Traetta, Paisiello dont *Le Barbier de Séville* fut créé en 1782 à Saint-Pétersbourg devant la Grande Catherine. Le Bolonais Sarti triompha de 1784 à 1802. Cimarosa passa trois ans à Saint-Pétersbourg, et l'on y vit encore pendant six ans le Français Boïeldieu au début du XIXᵉ siècle. (Dès 1734, un autre Français, Jean-Baptiste Landé, était devenu maître du ballet impérial, précédant d'un siècle le Marseillais Marius Petipa, qui fut maître de ce ballet, après en avoir été le premier danseur, de 1858 à 1904; l'admirable chorégraphe russe a eu des pères français.) On jouait bien aussi quelque peu Gluck et Mozart, mais sans aucun succès. Les fils des graves boyards qui avaient si douloureusement sacrifié leurs barbes touffues optaient pour l'art le plus frivole de l'Occident.

En même temps, les Russes qui manifestaient une vocation musicale, Matinski (1750-1820), Berezovski (1745-1777), Bortnianski (1755-1825) étaient aussitôt dirigés vers l'Italie, où ils recevaient les leçons du père Martini. A leur retour, ils fabriquaient des opéras napolitains. Bortnianski et Berezovski, qui se suicida à trente-deux ans, ont toutefois écrit de la musique sacrée assez fidèle à la vieille liturgie russe. D'autre part, selon des musicologues russes, Alexis Verstovski (1799-1862), dont le père était un aristocrate polonais, aurait frayé la voie à Glinka au moins dans un de ses opéras, *Le Tombeau d'Askold,* qui s'inspirait des rites de la Russie païenne quatre-vingts ans avant *Le Sacre du Printemps.*

GLINKA

Quelques précurseurs que l'on essaie de lui trouver, MICHEL GLINKA (1804-1857) est pour jamais le père de la musique russe : « Le héros musical de mon enfance, dit Stravinsky. Toute musique russe vient de lui. » Ce fils de riches hobereaux de la région de Smolensk, brillamment élevé à l'Institut des enfants nobles, parlant quatre ou cinq langues, assez doué pour le piano et le violon et dirigeant en amateur de petits orchestres, ne se destinait pas à une carrière de musicien professionnel. Il fit le voyage d'Italie, y admira comme tout le monde Rossini et Donizetti. Mais selon ses Mémoires, ce fut la nostalgie qu'il éprouva de la terre natale qui le décida à écrire une musique russe puisant aux sources des chants et des danses populaires de son pays. Après avoir rencontré Berlioz et Mendelssohn, il alla travailler la composition à Berlin avec un élève de Beethoven, Dehn. Quand il rentra en Russie, Pouchkine l'encouragea dans son projet. En novembre 1836 avait lieu à Saint-Pétersbourg la première représentation de son opéra, *La Vie pour le tsar*, appelé depuis le régime communiste *Ivan Soussanine*, du nom de son héros, un paysan qui en 1613, durant la guerre avec la Pologne, se sacrifie, égare l'armée ennemie dans une forêt inextricable pour sauver son souverain, le jeune empereur Michel III, fondateur de la dynastie des Romanov.

La Vie pour le tsar a été l'œuvre-manifeste de l'école naissante. Il ne faut cependant point s'exagérer son caractère national. Le style italien règne sur l'ouverture très rossinienne de coupe — avec une légère influence de Beethoven — sur le *bel canto* des airs et des duos du soprano, du ténor, du mezzo. D'autre part, Glinka respecte la coupe traditionnelle par morceaux détachés. C'est dans le rôle de basse d'Ivan Soussanine, surtout dans son grand monologue du dernier acte qu'apparaît une couleur russe, moins faite d'ailleurs d'emprunts au folklore que d'un réalisme nouveau du récitatif dont l'accent pathétique épouse les paroles. Les rythmes impairs, les chants du répertoire populaire, d'abord épisodiques, interviennent davantage aussi dans ce dernier acte, dont le finale est toutefois très conventionnel.

Cet appoint folklorique, qui nous semble encore bien timide, suffit pourtant à choquer l'aristocratie. Elle entretenait sur ces domaines des chœurs de paysans, chantait avec eux leurs couplets; mais c'était pour elle un passe-temps d'après-boire à peine avouable, indigne de la scène. Le public moyen fit un grand succès à *La Vie pour le tsar*, mais à cause de ses airs de bravoure.

En 1842, Glinka donnait *Rousslan et Ludmilla,* un opéra-féerie d'après Pouchkine : princesse enlevée durant ses noces avec un preux gentilhomme par un vilain enchanteur nain, plongée dans un sommeil magique d'où une expédition guerrière la tirera à grand-peine. Le livret n'a pas les qualités dramatiques de *La Vie pour le tsar,* mais la partition répond davantage au programme national du compositeur. Au folklore slave s'ajoute dans les danses et les chœurs — la mélodie persane des femmes — un orientalisme dont l'authenticité, pour relative qu'elle soit, est alors toute nouvelle chez un musicien russe. Cette fois, l'échec de Glinka fut complet. Peu combatif, sybarite, de petite santé, il repartit pour l'Occident, la France, l'Espagne, écrivant quelques pages pour orchestre, entre autres sa *Kamarinskaïa.*

Glinka était un musicien de second ordre, mais qui avait le mieux pressenti ce besoin d'une inspiration nationale dont allaient se nourrir tous ses successeurs. Dans ce sens, et bien qu'il faille se garder d'entendre ces choses à la lettre, le rôle d'Ivan Soussanine, dans ses parties les plus originales, contient en germe celui de Boris Godounov, et *Rousslan et Ludmilla,* plus visiblement, la longue lignée des opéras fantastiques et orientaux, à laquelle Stravinsky se réfère encore dans son ballet de *L'Oiseau de feu.*

LES CINQ

Glinka mourut trop tôt et trop éloigné de la vie russe pour savourer la revanche que lui préparaient quelques jeunes gens réunis d'abord par le culte qu'ils lui vouaient et précocement entourés d'une réputation de révolutionnaires.

Le critique Vladimir Stassov, défenseur et ami de ce groupe remuant l'appelait « la puissante petite clique » — littéralement : le puissant petit tas, *mogoutchaïa koutchka.* En France, nous en avons fait le groupe des Cinq. Ce chiffre est assez approximatif. En effet, des garçons comme Goussakovski, Lodigenski, Stcherbatchov, s'ils n'ont à peu près rien laissé, tenaient plus de place dans la « petite clique » à ses débuts que le jeune Moussorgski. En outre, dans sa période la plus bouillonnante, le cénacle possédait un patron, ALEXANDRE DARGOMYJSKI (1813-1869), un compagnon de Glinka, qui avait d'abord imité Auber et Halévy, puis s'était essayé dans son opéra *Roussalka* (1856) à

une mélodie serrant le texte, sans renoncer encore aux airs par
« numéros ». Dix ans plus tard, Dargomyjski avait entrepris *Le
Convive de pierre*, où il s'efforçait de mouler un récitatif continu
sur les vers du poème de Pouchkine. La « clique » se réunissait
souvent chez lui, s'enthousiasmait pour ses principes.

Quoi qu'il en soit, la musicographie française n'a pas commis
d'erreur grave en retenant les cinq noms qui furent les plus étroitement associés, au moins pour un temps : MILI BALAKIREV
(1837-1910), le fondateur, puis dans l'ordre de leur entrée au
cénacle, CESAR CUI (1835-1918), MODESTE PETROVITCH
MOUSSORGSKI (1839-1881), NIKOLAÏ ANDREÏEVITCH RIMSKY-
KORSAKOV (1844-1908), ALEXANDRE BORODINE (1833-1887).

A lire les biographies d'au moins trois d'entre eux, on plonge
dans le monde de Dostoïevski. Balakirev, qui avait du sang tartare,
« avec une tête de Kalmouk, et les yeux aigus, rusés de Lénine »
d'après Stravinsky, exerçait son rôle de chef de groupe à la fois
en apôtre et en despote. Il régentait non seulement les goûts mais
la vie privée de ses disciples. Il aurait voulu qu'ils observassent le
célibat et même la chasteté. Pour chacune de ses entreprises, il
consultait une sorcière qui lisait son avenir dans un miroir. Athée
durant sa jeunesse, mais croyant au diable, il tourna plus tard à
une bigoterie burlesque. Il se signait chaque fois qu'il bâillait. Après
des périodes de folle activité, consacrées surtout à son enseignement, il tombait dans de noires dépressions où il laissait à vau-l'eau
les projets qui l'avaient le plus enflammé. Son travail musical était
non moins déséquilibré. Alors qu'il improvisait au piano avec une
étincelante facilité, il mit près de vingt ans, après des ratures et
des hésitations infinies, pour terminer son *Islamey*, quinze minutes
de musique.

Moussorgski, noble de la meilleure maison, à dix-neuf ans galant
lieutenant du régiment le plus chic de la Garde, le Preobajinski,
serait à quarante un Marmeladov loqueteux, cruellement frappé
sans doute par l'échec de ses œuvres, mais ayant consterné ses
meilleurs amis par ses inconséquences et son ivrognerie, pour
mourir d'alcoolisme et d'épilepsie sur le lit d'un hôpital où l'on
tentait de le désintoxiquer. Selon le peintre Répine, l'auteur de son
dernier et navrant portrait, il fut foudroyé par une bouteille entière
de cognac que lui avait glissé un infirmier trop compatissant.
Borodine, fils naturel d'un prince géorgien, homme charmant,
paisible, cultivé, spirituel, ancien médecin et professeur de chimie,
sacrifia sa carrière scientifique et sa musique à un altruisme d'une

douce extravagance. Son appartement était sans cesse rempli de parents pauvres, de vagues camarades dans la dèche, qui campaient dans tous les coins, y tombaient malades, y devenaient même fous. Le plus souvent, il était impossible de jouer du piano, parce qu'un hôte ronflait à côté et que Borodine ne voulait pas le réveiller. Il passait ses nuits au chevet de sa femme asthmatique. Des associations d'étudiants, des comités de bienfaisance auxquels il ne savait pas refuser son concours achevaient de lui dévorer le reste de son temps. Pour ses vacances, qui auraient pu lui permettre de revenir à sa musique, il trouvait le moyen de louer une isba de paysans affreusement inconfortable, sans piano, où il lui était à peu près impossible de travailler.

Nous ne pourrons jamais oublier comment les Cinq ont participé de la stupéfiante verdeur de la Russie, qui moins d'un siècle après avoir surgi du Moyen Age, égalait l'Occident avec ses mathématiciens, ses physiciens, ses chimistes, ses astronomes, apportait à l'Europe une école littéraire tout de suite aussi riche que l'anglaise, la française, l'allemande, et dominée par un romancier que personne depuis n'a surpassé en audace et en profondeur, Dostoïevski.

Cependant, Moussorgski excepté, la gloire de ces Cinq s'est bien ternie depuis le temps, entre 1890 et 1920, où les mélomanes de l'Ouest ne se lassaient pas de leurs couleurs si vives et neuves, attendaient de leurs moindres disciples quelque révélation.

Stravinsky leur a reproché, brutalement mais assez justement leur « amateurisme ». Ils n'en étaient qu'à demi responsables dans un pays où n'existait aucun enseignement musical avant qu'Anton Rubinstein fondât en 1862 le premier Conservatoire à Saint-Pétersbourg. La musique n'avait été qu'un art d'agrément dans l'éducation de l'officier de marine Rimsky-Korsakov, du lieutenant Moussorgski, du médecin militaire Borodine, de l'officier du génie César Cui, fils d'un Français de la Grande Armée, professeur de fortifications et futur général. Le tort de Balakirev, pianiste de grand talent bien qu'il eût travaillé presque seul, et qui n'avait pris aucune leçon d'harmonie ni de contrepoint, était d'ériger en principe absolu son empirisme d'autodidacte, de fuir et de mépriser ceux qui en savaient davantage. Chez les Cinq, on étudiait livresquement l'orchestration dans le *Traité* de Berlioz — tous ces musiciens lisaient, écrivaient et parlaient fort bien le français — avec une expérience tout à fait insuffisante des instruments, de leur étendue, leurs mécanismes, leurs possibilités. En 1867, durant son dernier séjour à Saint-Pétersbourg, Berlioz, vieux, malade et blasé, ne voulut voir que Balakirev, organisateur des six concerts qu'il dirigeait. Les autres membres du groupe durent se contenter de le vénérer à distance. Il devint désormais un de leurs oracles.

Dans la « clique », on admirait volontiers dans Bach ou Schumann quatre mesures ici, trois autres plus loin, mais on déclarait le reste inintéressant. On forgeait des jugements définitifs sur une seule page d'une partition. Balakirev était incapable d'analyser formellement une œuvre, et ses amis, semble-t-il bien, d'en voir l'ensemble. Ils détestaient tous le travail thématique, qu'ils appelaient « les stratagèmes musicaux », ce qui explique bien les faiblesses de leurs développements, communes à tous les Russes. Il eût fallu remplacer les « stratagèmes » de Beethoven et de Schumann par d'autres articulations, comme sut le faire Stravinsky. Mais les Cinq n'étaient révolutionnaires que pour un public enivré de Rossini et de Donizetti, ou pour le nouveau Conservatoire, héritier des doctrines les plus réactionnaires de Leipzig. Dans leur manifeste, ils s'élèvent contre les routines de l'opéra traditionnel, veulent que les formes de la musique dramatique naissent des situations du livret et des exigences particulières du texte : Monteverdi et Gluck ne souhaitaient rien d'autres. Assez bizarrement, leur programme ne dit rien de l'emploi des thèmes nationaux qui fut une de leurs grandes originalités. L'honnête Rimsky-Korsakov reconnaît dans le *Journal de sa vie musicale* qu'alors qu'ils se croyaient tous fort à l'avant-garde, « Wagner ouvrait à l'art des chemins bien plus avancés que ceux qu'ils suivaient ». Cependant, si Rimsky fut frappé par l'orchestration wagnérienne quand il entendit intégralement à plusieurs reprises la *Tétralogie* en 1889, il resta muet sur les nouveautés harmoniques de cette épopée; elles n'ont en rien marqué celles de ses œuvres qui passent pour « wagnérisées ».

L'humeur dictatoriale, l'entêtement, la jalousie de Balakirev distendirent après 1871 le groupe dont il avait été l'âme malgré ses défauts et grâce à sa force de persuasion. Dans les années 80, la « puissante petite clique » n'était plus qu'un souvenir, et son fondateur restait avec un unique disciple, Serge Liapounov (1859-1924), bon folkloriste et pâle créateur. La musique de Balakirev ne compte plus guère aujourd'hui. On a tout à fait oublié ses deux symphonies classiques. Sa fantaisie pour piano, *Islamey*, a fini par lasser les virtuoses les plus clinquants, qui l'inscrivirent de moins en moins souvent à leurs récitals. Sous son brillant lisztien, elle sonne en effet souvent le vide. Le poème symphonique *Tamar* (première audition en 1882) est d'un coloriage assez personnel, mais desséché et décousu, ce qui étonne peu après son interminable gestation. Notons au passage que les motifs orientaux de Balakirev, recueillis en particulier au Caucase, et ceux de ses camarades du groupe étaient pour ces Grands Russiens, ces Pétersbourgeois très européens, presque aussi exotiques que pour des Français, des Anglais ou des Allemands. Lorsque Rimsky-Korsakov, en 1874, visitait la Crimée du Sud, encore presque entièrement peuplée de Tatars musulmans, et qu'il découvrait leur musique jouée par eux ou par les tziganes islamisés, il en parlait comme un Parisien écoutant à Bagdad un concert de musique arabe.

L'œuvre de César Cui est mineure : des mélodies, des piécettes pour piano qui appartenaient à la musique de salon, une dizaine d'opéras et d'opéras-comiques à la manière française de 1830, oubliés même en Russie. Il devait se faire aider pour leur orchestration. Ce futur général était surtout le journaliste du cénacle, dans des chroniques musicales très lues. Ses épaulettes d'officier supérieur ne l'embarrassaient pas pour polémiquer furieusement avec les critiques réactionnaires.

BORODINE

Borodine avait de très grands dons, et il est bien regrettable que sa philanthropie et sa bohème ne lui aient pas permis de les exercer davantage. Des Cinq, il fut le seul attiré par la musique « pure » dans ses deux quatuors, ses trois symphonies. La première, d'une élégance aristocratique comme tout ce que toucha ce descendant de rois caucasiens, s'abandonne encore un peu à des facilités mendelssohniennes. La seconde, virile et large, beaucoup plus « russe », est la plus belle. Ce que l'on connaît de la troisième n'est pas de moindre valeur, mais elle resta inachevée. De son groupe, Borodine est encore le plus naturellement et poétiquement mélodiste ; il a pu faire de ses *Steppes de l'Asie centrale* une esquisse inoubliable par le seul exposé et la jonction de deux motifs. Cette poésie a son revers : une syntaxe assez monotone, la médiocre aptitude au traitement des thèmes, que l'on retrouve, comme nous le disions tout à l'heure, chez tous les Russes, mais plus visible dans la disposition classique des symphonies et de la musique de chambre de Borodine.

Le Prince Igor, l'un des deux piliers du répertoire russe avec

Boris Godounov, est le seul ouvrage de Borodine pour la scène. Le livret, tout à fait candide, de la main du compositeur, a pour sujet l'expédition au XIIᵉ siècle (elle tourna mal) du prince de Novgorod-Severski contre les hordes des Polovtses, guerriers turcs nomades et sauvages. Pour sa majeure partie, *Le Prince Igor* continue l'opéra de tradition italienne, dans une harmonie très sage, avec ensembles, cavatines ⸺ celle de Vladimir, très réussie, à la Donizetti ⸺ grands airs : celui d'Igor, célèbre et émouvant, d'un accent proche de Moussorgski. Deux ivrognes plus folkloriques font aussi pendant aux moines mendiants de *Boris* (les deux œuvres furent mises en chantier à peu près en même temps). Les récitatifs sont de simples transitions, sans grande importance psychologique ou dramatique : sur ce point, Borodine était en complet désaccord avec son ami Moussorgski. L'originalité du *Prince Igor,* imagerie épique plutôt que drame, tient surtout à ses mélopées de l'Orient surgissant dans un cadre de grand opéra occidental et aux deux superbes évocations d'une barbarie bigarrée, la scène de l'orgie et les bonds des danses polovtsiennes, popularisées par les concerts, mais trop souvent sans les chœurs, d'une si belle couleur mélodique, et indispensable aux effets de contrastes de ce tableau. On doit tenir compte qu'en dix-huit années de son existence saccagée, Borodine n'était pas parvenu à terminer son opéra, que mort subitement il laissait un manuscrit dans un désordre complet, et que ce furent Rimsky-Korsakov et son disciple Glazounov qui se chargèrent de le coordonner et d'achever l'œuvre. Borodine n'avait rédigé entièrement que le tiers tout au plus de la partition, dont les Danses. Le reste était sous forme d'esquisse au piano, de notes éparpillées dans le laboratoire du chimiste-musicien. Certaines scènes manquaient entièrement, le livret existait à peine pour le second et le troisième actes. Glazounov écrivit de mémoire l'ouverture que Borodine lui avait jouée au piano plusieurs fois, s'occupa du troisième acte que l'on coupe d'ordinaire sans dommage. Rimsky-Korsakov orchestra tout le reste, en remplit les blancs.

RIMSKY-KORSAKOV

A ses débuts, Rimsky-Korsakov était le plus ignorant du groupe des Cinq. Mais au contraire de son premier mentor Balakirev, il ne croyait pas à la science infuse, et il s'évertua bientôt à combler les lacunes de son dilettantisme. C'était aussi parmi les Cinq le

seul grand travailleur, et qui sût organiser son travail. Alors qu'il
appartenait encore à la marine, en 1871, on lui proposa une chaire
de composition au Conservatoire de Saint-Pétersbourg. L'insistance de ses amis du groupe vainquit ses scrupules et il accepta,
bien que de son aveu, et malgré toutes les œuvres qu'il avait déjà
signées, il n'eût jamais entendu parler des accords de sixte, ne sût
à peu près rien du style fugué, des instruments transpositeurs.
Tout en « attrapant au vol les connaissances de ses élèves », il se
jeta dans l'étude de l'harmonie et du contrepoint sans rougir de
commencer par les manuels les plus élémentaires. Lorsqu'il se
sentit suffisamment calé – il avait alors trente ans – il écrivit un
quatuor tout en fugues et doubles canons, pour juger d'ailleurs
que ce n'était pas sa voie.

Les Cinq avaient applaudi à son entrée au Conservatoire comme
à un grand succès sur l'ennemi académique. Elle annonçait en fait
la dispersion de leur cénacle. D'autant plus pénétré de son savoir
qu'il avait pris plus de peine et de temps pour l'acquérir, Rimsky-
Korsakov allait devenir le mentor et le compositeur le plus officiel
de toute la musique russe. En même temps, il était épaulé par
un mécène idéal, Mitrophane Petrovitch Belaïev, commerçant
richissime, altiste amateur, mélomane passionné, et impatient de
consacrer à la musique une fortune, sans seulement éprouver le
besoin de le faire savoir. Il créa une maison d'éditions musicales,
une société de concerts. Rimsky-Korsakov et ses élèves se réunirent
autour de lui. Ce fut le groupe de Belaïev, qui prenait en quelque
sorte la suite des Cinq – d'où l'exécration que Balakirev vouait
au mécène – et qui tint la première place dans la vie de la musique
russe à la fin du XIXe siècle.

On juge mal Rimsky-Korsakov d'après ses œuvres symphoniques, les seules, sauf de rares occasions, qui soient exécutées en
France, et même hors de Russie. *Sadko, Antar,* sont des compositions de jeunesse, d'une apparence tronquée et désordonnée que
Rimsky a reconnue et qu'il impute très franchement à son ignorance dans ce moment-là. Mais bien qu'il ait cru la surmonter, la
faiblesse de ses développements est encore accusée par les dimensions de l'ouvrage dans *Shéhérazade* écrite à quarante-trois ans,
avec le violon solo qui ne parvient pas à varier sa mélopée. Le
clinquant du *Capriccio espagnol* fait penser à de la verroterie. On
préfère l'*Ouverture de la Grande Pâque* russe, où les graves chants
liturgiques déclenchent à la fin une liesse païenne. Le compositeur
était plus sincèrement attiré par les mythes solaires des anciens

Slaves que par le christianisme. On trouve dans son *Journal* des notes de ce genre : « La solitude me faisait venir en tête une foule d'idées désagréables. Je pensais à la religion. »

Mais Rimsky-Korsakov est surtout l'auteur de quinze opéras. Sauf *La Pskovitaine* (alias *Ivan le Terrible*), un premier essai qu'il remania dans la suite, il les écrivit tous quand il avait son métier en main. Onze d'entre eux appartiennent aux douze dernières années de sa vie, où il ne travailla presque plus que pour la scène. A l'exception de *Mozart et Salieri* et de la médiocre *Servilia*, drame romain, tous les livrets sont tirés de l'histoire ou des légendes russes. On n'a pas à y chercher la moindre psychologie, la moindre profondeur humaine. Ce sont des contes de fées, qui se terminent presque toujours heureusement, par une fête en tonalité majeure. Ce sont les péripéties fantastiques, le merveilleux indispensables à l'imagination de Rimsky-Korsakov, même dans ses poèmes d'orchestre. Dans leur fraîcheur ou leur verve truculente, *Snegourotchka, Sadko, Tsar Saltan, Kachtchei l'immortel* sont des spectacles charmants, un peu trop simplistes, ne s'écartant guère des formes traditionnelles de l'opéra, revêtus d'une orchestration très diverse et sonnant toujours bien, semés d'agréables mélodies où le folklore se plie aux convenances de l'harmonie traditionnelle. *Le Dit de la ville invisible de Kitège*, écrit en 1903 et 1904, va plus loin que ces divertissements, son monde sonore est beaucoup plus imprévu, la féerie y fait place au mystère, c'est la seule œuvre du musicien pénétrée d'un sentiment religieux. Dans *Le Coq d'or*, en 1907, Rimsky-Korsakov revient à ses chères féeries, avec encore plus d'éclat et des audaces nouvelles chez lui.

On a souvent déblatéré contre l'académisme de Rimsky-Korsakov. Il n'est pas niable, mais d'une autre sorte que le conservatisme pompeux de nos Instituts. La science acquise par l'ancien officier de marine avait pris avec le temps un tour pédant. Mais ce vieux professeur grincheux, à lunettes de fer, à barbe revêche, savait prendre parti contre son Conservatoire. Lorsqu'un élève exceptionnel, du nom d'Igor Stravinsky, vint à lui, il le dissuada de suivre l'enseignement officiel et le prit sous sa coupe personnelle. Sans que l'on doive pour cela lui donner du génie comme le voudrait le mot fameux de Baudelaire, il créa un poncif en illustrant ses contes de nourrices avec une polychromie orchestrale qui répondait au vif bariolage de l'art populaire russe, mais convenablement léchée, ajustée. Le *Petrouchka*, *Le Sacre du printemps* de son élève allaient démoder en quelques saisons cette recette.

Mais elle avait eu déjà une action décisive sur les meilleurs musiciens de la jeune école française, Debussy, Dukas, Ravel, Florent Schmitt. On a vu rarement dans l'histoire de la musique passage plus logique du maître au disciple, liens plus intimes entre eux pour leur art qu'entre le vieux Rimsky-Korsakov et le jeune homme Stravinsky.

Pensons encore que Rimsky-Korsakov à soixante ans sonnés travaillait plus que jamais à progresser, écrivait les deux chefs-d'œuvre de sa carrière, sa partition la plus mûrie, *Kitège,* et la plus libre, la plus éclatante, *Le Coq d'or.* Cela non plus n'est guère courant dans l'académisme intrinsèque. Dans l'analyse de son *Capriccio espagnol,* Rimsky-Korsakov écrit : « Les changements de timbres, le choix des dessins mélodiques et des figurations correspondant à chaque genre d'instruments, les petites cadences de virtuosité pour instruments solos constituent l'essence même de l'œuvre et non son vêtement. » On voit tout de suite que cette esthétique de la couleur orchestrale en soi, « en tant que principe compositionnel » dirait-on dans le jargon d'aujourd'hui, déborde le XIXᵉ siècle pour devancer le nôtre. Parce que le *Capriccio* et bien d'autres pages de Rimsky-Korsakov étaient trop creuses pour durer, on a oublié le rôle historique de leur auteur.

Rimsky-Korsakov accomplit encore sur la musique d'autrui un travail sans précédent par son étendue, qui occupa plusieurs années de sa carrière, pour lui valoir devant la postérité beaucoup plus de blâmes, malheureusement justes, que de reconnaissance. Nous avons vu sa part considérable dans l'achèvement du *Prince Igor* de Borodine. Après la mort de Moussorgski, il orchestra entièrement et remania la *Khovanchtchina,* l'énorme opéra de son ami, refondit en poème symphonique les versions hétéroclites d'*Une nuit sur le mont Chauve.* Il s'attaqua ensuite à la révision complète de *Boris Godounov.* L'amitié avait dicté avant tout cet immense labeur qui ne lui rapportait presque rien. Mais comme la plupart des compositeurs, Rimsky était infiniment plus strict, plus pion avec la musique des autres qu'avec la sienne, n'y admettait aucune des libertés qu'il s'autorisait. En matière d'instrumentation, il pensait de bonne foi servir ses amis trop dilettantes en faisant profiter leurs œuvres de la science qu'il était seul à posséder. Il a ainsi beaucoup contribué à répandre le même coloris sur les musiques de son groupe, comme ces anciens restaurateurs de peinture qui passaient tous les tableaux au même vernis jaune. Nous devons nous dire cependant que sans ce réparateur patient, *Le Prince Igor*

de Borodine n'aurait jamais vu le jour. Mais il n'en va plus de
même avec Moussorgski.

MOUSSORGSKI ET « BORIS GODOUNOV »

Modeste Petrovitch Moussorgski fut dans le groupe des Cinq le
seul musicien de génie. Il était né dans la province de Pskov, d'une
famille de très ancienne noblesse. Son grand-père paternel avait
épousé toutefois une serve, après lui avoir fait un enfant. On a
bien le droit de rapporter au sang de moujik qu'il avait dans les
veines la profondeur de son sentiment de l'âme et de la musique
populaires. Il entra dans la Garde comme lieutenant à dix-sept ans,
démissionna trois ans plus tard pour se consacrer entièrement à la
musique. En 1861, l'abolition du servage par le tsar Alexandre II
ruina sa famille. Moussorgski dut prendre un emploi de bureaucrate aux Eaux et Forêts. Il quitta cette fonction un an avant sa
mort, et des mécènes se cotisèrent aussitôt pour lui assurer une
mensualité décente. On démêle donc assez mal les raisons de son
dénuement, terrible selon des témoins, dans les derniers mois de
son existence. Sa détresse fut surtout morale, liée à l'épilepsie
dont il souffrait sans doute. La faillite de sa vie se révélerait déjà
suffisamment par le désordre de son travail après *Boris Godounov*,
les grands ouvrages qu'il mit simultanément en chantier sans les
terminer. Stravinsky a raconté d'après ses parents qui le connurent
fort bien que cet aristocrate qui mourut presque aussi misérablement que Verlaine était d'une courtoisie raffinée, un véritable
homme du monde.

Les premiers témoignages musicaux sur Modeste Petrovitch
nous le montrent entre le piano familial où il découvre les romantiques et sa nourrice qui lui apprend les contes et les chansons
populaires. Durant ses années de collège, il devint un très bon
pianiste, mais avec un professeur-mécanicien qui n'enseignait
aucun rudiment d'harmonie. Borodine le rencontra pour la première fois dans les salons de Saint-Pétersbourg, jouant pour les
jeunes filles *La Traviata* et *Le Trouvère*. A dix-huit ans, il faisait
la connaissance de Dargomyjski, qui lui révélait l'opéra russe à
travers la partition de *La Vie pour le tsar*, et le mettait bientôt en
rapport avec Balakirev.

L'auteur d'*Islamey* ne pouvait pas apprendre grand-chose à son
ami, et l'a reconnu lui-même. Selon sa méthode directe, il l'engagea

à composer sur-le-champ. Moussorgski aurait eu évidemment besoin de passer par une école sérieuse. A vingt-quatre ans, il commettait encore des bourdes qui auraient fait sourire un gamin des classes préparatoires. Il donnait une armure de si bémol mineur, avec cinq bémols, à sa mélodie *Le Chant du vieillard*, et l'écrivait en mi bémol mineur, en bémolisant le do chaque fois qu'il le rencontrait. On ne doit cependant pas en déduire que le grand compositeur de *Boris* ignora continuellement un rudiment qui est à la portée de n'importe qui, pourvu qu'il y emploie une année ou deux. Nous savons que Moussorgski, conscient de ses faiblesses, travailla, presque seul, mais assidûment, à débrouiller « le galimatias de son harmonie » — l'expression est de lui — à résoudre des problèmes de contrepoint, piocha Bach, Mozart, Schubert. Jusqu'à un certain point — car l'auteur de *La Damnation*, prix de Rome, avait une formation beaucoup plus solide — son cas n'est pas sans analogie avec celui de Berlioz, dont il relisait encore le *Traité d'instrumentation* la veille de sa mort. Moussorgski, lui aussi, négligeait, violait sciemment des règles qui passaient encore pour intangibles, et qui allaient être dénoncées moins de trente ans après sa disparition. Il écoutait surtout son instinct, qui ne le trompait pas.

Dans le groupe des Cinq, il était le plus étranger aux grandes constructions de la musique germanique. Mais cette inaptitude aux « mathématiques » — selon son mot sur Schumann — inquiétante pour l'avenir de la musique russe, était comme une condition de la sienne, de son génie. Il détestait la technique qui devient une fin en soi. Il se trompait en ne voyant qu'elle dans les affrontements dramatiques des thèmes beethovéniens, mais parce qu'il était, comme tous ses amis, entièrement fermé à l'esprit du romantisme allemand.

Toute son esthétique, si l'on peut employer un mot aussi haut perché pour l'artiste le moins philosophe et le moins théoricien, concerne la mélodie chantée. Elle est réaliste, au sens large bien entendu, puisque la réalité artistique est elle-même une création. Moussorgski cherche une mélodie motivée directement par le sens des paroles, faisant corps avec elles. Bien des musiciens l'avaient déjà dit, depuis le XVIe siècle, mais continuaient de respecter la syntaxe traditionnelle, la carrure, les cadences. Moussorgski s'en libère, exprime beaucoup plus fidèlement les intonations de la parole humaine, peut suggérer les caractères, les silhouettes, les sentiments les plus divers, les aspects les plus familiers de la vie, le garnement qui poursuit une pauvre vieille dans la rue et que sa grand-mère corrige par une fessée, le doux idiot de village chantonnant une mélopée amoureuse. A toutes ces inflexions, Moussorgski — et c'est son plus grand charme et sa grande habileté — sait prêter les tours des rythmes et des couplets populaires.

Il est difficile de compter parmi ses œuvres *Une nuit sur le mont Chauve*, qui appartient davantage à Rimsky-Korsakov, tant celui-ci l'a manipulée, rhabillée, soumise à un plan d'une symétrie d'ailleurs fort banale. Mais nous avons trop oublié, à cause de leur ingénieuse et spirituelle orchestration par Ravel, que les *Tableaux d'une exposition*, inspirés par des aquarelles sans doute médiocres du peintre Hartmann, sont un petit monument parfait de la littérature pianistique, de l'écriture la plus originale, intensément suggestive — le nain Gnomus, les jeux des enfants aux Tuileries, la dispute des deux Juifs sans rien emprunter qu'aux meilleures ressources du clavier. Et quelle senteur de terre russe dans le thème de *Bydlo*, dans celui de la promenade, allant et venant librement sur sa mesure à 11/4...

Arrivons-en à *Boris Godounov*, composé d'après la tragédie historique, en fait assez romancée, de Pouchkine. C'est un chef-d'œuvre, un des sommets de la scène lyrique, au jugement presque unanime de la postérité. Chef-d'œuvre malgré l'inexpérience du librettiste (Moussorgski lui-même, assisté de quelques amis) qui n'a pas su centrer son drame. Malgré la relative uniformité du rôle de Boris, évoluant presque constamment autour de la même formule mélodique, rôle qui méritait d'ailleurs scéniquement d'être plus développé. Malgré la disparate, très déroutante pour les mélomanes néophytes, introduite par les italianismes et le brio assez superficiel de l'acte « polonais ». On a voulu quelquefois expliquer les formules conventionnelles de cet acte par l'intention chez Moussorgski, nationaliste et orthodoxe militant, d'opposer les frivolités de l'Occident catholique à la grandeur et à la saveur profonde de la Sainte Russie. Cela peut se soutenir pour quelques passages de *La Khovanchtchina*. Mais on sait que Moussorgski ajouta les scènes polonaises à sa première version avant tout pour introduire dans sa pièce le personnage féminin qui lui manquait.

Boris est une œuvre pantelante d'humanité. Mais à entendre avec quelle piété en parlent tant de mélomanes, comme des *Passions* de Bach, on croirait que Moussorgski a écrit un Évangile russe. Alors que sauf Pimène et l'Innocent, tous les personnages sont des assassins, des conspirateurs venimeux, de froids calculateurs, de grossiers agitateurs ou un usurpateur tortueux. Quant au Peuple, avec tous les grands P que l'on voudra, lorsqu'il plie l'échine, c'est pour faire monter sur le trône le meurtrier d'un enfant. Lorsqu'il se révolte, c'est pour assurer le triomphe d'un aventurier qui lui ment sans scrupules et dont les quelques mois de règne préluderont à une longue et sanglante anarchie. Cela dit simplement pour remettre un peu au point toute la littérature humanitaire et sanglotante dont *Boris* a été l'objet. Mais les œuvres d'art se passent de ces justifications morales dont notre temps est si avide, comme s'il espérait masquer ainsi sa férocité. Le peuple de l'opéra de Moussorgski est servile, aveugle ou brutal, mais il fait retentir les chants d'une très vieille race religieuse, d'un terroir à la fois mélancolique et puissant. Le vrai Boris lui-même, ambitieux forcené, intrigant, mais administrateur intelligent et qui n'avait très probablement pas tué le tsarévitch, fut dans la réalité un personnage encore plus dramatique que celui de l'opéra, puisqu'il succomba à une calomnie tenace. Mais peu importe, puisque Moussorgski a su nous imposer cette monumentale figure de l'autocrate gigantesque et criminel, rongé par l'intérieur, lui prêter de tels accents que nous oublions son forfait pour souffrir avec lui.

La connaissance que nous avons aujourd'hui des sources de Moussorgski, de ce qu'il devait à la liturgie orthodoxe, n'enlève rien au génie du musicien, à ces innovations harmoniques, ces « prémonitions » de *Pelléas* dont le rôle de Pimène, notamment, est rempli, à sa « mélodie anticlassique », participant de la vie. C'est cette vie qui palpite, danse, rit, gémit dans la suite des grandes fresques de *Boris*, en somme plus évocatrices d'une Russie féodale, fastueuse, pleine de sang, de mirages et d'intrigues que ne l'eût été un drame mieux articulé.

Mais jusqu'à quel point le *Boris* que nous entendons d'ordinaire est-il fidèle à son auteur ? Moussorgski avait écrit en 1868 et 1869, donc entre vingt-neuf et trente ans, une première version comportant sept scènes et se terminant par la mort de Boris. Elle fut refusée par les directeurs du théâtre Marie, la grande scène lyrique de Saint-Pétersbourg. Le compositeur y ajouta les tableaux polonais, plusieurs chansons, élimina un tableau populaire devant la cathédrale Saint-Basile qui faisait double emploi avec le sacre, et lui substitua l'émeute près de Kroumy. L'ouvrage se terminait désormais sur cette scène et par l'admirable complainte de l'Innocent, chantée précédemment devant la cathédrale. (Cette substitution, adoptée en Russie soviétique et dans les autres républiques slaves, a l'inconvénient de desservir l'interprète de Boris, et de laisser le drame en l'air, puisque nous ne savons rien du faux Dimitri.)

La première représentation de ce *Boris* amplifié eut lieu en 1874 après de nombreuses difficultés et avec de cruelles coupures. La critique fut très hostile, mais le public favorable. Grâce à lui, l'œuvre resta pendant cinq ans à l'affiche. En 1879, elle était retirée du répertoire par la censure politique, ce qui affecta terriblement Moussorgski. Elle ne devait plus reparaître qu'en 1904, avec Chaliapine, dans la version revue par Rimsky-Korsakov. C'est sous cette forme que Diaghilev la révéla aux Parisiens en 1908, et qu'on l'a toujours représentée depuis à notre Opéra.

Tout en croyant servir la mémoire de son ami, Rimsky-Korsakov eut la main très pesante, et s'exprima avec une cuistrerie insigne sur « les modulations incroyablement illogiques... l'orchestration manquée... la totale impuissance technique » de Modeste Petrovitch. Il se comporta avec la partition comme avec le devoir d'un élève doué d'idées magnifiques, mais les gâchant faute de métier. Il a poncé, enjolivé, banalisé Moussorgski, déplacé fâcheusement ses accents, alourdi ses rythmes (le trois-quatre original de la charmante chanson du canard est bien plus heureux que le sec deux-quatre de la révision), transformé complètement sa palette orchestrale. Il est pour beaucoup dans le caractère hétérogène de l'acte polonais, que Moussorgski avait écrit comme une sorte d'hommage à Verdi qu'il connaissait fort bien depuis son adolescence. Rimsky-Korsakov qui venait d'entendre la *Tétralogie*, crut bon d'affubler cet acte de fanfares dont Wagner tout le premier eût répudié l'épaisseur. En outre, parmi toutes celles que Rimsky pratiqua plus ou moins au hasard, la coupure à la fin de ce tableau du monologue du jésuite est une des plus préjudiciables au scénario.

Tout en reconnaissant l'originalité de son ami, l'impitoyable correcteur ne comprenait pas que c'était elle qui lui dictait ses « fautes scandaleuses ». Car Moussorgski, comme nous l'avons dit, savait parfaitement ce qu'il faisait en écrivant ses quintes et ses octaves parallèles, en cherchant cette harmonie libre, jamais gratuite, toujours commandée par l'expression. Et l'on pardonne d'autant plus difficilement à Rimsky-Korsakov qu'après avoir condamné ces « monstruosités », il devait s'en servir fort bien dans sa *Kitège* et son *Coq d'or* : étrange dédoublement entre le professeur et l'artiste.

Nous avons entendu une seule fois, au concert, la version originale de *Boris Godounov*. Avec ses crudités d'instrumentation, ses savoureuses rugosités harmoniques, elle est beaucoup plus proche de nous que le brio de Rimsky, en même temps que de la barbarie moscovite du drame. Jamais l'œuvre ne nous a davantage ému. On comprend aussitôt qu'elle diffère entièrement des chamarrures communes à toute l'école russe du XIXᵉ siècle parce que Moussorgski est le plus grand et le plus personnel de tous ces musiciens.

Mais le public est partout habitué à la pompe, aux effets de masses chorales et orchestrales d'ailleurs souvent réussis du texte rimskyen qu'il attribue sans hésiter au génie de Moussorgski. Les Soviétiques ont fait l'expérience de la version originale. Elle n'a pas été concluante pour leur goût, qui les a conduits à faire « étoffer » l'instrumentation de *Boris* par le très officiel Chostakovitch. Correcteur pour correcteur, mieux vaut encore Rimsky. Mais dans une époque éprise d'authenticité comme la nôtre, qui ressuscite des instruments disparus pour jouer d'insignifiants concertos italiens, il est de moins en moins admissible que l'on tolère les « repeints », les retouches pédantesques qui défigurent un des chefs-d'œuvre du théâtre lyrique. Quant à la version française de *Boris*, outre les absurdes coupures que l'on y pratique, comme celle du délicieux chœur des jeunes filles polonaises, « Sur les bords de la Vistule », elle constitue un surcroît de trahison avec son pauvre texte, incapable, comme n'importe quelle traduction dans notre langue, de coïncider avec les accentuations du russe.

Pour *Khovanchtchina*, nous n'avons pas la ressource, en ce qui concerne du moins l'instrumentation, de nous reporter au manuscrit original, puisque Moussorgski l'a laissé à l'état de chant et piano. L'action, sombre et confuse, se déroule à Moscou, dans la fin du XVIIᵉ siècle, sous la régence de Sophie, la demi-sœur de Pierre le Grand, en lutte à la fois contre les Streltzi, dangereux prétoriens ayant pour chef le prince Khovanski, et les raskolniki, les « vieux croyants », qui déclenchèrent une guerre de religion en Russie pour la défense des anciens rites, en particulier de la bénédiction qu'ils donnaient avec deux doigts et non trois comme le prescrivait le réformateur Nikone. Moussorgski ne parvint pas à dominer son sujet trop vaste. Il tenait pour les vieux croyants, hostiles à l'introduction des mœurs occidentales en Russie. D'où la place importante des chants liturgiques dans l'ouvrage, qu'ils marquent de leur austérité. Les thèmes populaires foisonnent aussi dans les chœurs, quelques-uns, pour voix de femmes, d'une charmante tendresse. Moussorgski pousse encore plus loin l'« humanisation » de la mélodie, mais son baryton principal, procédant avec moins de puissance du rôle de Boris, n'échappe pas à la monotonie. De longues scènes sont très statiques, appartiennent plus à l'oratorio qu'à l'opéra. C'est ce qui explique que l'audience de *Khovanchtchina* ait toujours été restreinte. Rimsky-Korsakov coupa souvent à l'aveuglette dans l'énorme partition, sabra les meilleures trouvailles harmoniques. Malgré ce traitement, la personnalité de Moussorgski était si forte que presque chacune de ces pages porte sa griffe. Mais il devient encore plus difficile de retrouver *Khovanchtchina* à travers la nouvelle version que les Soviétiques ont cru bon de confier à l'inévitable Chostakovitch, lequel l'a affublée de l'orchestration pseudo-wagnérienne la plus inopportune.

Le Mariage (1868), essai de « conversation musicale » sur un texte de Gogol, fut abandonné par Moussorgski après le premier acte. Un obscur élève de Rimsky, puis Alexandre Tcherepnine, ont tenté de l'orchestrer et de le compléter. De l'opéra-comique *La Foire de Sorotchinsky*, Moussorgski esquissa presque entièrement deux actes, dont certains fragments sont d'une animation et d'une truculence magnifiques (le scénario, sur la paysannerie ukrainienne, est encore emprunté à Gogol). La version la plus acceptable qui en a été réalisée est celle de Nicolas Tcherepnine, le père d'Alexandre, que l'on a représentée quelquefois avec un certain succès.

A cause de l'état douteux dans lequel nous est parvenu le théâtre de Moussorgski, et aussi longtemps que le texte original de *Boris* ne se sera pas imposé, nous mettrons au-dessus les mélodies où Modeste Petrovitch nous parle sans intermédiaire. Sur les soixante-deux qu'il écrivit, quarante au moins sont admirables. Ce sont les croquis de campagnards ou de personnages comiques, la révolte contre le néant, les ricanements funèbres des *Chants et danses de la mort*, et surtout les deux cycles précurseurs de tout l'impressionnisme musical, les *Enfantines* (1872), *Sans soleil* (1874), dont toute inspiration folklorique a disparu, où la déréliction de Moussorgski, sentant à trente-cinq ans s'écrouler sa vie, invente le langage le plus neuf dans son poignant dépouillement.

LES « OCCIDENTAUX » : RUBINSTEIN, TCHAÏKOVSKI, SCRIABINE

Durant le dernier tiers du xixe siècle, pour l'étranger et pour la majorité de ses compatriotes, la grande figure de la musique russe, c'était Anton Rubinstein (1829-1894), Israélite converti à l'orthodoxie, pianiste de premier ordre déjà célèbre en Europe à douze ans (son frère Nicolas l'égala presque). La gloire des virtuoses ne lui suffisait pas, la fréquentation des chefs-d'œuvre lui faisait croire qu'il avait aussi le génie créateur. Il avait étudié la composition à Berlin. Il se mit à écrire d'abondance, sans jamais s'élever au-dessus d'un cosmopolitisme et d'un éclectisme médiocres. Ses dix-neuf opéras, sur des livrets tantôt allemands tantôt français, ses cinq concertos, ses cantates, sa musique de chambre numériquement aussi importante que celle de Beethoven sont complètement oubliés, et en bonne justice semble-t-il bien.

Anton Rubinstein, qui eut droit à des funérailles nationales, alors qu'une poignée d'amis entourait le corps de Moussorgski dans une sinistre chapelle d'hôpital, avait fondé avec l'appui de la grande-duchesse Hélène le Conservatoire de Saint-Pétersbourg, tandis que son frère Nicolas prenait la direction de celui de Moscou. Cet enseignement était entièrement tourné vers l'étude des modèles occidentaux et surtout des romantiques allemands. A Saint-Pétersbourg, le professeur de composition était l'Allemand Zaremba, Russe pour l'état-civil, mais fanatiquement germanique. De cette classe allait sortir PIOTR ILLITCH TCHAÏKOVSKI (1840-1893).

TCHAÏKOVSKI

On serait curieux de savoir comment la très pudibonde Russie soviétique, qui fait de Tchaïkovski son musicien national, a pu accommoder la biographie de cet homosexuel, « spécialisé » au point qu'ayant eu l'idée de se marier, en espérant bien que le mariage resterait blanc, pour faire diversion à des scandales imminents, après quelques jours de vie commune il s'enfuyait terrifié et recru de dégoût du lit conjugal, et allait se plonger tout droit dans celui de la Néva, en prenant soin cependant de ne pas se noyer complètement...

Il était né à Votkinsk, petite ville de la région de Perm, où son père, hobereau et ingénieur, brave homme sans grandes capacités, dirigeait une usine de métallurgie. Sa mère, de sang français par son père, le marquis d'Assier, belle jeune femme brune, succomba au choléra quand Piotr Illitch, qui l'adorait, venait d'avoir quatorze ans. Ce fut un drame horrible pour le garçon La psychanalyse a sans doute raison de considérer qu'il devint inverti par l'idéalisation de cette mère disparue et passionnément aimée, reportée sur toutes les femmes, que l'acte sexuel eût profanées. Il avait en outre hérité de son grand-père d'Assier une complexion de grand nerveux qui devait être le tourment presque continuel de son existence.

Tchaïkovski avait fait ses études de droit à Saint-Pétersbourg, et à la sortie de l'École, comme son père s'était laissé escroquer sa fortune, il prit un emploi au ministère de la Justice. Deux ans plus tard, après un voyage en Allemagne et en France, lorsqu'il entra au Conservatoire qui venait d'être inauguré, ses connaissances musicales, piano et un peu d'harmonie, une vive admiration pour le *Don Juan* de Mozart, ne dépassaient guère celles de Balakirev et de ses amis au même moment. Il se mit à travailler sérieusement, sous la discipline allemande de Zaremba et de Rubinstein, fit ses premières armes de compositeur sans grand succès, quitta le ministère pour se consacrer entièrement à la musique, mangea un peu de vache enragée. En 1866, il rejoignit à Moscou, où devait s'écouler désormais la majeure partie de son existence, Nicolas Rubinstein, qui venait d'y prendre la direction d'un conservatoire et lui confia une classe de composition. La même année, au prix d'un travail qui le jeta dans une neurasthénie aiguë, il écrivait sa première œuvre importante, la *Symphonie n° 1, « Rêves d'hiver ».*

En 1876, une admiratrice immensément riche lui offrit son aide. C'était Mme von Meck, mélomane et femme d'affaires très avisée, à qui son mari, un excellent ingénieur, avait laissé en mourant tout simplement les deux premiers réseaux ferroviaires de la Russie. Elle rêvait d'entretenir avec Tchaïkovski un amour d'âmes. Moyennant quoi elle lui versait une pension de près de cinquante mille francs-or par an. Ils étaient convenus de ne jamais se rencontrer, et ne s'aperçurent de loin que deux ou trois fois. Mais ils s'écrivaient à tout bout de champ. Leur correspondance, d'ailleurs fastidieuse, remplit trois énormes volumes. La belle rente du musicien ne suffisait pas à clarifier ses finances, qui avaient toujours été pillées par ses petits amis. Tchaïkovski, sous leurs chantages, devait quémander à Mme von Meck sur un ton piteux de gros suppléments. La protectrice rompit avec lui brusquement en 1890 parce qu'elle était éclairée sur ses mœurs. Elle y avait mis le temps.

Depuis une dizaine d'années cependant la réputation artistique de Tchaïkovski grandissait et passait les frontières de la Russie. Il avait toujours beaucoup voyagé, pour promener sa neurasthénie, connaître sans doute des aventures plus discrètes qu'en Russie. Il faisait presque chaque année de longs séjours en Allemagne, en France, en Suisse, en Italie. Pratiquant le français comme sa langue maternelle, amicalement lié avec Saint-Saëns, c'était le plus parisien des compositeurs russes, bien que ce fût chez nous que sa musique rencontrât le plus de résistance. Il était fou de *Carmen*, ne comprenait à peu près rien à Wagner, non plus qu'à Moussorgski, « épris de ce qui est grossier, rude et laid ».

Les deux dernières tournées de Tchaïkovski furent une consécration mondiale : en 1891 aux États-Unis où il inaugura le Carnegie Hall; en 1893 à Berlin, à Bâle, à Paris, à Bruxelles, à Cambridge où il fut fait docteur. Mais la traversée de l'Atlantique l'avait épouvanté, et les honneurs l'éreintaient. La même année, au mois d'octobre, moins d'une semaine après avoir dirigé la première exécution de sa *Symphonie pathétique*, il fut atteint à Saint-Pétersbourg du choléra auquel avait déjà succombé sa mère. Il mourut quatre jours plus tard. Ses derniers mots furent pour maudire Mᵐᵉ Meck. Il n'avait que cinquante-trois ans.

Tchaïkovski vaut mieux que le mépris presque général qu'on lui manifestait en France avant la guerre. Mais aujourd'hui où l'on veut l'installer parmi les plus grands classiques, il est nécessaire de rappeler toutes ses faiblesses et toutes ses inégalités.

Si l'on néglige Rubinstein, Tchaïkovski est le premier Russe qui se soit exprimé selon la rhétorique musicale du romantisme allemand. Mais il ne sait pas aller au bout des ressources de cette rhétorique, il en distingue mal les éléments, son bithématisme est trop abstrait pour lui. Il a reconnu lui-même « son inaptitude à s'assimiler les formes musicales et à les manier correctement ». D'autre part, sauf dans son *Manfred*, une de ses meilleures œuvres d'orchestre, il ne s'autorise pas franchement les libertés que prennent dans leurs poèmes symphoniques Berlioz et Liszt, dont la musique lui paraît « dépourvue de charpente ». Ses symphonies en conserveront toujours un air de bâtardise, que ne masque pas un style trop relâché.

Si la sincérité était en art le critère suprême, il faudrait compter d'innombrables pages de Tchaïkovski parmi les plus hauts chefs-d'œuvre de la musique. Non pour leur contenu de pensées :

Piotr Illitch était incapable d'élévation intellectuelle ou morale, la notion de *fatum* qui remplit les cinq ou six mille lettres de sa correspondance relève d'une philosophie de collégien. Mais il y a dans la musique de ce névropathe une confession publique, pantelante, sans détours, même si elle ne raconte que la nostalgie d'un bonheur pour midinette ou les niaiseries langoureuses communes aux invertis vieillissants.

Tchaïkovski n'a peut-être jamais « mis son cœur à nu » plus complètement que dans sa sixième et dernière symphonie, la *Pathétique*, écrite en versant « maintes larmes » sur un programme qu'il ne voulut pas publier, trop explicite sans doute, dont nous savons qu'il y était question d'une tentative pour « exorciser ses démons ». En outre, cet homme hanté depuis toujours par sa mort, mais qui la croyait encore lointaine, l'a étrangement prédite dans sa funèbre conclusion, alors qu'il allait disparaître quelques jours plus tard. Quel drame ! Mais il nous toucherait bien davantage s'il n'était pas truffé de clichés ayant traîné depuis quatre-vingts ans chez tous les romantiques de seconde zone... Le fameux « thème d'amour » étale complaisamment sa sentimentalité dodue. L'aspect tout à fait traditionnel du bâti en quatre mouvements accuse encore la paresseuse facilité des transitions, des reprises. Dans l'« allegro con grazia », après l'exposition du motif dansant, « sorte de valse à cinq temps » où l'on retrouve le compositeur de ballets, les développements sont pâteux, sur une basse qui veut sans doute figurer le rappel du destin au milieu du plaisir, mais est surtout monotone. Le scherzo déroule bientôt une marche militaire à très gros effets. Le chant lyrique du finale, d'une meilleure tenue que le thème d'amour, se gâte quand il veut s'élargir. De l'éloquence sans doute, mais qui charrie beaucoup plus de truismes qu'il n'est permis à un orateur d'un certain renom. Tout cela fait irrésistiblement songer au kiosque à musique d'une ville d'eaux d'Europe centrale ayant gardé ses festons et ses staffs de 1895. Tchaïkovski a la tête pleine d'exemples beethovéniens. Mais c'est Beethoven à Marienbad.

Le *Concerto pour violon* en ré majeur introduit dans la coupe la plus académique des tziganeries de restaurant. Bien moins conventionnel, le *Premier Concerto pour piano* en si bémol mineur lasse assez vite par son pittoresque rhapsodique. Ce n'est d'ailleurs pas dans ces œuvres célèbres entre toutes que Tchaïkovski donne le meilleur de lui-même. Il y a de jolies choses, d'une sensibilité plus fine, dans sa *Première Symphonie* « Rêves d'hiver ».

La *Quatrième* et la *Cinquième*, moins épanchées que la *Pathétique*, sont plus émouvantes. Le *Trio en la mineur*, que personne ne songe à jouer chez nous, peut passer pour une des œuvres maîtresses de la musique de chambre russe du xixe siècle, assez maigre, il est vrai. On connaît trop peu aussi quelques morceaux où Tchaïkovski, baguenaudant, voyageant, sort enfin de sa neurasthénie larmoyante, retrouve une fraîcheur d'âme populaire : le finale du *Second Concerto* pour piano, la Danse des Bouffons dans la musique de scène pour *Snegourotchka* — le même sujet que l'opéra de Rimsky — surtout, à l'exception des dernières mesures qui sont de remplissage, l'amusant et vivant *Capriccio italien* de 1880, son *Carnaval romain*, avec les trompettes des cuirassiers sonnant le couvre-feu, les coups de langue des pistons, les chansons et les airs de bals d'une charmante canaillerie, ramassés dans les rues du Transtevere. Autant de pages qui pouvaient encourager Stravinsky à écrire *Petrouchka*, s'il en avait eu besoin. C'est là que Tchaïkovski, orchestrateur presque toujours adroit, équilibrant bien ses timbres, mais en usant trop des fondus, nous semble le plus original, avec des tons purs, des crudités imprévues et plaisantes.

Il a su encore conserver un charme musical à ses jolis ballets, *Le Lac des cygnes, La Belle au bois dormant, Le Casse-Noisette*, tout en les adaptant parfaitement à leur fonction, sans être bridé par les exigences de Petipa, antimusicien comme presque tous les chorégraphes, et qui lui réclamait deux mesures de « frayeur », huit mesures « fantastiques », trois mesures de trémolo.

Mais le déchet égale chez lui en volume les réussites : le *Concerto-Fantaisie* pour piano et orchestre, bavardage et cavalcade dans le vide, d'une malfaçon presque indécente; sauf trois ou quatre, sa centaine de mélodies où son mauvais goût littéraire et sa sensiblerie musicale font le plus fade ménage, presque toutes ses pièces pour piano. De ses dix opéras, seuls sont écoutables pour nous, avec de l'indulgence, *Eugène Onéguine*, suite de tableaux sans intérêt dramatique, calqués sur l'opéra-romance des Français, et *La Dame de pique*, vaguement influencée par Wagner, ou plutôt par le peu que Tchaïkovski était capable d'en retenir.

On a souvent affirmé en Russie qu'il était le plus russe des compositeurs, selon des arguments qui nous échappent. Ce sont les Cinq, avec tous leurs défauts, qui nous ont révélé un exotisme slave ou oriental que nous avons reconnu dans tout le folklore russe répandu dans le monde après eux. Tchaïkovski emploie des motifs peut-être plus authentiques que les leurs, mais il les traite en Occidental, sans grande différence avec la manière de Beethoven, de Weber ou de Lalo.

Ce que nous décelons très bien, c'est la quiétude avec laquelle il reste installé dans un système tonal qui a déjà subi tant d'altérations, que près de lui Moussorgski refuse. Il ne paraît pas avoir le moindre soupçon du virage que la musique est en train d'accomplir (à son dernier séjour en France, le *Prélude à l'Après-midi d'un faune* n'est pas encore entièrement achevé). En harmonie, il est presque aussi académique que son ami Saint-Saëns. C'est ce qui lui a valu le piédestal du génie chez les Soviétiques, pour qui l'art et le goût n'ont plus bougé depuis 1885. Chez nous, il serait utile de situer Tchaïkovsky à l'intention du public populaire qui s'en délecte, de faire saisir à ce public toute la distance entre le talent du Russe, conservateur sentimental, et les premières symphonies de Mahler, le *Don Juan*, le *Till Eulenspiegel* de Strauss, pour ne choisir que des œuvres contemporaines de la Pathétique, et sans chercher encore plus haut des points de comparaison. C'est pour contribuer à cette mise au point que nous avons accordé à Piotr Illitch un peu plus de place qu'il n'y aurait droit historiquement.

SCRIABINE

ALEXANDRE SCRIABINE (1872-1915) était considéré au début de notre siècle comme un musicien infiniment plus important que Tchaïkovski. Il avait d'ailleurs violemment pris parti contre celui-ci, contre ses facilités, qu'il estimait démagogiques, après avoir été formé cependant au Conservatoire de Moscou par ses disciples directs Taneïev et Arensky. Il reçut ses premiers chocs musicaux du chromatisme de Chopin et de Wagner, puis s'intéressa de très près à Debussy, à Ravel, à Strauss. Ayant compris que l'usure de l'harmonie classique était irrémédiable, il fut un des premiers à vouloir lui substituer une organisation cohérente, en dehors du système tonal. Il supprimait les dièses et les bémols à la clé, construisait des accords par quartes superposées en évitant systématiquement les quintes justes. Ses innovations se font jour progressivement dans son *Poème divin* (1903), son *Poème de l'extase* (1908), son *Prométhée* (1910), qui est l'aboutissement de ses recherches à l'orchestre. Ce *Prométhée*, « poème du Feu », devait être accompagné de projections colorées sur un écran, synchronisées avec la musique, chaque couleur répondant à telle modulation, tel accord de l'œuvre. On a tourné plus tard en dérision cette mixture esthétique. Nous l'avons pourtant retrouvée il n'y a pas longtemps dans des concerts d'avant-garde, associée aux derniers états de la musique électronique.

Scriabine s'était installé à Bruxelles de 1908 à 1911, pour se rapprocher des novateurs occidentaux. Le romantisme de son *Poème de l'extase* avait porté son nom jusqu'en Amérique où il se rendit pour une tournée triomphale. Mais si Tchaïkovski commentait ses symphonies en style de pensionnaire éplorée, Scriabine accompagnait les siennes de prosopopées sur la théosophie et sur une mystique plus ou moins hindoue du Cosmos qu'il était facile de ridiculiser. Dans les premières années après la révolution d'Octobre, les musiciens soviétiques l'imitèrent à outrance. Mais le stalinisme le frappa d'un interdit qui n'a jamais été levé; et l'Occident oublia ce mystagogue russe mort trop tôt. Le chromatisme du *Poème de l'extase,* quoique moins languissant que chez les franckistes, reste inféodé à Wagner, avec force lieux communs. On ne peut cependant omettre Scriabine parmi les précurseurs de notre temps. Ses dernières œuvres pour piano – il était excellent pianiste – la 5ᵉ et la 7ᵉ Sonates, les Études de la même période appartiennent entièrement au monde sonore du XXᵉ siècle. Scriabine n'est sans doute pas oublié pour toujours.

LES SUIVEURS

Serge Rachmaninov (1873-1943), autre élève de Taneïev puis d'Arenski à Moscou, débuta à vingt ans par un opéra, *Aleko,* où la critique russe vit l'annonce d'un nouveau génie. Mais ce fut surtout son grand talent de pianiste qui le rendit célèbre dès 1900 et jusqu'à sa mort dans les métropoles d'Europe et d'Amérique du Nord. Ses nerfs le lâchèrent lui aussi plusieurs fois en pleine gloire. Pendant vingt-cinq ans, il traîna la nostalgie de la Russie dont la révolution de 1917 l'avait coupé. Il gardait l'allure, les cheveux en brosse militaire d'un vieil officier de la garde impériale, qui contrastaient avec le romantisme à grandes volées de son jeu. Parce que les virtuoses y trouvent leur content de prouesses mécaniques, ses quatre concertos pour piano et orchestre encombrent encore nos programmes. Démodés, creux, n'ayant même pas conservé leur brillant, ils sont pour notre temps le pendant de toute la friperie des Henri Herz, des Czerny, des Thalberg entre 1830 et 1850. Rachmaninov ne parvint jamais à un langage personnel pour nous dire ses chagrins qui étaient fort réels.

Autre garçon prodige, Alexandre Glazounov (1865-1936), l'élève favori de Rimsky-Korsalov, était devenu célèbre à seize ans avec sa *Première Symphonie*. Il devait la refaire, plutôt moins bien, durant toute une carrière laborieuse et féconde qui s'acheva à Paris. Autour de lui et derrière lui, Anatole Liadov (1855-1914), Alexandre Gretchaninov (1864-1956), Serge Liapounov (1859-1924), Nicolas Tcherepnine (1873-1945) et son fils Alexandre, musiciens respectables mais sans aucune originalité, ont délayé et banalisé les couleurs de Rimsky-Korsakov jusqu'à en faire un objet de bazar russe analogue aux chœurs et danses de l'Armée rouge. Presque tous émigrèrent après 1917, et leurs musiques se sont flétries en même temps que les fanions et les épaulettes de l'armée Wrangel, dernières reliques tsaristes dans les salons parisiens ou new-yorkais de l'exil.

CHAPITRE XIII

LE VÉRISME

Les amateurs d'opéras les plus indulgents au vérisme ont depuis longtemps abandonné à ses détracteurs *Cavalleria Rusticana* de Pietro Mascagni, devenue le synonyme de la plus basse musiquette. D'autre part, on convient que le vérisme a pris naissance avec cette inavouable *Cavalleria*.

Ces idées reçues doivent être examinées d'un peu plus près. On ne sait guère en France que l'épithète « vériste » s'est d'abord appliquée au mouvement littéraire issu en Italie vers 1880 de la lecture de Zola, avec les romanciers Verga et Capuana pour initiateurs. Il diffère d'ailleurs du naturalisme français par son caractère régionaliste et campagnard. C'est d'une nouvelle de Verga, déjà adaptée au théâtre que sortit le livret de *Cavalleria Rusticana* ce qui facilita l'extension du terme « vérisme » à la musique.

Ce livret met en scène des paysans siciliens du XIXe siècle dans une action tragique, alors que les personnages populaires et « modernes » n'apparaissaient habituellement que dans les opéras-comiques. Mais cette tradition avait subi des entorses notables bien avant *Cavalleria,* qui est de 1890 (Mascagni ayant vécu de 1863 à 1945). *La Traviata* de 1853, avec ses bourgeois et sa courtisane du second Empire — nouveauté si inquiétante qu'on les avait affublés de costumes vaguement XVIIIe pour les premières représentations — *Carmen* avec son brigadier de dragons, sa cigarière, son torero et ses contrebandiers, étaient au moins pour le sujet des opéras véristes avant le mot. Les héros plébéiens de Bizet firent d'ailleurs suffisamment scandale.

Le vérisme, c'est-à-dire le réalisme au théâtre lyrique, serait donc avant tout une affaire de livrets. Il est bien plus difficile, sinon impossible de le définir par des notions musicales. C'est sans doute chez Moussorgski, inconnu des véristes italiens à leurs débuts, que l'on relèverait les exemples les plus typiques d'une mélodie réaliste d'intention et d'intonation. Rien de tel dans *Cavalleria Rusticana*. Après l'ouverture qui juxtapose quelques motifs « chantants » sans aucune élaboration, selon la coutume italienne, se succèdent des chœurs de femmes et d'hommes, alternant, s'unissant ou soutenant un soliste, des airs, des duos qui ne perturbent guère les conventions établies. Le naturalisme n'intervient en somme qu'avec les claquements de fouet ponctuant l'air du charretier, ce qui est bref. Les fragments d'allure populaire, tarentelle, brindisi, souvenirs de chansons napolitaines ou siciliennes, sont fort classiquement traités. Le penchant au bel canto l'emporte encore sur les accents tragiques. La grande fureur du ténor dans la dernière scène s'achève sur une canzonetta. La principale nouveauté est dans le resserrement de l'action en un acte, inusitée pour un sujet dramatique. Mais ainsi le voulaient les conditions du concours ouvert par l'éditeur Ricordi et gagné par le jeune Livournais Mascagni. Cette partition qui passe pour le comble de la trivialité est moins vulgaire que simplette, d'une écriture naïve. La comparaison avec les richesses du vieux Verdi, dont l'*Otello* venait d'être représenté trois ans plus tôt, aurait dû freiner le délire du public italien. On songerait plutôt, outre quelques réminiscences bien superflues de Meyerbeer, à un successeur de Ponchielli, l'auteur de *Gioconda*, mort en 1886, imitateur appliqué et tiède de Verdi.

Deux ans après le succès monstre de *Cavalleria*, c'étaient les deux actes de *Paillasse, I Pagliacci*, (1892) du Napolitain RUGGIERO LEONCAVALLO (1858-1919). Le livret, tiré par le musicien lui-même d'un mélodrame français, affiche un naturalisme beaucoup plus cru. Le cadre historique ennoblissait Rigoletto, bouffon d'un souverain. Tonio est un pitre de cirque, amoureux de Nedda, la femme du baladin Canio. Celle-ci le repousse avec mépris, et se donne au jeune paysan calabrais Silvio. Tonio par vengeance dénonce l'infidèle à Canio qui la tue avec son amant. Leoncavallo s'écarte des vieux modèles de l'opéra romantique italien que Mascagni suivait encore. On hésite à employer le mot de mélodie pour cette ligne épaisse et brute de la partie vocale, proche du *parlando*, mais qui attire cependant les chanteurs parce qu'elle leur ménage des « coups de gueule », des tenues, des notes sanglotées d'un effet irrésistible sur un public qui n'a guère changé depuis le temps des castrats. On distingue trois leitmotive, mais l'invention wagnérienne est tombée entre les mains d'un primitif. Voici un exemple de ses procédés : le thème principal, celui du rire tragique, est exposé d'abord *mezzo-forte* par les cors à découvert, puis *forte* à l'octave supérieure, enfin dans un *tutti*, fortissimo, une octave encore plus haut. Un vieux critique idéaliste du premier tiers de notre siècle, Georges Pioch, écrivait à propos d'une reprise parisienne de *Paillasse* qui faisait suite à celle de *Parsifal* : « On a mis la pissotière à côté de la cathédrale. » Sans pousser aussi loin le mépris, nous ne cacherons pas notre aversion, qui est invincible, pour l'ouvrage de Leoncavallo. Mais à parler objectivement, ce *Paillasse*, si grossière que soit sa texture, a sur des centaines d'opéras décédés l'avantage d'exister toujours depuis quatre-vingts ans. Il ne le doit pas seulement au mauvais goût et à la candeur des peuples. La fameuse « tranche de vie », dont Leoncavallo se réclame comme le Théâtre Libre, « squarcio di vita », n'est plus seulement un mot de passe. Cette vie circule entre les quatre personnages, brutale, braillarde, populacière, mais présente, alors que Bruneau, Gustave Charpentier et tant d'autres qui se flattaient d'être les réalistes de la musique française, ne sont pas parvenus à la saisir. S'il est une œuvre qui réponde à la définition du vérisme, qui puisse lui tenir lieu de manifeste, c'est *Paillasse*.

Ni Mascagni, ni Leoncavallo, même si l'on convient que sa *Bohème* (1897) fut victime de celle de Puccini, ne purent malgré leur célébrité et de nombreuses tentatives retrouver le succès de *Cavalleria* et de *Paillasse*, qui tenait donc bien à leurs sujets plutôt qu'aux vertus de leur musique. Rimsky-Korsakov disait qu'ils étaient « aussi loin du vieux Verdi que des étoiles du ciel. » La *Gina* et la *Tilda* de Francesco Cilea firent ensuite un certain bruit. *André Chénier* (1896) d'Umberto Giordano, élève du Conservatoire de Naples, est resté à l'affiche en Italie pour quelques pages isolées.

Mais le règne de Giacomo Puccini (1858-1924) allait tout éclipser. Puccini était un Toscan de Lucca, fils d'organiste, formé au Conservatoire de Milan sous la direction de Ponchielli, et qui avait découvert sa vocation théâtrale en écoutant *Aïda* à Pise. Verdi, bien que peu indulgent d'ordinaire aux nouveaux venus, et qui travaillait alors à *Falstaff*, avait patronné ses débuts milanais et l'invitait assez souvent à sa table. Dans les papotages des journaux et des cercles musicaux, on donnait déjà ce Puccini pour « l'héritier de la couronne », ce qui devait s'accomplir quelques années plus tard. Cependant, les deux premiers essais à la Scala du jeune musicien, *le Villi* (1884) sur une légende de l'Allemagne romantique, bien accueilli, puis *Edgar* (1889) d'après *La Coupe et les Lèvres de* Musset, violemment sifflé, ne faisaient présager ni d'un grand métier ni d'une personnalité bien tranchée. L'œuvre suivante, *Manon Lescaut* (Turin, 1893), tout en contenant des passages typiquement pucciniens, airs en dents de scie ou *cantabile* comme « Donna non vidi mai », paraît schématique, écourtée par un auteur qui à trente-cinq ans doute encore de ses forces, de son souffle, et se bride. Quoiqu'il ne dure pas plus de deux heures, l'opéra laisse une impression d'uniformité assez faiblarde et ennuyeuse. Les airs sont presque tous pris dans le même *tempo* ralenti, ceux de Des Grieux ne sont ni plus ni moins larmoyants dans les scènes du désespoir final qu'au premier acte ; dans les quelques intermèdes symphoniques l'orchestre joue de la grande romance. Cette *Manon Lescaut* fut bien reçue. Trois ans plus tard, *La Bohème* d'après Mürger (Turin, 1896) donnait à Puccini son premier vrai triomphe, aussitôt répercuté dans le monde entier. Sa carrière, désormais, allait tenir dans quelques titres : *La Tosca* (Rome, 1900), *Madame Butterfly* (Scala, 1904), *La Fille du Far-West (La Fanciulla del West,* Metropolitan Opera, 1910), les trois actes du Triptyque, *Il Tabarro* ou *La Houppelande, Sœur Angélique, Gianni Schicchi* (Metropolitan Opera, 1918), enfin *Turandot,* créée à la Scala sous la direction de Toscanini en 1926, dix-huit mois après la mort du maestro.

Pendant assez longtemps, la répugnance pour Puccini allait de soi chez les mélomanes de bonne souche. Aujourd'hui, on soutient le plus souvent qu'elle trahit une culture musicale incomplète. On ne peut pas confondre, il est vrai, le musicien avec les autres véristes. L'homme était intelligent, d'une curiosité dans son art fort nouvelle chez un compositeur italien. Il savait apprécier Debussy, pourtant si éloigné de lui. Il s'intéressait de près à Schœnberg, à Stravinsky, qui l'ont toujours eu en haute estime. Après la première audition en Italie de *Pierrot lunaire,* suivie partition en main, il s'était lié avec Schœnberg qui l'avait déjà cité parmi les précurseurs dans son *Traité d'harmonie.* Mahler avait monté avec grand soin plusieurs de ses opéras à Vienne. Ravel l'admirait. Son influence se reconnaît chez Schœnberg tout le premier, chez Alban Berg, chez Richard Strauss, et chez tant de ses émules français et italiens, y compris le dodécaphoniste Dallapiccola.

Mais si Puccini soigne son orchestration, y apporte même un certain raffinement, on pourrait croire, à en lire certains éloges démesurés, que bien des compositeurs et bien des critiques s'attendent à ne rencontrer dans une œuvre italienne que crincrins et orgues de Barbarie, et s'émerveillent, s'exclament parce qu'un vériste sait mettre en relief un dessin de clarinette, étager adroitement ses cuivres. N'eût été le besoin de contredire à la déplorable réputation de Puccini, personne n'attacherait d'importance, sauf dans *Turandot,* à ses petites touches de couleur, elles passeraient inaperçues dans l'éclat et l'étincellement des grands orchestrateurs qui l'ont précédé depuis Weber et plus encore de ses contemporains, de Debussy à Stravinsky.

On peut en dire autant de ses libertés harmoniques, telles que les quintes à vide de *La Tosca* ou ce que Leibowitz appelle les circonvolutions autour d'un centre tonique. Elles ne tiennent leur singularité que de la platitude de ce répertoire vériste où on ne les attend pas. Sous la main de Puccini, d'ailleurs, elles sont plutôt une coquetterie moderniste. Il ne les intègre pas à son langage naturel. Elles ont rarement une fonction dramatique ou descriptive.

La fidélité de Puccini à la tradition italienne des « bons degrés », son habileté non moins classique à ménager aux chanteurs des effets athlétiques sans grand péril pour des voix saines et vaillantes, lui ont valu une réputation de mélodiste. On assiste pourtant bien chez lui, comme chez la plupart de ses contemporains, au dépérissement de la grande mélodie romantique, que Strauss et Mahler sont parmi les derniers à soutenir avec leur lyrisme baroque. Il n'y a plus trace du *bel canto* proprement dit, à moins que l'on ne veuille conserver ce mot pour n'importe quel point d'orgue au-dessus du *sol.* Tous les commentateurs notent, à la louange de Puccini, que les « grands airs » se raréfient à partir de *La Bohème,* qu'ils occupent à peine quatre-vingts mesures de *La Tosca,* ce qui fait du reste qu'ils ont été rabâchés jusqu'à la nausée. La trame vocale de ces opéras, c'est l'arioso, mais d'une indigence à laquelle il n'échappe que par ses vulgarités : les phrases racoleuses sans avoir la canaillerie énergique et pimentée de certaines musiques, comme celles franchement charnelles et plébéiennes de l'Espagne du Sud, les grands écarts imités de *La Tétralogie* où ils étaient des tremplins héroïques, et qui deviennent des numéros de parade, où ténors et sopranos soulèvent les notes hautes comme des poids d'hercules forains.

De cet art extraverti, uniquement physique, on ne peut guère attendre de nuances psychologiques, ni de profondes émotions. Puccini était très difficile dans le choix de ses livrets, et les années passées à leur recherche, leur découpage, sont la cause des longs intervalles entre ses œuvres. Il s'adressait pour leur confection à des plumitifs modestes, Illica, Zangarini, Simoni, qu'il pouvait tarabuster, remettre à la tâche jusqu'à ce que leur canevas fût à son gré. Il lui fallait, pour composer, une histoire qui « le touchât au cœur, le fît pleurer, rire, l'exaltât, le secouât », comme il l'a expliqué lui-même. C'étaient les mélos les plus violemment rudimentaires qui réunissaient ces conditions : une femme qui pour sauver son amant feint de se donner à son bourreau qu'elle tue après lui avoir arraché la signature de la grâce, pour voir ensuite cet amant fusillé par de vraies balles, alors qu'elle était certaine qu'on tirerait sur lui à blanc ; un terrible bandit du Far West régénéré par l'amour d'une jeune et pure aubergiste qui lui lit la Bible et le sauve de la potence ; une fille-mère que son aristocratique famille a contrainte à se faire religieuse et qui s'empoisonne dans le couvent en apprenant la mort de son enfant ; un amant qui va au rendez-vous de sa maîtresse et y trouve le mari qui l'étrangle.

Pas plus qu'à Leoncavallo, on ne peut nier à Puccini le tour de main pour ajuster ce grand guignol selon les règles de la scène. La musique dont il habille ses scénarios fait songer aux auteurs de feuilletons, qui avec un vocabulaire court et banal se font lire, parce qu'ils savent animer des personnages pourtant tout d'une pièce, au milieu de situations extrêmes qu'ils rendent presque vraisemblables. Ce don lui-même a cependant ses limites. Les évocations parisiennes du *Tabarro* s'arrêtent à la carte postale pour touristes. Mais le plus regrettable, dans cette démagogie du pathétique, c'est qu'elle se boursoufle et se confond alors avec l'indécente esthétique 1900 de l'Italie. *La Tosca* est bien du même temps que la terrible pièce montée du monument de Victor-Emmanuel II, la seule laideur de Rome, mais à quel point encombrante et offusquante...

Puccini avait pourtant des circonstances atténuantes. En cultivant ce spasme vocal que notre goût réprouve souvent, il obéissait à la plus vieille loi de l'opéra italien, datant des premiers Napolitains. Puis il était accessible à un humour qui ne trouvait plus guère de place sur les scènes lyriques de son pays. Il écrivit ainsi *Gianni Schicchi*, troisième volet de son triptyque, une farce qui transporte les friponneries du *Légataire universel* dans la Florence du Quattrocento. C'est un excellent et très divertissant opéra bouffe, qui entraîne dans un mouvement impeccablement réglé dix personnages sans cesse présents sur le plateau. Il reste toutefois plus proche du classique *Don Pasquale* de Donizetti que de l'inimitable *Falstaff*, de ses libertés, de sa fantaisie.

Enfin, la soixantaine venue, Puccini sentit le besoin de se dépasser, d'oublier ses concessions sciemment calculées au public. Ce fut *Turandot*, l'opéra des antipucciniens, et en même temps le moins connu des foules éprises de Mimi et de *Madame Butterfly*. Le livret est emprunté à une des fables dramatiques de Gozzi, qui avait déjà séduit Schiller et Weber. Turandot, princesse chinoise, sphinge et vierge cruelle, assouvit sur l'espèce masculine une vengeance ancestrale, et a fait couper la tête à vingt-six prétendants qui n'ont pas su résoudre ses énigmes. Calaf, prince tartare, errant et incognito, est frappé d'une telle passion à la vue de Turandot qu'il se déclare candidat au fatidique concours. Il répond aux trois énigmes. Devant la violente douleur de la princesse, il lui offre avec magnanimité une revanche : qu'elle découvre son nom avant l'aube, et elle disposera de sa tête. A l'heure dite, Turandot sait son nom, mais elle vient aussi d'apprendre l'amour, et le finale est nuptial.

On ne peut être plus loin du vérisme qu'avec cette légende. Elle appelle au contraire le déploiement du grand opéra auquel l'auteur de *Butterfly* veut revenir. Les airs de Calaf et de Liu, la petite esclave au grand cœur, véhiculent encore beaucoup de cette sentimentalité puccinienne qui s'arrondit en paraphes faciles, escalade des lieux communs harmoniques. Mais avec la grande intervention de Turandot au second acte, on reconnaît le Puccini, tout à fait insoupçonné des poulaillers de l'Opéra-Comique et du Capitole, qui courait l'Europe pour entendre les concerts d'avant-garde. Le rôle de la princesse associe les figures du *bel canto* à la déclamation lyrique du XXᵉ siècle. Le résultat est insolite et séduisant, mais d'une difficulté vocale qui a malheureusement raréfié les interprètes et les représentations de l'ouvrage.

Turandot est aussi une féerie, avec des chœurs importants, des mouvements de foule, des marches, et trois masques chinois, les ministres Ping, Pang et Pong, installant dans cette cour barbare les joyeux fantoches de la commedia dell'arte. Puccini a employé beaucoup d'ingéniosité et même de goût à styliser cet exotisme en évitant aussi bien le chromo que l'imitation par trop littérale de l'Extrême-Orient. Tant pour l'harmonie où intervient la polytonalité que pour l'orchestre souvent très haut en couleurs, avec gong, xylophones, glockenspiel, célesta, l'écriture de Puccini n'a jamais été plus personnelle et plus savoureuse.

Le maestro, atteint d'un cancer à la gorge, mourut à Bruxelles, en novembre 1924, cinq jours après avoir été opéré. Une scène manquait à sa partition, sur laquelle il avait travaillé pendant quatre ans. C'était le grand duo final, où il comptait rendre, au cours d'un large développement, l'humanisation par le désir de la glaciale princesse. Nous ne saurons jamais s'il serait parvenu à y renouveler, y purger de ses poncifs son vocabulaire amoureux. Franco Alfano se chargea d'écrire ce finale, et s'y prit très malencontreusement, délayant d'un main lourde et timorée quelques motifs précédents. La chute de l'intérêt tant dramatique que musical est affligeante. L'œuvre se décolore brusquement, l'évolution subite de Turandot n'est plus qu'un ressort de machinerie. Toscanini, lorsqu'il dirigea la création de *Turandot* à la Scala en 1926, eut raison de supprimer cet appendice, et de poser sa baguette après l'émouvante mort de la petite Liu, la dernière page que composa Puccini.

Pour tenir le rôle d'une réaction latine à Wagner, le vérisme visait trop bas, et malgré sa popularité pesait musicalement trop peu. Puccini le reniait presque dans son œuvre la plus originale. Franco Alfano (1876-1954), le collaborateur malheureux de *Turandot,* avait fait représenter en 1904 son opéra *Résurrection,* d'après Tolstoï, qui devait pour ainsi dire tout à *La Bohème* et à *La Tosca.* Mais son évolution ultérieure le conduisit à un style impressionniste et symphonique. Riccardo Zandonai (1883-1944), auteur de *Conchita* d'après *La Femme et le Pantin* de Pierre Louÿs, Ermanno Wolf-Ferrari (1876-1948), qui écrivit *Les Joyaux de la Madone* ont rarement franchi les frontières de l'Italie. En 1935, le vieux Mascagni, devenu le compositeur attitré du fascisme, fit jouer un *Néron* à grand spectacle, auquel avait été convoquée tout l'Europe musicale, et qui tomba à plat. Ce fut la dernière manifestation officielle du vérisme. Mais il n'a pas été enterré pour autant, si du moins l'on désigne de ce nom une dégénérescence le plus souvent vulgaire de la faconde vocale des Italiens. Nous en retrouverons encore les traces çà et là jusque dans les musiques les plus récentes.

QUATRIÈME PARTIE

Le XXᵉ Siècle

CHAPITRE PREMIER

DEBUSSY

Le 22 décembre 1894, l'orchestre de la respectable Société nationale, sous la conduite du chef suisse Gustave Doret, exécutait pour la première fois en public le *Prélude à l'Après-midi d'un faune* de Claude Debussy. Les répétitions avaient été laborieuses et houleuses, entre les musiciens déroutés et l'auteur qui corrigeait sans cesse les détails de son instrumentation. Le succès au concert fut cependant si vif que Doret, enfreignant une des règles de la Société, bissa l'ouvrage. Au contact de Franck et de ses élèves, piliers de la Société, les auditeurs avaient formé leur oreille et leur jugement. On ne reconnaissait plus les Parisiens qui trente-quatre ans auparavant, sous le règne de Meyerbeer et d'Offenbach, n'entendaient qu'un chaos de notes dans la première audition du prélude de *Tristan et Isolde.*

Le rapprochement s'impose entre ces deux pages, malgré leur disparité complète de sentiments, de contenu poétique. *Tristan* annonçait toute la musique future. Le prélude du Faune l'inaugurait. Jamais œuvre si brève — dix minutes à peine — n'avait pris une telle importance. On peut dire qu'avec elle s'ouvre le XXᵉ siècle musical.

Le *Faune* fait entrer dans la musique une mélodie entièrement libérée, non seulement par son chromatisme continu, mais aussi par son indépendance rythmique où la barre de mesure devient presque superflue, par l'autonomie des éléments thématiques. Toute trace de carrure, d'enchaînements classiques a disparu. Autour de la flûte et de la harpe, symbolisant la mythologie, l'instrumentation est de la première à la dernière note une suite de sonorités délicieusement inédites, d'alliages subtils, insoupçonnés de tous les prédécesseurs, si grands virtuoses de l'orchestre qu'ils eussent été.

La volupté captieuse de cette rêverie, d'ailleurs fort éloignée de l'érotisme ciselé du beau poème de Mallarmé, a conquis tous les auditoires. Mais cette improvisation qui semble ne suivre que son caprice cache sous ses arabesques une structure très précise, assurant son unité, et où l'on retrouve facilement à l'analyse un assemblage des sections du lied et de la sonate.

L'auteur de ce chef-d'œuvre était né le 22 août 1862, à Saint-Germain-en-Laye, dans la petite boutique de faïences que tenait son père. Toute l'ascendance familiale, bourguignonne et parisienne, était faite de vignerons, de menuisiers, serruriers, charrons, débitants de vin. La grand-mère paternelle de Debussy ne savait pas écrire, sa grand-mère maternelle avait été cuisinière.

Ce fut grâce aux générosités de son parrain et de sa marraine, le riche banquier Achille Arosa et sa maîtresse, Clémentine Debussy, la propre tante du petit Claude, que celui-ci, dont les parents s'étaient réinstallés à Paris, put avoir très tôt des échappées sur un monde beaucoup plus vivant et attirant que le milieu familial : vacances à Cannes, sorties, cadeaux. Ce fut également la marraine Clémentine qui fit donner à l'enfant sa première éducation musicale, avec un vieux professeur de piano italien, Cerutti. A ce Cerutti, succéda, quand Claude avait à peine neuf ans, un second professeur, Mme Mauté de Fleurville, depuis peu belle-mère de Verlaine, et que la plupart des biographes tiennent sur ses dires pour une élève de Chopin, bien que l'on n'en ait aucune preuve. Mythomane ou non, cette dame Mauté était en tout cas perspicace et très bon professeur, puisqu'elle décida les parents du gamin à l'aiguiller vers la carrière musicale, et qu'après treize ou quatorze mois de leçons il était admis à dix ans au Conservatoire. Il lui garda toute sa vie une grande reconnaissance, affirmant qu'elle lui avait inculqué « le peu qu'il savait en piano. »

Au Conservatoire, que dirigeait alors Théodore Dubois, il fut très vite un élève « difficile », en rébellion contre l'enseignement officiel. Il épouvanta son professeur d'harmonie, Emile Durand, par ses chaînes d'accords interdits. Il se heurta violemment à son professeur de piano, le vieux mécanicien Marmontel, qui lui fit avec obstination refuser un premier prix, bien qu'il eût été un pianiste de grand talent selon tous ceux qui l'entendirent.

Mais il ne faudrait pas croire non plus que son futur génie endura un vrai martyre dans la vieille maison. Son maître de solfège, l'excellent Albert Lavignac, alors tout jeune, fut vite amusé et séduit par l'indépendance, la précoce curiosité du petit, et lui ouvrit le premier, plus ou moins en cachette, les partitions de Wagner. Son professeur de composition, Ernest Guiraud, homme intelligent, l'intime de Bizet, le prit en amitié, devina très bien sa personnalité, ne se formalisa point de ses diatribes contre l'École où l'on apprenait « la façon la plus solennellement ridicule d'assembler des sons », et sut le faire profiter de tout ce qui pouvait lui être utile et même indispensable dans cet enseignement. Il est évidemment risible que le plus grand harmoniste de la musique française n'ait pas décroché en harmonie un seul accessit. Mais les officiels décernèrent tout de même en 1884 à son assiduité — douze ans de Conservatoire — leur plus haute récompense, le prix de Rome qui n'était pas encore aussi misérablement dévalué qu'aujourd'hui.

Entre-temps, le jeune Debussy avait eu la chance d'être envoyé à Mme von Meck, la célèbre Égérie platonique de Tchaïkosvki, qui désirait un pianiste bon lecteur pour agrémenter son voyage en Europe. Auprès de la Russe, qui ne se déplaçait qu'avec cinq ou six de ses douze enfants, un trio de musiciens et une smalah de domestiques, Claude-Achille durant l'été et une partie de l'automne 1880, visita la Suisse, l'Italie du Nord, le bassin d'Arcachon. Il sut se rendre si attachant que deux années de suite Mme van Meck rappela pour les vacances, cette fois en Russie, son « petit Bussyk », fastueusement appointé et reçu comme un membre de la famille. Le petit Parisien pauvre et encore assez mal léché avait ainsi l'occasion de connaître durant plusieurs mois une existence très confortable, sinon très distinguée, de faire des voyages inespérés. Mme von Meck l'emmena à Florence, à Venise où il vit Wagner, à Vienne où il entendit pour la première fois *Tristan* dirigé par Hans Richter. Mais au contraire de ce que l'on crut longtemps, son initiation à la musique russe durant ces séjours se borna à peu près au déchiffrage presque quotidien des œuvres de Tchaïkovski, sitôt oubliées que lues, et à quelques auditions de tziganes. Chez Mme von Meck, on s'occupait fort peu des Cinq, dont le groupe était d'ailleurs disloqué, et pas du tout de Moussorgski, mort dans le dénuement en 1881. Debussy feuilleta tout au plus quelques pages de Borodine, de Balakirev.

Une photographie de cette époque russe nous montre le visage de Claude-Achille encore enfantin, mais têtu, avec un front bombé et frisé de taurillon, de petit faune encore imberbe, mais des plus doués pour la physique de l'amour. Il allait en parfaire la connaissance dans les bras d'une initiatrice idéale, Mme Vasnier,

belle femme de quatorze ans son aînée, mariée à un architecte
(ou greffier des bâtiments ?) beaucoup plus âgé qu'elle. Debussy
l'avait rencontrée dans un cours de chant où elle exerçait sa jolie
voix de soprano léger. Il eut bientôt sa chambre au domicile
conjugal, avec l'assentiment de l'époux décidé à fermer les yeux
sur les frasques de sa femme, traitant même le nouveau favori
paternellement, l'aidant à boucher avec la bibliothèque de la
maison les trous les plus voyants de sa culture, très négligée
comme chez toutes les bêtes à concours de la musique en France.
Debussy, qui n'était jamais allé à l'école ni au collège, eut toute
sa vie quelques difficultés avec l'orthographe et le simple calcul.

Prix de Rome pour sa cantate *L'Enfant prodigue*, le lauréat,
dès son arrivée à la villa Médicis, en janvier 1885, brame après sa
maîtresse perdue, vomit contre Rome des injures dans lesquelles
il entre une part de pose, comme on disait alors, de paradoxe,
une singerie de Berlioz qui, lui aussi, avait vitupéré la Ville éternelle en s'y rongeant d'amour pour la lointaine Harriet. Il faut
reconnaître du reste qu'auprès du Paris de ce temps-là, bourdon-
nant de ses concerts, de ses polémiques, de ses nouveautés, Rome
qui ne possédait même pas un bon opéra était bien la villégiature
la moins profitable pour un jeune musicien. Debussy affirme ne
s'être intéressé qu'à deux ou trois polyphonies religieuses
d'Orlando de Lassus et de Palestrina. On avait révélé il y a
quelques années sa visite au vieux Verdi, qu'il tint secrète pour ne
pas se discréditer chez ses amis parisiens, tous italophobes en
musique. Mais depuis, d'autres fouineurs ont nié la réalité de
cette anecdote, de même que la visite non moins clandestine de
Debussy à Brahms en 1888.

Rentré à Paris au début de 1887, Debussy ne tarde pas à
rompre avec les Vasnier pour des motifs inconnus. Il entre dans
une période de bohême qui durera jusqu'à la création de *Pelléas*.
Il gîte dans une mansarde du quartier de l'Europe avec sa maîtresse, Gaby aux yeux verts, une Normande qui fera carrière dans
la galanterie, mais pour l'instant subvient à la marmite commune en
travaillant dans un atelier de modiste ou en faisant des ménages. Il
rencontre beaucoup de littérateurs et de peintres, Catulle Mendès,
Villiers de l'Isle-Adam, Mallarmé, Marcel Schwob, Maurice Denis,
Toulouse-Lautrec, noue quelques grandes amitiés, surtout avec
Ernest Chausson, Paul Dukas, Pierre Louÿs. Il va à Montmartre
chanter avec les noctambules du Chat Noir, de l'Auberge du
Clou, où il se lie avec Erik Satie qui tient le piano de cette boîte.

C'est aussi la grande période de son wagnérisme. Il est célèbre parmi ses amis pour son habileté à rendre au piano les partitions du maître qu'il étudiait déjà passionnément à Rome. Il tire quelques cachets de ce talent dans des soirées mondaines. Il proclame en toute occasion que Wagner est son musicien favori avec Bach. Deux fois, en 1888 et 1889, il va à Bayreuth, où il entend *Tristan*, *Les Maîtres chanteurs* et *Parsifal*. C'est à la suite de ce second voyage que son admiration commence à se teinter de certaines réserves. Dans cette même année 1889, il a écouté avec une vive curiosité les musiques javanaises et cambodgiennes à l'Exposition universelle de Paris.

DES « ENVOIS DE ROME » AUX « NOCTURNES »

Dans les œuvres antérieures à *L'Après-midi d'un faune*, on voit Debussy se dégager peu à peu d'influences assez contradictoires. La cantate de *L'Enfant prodigue*, qui lui valut son prix de 1884, reste le seul échantillon encore écoutable de ces absurdes exercices, ce qui ne l'empêche pas d'être passablement ennuyeuse. Des quatre « envois de Rome », le premier seul, *Zuleima*, date réellement du temps de la Villa Médicis. C'était une « ode symphonique » restée inédite et dont on n'a jamais retrouvé le manuscrit. Elle choqua l'Institut, de même que l'ouvrage suivant, terminé à Paris, *Printemps*, pour chœur et orchestre, cependant timide et pâlot, mais où Saint-Saëns réprouvait la tonalité de fa dièse majeur, dont les six dièses lui paraissaient trop difficiles pour une exécution à l'orchestre (jugement burlesque, trente années après *Tristan* ! il n'était que temps de renverser de tels bonzes pour une révolution radicale de la musique). Achevée en 1888, *La Damoiselle élue*, pour soli, chœur féminin et orchestre, trahit le penchant, dont Debussy ne se défera jamais, pour la littérature la plus médiocrement artificielle de son époque, celle qui est destinée à se démoder le plus vite, ici une mièvre traduction du préraphaélite anglais Rossetti : « L'Elue s'appuyait sur la barrière d'or du Ciel. Elle avait trois lys à la main et sept étoiles dans les cheveux. Sa voix était pareille à celle des étoiles lorsqu'elles chantent en chœur. » La musique enveloppant cette Béatrice d'imagerie victorienne est encore très disparate. Certaines harmonies délicatement hétérodoxes appartiennent déjà au Debussy de *Pelléas*. Mais elles voisinent avec des marches d'harmonie qui restent très scolaires. Comme dans *L'Enfant prodigue*, on relève des tournures mélodiques rappelant Gounod − que Debussy défendra toujours, en disant cocassement « qu'il a été le premier à apporter dans l'expression des choses de l'amour un peu de transpiration » − et surtout de Massenet, dont Claude-Achille prétend quelquefois avoir été l'élève et qu'il se gardera d'attaquer. Il y a sans doute une affinité épidermique entre ces deux musiciens de la sensualité. Mais Debussy est un poète et un aristocrate − « Je hais les foules, le suffrage universel et les phrases tricolores » − l'autre un confiseur démagogue.

Le dernier « envoi », la *Fantaisie pour piano et orchestre*, achevée en 1890, a pris une allure de concerto − un genre qu'abhorre Debussy dans sa volonté de briser les développements classiques − comme si certaines formes étaient plus fortes que les intentions de l'artiste. En outre, le travail thématique, les variations rappellent le franckisme, dont Debussy ne se sent pas moins éloigné. Ayant pris conscience de ce fourvoiement, il arrache la partition d'orchestre à Vincent d'Indy sur le point de la diriger, et en interdira les exécutions de son vivant.

Le « debussysme » perce davantage dans les détails et la sensibilité des *Ariettes oubliées* sur les vers de Verlaine, écrites pour Mme Vasnier et retouchées en 1888, dans les pièces que l'on a plus ou moins abandonnées aux débutants du piano, comme les *Arabesques* où le souvenir de Massenet se fait plus raffiné, la *Petite Suite*, que l'on connaît surtout il est vrai, par l'instrumentation très fidèle au maître dont Henri Busser l'a parée, ou encore la *Suite bergamasque*.

Les *Cinq Poèmes de Baudelaire* pour chant et piano (Le Balcon, Harmonie du soir, le Jet d'eau, Recueillement, la Mort des amants), contemporains des voyages à Bayreuth, sont dans leur chromatisme l'ouvrage de Debussy le plus rapproché de Wagner, présent pour ainsi dire dans chaque accord de *Recueillement*. L'accent passionné de ces mélodies les élève d'ailleurs au-dessus de l'imitation.

En 1890, inquiet de sa pauvreté qui se prolonge, Debussy entreprend un opéra, *Rodrigue et Chimène*, sur un livret de Catulle Mendès, faiseur médiocre, mais alors très influent dans les lettres et le théâtre. Selon Cortot qui a possédé le manuscrit, Samazeuilh qui l'a lu, Dukas qui en a entendu des fragments, Debussy s'y abandonne à de nombreuses « complaisances pour le style opéra ». (Lequel ? Celui de Massenet ou celui des italiens ?

Sans doute une combinaison de l'un et de l'autre.) Il recherche donc un succès rapide, suffisamment facile. Mais après avoir écrit deux actes, il abandonne. Il perçoit peut-être moins le ridicule du livret que son ami Paul Dukas, qui parle d'un « bric-à-brac parnassien et d'une barbarie espagnole empanachée ». Mais il rougit de s'abaisser aux compromis, aux concessions dont il avait accepté le principe, de trahir en lui l'artiste, comme il le dit dans une formule superbe d'orgueil : « J'ai peur d'avoir remporté des victoires sur moi-même. »

L'année 1893 est celle des débuts de Debussy devant le public, avec l'audition de *La Damoiselle élue* à la Société nationale, puis la création du *Quatuor à cordes* par Eugène Ysaye et son groupe. Le *Quatuor*, qui dérouta d'abord à la fois les amis et les adversaires du musicien, a été ensuite prôné ou négligé avec un égal excès. Il ne possède pas encore l'irrésistible nouveauté du *Faune* prochain. Mais Debussy s'y astreint à la plus stricte des formes traditionnelles — il emploie même la cellule cyclique des franckistes — sans renoncer à rien de ce qui fait déjà son originalité, l'harmonie libre, la souplesse des phrases mélodiques, dont l'émotion est irradiée par les instruments, qui ne sont plus seulement quatre supports d'une épure musicale mais ont été traités pour leurs timbres, pour leurs ressources sonores inusitées dans cette forme grave — sourdines, pizzicati, évocations de la harpe ou de la flûte — ce qui fait souvent de ce beau quatuor un « résumé d'orchestre », comme l'a dit justement André Schaeffner.

Tandis que Debussy, dans cette même année, fignole son *Après-midi d'un faune*, l'idée lui vient d'un opéra sur la pièce nouvelle de Maurice Maeterlinck, *Pelléas et Mélisande*, qu'il a vraisemblablement lue avant de l'avoir vu représenter par Lugné-Poe et sa troupe. Il accumule bientôt les esquisses de cette nouvelle œuvre. En même temps, ses quatre *Proses lyriques*, chant et piano, « De rêve, De grève, De fleurs, De soir », sont des sortes d'études pour ce *Pelléas*. Debussy, piqué d'émulation par ses amitiés littéraires, a écrit lui-même son texte, où traînent tous ces poncifs de la mode symboliste, qui allaient si vite devenir de risibles objets d'époque : « La nuit a des douceurs de femme, et les vieux arbres, sous la lune d'or, songent... Vierge or sur argent laissent tomber les fleurs du sommeil. » L'excuse de Debussy est d'avoir aligné ces vocables pour la musique qu'ils allaient inspirer, qui plus ou moins consciemment préexistait à eux. Musique oscillant encore entre les souvenirs romantiques et les libertés nouvelles. La dernière Prose, « De soir », nous apporte l'imprévu, contrastant avec le vague à l'âme fin de siècle, d'un Debussy humoriste, blaguant les foules du Paris dominical sur l'évocation spirituellement stylisée d'un refrain populaire.

Autres études pour *Pelléas*, plus poussées et plus précises, puisque l'une d'elles, *La Chevelure*, annonce la scène de la Tour : ce sont les *Chansons de Bilitis*, sur des textes qui par hasard restent lisibles de Pierre Louÿs. Si la Grèce de l'auteur d'*Aphrodite* est peuplée de nymphes et de Saphos modern style, le paganisme de Debussy répond à un instinct profond du plus voluptueux des musiciens français.

Lorsque paraissent en 1898 ces trois *Chansons de Bilitis*, Debussy a terminé depuis trois ans une première version de *Pelléas*. Il l'a exécutée devant quelques intimes. Mais il n'en est pas entièrement satisfait. Des projets de représentation à Londres et à Bruxelles n'ont pas abouti. L'œuvre reste en carton, mais subira des retouches et des remaniements importants avant la création en 1902.

Dans les *Chansons de Bilitis*, aussi bien que dans le *Quatuor*, le *Faune* et *Pelléas*, Debussy fait un usage fréquent des anciens modes médiévaux, mais qu'il soumet à toutes les altérations du chromatisme : ce que veulent ignorer les théoriciens d'une opposition tranchée entre la « conscience modale », séculaire chez les musiciens français, et la musique germanique, bâtie sur les fonctions tonales, évoluant selon leur élargissement progressif, jusqu'à leur saturation complète. Le libre syncrétisme de Debussy déborde ces catégories trop cloisonnées.

Entre-temps, la vie de Debussy a été passablement accidentée. Au début de 1897, après on ne sait laquelle des innombrables infidélités de son amant, sa maîtresse, Gaby se tire un coup de revolver dans la poitrine. La froideur et même l'ironie grinçante de Claude devant cette tentative de suicide le brouillent avec plusieurs de ses meilleurs amis, Ysaye, les Chausson. Guérie de sa blessure, la modiste revient d'ailleurs chez le musicien, et leur rupture n'aura lieu qu'un an plus tard, quand Gaby se munira d'un protecteur sérieux. A l'automne 1899, Debussy épousera Lily — Rosalie Texier — mannequin de vingt-cinq ans, jolie, élégante, tout à fait inculte, qui a hésité à lier son sort à ce compositeur toujours sans le sou. Anecdote célèbre : le jour même du mariage, Debussy a été obligé de donner une leçon de piano pour pouvoir payer le repas de noces.

L'hommage aux formes classiques dans les trois pièces du recueil *Pour le piano* (Prélude, Sarabande et Toccata), composées entre 1896 et 1900, est plus capricieux que convaincant. La Toccata est un compromis, qui a été imité jusqu'à la satiété, entre la tradition et des joliesses harmoniques assez superficielles.

Le 9 décembre 1900, Debussy remportait son premier succès devant le grand public, avec la création aux concerts Lamoureux de ses *Nocturnes* pour orchestre. Nuages, Fêtes, le troisième, Sirènes, qui comporte un chœur de femmes, n'ayant été créé que l'année suivante. Ces pages, les plus importantes et les plus séduisantes de Debussy entre le *Faune* et *Pelléas* − il y travailla trois ans après avoir rejeté une première version avec violon principal − ces pages ont fait l'objet d'une controverse sur laquelle il faut s'expliquer. Les critiques les plus favorables de 1900 avaient vu dans les *Nocturnes* une réussite très neuve de l'impressionnisme musical. Plus tard, des hommes de grand savoir tels que Charles Kœchlin, puis aujourd'hui les jeunes musiciens admirant non moins sérieusement en Debussy un de leurs précurseurs, ont jugé péjoratif, pour ce qu'il a de vague, pour la fadeur qu'il évoque, « voilant la révolution debussyste d'un écran de fumée rose », ce terme d'impressionnisme qui nous a nous-même agacé dans notre jeunesse par son élasticité littéraire. Le malentendu remonte à Jean Cocteau, qui ne cessa de dégrader son talent en le dispersant, lorsque, en 1918, dans *Le Coq et l'Arlequin*, redoutant d'être confondu avec l'avant-garde de l'avant-veille, il écartait Debussy et Claude Monet comme des cravates dont on est fatigué, approuvant la dame qui comparait une cathédrale de Monet à une glace en train de fondre, blaguant le cheveu en quatre de Mélisande, rejetant « la sauce des musiciens impressionnistes », écrivant : « On ne peut pas se perdre dans le brouillard Debussy comme dans la brume Wagner, mais on y attrape du mal. »

On est si loin à présent de ces propos saisonniers et fragiles, qui contribuèrent à l'éclipse de Debussy entre les deux guerres, que l'on ne veut même pas en retenir la notion d'impressionnisme pour la musique. Le terme, ni plus ni moins heureux qu'« expressionnisme », « cubisme » ou « abstraits », s'est bien rapporté pourtant à un état très réel des sensibilités, des techniques, des motifs se répondant et interférant dans la peinture, la poésie et la musique. Dans cet art de fixer les images et les émotions fugaces, changeantes, le Baudelaire des *Tableaux parisiens*, le Verlaine de *La Bonne Chanson*, Sisley, Pissarro, Renoir, Monet durant toute sa carrière, le Debussy des années les plus fécondes sont bien les uns et les autres en affinité. Pour en exclure Debussy, il faudrait révoquer tous les textes où il enjoint aux musiciens d'aller voir se lever le soleil plutôt que d'écouter la *Symphonie pastorale*, d'être attentif aux conseils du vent qui passe, de se pénétrer des gammes de couleurs qui jouent les saisons, il faudrait rejeter son propre commentaire des *Nocturnes* : « Il ne s'agit pas de la forme habituelle du Nocturne, mais de tout ce que ce mot contient d'impressions et de lumières. » Prétendre que Debussy s'adonne à la littérature facile, c'est oublier que l'écriture de ses poèmes d'orchestre, procédant par succession de petits motifs mélodiques et rythmiques répartis entre des timbres isolés − clarinette, basson, cor anglais, hautbois, violon solo dès les premières mesures de *Nuages* − transfère exactement dans le langage musical la juxtaposition des touches colorées chez Monet et ses amis, qu'elle rompt l'ancien développement symphonique de même que les peintres impressionnistes éludent les contours du dessin traditionnel. Cocteau aurait bien pu se mordre la langue en apprenant que Kandinsky, l'apôtre de la nouvelle peinture, avait découvert sa vocation devant les séries de meules et de cathédrales de Claude Monet, dédaignées par le snobisme étourdi de 1925. Faire des impressionnistes les peintres du flou doucereux, c'est répéter un lieu commun suranné. On se ridiculiserait en discutant la virilité de Claude Monet, les fermes assises de son art jusque dans des tableaux presque entièrement composés de ciel et de mer comme sa *Cabane du douanier* dans une collection suisse. On ne peut pas ignorer non plus que sous leur nonchalante apparence, les *Nuages* de Debussy sont précisément construits selon les trois parties du lied classique, que les *Fêtes* sont un scherzo placé entre les deux mouvements lents, et dont la fanfare stylisée constitue le trio.

Le succès des *Nocturnes* a valu à Debussy, toujours désargenté, la critique musicale de *La Revue blanche*. Ses principaux articles seront réunis dans le petit livre *Monsieur Croche antidilettante*, Monsieur Croche étant un curieux personnage inspiré de Monsieur Teste de Paul Valéry, et à qui l'auteur a coupé trop tôt la parole. Debussy est un bon journaliste, concis, avec les mots gouailleurs des cafés d'artistes qu'il a beaucoup fréquentés, acerbe pour les confrères étrangers et les anciens − son éreintage assez judicieux du chevalier Gluck est resté célèbre − prudent avec ses contemporains français; mais il prend sa revanche en les étrillant dans sa correspondance privée.

« *PELLÉAS ET MÉLISANDE* »

Le 3 mai 1901, sur le conseil pressant de son chef d'orchestre André Messager, le directeur de l'Opéra-Comique, Albert Carré, avait reçu *Pelléas et Mélisande*, avec promesse de monter l'œuvre l'année suivante. Debussy se remit au travail, non sans difficulté, sur sa partition, complétant l'orchestration qui n'était qu'esquissée, reprenant certaines scènes, en particulier celle de l'aveu et de la mort de Pelléas, la première qu'il eût composée, en 1893.

Une intrigue de coulisse allait lui créer de lourds tracas. Maurice Maeterlinck vivait maritalement depuis plusieurs années avec une maîtresse incandescente, Georgette Leblanc, sœur de l'auteur d'*Arsène Lupin*, mi-cantatrice mi-comédienne dans le style de Sarah Bernhardt. Elle comptait créer le rôle de Mélisande. Debussy avait préféré sans hésiter une jeune Écossaise de vingt-quatre ans, Mary Garden, nouvelle étoile de l'Opéra-Comique où Mme Leblanc s'était rendue impossible par son caractère. Furieux, Maeterlinck, qui était dans la vie un gros bourgeois flamand très brutal, tenta par tous les moyens de faire interdire les représentations – sa maîtresse, du moins selon les *Souvenirs* qu'elle a laissés, n'y aurait été pour rien, ce que l'on croit difficilement. Il alla jusqu'à faire distribuer le jour de la générale, le 27 avril 1902, un tract aussi insensé que grossier, puisqu'il ridiculisait sa propre pièce, sous la forme d'un résumé prétendument historique. En effet, durant la représentation, houleuse, mais peut-être moins qu'on ne l'a dit, le public fut sans doute interloqué par la déclamation, mais il « cueillit » surtout les puérilités, les « truismes senten-cieux » (Vuillermoz) du texte de Maeterlinck, sa fausse simplicité, ses platitudes qui se veulent mystérieuses. L'hilarité des « oppo-sants » soulignait ainsi la seule faiblesse du chef-d'œuvre, ce livret qui avait sans doute le mérite de réagir contre le symbolisme emphatique et coruscant, mais dont maints « pelléastres » fervents ont toujours reproché le choix à Debussy. Il s'en était cependant expliqué, avant d'avoir lu une ligne de Maeterlinck, en 1889, quand il définissait ainsi l'auteur idéal de livrets pour lui : « Celui qui disant les choses à demi me permettra de greffer mon rêve sur le sien; qui concevra des personnages dont l'histoire et la demeure ne seront d'aucun temps et d'aucun lieu; qui ne m'imposera pas despotiquement de « scène à faire » et me laissera libre, ici ou là, d'avoir plus d'art que lui et de parachever son ouvrage. » Exactement l'inverse de ce que Puccini réclamait à ses scribes. On comprend alors quel attrait la pièce de Maeterlinck put exercer sur lui, malgré une mièvrerie que ses goûts littéraires, restés flottants, ne lui permettaient pas de distinguer. On doit convenir qu'en outre cette pièce était scéniquement bien agencée, surtout après les coupures que Debussy y avait pratiquées.

Au cours de cette générale, incomparablement dirigée par André Messager, la partie restait indécise entre les admirateurs et les chahuteurs. La « première », le surlendemain, fut-elle plus calme ou encore plus agitée ? Les souvenirs des témoins, dont les derniers, tel René Dumesnil, viennent à peine de disparaître, divergent tellement que nous sommes bien mieux renseignés sur les représentations de *Tannhäuser* à Paris en 1861. Nous savons du moins que quelques articles énergiques, le plus intelligent ayant été celui de Paul Dukas, compensèrent dans la presse les inepties historiques des rétrogrades comme Bellaigue, des officiels comme Henry Roujon, directeur des Beaux-Arts, qui parlait d'une « honte nationale ». Ce qui est certain, c'est que *Pelléas* fut rapidement imposé par un carré d'enthousiastes, chez qui les jeunes gens dominaient, se retrouvant à chaque représentation — et il y en eut chaque semaine dans cette année 1902 — pour soutenir contre les philistins cette musique dont ils n'épuisaient pas le charme. Une œuvre aussi nouvelle ne pouvait trouver plus rapidement son public.

On eût fort étonné ces premiers admirateurs, parmi lesquels il y avait cependant des wagnériens convaincus comme Émile Vuillermoz, si on leur avait parlé du wagnérisme de *Pelléas*. Pour eux, et ils n'avaient pas tort, cette œuvre rompait un envoûtement devenu écrasant, elle prouvait que d'autres esthétiques musicales étaient encore possibles après Bayreuth. Debussy avait compris dès ses débuts la stérilité du wagnérisme d'imitation que tant de Français pratiquaient autour de lui. Pendant qu'il travaillait à ses envois de Rome, il écrivait déjà : « Wagner pourrait me servir, mais je n'ai pas besoin de vous dire combien il serait ridicule même d'essayer. » Aujourd'hui cependant, parce que nous sommes mieux accoutumés à l'écriture de *Pelléas*, que nous l'analysons plus facilement, nous savons tous que ce chef-d'œuvre n'eût pas été possible sans Wagner, que *Pelléas*, comme le dit fort bien Jean Barraqué, est le complément de ce *Tristan* dont il voulait être l'antithèse, de même que *Tristan* en était la prémonition.

Il fut beaucoup question autrefois de l'empreinte de Moussorgski sur Debussy. On ne la nie pas, mais elle est bien moins décisive et profonde qu'on ne l'a cru. On est presque certain que Debussy n'a connu *Boris Godounov* que vers 1893, alors qu'il s'était déjà forgé en grande partie son langage personnel. Le Russe lui a surtout fourni, semble-t-il, des confirmations. C'est Pierre Louÿs qui le premier, a vu le plus juste en disant que son ami n'avait réellement subi qu'une influence dominante, celle de Wagner. Elle transparaît dans l'atmosphère tonale de *Pelléas*, saturée de chromatisme, dans maints détails de la couleur orchestrale, dans l'usage des nombreux leitmotive attachés à une situation, à un personnage, plus assouplis, plus malléables, plus furtifs, mais qui se superposent aussi selon les plus fameux exemples de la polyphonie bayreuthienne. C'est encore au modèle wagnérien que ressortit la trame continue de *Pelléas*, assurée par les admirables interludes instrumentaux.

On s'étonne de nos jours que la critique de 1900, qui avait pour manie de découvrir du wagnérisme chez Gounod, Bizet, et jusque chez Massenet, n'eût pas soupçonné celui de *Pelléas*. C'est qu'elle était accoutumée à juger d'après des analogies superficielles. Debussy au contraire, le premier parmi les compositeurs français, avait compris les innovations profondes de Wagner, et qu'elles permettaient, comme il le fit, de prendre d'autres voies, en s'appuyant sur elles au lieu de les décalquer.

Avec tout ce qu'il lui devait, l'admiration militante qu'il avait éprouvée pour lui dans sa jeunesse, les sarcasmes de Debussy contre Wagner après la victoire de *Pelléas* prirent le tour d'une apostasie d'autant plus choquante que le musicien, qui faisait maintenant de l'esprit boulevardier sur cet art, en avait pénétré mieux que personnes les secrets, et qu'il était tout fleurs et courbettes pour un Massenet. Aucune considération de stratégie musicale ne l'obligeait à un pareil reniement. Debussy cultivait peu la gratitude, et fut souvent féroce avec ses plus fidèles défenseurs. Ses mauvaises boutades auraient pu ne desservir que sa mémoire. Le plus regrettable, c'est qu'elles ont été répétées, avec tout le prestige de son nom, pour compliquer et prolonger force malentendus.

Bien qu'elle ait été universellement copiée, la déclamation de *Pelléas* garde toute son originalité. Elle est exactement conçue pour le faible relief de la langue française, elle en épouse les intonations, mais pour les transmuer en mélodie par de subtils enchaînements harmoniques. Elle réussit à être en même temps très humaine et intemporelle. Sa simplicité syllabique, son *ambitus* restreint, son refus des notes brillantes ne l'empêchent pas d'avoir des mouvements lyriques, de chant large aux minutes de la plus grande émotion. Ce qui indique bien que *Pelléas* ne doit pas être le refuge des voix confidentielles, émoussées, réduites. Parmi les premiers interprètes, nous connaissons mal les moyens vocaux de Jean Périer, bel acteur. Mais Dufranne, dans le rôle de Golaud, était un grand baryton, et Mary Garden une cantatrice complète, qui allait bientôt créer en français *La Tosca* et *Salomé* de Strauss, deux rôles exigeant autant de puissance que d'éclat.

Debussy est en somme resté fidèle à la tradition française de la « voie moyenne », du demi-caractère, mais en lui faisant exprimer une vie intérieure, une vérité humaine qu'elle ignorait. Il a transformé sa facilité par son harmonie savante et mouvante, où même les accords parfaits sans fonctions prennent dans la continuité des modulations une valeur insolite, troublante, et qu'il enveloppe d'un tissu orchestral ne pesant jamais sur les chanteurs, mais riche et diapré dans sa discrétion, et pouvant s'assombrir, s'alourdir chaque fois où le drame le réclamait.

Par des moyens purement musicaux, par le dépaysement tonal, *Pelléas* élevait surtout à la vraie poésie l'esthétisme cotonneux des princesses lointaines, des mélancolies crépusculaires, des vierges préraphaélites liliales et langoureuses. A cette mode suspecte du flou, du gothique falsifié, Debussy restituait un charme mystérieux, une fraîcheur qui alla droit au cœur de la jeunesse, l'alliée spontanée et dès le premier jour de *Pelléas*. Tout en reflétant son époque, l'œuvre la transcendait bien pour entrer dans la poétique universelle, puisque après plus de soixante ans, elle n'a rien perdu de son pouvoir d'incantation.

« LA MER. » LES DERNIÈRES ŒUVRES

Si elle ne lui apportait pas la fortune, la réussite de *Pelléas*, qui s'étendrait bientôt à l'étranger — Bruxelles, Londres, New York, Berlin dès 1906, Vienne, Budapest, Milan en 1908 avec Toscanini — faisait de Debussy à Paris une personnalité artistique de premier plan, l'introduisait dans cette musique officielle qu'il avait tellement méprisée et dont il acceptait maintenant les honneurs, ruban rouge, participation au jury du prix de Rome.

La première œuvre qui suivit la création de *Pelléas* fut le recueil des trois *Estampes* pour piano, avec la *Soirée dans Grenade*, le charmant impressionnisme des *Jardins sous la pluie*, une averse d'été qui fait briller les feuilles et que le soleil séchera vite.

L'année 1904 devait être capitale dans la vie privée de Debussy. Il avait fait auparavant, peut-être au moment où il adressait une bizarre et inutile déclaration d'amour à Mary Garden, la connaissance d'une femme du monde, Emma Moyse, Israélite de Bordeaux, mariée au riche banquier Bardac. Elle était du même âge que lui, mais très jeune d'allure et de caractère, séduisante et le sachant, excellente musicienne. Après des mois d'une intimité de plus en plus libre, où Debussy lui dédiait ses *Trois chansons de France* et son second recueil des *Fêtes galantes*, ils s'éprirent passionnément l'un de l'autre. Le 14 juillet 1904, sans un mot d'explication à son épouse Lily, Debussy fuyait le domicile conjugal, et courait filer le grand amour avec Emma à Jersey, d'où il datait la plus exubérante de ses pièces pour piano, *L'Isle joyeuse*, confession de son bonheur. Au début de l'automne, comprenant qu'elle avait perdu son mari sans recours, ou tentant désespérément de le ramener à elle, Lily, comme Gaby, se tirait une balle dans la poitrine et se blessait assez gravement. Debussy, semble-t-il, la conduisit à l'hôpital où on l'opéra, mais rejoignit immédiatement sa maîtresse.

Tout l'accablait. Un musicien devenu célèbre abandonnait sans pitié la compagne des jours difficiles pour aller goûter l'opulence auprès de la femme d'un banquier. Lily, la midinette, la fille d'un cantonnier, était sans doute incapable de participer à sa vie artistique. Mais ne le savait-il pas avant de l'avoir épousée ? Le scandale s'étendait dans les journaux. Pierre Louÿs, Messager, Carré, Mary Garden, en prenant ostensiblement le parti de Lily, rompaient avec Claude. La brouille avec Louÿs, le plus vieux, le plus intime des amis, sera probablement définitive. Debussy l'hédoniste ne pouvait répondre que par un de ses mots à la fois les plus cyniques et les plus sincères : « Le désir est tout. Quelle joie, le moment où l'on possède ! » Emma divorçait de Bardac en mai 1905, pour rejoindre son amant, à qui elle allait donner une fillette deux mois plus tard.

Au milieu de ces traverses, Debussy avait poursuivi la composition de *La Mer* — « trois esquisses symphoniques » — entreprise durant l'été 1903, terminée non sans douleurs en mars 1905, et créée aux concerts Lamoureux le 15 octobre suivant. Cette fois, les défenseurs furent trop rares pour couvrir les huées et les sifflets réactionnaires. Les admirateurs les plus convaincus de *Pelléas* ne reconnaissaient plus leur musicien. Pour une oreille superficielle en effet — et quelle oreille ne l'est pas dans une première audition de cette complexité ? — tout avait disparu dans cette symphonie de l'instrumentation satinée et ouatée, des caresses mélodiques qui avaient fait le charme immédiat de l'opéra, du *Faune,* des *Nocturnes.* Le pouvoir non pas de description — Debussy n'a jamais été descriptif — mais de suggestion qui appartenait à ces œuvres, s'évanouissait aussi. Personne ne distinguait la présence de la mer dans ces trois tableaux qui ne concernent pas plus la Méditerranée que la Manche devant laquelle certaines de ces pages furent écrites, mais animent une idée de la mer. Debussy avait pourtant bien le droit d'user d'un registre plus puissant, plus haut en couleurs. Il n'était infidèle ni à son art ni à sa poétique, mais il les poussait plus loin.

Dans *La Mer*, à l'affranchissement de la mélodie succède par une progression très logique l'affranchissement des formes. Tout serait à citer de l'analyse exemplaire que fait Jean Barraqué de cette recréation de la technique où « la musique devient un monde qui s'invente en lui-même et se détruit à mesure », où les associations, les automatismes classiques ont été abolis, où apparaissent des modes nouveaux formés du croisement de deux modes connus, et les « notes-sons » sur lesquelles travaillera plus tard Anton Webern, indépendantes de toute notion de degré, utilisées pour leur seule sonorité. On peut à peine reprocher aux critiques de 1905 de n'y avoir vu que chaos ou papillotement. Car il était presque fatal que devant une œuvre affranchie à ce point des schémas du xixe siècle, les chefs d'orchestre de simple talent ne procédassent qu'à un déchiffrage informe. *La Mer* ne fut vraiment révélée, trente ans plus tard, que par Toscanini, qui dans une intuition géniale sut en réaliser à la fois l'analyse et la synthèse, en redécouvrir les articulations, en faire scintiller « le pur travail de fins éclairs » et en soulever la puissante houle, couronnée du lyrisme que la dissection du poème, si utile fut-elle, nous ferait trop oublier.

Debussy ne devait plus dépasser ce sommet qu'est *La Mer*. Marié avec Emma Bardac, installé dans un hôtel particulier au 80 de l'avenue du Bois, il connaissait enfin le luxe auquel il avait toujours aspiré, mais qui ne le délivrerait pas de ses tracas d'argent. Les deux époux, aussi dépensiers l'un que l'autre, vivaient au-dessus de leurs moyens. Ils comptaient beaucoup sur l'héritage de l'oncle d'Emma, le financier Osiris, richissime et presque octogénaire. Mais le vieillard, réprouvant le mariage de sa nièce avec un *goy*, légua toute sa fortune à l'Institut Pasteur. Outre l'abondance des corvées mondaines qui l'éparpillaient, Debussy serait contraint, pour couvrir ses dettes, d'accepter des besognes alimentaires, de courir l'Europe − Londres, Budapest, Vienne, Moscou, Rome, la Hollande − pour diriger ses œuvres, alors qu'il détestait les voyages et se savait chef d'orchestre médiocre. Enfin, à partir de 1909, il allait subir les premières atteintes d'un cancer du rectum, à marche lente, mais inexorable.

Ainsi s'expliquent le désenchantement, la fatigue qu'exhale presque toute sa correspondance. L'énumération des projets abandonnés, entre *Pelléas* et la guerre, dépasse presque celle des œuvres qui ont vu le jour : deux drames d'après Poe, *Le Diable dans le beffroi* et *La Chute de la maison Usher*, des musiques de scène pour *Le Roi Lear*, pour une *Psyché*, un *Dionysos*, *Crimen Amoris* d'après Verlaine, une *Orestie*, un *Tristan* anti-wagnérien sur le texte de Joseph Bédier, etc. De tout cela, il ne subsiste que deux courtes pièces de faible intérêt pour *Lear*, un solo de flûte, *Syrinx*, rescapé du naufrage de *Psyché*.

On comprend bien que la perfection même de *Pelléas* enchaînait son auteur dans la crainte de ne plus pouvoir l'égaler. C'était le seul ouvrage où Debussy eût parlé non seulement du plaisir comme il le fit souvent, mais de l'amour. Pour reprendre une telle confidence, le musicien ne risquait-il pas de se transformer en faiseur, en pasticheur de lui-même ? Et après ce sujet-là, comme tous les autres scénarios étaient creux, inertes !

A suivre dans les correspondances publiées les confabulations inutiles sur ces projets d'opéras, à voir la paradoxale ingéniosité de Debussy pour forger des prétextes dilatoires, pour éluder les rencontres avec ses collaborateurs quand le moment de la décision arrivait, on se croirait presque devant un cas d'impuissance esthétique, n'était l'existence d'autres œuvres en assez grand nombre. Cependant, la sève créatrice n'y circule plus avec la même vigueur. Les trois *Images* pour orchestre, *Rondes de printemps*, *Iberia*, *Gigues*, composées de 1908 à 1912, ont été réunies sous le même titre pour des commodités d'édition. Mais elles n'ont pas de lien entre elles, sinon certaines recherches de style. L'écriture se dépouille, surtout dans *Iberia*, la plus importante en dimensions des trois *Images*. A sa première audition chez Colonne, en 1910, *Iberia* fut cruellement sifflée. Le public familier de l'éclatante *España* de Chabrier était désappointé, dérouté par ce refus du pittoresque, ce morcellement de la symphonie qui lui cachait son unité réelle, ce folklore réduit à des allusions elliptiques, ces sonorités presque systématiquement étouffées, cette évocation de l'Espagne qui se refusait à la joie et à la lumière.

Nous admirons aujourd'hui dans *Iberia* la multiplicité, la savante instabilité des rythmes qui distendent, brisent la carrure classique comme Debussy avait brisé le développement thématique, et qui ont amorcé la nouvelle éducation rythmique de notre oreille, presque aussi laborieuse que son éducation mélodique. Nous savourons l'extrême division des pupitres, qui annonce de plus en plus Webern. Sans doute cet art est-il raidi par des préoccupations qu'on ne lui connaissait pas auparavant. Debussy n'écrit plus seulement pour lui, mais contre les disciples trop serviles, contre ceux des « pelléastres » qui réclament de lui toujours les mêmes sortilèges, contre la *Rhapsodie espagnole* de ce jeune rival, plus inquiétant que les copistes parce que son talent est certain, Maurice Ravel. Cependant, les debussystes déçus auraient dû se dire qu'il était bien naturel que l'Espagne du compositeur le plus original de leur temps, comme ils l'avaient affirmé eux-mêmes, ne ressemblât à aucune des Espagnes de la musique. Ils auraient dû respecter chez cet artiste, même s'ils en saisissaient mal la démarche, la volonté de renouvellement. Plus attentifs à ce qu'ils écoutaient, au lieu de l'être à leurs souvenirs, ils auraient reconnu que Debussy restait fidèle à l'esprit et à la forme de sa musique tout en travaillant à les faire plus complexes, qu'il procédait toujours par juxtaposition — ce qui demeure bien, quoi que l'on en puisse dire, le propre de la technique et de la sensibilité impressionnistes — mais que ses touches sonores devenaient plus sèches et encore plus fragmentées.

Dans l'élaboration de cette alchimie, qui n'allait pas sans tourments ni doutes, le recueil pour piano du *Children's Corner*, publié à la fin de 1908, était une détente nécessaire. Debussy dédiait ces charmants brimborions à sa fillette Chouchou, tout en sachant bien que, ni leurs intentions, ni leurs raffinements d'écriture n'étaient à la portée des petits doigts.

Debussy qui détestait travailler à la commande avait pourtant accepté volontiers celle du *Martyre de saint Sébastien* pour Ida Rubinstein, danseuse ou plutôt mime aussi riche que dépourvue de tout talent, prête à subventionner les spectacles les plus follement coûteux à la condition qu'elle pût s'y produire. Les délais, moins de cinq mois, fixés au musicien, allaient contre toutes ses habitudes. Mais outre les avantages financiers, il était flatté de collaborer avec Gabriele D'Annunzio, le romancier du *Triomphe de la mort*, l'un des jeunes gens qui avaient porté le cercueil de Wagner à Venise en 1883, le Don Juan chauve amant de la Duse et des plus belles comtesses italiennes, l'un des hommes les plus en vogue dans toute l'Europe. D'Annunzio écrivit dans un français prétentieusement archaïque un texte équivoque, mixture de christianisme et de paganisme, d'angélisme et de pédérastie, d'un paroxysme verbal peu supportable dès l'origine, aussi mal accordé que possible à la musique de Debussy. Les dix-sept morceaux instrumentaux et vocaux de cette musique de scène abondent en beaux détails. Les acquisitions harmoniques les plus neuves de Debussy, ses modes réinventés voisinent avec une sorte de rétrospective de son art, arabesques de *La Damoiselle élue*, hommages à l'orchestre transparent de *Parsifal* qui n'a cessé de hanter l'auteur de *Pelléas* jusque dans les jours de son anti-wagnérisme le plus rageur. Les raccords de l'orchestration que Debussy pris de court avait dû confier à son disciple favori André Caplet sont peu perceptibles. Mais dès les premières représentations au Châtelet en mai 1911, ce fut l'échec honorable, que toutes les reprises à la scène ont confirmé. La musique trop discrète est une parente pauvre éclipsée par le spectacle et la rhétorique de D'Annunzio avec laquelle elle alterne ou tente de lutter. On sent aussi que trop souvent les impératifs du minutage ont coupé son élan. Au concert, débarrassée de la majeure partie du texte, mais en même temps privée de son support dramatique, elle reste « en l'air ». *Le Martyre* est une de ces conceptions irrémédiablement hybrides qui nous font regretter les beautés inutiles qu'un artiste a prodiguées pour elle.

Debussy qui a travaillé de tout son cœur au *Martyre* ne parvient pas à s'intéresser au ballet de *Khamma*, sur un sujet oriental, que lui a commandé une danseuse américaine. Charles Kœchlin en fera l'orchestration. Les deux célèbres recueils des *Préludes* pour piano (1910 et 1913) sont eux aussi à leur manière une détente, esquisses plus subtiles qu'il ne paraît, où domine la joie du compositeur demeuré grand pianiste en contact direct avec son clavier, qui se laisse dicter par lui ses inflexions, ses appoggiatures, ses charmantes dissonances, se délecte à les modeler, à les affiner sous ses doigts. Les pièces humoristiques de ces deux albums se sont toutefois émoussées. On doit convenir encore que Debussy diffuse un peu trop dans ces *Préludes* ses procédés les plus familiers, ses agrégations, ses frottements harmoniques les plus reconnaissables. Aussi ces pages réclament-elles des interprètes au jeu à la fois très sensible et très contrasté, sauf à paraître assez vite monotones.

En 1911, Debussy fait la connaissance de Stravinsky dont *L'Oiseau de feu* et *Petrouchka* l'ont subjugué. Le jeune Russe se considère avec raison comme un de ses débiteurs. Les deux artistes se lient cordialement, se montrent leurs partitions en cours. Le pimpant ballet de *La Boîte à joujoux*, que Caplet orchestrera, peut avoir trouvé son point de départ dans *Petrouchka*. Mais la parenté ne va pas plus loin.

Les anciennes études sur Debussy se contentaient de mentionner deux œuvres datant de la même année, 1913, que *La Boîte à joujoux* : les trois brefs *Poèmes de Mallarmé*, où la mélodie atteint un extrême dépouillement, et le ballet *Jeux*, commandé par Serge de Diaghilev sur un argument léger — deux jeunes filles et un jeune homme flirtant sur un court de tennis — qui fut représenté au Théâtre des Champs-Élysées quinze jours avant *Le Sacre du printemps* et totalement éclipsé par ce bruyant scandale. Après 1945, les jeunes musiciens sériels ont réhabilité *Jeux*. On pensait naguère que Debussy avait été tracassé par *Le Sacre*, d'où les mutations de son écriture que l'on jugeait tâtonnante. Son opinion sur *Le Sacre* divergeait, selon qu'il en parlait à l'auteur ou moins élogieusement à des intimes. Mais les deux ouvrages n'ont en commun que leur date. Debussy poursuit dans *Jeux* en le poussant de plus en plus loin le morcellement de la forme que l'on observe déjà dans certaines parties de *La Mer* et dans *Iberia*, il pourchasse les derniers résidus de métier automatique, brise toute symétrie pour créer une instabilité constante de la musique qui n'est pas, comme on l'a cru d'abord une déliquescence, puisque l'œuvre est commandée par un tempo assurant son unité. Pierre Boulez a très bien noté la disparition dans *Jeux* des points de repère auditifs, et partant « l'avènement d'une forme musicale qui, se renouvelant instantanément, implique un mode d'audition non moins instantanée ». D'autres musiciens de la nouvelle école, dans leur enthousiasme pour cette partition méconnue, en ont publié des analyses d'une langue et d'un esprit qui conviendraient mieux à l'axiomisation mathématique ou à la phénoménologie de Husserl qu'à un texte musical. Au contraire,

Antoine Goléa, un des rares musicographes qui aient vu danser *Jeux*, observe très raisonnablement que tout ce qui dans cette œuvre semblait abstrait redevient clair et naturel dans sa liaison avec la chorégraphie et qu'ainsi « la forme de *Jeux* peut être entièrement déduite du livret ».

On doit relever une autre erreur, *Jeux* ne rompt pas du tout, comme on l'a souvent écrit, avec l'hédonisme de l'auteur du *Faune*. Seules, des interprétations tendancieuses peuvent effacer le charme, la sensualité si manifestement exprimés dans la partition.

En 1913 pourtant Debussy commençait à souffrir cruellement du cancer rectal, la maladie la plus humiliante et la plus démoralisante qui pût frapper un voluptueux tel que lui. Son caractère s'assombrissait, il perdait confiance en soi : « Je suis hanté par le médiocre et j'ai peur. » Dans l'atmosphère cocardière de ces années, son patriotisme très respectable dégénérait en chauvinisme artistique, en une phobie de toutes les œuvres allemandes qui lui faisait dire de grosses sottises, mais allait surtout, avec l'autorité de son génie, contribuer à écarter à son détriment la musique française de la grande continuité germanique, du travail révolutionnaire que quelques Viennois étaient en train d'accomplir.

La déclaration de la guerre, en août 1914, déchira Debussy. Il se désespérait d'être inapte au service militaire. Il proférait de furibondes condamnations, que cette fois les angoisses du moment excusaient, contre « les métèques » tous bons à fusiller ou expulser, contre les « miasmes austro-boches » à proscrire pour toujours de l'art. Il resta pendant plusieurs mois sans pouvoir écrire une note. Au début de 1915, son éditeur Jacques Durand lui confia la révision des œuvres de Chopin, ce qui l'incita à composer lui aussi douze *Études* pour le piano. Dans l'été de la même année, il terminait trois pièces pour deux pianos, *En blanc et noir*, sa Sonate pour violoncelle et piano, la Sonate pour flûte, alto et harpe. Mais la marche brusquement accélérée du cancer allait imposer, le 7 décembre 1915, une intervention chirurgicale qui le laisserait pitoyablement infirme. Une période de rémission lui permit encore d'écrire dans le courant de 1916 la Sonate pour violon et piano, achevée en mars 1917. Puis ce fut la récidive du cancer, avec les pires souffrances.

Les œuvres de ses dernières années ont fait l'objet de discussions embrouillées. Les jeunes compositeurs exaltent certaines d'entre elles au point de leur sacrifier les plus belles partitions de la jeunesse et de la maturité. Les vieux debussystes n'ont plus vu dans les Sonates que le pauvre labeur qu'un artiste frappé à mort arrachait péniblement à sa longue agonie et qu'il valait mieux oublier, par admiration pour son génie. Mais ils se sont contredits en reconnaissant la valeur des *Études* qui datent de ces mêmes mois de douleur. D'autre part, ces *Études*, la suite *En blanc et noir*, avec son beau mouvement central dédié à un jeune mort de la guerre, fourmillent d'innovations pianistiques. Les *Études* en particulier, conçus selon le plan habituel de la pédagogie, avec une difficulté spéciale pour chacune d'entre elles, semblent s'adresser par moments aux interprètes d'une littérature de piano imaginaire. Si le prétexte pédagogique de ces *Études* leur impose une certaine uniformité, il n'y étouffe pas plus la musique que dans les pièces analogues de Chopin et de Liszt. Mais aussi, ces cahiers ne rompent aucunement avec ce qu'il faut bien appeler le debussysme, ils appartiennent toujours à la même sphère harmonique que l'album des *Estampes*, antérieur d'une douzaine d'années, et dont la jeune école se préoccupe fort peu.

Le cas des trois Sonates est différent. Debussy, qui ne voulait plus d'autre titre que celui de « musicien français », s'y réclamait de Rameau, filiation imaginaire, car il n'y a jamais eu la moindre parenté formelle entre l'auteur de *Pelléas* et celui de *Castor et Pollux*; et si ces sonates répudiaient la construction germanique, elles étaient aussi éloignées de la Suite française du XVIIIᵉ avec ses alternances naïvement mécaniques. Debussy n'en faisait pas moins, non plus en dilettante comme dans les *Chansons de France* et les *Ballades de Villon*, un retour au classicisme très imprévu après les audaces de *Jeux*. Les historiens qui l'interprétèrent comme la démission d'un malade s'appuient sur des textes troublants, les nombreuses lettres où Debussy se désole de « n'être plus qu'un faiseur de tours morose », de « croupir dans les usines du néant » et « d'écrire la musique d'un Debussy qu'il ne reconnaît plus ». Les qualités des Sonates démentent pourtant ce désespoir. A notre sens, Debussy ne possédait plus la force physique, la liberté intellectuelle nécessaires pour poursuivre ses découvertes qui lui avaient coûté tant de travail et d'inquiétudes. D'où ses propos désenchantés sur la musique qu'il écrivait maintenant, qui lui semblait « toujours de la veille, jamais du lendemain ». Il se repliait sur un art plus traditionnel, plus stable. Que l'on écoute par exemple dans la Sonate à trois la harpe et la flûte, ces instruments debussystes par excellence, tellement plus soumis aux usages que dans le *Faune* vingt-trois ans auparavant. Mais le musicien stoppé par le malheur dans la marche de son génie gardait sa main et son cœur. La poésie l'habitait encore, elle affleure toujours dans le mordant et le lyrisme de la Sonate pour violoncelle, la mélodieuse Sonate à trois, le charme de la Sonate pour piano et violon, la plus classique malgré ses sautes de régime, où personne ne décèlerait sans doute la lutte angoissée, les spasmes de la douleur dont parlent les commentateurs si l'on ignorait la maladie qui rongeait alors Debussy. Lui-même s'étonnait que cette épreuve fût « presque joyeuse », en se demandant si ce n'était pas « une preuve du peu que nous sommes dans les aventures où s'engage notre cerveau ». C'était bien l'intuition qu'un « moi » plus profond que celui du cancéreux remuant ses noires pensées chantait encore le parti de la vie dans ces pages plus émouvantes que si elles avaient été une complainte funèbre.

Devant la morne tuerie d'une guerre qui s'éternisait, Debussy avait oublié son nationalisme puérilement vengeur de 1914. Il ne souhaitait plus que « la fin de la haine ». Les derniers mois de son existence, dans un lit où il ne pouvait plus ni s'asseoir ni dormir, furent un supplice de chaque instant. Il expira dans la soirée du 25 mars 1918. Une vingtaine d'amis à peine accompagnèrent jusqu'à son tombeau l'un des trois artistes qui avec Stravinsky et Schœnberg avaient fondé le langage musical de notre temps.

CHAPITRE II

AUTOUR DE DEBUSSY :
RAVEL, DUKAS, SCHMITT, ROUSSEL

MAURICE RAVEL (1875-1937)

La biographie de Maurice Ravel tient en peu d'événements et peu de lignes. Son grand-père paternel était un Savoyard naturalisé suisse, sa mère une Basquaise et lui-même naquit à Ciboure. On n'a pas manqué de voir dans cette double filiation l'origine de la minutie horlogère du compositeur et de son goût pour les rythmes ibériques. Dès l'âge de trois mois il devint du reste parisien. Il eut pour professeur au Conservatoire André Gédalge, un maître qui savait apprendre à construire une mélodie, selon le vœu trop rarement exaucé de Richard Strauss, puis Gabriel Fauré, qui le défendit énergiquement auprès des pontifes de l'Institut. Ceux-ci, après lui avoir accordé en 1901 un deuxième « second grand prix de Rome », finirent par lui refuser en 1905 de concourir pour le premier prix, alors qu'il avait déjà écrit son Quatuor, ses *Jeux d'eau*, sa *Schéhérazade*. Ce grotesque scandale fit entrer Ravel dans la célébrité dont il ne devait plus sortir. Mais il en garda un mépris du monde officiel qui lui fit, cas unique parmi les musiciens, repousser la Légion d'honneur comme s'il se fût agi d'une mauvaise plaisanterie.

C'était un petit homme fluet, qui compensait la brièveté de sa taille par le dandysme de sa mise. Il détestait les épanchements, parlait par aphorismes, par brèves boutades, ne se détendait qu'avec quelques camarades de sa première bohème, dans quelques salons à la fois très libres et très fermés qu'il cultivait soigneusement. On ne connut à ce célibataire aucune liaison féminine. Il n'aimait pas les voyages, avait conservé des penchants étrangement enfantins, remplissant de petits automates, de jouets, de bibelots saugrenus la maisonnette de Montfort-l'Amaury où il vécut solitairement après la guerre de 1914. Durant les cinq dernières années de sa vie, il fut lamentablement diminué par une lésion cérébrale qui lui ôtait peu à peu la parole, la mémoire, lui interdisait tout travail. Un audacieux chirurgien, Clovis Vincent, voulut l'opérer. Il mourut quelques jours après l'intervention, dans une clinique de la rue Boileau, au milieu de terribles souffrances.

Longtemps, le nom de Ravel et de son aîné Debussy furent accolés dans les programmes de concerts, les livres, l'esprit de bien des mélomanes, pour le plus vif déplaisir des deux compositeurs, l'un s'irritant de toujours passer pour le disciple de l'autre qui appréciait peu l'activité et la renommée grandissante de ce rival. Pendant l'éclipse relative de Debussy, vers 1925, on opposait son flou à la fermeté de Ravel. Depuis, de nombreuses études ont exactement fait le départ entre les deux musiciens. Les formes chez Ravel sont plus apparentes, mais elles n'ont pas la finesse, la nouveauté, la variété qu'on leur reconnaît chez Debussy. Il est compréhensible que la jeune école, analysant passionnément Debussy, néglige Ravel dont la limpidité n'a plus rien à lui apprendre.

L'auteur de *L'Heure espagnole* ne connut pas l'envoûtement wagnérien comme celui de *Pelléas*. Dans le petit cénacle où il passait ses soirées, vers 1900, avec Florent Schmitt, Maurice Delage, le poète Léon-Paul Fargue, le grand pianiste espagnol Ricardo Vinès, le musicologue Calvocoressi, traducteur de *Boris Godounov*, la mode était avant tout aux « Cinq » russes. Ravel compta naturellement parmi les « pelléastres » fervents. Des pièces de piano comme *Jeux d'eau*, de 1901, relèvent encore d'un certain debussysme appelé en partie par leur « sujet ». Mais l'art de Ravel est arrivé très rapidement à la maturité. Il est presque impossible de parler à son propos d'essais de jeunesse, d'évolution du style. Si la *Pavane pour une infante défunte*, de 1899, que Ravel renia, est en effet , comme il le disait, plus ou moins « amorphe », dans le beau *Quatuor* à cordes (1903), si parfaitement équilibré, l'élève de Gabriel Fauré, tout en reconnaissant ce qu'il doit à son maître, offre à celui-ci une leçon de franchise mélodique.

Ravel disait de lui : « Combien je me sens mélodiste ! » Mais c'est dans sa musique instrumentale qu'il a le plus manifesté ce penchant. Dans sa musique vocale, les trois poèmes raffinés de *Schéhérazade* (1903), sont surtout une recherche de contours peu accentués, adaptés étroitement aux intonations de la langue française, et que Ravel appliquera un peu plus tard malicieusement aux instantanés et à l'humour sec des *Histoires naturelles* de Jules Renard (1906) dont les élisions familières (« Il appel' sa fiancé'; ell' n'est pas v'nu' ») révulsèrent Fauré et scandalisèrent le public. Les *Trois poèmes de Mallarmé* (1913), considérés à l'époque comme l'ouvrage le plus déroutant du compositeur, furent une expérience inspirée de Schœnberg non pas directement, mais par la description que Stravinsky avait faite à son ami Ravel du *Pierrot lunaire* qu'il venait d'entendre à Berlin. Ravel ne pouvait donc avoir qu'une idée très approximative de ce qu'avait voulu Schœnberg. Il combina surtout l'accompagnement instrumental de la voix (piano, quatuor, deux flûtes, deux clarinettes) d'après la petite formation du *Pierrot*. L'influence de ce *Pierrot lunaire* est plus nette, quoique nullement décisive, dans les *Chansons madécasses* de 1925.

Ce sont les cordes dans le « Lever du jour » de *Daphnis et Chloé*, le hautbois et la flûte de *Ma Mère l'Oye*, le basson de l'*Alborada del gracioso*, et le piano, comme dans la charmante *Sonatine* (1905) que Ravel a fait chanter avec le plus de bonheur. Sans faire appel à notre folklore (les *Trois Chansons* a cappella dans le style de la Renaissance sont une exception chez Ravel), mais grâce à un usage subtil des modes — mode de ré, mode de mi — ces mélodies possèdent souvent un accent français qui échappe à toute définition, que l'on identifie cependant aussi sûrement qu'un paysage.

Ravel, que Stravinsky lui-même a considéré comme un des plus grands virtuoses de l'instrumentation, n'a cependant écrit directement pour l'orchestre que sa *Rhapsodie espagnole* (1907), *Daphnis et Chloé* (1912), *la Valse* (1920), *Boléro* (1928) et les deux Concertos pour piano (1931). Il conçut d'abord pour le clavier l'*Alborada, Ma Mère l'Oye, les Valses nobles et sentimentales, Le Tombeau de Couperin*, devenus de parfaites réussites de couleur orchestrale. C'est assez dire que chez lui l'instrumentation est encore une parure, au lieu d'être inséparable de la création immédiate, d'être incluse dans la première idée musicale comme les timbres de *La Mer* et de *Jeux* chez Debussy, ce que l'on tient aujourd'hui pour la seule « attitude compositionnelle » vraiment moderne. Cela n'empêche pas *Le Jardin féerique*, à la fin de *Ma Mère l'Oye*, d'être l'un des plus ravissants poèmes de timbres de la musique française.

Par une coquetterie à rebours, Ravel affirmait que toutes ses œuvres, y compris les plus hardies, pouvaient être ramenées à des recettes académiques, que la grande affaire était de choisir de bons modèles et de les imiter, et que, si l'on avait quelque chose de personnel à dire, cela n'apparaîtrait jamais mieux que dans l'involontaire infidélité au modèle. Rien ne lui était plus étranger que la forme en perpétuelle création à quoi tendait Debussy. D'ailleurs, son esthétique, dans sa précision, était aussi courte que ses idées générales. Il ne concevait pas de travailler autrement que sur des formes données. C'est sans doute par là qu'il se sépare le plus complètement des romantiques auxquels Schœnberg, Alban Berg et même Debussy se rattachent par leur jeunesse wagnérienne, leur chromatisme et leur instinct révolutionnaire. Ses idées musicales s'inscrivaient avec prédilection dans des rythmes de danse, du menuet au jazz, qui contribuèrent beaucoup à sa popularité. Son écriture contrapunctique resta assez limitée. Son harmonie est fondée, dans son apparente complexité, sur des parcours assez simples. Jusque dans ses plus grandes libertés, elle est encore fonction de l'ordre tonal.

Il est exact que son œuvre n'a pas de place dans les mouvements novateurs dont elle fut contemporaine, et que chaque fois où Ravel, après 1918, chercha à s'y insérer, il força sa vocation et ne fut pas très heureux. Mais on ne peut pas davantage le ranger parmi les néo ou pseudo-classiques qui ont pullulé dans le même temps. Ravel est naturellement classique, parce qu'il n'a pas besoin d'aller plus loin, de chercher ailleurs pour s'exprimer. Même lorsqu'il affecte de ne se livrer qu'à un jeu aux règles strictes, son classicisme est vivifié par sa sensibilité très aiguisée bien qu'elle ne s'étale jamais, par son artisanat inventif. C'est un des derniers musiciens dont la personnalité ait été assez forte pour surmonter la contradiction entre sa fidélité au système tonal et ses propres découvertes harmoniques portant en elles la destruction de ce système.

On s'explique mal la froideur traditionnelle des historiens, biographes, critiques pour *L'Heure espagnole* (1907). Voilà pourtant le seul opéra bouffe français qui depuis le début du XXe siècle s'est maintenu à l'affiche. Dans cette réussite, on doit faire la part qui revient au livret de Franc-Nohain, joyeux et piquant modèle du genre, plein de cocasseries verbales, et qui dans sa stylisation a déjà un mouvement de ballet. L'épouse volage d'un horloger de Tolède, successivement dépitée par ses deux amoureux,

un poète trop désincarné, un financier trop vieux et trop gros,
trouve sa compensation avec le modeste et vaillant muletier qui a
trimbalé sans le savoir sur ses robustes épaules les inutiles soupi-
rants dissimulés dans des horloges. Ravel se servit à merveille de
cet excellent support avec le *quasi parlando* des voix qui n'a
point révélé son secret à des centaines d'imitateurs, ces amusantes
chutes à la quarte ou la quinte inférieure — « Impression d'ha-
madryade... Les muletiers n'ont pas de conversation » — qu'il
avait calquées sur son propre débit, ce commentaire infaillible et
goguenard de l'orchestre, ces parodies spirituelles et charmantes
du *bel canto*, des mélismes hispaniques, s'enchaînant si bien au
récitatif, jusqu'au quintette final, impeccablement ajusté, délicieusement enlevé, une page qui a bien peu d'équivalents dans les
ensembles vocaux français et renouvelle dans un tour original la
faconde de Rossini et de *Falstaff*.

Le ballet de *Daphnis et Chloé* (1912) coûta de longs efforts à
Ravel, qui travaillait pour la première fois sur commande, en
l'occurrence celle de Diaghilev. C'est une des belles symphonies
françaises, mais que l'on juge imparfaitement d'après les suites de
concert, tronquées et trop souvent déblayées à grands coups de
baguette qui en ont été tirées. Il faut l'entendre au théâtre, dans
sa continuité. C'est là, avec le déroulement de la légende tantôt
barbare tantôt idyllique, avec les chœurs adroitement disposés,
que l'on peut connaître sa puissance, sa générosité lyrique et tout
le rayonnement de sa superbe polychromie.

Pour se délasser de *Daphnis et Chloé*, Ravel écrivit les *Valses
nobles et sentimentales*, un de ses travaux les plus élégants et les
plus savants, sur une matière musicale un peu fragile. En six ans,
outre ces *Valses* et *Daphnis*, il venait donc de signer les eaux-
fortes de *Gaspard de la nuit*, *L'Heure espagnole*, les *Histoires
naturelles*, la Sonatine, la *Rhapsodie espagnole*, *Ma Mère l'Oye*.
Autant d'entreprises, autant de succès accomplis, la plus enviable
première partie d'une carrière pour un artiste qui n'avait pas
quarante ans. Puisque le *Trio*, avec son pantoum imprévu était
écrit et la grande *Valse*, qui s'intitulait alors *Wien*, fixée dans ses
lignes principales à l'été 1914, Ravel avait bien derrière lui au
moment de la déclaration de guerre l'essentiel de son œuvre. Il ne
devait plus retrouver cette fécondité et cette verve. Si son cas
était solitaire, on se contenterait de l'enregistrer. On ne l'impute-
rait certainement pas à ses états de service militaire, qui furent
modestes, malgré lui : très patriote, sans la jactance antiteutonne

de Debussy, et malgré son horreur du ruban rouge, le frêle petit Ravel qui fit des pieds et des mains pour être incorporé et rêvait même d'être aviateur, fut réformé après un an de campagne dans une formation automobile. Mais on a observé chez d'autres musiciens des cassures analogues, que les historiens de l'an 2000 distingueront mieux que nous. Les douze premières années de notre siècle, celles de *Pelléas*, des Ballets russes, du *Sacre du printemps*, du *Swann* de Proust, du meilleur de Valéry, de Gide, de Claudel, de l'atonalité, des principes de la psychanalyse freudienne, en peinture des « Nabis », des « Fauves », des expressionnistes, des cubistes, eurent une puissance créatrice que rien ne devait égaler plus tard. L'Europe y prodiguait à la hâte son génie, comme si elle eût pressenti que sa suprématie était condamnée. Toute notre époque n'a-t-elle pas vécu ensuite sur le mouvement de cet éblouissant prélude, brisé par le canon d'août 1914 ?

En septembre 1919, Ravel écrivait à Stravinsky : « Je continue à ne rien foutre; je suis probablement vidé ! » Après sa *Valse* charnue et d'une frénésie insolite chez lui (jouée en 1920), ses œuvres s'espaceront, leur composition deviendra de plus en plus laborieuse. Alors qu'il touche à l'âge de la pleine maturité, et bien avant que la maladie ne l'ait frappé, il perd la confiance en soi, l'indépendance de sa jeunesse. Il est tourmenté par l'âpreté et l'abstraction des nouvelles musiques, il veut défendre devant elles son titre de précurseur, ne pas être distancé. Sa *Sonate* pour violon et violoncelle à la mémoire de Debussy (1922), celle pour violon et piano (1927) sont évidemment des œuvres contraintes. Les dissonances dont elles sont hérissées, leur sécheresse, leur refus brutal de tout charme violentent l'esthétique de leur auteur. Elles n'en seront pas moins dédaignées un peu plus tard par la jeune école, qui à tort refusera d'y voir une solution très habile à ses propres expériences : instruments mélodiques utilisés au rebours de leur fonction, dans leurs registres « impossibles », piano et violon rageusement traités comme des adversaires irréconciliables. Le grinçant *Tzigane* pour violon et orchestre (1924) procède de paradoxes analogues, avec une suite ininterrompue d'« atrocités » techniques destinées à la torture de l'exécutant, dont la perpétration a peut-être diverti le compositeur, mais qui laissent très froids les auditeurs.

Avec le second et dernier de ses ouvrages pour le théâtre, *L'Enfant et les Sortilèges*, d'après un livret de Colette, Ravel retrouve sa poétique familière, son amour des contes de fées, il s'attendrit de nouveau. Mais la réalisation scénique de l'argument a toujours déçu. Elle réclamerait une ingéniosité, une dépense de moyens disproportionnée à l'intérêt de l'œuvrette. Ravel a conçu sa menue partition pour un théâtre de poupées. Et bien qu'il y ait encore dans ces pages des sensations confidentielles, de charmants détails de timbres et d'harmonie, on y sent le déclin du musicien, l'amenuisement de son art, un travail d'assemblages de cellules musicales toujours plus brèves et rétives.

Boléro (1928), cette variation de timbres sur un thème unique très adroitement articulé, est un exercice de virtuosité, mais qui justement réclame, sauf à être vite insupportable, des virtuoses de l'orchestre, Toscanini naguère, aujourd'hui Karajan et sa Philharmonique de Berlin pour être restitué dans toute l'astucieuse complexité de ses couleurs, de ses équilibres sonores.

Les deux Concertos pour piano et orchestre écrits en 1931 auront la vie longue grâce aux virtuoses, dont le répertoire moderne est maigre, et qui se sont rués sur ces partitions. Le *Concerto* pour la main gauche en ré majeur, commandé par le riche pianiste allemand Paul Wittgenstein qui avait perdu le bras droit à la guerre, est pourtant une œuvre bien décevante, marqueterie d'effets lisztiens, d'allusions à des pièces anciennes de Ravel, de passage jazzé qui paraît indigent à côté de la moindre improvisation du plus modeste pianiste nègre de cabaret, de cadence ennuyeuse et statique. Dans le *Concerto* en sol majeur, les furtives imitations du jazz bâtard de Gershwin et de Paul Whiteman sont démodées sans même conserver un charme d'époque. La longue mélodie de l'adagio est le fruit d'une pénible fabrication mesure par mesure qui coûta à Ravel plusieurs mois de tourments sans qu'il parvînt à animer le dessin incertain de cette élégie. Sa musique s'est dévitalisée, son classicisme se mue en académisme. Dans les *Trois Chansons de Don Quichotte à Dulcinée*, dernières pages écrites par Ravel en 1934, apparaissent des facilités qui sont le signe d'un relâchement fatal dans un art naguère si contrôlé. Lorsque la maladie obnubila le cerveau de Maurice Ravel, sa personnalité musicale malheureusement s'était éteinte depuis plusieurs années déjà, et le savoir-faire du grand ouvrier, quand il subsistait, s'exerçait trop souvent à vide.

PAUL DUKAS (1865-1935)

Issu de la bourgeoisie israélite de Paris (il devint le beau-frère de Léon Blum), Paul Dukas fit au Conservatoire avec l'excellent Ernest Guiraud des études qui le conduisirent à un second grand prix de Rome en 1888. Tout de suite, il manifesta sa sévérité à l'égard de sa propre musique en refusant de publier ses deux premiers ouvrages, des ouvertures pour *Le Roi Lear* et pour *Goetz de Berlichingen*. Il fut wagnérien et le resta intelligemment, sans tomber dans le mimétisme de tant de ses contemporains et compatriotes. Sa première œuvre jouée, une ouverture pour *Polyeucte* (1892), puis quatre ans plus tard son imposante *Symphonie en ut majeur* se ressentent plutôt de la rhétorique franckiste pour la régularité de la composition, mais sans s'astreindre à l'ordre tonal maniaque de Vincent d'Indy et en évitant le chromatisme traînant de cette école.

En 1897, *L'Apprenti sorcier* valut à Dukas un succès populaire qui ne se renouvela pas et qu'il ne chercha du reste aucunement à exploiter. Il y tira parti de certaines trouvailles harmoniques et instrumentales de Debussy, dont il fut l'un des amis et défenseurs les plus fidèles, en les insérant dans un scherzo de coupe romantique. On a voulu faire de *L'Apprenti sorcier* un pendant de *Till Eulenspiegel*. Ce n'est guère possible. Dukas évite la musique descriptive, mais il suit trop littéralement la ballade de Goethe. Pour maintenir l'unité de cette courte page, il se prive du foisonnement, des libertés qui nous enchantent dans le rondo symphonique de Strauss. Il n'en a pas non plus l'humour. En dépit de sa robustesse, *L'Apprenti sorcier* est une de ces œuvres brillantes qui supportent mal des auditions répétées.

L'austère *Sonate pour piano* en mi bémol mineur (1900), vaste échafaudage beethovénien, a toujours effarouché interprètes et auditeurs par ses difficultés, les dimensions de ses développements que l'on ne peut cependant dire démesurés, car une éminente logique ne cesse de les gouverner. Les *Variations, interlude et finale sur un thème de Rameau*, pour piano (1903), ont à peu près subi le même sort, encore plus injustement.

Représenté en 1907 à l'Opéra-Comique, le conte lyrique d'*Ariane et Barbe-Bleue*, l'œuvre majeure de Dukas, fut composé sur un texte de Maerterlinck débarrassé des fausses ingénuités de *Pelléas*, mais qui ne possède pas ses qualités scéniques. Ariane, idéaliste et altière, épouse Barbe-Bleue pour arracher à ce despote les cinq femmes qu'il retient prisonnières. Mais elle découvre que les cinq captives délivrées n'aspirent dans leur médiocrité et leur veulerie qu'à un autre esclavage. Elle les quitte, triste mais résolue, pour reprendre ailleurs sa mission de libératrice. Cette fable sur la liberté manque par trop de progression dramatique, et de ce fait elle n'a jamais connu au théâtre que des succès limités. C'est grand dommage pour la partition de Paul Dukas, d'une noble tenue, d'une architecture fièrement ascendante, sertie de gemmes étincelantes — le brasier sonore de la superbe scène des bijoux est symbolique de toute l'œuvre — avec une déclamation qui fait à l'art vocal un meilleur sort que *Pelléas*. *Ariane*, qu'à défaut de la scène on devrait reprendre au concert pour lequel son hiératisme et sa somptueuse étoffe orchestrale la désignent si bien, est une des grandes oubliées du répertoire français.

En 1912, le poème chorégraphique de *La Péri*, sur une légende orientale, prolongeait l'esthétique brillante et dure d'*Ariane*. L'éclatant coloris de l'orchestre compensait ce que les développements avaient de trop systématique. Ce grand succès devait pourtant clore la carrière du compositeur Dukas. Jusqu'à sa mort en 1935, il ne devait plus écrire que quelques feuillets pour piano ou pour chant. Il continua à publier des critiques pertinentes et d'une rare largeur d'esprit. Il se consacra surtout à son professorat d'orchestre puis de composition au Conservatoire. Son enseignement d'humaniste a laissé de profonds souvenirs à ses élèves qui pour la plupart, outre leurs œuvres, sont devenus à leur tour, tels Tony Aubin, Maurice Duruflé, Elsa Barraine, Georges Hugon, l'Espagnol Rodrigo et surtout Olivier Messiaen, des professeurs très écoutés.

Les œuvres de Dukas étaient corsetées par une logique qui ne laissait presque plus aucune marge chez elles à la part du mystère, de l'inexprimé, autrement dit de la poésie : musiques fermées s'il en fut, alors que l'ère des musiques ouvertes commençait avec son ami Debussy. Dukas, qu'il ne faut pas confondre avec les éclectiques, était cependant parvenu au syncrétisme de l'harmonie debussyste, de l'orchestre wagnérien et de celui de Richard Strauss dans *Ariane* et *La Péri*, ainsi que des couleurs de Rimsky-Korsakov dans ce dernier ouvrage. Beaucoup de ses contemporains continuèrent à produire d'abondance sur des fondations bien moins assurées. Mais Dukas, sans doute le musicien français le plus cultivé et le plus intelligent de sa génération, devinait, avec l'impitoyable lucidité de son autocritique, qu'un art de synthèse tel que le sien ne suffisait plus, comme au temps de la sécurité et de la stabilité classiques, à l'avenir d'une œuvre dans une époque saturée de talents, où tout annonçait l'imminence d'une révolution musicale. En un mot, il avait senti que le génie devenait indispensable, alors qu'il savait bien que ses dons n'allaient pas jusque-là. C'est du moins ce que l'on peut déduire de son silence, puisqu'il n'a jamais voulu en dire les raisons.

FLORENT SCHMITT (1870-1958)

Lorrain de naissance, élève au Conservatoire de Lavignac, de Gédalge, de Massenet et de Fauré, prix de Rome en 1900 avec la cantate *Sémiramis*, Florent Schmitt, quand il boucla en août 1914 son sac de territorial, aurait pu ne pas revenir de la guerre. Comme son camarade de classe le tringlot Maurice Ravel, il avait dit l'essentiel de sa musique, avec le *Psaume XLVII* pour soprano, chœur, orgue et orchestre (1904), le *Quintette* pour piano et cordes (1908), *La Tragédie de Salomé*, drame muet pour orchestre d'après un poème de Robert d'Humières (1907), qu'il agença bientôt en suite pour le concert.

Ce sont, il est vrai, d'assez fiers monuments, qui firent en peu de temps de leur auteur un des premiers noms de l'école française. On lit dans le manuel classique de Combarieu que « M. Florent Schmitt (un « jeune » encore à l'époque de cette rédaction, vers 1910 ou 12) avec une imagination d'une fécondité surabondante, est hardi dans l'application des données de l'harmonie classique, plutôt que novateur et révolutionnaire ». C'était en somme parfaitement exprimé et jugé, avec une clairvoyance d'autant plus louable que Florent Schmitt, chez les modérés tels que Combarieu, passait plutôt pour un anarchiste. On pourrait y ajouter qu'avec ces éléments d'origine traditionnelle le musicien s'était fait un langage bien à lui, idoine à son tempérament, et qu'avec une admiration sincère pour l'auteur de *Pelléas* il sut traverser la période du debussysme sans porter trace de ce nouvel académisme qui allait se répandre d'une si agaçante manière. Il faut remonter jusqu'à Schütz pour retrouver une paraphrase musicale de la poésie biblique aussi majestueuse et puissante que dans le *Psaume XLVII*, avec les plus somptueuses et les plus séduisantes couleurs du grand orchestre de notre siècle. Sans rien devoir à Berlioz, Schmitt était porté comme lui au gigantisme sonore peu fréquent chez les Français, et dont il savait équilibrer les masses en bon architecte. *La Tragédie de Salomé* est encore un de ces vastes édifices, très évocateur d'un palais au luxe écrasant, habité par des êtres que dévore l'érotisme. Mais après y avoir déchaîné trombones, sarrussophones, tubas, carillon, tam-tam, Schmitt savait ouvrager aussi les phrases en demi-teintes de l'épisode intitulé « Magie de la Mer ». On ne doit pas oublier non plus que le *Psaume* et *La Tragédie de Salomé* précèdent de plusieurs années *Le Sacre du printemps*, et que leur force d'impact, leur dynamique aux rythmes courts, brisés, furent loin de laisser Stravinsky indifférent.

Le Quintette reste une des œuvres majeures de la musique de chambre française, et point seulement par ses proportions (sa partie de piano compte cent trente-cinq pages). Schmitt y est fidèle au bithématisme et à la forme cyclique, mais en s'affranchissant complètement des modèles franckistes et romantiques, et avec une égale liberté dans les transformations de ses motifs. Dans cette trame d'une polyphonie serrée, il apporte des solutions originales aux problèmes les plus ardus du développement, sans jamais renoncer à son lyrisme rugueux ou chaleureux.

Après ses quatre ans aux armées, Florent Schmitt fit jouer un ballet d'une charmante fantaisie sur un conte d'Andersen, *Le Petit Elfe Ferme-l'Œil* (1924), mais dont l'essentiel provenait d'une suite pour piano à quatre mains composée en 1913. La musique de scène pour *Antoine et Cléopâtre* (1920) dans la traduction d'André Gide et la présentation d'Ida Rubinstein contenait elle aussi de nombreuses pages d'avant-guerre. Humoriste bougon, Schmitt se mit à multiplier, soit pour l'orchestre soit pour le piano, de petites pièces aux titres plus cocasses que leur contenu : *Fonctionnaire MCMXXII* sur son passage fantasque et courtelinesque à la direction du Conservatoire de Lyon, *Suite sans esprit de suite, Sançunik, A contre-voix, Scènes de la vie moyenne*. Dans ces plaisanteries trop nombreuses, on entendait grincer l'amertume et le découragement. A cause des arguments de ses premières œuvres, on lui fit des commandes de musiques « orientales », une partition pour le film tiré de *Salammbô*. Il écrivit de son propre chef la *Danse d'Abisag*, la Sulamite de la Bible appelée pour « réchauffée » la vieillesse du roi David. Mais ce n'était plus que l'imitation de ses anciens succès, comme son ballet tragique en deux actes, *Oriane et le prince Amour*, représenté à l'Opéra en 1938. On avait attendu une autre carrière de l'auteur du *Psaume* et de *Salomé*. Lui aussi, probablement. D'où la mélancolie qu'il traîna dans sa longue vieillesse, à l'écart d'un monde qui l'agaçait, qu'il comprenait de moins en moins, et qui était en train de désapprendre peu à peu son nom. La politique s'en était mêlée. On lui faisait grief d'avoir accepté en 1941 comme Honegger − mais Honegger était suisse − une invitation au cent cinquantième anniversaire à Vienne de la mort de Mozart. (Les opéras de Mozart l'ennuyaient d'ailleurs à périr !) Les concerts et la radio le boudaient. Un an avant sa mort, pour compenser tant de notes superflues, il écrivit une Symphonie testamentaire qui lui valut une dernière revanche. Ses amis la déclarèrent étonnante de jeunesse, mais comme on le dit d'un vieillard de quatre-vingt-sept ans qui marche sans canne. Dans cette symphonie qui reste bien construite, il est assez pénible de déceler des souvenirs affaiblis de *Salomé* sous forme de paillettes instrumentales d'un orientalisme désuet.

Cependant, malgré toutes les déceptions que nous avons eues avec lui, on ne doit pas laisser l'oubli se faire sur les quelques chefs-d'œuvre des premiers temps de Florent Schmitt. Ce serait une injustice, et un appauvrissement du répertoire français.

ALBERT ROUSSEL (1869-1937)

Né à Tourcoing dans une vieille famille d'industriels, Albert Roussel fut d'abord marin. A vingt ans, il sortait de l'École navale de Brest, navigua en escadre dans l'Atlantique, l'océan Indien, puis donna sa démission à vingt-six ans comme enseigne de vaisseau pour se consacrer entièrement à la musique à laquelle il s'était déjà essayé avec un petit bagage d'amateur dont il plaisantait lui-même plus tard l'insuffisance : il se mêlait d'orchestrer sans connaître les clés d'ut. Il travailla d'abord très assidûment avec l'organiste Eugène Gigout, l'un des meilleurs maîtres de l'École Niedermeyer. En 1898, il entre à la Schola Cantorum sous la férule de Vincent d'Indy qui quatre ans plus tard lui confiait la classe de contrepoint de la maison. Il devait y enseigner jusqu'en 1914.

Très schématiquement, sa carrière peut se diviser en trois périodes. Il se règle d'abord sur d'Indy et ses principes de stricte construction dans son *Trio* pour piano, violon et violoncelle, sa *Sonate* pour violon et piano, sa *Résurrection* pour orchestre. Puis il éprouve, mais sans servilité, l'attraction de Debussy, que l'on distingue bien dans son *Poème de la forêt*, ses *Évocations* (d'un voyage aux Indes) pour soli, chœurs et orchestre, où il fait un libre usage des modes orientaux (1911), son ballet *Le Festin de l'araignée* (1912) écrit très finement pour les timbres transparents d'un petit orchestre de trente pupitres, et jusqu'à un certain point dans la palette beaucoup plus chargée de son opéra-ballet hindou *Padmâvatî*, terminé en 1918. La *Suite en fa* pour orchestre (1926), annonce sa dernière évolution détachée de toute influence, sinon celle de Bach, où sa pensée s'ordonne de plus en plus selon les jeux du contrepoint. Au contraire de la plupart des musiciens qui lui sont contemporains et dont la carrière dessine une courbe déclinante, c'est dans ses années de vieillesse que Roussel compose le plus abondamment et avec le plus d'originalité : ballet de *Bacchus et Ariane* et *Troisième Symphonie* (1930), la *Petite Suite pour orchestre* (1929), Le *Quatuor* à cordes (1932), la *Sinfonietta* et la *Quatrième Symphonie en la majeur* (1934), le *Trio* pour cordes (1937), autant d'œuvres saines et durables. Quand une crise cardiaque l'a enlevé, à soixante-huit ans, il était en pleine fécondité.

De son vivant, Albert Roussel a été l'objet de débats opiniâtres. Les gourmets d'harmonie, qui s'étaient délectés à son *Festin de l'araignée*, ne lui pardonnaient pas d'avoir abandonné ces succulences pour les sévérités de l'écriture horizontale. Les éternels grammairiens, forts d'avoir su leur solfège quelques années avant lui, imputaient à sa formation tardive et hors des murs sacrés du Conservatoire ses basses « illogiques », son harmonie en désaccord avec le caractère de ses thèmes. Pour l'autre bord, celui des jeunes « modernistes » français, Roussel était un novateur génial. Ces querelles, ces affirmations sont aujourd'hui tout à fait périmées et déjà elles étaient anachroniques vers 1930. Les « mauvaises basses » de Roussel, bien entendu, ne proviennent pas plus que celles de Berlioz des lacunes d'un musicien qui avait appris et approfondi sans relâche son métier pendant huit ans avec les maîtres les plus sérieux, à qui un homme aussi formaliste que Vincent d'Indy avait confié l'enseignement le plus scolaire de son institution. C'était au contraire parce qu'il connaissait trop bien la lourdeur des basses franckistes qu'il s'efforçait de les délester. Comme le démontre une. bonne analyse de Marc Pincherle, il cherchait, par la mobilité de son contrepoint, à renouer avec l'ancienne polyphonie lorsqu'elle pratiquait cette égalité complète des voix que le classicisme abolirait en faveur du sempiternel continuo. Ce n'était pas là non plus le comportement d'un musicien peu instruit de son art. Mais d'autre part, pour attribuer une valeur révolutionnaire aux expériences polytonales et modales que Roussel menait dans le respect de la tonalité, il fallait ignorer la portée des innovations autrement radicales qui venaient d'aboutir chez Schœnberg à la création de la technique sérielle (1923), et même n'avoir prêté qu'une oreille bien distraite à celles qui étaient incluses au moins depuis *La Mer* chez Debussy.

Aujourd'hui, les derniers adversaires de Roussel sont morts, mais il n'a même plus droit à une citation dans la jeune école. Nous entendons son œuvre avec sérénité, et nous la rattachons en fin de compte au néoclassicisme qui tint tant de place entre les deux guerres, mais a beaucoup plus de fond et de tenue chez Roussel que chez les compositeurs français de la génération suivante. Ses aspérités d'écriture, qui ne nous ont jamais heurtés, nous apparaissent fort anodines. Dernier artiste resté fidèle à la cravate lavallière, Roussel conserva dans sa musique toutes les formes traditionnelles. Après 1920, il fut l'un de ceux qui mirent le plus en pratique le fameux « retour à Bach », panacée de ces années-là. Mais il n'avait guère retenu de l'immense Cantor qu'une leçon de mécanique. Cette fausse vue lui fit appauvrir sa métrique, assez souple et subtile au temps de ce *Festin de l'araignée* dont il rougissait dans sa vieillesse, et qui se réduisit plus tard trop souvent à un rythme simplifié, fixé pour toute la durée d'un mouvement vif. Les disciples béaient devant « ces puissantes marches en avant » qui nous ont toujours paru, quant à nous, très monotones, et ont engendré par centaines chez les copistes ces inévitables allegros au martèlement ferroviaire

Les carrières simultanées de Debussy, Ravel, Dukas, Florent Schmitt, Albert Roussel valurent à la musique française entre 1900 et 1924 un rayonnement qu'elle n'avait plus connu depuis le XVIIIᵉ siècle. Seule l'Allemagne, qui accueillit volontiers Roussel à cause de son style contrapunctique, mais ne devait découvrir vraiment Debussy et Ravel qu'après 1944, restait sceptique à propos de cette renaissance française devant laquelle s'inclinait tout le reste de l'Europe et qui touchait des pays aussi peu ouverts jusque-là à notre influence musicale que l'Italie, l'Espagne, la Hongrie.

En France même, la vie de la musique était si active qu'elle multipliait les célébrités plus ou moins éphémères. Louis Aubert

(1877-1968), élève de Fauré et le plus élégant des debussystes, connut un succès presque mondial avec sa *Habanera* pour orchestre en 1919. Sa *Forêt bleue*, un opéra-féerie, est parfois diffusée à la radio, et l'on comprend encore comment elle put passer lors de sa création, en 1909, pour une musique agréablement « moderne ». André Caplet (1879-1925), le disciple préféré et le collaborateur de Debussy, adapta les harmonies de son maître à l'inspiration catholique de l'*Épiphanie*, du *Miroir de Jésus*. D.E. Inghelbrecht (1880-1965), autre « pelléastre » de la première heure, en conserva toujours plus ou moins le souvenir dans les nombreux poèmes symphoniques assez décousus − l'un d'eux a pour argument ce *Diable dans le beffroi* que Debussy rêvait d'écrire − qui représentèrent ses loisirs dans une carrière de chef d'orchestre bien remplie. Roger Ducasse (1873-1954), Maurice Delage (1879-1961) furent des suivants discrets, l'un de Fauré, l'autre de Ravel. Roland Lévy, dit Roland-Manuel (1891-1966), élève d'Albert Roussel et confident de Ravel, eut le bon goût d'espacer de plus en plus ses mélodies, ses concertos et ses opéras-comiques pour se consacrer à des cours d'histoire de la musique et à la vulgarisation adroite mais point toujours objective à la radio.

Vers 1913, la critique qui faisait la petite bouche à *La Mer* de Debussy et aux œuvres de Stravinsky attribuait presque du génie à Gabriel Dupont (1878-1914) pour ses opéras, *La Farce du cuvier*, *Antar*, ses pièces de piano *Les Heures dolentes*, où les formules scolaires faisaient bon ménage avec des dissonances apprivoisées. Grand malade, Gabriel Dupont mourut à trente-six ans, eut droit à d'émouvantes nécrologies. Sur quoi, sa musique disparut à jamais de toutes les mémoires et tous les pupitres. On déplora sans doute plus justement la disparition en pleine jeunesse de Lili Boulanger (1893-1918), élève très douée de Paul Vidal et de Fauré, la première femme qui eût obtenu le prix de Rome en 1913. Elle a laissé une Sonate pour piano et violon, des œuvres religieuses, *Psaumes*, *Pie Jesu* d'un sobre classicisme. Sa sœur aînée, Nadia Boulanger, née en 1887, abandonna assez tôt la composition pour l'enseignement où ses exceptionnelles qualités pédagogiques lui valurent très vite une renommée internationale, tant à l'École normale de musique qu'aux États-Unis et au Conservatoire américain de Fontainebleau dont elle a pris la direction en 1950. De grands interprètes comme Igor Markevitch, le pianiste Dinu Lipatti lui ont été redevables de leur belle culture musicale. Elle a formé presque tous les compositeurs américains de quelque valeur.

Entré dans la vie parisienne sous le patronage ésotérique de Mallarmé, puis bientôt de toutes les duchesses et comtesses du faubourg Saint-Germain, intime de Proust à qui il souffla de cruelles sottises sur Debussy, Reynaldo Hahn (1875-1947), né au Venezuela d'un père juif allemand, ne faisant aucun mystère de ses mœurs, resta jusqu'à son dernier jour la plus étonnante figure de vieil inverti à perruque, monocle et corset. Il était non moins cocassement réactionnaire dans son goût, catalogue, à l'exception de Mozart, de la plus mauvaise et la plus plate musique que l'on eût pu faire en un siècle et demi. Ce fut sans doute le dernier personnage à déplorer que le barbare Wagner eût supplanté son cher Meyerbeer, qu'il savait par cœur. Ce boulevardier de la musique, aux propos d'ailleurs amusants, fut une des illustrations, avec *Ciboulette*, de ce genre assez horripilant que l'on nomme « l'opérette bien écrite », c'est-à-dire celle qui ne peut s'adresser ni au public populaire ni aux vrais mélomanes (pourquoi serait-il défendu de lui préférer *La Veuve joyeuse* du bonhomme Franz Lehar, « bien écrite » elle aussi dans son genre, et qui continue la tradition de Johann Strauss et de ses trois temps que tous les grands romantiques allemands ont aimés ?). Il produisit encore des opéras-comiques, des ballets (*Le Bal de Béatrice d'Este*, *La Fête chez Thérèse*) et même des « poèmes lyriques », tel celui qui s'intitulait tout simplement *Prométhée triomphant*. Chacune de ses « premières » lui valait une presse enivrée. Les tenants de l'orthographe opposaient les leçons de son clair génie aux jeunes et sauvages sectateurs de « la note à côté ».

Les mêmes auraient sacrifié sans peine Ravel et Stravinsky à Gabriel Pierné (1863-1937). Cet élève de Franck pour l'orgue, de Guiraud pour la composition, qui écrivait déjà à douze ans, submergea les théâtres lyriques de ses ballets (*Cydalise et le chèvre-pied*, *Impressions de music-hall*, etc), de ses musiques de scène, de ses opéras-comiques frôlant l'opérette tels que *Fragonard*, tandis qu'il multipliait la musique de chambre, les oratorios, *Saint François d'Assise*, *L'An mille*, *La Croisade des enfants*. Ces musiques d'une agréable vacuité sont mortes aussi facilement qu'elles étaient venues au monde : Pierné abattait une heure et demie de chœurs et de symphonie en un mois de vacances. Ce fut un bon chef d'orchestre — on le devinerait à la quantité des réminiscences dans ses compositions — qui demeura de 1910 à

1934 à la tête des concerts Colonne. Cet éclectique dirigeait fort bien Berlioz, Franck et Debussy. Mais il confiait sans remords à un journaliste, en 1930, qu'il n'avait encore jamais eu le temps d'ouvrir la partition du *Sacre du printemps*, Philippe Gaubert (1879-1941) à l'Opéra et à la Société des Concerts du Conservatoire, Paul Paray (né en 1886) chez Lamoureux furent aussi de bonnes baguettes françaises, écrivant copieusement de la musique de chefs d'orchestre, un genre particulièrement désespérant pour les mélomanes par sa respectable inanité.

Deux figures de théoriciens mériteraient mieux qu'une rapide citation, Maurice Emmanuel (1862-1938), Champenois dont l'anticonformisme serein s'alliait à un physique de vieil officier de cavalerie, Charles Kœchlin (1867-1950) qui avec ses yeux prophétiques et son immense barbe blanche paraissait un sosie de Tintoret drapé dans une cape de berger. Aiguillé par son maître Bourgault-Ducoudray, Maurice Emmanuel avait éprouvé à sa façon que l'ère du majeur-mineur s'achevait. Il préconisait un retour aux modes folkloriques et médiévaux, aux modes grecs qu'il avait étudiés à fond dans sa thèse de doctorat. Les officiels de la musique le tenaient pour un maniaque anarchiste. Professeur-né, il se vit retirer la chaire qu'on lui avait réservée au Collège de France. Il n'obtint qu'un cours facultatif, c'est-à-dire parfaitement méprisé, d'histoire de la musique au Conservatoire. Il nous souvient de l'avoir entendu dire avec résignation qu'à Paris un élève pouvait décrocher son premier prix de contrepoint ou d'harmonie sans être capable de situer Weber dans le temps à un demi-siècle près et de nommer une seule de ses œuvres. Il consacra plus de quinze années à son *Histoire de la langue musicale*, travail de grande science et plein de vues ingénieuses, mais déformé cependant par l'obsession modale de l'auteur. Quant à sa musique, *Ouverture pour un conte gai*, Sonatines, Quatuor, *Chansons bourguignonnes, Suite sur des airs populaires grecs, Suite française, Poème du Rhône*, pour autant qu'on se la rappelle, il ne put s'empêcher de la faire servir trop souvent à la démonstration de ses idées, en l'agrémentant parfois de sonorités debussystes.

Charles Kœchlin, élève de Gédalge et de Fauré après être sorti de Polytechnique, débuta par des poèmes symphoniques dans la tradition des romantiques (*La Nuit de Walpurgis*), fut professeur à son tour de Francis Poulenc, d'Henri Sauguet, de nombreux étrangers, conseiller d'une quantité d'autres musiciens. Il voulut tout comprendre, s'essayer à tout, à l'ingénuité comme Erik Satie

dans ses Sonatines, au style modal dans les *Chorals*, à la polytonalité dans *Paysages et Marines*, aux ondes Martenot dans son
Hymne, à la musique de films, à l'opérette américaine (*Danses
pour Ginger Rogers, Seven Stars Symphony*), à l'atonalité pour
finir. N'était-ce pas tomber, avec plus d'intelligence, dans le
même mimétisme que les chefs d'orchestre compositeurs, et dans
la frivolité, malgré le savoir dépensé pour chacune de ces expériences ? On voudrait pouvoir en juger mieux que d'après de
faibles souvenirs, ce qui est à peu près impossible. Car Kœchlin,
dont le *Traité d'harmonie* fut un des livres de chevet de la plupart
des musiciens français entre les deux guerres, qui ne pouvait
apparaître dans une salle de concert sans être entouré d'une cour
de disciples et d'admirateurs, est pratiquement inconnu : encore
moins joué mort que de son vivant où on ne l'entendait guère; et
une partie de son œuvre est restée manuscrite.

Dans la génération de Debussy et de Dukas, à cheval sur les
deux siècles, les fournisseurs de l'Opéra et de l'Opéra-Comique
poursuivirent activement leurs besognes, grâce aux cahiers des
charges de ces théâtres qui stipulaient la création d'œuvres
« nouvelles », c'est-à-dire de compromis entre un vérisme aplati,
des sirops massenétiques, quelques réminiscences wagnériennes
et franckistes et parfois de vagues références à la prosodie de
Pelléas. La plupart furent grandement honorés, membres de
l'Institut où Debussy et Ravel n'accédèrent jamais, professeurs,
directeurs de Conservatoires, selon l'inaltérable routine datant de
La Juive et de *La Muette de Portici*. Avec cette différence que *La
Juive* se chanta pendant près d'un siècle, tandis que *Titania, Le
Miracle, Le Roi de Paris* de Georges Hüe (1858-1948) qui écrivit
aussi le poème symphonique *Emotions, Arlequins* de Max
d'Ollone (1875-1959), *Les Hérétiques, La Rôtisserie de la Reine
Pédauque* de Charles Levadé, condisciple de Ravel (1869-1948)
Les Girondins de Fernand Leborne (1862-1929) vécurent diffici-
lement plus d'une saison ou deux. *La Habanera* de Raoul Laparra
(1876-1943), *Monna Vanna* de Henry Février (1875-1957) ne
durent qu'à leurs vulgarité une existence plus longue. Alfred
Bachelet (1864-1944) connut un certain succès avec *Scemo,
Quand la cloche sonnera* grâce à des livrets mélodramatiques.
Henri Rabaud (1873-1949) visait à l'élégance classique teintée
d'un modernisme de bon aloi avec *Mârouf, savetier du Caire*, qui
tint assez longtemps l'affiche même à l'étranger, et dont la verve
aurait eu plus de liberté si l'auteur n'avait été un académicien-né,

successeur de Fauré au Conservatoire sur lequel sa barbe blanche régna sèchement pendant plus de vingt ans.

Le meilleur de ces musiciens était sans doute Sylvio Lazzari (1857-1944), né dans le Sud-Tyrol, élève de Guiraud, naturalisé français et Breton d'adoption. On devinait aussitôt ses convictions wagnériennes, plus sérieuses que celles de nombreux compositeurs parisiens, à la densité et aux couleurs de son orchestre. Mais la cruauté du livret de sa *Lépreuse*, choqua les habitués de l'Opéra-Comique. Parce que de tous ses confrères, Lazarri était celui qui avait le plus de tempérament, il fut aussi le plus maltraité par les administrations des théâtres lyriques avec sa *Tour de Feu*, son *Sauteriot*, et systématiquement ignoré par la musique officielle.

CHAPITRE III

LES NOUVELLES ÉCOLES NATIONALES

La musique européenne avait été longtemps cosmopolite. Les
Anglais et les Parisiens du XIIᵉ siècle collaboraient si étroitement
dans l'École de Notre-Dame que l'on ne peut guère distinguer ce
qui revient aux uns et aux autres dans les manuscrits de l'époque.
Les polyphonistes nordiques de la Renaissance répandaient la
chanson française de Prague à Madrid. Le madrigal, à son plus
haut point de perfection, était l'œuvre commune des Italiens et
de ces Nordiques appelés par les grands seigneurs et le clergé à
Milan, à Venise, à Florence, à Rome, à Naples. Les Flamands
Willaert et Cyprien de Rore créaient l'école de Venise, à laquelle
allait être formé Monteverdi. De son côté, Schütz venait par deux
fois de sa Thuringe natale se mettre à l'école de Gabrieli et de
Monteverdi. Ni Schütz ni Bach, si naturellement germaniques
cependant, ne songeaient à proclamer l'essence allemande de leur
art.
   Durant les deux siècles de leur hégémonie, le dédain des Italiens
pour les étrangers qui ne les imitaient pas humblement tenait
beaucoup moins à une fièvre patriotique qu'à la tranquille certitude qu'il ne pouvait exister de musique écoutable en dehors de
la leur. Durant l'époque classique, la France de Louis XIV seule
donnerait dans le particularisme, avec l'attachement à sa tragédie
musicale, meuble fastueux de l'orgueil versaillais, dont elle
oubliait simplement qu'il avait fallu le Florentin Lully pour en
fixer les règles.
   L'Europe ne découvrit guère l'existence d'une musique allemande autonome que dans le dernier tiers du XVIIIᵉ siècle, avec

l'école des symphonistes de Mannheim et Haydn. Les romantiques, avec raison, admiraient avant tout chez Haydn, chez Mozart, chez Beethoven leur universalité. Ces grands hommes, et Weber, Schubert, Mendelssohn après eux se servaient bien de motifs hongrois, russes, croates, bohémiens, polonais, mais pour les traiter comme n'importe quel autre élément thématique.

Les nouveaux nationalismes musicaux ont procédé d'un autre phénomène, intimement lié à la flambée des irrédentismes à partir de la révolution de 1848. Chopin, coupé de sa partie par l'échec du soulèvement antirusse, en était bien le précurseur le plus célèbre, quoiqu'il n'eût jamais fait de recherches suivies sur le fonds polonais et qu'il ne lui eût jamais emprunté directement aucun motif. Si nous n'avons pas inclus les « Cinq » russes dans ce chapitre, c'est qu'outre leur propre influence sur l'Europe et malgré leurs principes folkloriques communs à tous les nationalistes, ils avaient d'abord travaillé isolément, en dilettantes, dans l'indifférence totale de leurs concitoyens. Ailleurs, la musique, comme la poésie, la politique, l'enseignement des langues autochtones, devenait un instrument de revendication des peuples assujetis sans avoir perdu leur personnalité et leur volonté d'indépendance. Elle participait à l'exercice de cette indépendance chez les jeunes nations souveraines depuis peu. Ou bien encore, la réapparition d'une musique autonome concourait au mouvement de renaissance dans des pays longtemps ensommeillés.

Partout retentissait le mot d'ordre fondamental déjà attribué à un jésuite espagnol du XVIIIᵉ siècle qui, s'il l'énonça vraiment fut un précurseur bien mal entendu, de son vivant, dans sa patrie : « C'est sur la base des chansons populaires nationales que chaque peuple doit construire son système musical. » A l'exemple des nouveaux nationalismes musicaux, cet espoir de revivifier la musique par le folklore, qui nous paraît aujourd'hui si désuet, gagna d'ailleurs dans les trente premières années du XXᵉ siècle presque le monde entier. Seules l'Allemagne et l'Italie lui échappèrent à peu près.

La grande difficulté, dès que l'on voulait aller plus loin que le pot-pourri ou la variation sommaire, était d'incorporer à une musique savante et évoluée cette sorte de patois. Debussy ironisait déjà sur les refrains ingénus « arrachés à de vieilles bouches paysannes » et que « d'impérieux contrepoints sommaient d'avoir à oublier leur plaisible origine ». Cependant, comme l'a noté le savant et perspicace ethnomusicologue roumain

Constantin Braïloïu, c'était Debussy qui à son insu, avec ses tonalités noyées, ses lignes rompues, allait offrir à bien des compositeurs nationaux « le secret d'un milieu harmonique et d'une forme où les mélodies de leurs peuples pourraient librement respirer ».

LES TCHÈQUES

Plutôt que de la Tchécoslovaquie, il faudrait parler de la Bohême-Moravie si ces deux noms accouplés ne rappelaient pas fâcheusement le « protectorat » hitlérien. La Slovaquie en effet, montagneuse, rustique, pauvre, tenue en état d'infériorité par la domination magyare puis après 1918 par le gouvernement central de Prague, n'a eu jusqu'à présent qu'une vie artistique très modeste.

Bohêmes et Moraves ont au contraire tenu dès le XVIIIe siècle une place brillante dans la vie musicale de l'Europe. Nous nous rappelons leur rôle, tant de compositeurs que d'interprètes dans la fameuse École des symphonistes de Mannheim. On en retrouvera dans toutes les capitales : les frères Benda à Berlin; à Vienne Krommer-Kramar, Kozeluch dont une symphonie fut longtemps attribuée à Haydn; en Italie, Josef Myslivecek; à Paris le pianiste-compositeur Johann-Ladislav Dussek (1761-1812) dont l'abondante sentimentalité prépara quelque peu le romantisme. On n'a pas oublié non plus que le meilleur professeur français dans la première partie du XIXe siècle, Anton Reicha, était né à Prague.

Malgré cette émigration, malgré l'hégémonie de Vienne, Prague était un foyer très actif et devait le rester. Elle acclama *Les Noces* et le *Don Juan* de Mozart que les Viennois dédaignaient, comme elle serait, près d'un siècle et demi plus tard, la première après Berlin à représenter le *Wozzeck* d'Alban Berg. On pratiquait — et l'on pratique toujours, pour le plaisir — la musique de chambre trios, quatuors, quintettes dans d'innombrables familles. Si la boulimie musicale d'un peuple devait avoir quelque rapport avec l'apparition des génies, celui-ci devrait avoir engendré vingt Beethovens...

Les Tchèques émigrés de la fin du XVIIIe siècle et des premières années du XIXe écrivaient selon le lieu de la musique viennoise ou italienne, où ils eussent été bien empêchés de placer des souvenirs mélodiques de leur patrie puisqu'ils n'en avaient aucun.

Ce furent du reste des étrangers, Herder et d'autres écrivains romantiques allemands, qui commencèrent à rechercher les poésies populaires bohémiennes, ensevelies par la germanisation du pays. En 1826, on jouait un opéra sur un livret de langue tchèque, *Le Raccommodeur de porcelaine* de Skroup, mais dont la musique était une insignifiante imitation des Français et des Singspiele allemands.

Le premier musicien tchèque réellement national, BEDRICH SMETANA(1824-1884) était né deux ans plus tôt à Litomysl, en Bohême orientale. Il devint rapidement très bon pianiste. Les concerts de Berlioz à Prague en 1846 furent son premier grand choc musical. Le mouvement bohémien contre l'autocratie des Habsbourg s'amplifiait. Smetana y participa de près et fut garde national durant les émeutes de 1848. La répression autrichienne le contraignit même à s'expatrier de 1856 à 1861 où, après avoir travaillé quelque temps à Weimar avec Liszt, il fut chef d'orchestre à Göteborg en Suède. Quand il rentra à Prague, la Bohême avait acquis une assez large autonomie dans le cadre de l'Empire. Toute la musique de Smetana devait exprimer un nationalisme que ses compatriotes mirent cependant beaucoup plus de temps à reconnaître que ne l'avaient fait les irrédentistes italiens avec le jeune Verdi. La critique et le public, alors très conservateurs, l'accusaient de wagnérisme — il admirait effectivement Wagner — d'être un adepte germanisé de la « musique de l'avenir ». On comprenait mal ses trois poèmes symphoniques, *Le Camp de Wallenstein, Richard III, Hakon Jarl*, écrits en Suède sous l'influence directe de Liszt.

L'opéra-comique *Prodana Nevesta (La Fiancée vendue)*, représenté en 1866, remanié en 1870, allait triompher rapidement de cette hostilité, et fonder le théâtre lyrique tchèque. Si le sujet rustique et les nombreuses danses, très vives, étaient de style populaire, Smetana ne faisait cependant presque aucun emprunt aux airs du folklore. Ce folklore tchèque, comparé au polonais, au russe, est d'ailleurs assez peu caractérisé harmoniquement, rythmiquement et mélodiquement, son accent slave est très occidentalisé. Mais sur un livret bien tourné dans sa simplicité, Smetana réussissait dans la même voie que Lortzing avec beaucoup moins de fadeur, que l'opéra-comique français avec plus d'étoffe et de tenue. *La Fiancée* est une paysanne un peu trop élégante pour une cour de ferme, mais jolie, enjouée. Dans un genre où la gaieté est si souvent contrefaite, la sienne sonne juste; les chœurs ajoutent encore à la vie de l'ouvrage, dont la fraîcheur et l'agrément mélodique allaient vite conquérir toutes les scènes étrangères. C'était par ce succès international, bien plus que par une couleur locale assez vague que Smetana prouvait l'existence d'une école tchèque.

Dalibor, opéra tragique, l'œuvre de Smetana la plus proche de Wagner — celui de *Lohengrin* et de *Tannhäuser* — *Libussa*, sorte d'apothéose patriotique, ont moins facilement franchi les frontières, de même que les autres opéras légers de Smetana, mais demeurent tous au répertoire tchèque. Premier chef d'orchestre puis directeur du Théâtre national de Bohême, Smetana devint brusquement sourd en 1874, dut abandonner ses fonctions et se retira en province. C'est là qu'il écrivit ses six pièces symphoniques intitulées *Ma Vlast' (Ma Patrie)* : *Vysherad* et *Sarka* sur des légendes médiévales de Bohême, *Vltava* ou *Moldau* selon le nom allemand, la grande rivière tchèque, *Prairies et Bois de la Bohème*, *Tabor* et *Blanik*, souvenirs de la guerre des Hussites. Si l'on peut dire que l'influence de Liszt y est atténuée, c'est parce que les pages les plus rhapsodiques de l'abbé Franz sont encore très élaborées auprès de l'alignement ingénu des épisodes dont la *Moldau* fournit l'exemple universellement connu. Mais on comprend qu'avec la vieille mélodie slave qui dessine son cours, cette *Moldau* ait sur les cœurs simples le pouvoir d'un hymne national où la poésie ouverte à tous remplace l'héroïsme d'estrade.

L'orchestration de ces poèmes symphoniques est claire, bien sonnante. Mais de la part d'un disciple de Berlioz et de Liszt, on attendait des dispositions instrumentales plus neuves, plus ingénieuses.

L'existence courageuse et remplie de Smetana s'acheva tristement. Son infirmité cruelle, la solitude attaquèrent sa raison et il mourut à soixante ans dans un asile d'aliénés.

Si l'auteur de la *Moldau* représentait jusqu'à un certain point le romantisme lisztien dans la nouvelle musique tchèque, ANTON DVORAK (1841-1904) fut pour sa part beaucoup plus proche du néo-classicisme allemand de Brahms, mais dans une forme bien moins surveillée. Fils d'un aubergiste, violoniste et organiste dès son adolescence, brave homme très simple, Dvorak eut une carrière constamment heureuse, qui le conduisit même de 1892 à 1895 à la direction du Conservatoire de New York. Quand il se veut strict, en réduisant comme dans sa *Troisième Symphonie en mi bémol majeur* le nombre de ses thèmes, ceux-ci ont bien de la difficulté à meubler les développements traditionnels. La fameuse *Symphonie n°5 en mi mineur* « du Nouveau Monde », inspirée par son séjour en Amérique, débute par quelques mesures de rhétorique toute beethovénienne. Mais elle tourne bientôt à un catalogue de petites mélodies où l'on distingue plus ou moins un écho des « negros spirituals » et des chansons de cow-boys. Dans le dernier mouvement, quand Dvorak veut forcer la voix, ses trompettes et ses timbales deviennent assez vulgaires, alternant avec une sentimentalité qui se relâche. Cette Symphonie du Nouveau Monde est bien le type des œuvres qui donnent aux auditeurs d'une demi-culture la sensation de s'élever à la « grande musique »; d'où, son succès universel.

On préfère Dvorak dans sa musique de chambre, comme le *Quatuor* à cordes en mi bémol majeur, d'une composition fort simple — on est loin de Franck, sans parler du dernier Beethoven — mais d'un assez joli lyrisme, certainement écrit pour le plaisir par un homme qui aimait Schubert et Mozart.

L'orchestration de Dvorak est encore plus sage que celle de Smetana. Le musicien écrivit des opéras d'une honnête banalité, où rien ne vient remplacer les italianismes refusés, un *Stabat Mater* qui plut aux Anglais toujours friands de compositions chorales largement étalées, puis le *Concerto* pour violoncelle et orchestre en si mineur qui étonna Brahms. La coupe en est un peu plus rigoureuse que celle des Symphonies, le soliste y a toutes les occasions de faire valoir son phrasé. Mais le premier mouvement s'allonge sur vingt-cinq minutes. En 1895, un tel classicisme, prévisible note par note, était vraiment tardif.

Toute cette musique trahit l'ambiguïté du peuple tchèque, partagé entre son atavisme et sa longue éducation germanique.

Zdenek Fibich (1850-1900) écrivit une quantité de pièces pour piano, à ranger dans la musique de salon, qui étaient déjà surrannées au moment de sa mort, et une douzaine d'opéras vaguement teintés de wagnérisme.

Le Morave LEOS JANACEK (1854-1928) fut durant toute sa vie fidèle à sa province, entouré d'une petite renommée locale jusqu'au succès à Prague de son opéra *Jenufa*, alors qu'il avait plus de soixante ans. Il mit alors les bouchées doubles et composa presque autant de partitions dans ses douze dernières années que durant toute sa carrière antérieure. Sur la foi des critiques d'Europe Centrale, on lui attribuait un modernisme que l'on recherchait assez vainement dans sa musique de chambre, sa

Sinfonietta et sa *Messe glagolitique*, au texte vieux slave. Il était surtout homme de théâtre. On a essayé d'importer en France, beaucoup plus tard, quelques-uns de ses opéras, *Jenufa, Katia Kabanova*. Les livrets, fille-mère et infanticide, adultère de petite bourgeoisie s'achevant par une noyade dans la Volga, nous ramènent à l'époque du Théâtre Libre, avec Brieux et Curel, vers 1890. On peut accorder à Janacek un goût de la concision, un maniement intelligent de son orchestre qui commente l'action de près, tout en s'aidant d'un système très simplifié de leitmotive. Mais on a beau nous dire que sa déclamation, mi-récitatif mi-mélodie, est issue d'une patiente étude du langage parlé, que les accords majeurs et mineurs y voisinent avec des cadences archaïques, des emprunts aux modes religieux, la monotonie de ce court vocabulaire épuise vite la force expressive que l'auteur voulait lui imprimer. Les citations folkloriques n'ont guère d'accent. On nous dit encore que Janacek ne rappelle aucun de ses contemporains, Strauss, Rimsky-Korsakov, Debussy, Puccini. C'est exact, mais négatif, et signifie plutôt qu'il est à un rang trop modeste au-dessous de ces illustres modèles pour pouvoir les évoquer, et qu'il n'est pas parvenu à se créer un style vraiment personnel. Le meilleur de Janacek est peut-être dans le fabliau sans prétentions du *Rusé Petit Renard*.

Les musicologues tchèques citent également avec des éloges assez difficiles à vérifier les opéras de Josef Bohuslav Forster (1859-1951), qui à quatre-vingt-six ans, en 1945, composait encore une cantate pour célébrer la libération de son pays. Josef Suk (1874-1935), élève et gendre de Dvorak, excellent violoniste de quatuor, surtout symphoniste dans son œuvre, se détacha du romantisme ingénu de son beau-père, travailla dans le chromatisme à la façon de Reger, sans parvenir à s'assimiler réellement la langue du XXe siècle. Vitezslav Novak (1870-1949) essaya d'appliquer des procédés debussystes aux mélodies populaires, mais avec infiniment moins de bonheur que le Hongrois Bartók.

Aloïs Haba, né en 1893, théosophe, militant socialiste, longtemps professeur à Prague, est un personnage plus curieux. Dès la vingtième année, il s'est passionné pour la musique en quarts de ton, a composé ainsi un opéra, *La Mère*, des poèmes symphoniques, des quatuors. En 1923, dans la soif de la modernité qui s'était emparée de la jeune République tchécoslovaque, un facteur de Prague fit construire pour lui un piano à deux claviers décalés l'un de l'autre d'un quart de ton. On fabriqua également des clarinettes, des cors produisant les quarts de ton. Mais ces innovations n'ont été accueillies à l'étranger qu'avec une politesse sceptique. Cette division mécanique et constante de la gamme en vingt-quatre tons a peu d'intérêt expressif. Ce que nous avons pu entendre des œuvres d'Aloïs Haba ne dépassait guère les expériences de laboratoire. Ce Tchèque était peut-être plus révolutionnaire en préconisant l'abolition des thèmes, en refusant la répétition de tout motif. Mais son « athématisme » par chromatisme continu est sans rapport avec celui de Schœnberg. Aloïs Haba fait songer à ces inventeurs oubliés parce qu'ils se passionnaient pour l'automobile à vapeur pendant que d'autres étaient en train de créer le moteur à explosion.

Bohuslav Martinu (1890-1959), très sensible à la musique française, s'irritait des influences germaniques que subissaient toujours les compositeurs de son pays. Il vint à Paris en 1923 pour travailler auprès d'Albert Roussel; il y épousa une Française. Sa francophilie ne le servit guère. Nous avons pratiquement ignoré ses nombreux ouvrages de théâtre, ballets *(Istar, Échec au roi)*, opéras : *Le Soldat et la danseuse, Le Miracle de Notre-Dame, Le Mariage, Mirandolina*, opéra bouffe de style italien. Sa musique de chambre, sa musique symphonique ont eu rarement les honneurs de nos concerts et de notre édition phonographique. En 1940, Martinu gagna les États-Unis où il avait eu des succès. Il ne retrouva l'Europe qu'en 1953. Sa vie s'acheva entre la Côte d'Azur, l'Italie et la Suisse sans qu'il eût revu sa patrie. On désignerait plus facilement les pages élégantes et bien construites à sauver dans son œuvre si celle-ci était moins prolixe : outre ses partitions pour la scène, Martinu a écrit trente concertos, sept quatuors à cordes, six symphonies, une quantité de pièces pour piano. Il s'inspirait à la fois des chants populaires moraves et du concerto grosso à la manière du XVIIIᵉ siècle. Folklore et néo-classicisme : les deux penchants qui sont devenus les plus étrangers à la musique nouvelle depuis une trentaine d'années.

Malgré la passion musicale du pays tchèque, son compositeur de génie est encore à naître.

LA POLOGNE, LA SCANDINAVIE

Éternelle victime politique, la Pologne ne connut jusqu'au début du XIXᵉ siècle que des imitateurs de l'opéra italien ou des

Allemands. L'exemple admirable de Chopin aurait pu susciter une école nationale. Mais on ne vit venir que les suiveurs d'un romantisme édulcoré, Zelenski, Noskowski. Les Polonais célèbres furent les virtuoses, le violoniste Henry Wieniawski, plus tard le pianiste Ignace Paderewski (1860-1941), qui fut quelque temps après la Première Guerre mondiale président de la République polonaise. L'un et l'autre, en écrivant pour leur instrument, réduisirent au morceau de genre les danses caractéristiques de leur pays. Aucun des noms de compositeurs alignés par les historiens polonais n'a franchi les frontières, si ce n'est, entre les deux guerres, celui de Karol Szymanowski (1882-1937). Son éclectisme distingué lui fit chercher une personnalité assez hypothétique à travers Scriabine, Richard Strauss, Reger, puis les impressionnistes français et Stravinsky. Son recours au folklore n'a eu qu'une faible place au milieu de ces influences contradictoires. Witold Lutoslawski, né en 1913, les élèves de Nadia Boulanger ou de Paul Dukas tels que Szailowski, né en 1907, Grazina Bacewicz, née en 1909, Michel Spisak, né en 1914, Woytowicz, né en 1898, appartiennent peu ou prou au néo-classicisme teinté de folklorisme. Il a fallu attendre la fin de la seconde guerre pour voir apparaître en Pologne de jeunes compositeurs d'un talent plus original. Mais ils sont tous acquis à l'internationale sérielle.

Malgré sa véhémence, le patriotisme polonais n'a encore jamais trouvé son expression musicale, sinon chez le Parisien Chopin.

La musique danoise ne s'est jamais dégagée de l'obédience germanique. Le premier opéra dans la langue du pays, en 1824, fut l'œuvre d'un Allemand, Kuhlau. Niels Gade (1871-1890), le compositeur danois le plus souvent cité, était issu de l'académisme, teinté d'un romantisme policé, du Conservatoire de Leipzig. Il délaya Mendelssohn, tandis que son contemporain Emilius Hartmann (1805-1900) s'en tenait à l'imitation de Spohr, de Marschner, combinée avec celle des opéras-comiques français et de Rossini. Leur successeur, le symphoniste Carl Nielsen (1865-1931) donna plus de corps et une armature contrapunctique à ces musiques pâlottes. Il a pratiqué la polytonalité avec une certaine vigueur. On a écrit qu'il annonçait le Soviétique Chostakovitch. Fâcheuse paternité !

Il n'y a pas eu davantage d'accent local chez les Suédois, Franz Berwald (1796-1868), romantique lisztien, de nos jours chez Hilding Rosenberg, né en 1892, qui a déambulé de Debussy à Schœnberg pour se replier ensuite sur Bach, chez Gösta Nystroem, chez Lars Erik Larsson, qui s'est risqué quelque temps dans l'atonalité et a fait retour au classicisme. Tous ces compositeurs n'ont eu qu'une notoriété en somme provinciale.

Dernière venue à la vie artistique, la Norvège a été le seul pays scandinave à se tourner vers son folklore, parce qu'elle était aussi terre d'irrédentisme, luttant durant tout le XIXᵉ siècle contre la tutelle suédoise après avoir été sujette du Danemark pendant trois cents ans. Un garçon mort à vingt-quatre ans, Rikard Nordraak (1842-1866), auteur de l'hymne national norvégien, fut le premier musicien « savant » qui prêta l'oreille aux airs de danses et aux mélopées rustiques des montagnards et des pêcheurs. Il persuada de leur intérêt un de ses camarades, EDVARD GRIEG (1843-1907) qui rentrait de Leipzig et s'apprêtait à marcher sur les traces de Niels Gade. Avec les encouragements de Liszt, Grieg fit à travers l'Europe une carrière de pianiste virtuose et de chef d'orchestre qui l'aida beaucoup à diffuser ses œuvres. Vers 1900, il passait auprès du grand public pour un des génies de son temps et n'en doutait pas lui-même. Il prête à peu de commentaires. On l'aura exactement situé en redisant après la plupart des musicographes que c'était un miniaturiste, capable d'arrangements assez agréables des mélodies mélancoliques et des rythmes de son terroir dans les petites pièces qui ont été pianotées et sifflotées par plusieurs générations : les *Danses norvégiennes*, les albums pour piano, les deux Suites tirées de la musique de scène de *Peer Gynt*. Il n'a ni la maîtrise technique ni le souffle pour remplir des cadres plus ambitieux, comme on le voit d'après son médiocre *Concerto pour piano* qui ne garde des auditeurs que grâce à la routine des virtuoses itinérants.

Tous ces Germains périphériques que sont les Scandinaves n'ont jamais pu aller au fond de la musique allemande dont ils ont été pourtant nourris. On ne distingue pas chez eux de réelle influence des grandes architectures beethovéniennes, de Wagner — alors qu'ils ont fourni au répertoire wagnérien tant d'admirables chanteurs — ni même au classicisme consciencieux et substantiel de Brahms. On croit toujours à une erreur typographique quand on lit les dates de la biographie du Norvégien Christian Sinding (1856-1941), et que l'on calcule que cet émule de Grieg, comme lui descendant anodin de Mendelssohn — mais assez célèbre pour avoir professé en Amérique — mourut six ans après Alban Berg...

Il y eut tout de même plus de fond chez le Finlandais JEAN SIBELIUS (1865-1957). Le premier musicien de son pays avait été un Allemand, Frederick Pacius (1809-1891). Quand elle sortit de son Moyen Age, au début du XIXᵉ siècle, la Finlande, sujette de la Russie, préférerait regarder vers l'Occident, c'est-à-dire le monde germanique, plutôt que vers Saint-Pétersbourg tout proche, mais capitale du tsarisme. On peut évoquer au moins Brahms ou Reger en écoutant les symphonies de Sibelius. On devine à travers ses quatuors qu'il fut un lecteur attentif de Beethoven. Il ignora à peu près les « Cinq » russes et leur coloris. Il fut attiré davantage par Tchaïkovski, sans s'abandonner à autant de facilités que lui. Il adopta quelques harmonies debussystes, sa seule concession au XXᵉ siècle. Les Finlandais en ont fait un de leurs héros, statufié de son vivant : gratitude pour le premier de leurs compatriotes dont le nom soit devenu célèbre à l'étranger, ou plus exactement en Scandinavie, chez les Anglais de la génération académique, et chez les Américains omnivores. Les Allemands ont été beaucoup plus réservés à l'égard de ce symphoniste qui emploie peu le contrepoint. Quant aux Français, cultivés ou non, il est à peu près inutile d'essayer de leur faire citer une autre pièce de ce musicien que la *Valse triste*.

Les caractères nationaux, chez Sibelius, se bornent aux sujets de ses poèmes symphoniques, empruntés à l'épopée finlandaise du *Kalevala*, et à des citations très « romancées » du folklore. Si cette musique est la plus nordique de l'Europe, c'est surtout par sa sombre mélancolie.

A soixante-quatre ans, Sibelius cessa de publier et se retira complètement d'un siècle auquel il avait si peu appartenu. Stravinsky a dit de lui que c'était le plus ennuyeux des musiciens sérieux. Nous serions assez de ce sentiment.

L'ESPAGNE

Le dernier musicien espagnol que nous eussions rencontré était le Padre Antonio Soler, né en 1729, disciple aimable de Scarlatti. Autour de lui et après lui, il n'y avait à citer que des musiciens théâtre.

La musique avait toujours été plus ou moins mêlée au théâtre espagnol depuis ses origines, sous forme de prologues (*loas*), de morceaux chantés, de danses. Nous savons que Lope de Ruenda, le baladin du XVIᵉ siècle, puis un peu plus tard Lope de Vega écrivirent des textes de *bailes*, petites pièces comiques parlées, dansées et chantées, que Lope de Vega composa même le texte du premier « opéra » espagnol, *La Selva sin Amor*, pastorale représentée devant la cour d'Espagne en 1629, et qui était chantée de bout en bout. Calderon vingt ans plus tard créait un nouveau genre, mi-parlé, mi-chanté avec *El Jardin de Falerina*, suivi en 1657 d'*El Laurel de Apolo*. Il appela ces divertissements écrits pour Philippe IV des *Zarzuelas* (*zarza* : ronce), du nom d'une résidence royale bâtie sur un terrain buissonneux. Les musiques de ces ouvrages ont été perdues, et l'on ne connaît même pas les noms de leurs auteurs, qui ne comptaient pas beaucoup plus pour les contemporains que ceux des instrumentistes. De toute façon, il s'agissait d'un théâtre aristocratique, et la *seguidilla* qu'y chantait une bergère devait être fort pomponnée au milieu des allégories et mythologies.

La zarzuela quitta ces habits empesés dans le courant du XVIIIe siècle avec le librettiste madrilène Ramon de la Cruz (1731-1794) et ses collaborateurs musicaux, Rodriguez de Hita, Estève, Fabian Garcia Pacheco, Ventura Galvàn, Ramon de la Cruz prenait ses sujets dans le petit peuple des rues et des campagnes — ses *Labradoras de Murcia* se déroulent parmi les éleveurs de vers à soie aux cocasses superstitions — dans les scènes de mœurs bourgeoises, chez les coquettes affectant les modes françaises. La zarzuela était en somme le pendant hispanique de notre opéra-comique et du Singspiel allemand.

Vers 1750 apparut la *tonadilla escenica*, petit interlude chanté d'une trentaine ou vingtaine de minutes, qui prenait place entre les actes d'un spectacle plus important, comme les *intermezzi* italiens dont elle se rapprochait. Une anecdote familière et comique y tenait lieu de scénario : dans une des premières tonadillas de Luis Mison, un des créateurs du genre, le dialogue d'un aubergiste et d'un gitan. Il y avait des tonadillas à un seul personnage, d'autres qui en réunissaient jusqu'à dix ou douze qui chantaient par moments en chœur (*tonadilla general*). Dans ces piécettes vives d'allure et de ton, les rythmes et les airs populaires intervenaient encore plus librement que dans les zarzuelas. Outre Mison et la plupart des « zarzuelistes », les auteurs se nommaient Laserna, Antonio Guerrero, Pablo de Moral, et à ses débuts Manuel Garcia, le père de la Malibran.

Après une trentaine d'années de vogue, la tonadilla qui était une réaction nationale contre l'italianisme, eut le tort de se faire moralisante, à l'exemple du drame bourgeois français.

Rien dès lors ne pouvait plus arrêter l'invasion de l'opéra italien. Pendant les deux premiers tiers du XIXe siècle, la vie intellectuelle et artistique avait été au plus bas. Après les ravages de la guerre napoléonienne, le pays était économiquement ruiné par la perte de ses colonies américaines, conséquence de l'absolutisme imbécile de Ferdinand VII. La politique n'était plus que chaos avec la guerre civile fomentée par les carlistes qui refusaient le testament de Ferdinand VII donnant la couronne à sa fille et voulaient pour roi son frère, avec les pronunciamientos, l'anarchie des partis réactionnaires ou libéraux.

L'engourdissement de la vie musicale n'était qu'un des aspects de cette décadence. Hormis Rossini et Donizetti dont il se gorgeait, le public citadin ignorait tout de l'étranger : la première audition d'une symphonie de Beethoven n'eut lieu à Madrid qu'en 1865. Dieu sait comment, car l'apathie s'étendait aux instrumentistes, à l'enseignement. Le fonds national n'était pas mieux traité. On ne voulait même plus s'en souvenir, toute trace d'hispanisme passait pour le comble du mauvais goût. La tonadilla avait entièrement disparu. Ramon Carnicer, Baltasar Saldoni imitaient servilement Rossini. La zarzuela avait resurgi après 1840 avec Rafael Hernando, Joaquin Gaztambide, Emilio Arrieta, mais abâtardie elle aussi par les italianismes et singeant souvent l'opéra sous la forme de la *Zarzuela grande* en trois actes.

L'ŒUVRE DE PEDRELL

Deux hommes, le Madrilène FRANCISCO ASENJO BARBIERI (1823-1894) et surtout le Catalan FELIPE PEDRELL (1841-1922) allaient être les premiers artisans d'une renaissance de la musique espagnole succédant à une telle période d'oubli qu'elle équivalait presque à la création d'un art national comme dans d'autres pays sans passé. Chanteur, directeur de troupe, Barbieri était de métier un homme de théâtre. Il composa soixante-dix zarzuelas, *Los Diamantes de la corona, Pan y Toros, El Barberillo de Lavapiés*, presque toutes disparues du répertoire, mais qui eurent du succès de son vivant. Cultivé, fortuné, il se livra d'un bout à l'autre de l'Espagne dans les archives, les bibliothèques à des recherches sur la musique ancienne, dont ne s'occupaient plus que quelques érudits locaux, vieux notaires ou vieux abbés.

Félipe Pedrell s'était initié tout enfant à ce qui subsistait de la

vieille musique religieuse en chantant dans la maîtrise de la cathédrale de Tortosa, sa ville natale. Dès l'âge de quinze ans, il
commençait à noter les airs populaires de sa province, chansons
d'aveugles, chansons de paysans, berceuses. Il se livra passionnément à une immense recension de la musique espagnole ancienne,
en particulier avec une édition monumentale de Victoria. Il
insistait sans doute trop sur l'hispanisme incertain de ces polyphonistes renaissants. Mais il fit une œuvre analogue et encore
plus précieuse sur le folklore espagnol, certainement le plus varié
et le plus original d'Europe : *zortzico* basque à 5/8, airs des
Asturies et *Muneira* de la Galice accompagnées de la cornemuse
celtique (la *gaita*), *jota* ternaire de l'Aragon et de la Navarre,
sardana à 6/8 et 2/4 de la Catalogne, avec son charmant et savoureux orchestre, la *cobla*; chansons et danses des Baléares, rappelant assez souvent l'ancien folklore auvergnat comme le *copeo* de
Majorque; les *seguidillas* murciennes, le *fandango* à 3/4 d'origine
mauresque; enfin le *flamenco* dans sa forme authentique, celle du
cante grande ou *jondo* (profond) des Gitans d'Andalousie, avec
les *tonas, siguiriyas, soleares, tangos, tientos, bulerias* et *saetas*.

Bien que le retour au folklore se généralisait dans l'Espagne
durant le dernier tiers du XIXᵉ siècle − nous avons déjà dit à
ce propos la curieuse influence de la *Carmen* de Bizet − Felipe
Pedrell trouva autour de lui beaucoup d'incompréhension et
d'indifférence. Il méprisait les fabricants de zarzuelas. Il vitupérait
les « arrangeurs » qui harmonisaient les vieilles mélodies populaires sans tenir aucun compte de leur forme modale, héritée des
anciennes liturgies, des modes celtes, des mélopées de trouvères,
des Arabes. Il faut bien dire à ce propos que les espagnolades,
objet de répulsion des purs hispanisants, et dont on dit souvent
qu'elles ne s'adressent qu'au goût frelaté des touristes, sont le
régal de la plupart des Espagnols. Que l'on entende par exemple
quelques zarzuelas rénovées de la meilleure période, entre 1890
et 1930, *La Dolores*, « zarzuela grande », et *La Verbena de la
Paloma* de Tomás Bretón (1850-1923), *La Revoltosa* de Ru-
perto Chapí (1851-1909), *La Rosa del Azafran* de Jacinto
Guerrero (1895-1951), *Doña Francisquita* d'Amadeo Vives
(1871-1932). Autant d'œuvres devenues presque classiques par
leur succès, dont les auteurs sont honorablement cités dans la
musicographie. C'est pourtant une collection des clichés du pittoresque le plus trimbalé. La trivialité de l'orchestre est digne d'un
cirque, l'harmonie d'une opérette du Châtelet.

En 1891, Pedrell révélé à ses compatriotes par l'estime qu'on lui portait à l'étranger, surtout en Allemagne et en Russie, publiait son manifeste, *Por nuestra música* : « Le compositeur doit se nourrir de la quintessence du chant populaire, voix des peuples, se l'assimiler, la revêtir de délicates apparences, d'une forme riche... » Mais il ne parvint pas à illustrer ses principes par sa musique. Wagner avait pénétré depuis peu en Espagne sous la forme des pages anthologiques dirigées au concert par des chefs étrangers. Pedrell, fougueux en toutes choses, se lança dans la propagande wagnérienne, adopta les règles du drame musical qui s'accordaient bien mal avec son folklorisme. Il en résulta plusieurs opéras, la trilogie des *Pyrénées, La Celestina, La vision de Rauda* d'après la vie de l'alchimiste catalan Raymond Lulle, ouvrages inconnus même des Espagnols malgré la vénération dont ils entourent la mémoire de Pedrell. Seules *Les Pyrénées* furent représentées sans aucun succès. On ne peut parler que par ouï-dire de leur harmonie pesante, leurs catalogues de motifs mal fondus, leur froide raideur. Un vrai créateur n'aurait d'ailleurs jamais pu se consacrer à d'aussi vastes travaux d'érudition que Pedrell.

Celui-ci devait cependant atteindre le but de sa vie, « permettre à l'Espagne de reprendre sa place dans les nations musicales de l'Europe », à travers trois de ses disciples, Albéniz, Granados et Manuel de Falla.

ALBÉNIZ ET GRANADOS

Isaac Albéniz (1860-1909), né à Camprodón, un petit bourg des Pyrénées catalanes, pianiste prodige à cinq ans, avait déjà rempli à vingt la carrière des virtuoses les plus romantiques, ayant stupéfié ses professeurs de Paris, de Leipzig, de Bruxelles, fait en Amérique deux tournées gigantesques qui ressemblaient à des fugues, vécu partout en pur bohème, couru de nombreuses aventures sentimentales, travaillé auprès de Liszt après l'avoir poursuivi de ville en ville, franchi une crise mystique où il avait failli entrer chez les bénédictins.

Sa musique se ressentit d'abord de ce tempérament vagabond et impulsif : piécettes de salon, improvisations dans la manière la plus lâchée de Liszt, valses, mazurkas d'un romantisme facile, fantaisies sur des hispanismes d'opéra-comique. Un peu plus tard, il accepta très inconsidérément la commande d'une série d'opéras sur le cycle de la Table Ronde, dont son commanditaire, Lord Latymer, banquier anglais, écrivait les livrets, et qu'il bâcla sans aucune illusion sur leur valeur. En 1893, marié, il vint habiter Paris. Il s'y lia avec Ernest Chausson et le milieu franckiste qui ne répondait guère à sa nature. Il retourna à Barcelone pour prendre les conseils de Pedrell, c'est-à-dire confabuler indéfiniment avec lui de brasseries en cafés. Certains critiques espagnols ont contesté la dette d'Albéniz envers Pedrell. C'est pourtant après ses visites à l'apôtre du nationalisme musical, dont les idées gagnaient peu à peu du terrain, qu'il commença à se dégager des espagnoleries et des banalités dans son opéra-comique *Pepita Jiménez*, et *Catalonia*, sa suite pour piano qu'il ne tarda pas à orchestrer.

La dernière période de la vie d'Albéniz, passée presque entièrement en France, fut couronnée par son chef-d'œuvre, le cahier de douze pièces d'*Iberia*, publié l'année même de sa mort à Cambo : le premier ouvrage de la musique espagnole depuis la Renaissance qui conquit aussitôt le monde entier par la vérité de son accent national. C'est aussi avec *Iberia* que nous constatons pour la première fois cette action particulière de Debussy dont nous parlions au début de ce chapitre, le « milieu harmonique » nouveau qu'il avait créé et qui permettait à des motifs d'origine populaire de s'organiser, se développer en musique raffinée et savante sans être défigurés. Dans leurs rapports humains, dit-on, Albéniz et Debussy s'appréciaient peu. Mais le grand pianiste espagnol jouait les œuvres du Français. On ne doit pas méconnaître non plus l'intérêt que put prendre Albéniz à la lecture d'une pièce de Ravel comme l'*Alborada del gracioso*, parue en 1905 dans le recueil des *Miroirs*, dont on pourrait presque dire qu'aucune musique aussi hispanique d'esprit et de tour n'avait encore été écrite dans la Péninsule. Ainsi se nouait entre l'impressionnisme musical français et l'Espagne une alliance qui dure encore. *Iberia* est plus haute en couleurs, plus ornementée que les partitions françaises, le compositeur Rodrigo a même pu parler de son exubérance « plateresque ». Albéniz souligne en vrai disciple de Liszt tous les traits de virtuosité. Mais il inaugure surtout une nouvelle technique du piano : « Jamais, dit Olivier Messiaen en plaçant *Iberia* tout près des chefs-d'œuvre de Chopin, de Schumann et de Beethoven, l'écriture de clavier n'a été poussée aussi loin. » C'est dire encore que seuls quelques interprètes exceptionnels – et latins – peuvent aller au-delà du pittoresque évident d'*Iberia*, nous restituer dans toute sa force cette musique dont les difficultés semblent à chaque instant requérir une troisième main.

ENRIQUE GRANADOS (1867-1916), né à Lérida, fut d'abord élève à Barcelone de J.B. Pujol pour le piano et de Pedrell pour la composition, avant d'aller perfectionner à Paris ses dons de pianiste. Il écrivit trop pour son instrument, avec encore plus de relâchement et de coquetteries salonnières qu'Albéniz à ses débuts. On voyait alors en lui un Grieg méridional, ce qui correspondait assez bien à son romantisme dilué. Mais trois au moins de ses ouvrages échappent à ces conventions et à ces fadeurs : les *Danses espagnoles* écrites pour piano à vingt-cinq ans puis orchestrées, les *Tonadillas*, mélodies vocales, et les deux suites pour piano des *Goyescas* (1911), en hommage à Goya et plus spécialement celui des fresques de San Antonio de la Florida, de leur foule pimpante et tournoyante. Granados qui dans ses meilleurs moments restait un petit maître, fut choyé et applaudi dans les premières années du siècle plus encore qu'Albéniz. Le succès de ses jolies *Goyescas* était tel qu'il se décida à en faire un opéra, qui fut créé à New York en janvier 1916. Six semaines plus tard, en revenant d'Amérique, Granados périssait avec sa femme dans le naufrage du paquebot anglais *Sussex*, torpillé par un sous-marin allemand entre Dieppe et Folkestone.

On aura remarqué que trois des restaurateurs de la musique nationale de l'Espagne — Albéniz ayant aussi du sang basque — étaient des Catalans, qu'aucune vélléité de séparatisme n'effleura jamais. Comme le disait déjà Goethe, les esprits d'élite tendent toujours à l'unité.

MANUEL DE FALLA

MANUEL DE FALLA (1876-1946) cette incarnation musicale de l'Andalousie, était bien né à Cadix, mais d'un père valencien et d'une mère catalane elle aussi : famille de négociants relativement aisés, et qui ne mit point d'obstacle à la vocation musicale du jeune garçon. A douze ou treize ans, nourri de Beethoven, de Chopin, de Gounod, de Grieg, le petit Falla composait déjà. A vingt ans, il entrait au Conservatoire de Madrid, y terminait rapidement et assez brillamment ses études de piano. Puis, comme c'était le seul débouché pour un jeune musicien espagnol,

il se mit à écrire des zarzuelas, entre autres *Les Amours d'Inès*
qui furent représentés une vingtaine de fois. Mais au milieu de ces
frivolités alimentaires, il tomba sur quelques pages d'une partition
de Felipe Pedrell, en fut ébloui, et alla supplier le vieil érudit
catalan, qui était peu abordable, de le guider : « C'est à son enseignement, devait-il dire plus tard, que je dois la plus claire et la
plus forte orientation de mon travail. »

Au printemps 1905, Manuel de Falla remportait à quelques
jours de distance le premier prix d'un concours de piano et celui
d'un concours d'opéra pour lequel il avait composé une œuvre
lyrique en deux actes, *La Vie brève*, sur un livret de Fernandez
Shaw, fournisseur des fabricants de zarzuelas. Mais malgré les
promesses qui lui avaient été faites, aucun théâtre madrilène ne
consentit à monter son ouvrage. Obligé de donner des leçons,
Falla comprenait qu'il s'enterrait en Espagne sans espoir, « avec
son premier prix dans un cadre et sa partition dans une armoire ».
Il rêvait à Paris, où l'on venait de représenter *Pelléas*, où la vie
musicale était si intense et imprévue, comme un jeune provincial
dans sa sous-préfecture auvergnate ou périgourdine. Il y débarqua
enfin, au début de l'été 1907.

Il ne possédait qu'un seul costume, et ne pouvait dépenser
qu'un franc par jour pour son logement, sous les combles d'un
petit hôtel. Mais Paul Dukàs, chez qui il se présentait d'abord fut
aussitôt séduit par sa *Vie brève*, le recommanda à Debussy, dont
l'accueil allait être non moins favorable. Par Ricardo Viñes,
encore un Catalan, âme fraternelle, qui commençait une magnifique carrière de pianiste entièrement vouée à la nouvelle musique
française et espagnole, Falla connut Ravel, Florent Schmitt,
pénétra dans tous les cénacles de la mélomanie fortunée. Son
instinct ne l'avait pas trompé. L'amitié des compositeurs français
qui avaient tout de suite reconnu dans cet obscur petit Andalou
un de leurs proches parents, leur exemple, leurs conseils devaient
être décisifs pour l'épanouissement de son art. Bien plus
consciemment qu'Albéniz, il découvrait chez Debussy l'ambiguïté
tonale, l'usage des modes, les appoggiatures non résolues, la
liberté des rythmes qui rejoignaient le folklore espagnol dont il
avait une connaissance native, et l'aidaient à l'intégrer dans une
écriture stylisée, raffinée. Falla notait encore que Debussy, sans
connaître l'Espagne, avait utilisé les arpèges, les figures rythmiques qui naissaient spontanément sous les doigts des guitaristes
andalous, et que les compositeurs espagnols méprisaient jusque-là.

Il termina durant sa première année parisienne *Quatre pièces espagnoles* pour piano, créées par Ricardo Viñes en 1909, trois mélodies sur des vers français et, surtout corrigea, refondit sa *Vie brève* d'après les avis de Debussy et de Dukas qui lui avait inculqué quelques bons principes d'instrumentation. *La Vie brève*, en deux actes, fut représentée à Nice le 1er avril 1913 puis à l'Opéra-Comique l'hiver suivant avec un grand succès, malgré un scénario banal et qui tourne court : une jeune gitane de Grenade mourant subitement d'amour parce que le galant Andalou à qui elle s'était promise en épouse une autre. Outre quelques traces de wagnérisme, quelques réminiscences de la *Louise* de Gustave Charpentier, la partition n'est pas exempte de redondances véristes. Mais les deux intermèdes dansés du second acte, la jota et la petenera, les chansons gitanes, *martinete* rythmé sur l'enclume par les forgerons, *siguyria* avec ses fioritures finales, rauques *solerares*, frappèrent les premiers auditeurs par leur accent mordant, par une authenticité qui se passait de toute démonstration.

La guerre, désorganisant toute la vie musicale, chassa Falla de Paris où il avait passé sept ans. Madrid reçut à bras ouverts le revenant que la France venait de consacrer. On fit un triomphe aussi bruyant qu'une corrida à *La Vie brève* tout de suite représentée avec les meilleurs artistes. Le soir de la première, une retraite aux flambeaux accompagna le musicien du théâtre à son domicile.

Manuel de Falla rapportait dans ses bagages les *Sept Chansons populaires espagnoles*, mince mais admirable cahier, condensé et sublimation de toute la musique d'un peuple. On pourrait presque dire que lorsqu'on le connaît bien, on n'a plus grand-chose à apprendre du chant de l'Espagne. « C'est le sentiment, l'esprit, l'ambiance, l'arôme de la musique d'Andalousie », a dit le compositeur Jaime Pahissa. Cette quintessence ne pouvait être le fruit que d'une stylisation, une re-création du folklore, supposant une connaissance, une imprégnation de ce folklore autrement profondes que chez les musiciens qui employaient directement ses motifs.

Durant l'hiver 1914-1915, Falla composa le ballet de *L'Amour sorcier (El Amor Brujo)*, scène d'apparition fantomatique, d'incantations et de danses rituelles, dans une des fameuses grottes – les *cuevas* – habitées par les gitans de Grenade au quartier de Sacro Monte. Il ne restait plus la moindre trace d'italianisme dans ces vingt minutes de musique brûlante, entièrement vouée à l'évocation du folklore gitan, toujours selon les mêmes principes de stylisation — beaucoup de mesures binaires alors que presque toutes les danses du flamenco sont ternaires — mais n'en suggérant pas moins une irrésistible puissance et par les seules ressources d'un orchestre classique subtilement dosé les rythmes qui tressaillent sur place, les « olé » de l'assistance, les *palmadas* (claquements des mains), les *pitos* (claquements des doigts), les *rasgueados* (arpèges) et les *punteados* (notes piquées) des guitaristes. Falla s'était d'ailleurs mis à l'œuvre sur une idée de Pastora Imperio, une célèbre danseuse gitane de *flamenco*, dont toute la tribu fit partie de la distribution. Les Madrilènes, qui avaient décidément besoin de s'éduquer, restèrent de marbre en avril 1915 à la première de l'étincelant ballet. Il ne commença à les émouvoir que l'année suivante, disposé en suite symphonique, une des nombreuses formes sous lesquelles ses danses allaient conquérir le monde entier.

Au début de cette même année 1916, Falla terminait les *Nuits dans les jardins d'Espagne*, un triptyque pour piano et orchestre commencé à Paris, de toutes ses œuvres celle dont la fraîcheur impressionniste, les sonorités fluides doivent le plus à Debussy et à Ravel tout en gardant leur couleur originale. Il va de soi que ces voluptueuses *Nuits* ne sont pas un concerto. Malgré l'importance de son rôle, le piano n'y est qu'un élément dans la trame de l'orchestre, « le fil d'or dans une tapisserie précieuse », ainsi que l'a fort bien dit un commentateur. Il devient guitare, il dessine les lignes musclées des rythmes andalous. Le dernier mouvement est construit comme une *copla*, la typique chanson gitane, avec son refrain, *l'estribillo*.

En avril 1917, Falla faisait représenter à Madrid avec un gros succès une pantomime musicale, *El Corregidor y la Molinera*, qui remaniée allait devenir avec le décor de Picasso un des spectacles les plus célèbres des ballets de Diaghilev, sous le titre *El Sombrero de tres picos (Le Tricorne)*. L'argument, qui avait déjà inspiré Hugo Wolf, est pris à une nouvelle du romancier Pedro Antonio de Alarcon : un vieux corregidor (officier de justice) podagre, épris d'une jolie meunière, fait arrêter son mari pour tenter sa chance auprès d'elle, mais ne parvient qu'à être ridiculisé par tout le village et berné comme un pantin. La partition, qui est la plus gaie et la plus corsée de Falla, avec des tonalités plus stables que *Les Nuits* et *L'Amour sorcier*, ne fait pas seulement appel au folklore andalou, mais à la jota aragonaise qui fournit la bruyante danse finale, à des motifs navarrais, murciens.

En 1920, après les succès londoniens et parisiens du *Tricorne*, Manuel de Falla, à la fois populaire et choyé dans les cénacles les plus huppés comme ceux de Mme Bériza et de la princesse de Polignac, affectueusement lié avec Stravinsky et Ravel, comptait parmi les cinq ou six plus grands musiciens de l'époque. A ce moment-là, il quittait Madrid pour s'installer à Grenade, dans une charmante maisonnette, sur la colline même de l'Alhambra et tout près des jardins du Generalife. Par une cocasserie de son existence, Falla n'avait encore jamais mis les pieds à Grenade, que chantait toute sa musique : « Je ne connais même pas la gare de cette ville », avouait-il dans le tuyau de l'oreille à ses intimes. Ce qui ne l'empêchait pas d'être grâce à ses enquêtes parmi les gitans le seul compositeur espagnol qui eût su comprendre l'esprit et le style du *cante jondo*, le distinguer du *cante chico*, le petit chant, c'est-à-dire le flamenco abâtardi.

Son premier ouvrage daté de Grenade, en 1922, fut *El Retablo de Maese Pedro (Les Tréteaux de Maître Pierre)*, d'après les deux chapitres de Cervantes où Don Quichotte détruit à coups de taille et d'estoc les marionnettes d'un théâtre qu'il a prises pour de vrais chevaliers et de vrais Mores. La psalmodie des *Tréteaux* sur quelques notes voisines, son petit orchestre de chambre comportant un clavecin déconcertèrent la plupart des admirateurs de Falla qui attendaient d'une nouvelle œuvre de lui des mélismes encore plus chantournés, des couleurs encore plus chaudes. Ces mélomanes avaient tort. *Les Tréteaux* étaient aussi espagnols que *Les Nuits* et *Le Tricorne*, mais dans l'évocation de l'ancienne Espagne musicale que Falla avait commencé de découvrir à travers les leçons de Felipe Pedrell. Ce n'est pas tant du reste celle des plus célèbres compositeurs du temps de Cervantes, les vihue-listes, trop italianisants et courtisans pour le cadre rustique du scénario, que l'Espagne des vieilles mélodies liturgiques, en si étroite parenté avec le chant populaire, avec les mélopées des marchands ambulants, des crieurs de villages, des montreurs d'images que Falla avait entendus dans sa jeunesse. Ainsi compris, *Les Tréteaux* révèlent leur raffinement et leur humour.

Les racines nationales étaient beaucoup plus difficiles à découvrir dans l'œuvre suivante, le *Concerto pour clavecin*, avec flûte, hautbois, clarinette, violon et violoncelle (1926). Falla y portait à l'extrême l'ascétisme et l'ellipse. Il pourchassait tout plaisir sonore, décharnait son harmonie, employait chaque instrument dans son registre le plus acide ou le plus âpre. Mais les auditeurs renseignés savaient que ces rugosités, ces cassures rythmiques, cette substitution d'un petit groupe de timbres au grand orchestre rejoignaient les recherches de Stravinsky et de Schœnberg. Ils s'inclinaient devant cette volonté de renouvellement d'un maître qui avait remporté tant de succès dans la voie la plus séduisante : ils voulaient croire qu'elle serait féconde.

Manuel de Falla avait alors cinquante et un ans, l'âge de la plus riche maturité pour un artiste qui s'était développé lentement. On ne savait pas qu'il avait déjà son œuvre derrière lui, qu'il n'y ajouterait plus que quelques pages de circonstance et un testament de vastes ambitions mais qu'il laissa inachevé.

De cette stérilité, maintes interprétations sont possibles. On doit redire que la période la plus active et la plus heureuse de Falla coïncida avec son long séjour en France ou le suivit immédiatement, comme s'il avait vécu sur cette lancée. « L'air musical de votre capitale, disait-il à la cantatrice Ninon Vallin, a revivifié mes poumons espagnols. Nous avions besoin, nous Ibériques, de ce changement d'altitude pour transformer notre style sans pour cela perdre l'accent de notre terroir. » Mais lorsque avec une partie des *Tréteaux* et le *Concerto pour clavecin* Falla inaugura sa « seconde manière » qui devait rester si courte, n'avait-il pas épuisé tout le contenu artistique de son style andalou et impressionniste, n'était-il pas à la veille de tourner autour de son propre poncif ? Cet homme cultivé, intelligent, très difficile envers soi-même, admis d'emblée parmi les novateurs et les pionniers de son art, voyait la musique opérer de rapides et de radicales mutations. Il avait bien le droit de penser que c'était logiquement une issue pour lui. S'il n'alla pas loin sur ce chemin, c'est qu'après les limites d'une inspiration purement nationale, il découvrit celle de l'abstraction, de cette scolastique de l'impersonnel, de cette musique expérimentale pour lesquelles sa nature était si peu faite.

Il faut se rappeler encore que Falla, ce petit homme émacié, macéré, aux yeux brillants, fut une sorte de saint, le dernier de son espèce érémitique et farouchement chaste. On tient presque partout en Espagne pour vérité irréfutable qu'il mourut vierge à soixante-dix ans; ce qui laisse entrevoir d'extraordinaires combats intérieurs, bien au-delà du banal refoulement, chez l'artiste qui créa quelques-uns des rythmes les plus charnels, des inflexions les plus voluptueuses de la musique contemporaine : « *Dicen que no*

nos queremos... A tu corazon y al mio... » Sa retraite de Grenade
était devenue de plus en plus monacale. Quand éclata la guerre
civile, qui désolait en lui à la fois le catholique et le libéral et
tuait un de ses amis les plus chers, le poète Garcia Lorca, il
s'enfonça encore davantage dans la piété. Sa santé qui n'avait
jamais été fameuse s'affaiblissait. En octobre 1939, il accepta
de diriger des concerts à Buenos Ayres, ce qui lui était surtout
une occasion de s'éloigner de l'Europe où la Seconde Guerre
mondiale venait de s'allumer. Avec sa sœur, qui veillait sur lui
depuis de longues années, il ne tarda pas à choisir une nouvelle
thébaïde, à Alta Gracia, au pied des Andes. Il était parvenu,
croyons-nous, à un détachement de l'action, du travail, de
l'œuvre, presque métaphysique et très espagnol, oscillant entre
le « nada » anarchique et la nuit obscure de Jean de la Croix où
tout langage de l'homme n'est plus que vanité : même cette
Atlantide où il se proposait de chanter la gloire du christianisme
— son seul ouvrage d'inspiration religieuse — qu'il garda en
chantier près de vingt ans, en s'organisant curieusement pour
avoir à y travailler le moins possible.

Il mourut subitement à Alta Gracia le 14 novembre 1946. Le
gouvernement franquiste fit revenir son corps sur un navire de
guerre à Cadix, où on l'inhuma solennellement dans la crypte de
la cathédrale.

Il restait à pourvoir au sort de son *Atlantide* inachevée, grand
oratorio scénique sur un poème du Catalan Jacinto Verdaguer,
qui devait célébrer l'Ibérie depuis la légende herculéenne jusqu'à
la découverte du Nouveau Monde par Christophe Colomb et à
une apothéose du catholicisme. Falla en avait eu l'idée en 1926.
A sa mort, il laissait un manuscrit incomplet et dans un extrême
désordre. La seconde partie était à l'état d'esquisses confuses,
l'instrumentation manquait presque partout. Après huit années
d'indécision, les héritiers confièrent la mise en ordre et l'achèvement de l'œuvre à un des disciples du maître, Ernesto Halffter.
Celui-ci employa encore sept années à son travail. Après les
auditions de concert à Barcelone et à Cadix, la véritable première
eut lieu en juin 1962 à la Scala de Milan. La noblesse de certaines
pages qui seraient demeurées inintelligibles sans un contexte
justifie suffisamment le travail d'Halffter. Mais *L'Atlantide* dans
son ensemble laisse l'auditeur perplexe, comme tous les ouvrages
qui voient le jour dans des conditions aussi litigieuses. On connaît
aussi trop mal cette partition en France pour pouvoir décider si

sa simplicité est celle d'une musique hors du temps ou si elle tient
à l'affaiblissement d'un vieil homme qui croyait de moins en
moins à son art tandis que s'exaltait sa foi religieuse.

Mis à part cette *Atlantide* et quelques essais de jeunesse, l'œuvre
qui a fait de Manuel de Falla le plus grand musicien de l'Espagne
tient en quatre heures à peine de musique. Ses couleurs ont
perdu la vivacité de leur jeunesse, ses rythmes semblent unifor-
misés. Mais pour qui sait aller au-delà de ces impressions épider-
miques, elle renferme encore bien des secrets subtils. C'est une
plante aromatique, fine et sèche, des sierras caillouteuses, qu'il
faut respirer, mâcher longtemps pour en connaître la senteur et la
saveur.

Tous les autres compositeurs espagnols s'effacent à côté de
Falla. Son ami de jeunesse, Joaquin Turina (1882-1949) qui avait
travaillé avec Vincent d'Indy, était devenu célèbre du jour au
lendemain avec son poème symphonique évoquant une cérémonie
traditionnelle de sa Séville natale, *La Procession du Rocio*,
qu'aimait Debussy. Il ne devait jamais retrouver ce succès. Si
Falla incarne le *cante jondo* des Gitans, Turina en comparaison
ne s'élève pas au-dessus du *cante chico*. On avait été séduit par
les premières petites pièces pour piano du Catalan Federico
Mompou, né en 1893, par leur impressionnisme délicat et mélodieux, qui le rangeait également parmi les descendants espagnols
de Debussy. Mais cet intimiste vivait sur quelques sensations
menues qu'il n'a pas su renouveler, et il s'est de plus en plus
tourné vers le passé. On crut en 1927 que la *Sinfonietta* d'Ernesto
Halffter, qui avait alors vingt-deux ans, ouvrait un nouveau
chapitre de la musique espagnole, rebelle jusque-là à ces agencements thématiques. Ce n'était qu'une manifestation plus spirituelle que beaucoup d'autres du néo-classicisme qui dominait
alors dans toute l'Europe. La carrière internationale d'Halffter
s'arrêta après son ballet *Sonatina*, dans le souvenir de Scarlatti,
qu'il écrivit pour la danseuse Argentina. Aujourd'hui, le principal
compositeur est Joaquin Rodrigo, né à Valence en 1902, devenu
aveugle à l'âge de trois ans. Il fut à Paris l'un des élèves de Paul
Dukas. On peut le connaître lui aussi par une seule œuvre, son
Concerto d'Aranjuez pour guitare et orchestre, dans le style
espagnol devenu traditionnel. Son *Concerto héroïque*, écrit à la
fin de la guerre civile, dont l'éloquence ronflante et truffée de
motifs folkloriques n'est pas tellement éloignée de la musique
soviétique, lui a valu de devenir le compositeur officiel du régime

franquiste. On ne voit aucune personnalité saillante parmi les musiciens qui ont choisi l'exil en 1939. Rodolfo Halffter, le frère aîné d'Ernesto, fixé au Mexique, a été pendant quelque temps le seul Espagnol qui s'intéressât aux techniques dodécaphoniques. Mais depuis une douzaine d'années, plusieurs jeunes musiciens, en particulier Luis de Pablo ont été acquis aux formes de la musique nouvelle.

Les études amorcées par Pedrell sur le fonds populaire et la musique ancienne ont été poursuivies au contraire par des chercheurs de plus en plus nombreux et érudits, Joaquin Nin qui a publié d'innombrables arrangements de chansons, Oscar Espla qui a mené de front son œuvre symphonique et ses beaux travaux de musicologie, Eduardo Torner, Adolfo Salazar, Mgr Higinio Anglés, dans le Pays basque un capucin le R.P. Donostia, mort en 1956. Pour l'interprétation, l'Espagne est depuis assez longtemps déjà au même niveau que les autres pays d'Europe. Elle a eu des chefs d'orchestre de grande classe, Enrique Arbos, le très aristrocratique Ataulfo Argenta, disparu prématurément en 1958. Elle possède de magnifiques chorales sans équivalent en France, l'Orfeo Catala de Barcelone, l'Orfeo Donostiarra de Saint-Sébastien.

Enfin, dans le domaine de l'hispanité, il faut rappeler le nom du Mexicain Carlos Chávez (1899), le principal animateur de la musique dans son pays, et qui s'efforce de concilier les rythmes ou les airs indiens avec les styles romantiques et néo-classiques d'Europe.

Dans la musique portugaise, il n'y a guère à citer que Pedro de Freitas Branco (1896-1963), chef d'orchestre de réputation internationale, et son frère Luis, professeur très écouté, qui fît connaître Debussy et Ravel dans son pays. La plupart des compositeurs portugais sont très conservateurs. Quelques-uns cependant, Federico de Freitas, José Manuel Braga Santos, Ruy Coelho qui a travaillé avec Schœnberg, s'essayent prudemment à l'atonalité, à l'écriture sérielle. Et là aussi, les tout jeunes musiciens, tels que Peixinho, s'émancipent rapidement.

LA HONGRIE

Nous avons déjà vu que l'on confondait depuis la fin du XVIIIᵉ
siècle la musique populaire hongroise avec ses interprétations
entièrement faussées par les violonistes et les cymbalistes tziganes,
qui dans leur virtuosité à fleur de peau agissaient au rebours de
leurs frères de race, les gitans d'Andalousie, créateurs du grave et
pathétique *cante jondo*. Liszt lui-même tomba dans cette erreur.
Personne ne s'était préoccupé de démêler l'authenticité des
mélodies de ce terroir avant un érudit obscur, Béla Vikar, qui
avait commencé ses travaux vers 1890.

Nulle part la création d'un art national n'a été plus volontaire,
tenant à une personnalité hors du commun, Béla Bartók
(1881-1945), assisté de deux compositeurs d'un rang modeste,
Ernest von Dohnányi (1877-1960) et Zoltán Kodály (1882-1967).

BÉLA BARTÓK

Béla Bartók était originaire d'une petite ville au sud de la
plaine hongroise, Nagyszentmiklos, où son père dirigeait une
école d'agriculture, tandis que sa mère était institutrice. Ses
parents, tous deux musiciens, favorisèrent sa vocation. Il fit de
bonnes études de piano et de composition à Presbourg (Bratislava)
puis à Budapest, où il avait rejoint son camarade Dohnanyi. Il
baignait alors entièrement dans le classicisme germanique, de
Bach à Brahms. Il traversa ensuite une phase de grand romantisme
wagnérien et lisztien. La première audition à Budapest, en 1904,
du poème symphonique de Richard Strauss, *Ainsi parlait Zarathoustra*, le transporta. La même année cependant, avec un autre
de ses condisciples, Zoltan Kodály, il entreprenait ses premières
recherches sur les mélodies des paysans hongrois. Il découvrait
que cette étude était le prolongement nécessaire de son nationalisme magyar, très hostile à l'hégémonie des Habsbourg.

Les Russes, les Tchèques, les Espagnols avaient obéi bien avant
lui à cette impulsion nationale. Mais Bartók prospectait dans les
coins reculés de la *puszta* hongroise une terre presque vierge. Il y
apportait une passion de collectionneur, une méthode scientifique
qui lui auraient donné un nom éminent parmi les meilleurs
folkloristes s'il ne l'avait illustré par ses créations. Il savait aller
aux sources authentiques, notait directement les mélodies les plus

faciles, enregistrait les autres, recherchait les variantes, classait systématiquement sa récolte. Comme son patriotisme n'excluait pas de généreuses idées sur la fraternité humaine, et qu'il observait la parenté de nombreux chants paysans à travers l'Europe orientale, il étendit ses investigations aux folklores voisins, et d'abord à celui de la Roumanie : ce qui lui valut à la fois les remontrances des Hongrois jugeant qu'il perdait son temps chez les « métèques » et l'hostilité des Roumains qui l'accusaient de dérober un de leurs trésors nationaux. Il travailla aussi en Slovaquie, en Bulgarie, en Slovénie. En tout, il recueillit au moins huit mille, peut-être dix mille mélodies populaires.

Cette tâche immense ne l'empêchait pas de composer abondamment, de s'initier à la musique moderne française, de la faire entendre aux Hongrois qui l'ignoraient. Il resta violemment contesté à Budapest jusqu'à la création en 1918 de son unique opéra, *Le Château de Barbe-Bleue*. La Hongrie, grande vaincue de la Première Guerre mondiale, repliée sur son chauvinisme reconnut alors dans Bartók une de ses gloires nationales.

Le musicien était un petit homme fragile, au visage fin, aux yeux bleus limpides, aux manières réservées, mais inflexible dans ses convictions qu'il défendait en polémiste passionné. Il ne put supporter de voir sa chère Hongrie tomber sous la dépendance hitlérienne après l'Anschluss. Bien qu'il n'eût pas une goutte de sang juif, il refusa de faire la preuve de son aryanisme, alléguant qu'en tant que Magyar il était du reste « finno-ougrien ». En octobre 1940, il quitta définitivement la Hongrie pour les États-Unis, où il se heurta aussitôt à l'indifférence du public et de la critique. Un poste subalterne à l'Université de Columbia lui fut bientôt retiré. Il commençait à souffrir de la maladie qui devait l'emporter. Des commandes de Koussevitski, le chef d'orchestre de Boston et Yehudi Menuhin ne parvinrent pas à le tirer d'une gêne proche de la misère. Il mourut à l'hôpital de West Side, le 26 septembre 1945, si démuni que ce fut la Société des compositeurs de New York qui régla les frais de son modeste enterrement.

Peu de temps après sa disparition, dans la grande fringale de nouveautés de la seconde après-guerre, on redécouvrit Bartók, on le relança avec un succès universel. Les royalties des enregistrements de ses concertos lui auraient permis d'achever sa vie dans une large aisance. Il est devenu le grand compositeur d'avant-garde, le « moderne que l'on comprend » pour un vaste public qui veut bien être de son époque, mais sans s'aventurer trop loin.

Il y a toujours quelque équivoque dans une semblable situation. D'autre part, le commerce aidant, cette réhabilitation du Hongrois s'est accomplie sans le moindre discernement. On l'a proposé en vrac au respect admiratif des foules. Il est donc nécessaire d'examiner cette œuvre d'un peu plus près.

Tout d'abord, outre sa célébrité locale à Budapest et à Vienne, Bartók, entre les deux guerres, n'était nullement un inconnu pour les mélomanes renseignés d'Europe. Ils savaient assez bien sa position dans la musique contemporaine, et l'entendaient aussi souvent que le permettait, en France du moins, la routine des concerts.

La carrière de Bartók commence en 1903 avec le poème symphonique *Kossuth*, dédié au révolutionnaire magyar qui prit les armes contre les Habsbourgs en 1848, et où l'on entend une parodie — elle fit scandale — de l'hymne autrichien de Haydn. Mais ce patriotisme virulent s'exprime dans une langage encore tout wagnérien, de thèmes, d'harmonie, d'instrumentation qui recouvre même l'influence de Liszt.

En 1905, un séjour de Bartók à Paris lui permet de prendre contact avec la musique de Debussy, qui ne tardera pas à le marquer. Il y découvre les mêmes échelles modales, la même gamme pentatonique que dans le folklore de son pays, et elle l'aidera, par des voies assez proches de celles que Falla a déjà suivies, à décanter ce folklore, à le concilier avec des formes évoluées, à faire « la synthèse de la mélodie orientale et de l'art occidental ».

Cependant, les *Deux Portraits* pour violon et orchestre (1907-1908) sont encore saturés de chromatisme postwagnérien, plus vertébré que chez les Français de 1890, mais qui serpente en longues séquences pour chercher sa forme. Bartók est presque aussi proche de l'atonalité que Schœnberg dans ses œuvres du même temps. Mais après quelques arpèges archiwagnériens, le premier *Portrait* se termine sur un accord très classique de résolution. Le second *Portrait*, est un bref croquis de folklore interprété, bien réussi dans sa vigueur.

C'est au piano, comme Ravel et Debussy, que Bartók approfondit ses expériences harmoniques, dégage ses traits personnels avec les *Quatorze Bagatelles*, les *Dix Pièces faciles* (1907-1908), où il apparaît de plus en plus le folklore imaginé. Comme Falla, il s'est si bien imprégné de la mélodie populaire qu'il n'a pas besoin de la citer textuellement, qu'il la recrée selon ses lois essentielles. Les *Deux Danses roumaines* pour orchestre sont d'une très grande liberté tonale. Le debussysme est manifeste dans le *Premier Quatuor* (1908), les *Deux Images* pour orchestre (1910) qui se ressentent d'une certaine indécision. Mais l'*Allegro Barbaro* pour piano (1911), qui perturba considérablement ses premiers auditoires, et dont le titre indique assez l'esprit, est une page entièrement originale. A son propos, on pourrait parler longuement de la rythmique de Bartók, qui reçoit du terroir toute sa puissante vitalité, avec ses mesures asymétriques, ses 8/8 bulgares et ses 12/8 roumains aux temps subtilement décalés. Cette pulsation de Bartók, dont les raffinements laissent intacte la force primitive où elle est née, a eu sans doute la plus grande part dans le succès de cette musique chez les jeunes gens des années 1950-1960. L'*Allegro Barbaro* est d'ailleurs une date dans l'histoire du piano moderne, traité de moins en moins comme un chanteur, de plus en plus comme un instrument de percussion.

Le Château de Barbe-Bleue (1911, représenté en 1918), l'unique opéra de Bartók, en un seul acte à deux personnages, porte l'influence de Paul Dukas – celui d'*Ariane* – dans l'orchestre très nourri, et celle de Debussy dans le récitatif mélodique continu, rappelant *Pelléas* et Moussorgski.

Bartók qui a déjà écrit en 1916 un ballet, *Le Prince de bois,* achève en 1919 une partition pour une pantomime, *Le Mandarin merveilleux,* dont les couleurs d'une superbe crudité, l'harmonie tendue, les rythmes sauvages imposent aussitôt le souvenir encore tout récent du *Sacre du printemps* de Stravinsky, mais ne sauraient être confondus avec les innombrables imitations de ce chef-d'œuvre. Bartók se décharge d'une violence – sa fureur devant le désastre de la Hongrie ? – qui l'habite réellement.

Vers 1920 et dans les années suivantes, Bartók s'intéresse à quelques œuvres de Schœnberg qui a le même éditeur que lui à Vienne. Son chromatisme est de plus en plus tendu, ambigu dans les deux Sonates pour violon et piano, réalisant d'autre part un très adroit et rare équilibre entre les deux instruments, dans les 3e, 4e, 5e quatuors à cordes composés entre 1927 et 1934 (les quatuors antérieurs étaient déjà hérissés d'altérations). Mais quoique Bartók élargisse la tonalité jusqu'à confondre le majeur et le mineur et abolir la notion de sensible, il se refuse à l'écriture systématiquement atonale de Schœnberg. Comme l'a fort bien démêlé Claude Samuel, c'est une exigence de son art, de son terreau folklorique. En effet, si la musique populaire l'aide à se libérer des cloisons traditionnelles par l'amalgame des anciens modes et aussi des modes et des tons, elle reste par nature *prétonale*, diatonique, et répugne donc à l'atonalité complète. D'autre part, Béla Bartók est l'homme le plus étranger aux spéculations théoriques comme celles de Schœnberg.

L'âpre *Sonate pour piano seul* appartient au même style martelé que l'*Allegro Barbaro*. Les deux énergiques Concertos pour piano et orchestre (1926 et 1931), de par leur forme, ne sont pas aussi neufs.

Toute étude un peu attentive de Bartók confirme qu'il a touché au sommet de son art entre 1934 et 1938, avec le 5e *Quatuor à cordes*, la *Musique pour instruments à cordes, percussion et célesta*, et la *Sonate pour deux pianos et percussion*. Arrêtons-nous un instant à la *Musique*, écrite exactement pour un double orchestre de cordes, piano, célesta, harpe, deux tambours dont un voilé, timbales, petites et grandes cymbales, gong, grosse caisse, xylophone. La fugue initiale, construite selon une libre adaptation de la technique sérielle, est au bord de l'atonalité, exprimant pour Bartók le trouble et l'angoisse. Cependant, après tous ses glissements, elle revient pour conclure au ton de *la* d'où elle était partie. Avec les deux allegros, dont le second tout à fait tonal, le folklore imaginaire se fond incomparablement dans la musique la plus complexe, qui réinvente à chaque instant ses rythmes, ses accents, son harmonie. On ne saurait être plus loin des circuits de ponts, d'expositions, réexpositions, codas, lieds en six sections que les franckistes imposaient à une pauvre petite chanson cévenole ou angevine, innocente et solitaire. Les timbres — par exemple l'alliance du piano et du xylophone pour la funèbre tristesse de l'adagio — créent un monde sonore imprévisible, dont quantité d'expériences et de réussites de la jeune école sont issues. La forme pourtant très méditée n'arrête jamais l'élan de la fantaisie. C'est le chef-d'œuvre aussi bien de la poésie que de la maîtrise de Bartók, et qui demeurera en belle place dans l'anthologie de la musique du xxe siècle.

L'admirable partition n'avait pas épuisé cette veine, qui nourrit encore l'année suivante (1937) la *Sonate pour deux pianos et percussion*, égale en originalité, en imagination technique et en puissance expressive, avec un coloris superbe de ses deux claviers.

Telle est, avec *Le Mandarin merveilleux*, les deux sonates pour piano et les quatuors, la meilleure part et certainement la plus durable de l'héritage de Bartók. Quatre au moins des six quatuors mériteraient chacun une analyse. L'esprit beethovénien y subsiste.

Mais Bartók retient surtout chez Beethoven l'art du développement, non celui des symétries qu'ignore la vieille musique populaire hongroise. On ajoutera les 153 petites pièces pour piano, en six albums, du *Mikrokosmos*, conduisant l'élève-pianiste du plus simple jusqu'à la virtuosité, tel un nouveau *Gradus ad Parnassum*, et qui nous permet une visite souvent passionnante au laboratoire harmonique et rythmique du maître[1].

Les admirateurs inconditionnels de Bartók se fâchent lorsqu'on parle d'un affaiblissement du musicien à partir du Concerto pour violon et orchestre de 1938. Ce jugement se confirme pourtant de plus en plus. Le magistral équilibre des grandes œuvres de la maturité avait été rompu par le drame de l'hitlérisme, la guerre, l'abandon désespéré de l'Europe, la déception américaine, la maladie. Dans son exil new-yorkais, la nostalgie patriotique de Bartók lui faisait retrouver charme et verdeur aux tziganeries à brandebourgs de Liszt. C'était contredire le travail et les convictions de toute sa vie. Deux œuvres de 1943 et de 1944, le *Concerto pour orchestre* et le 3ᵉ Concerto pour piano et orchestre, devenues des « best-sellers » de l'édition phonographique, paraîtraient sans doute très estimables sous une autre signature, mais trahissent le recul de l'artiste qui écrivait sept ans auparavant la *Musique pour cordes, percussion et célesta*. Les remplissages y sont flagrants. La forme se relâche sous une main qui ne la contrôle plus qu'assez mollement. Le cinquième et dernier mouvement du *Concerto pour orchestre* profession de foi nationaliste, nous ramène au folklore romantique ou plutôt romancé du XIXᵉ siècle. Le 3ᵉ Concerto pour piano, de loin le plus joué et à tort, débute dans le néo-classicisme, autorise les agaceries tziganes à ses violons. La lente mélodie du piano dans l'adagio fait songer au Ravel déclinant. Les arpèges et les traits qui lui succèdent sont d'un debussysme bien dépassé. Les dissonances ne modernisent que superficiellement la banalité du rondo et de ses rythmes syncopés. Le finale n'est plus qu'une suite de clichés. Dans le Concerto posthume pour alto et orchestre, terminé par un disciple, les czardas rapsodiques deviennent de plus en plus envahissantes.

Sur Bartók, le jugement d'ensemble le plus lucide, quoique un

---

1. On possède un enregistrement par Bartók d'extraits du *Mikrokosmos*, qui nous offre la surprise d'un pianiste délicat, discret jusqu'à la timidité chez ce compositeur qui traita avec une telle violence le clavier dans l'*Allegro Barbaro*, la Sonate : multiplicité des aspects de l'artiste et de l'homme...

peu trop restrictif, est sans doute celui de Pierre Boulez : « Il manque à son langage une cohérence interne qui vient pallier une imagination fertile en inventions à court terme... Le folklore a fortement élargi et assoupli ses conceptions rythmiques, en même temps qu'il rétrécissait singulièrement son horizon. » Cette dernière opinion eût scandalisé Bartók. On devine bien pourtant chez lui un musicien plus grand qu'il ne fut, et qui aurait dû transcender tout à fait l'inspiration nationale pour donner entièrement sa mesure.

Il est à peu près certain que le proche avenir se livrera à une sélection sévère de son œuvre, mais pour l'admirer plus intelligemment dans quelques-uns de ses sommets.

Zoltán Kodály, l'ami de Bartók, l'auteur du *Psalmus hungaricus*, de l'opéra *Háry Janos*, excellent artisan, mais limité, traite le folklore, dans lequel il a une grande érudition, presque aussi traditionnellement que Brahms, avec toutefois une orchestration pittoresque. Dohnányi laisse surtout un nom de remarquable pianiste, de chef d'orchestre, d'animateur. L'impressionnisme français a beaucoup influencé ses compositions. Ferenc Szabó, né en 1902, semble être à Budapest le principal représentant du morne « réalisme social ». Laszlo Lajtha, né en 1892, autre éminent folkloriste, qui a également subi l'ascendant de Debussy, vit depuis longtemps en France. Il y avait été précédé par Tibor Harsányi (1898-1954), arrivé dès 1923 à Paris où il vécut dans l'obscurité et mourut dans le dénuement. Sa musique de chambre, sa Symphonie en ut auraient mérité beaucoup mieux que cette navrante destinée.

LA ROUMANIE

Avec un folklore encore plus riche que celui de la Hongrie, des institutions musicales anciennes et très vivantes — Bucarest et Jassy possédaient leurs concerts philharmoniques dès 1835 — quantité de talents individuels, d'interprètes de réputation internationale comme le grand chef Georgesco, la Roumanie ne possède pas à proprement parler d'école nationale.

C'est une conséquence de l'irrésistible attraction de l'Occident et avant tout de Paris sur l'élite de ce pays oriental isolé dans sa latinité. Marcel Mihalovici, né à Bucarest en 1898, naturalisé Français, est un compositeur parisien, comme le furent auparavant Stan Golestan (1875-1956), élève de d'Indy et de Dukas, Filip

Lazar mort à 43 ans en 1937 quand il atteignait peut-être à la maîtrise, et qui appartenait au groupe très lancé à l'époque du « Triton ». L'admirable pianiste Dinu Lipatti (1917-1950), qui avait commencé d'écrire pour son instrument, avait fait toutes ses études en France et mourut à Genève. Le chef d'orchestre Constantin Silvestri a fait une carrière cosmopolite entre l'Europe de l'Ouest et l'Amérique.

ENESCO

GEORGES ENESCO (1881-1955) est donc jusqu'à présent le seul grand nom de la musique vraiment roumaine. Il était né à Liveni, un village du nord de la Moldavie, dans une famille de popes campagnards mais instruits, très bons chanteurs, et pour qui le petit prodige fut comme une bénédiction du Ciel. A six ans, l'enfant était déjà d'une telle force sur le violon qu'ils l'emmenèrent à Vienne, où il entra au Conservatoire et approcha Brahms. Le musée qui lui a été consacré à Bucarest montre à côté des partitions de Wagner qui ne quittaient pas son chevet, ses manuscrits musicaux de la septième année, d'une complexité et d'une imagination incroyables. A treize ans, il quittait Vienne pour Paris, où ses maîtres Gédalge et Fauré le tinrent pour leur élève le plus étonnant. A seize ans, il écrivait son *Poème roumain* pour orchestre, qui triomphait bientôt aux Concerts Colonne tandis qu'il y faisait lui-même ses débuts de virtuose dans le Concerto pour violon de Beethoven.

Enesco était de ces êtres aux dons trop nombreux pour une seule existence. Il fut l'un des deux ou trois plus grands violonistes de sa génération, le plus sensible, le plus profondément musical, un chef d'orchestre, un pianiste qui aurait acquis la même célébrité au clavier ou avec sa baguette qu'avec son archet s'il s'y était davantage consacré, un merveilleux professeur, d'une culture universelle, d'une noblesse d'âme que l'on retrouve chez son élève de prédilection, son fils artistique, Yehudi Menuhin. Il était toujours prêt à se dévouer s'oublier pour une cause musicale ou humaine.

Son œuvre, qui aurait pu être beaucoup plus vaste avec la prodigieuse aisance de plume qu'il possédait, s'est ressentie de ses métiers multipliés, bien qu'elle eût toujours été son but essentiel. Elle ne comporte qu'une trentaine de numéros. Sa couleur nationale, puisée au folklore, est presque toujours reconnaissable. Car si Enesco passa la majeure partie de son existence à Paris et y mourut, il resta foncièrement de son pays qu'il couvrit de bienfaits artistiques.

Il y a des facilités dans ses deux séduisantes et célèbres *Rapsodies roumaines* pour orchestre, encore qu'elles se situent très au-dessus de la musique des virtuoses-compositeurs. Moins brillantes, les trois Symphonies sont d'un art supérieur. Le grand ouvrage d'Enesco fut son *Œdipe*, sur un livret français d'Edmond Fleg, créé en 1936, à l'Opéra de Paris. Œuvre étrange. Beaucoup de jeunes critiques y retrouvent avec enthousiasme la musique à l'état pur. Il est certain en effet qu'auprès d'une ébauche systématiquement et fastidieusement primitive comme l'*Œdipe-Roi de Carl Orff*, l'opéra d'Enesco, passant de la déclamation aux grandes phrases lyriques, nous propose une mine d'idées, apparaît exemplaire de souplesse et de finesse. On ne peut que s'incliner aussi devant la pureté de son esthétique sans concessions, la noblesse de sa pensée qui donne le dernier mot à l'homme plus fort que le destin. Cette musique, que l'on ne peut rattacher à aucun courant contemporain bien qu'elle soit tout à fait de son époque avec ses rythmes brisés, son harmonie libre, son usage imprévu des modes grecs, est très personnelle. Elle nous laisse pour notre part incertain. Enesco, qui était à maints égards un personnage franciscain, a cultivé dans *Œdipe* un idéal d'austérité. A entendre son orchestration subtile mais raréfiée, amincie, on dirait qu'il a voulu faire pénitence pour les éclatantes couleurs de ses rapsodies. Il semble bien aussi que c'est volontairement, pour revenir à la nudité des âges monastiques, qu'un homme de cette science, qui avait tout lu, joué, dirigé, compris à fond, qui pouvait tout s'autoriser, a écrit ces nombreux chœurs d'*Œdipe*, très beaux, très amples, mais presque constamment à l'unisson. Quant à son charme, à ses inventions mélodiques, il les réserve pour de courtes séquences, des passages accessoires, par exemple le petit prélude si finement harmonisé du second acte et le délicieux chœur en coulisse qui lui fait suite : telles des fleurettes de Fra Angelico peintes dans les coins d'une vaste fresque sévèrement monochrome.

Ce dépouillement atteint par instants une tragique grandeur. Mais ces sommets sont reliés par de longues scènes presque immobiles. Pour compenser en outre le refus des moindres effets — l'*Œdipe* aristocratique d'Enesco se situe aux antipodes du vérisme — la sévérité de la distribution vocale qui ne comprend pour ainsi dire que des voix graves, il aurait fallu au cœur de l'œuvre un principe, un moteur dramatique que l'on y perçoit mal. En d'autres termes, Enesco avait tous les dons, sauf celui, peu fréquent et bizarrement imparti, du théâtre musical. Comme Beethoven, comme Schubert, comme Schumann qu'il rappelait au physique avec ses longs cheveux plats, son regard tourné vers le rêve intérieur, son profil aux lèvres arrondies par un muet sifflotement. Il s'était occupé pendant vingt ans à remanier, compléter sa partition. Cette lenteur était déjà un signe que le maître, qui accumulait allègrement des pages symphoniques et instrumentales fraîches comme des improvisations, ne travaillait pas là dans sa vocation véritable, malgré d'exceptionnelles beautés de détail.

La fleur de l'œuvre d'Enesco se trouve dans sa musique de chambre, les quatuors, les sonates pour piano, les trois sonates pour violon et piano, et par-dessus tout la troisième, la magnifique *Sonate en la mineur* op. 25, écrite en 1926, et modestement intitulée « dans le caractère populaire roumain ». Ce caractère transparaît bien dès les premières mesures, mais dans un style entièrement réinventé, élargi. Toute facilité rapsodique a disparu de cette construction magistrale qui laisse cependant une extraordinaire liberté d'allure et d'expression aux deux instruments. L'archet et le clavier rivalisent de raffinements, l'un dans ses modulations, l'autre dans ses rythmes. Par la transfiguration de la veine populaire, la pureté mélodique, l'ardeur rythmique, la franche modernité d'une écriture qui inclut les quarts de ton, c'est la perfection dans une littérature périlleuse entre toutes et dont bien peu d'ouvrages ont survécu depuis cent ans. C'est la réussite géniale d'un artiste inspiré à la fois par sa terre natale et par son instrument qui est devenu son âme même, un grand poème de méditation et de fougue romantique, un chef-d'œuvre du folklore imaginaire l'emportant même sur Bartók qui n'a jamais atteint à ce lyrisme, cette émouvante élévation d'une pensée purement musicale.

Aujourd'hui, les Roumains de Roumanie, bien qu'ils soient assez dégagés du « réalisme socialiste », souffrent d'avoir trop peu de contacts avec l'Occident. Des vétérans de peu d'envergure, Mihail Jora, Alfred Alessandresco y sont confinés dans un folklorisme sans grande issue. Assez active et tournée vers les nouvelles recherches sérielles et sonores, la jeune génération de Dora Popovici (1932), Arcade Aurel Stroe (1932), Tiberiu Olha (1928),

Cornel Tsaranu, ne semble pas encore avoir donné des œuvres marquantes. Mais la Roumanie est un pays qui a certainement beaucoup à dire en musique.

LE BRÉSIL

On ne peut passer en revue les nationalismes musicaux sans consacrer quelques lignes à HEITOR VILLA-LOBOS (1887-1959), qui jusqu'à ce jour a été pour ainsi dire le seul à défendre le pavillon brésilien.

Dans son pays natal, voué durant tout le XIXᵉ siècle à la musique italienne et française, cet autodidacte partit dès l'âge de vingt-deux ans à la découverte, au sens le plus amoureux du mot, de la musique populaire, dont quelques compositeurs locaux, Alberto Nepomuceno, Alexandre Levy avaient timidement essayé de s'occuper avant lui. Folklore portugais, folklore indien, folklore noir, celui-ci dominant largement. Selon Villa-Lobos, ce folklore nègre du Brésil, s'il garde de l'Afrique son exubérance rythmique et son goût des instruments de percussion, marimbas, atabaques, cuicas, recoreco, dérive entièrement des apports ibériques. Quant au folklore indien, il est gai, très dansant. Notons toutefois, en nous gardant de prendre parti, que selon des folkloristes brésiliens, doués d'un sens critique peut-être plus sûr que Villa-Lobos, la musique vraiment indienne est insaisissable pour les Blancs comme pour les Noirs. Le musicologue argentin Daniel Devoto fait en outre remarquer que l'on est loin d'avoir achevé l'exploration ethnographique de l'énorme Brésil.

Villa-Lobos ne s'est jamais soucié d'accomplir le travail créateur de Falla, d'Enesco, de Bartók. Il fait de l'imagerie. Il habille d'une instrumentation très colorée des thèmes et des rythmes qui lui restent en somme extérieurs. Il emprunte ses formes au romantisme, vérisme, à l'impressionnisme français. Il s'est cru grandiose en mobilisant, grâce à la gloire officielle dont il jouissait dans son pays, des armées de chanteurs et d'instrumentistes, des chorales de dix mille, vingt mille exécutants. Doué d'une puissance de travail et d'un aplomb également phénoménaux, il a signé, assure-t-on, plus d'un millier de partitions qui s'autorisent toutes les boursouflures et toutes les banalités. Mais on réentendrait volontiers son *Nonetto*, ses neuf *Bachianas Brasilieras* et ses quatorze *Choros* qu'il venait presque chaque année diriger à Paris.

Bachianas et Choros épousent toutes les combinaisons instrumentales, depuis la guitare ou le piano seuls jusqu'à un double orchestre couronné par des chœurs. Les plus étoffés sont ceux dont nous gardons le meilleur souvenir. Leur pittoresque exotique, très divertissant, l'emporte sur l'harmonie et les développements toujours prévisibles. C'est la seule musique d'origine blanche qui soit parvenue à évoquer l'efferverscence tropicale.

CHAPITRE IV

STRAVINSKY

LE GENIE RUSSE

On n'a pas à séparer la biographie d'Igor Stravinsky de ses œuvres, puisqu'elles en ont été pour ainsi dire les seuls événements.

Il est né, le 18 juin 1882, à Oranienbaum, la résidence estivale de ses parents, près de Saint-Pétersbourg. Un enfant ne pouvait voir le jour dans un milieu plus musical. Son père Fedor, issu d'une famille de riches propriétaires terriens, était la basse chantante la plus célèbre de l'Opéra Impérial, l'interprète attitré du rôle de Boris, du Méphisto de Gounod, de Basile dans *Le Barbier de Séville*, et un homme d'une culture exceptionnelle parmi les chanteurs de l'époque. Sa mère était bonne pianiste, et Igor à neuf ans improvisait sur son clavier. En vrai petit Russe, il reçut de *La Vie pour le Tsar* de Glinka sa première grande émotion artistique.

Ses parents ne l'encourageaient cependant que modérément dans la carrière musicale, et tenaient à ce qu'il fît d'abord toutes ses études classiques et juridiques. Il travailla durant plusieurs années presque en autodidacte, préférant, selon un pli qu'il gardera toujours, résoudre par ses propres moyens les difficultés harmoniques et contrapunctiques qui l'arrêtaient, plutôt que de commencer par apprendre d'ennuyeux principes pédagogiques. Encore adolescent, il était déjà comme tous les Russes de bonne éducation ouvert à la vie cosmopolite, ayant voyagé à l'étranger, sachant couramment l'allemand et le français.

A vingt et un ans, il put montrer ses premiers essais à Rimsky-Korsakov, qui estima qu'il n'avait plus l'âge d'entrer au Conservatoire, mais accepta de lui donner deux leçons par semaine. Cet enseignement, qui se prolongea pendant trois ans, portait avant tout sur l'orchestration. En même temps, le jeune Stravinsky s'initiait dans des concerts d'avant-garde à la musique nouvelle des Français, Debussy, Paul Dukas, encore exclus des institutions officielles. Mais il éprouvait une aversion dont il n'est jamais revenu pour Brahms, pour Reger, Wagner et Richard Strauss.

« L'OISEAU DE FEU »

En 1907, peu après s'être marié, il dédiait à son maître une *Symphonie en mi bémol*, simplement scolaire. En 1908, il écrivait deux courtes pièces symphoniques, beaucoup plus neuves, fondant l'influence de Rimsky et celle de Debussy, *Scherzo fantastique* et surtout *Feu d'Artifice*, habité déjà de ce dynamisme qui deviendra la signature de l'artiste pour toute sa vie. Survint alors le personnage qui devait tenir tant de place dans sa carrière, Serge de Diaghilev. C'était un gentilhomme né dans le faste, mais assez désargenté, monumental au physique, amateur de peinture, de poésie, de musique, de théâtre, et possédant sur les artistes, bien qu'il n'eût rien créé et n'eût pas dépassé de beaucoup la trentaine, une autorité qui tenait à sa culture illimitée, son goût, ses intuitions et son génie d'imprésario. Il venait de révéler en 1908 aux Parisiens *Boris Godounov* avec Chaliapine. Il songeait surtout à un spectacle d'art total, organisé autour de la danse, qui n'était plus sur les scènes occidentales qu'une routine académique. Pour sa première saison parisienne de Ballets Russes, en 1909, son programme était encore improvisé, une modeste partition de Tcherepnine, *Le Pavillon d'Armide*, les danses du *Prince Igor*, une *Cléopâtre*, et un ballet classique — ce classicisme, disait-il, que la Russie ramenait en France après l'avoir appris de ses chorégraphes — *Les Sylphides* sur des pièces orchestrées de Chopin. L'éblouissement des Parisiens tint surtout à la magnificence des décors et à la perfection, au charme des danseurs encore inconnus chez nous, Nijinsky, Fokine, la Pavlova, Tamar Karsavina. Diaghilev, qui avait entendu avec un grand intérêt le *Feu d'Artifice* de Stravinsky, lui avait confié aussitôt l'instrumentation de deux morceaux des *Sylphides*. Et fort du triomphe de sa première tournée de Ballets Russes, il lui commandait pour la saison prochaine, celle de 1910, un ballet complet, *L'Oiseau de feu*, sur un contre de l'Orient russe.

Le soir de la première au Châtelet, le 25 juin 1910, Stravinsky âgé de vingt-huit ans, entrait dans la célébrité d'un seul coup et pour toute la durée de son existence. On n'avait jamais vu pareille unanimité du public émerveillé, de la presse, des professionnels. Les meilleurs musiciens français, Debussy, Ravel, Dukas, Florent Schmitt, et des étrangers de Paris comme Manuel de Falla, Casella, ouvraient fraternellement les bras à ce petit Russe mince, remuant, au museau de furet myope, à la voix profonde, dont ils ignoraient le nom quelques jours plus tôt. On parla de *L'Oiseau de feu* comme d'un chef-d'œuvre de « l'impressionnisme slave ». Le mot peut paraître naïf aujourd'hui. Il définit pourtant bien ce que l'œuvre doit à la fois à l'école française et à Rimsky-Korsakov. Pour nous, qui souvent n'avons entendu *L'Oiseau de feu* qu'après *Le Sacre* et *Noces*, nous en retenons surtout ce qui relie encore le jeune Stravinsky à son vieux maître Rimsky, fait de sa partition un prolongement très logique du *Coq d'Or*, l'aboutissement le plus somptueux et le plus chatoyant de cet orientalisme qui avait tant inspiré l'auteur de la *Schéhérazade* inscrite au même programme parisien. Mais nous y percevons aussi l'annonce des œuvres prochaines, ce qui appartient déjà au Stravinsky «éternel», ces brusques tutti semblables aux empâtements qui donnent le relief à une peinture, ces libertés dans l'instrumentation comme la célèbre « Berceuse » confiée aux bassons, les rythmes puissants de la danse de l'Oiseau, de celle du mauvais génie Katchei. Enfin, avec sa ferme construction symphonique, *L'Oiseau de feu* égalait pour la première fois une musique de danse aux plus grands genres musicaux.

« PETROUCHKA »

L'année suivante, après deux mélodies singulièrement slaves sur des vers de Verlaine, Stravinsky donnait *Petrouchka*. Ce devait être à l'origine un concerto pour piano, auquel le compositeur travaillait sur le bord du lac Léman quand il fut assailli par l'image d'un pantin gambadant sur des arpèges et que l'orchestre interrompait par des fanfares irritées. Selon Francis Poulenc, qui devait se référer à des confidences précises, Diaghilev, de nature joyeusement despotique et ramenant tout à sa Compagnie, exigea que le Concerto devînt ballet. D'où la partie de piano assez insolite, vestige de la première idée. A la place d'un pantin, le scénario en montrait trois, le Pierrot et le Maure en rivalité pour les beaux yeux de la Ballerine, s'échappant de la boutique du montreur de marionnettes pour se battre au milieu des badauds de la Semaine Grasse, le Carnaval de Saint-Pétersbourg.

Petrouchka accomplit un bond prodigieux en avant. D'une année à l'autre, Stravinsky s'affirme avec un aplomb admirable. Il s'affranchit entièrement des Français, des recettes de Rimsky-Korsakov. Il fait sauter les transitions avec une désinvolture magistrale, se permet les contrastes les plus heurtés, l'*ostinato*, « antidote nécessaire au développement », souligné à grand renfort des basses. La musique vire de bord, tout d'un coup, sur place, comme par hasard, alors qu'elle est incomparablement ajustée. Trompettes, trombones, flûte, hautbois se dégagent de la pâte du grand orchestre pour acquérir une stridente autonomie. Aux diaprures chatoyantes de *L'Oiseau de feu* succèdent des taches de couleurs crues. Avec *Petrouchka*, Stravinsky rend à la musique les volumes que l'impressionnisme avait dissous. Il y introduit l'argot, mais avec un tel art qu'il échappe à toute trivialité. Il crée de la poésie avec l'exquise restitution de l'orgue de Barbarie ébréché. Il immortalise des rengaines populaires, dont on a oublié depuis longtemps qu'elles étaient des scies de l'époque pour y entendre la verdeur et la mélancolie citadines propres à tous les grands faubourgs du monde. *Petrouchka*, dont pas une mesure n'a faibli depuis soixante ans bientôt, aurait suffi à faire de Stravinsky l'un des musiciens inoubliables de notre siècle.

« LE SACRE DU PRINTEMPS »

Deux ans plus tard, le 29 mai 1913, dans le Théâtre des Champs-Elysées tout neuf, c'était le scandale du *Sacre du printemps*, le pugilat qui éclipsait même la bataille de *Tannhäuser*. La sauvage étrangeté des sons produits par les instruments d'apparence familière épouvantait maints auditeurs comme une insurrection de la matière. Les gens du monde qui avaient fait le triomphe des Ballets Russes du style féerique et qui attendaient les mêmes plaisirs de ces « Tableaux de la Russie païenne », s'indignaient comme d'une insolente escroquerie, d'une atteinte inadmissible à leur rang et leur goût. La barbarie systématique de la chorégraphie et des costumes mettait le comble à l'offense. Les partisans surchauffés, en tombant à bras raccourcis sur les siffleurs, finirent par rendre complètement inaudibles les deux tiers de l'œuvre. Le lendemain, la critique était si indignée par la grossièreté du public qu'elle se montra relativement équitable pour Stravinsky et demandait au moins à l'entendre.

Tout a été dit sur *Le Sacre* : « Brutale et éclatante synthèse de son époque : machines, guerres, écartèlements, enfantements sanglants, affinement suprême d'une flûte, retour aux bouillonnements primitifs, religions féroces tenant la place des dieux morts » ; ou bien « tristesse sauvage de terre en gésine, bruits de ferme et de camp, petites mélodies qui arrivent du fond des siècles, halètement de bétail, géorgiques de préhistoire ». L'étonnant, c'est qu'après plus de cinquante années ces innombrables métaphores restent vraies, que *Le Sacre du printemps*, l'une des cinq ou six partitions capitales de la musique contemporaine, soit bien encore tout cela pour les jeunes auditeurs qui le découvrent, qu'il conserve toute sa force explosive. Mais cette explosion n'a pas été destructrice, atomisante, comme on l'a trop souvent écrit jusqu'à ces derniers temps. Il n'y a pas de musique plus saine que *Le Sacre*. Malgré ses dissonances déchirantes, ses recours aux combinaisons polytonales, il ne détruit pas la tonalité, il l'affermit même dans un certain sens en élargissant son champ, en lui découvrant de nouveaux pouvoirs.

Moins d'un an après sa chute tumultueuse à la scène, *Le Sacre* était acclamé au concert. On comprit très vite qu'il apparaissait logiquement dans l'évolution esthétique du temps : rupture avec l'impressionnisme qui le plaçait aussi loin des *Nocturnes* de Debussy que les toiles des peintres « fauves » pouvaient l'être des *Peupliers* de Claude Monet, remontée vers les formes et les forces primitives, amorcées déjà par Gauguin, affichée par Picasso s'inspirant des masques nègres. L'incomparable solidité du *Sacre*, c'est la géniale appropriation de son style à son sujet — les rites et les sacrifices de l'antiquité slave, la danse finale de l'Elue, « danse de biche fascinée par un boa, d'usine qui saute » bondissante jusqu'à la mort. C'est la sauvagerie naïve recréée par une musique où se confondent l'écriture la plus évoluée et des procédés qui devraient apparaître rudimentaires s'ils n'étaient mis en œuvre avec une audace et une perspicacité souveraines, l'*ostinato* affirmé dès la première mélodie du prélude. Mais ce sont aussi les accents d'une fulgurante soudaineté, le déploiement du grand orchestre moderne en disposition renversée, trente-huit pupitres de « bois » et de cuivres à qui sont dévolues les mélodies, tandis que les cordes prolongent le plus souvent la nombreuse batterie ;

ce sont les accords massifs de tout cet orchestre contrastant avec les dessins fragiles des instruments solistes.

Mais les puissants coups de poing que nous avons tous reçus du *Sacre* tiennent d'abord à sa métrique révolutionnaire, encore que Stravinsky se soit constamment insurgé contre cet adjectif : courtes cellules rythmiques s'opposant entre elles brutalement, accents déplacés, syncopes soulignées, mètres asymétriques hérités du terroir slave, changements incessants de rythmes, qui se précipitent tandis que montent encore la tension et la fièvre de l'œuvre, neuf changements en douze mesures et ainsi de suite durant la Danse de l'Elue. Avec une sensibilité musicale un peu ouverte, on distinguait sans peine dès les premières auditions que cette orgie haletante mais qui ne déraillait pas avait été réglée jusque dans ses plus brèves durées. Cependant, parmi les centaines de compositeurs qui durant plus de trente ans cherchèrent à prolonger dans leur musique la secousse qu'ils avaient reçue du *Sacre*, aucun n'osa ou ne sut aller plus loin que l'imitation des dissymétries les plus évidentes. On vit proliférer les partitions animées en surface d'une activité factice qui nous faisait admirer davantage encore la pulsation profonde du Russe. Il a fallu les magistrales analyses temps par temps d'Olivier Messiaen puis de Pierre Boulez – celles-ci publiées dans *Relevés d'Apprenti* – pour que l'on pénétrât vraiment dans la vie rythmique du *Sacre*, encore plus audacieuse et complexe qu'on ne l'avait senti.

Nullement abattu par l'échec du *Sacre* qu'il attribuait à la chorégraphie maladroite de Nijinsky, Stravinsky ne tardait pas à reprendre un opéra, *Le Rossignol*, qu'il avait abandonné pour écrire *L'Oiseau de feu*. Son évolution à pas de géant en trois années ne facilitait pas la soudure entre le premier acte, terminé avant *L'Oiseau*, de cette légende chinoise, et ceux qui devaient lui faire suite. Représenté au mois de mai 1914 dans la saison organisée par Diaghilev à l'Opéra de Paris, l'ouvrage parut assez hybride, et la guerre ne tarda pas à faire l'oubli sur lui. En 1917, Stravinsky devait avoir l'excellente idée de le condenser dans les pages d'un poème symphonique, *Le Chant du rossignol*, d'où il avait éliminé toute la matière du premier acte. Sous cette forme, c'est une des très belles partitions de la période « russe », d'un orientalisme imaginaire aussi brillant que celui de *L'Oiseau de feu*, mais décanté, corsé d'humour, et profitant de l'acquis du *Sacre*, avec la saveur râpeuse de ses dissonances, les ellipses de ses rythmes et de ses mélodies. On peut encore l'entendre, et Stravinsky nous y invite, comme une sorte de concerto pour plusieurs solistes, entre autres une trompette dont la partie est étincelante.

En décembre 1912, tandis qu'il achevait *Le Sacre*, Stravinsky avait été invité par Schœnberg qui aimait *Petrouchka* à entendre à Berlin l'une des premières exécutions de son *Pierrot Lunaire*. Il jugea la poétique de l'œuvre périmée, ce qui était en somme une appréciation exacte du texte d'Albert Giraud. Il ne pouvait d'autre part qu'être en méfiance devant cette atonalité dont il deviendrait bientôt l'adversaire intransigeant. Mais on ne pense pas qu'il ait accommodé ses souvenirs quand il a dit quarante-cinq ans plus tard, après sa conversion à la technique sérielle, que la substance instrumentale du *Pierrot*, structure polyphonique et contrapunctique aussi bien que la disposition des timbres l'avait « immensément impressionné ». Cette impression ne pouvait en rien modifier la trajectoire du *Sacre* qui touchait à sa fin. Mais elle aurait ses effets sur plusieurs œuvres qui allaient suivre, les *Poésies de la lyrique japonaise*, composées en même temps que les dernières pages du *Sacre*, les *Trois pièces pour quatuor à cordes*, les *Pribaoutki*, « chansons plaisantes », qui sont de 1914. Le langage harmonique y reste sans doute celui du *Sacre* et refuse de suivre Schœnberg dans l'atonalité. Cependant, certains grands intervalles mélodiques, les recherches sur les timbres des pièces pour quatuor procèdent bien du maître viennois. Mais le *Pierrot Lunaire* est aussi écrit pour huit instruments seulement, entourant la voix féminine. Or, les *Poésies de la lyrique japonaise*, les *Pribaoutki* sont également composés pour voix et orchestre de chambre. Le symphoniste qui malaxait l'énorme orchestre du *Sacre* ne va plus durant des années travailler que sur de petites formations instrumentales, où les rapports des timbres seront méticuleusement calculés, et s'attacher à une concision dont les vingt et un morceaux du *Pierrot* lui ont proposé un exemple si frappant. L'épisode Schœnberg ne peut être omis dans la plus sinueuse des biographies musicales.

« NOCES ». « L'HISTOIRE DU SOLDAT »

Au début de juillet 1914, Stravinsky, installé à Clarens sur le lac Léman, découvrit qu'il avait besoin pour son nouveau projet, *Noces*, d'un livre sur la poésie populaire russe qu'il ne pouvait trouver qu'à Kiev. Mû peut-être bien aussi par un pressentiment inexprimé, il n'hésita pas à faire aussitôt le voyage, avec un crochet par Oustiloug, en Volhynie, où il possédait une maisonnette de campagne. Il trouva son livre à Kiev, et rejoignit Clarens juste avant la fermeture des frontières. Il ne devait plus revoir la Russie.

Il passa les quatre années de la guerre en Suisse romande, déménageant souvent entre Clarens, Salvan, Morges, Château d'Oex, souffrant de son brusque isolement coupé seulement de quelques voyages à Paris, à Madrid, à Rome où il fit la connaissance de Picasso. Mais il était réconforté par des amitiés précieuses, celles du chef d'orchestre Ansermet et surtout de Ramuz, écrivain rocailleux qui eut un certain renom entre 1920 et 1930, très attaché à son terroir vaudois, doué d'un sens de la poésie familière qui en fit le collaborateur quotidien et infiniment dévoué du musicien.

Durant cette longue période de repli sur soi-même, les pensées et l'art de Stravinsky se retournaient sans cesse vers la Russie dont il était cruellement coupé. Ce qui nous a paru souvent ésotérique, saugrenu dans les œuvres de ces années s'explique fort simplement par les coutumes, les proverbes, les contes de la Russie aussi connus que ceux de Perrault chez nous, dont Stravinsky s'inspirait. Ce furent les *Pribaoutki* traduits par Ramuz, les *Berceuses du chat* pour voix de femme et trois clarinettes, les *Quatre chœurs a cappella* pour voix de femmes, *Renard*, et deux des chefs-d'œuvre de Stravinsky, *Noces* et *L'Histoire du soldat*.

Renard, achevé en 1917, sur un texte très simple de l'auteur adapté en français par Ramuz, est un fabliau porté à la scène pour des bouffons muets et des danseurs, la partie vocale étant dévolue à quatre chanteurs qui se tiennent dans l'orchestre. Le style primitif y est évoqué par le traitement linéaire des voix, sans souci de leurs rencontres hétérophoniques souvent rudes. Cette farce que l'on n'exécute malheureusement plus guère qu'au concert où elle perd la moitié de son sel, est très typique de l'art à la fois fruste et raffiné auquel Stravinsky se plaît à ce moment de sa carrière.

La composition de *Noces*, commencée en 1914, l'occupa pendant plusieurs années de sa retraite suisse, et ce ne fut qu'en 1923, pour la première aux Ballets Russes, qu'il arrêta définitivement son étonnante instrumentation, quatre pianos tenus par des virtuoses, et une vaste batterie. Nous sommes chez les villageois ukrainiens. Quatre tableaux : la toilette de la fiancé, les préparatifs du futur, le départ de la mariée, le repas de noces dont la musique est aussi copieuse que la table. Stravinsky innove encore du tout au tout, il fond ballet, oratorio, représentation scénique. Encadrée entre deux complaintes de la fiancée attristée par ce mariage combiné sans elle et du père se retrouvant seul après la fête, l'œuvre est une cascade, une chaîne de mélodies innombrables se nouant, s'entrecroisant, se heurtant dans l'apparence d'un hourvari truculent, mais aussi impeccablement réglées que la furie du *Sacre* sans que la rigueur du calcul bride un seul instant la verve terrienne de Stravinsky. On a pu comparer le principe dynamique qui entraîne *Noces* de sa première à sa dernière note à celui des allegros de Bach. Et malgré l'antinomie des métriques, celle du Russe pulvérisant aussi complètement que dans *Le Sacre* la régularité classique, il n'y a point d'œuvres qui se complètent mieux, dans le même programme, que *Noces* et par exemple le Concerto pour quatre pianos de Bach.

Stravinsky avait toujours méprisé les intellectuels « progressistes » de Russie. Croyant profondément « à la personne du Seigneur, à la personne du diable et aux miracles de l'Église », l'athéisme bolchevique lui faisait horreur. Il vit dans la Révolution d'Octobre une monstrueuse catastrophe. En outre, il y perdait les derniers subsides qui lui venaient encore de son pays. La situation de ses amis suisses n'était pas beaucoup plus brillante dans cette fin de l'année 1917 où les conséquences de l'interminable guerre s'appesantissaient sur toute l'Europe. Stravinsky et Ramuz eurent alors l'idée d'un petit théâtre ambulant, que le mécène et collectionneur de Winterthur, Werner Reinhart, accepta de subventionner. Comme le spectacle devait s'adresser à tous les publics, et même aux paysans, on décida que le récit y aurait la plus grande place, la musique ne faisant que les accompagner, ou remplissant les intermèdes. Ainsi naquit *L'Histoire du soldat*, une sorte de *Faust* pour image populaire : le soldat revenant de la guerre à pied, jouant d'un violon magique que le diable lui achète contre un talisman qui le rend très riche, puis prince aimé d'une jeune princesse, et retombant, en voulant revoir son village, sous la coupe du diable qui s'empare de lui pour toujours.

Mais si le conte est russe, tiré encore du précieux livre de Kiev, la musique a rompu avec les souvenirs slaves. Elle fait entendre une sorte de marche où traînent des sonneries militaires, un concertino, un tango, une valse, un rag-time, une « marche royale », un petit choral et un grand, une marche triomphale du diable. Stravinsky a travaillé sur des impressions sonores du monde qui l'entoure, danses à la mode et même devançant la mode, chorals protestants, fanfares des dimanches suisses. Il les déforme, les disloque avec un humour froid, les soumet à une instrumentation paradoxale, répondant sans doute aux petits moyens du théâtre ambulant, mais calculée avec une insolente compétence : violon, contrebasse, clarinette, basson, trompette aux sonorités de piston, trombone et batterie, dont le tambour à qui est dévolu, en decrescendo, la péroraison du singulier ouvrage. Le piston déraille, le choral détonne. Il s'agit là de procédés volontairement fort voyants, et qui n'ont été que trop imités. Mais ce qui compte, c'est l'usage que Stravinsky en fait, la nécessité qu'ils prennent sous sa main. Les fausses notes, piquées au hasard chez les épigones, ne peuvent chez lui tomber qu'à la place qu'il leur assigne. Les « ratés » de cette musique tracent une caricature d'une sûreté qui, elle, est bien inimitable. Et ces gambades, ces flonflons, ces couacs, ces tronçons d'airs et de rythmes tellement hétéroclites forment bel et bien une suite de la plus ferme unité, que l'on perçoit d'ailleurs beaucoup mieux quand on l'entend sans le récitant, c'est-à-dire un comédien qui dramatise sottement le texte rugueux et familier de Ramuz. *L'Histoire du soldat* : la partition de Stravinsky la plus chargée d'un alcool râpeux et cependant succulent, griffue aussi comme son diable, est bien plus encore que *Petrouchka* un chef-d'œuvre de l'argot manié par un aristocrate.

L'ouvrage fut représenté à Lausanne le 27 septembre 1917, avec Ansermet à la direction du petit orchestre, Georges et Ludmilla Pitoëff pour dire le texte de Ramuz, devant des dilettantes choisis qui lui firent un succès. La fin des hostilités emporta le projet du théâtre ambulant. *L'Histoire* resta ignorée des vignerons vaudois à qui Ramuz et Stravinsky la destinaient avec beaucoup d'illusions. Elle les eût certainement sidérés. On ne l'a risquée qu'une seule fois devant un public populaire, les jeunes spectateurs d'un théâtre de la périphérie parisienne. L'expérience a vite dégénéré en cris d'oiseaux...

Le 11 novembre 1918, matin de l'armistice, Stravinsky notait les dernière mesures d'un *Rag-Time* pour onze instruments, vents, cordes, cymbalum, percussion. C'était, quelques mois après *L'Histoire du soldat,* la seconde intrusion dans la musique européenne du jazz dont on venait à peine d'apprendre le nom. Stravinsky l'avait découvert grâce à des enregistrements et des

cahiers — on ignore de quel style — rapportés des États-Unis par
Ansermet quand il y avait accompagné les Ballets Russes. Il ne
cherchait pas à imiter les sonorités des orchestres nègres, dont il
devait mal connaître la composition. Ce qui l'intéressait, c'étaient
les syncopes insolites de cette musique et les conséquences que
l'on pouvait en tirer. Quelques mois plus tard, il écrivait pour le
clavier un *Piano-Rag-Music*, dédié au pianiste polonais déjà célèbre
Arthur Rubinstein. Entre-temps, il avait composé *Quatre Chants
russes*, dernier souvenir de la patrie dans son œuvre.

LES « RETOURS »

En 1919, Stravinsky sortait de son exil vaudois pour retrouver
un Paris qui se hâtait d'oublier la guerre dans un tourbillon de
fêtes et de nouveautés. L'un des meneurs de ces réjouissances
était le jeune poète Jean Cocteau, que l'auteur du *Sacre* connaissait déjà, imitateur de Mᵐᵉ de Noailles à ses débuts, mais ayant
écrit depuis les pages dadaïsantes du *Potomak*, du *Cap de Bonne-
Espérance*, et qui se posait en militant de la nouvelle modernité.
Il s'occupait beaucoup de musique, venait de publier à ce propos
Le Coq et l'Arlequin, soixante-quinze pages d'aphorismes pétillants.
Il prêchait le retour à la simplicité française, dénonçait « la
musique à entendre la tête dans les mains », le romantisme dont
il percevait les boursouflures jusque dans *Le Sacre du printemps*.
    On a quelque peine à comprendre comment Cocteau, touche-
à-tout séduisant mais versatile, put prendre de l'ascendant sur un
artiste aussi mûr, conscient de son génie et maître de ses moyens
que Stravinsky. Mais Cocteau représentait le dernier cri dans la
mode, à laquelle Stravinsky, très averti de l'utilité du snobisme,
n'était nullement insensible. On voulait tout remettre en question,
réinventer le monde. Le Paris de la victoire prétendait plus que
jamais donner le ton dans ce grand dérangement. Quand on y
avait été consacré comme le plus téméraire des pionniers, il pouvait
être assez vexant, dans un tel moment, de s'y voir distancé.
Stravinsky acceptait donc de donner des gages aux modistes,
tout en tournant publiquement le dos à Cocteau pour son persi-
flage du *Sacre*. Mais en même temps, il s'appliquait très sincèrement à devenir un parfait Occidental, lavé de sa sauvagerie native.
    Le premier signe de sa métamorphose fut le ballet de *Pulcinella*,
composé en 1919. Diaghilev, qui avait remporté un succès deux ans

plus tôt avec *Les Femmes de Bonne humeur* sur des thèmes de
Scarlatti orchestrés par Vincenzo Tommasini, venait de lui confier
les copies de manuscrits à peu près inconnus de Pergolèse pour
qu'il en tirât un ballet de style italien. Dans ce travail, Stravinsky
sut encore réserver la part de son humour, comme dans l'irrésistible duo pour contrebasse et trombone de l'avant-dernier mouvement ; mais rien ne pouvait être plus inattendu sous sa plume que
cette harmonie consonante, ce phrasé, cette obéissance, malgré le
piment de l'instrumentation et des décalages rythmiques, à l'esthétique la plus étrangère à la sienne jusque-là, celle du XVIIIe siècle
italien. Mais Picasso, l'auteur des décors de *Pulcinella*, était lui-
même en pleine période ingresque. Le retour aux traditions les
plus strictes redevenait le fin du fin de l'avant-garde.

On reconnaissait encore dans le *Concertino pour cordes* et
les brèves *Symphonies pour instruments à vent* à la mémoire de
Debussy (1920) des échos de *L'Histoire du soldat*, du *Sacre*. En
1922, on assistait cependant à un nouveau détour. A la scène,
l'acte bouffe de *Mavra*, d'après le conte de Pouchkine sur un
galant hussard déguisé en fille, formait une sorte de puzzle des
lieux communs les plus usés de l'opéra-comique du XIXe siècle.
Cela pouvait encore passer pour un pastiche dont on distinguait
assez mal le sel, de même que *Pulcinella* pour un jeu prenant au
mot une commande imprévue. Mais Cocteau, le dilettante fatigué
par *Le Sacre* et son « mysticisme théâtral », prenait *Mavra* à la
lettre, applaudissait Stravinsky d'y avoir « offert des dentelles »
au public qui demandait à être brutalisé. Et Stravinsky devait se
sentir compris ainsi, puisqu'il se réconciliait avec le poète. Il s'était
fixé définitivement en France, portant le béret basque, faisant la
navette entre Garches, Nice, Arcachon, Voreppe près de Grenoble.
Il avait fait aussi ses débuts de chef d'orchestre, attraction très
courue, très fructueuse pour lui, mais d'un intérêt bien contestable pour son œuvre. Il allait surtout s'évertuer à en perturber
les interprétations déjà traditionnelles, à les infléchir et les transformer selon ses nouvelles tendances. Tant et si bien que ses
propres disques seraient souvent fort sujets à caution.

Avec l'*Octuor pour instruments à vent* de 1923 (flûte, clarinette, deux bassons, deux trompettes, deux trombones) le
Concerto pour piano et orchestre d'harmonie et la Sonate de 1924,
autant d'œuvres mises sous le signe du « retour à Bach », le maître
du *Sacre* passait décidément à la réaction. On voulait encore en
douter. Le public était d'autant plus désorienté qu'en même

temps que ces cadences quasi scolaires on lui proposait les premières
auditions de *Noces* sans qu'il eût pris garde que ces pages d'une
intarissable originalité avaient déjà cinq années d'âge. En 1926,
Cocteau, très occupé à ses jongleries sur les tragédies grecques,
proposait à Stravinsky un *Œdipus Rex* dont le texte serait traduit
en latin par Jean Daniélou, et qui fut représenté aux Ballets
Russes l'année suivante, bien qu'il n'y eût rien pour le spectacle
dans cet opéra-oratorio, ouvrage factice, où se dissimulent mal,
sous les masques archaïques des chanteurs et une solennité empruntée à Haendel un pseudo-classicisme réfrigérant. En 1928, le ballet
d'*Apollon Musagète* écrit pour cordes seules voulait restaurer
la souveraineté de la mélodie pure, sans parvenir à la dégager
d'une monotone convention. La même année, autre surprise :
dans le ballet du *Baiser de la fée,* Stravinsky faisait retour à
Tchaïkovski, le Russe le plus dédaigné par les admirateurs du
Sacre et de *Petrouchka,* en n'hésitant pas à renchérir encore sur
sa sentimentalité. Bizarre hommage au romantisme dans sa forme
la plus facile et la plus molle, de la part d'un musicien qui n'avait
toujours pas assez de sarcasmes pour le romantisme wagnérien.

On préférait en 1929 la pétulance et la volubilité du *Capriccio*
pour piano et orchestre qui inclinait du côté de Weber. En 1930,
la *Symphonie de Psaumes* « à la gloire de Dieu », pour chœurs
et orchestre, imposait le respect par sa gravité. Son archaïsme,
beaucoup moins postiche que celui d'*Œdipus Rex,* était fait d'un
retour aux modes ecclésiastiques, à la nudité mélodique du grégorien, mais aussi à la vieille polyphonie, d'une rudesse de bon
augure dans l'entrecroisement de ses contrepoints. L'année
suivante, Stravinsky était entièrement absorbé par la technique
de l'archet, dont il épuisait toutes les diableries, avec le concours
du virtuose russe Dushkin, dans le *Concerto pour violon et
orchestre,* puis le *Duo concertant* pour violon et piano, deux
œuvres qui ne sont pas non plus étrangères au souvenir de Bach,
mais un Bach plus ou moins déhanché par le jazz. En 1934, à
l'Opéra de Paris, *Perséphone,* mélodrame écrit pour Ida Rubinstein sur un texte d'André Gide, avec tirades parlées, ballets,
pantomime, chœurs, soli du ténor, est encore un ouvrage hybride
et froid, qui se refuse aux lois les plus raisonnables du théâtre
sans créer un spectacle nouveau. Stravinsky semble y avoir songé
surtout à Rameau, aux élégances du classicisme français.

Le *Concerto pour deux pianos seuls* (1935), tour de force
contrapunctique, révélait, tout en restant dans l'esprit de Bach,

une étude approfondie du dernier Beethoven, en même temps qu'une alacrité d'humeur encore plus sensible dans le petit ballet de 1936, *Jeu de cartes*, avec ses nombreux saluts à Rossini. Cette année-là, Stravinsky avait acquis la nationalité française et posé sa candidature à l'Institut, qui tout en le couvrant de fleurs lui avait préféré Florent Schmitt. Il habitait alors Faubourg Saint-Honoré un grand appartement mansardé où il faisait régner cet ordre chirurgical de ses outils de travail que l'on a si souvent décrit et pestait contre le gouvernement du Front populaire.

Le *Dumbarton Oaks Concerto* en mi bémol pour orchestre de chambre, du nom de la ville de ses dédicataires près de Washington (1937) le rapprochait de l'Amérique qu'il avait déjà sillonnée en tous sens dans ses tournées de chef et de pianiste. En 1939, alors qu'il venait de perdre sa mère, sa femme et l'une de ses filles, l'Université Harvard à Cambridge, près de Boston, l'invitait à tenir une série de conférences en français qu'il allait réunir en volume sous le titre *Poétique musicale ;* une poétique niant à la musique le pouvoir d'exprimer quoi que ce soit, « un sentiment, une attitude, un état psychologique, un phénomène de la nature ». La Seconde Guerre mondiale le surprit aux Etats-Unis. Il décida d'y rester. Il y était encore plus célèbre qu'en Europe. Il se remaria en 1940 avec une ancienne actrice de cinéma et danseuse de chez Diaghilev, choisit le climat de la Californie et s'installa sur une des collines de Hollywood. Il prendrait la citoyenneté américaine en 1945.

Le classicisme gouverne de plus en plus les œuvres californiennes, la *Symphonie en ut majeur* (1940), la Symphonie en trois mouvements (1945) qui sont comme des synthèses des différents stades de la symphonie allemande, depuis l'école de Mannheim jusqu'à Beethoven en passant par Haydn et Mozart, la Sonate pour deux pianos (1943), le *Concerto en ré* pour orchestre à cordes (1946). La *Messe* achevée en 1947 revient à la polyphonie médiévale, mais avec une écriture moins râpeuse que la *Symphonie de Psaumes*. Le ballet d'*Orphée* (1948) est rempli d'hommages à Monteverdi et au XVIIIᵉ siècle italien. L'*Ebony Concerto* (1945) est une contribution du nouvel Américain au jazz, mais un jazz « symphonique » très impur – Stravinsky n'en connaît guère d'autre – l'ensemble du musicien blanc Woodie Hermann. Entre-temps, le maître n'a pas dédaigné de répondre à quantité de commandes commerciales où l'on spécule sur son nom illustre, mais qu'il se fait payer au plus haut prix, en gérant avisé de son capital artistique, comme il l'a toujours été : un *Scherzo à la russe* pour l'industriel du faux jazz Paul Whiteman, une *Circus Polka* pour faire danser les éléphants de Barnum, des *Impressions norvégiennes* égrenant les banalités folkloriques qu'il avait tant méprisées, des *Scènes de ballet* pour Broadway, de la plus rassurante fadeur.

Le 11 septembre 1951, grand branle-bas à la Fenice de Venise, pour la nouvelle œuvre théâtrale de Stravinsky, *The Rake's Progress, La Carrière du débauché*, sur un livret en anglais du poète Auden d'après les gravures de Hogarth, et sous la direction du maître qui revoyait l'Europe pour la première fois depuis douze ans. L'imitation de l'opéra du XVIIIᵉ siècle y est flagrante : composition par numéros cloisonnés, airs *da capo*, ensembles, *recitativo secco* avec le clavecin. Cette confrontation avec Gluck et Mozart, interrompue seulement par des saluts à Verdi et Gounod, était fort dangereuse pour un musicien que sa nature destinait aussi peu à dérouler une mélodie *cantabile*. De même que sa phobie de l'expression lui faisait aplatir les scènes qui appelaient des accents dramatiques.

LA CONVERSION

La critique fut réticente devant *The Rake's Progress*. Mais elle ne se doutait pas qu'avec cet opéra où il se refusait par jeu intellectuel les ressources les plus légitimes du théâtre, Stravinsky allait clore la longue période « classique » inaugurée trente ans plus tôt, également à la scène, avec *Mavra*.

Dès le temps du *Sacre*, Stravinsky s'était installé dans l'opposition à Schœnberg. Il voulait être la preuve vivante que l'on peut se permettre toutes les explorations musicales sans avoir besoin de rompre avec l'ordre tonal qui reprenait de plus en plus nettement ses droits dans ses œuvres postérieures à 1920. L'antagonisme du Russe de Paris et du Viennois avait été entretenu par une petite guerre indirecte d'épigrammes. Après 1940, le voisinage des deux exilés à Hollywood n'y avait rien changé. Ni l'un ni l'autre ne firent un geste pour se rencontrer. Mais la Californie était tout de même la province. Stravinsky n'y savait pas à quel point son vieil adversaire, malade, plus ou moins méconnu des Américains, très effacé en comparaison de sa propre célébrité, était en train de conquérir la jeunesse européenne. L'extraordinaire fortune, depuis 1945, de la discipline dodécaphonique dans le vieux monde fut certainement une de ses découvertes durant son voyage de 1951. C'est à son retour à Hollywood, alors que Schœnberg était mort et après de longues auditions de Webern au phonographe, que Stravinsky aborda la technique sérielle, qu'il avait tant méprisée. Il composa alors la *Cantate* de 1952 pour soprano, ténor, chœur de femmes et cinq instruments sur de vieux poèmes anglais, le *Septuor* de la même année, les *Trois Chansons de Shakespeare* pour mezzo-soprano, flûte, clarinette et alto (1953), les canons funèbres et le chant de ténor à la mémoire du poète gallois Dylan Thomas (1954). Stravinsky s'assimilait patiemment et méthodiquement cette écriture pleine pour lui d'inconnues, s'exerçant sur des séries de cinq et huit notes avant de passer à la série proprement dite de douze sons.

Après ces quatre années d'essais, il faisait jouer en 1956 dans la basilique Saint-Marc de Venise son *Canticum Sacrum* sur des textes bibliques pour ténor, baryton, chœur mixte, orchestre et orgue, qui se souvient de Gabrieli, le vieux maître vénitien dans l'orchestration excluant clarinettes, violons, violoncelles, cors, et dans les deux masses vocale et instrumentale, s'équilibrant, se répondant. L'œuvre est de structure indiscutablement sérielle, mais reste soumise à des pôles d'attraction tonale encore très puissants. Les dodécaphonistes orthodoxes le reprochèrent aigrement à Stravinsky comme une hérésie. Le vieux lutin toujours aussi remuant leur répondit en s'offrant pour son soixante-quinzième anniversaire (1957) l'alerte petit ballet *Agon* où une ritournelle affirmant avec désinvolture sa tonalité succédait aux développements de la série. Les puristes prirent fort mal cette légèreté lors de l'audition salle Pleyel, décrétèrent qu'*Agon* était un salmigondis, et le vieux maître qui l'avait dirigé finit seul la soirée, paraît-il.

Mais l'année suivante il emportait l'approbation des nouveaux scholistes sériels avec ses *Threni*, les lamentations de Jérémie pour sextuor vocal de solistes, chœur mixte, orchestre, sur ces paroles du latin catholique qu'il affectionne, données en première audition à Venise, devant les Tintoret de la Scuola di San Rocco. Désir d'un vieil homme de faire retraite dans la pensée de Dieu, ou besoin de se mesurer encore une fois avec la dernière mode, celle de l'abstraction nue, en renchérissant sur elle ? Peut-être bien les deux ensemble, mais pour quel décevant résultat ! La technique sérielle est cette fois irrécusable, fidèle aux plus récents procédés, qui cachent les sons fondamentaux de la série dans des agrégations compactes. On se trouve d'abord devant un assemblage, un « collage » de formes rudimentaires, extrêmement monotones, redites opiniâtres du chœur, du piano, du ténor. Dans la suite, certaines combinaisons en antiphonie et en canon, entre les voix des six solistes, sont toujours d'un homme au métier fabuleux, mais elles ne procurent plus d'autre impression que l'ingéniosité à vide. Et l'on comprend moins encore que Stravinsky, cet inlassable virtuose de l'instrumentation, mobilise le grand orchestre, avec adjonction de cor de basset, bugle-alto, sarrussophone, pour ne lui confier qu'une insignifiante besogne de ponctuation. A moins que ce ne soit une obéissance assez puérile aux derniers rescrits en matière de timbres rares.

Depuis, nous n'avons plus entendu d'autre inédit que les brefs *Requiem Canticles* et une *Ballade* biblique sur le sacrifice d'Abraham, quinze minutes de récitatif monocorde d'un baryton, piqueté des accords d'un ensemble instrumental terne et sourd. Le morne ascétisme de ces pièces poussé jusqu'à l'indigence, peut être aussi bien l'effet du grand âge de l'auteur que de ses dernières et tardives recherches dans le sillage d'Anton Webern.

Comment juge-t-on maintenant cette longue carrière ?

Le génie des œuvres de la jeunesse, jusqu'à l'année 1919, n'a jamais été remis en cause. Mais pendant plus de trente ans, de *Pulcinella* au *Rake's Progress*, des dizaines de milliers de mélomanes, à travers le monde, ont d'abord suivi Stravinsky dans ses méandres, ses crochets, ses volte-face avec la docilité, la dévotion qui leur paraissaient dues à l'auteur du *Sacre*. S'ils avaient peine à lui emboîter le pas, ils l'imputaient à leur faiblesse, à leur lourdeur. On leur parlait d'un créateur protéiforme, d'un artiste en quête de l'universalité. On leur disait que Stravinsky, loin de pasticher, d'imiter, s'appropriait tous les styles, que l'on devait admirer comment il forçait Pergolèse, Weber ou Tchaïkowski à lui ressembler. Et il est vrai que l'on reconnaît sa griffe dans toutes ses pages, que les moindres sont parcourues par cette vitalité qui à plus de quatre-vingts ans ne l'avait pas abandonné. Avec le recul du temps, la « marque de fabrique » apparaît dans les pièces les plus disparates : instrumentation piquante, litotes, mobilité rythmique, *ostinati* dont le maître convient qu'il en a un peu abusé. Même dans des œuvres de coupe et d'intentions aussi traditionnelles que la Symphonie en *ut* majeur et celle en trois mouvements, les ruptures de rythmes, les plaisantes crudités des timbres sont bien de la main qui traça *Petrouchka*.

Cependant, et quoique Stravinsky ait bénéficié pour chacun de ses ouvrages d'un concours exceptionnel de curiosité, d'espérances, la ferveur céda peu à peu à la perplexité dans l'esprit du public. Il se demanda si les déconcertantes voltiges de l'illustre compositeur, plutôt que d'une véritable puissance de renouvellement, ne relevaient pas du paradoxe, de l'instabilité, d'une phobie de la redite poussée jusqu'au système.

Après 1945, les musiciens de la jeune école, qui ont eu le mérite de clarifier bien des choses, même s'ils y mettaient trop de brutalité, ont balayé les commentaires et les arguties du « cas Stravinsky » et rangé en bloc dans le néo-classicisme toutes les œuvres de l'auteur composées entre 1922 et ses premiers essais sériels. C'est en fin de compte le jugement le plus sûr, et qui s'appuie maintenant sur un fait d'expérience : aucun des ouvrages postérieurs aux *Noces,* si brillants, si imprévus, si habiles qu'ils aient été — on prend rarement en défaut l'artisan Stravinsky — n'a pu s'enraciner, rayonner à l'égal du *Sacre,* de *Petrouchka,* de *L'Histoire du soldat* et des *Noces* elles-mêmes.

Quant aux œuvres sérielles, les coquetteries, l'opportunisme, le snobisme ont tenu trop de place dans leur élaboration pour que l'on puisse leur attribuer une réelle importance. Elles ont valu à Stravinsky une vieillesse enviable, où il démontrait qu'à soixante-seize ans il pouvait encore se mesurer avec l'avant-garde de la nouvelle génération. Mais sa conversion à la série a été un acte de volonté, au lieu d'un « appel », d'une vocation réfléchie comme chez Schœnberg et ses disciples. Robert Siohan parle avec raison d'une « inadéquation de l'instrument sériel avec l'esprit stravinskyen ». Il ajoute que le langage sériel si bien assimilé par un Webern qu'il apparaît naturel chez lui, semble toujours plus ou moins factice, forcé chez Stravinsky. D'autre part, à prétendre rejoindre toujours le dernier bateau quand on est un vétéran, on finit surtout par démontrer son âge, l'écart irréductible qui vous sépare de la jeunesse. Avec *Agon*, Stravinsky comptait apprendre le libre usage de la série à des garçons beaucoup plus entraînés que lui dans cet exercice. Avec *Threni,* il pensait donner des gages à la musique rétractée, raréfiée qui avait représenté le dernier mot durant plusieurs saisons. Mais quand l'œuvre fut jouée, les Français et les Allemands de trente-cinq ans, ceux du moins qui étaient vraiment dans le train, se préoccupaient d'abord de « réactiver » la musique...

Dans sa *Poétique musicale*, Stravinsky écrit : « On ne dit pas deux fois la même chose, car la manière de la dire est la chose même... Il est ridicule d'imaginer la séparation de la substance de Bach de son expression. » Ce qui revient à constater encore que la vieille et perdurable distinction des pédagogues entre le fond et la forme est inintelligible pour des artistes ; à moins d'être un fabricant à vide, on a toujours en surabondance des idées et des sentiments. L'important, c'est qu'ils coïncident en nous avec les formes techniques qui leur sont appropriées, qui les dégageront des clichés, des moules conventionnels, les révéleront dans leur fraîcheur et leur profondeur vivantes.

Mais lorsque Stravinsky en conclut que la musique est nécessairement « inexpressive », outre le paradoxe, il y a dans sa pensée une déviation que seul un Slave pouvait commettre. Une dénégation aussi, et qui frise l'absurde, de ses plus belles œuvres. Peu de partitions contemporaines « signifient » avec plus de puissance que *Petrouchka*, *Le Sacre*, *Noces*, grâce à une musique qui s'emboîte au livret ou au poème avec une précision de chaque mesure. Mais l'auteur du *Sacre* et celui de la *Poétique* sont-ils bien le même homme ?

Les chefs-d'œuvre de la première période étaient saturés de substance russe, comme nous l'avons vu, par un Russe très émancipé, mais qui représentait si bien ces échanges de pensées et d'art entre son pays et l'Occident, que le régime communiste a anéantis.

Debussy écrivait en 1915 à l'auteur du *Sacre* : « Cher Stravinsky, vous êtes un grand artiste ! Soyez de toutes vos forces un grand artiste russe. C'est si beau, d'être de son pays, d'être attaché à sa terre comme le plus humble des paysans ! »

Sans doute, cette lettre date du temps de guerre, ou le nationalisme de Debussy était devenu suraigu. Mais quelle prémonition ! Stravinsky n'a-t-il pas été coupé par la Révolution d'Octobre des racines qui lui apportaient le plus de sève, transplanté dans un cosmopolitisme musical dont il a joué le jeu plus adroitement que personne, mais qui ne lui offrait à résoudre que des problèmes de construction qu'il multiplia à plaisir, sans avoir rien à y exprimer en effet, puisqu'ils étaient extérieurs à lui, étrangers à la première et seule source de sa poésie ? C'est bien, malgré sa simplicité, la thèse la plus plausible pour éclairer une carrière qui embrouilla longtemps tous ses commentateurs.

CHAPITRE V

SCHŒNBERG ET SES DISCIPLES

DE WAGNER AU « PIERROT LUNAIRE »

Né à Vienne le 13 septembre 1874 dans une famille de la petite bourgeoisie israélite, converti ensuite au catholicisme, Arnold Schœnberg perdit son père à l'âge de huit ans. Dès son enfance, il devait ainsi connaître les difficultés matérielles dont il ne sortirait jamais. On lui fit apprendre le violon, dont il jouait déjà convenablement à douze ans tout en écrivant de petites pièces pour son instrument. Il apprit seul le violoncelle, participa avec d'autres musiciens à de nombreuses exécutions de quatuors, de trios. Cette étude précoce et approfondie de la musique de chambre, celle de Brahms en particulier, lui serait un peu plus tard très utile. Mais elle allait d'abord être recouverte par un wagnérisme effréné : entre quinze et vingt-cinq ans Schœnberg entendit une vingtaine de fois chaque opéra de Wagner.

En 1897, il rencontrait un garçon de son âge, Alexandre von Zemlinsky, né en 1872, singulier personnage, à la fois chrétien, turc et juif par ses ascendants, « gnome édenté, sans menton, jamais lavé » selon Alma Mahler qui en fut toutefois quelque peu amoureuse, mais extrêmement intelligent, chef d'orchestre déjà réputé et qui semble avoir été un professeur génial. Schœnberg jusque-là autodidacte en matière de composition, reçut de Zemlinsky des leçons de contrepoint dont il lui garda une longue reconnaissance. Il lui dédia plusieurs œuvres et entra dans sa famille en épousant sa sœur.

Les premières mélodies des *op.* 1, 2 et 3 sont encore hésitantes, bien qu'elles eussent déjà fait scandale au concert où on les chanta en 1898. Mais les œuvres suivantes, que certains auteurs négligent parce qu'elles appartiennent encore à l'orbite wagnérienne, sont précieuses à connaître pour l'évolution de Schœnberg, et très belles en elles-mêmes.

Le poème symphonique *Verklärte Nacht (Nuit transfigurée)* conçu d'abord en 1899 pour sextuor à cordes – innovation déjà digne du futur Schœnberg – puis transposé en 1917 pour orchestre de cordes, émane directement de *Tristan* par son hyperchromatisme. Mais on n'avait encore vu aucun pèlerin de Bayreuth tisser une polyphonie aussi serrée tout en restant très lisible. L'émouvante poésie de l'œuvre est faite à la fois d'un lyrisme fiévreusement sensuel, d'un élan ascendant qui épouse celui de la métaphysique wagnérienne, mais en subissant des torsions déjà expressionnistes, du scintillement et de l'immensité d'une nuit étoilée mystérieusement présente dans les voix entrecroisées des archets.

Auprès de cette musique translucide, le grand orchestre du poème symphonique *Pelléas et Mélisande* (1902-1903) semble très compact et même pâteux. Mais cela peut tenir aux rares et médiocres déchiffrages de cette partition peu connue. N'oublions jamais le mot de Schœnberg, qui vaudra pour toute son école et ses héritiers : « Ma musique n'est ni moderne ni ancienne. Elle est mal jouée. »

En 1900, Schœnberg entreprenait un grand oratorio profane sur une légende, les *Gurre-Lieder,* dont il dut interrompre plusieurs fois la composition, la première pour accepter à Berlin un poste de chef d'orchestre dans un music-hall et instrumenter plusieurs milliers de pages d'opérettes. Si l'essentiel de l'œuvre fut cependant écrit assez vite, son orchestration ne fut achevée qu'en 1911. Schœnberg avait alors dépassé cette esthétique, mais il tenait à remplir son projet initial : aller jusqu'au bout du gigantisme romantique, tel que le pratiquait Mahler dans ses symphonies. Les *Gurre-Lieder* sont écrits pour cinquante « bois » et cuivres (dix cors, sept trompettes, sept trombones), une importante percussion, un quintette de cordes étoffé en proportion, cinq voix de solistes, un récitant, trois chœurs d'hommes à quatre voix, un chœur mixte à huit voix. Schœnberg fut obligé de commander un papier de format spécial pour y faire tenir toutes ses portées. Les *Gurre-Lieder* sont entièrement wagnériens, de modulations, d'instrumentation, de phrasé, de déclamation, avec les longues tenues, les grands intervalles vocaux, et tous les caractères d'un style de théâtre. Wagnérisme moins chromatique d'ailleurs que celui qui est issu de *Tristan,* plus tonal – peut-être sous l'influence de Malher — proche surtout de la *Tétralogie*. Les accents de Siegmund, de Siegfried, leurs fanfares y retentissent parfois à s'y méprendre. On ne songe cependant pas à un pastiche. Schœnberg se tient à la même hauteur de pensée et de style que son grand modèle. La musique respire un héroïsme digne du langage solennel qu'elle adopte. L'orchestre malgré son poids sonne superbement. Il est incompréhensible que cette monumentale partition — elle dure deux heures — soit demeurée presque inconnue en France, où elle aurait enthousiasmé depuis longtemps tous les wagnériens.

Schœnberg tranchait sur tous les épigones de Bayreuth par l'intensité avec laquelle il avait revécu la musique de Wagner, par sa résolution d'épuiser toutes ses virtualités révolutionnaires. En 1903, trimballant son manuscrit inachevé des *Gurre-Lieder*, il avait quitté Berlin pour rentrer à Vienne, cette Vienne si fière de sa gloire musicale, et qui avait cependant commis tant d'injustices et de cruautés à l'égard de Mozart, de Schubert, de Beethoven, de Hugo Wolf, et ne traitait pas mieux son nouveau génie. Elle avait sifflé *Verklärte Nacht*, ne tardait pas à chahuter la *Symphonie de Chambre*, le second quatuor à cordes *op*. 10. Schœnberg y gagnait cependant l'amitié difficile mais précieuse de Mahler, défenseur de sa musique bien qu'il la comprît imparfaitement, et à qui il devait dédier son *Traité d'Harmonie*. Il vit surtout venir à lui dès 1904 deux jeunes gens, l'un de dix-neuf ans, l'autre de vingt et un, Alban Berg et Anton Webern, qui ne voulaient pas d'autre enseignement que le sien, et allaient former avec lui la plus étroite et la plus féconde des communautés musicales.

Dans les dix années qui suivent, Schœnberg va devenir le musicien de l'atonalité, un terme qu'il n'aime d'ailleurs pas; il le trouve imprécis et contestable dans le détail de l'analyse. (Stravinsky a bien remarqué que notre oreille, en s'exerçant, finit par nous procurer une écoute tonale de certains fragments des trois Viennois.) Il parle de la *suspension des fonctions tonales*. Le système tonal est devenu impuissant à encadrer les conquêtes du chromatisme, déjà décisives chez Wagner et qui n'ont cessé après lui de se diversifier et de s'étendre. Schœnberg abolit l'interdépendance des notes entre elles, et du même coup toutes les notions de tonique, dominante, sous-dominante. Il traite les douze sons de la gamme chromatique sur le pied d'égalité. Ce « total chromatique » apporte une solution radicale et cohérente aux problèmes de l'extension et de la libération du langage sonore, que les meilleurs avaient tenté de résoudre depuis cinquante ans par un retour aux modes, par la polytonalité, par l'inspiration folklorique qui n'étaient que des demi-mesures dont on voyait bientôt le bout, malgré l'intérêt et la beauté des œuvres qu'elles avaient fait naître. Schœnberg pouvait avec raison opposer sa logique aux hésitations de la majorité des compositeurs, s'auto-risant la dissonance « à l'intérieur de la tonalité » sans parvenir à se libérer de cette dernière, et tombant dans cette écriture capricieuse, bâtarde, se parant de la « fausse note » comme d'un colifichet à la mode, qui fut si agaçante chez les copistes de l'impressionnisme français et de Stravinsky.

Le maître viennois n'opéra naturellement pas sa révolution du jour au lendemain, mais par étapes. D'autre part, elle ne résultait pas seulement d'une vue rationnelle sur l'état de la musique, mais d'un besoin d'expression qui ne pouvait plus se satisfaire des moyens traditionnels, d'une poussée intérieure comme celle qui avait dicté à Beethoven ses dernières sonates, à Wagner *Tristan*, à Debussy son *Faune*, ses *Nocturnes, Pelléas*. Schœnberg enfin, qui hormis Puccini n'a pas de contact avec les Latins, comprend mal Debussy et lui reproche son indécision, reste jusque dans son extrémisme fidèle aux tendances séculaires, contrapunctiques et chromatiques, de la musique allemande. Et l'expressionnisme qu'il n'abandonnera jamais, qui le relie aux poètes et aux peintres germaniques de son époque — il a lui-même fait de la peinture, non sans talent — est encore un legs du romantisme dans lequel toute sa jeunesse a baigné.

La *Symphonie de Chambre (Kammersymphonie)* de 1906 appartient toujours à l'univers tonal. Mais elle oppose au débor-dement orchestral des *Gurre-Lieder*, de *Pelléas et Mélisande* son écriture pour solistes — quinze instruments. Le chromatisme est de plus en plus tendu. Le sentiment intense, au lieu de s'étaler, se concentre dans la densité du contrepoint. Le 2e Quatuor à cordes *op.* 10 (1907-1908) porte encore l'indication « en *fa* dièse mineur » dont relèvent plus ou moins les trois premiers mouvements. Mais dans le quatrième, auquel s'adjoint une voix de soprano, Schœnberg suspend pour la première fois aussi caté-goriquement la tonalité.

Il s'installe dans cette « atonalité » avec les *Quinze Lieder* sur *Le Livre des jardins suspendus* de Stefan George (1908). Les *Trois pièces pour piano op.* 11 de la même année, où se font jour, comme dans les *Cinq Pièces pour orchestre* de 1909 l'*athéma-tisme*[1], conséquence normale de l'atonalité, supprimant les thèmes sur quoi reposaient jusque-là toute construction musicale, ainsi qu'une volonté systématique de concision. Dans les *Cinq Pièces pour orchestre,* dont chacune ne dure guère plus de trois minutes, on voit apparaître aussi la *Klangfarbenmelodie,* « mélodie de timbres », qui répartit entre un grand nombre d'instruments divers les notes de telle agrégation harmonique ou telle ligne mélodique.

L'œuvre qui domine ces années est le monodrame *Erwartung (Attente),* composé en moins de trois semaines de l'été 1909 « dans un état de transe », dit René Leibowitz, communiqué à toute la partition. Le scénario de cet opéra d'une demi-heure et à un seul personnage – un soprano dramatique – tient en peu de mots. Une femme cherche son amant, la nuit, dans une forêt, s'inquiète, s'effraie, heurte du pied son cadavre, revoit en quelques instants quasi démentiels sa vie et son amour devant ce mort, puis s'effondre, écrasée, au petit jour. Le texte, dû à une vague poétesse, est très ampoulé. Mais peu importe, puisqu'il a convenu à Schœnberg qu'il a pu lui inspirer cette musique convulsée, hallucinée. Le plus étonnant est que tout en déchaînant ce paro-xysme expressionniste, le compositeur garde le même contrôle de son écriture que s'il s'agissait d'un exercice, poursuive ses conquêtes techniques : athématisme presque absolu – l'ouvrage ne comporte plus aucune reprise – division de plus en plus poussée des timbres comme dans tel accord de treize notes dont chacune est émise par un instrument différent, extension à l'œuvre entière du « total chromatique », emploi de tous les styles vocaux, du *parlando* à la mélodie lyrique, avec de très grands écarts, allant jusqu'à des intervalles de « quatorzième ».

L'opéra en quatre tableaux *Die Glückliche Hand (La Main heureuse),* entrepris aussitôt après *Erwartung,* souffre d'un livret écrit par Schœnberg, encombré de symboles qui voudraient donner des prolongements ontologiques à un ménage triangulaire mais ne prennent pas vie à la scène. Les innovations musicales d'*Erwartung* s'y renforcent.

En 1911, Schœnberg achève son *Traité d'Harmonie,* qui est la consolidation théorique du « total chromatique ». Il s'installe à Berlin, où le Conservatoire Stern lui confie le poste de professeur.

---

1. Considéré toutefois par ses successeurs comme une ultrathématisation.

Il écrit les *Six Petites Pièces pour piano, op.* 19, dont la brièveté, moins d'une minute par morceau, est comme un constat : l'impossibilité de cultiver encore les grandes formes, à moins de recourir au soutien de la parole, quand on pratique l'atonalité et l'athématisme, qui suppriment, comme le dit Schœnberg, « les moyens d'articulation traditionnels ».

L'année 1912 est celle de *Pierrot Lunaire,* de très loin l'œuvre la plus répandue, la plus citée de Schœnberg : « Trois fois sept mélodrames sur les poèmes d'Albert Giraud traduits par Otto Erich Hartleben », pour voix parlée (*Sprachstimme*) et huit instruments répartis entre cinq exécutants : piano, flûte (alternant avec le piccolo), clarinette (alternant avec la clarinette basse), violon (alternant avec l'alto) et violoncelle. Pierrot, qui a abandonné la Commedia dell'Arte pour la littérature décadente, épris de Colombine qui ne peut lui appartenir et amant d'une vieille duègne, se livre à des orgies noires. Pour se venger de son ennemi le vieux Cassandre, il transforme son crâne en tête de pipe. Il voit voler des papillons monstrueux qui éteignent le soleil, le sang ruisseler de la Madone martyrisée, des hosties de la Messe rouge, des poètes crucifiés. La Lune le poursuit en imprimant sur son dos une tache blanche ineffaçable. Finalement, apaisé, repris par la sentimentalité, il regagne l'Italie, retrouve Bergame, sa « vieille fragrance » et « l'âme des anciennes comédies. »

Pierrot Lunaire fascina très vite ses auditeurs de bonne foi, même quand il les déroutait et leur infligeait un malaise. On en parla comme d'un délire suprême de la morbidité, on épilogua sur son angoisse torturante, son climat de glaciale terreur. Nous sommes beaucoup moins enclins aujourd'hui à le dramatiser. Nous savons − Stravinsky fut le premier à le dire − que les vingt et un poèmes du Belge Albert Giraud (1860-1929) sont d'un symbolisme bien tarabiscoté, point tellement éloignés du ton des cabarets littéraires de Montmartre où l'on accommodait Baudelaire et Jules Laforgue vers 1885.

La grande surprise de *Pierrot Lunaire* était le « parlé - chanté », le *Sprechgesang,* dont Schœnberg avait fait l'expérience dans quelques passages des *Gurre-Lieder* dans *La Main heureuse,* mais qu'il étendait pour la première fois à une œuvre entière. Le *Sprechgesang,* comme le chant, obéit à un rythme fixe. Mais l'interprète, au lieu de maintenir la hauteur du son comme un chanteur, ne fait que l'indiquer et l'abandonne aussitôt « pour une montée ou une chute selon la courbe de la phrase ». Tel est du moins le principe que Schœnberg assortit de longues et méticuleuses précisions dont on s'émerveilla naguère.

On en a rabattu depuis. Nous avons constaté qu'il y a en fait bien du pathos et des obscurités dans les définitions du maître, que cette rigueur reste factice, beaucoup plus aléatoire, comme on pouvait s'y attendre, que la notation classique où la courbe mélodique possède par elle-même un sens expressif qui guide le chanteur. Pierre Boulez estime que Schœnberg n'a pas porté une attention suffisante à l'analyse de la voix parlée et de la voix chantée. Pour résumer ses justes remarques, on dira que le « réglage » d'un phénomène aussi mouvant et personnel que l'intonation est fatalement approximatif – l'Extrême-Orient semble plus avancé que nous dans cette voie – et que Schœnberg en propose des solutions très contradictoires. Il ne faut donc pas s'étonner que *Pierrot Lunaire* ait reçu les interprétations les plus divergentes. Sa propagandiste en France, Marya Freund, l'infléchissait très nettement vers le chant. Helga Pilarczyk, sa plus brillante et intelligente interprète aujourd'hui, n'y laisse subsister, bien qu'elle soit une magnifique cantatrice, aucune trace, aucun « regret » de mélodie. Schœnberg, qui avait écrit ses « mélodrames » pour une comédienne, Albertine Zehme, voulait que la « diseuse » renonçât à toute expression personnelle, puisque les instruments s'en chargeaient. Mais dans le disque qu'il enregistra lui-même avec son interprète favorite, Erika Stiedry-Wagner, la déclamation de celle-ci est du romantisme le plus ampoulé. Schœnberg reconnut d'ailleurs implicitement que le problème tel qu'il l'avait abordé restait insoluble, puisqu'il simplifia beaucoup la notation du *Sprechgesang* dans ses œuvres ultérieures – dans celle du Pierrot les notes étaient remplacées par des croix – et laissa à ses interprètes une grande latitude.

Eclairé, démystifié, *Pierrot Lunaire* n'en garde pas moins un grand pouvoir, où il entre simplement bien plus d'humour et de charme qu'on ne le supposait il y a trente ans. Jusque dans les visions les plus dramatiques, on devine l'ironie latente. Nous aimons que la récitante détaille le texte avec esprit et mordant. Les instruments l'enveloppent de leur poésie insidieuse, l'enlacent de leur contrepoint dont le raffinement nous éblouit à neuf chaque fois où nous le réentendons. Pour chaque pièce, Schœnberg invente une disposition nouvelle de ses timbres, avec l'imagination d'un grand poète des sons. Après trois quarts d'heure dans l'instabilité, la subtilité lancinante du « total chromatique », le *mi* majeur irréfutable de l'épilogue pose sur ces dernières mesures un rayon magique. C'est l'élégance et l'indépendance d'un révolutionnaire qui sait revenir au langage consacré quand celui-ci est la plus parfaite expression de ce qu'il sent et de ce qu'il veut.

LA SERIE

Pendant longtemps, les auditeurs les plus attentifs des *Cinq Pièces pour orchestre*, du *Pierrot Lunaire*, tout en admirant Schœnberg d'avoir ouvert à l'harmonie, à la mélodie et au contrepoint, en sciant les barreaux des fonctions tonales, un champ illimité de combinaisons inouïes, s'inquiétaient d'une liberté aussi vertigineuse, se demandaient si elle n'allait pas conduire très vite au chaos, si le *Pierrot* n'était pas la dernière halte avant un saut dans l'inconnu où la musique se désintégrerait.

Ils ne savaient pas que Schœnberg partageait leur anxiété, que déjà dans son *Pierrot* la rigueur des figures polyphoniques, difficile à distinguer sous la complexité du tissu instrumental, prémunissait l'œuvre contre les risques d'anarchie. Il allait employer à son travail de reconstruction près de dix années d'une retraite silencieuse, contrainte extraordinaire pour un artiste dans la force de son âge et jusque-là si fécond. Sa mobilisation à deux reprises dans des services de l'armée autrichienne interrompit à peine sa tâche, qu'il poursuivit à partir de 1918 dans la banlieue de Vienne où il s'était réinstallé.

En 1922, alors qu'il n'avait plus rien publié depuis quelques mélodies de 1913, Schœnberg annonçait à ses élèves : « J'ai fait une découverte qui assurera la prépondérance de la musique allemande pendant cent ans... » Cette découverte, c'était la technique sérielle ou dodécaphonique (de *dodécaphonei*, douze sons), un terme rebutant par sa laideur pédantesque, mais qui étymologiquement est impeccable et limpide. La *série* − en allemand *die Reihe*, la rangée − est formée par les douze sons de la gamme chromatique, libérés de toute dépendance tonale, disposés dans l'ordre qu'a choisi le musicien. Elle redevient le principe unificateur disparu dans le « total chromatique », sert d'élément ordonnateur, régulateur pour toute la partition qu'elle régie, tous les « événements musicaux » dont elle porte la responsabilité. Elle recrée une harmonie cohérente, celle-ci étant la figure verticale de la série. Elle engendre la variation continuelle, par récurrence (la série lue à l'envers, la dernière note devenant la première), par renversement des intervalles de la série originale, les intervalles ascendants devenant descendants, et réciproquement, par renversement et récurrence simultanée. Aucun son de la série ne doit reparaître avant que les onze autres aient été utilisés harmoniquement ou mélodiquement.

Ainsi, le perturbateur, le destructeur de 1910 se révélait comme un homme d'ordre, au même titre que Rameau, organisant ses découvertes au lieu de se retourner vers le passé. Mais il faudrait un quart de siècle pour que cette éminente vertu lui fût reconnue. Les critiques lui reprochaient au contraire de précipiter la désagrégation de son art, ils n'entendaient plus dans ses ouvrages que des sons indifférenciés. Les plus ouverts voyaient dans la série un règlement barbare, incompréhensible. Elle n'était cependant pas plus arbitraire que le « sujet » des fugues classiques, les thèmes-prétextes souvent insignifiants des *Variations* de Beethoven ou de Brahms, le choix de telle assise tonale dans les symphonies de facture traditionnelle. Elle recréait dans la musique les contraintes et les limites nécessaires à tout art. Ses rigueurs étaient grandes, mais à la mesure des immenses libertés dont le musicien évadé du système tonal disposait désormais.

Durant le long silence de Schœnberg, Ferruccio Busoni, Alfredo Casella, Matthias Hauer se livraient à des recherches assez proches des siennes. Le plus avancé semble avoir été Hauer, un Autrichien né en 1883, théoricien de l'atonalité, dont il chiffrait les combinaisons possibles (479 001 600 selon ses calculs !) qui mêlait à ses expériences techniques des spéculations spiritualistes. Schœnberg rendit hommage à sa persévérance. Mais ce rêveur isolé manquait des dons de synthèse et de l'instinct créateur que seul l'auteur de *Pierrot Lunaire* allait mettre en œuvre.

Schœnberg n'appliqua pas du jour au lendemain sa nouvelle méthode. Il en fit l'essai progressivement. Dans la *Suite* pour piano *op.* 23, publiée en 1923, la troisième pièce comporte une série de cinq sons dont les renversements ingénieux fournissent toute la substance du morceau. La cinquième et dernière pièce, une valse, renferme une série de douze sons, mais beaucoup plus timidement traitée, exposée seulement sous sa forme originale. Dans l'œuvre suivante, de la même année, la *Sérénade op.* 24, Schœnberg s'avance davantage. Il construit le troisième mouvement, « thème varié », sur une série de onze sons, complétée dès la première variation par une pédale du la qui manquait pour

« faire la douzaine ». Le quatrième mouvement est un sonnet de Pétrarque pour baryton sur une série dodécaphonique complète. L'interprète la chante avec un décalage d'une note par vers, ces vers étant de onze syllabes, et chaque note correspondant à une syllabe. Le treizième vers ramène donc la série originale, qui commence par un *mi*. On dirait sur le papier d'un jeu de société analogue aux mots carrés. Mais la *Sérénade*, écrite pour un septuor insolite, clarinette, clarinette basse, mandoline, guitare, violon, alto et violoncelle, est une partition très brillante, pleine de fantaisie et même de séduction viennoise. Les « chinoiseries » du dodécaphonisme n'étouffaient donc nullement la verve poétique. La polyphonie aussi aérienne que savante de la *Sérénade* est une des délices de la musique contemporaine.

Avec la *Suite pour piano op. 25*, surtout le *Quintette op. 26* (1924) pour instruments à vent (flûte, hautbois, clarinette, cor et basson), Schœnberg étendait à des œuvres entières la série dodécaphonique, selon des procédés de plus en plus complexes. Grâce à elle, il réintroduisait les « grandes formes » dans le total chromatique qui ne semblait tolérer que des pièces courtes : le Quintette se déploie sur quarante minutes[1]. La *Suite op. 29* de 1927, pour petite clarinette, clarinette, clarinette basse, trio à cordes et piano, fait pendant à la *Sérénade* par son alacrité, la finesse de ses timbres et de son contrepoint. Elle comprend une Ouverture dans la coupe de la sonate, et son dernier mouvement s'intitule *Gigue*. Les six mouvements de la *Suite pour piano* se nommaient déjà *Prélude, Gavotte, Musette, Intermezzo, Menuet* et *Gigue*. On s'est étonné comme d'un anachronisme de cette survivance des formes anciennes dans une musique révolutionnaire où elles sont d'ailleurs fort éloignées de leur physionomie traditionnelle. Schœnberg ne s'en est expliqué que par des boutades. Mais un novateur aussi déterminé avait bien le droit de chercher ses points d'appui où il lui plaisait. Ses disciples se sont également servis des vieilles épures, mais en les dissimulant encore plus que lui.

Schœnberg avait été nommé en 1925 professeur à la Kunst-akademie de Berlin, où il succédait à Busoni. Dans le *Quatuor* à cordes *op. 30* de 1926, il associait un lyrisme fougueux à l'écriture

---

1. A titre indicatif, voici la série fondamentale du *Quintette* : mi bémol, sol, la, si, do dièse, do, si bémol, ré, mi, fa dièse, la bémol, fa. Et celle du quatrième mouvement de la *Sérénade* : mi, ré, mi bémol, si, do, ré bémol, la bémol, sol bémol, la, fa, sol, si bémol.

dodécaphonique qui lui était devenue tout à fait naturelle, qu'il pouvait plier maintenant à tous ses desseins. Il lui restait à l'appliquer au grand orchestre, qu'il avait abandonné depuis près de vingt ans. Il y réussissait magistralement dans ses *Variations op. 31* (1928), sommet de ce que l'on devait appeler un peu plus tard le « dodécaphonisme classique ». L'œuvre a un caractère moins démonstratif que les précédentes, où le souci d'illustrer la nouvelle doctrine transparaissait toujours. Le sentiment plus calme, la conduite des variations rappellent la part importante qu'eurent aussi Bach et Brahms dans les années où le jeune wagnérien Schœnberg se formait. La technique sérielle favorise admirablement la lisibilité d'un contrepoint pourtant plus dense que jamais. Schœnberg fut beaucoup moins heureux quand il tenta d'adapter la série à un opéra bouffe, *Von Heute auf Morgen, D'Aujourd'hui à demain,* écrit en quelques semaines de l'année 1929, et où la perfection du style contrapunctique stoppe trop souvent le mouvement scénique.

Schœnberg se plaisait bien plus à Berlin qu'à Vienne où ses nombreux adversaires ne se relâchaient pas. Mais en 1933, après l'accession de Hitler au pouvoir, il perdait son poste et quittait l'Allemagne. Il s'attarda peu en France, où personne du reste ne songea à le retenir. Après avoir fait retour à la religion judaïque pour se solidariser avec les Israélites persécutés, il gagna les États-Unis. Sa mauvaise santé lui fit choisir le climat de Los Angeles, où il eut une chaire à l'Université de la Californie du Sud. Il repoussa les offres d'Hollywood pour écrire de la musique de films.

Le *Concerto pour violon et orchestre* de 1936, toujours dodécaphonique et atonal, n'échappe pas, avec sa haute école d'archet, ses cadences, ses traits, aux tares de ce genre. Par-delà cette virtuosité, il exprime sans aucun doute la douleur d'un Juif errant devant les nouvelles souffrances de sa race : sentiment tout à fait respectable, mais se traduisant par un éréthisme, un pathos grinçant très éprouvants pour les nerfs de l'auditeur. La substance musicale est bien plus pure dans le *Concerto pour piano et orchestre* (1942), le beau *Trio à cordes op. 45* de 1947, d'un esprit beethovénien, où l'élément mélodique reprend ses droits à travers le total chromatique.

Dans ses autres œuvres américaines, le *Quatrième Quatuor,* le *Kol Nidré,* l'*Ode à Napoléon* pour récitant, quatuor à cordes et piano (1942) sur un poème satirique de Byron appliqué à Hitler, *Le Survivant de Varsovie* pour récitant, chœur d'hommes et

orchestre. Schœnberg revient à des formes de plus en plus classiques et admet certaines fonctions tonales. Les jeunes musiciens
le lui ont reproché comme une capitulation. Il est vrai que la
technique sérielle et la tonalité sont aussi difficilement conci-
liables chez lui que chez Stravinsky. On regrette que Schœnberg
ait fourni quelques armes à ses ennemis qui déclaraient que son
système dodécaphonique n'était pas viable : court triomphe, car
ils ont été vite démentis par ses successeurs. Mais l'attitude du
maître était humainement fort compréhensible et même émouvante. Vieilli, malade, solitaire dans un pays indifférent à son art,
l'émigré n'avait plus assez de forces pour la concentration qu'eût
exigé la poursuite de son œuvre révolutionnaire. Il éprouvait la
nostalgie de la tradition du romantisme allemand dans lequel
avait baigné sa jeunesse et que rien ne lui avait fait renier. Au reste,
personne n'avait travaillé plus assidûment et fructueusement que lui
à libérer la musique occidentale de ses entraves, tout en la dotant
d'une logique et d'un ordre nouveaux. Il mourut le 13 juillet 1951,
citoyen américain et sans avoir revu l'Europe, mais en sachant que
son héritage y était entre les mains les plus dignes de le recueillir.

Il laissait inachevé un opéra, *Moïse et Aaron,* entrepris vingt ans
plus tôt — deux actes étaient entièrement composés — et
qu'Hermann Scherchen créa à Berlin en 1959. C'est une œuvre
qui mérite que l'on s'y arrête quelques instants, pour avoir été
l'un des plus grands projets de Schœnberg et l'une de celles où
l'on distingue le mieux à la fois son génie et ses limites.

Le sujet s'ouvre par-delà toute confession et toute origine sur
les plus vastes espaces de la pensée religieuse. Le conflit entre
Moïse, porteur du verbe de Dieu, et Aaron, qui laisse rétablir
les idoles, est celui de la connaissance mystique et des rites, de la
foi dans l'invisible et de la superstition. Conflit sans issue, puisque
le doute pénètre jusque dans l'âme de Moïse, qui se demande s'il
n'a pas été abusé lui-même par des images, s'il n'a pas perverti
la pure et noble idée qu'il se faisait de son Dieu.

L'audition de l'ouvrage nous ramène sur terre. Nous constatons
que les deux scènes vraiment développées et culminantes sont en
somme des hors-d'œuvre, éclatants, magistraux, mais dont le
héros, Moïse, est pour ainsi dire absent : l'attente, les remous du
peuple au bas de la montagne de la Révélation, et par-dessus tout
la danse autour du Veau d'or, qui occupe presque entièrement
le second acte, et dont Schœnberg aurait fort bien pu faire un
ballet indépendant.

Ces deux larges tableaux, d'une construction monumentale, relèguent les autres parties de l'ouvrage à une place assez modeste. Pour figurer le Verbe du Buisson Ardent, Schœnberg a choisi l'impondérabilité d'un petit chœur enregistré, accompagné par des touches ténues de quelques instruments à vent. Si raffinée que soit cette écriture, elle ne nous rend guère sensible l'Inconnaissable que Schœnberg voudrait convoquer. Nous ne pensions pas que le Logos s'exprimât à la façon d'un Pierrot lunatique et verlainien... Les deux confrontations entre Moïse et Aaron, qui devraient s'imposer à nous comme des sommets, nous apparaissent contraintes, écourtées, finalement assez grêles. Ebauches, essais d'un créateur à la recherche d'un langage sans pareil, mais sur lequel il s'interrogeait avec une perplexité que trahit l'inachèvement de son œuvre.

Schœnberg avait décidé d'attribuer la déclamation parlée à Moïse, tandis que son frère se voyait investi d'un rôle de chanteur allant jusqu'à l'arioso lyrique. La superposition de ce « parlé » et de ce chant aboutit à quelques fugaces et saisissantes réussites, mais dans un ensemble trop systématique, dont on pourrait dire que l'auteur, selon la métaphore biblique, a lui aussi « le cou roide ». Schœnberg, en confinant son grave et profond Moïse hors de la musique, demeure dans une esthétique du refus. En outre, si l'on professe universellement qu'il avait dès 1910 rompu ses attaches avec le wagnérisme, un auditeur impartial n'en décèle pas moins que les cantilènes d'Aaron dérivent en grande partie des plaintes du roi Marke, c'est-à-dire d'une des pages de *Tristan* les plus méthodiquement déduites − le motif du roi étant le renversement d'un des thèmes blasonnant le chevalier infidèle − et par conséquent les plus aisément imitables. Le drame de Moïse passe mal la rampe, non parce qu'il est intérieur, mais parce que le grand cérébral l'emporte chez Schœnberg sur le poète, sur l'homme de théâtre, qui après avoir pénétré tout Wagner, tout Mozart, tout Strauss, s'être émerveillé du tour de main de Puccini, ne pouvait s'abandonner à l'élan instinctif que veulent les planches qu'il s'agisse d'y faire passer le souffle de Yahvé ou d'y promener une fille de trottoir.

Il reste les deux grandes scènes « annexes » dont nous parlions tout à l'heure. Schœnberg y juxtapose, mêle, varie toutes les ressources possibles − chœurs, soli, grand orchestre, chant, parlé − avec une virtuosité, une originalité, une liberté, une ampleur d'écriture que l'on n'espérait plus retrouver chez lui. Tout est admirable dans la Danse du Veau d'Or, se creusant, se brisant, se renouant, s'excitant jusqu'à l'immolation des quatre vierges qui se mettent nues pour la mort sous le couteau des prêtres comme elles le feraient pour l'amour.

Moïse et Aaron est ainsi une œuvre respectable, mais qui n'engage pas notre esprit, trouve mal le chemin de notre cœur, un ensemble trop statique, dont il faudrait détacher, pour le concert et le ballet, les pages les plus achevées et les plus fortes qui soient peut être nées de l'art de Schœnberg.

ALBAN BERG

Schœnberg avait défriché seul, pas à pas, le chemin difficile où il s'était engagé. Ses élèves allaient bénéficier de son dur travail. A peine bachelier, après avoir hésité quelque temps entre la poésie et la musique, Alban Berg allait se mettre dès 1904 et pour six années sous sa direction quotidienne. Né le 9 février 1885 dans une bonne famille de la bourgeoisie viennoise, il était l'antithèse physique de son maître au visage de dur prophète, labouré par les rides de la contention, à l'abord très rugueux. Grand, d'une minceur élégante, la cravate et le cheveu flottants, d'une charmante affabilité, un regard de rêveur, il ressemblait à un fidèle du cénacle de Schumann, vers 1850, beaucoup plus qu'au disciple d'un violent révolutionnaire.

Ce fond de romantisme que Berg n'a jamais renié transparaît dès sa première œuvre publiée, la puissante *Sonate pour piano op. 1* (1908), qui se rattache encore à des fonctions tonales — *ré* mineur — mais très bousculées, où l'on rencontre des basses d'une fermeté beethovénienne, des arpèges venant de Debussy, mais complètement étranger à l'esthétique française. Le *Quatuor à cordes op. 3* est d'une maturité saisissante chez un garçon de vingt-cinq ans qui vient à peine d'achever sa formation technique chez un maître aussi rigoureux qu'amical. Les *Cinq Mélodies avec orchestre sur des textes de cartes postales du poète Peter Altenberg,* dont la première audition à Vienne en mars 1913 déclenche un effroyable chahut, dévoilent une autre tendance d'Alban Berg, son réalisme, en même temps que l'agressivité dont est capable pour son art ce charmant Viennois : choix de textes provocants, gros orchestre renforcé à la Mahler pour soutenir de très courtes pièces vocales, glissandi bruyants des cuivres et des cordes, trémolos à la percussion.

On voit ensuite Alban Berg reprendre pour son compte les expériences de Schœnberg, mais sans rien aliéner de sa personnalité qui s'affermit d'œuvre en œuvre. Les *Quatre Pièces pour clarinette et piano, op.* 5 composées en 1913, sont un essai dans la « petite forme » sur laquelle travaille le maître au même moment, mais que Berg ne rééditera pas, parce que la miniature lui est moins naturelle qu'à son camarade Webern. Avec les *Trois Pièces pour orchestre op.* 6, achevées en 1914, Berg déploie le contrepoint et la variation continue dont Schœnberg, dédicataire de l'œuvre, lui a enseigné les principes. L'orchestre est très dense, à la façon de Mahler, mais par la multiplication des parties réelles distribuées entre les divers timbres plutôt que par simples redoublements. C'est assez dire, outre leur sentiment orageux, les difficultés qu'opposent ces *Pièces* à leurs interprètes. Si elles laissent une impression de masse compacte, c'est qu'elles sont dirigées médiocrement, le cas par malheur le plus fréquent.

Depuis son Quatuor à cordes (1910), Alban Berg échappe entièrement aux lois tonales. Il est cependant moins déroutant que Schœnberg dans ses œuvres analogues et que Webern parce que son oreille contrôle toujours son écriture, autrement dit que la musicalité prévaut toujours chez lui sur les déductions harmoniques et contrapunctiques. D'autre part, s'il a le souci évident de relier les acquisitions de Schœnberg au passé, il ne peut à aucun moment être confondu avec les néo-classiques qui habillent les anciennes formes de quelques vêtements plus ou moins à la mode. Au contraire, Berg les intègre à une architecture sonore entièrement repensée.

« WOZZECK »

Alban Berg avait vingt-neuf ans lorsqu'il vit dans un théâtre de Vienne, au printemps 1914, le *Woyzeck* de Georg Büchner, le farouche romantique allemand mort à vingt-quatre ans en 1837, et qui annonçait dans cette œuvre tant de thèmes psychanalytiques, naturalistes et sociaux du xxe siècle.

Mobilisé dans un service du ministère autrichien de la Guerre qui lui laissait des loisirs, Alban Berg les consacra durant trois ans à resserrer en quinze tableaux le texte très cursif de Büchner, dont il s'était promis de faire un opéra. La composition de la musique l'absorba entièrement de 1917 au début de 1921. Tant d'années de travail pour une œuvre qui ne dure guère plus d'une heure et demie : c'est assez dire le prix qu'y attachait Berg, que chaque mesure, chaque effet en ont été longuement éprouvés, médités. Alban Berg ne recherchait pas systématiquement l'ellipse comme Webern. Il n'avait pas le souffle bref. Mais son projet lui dictait la concision. Il était de ceux qui savent « prendre le temps de faire plus court ».

On doit compter aussi avec les difficultés rencontrées par un musicien jeune, au bagage encore restreint si ses études avaient été extraordinairement poussées, abordant pour la première fois le théâtre lyrique avec l'ambition bien arrêtée d'y appliquer une écriture qui sortait tout juste du domaine expérimental. Nous savons que son maître Schœnberg suivit presque page à page la composition de *Wozzeck* (nouveau nom du personnage de Büchner), en discutait indéfiniment avec le disciple. On ne peut imaginer fusion plus intime de l'œuvre en train de naître et des théories qu'elle illustrait, confirmait. Que celles-ci, d'ailleurs, n'aient pas étouffé celle-là, c'est un miracle, tout entier à l'actif d'Alban Berg.

Wozzeck est un pauvre diable de soldat allemand, soldat de métier sans grade, plus naïf et renfermé qu'arriéré, blagué par ses camarades, en butte aux persécutions de son capitaine et aux expériences d'un médecin-charlatan. En proie à de sombres ruminations, il est affolé par les reflets de la pleine lune rouge dans l'eau d'un marais. Il y voit la prédiction d'un destin sanglant. Le signe ne l'a pas trompé. Il tue Marie, sa maîtresse, qu'il a surprise dans les bras d'un bellâtre, le tambour-major. Mais comme Don José, cet autre troupier malheureux, il n'a pas cessé d'aimer sa victime. Il va se noyer dans le marais où il a lavé son poignard.

Cet opéra est inséparable du climat social tourmenté, douleureux, pessimiste qui régna sur l'Europe Centrale après la Première Guerre mondiale, et de l'expressionnisme, du romantisme noir qui en furent l'esthétique. Bref, c'est bien l'œuvre musicale qui devait naître en même temps que *La Rue sans joie* du cinéma.

Beaucoup de ses admirateurs récents sont fiers d'avoir accès grâce à elle à la mystérieuse musique dodécaphonique. Un peu moins mal informés, ils sauraient, comme nous l'avons vu, que cette technique de la série des douze sons date des pièces écrites par Schœnberg à partir de 1923, c'est-à-dire lorsque *Wozzeck* était entièrement composé. On ne peut parler pour cet ouvrage que de « pressentiments sériels ». Son atonalité n'offre plus de nos jours aucune difficulté d'écoute. Elle admet d'ailleurs, sans que l'unité du style ait à en souffrir, différentes exceptions tonales, comme la lecture du conte de fées en *fa* mineur, cette page d'un phrasé si loyal et si personnel, le retour de la tonalité étant l'évocation musicale du monde révolu de ce conte.

Quant aux nombreuses formes régulières, pavane, gigue, gavotte, passacaille, fantaisie et fugue, rondo, inventions, canons que recèle la trame serrée de *Wozzeck,* il n'existe pas dans chaque capitale plus d'une dizaine de musiciens capables de les distinguer à l'audition, plus d'une cinquantaine qui puissent à la lecture en faire une analyse complète. Cependant, il s'en faut de tout que ce savant et patient travail de Berg n'eût été qu'une coquetterie à l'usage des initiés. Sans pouvoir en nommer les composantes, nous *éprouvons* la présence de cette architecture secrète, c'est d'elle que l'œuvre tient avant tout sa cohésion, sa solidité, son dynamisme. C'est sans aucun doute parce qu'il a été écrit en forme de canon rythmique entre les vents et les cordes que le fameux *si* à l'unisson allant du *ppp* au *fff* dans le troisième acte de *Wozzeck* se distingue de tant de crescendos qui ne sont que des trémolos de cinéma, qu'il possède le plus tragique pouvoir. Grâce à ces formes, différentes selon chacune des quinze scènes, Alban Berg a pu réaliser la fusion de l'opéra par numéros, dont il se rapproche, et du drame musical continu de Wagner, ce Wagner de qui procèdent toutes les basses de l'ouvrage. Au contraire de l'*Erwartung* de Schœnberg, *Wozzeck* est encore une œuvre thématique, mais aux leitmotive beaucoup moins affichés, topiques, que ceux de l'opéra wagnérien, soumis à de continuelles variations et toujours liés à l'élaboration des formes.

Alban Berg écrivait : « Il va de soi qu'une forme d'art qui se sert de la voix humaine ne doit se priver d'aucune de ses possibilités. La parole ou le chant avec ou sans accompagnement, récitatif et *parlando,* cantilène et air à colorature, y sont aussi bien à leur place l'un que l'autre. » Programme vaste, mais logique, qui a presque été entièrement réalisé dans *Wozzeck.* Lorsqu'elle intervient, la déclamation rythmique diffère aussi profondément du *Sprechgesang* mécanique répandu partout aujourd'hui que le récitatif mélodique de *Pelléas* de ses innombrables et cotonneuses imitations. Dans ses conseils sur la « voix parlée », Berg réclame que les interprètes ne laissent pas fléchir la hauteur du son, mais en vairent l'intensité, ce qui est certainement plus musical et précis que les définitions du *Sprechgesang* par Schœnberg.

Avec sa science, sa complexité — on pourrait presque dire : en dépit d'elles — *Wozzeck* est d'abord une musique directe, épousant l'action, la menant à son terme fatal selon un admirable *découpœge*, digne des plus ingénieuses réussites cinématographiques, et dont aucun film contemporain ne pouvait fournir le modèle à Berg. Dans ce chef-d'œuvre de progression dramatique, de construction musicale, la rigueur ne contraint pas un seul instant l'émotion ou l'âpre verve d'Alban Berg (pour la verve, on songe aux stylisations de la marche militaire, du bal-musette, magistrales leçons aux fabricants de pittoresque en contreplaqué). Les symboles s'élargissent au fur et à mesure de ces quinze tableaux, concentrés d'humanité, violents, férocement sarcastiques ou d'une si navrante tendresse. C'est tout cela qui fit le succès immédiat de *Wozzeck*, créé à la fin de 1925 à l'Opéra de Berlin, bientôt joué à Prague, à Leningrad où l'esthétique stalinienne n'était pas encore obligatoire, dans chaque ville de province allemande, et qui dix ans plus tard avait fait le tour du monde. Seule la France devait attendre jusqu'en 1952 pour le connaître et l'Opéra de Paris jusqu'en 1963 pour le représenter : ce qui suffirait à juger la vie musicale de notre pays.

Le *Kammerkonzert*, Concerto de Chambre pour piano, violon et treize instruments à vent, terminé en 1925 et dédié à Schœnberg, est par sa construction l'une des œuvres les plus systématiques d'Alban Berg. Il y approche de la technique dodécaphonique avec un thème de douze sons. Ces nouveautés coexistent d'ailleurs avec une partie de piano souvent très proche de la tradition romantique. Et à maintes reprises l'écriture frôle la tonalité.

Dans la *Suite lyrique* pour quatuor à cordes de 1926 — la version pour orchestre à cordes est ultérieure — Alban Berg fait usage pour la première fois de la technique sérielle stricte, mais sans se laisser brider par elle, puisqu'il conserva la facture libre dans la moitié de sa partition. Les titres des six morceaux, *Allegretto Giovale*, *Andante Amoroso*, *Allegro Misterioso* (avec son *Trio Extatico*), *Adagio Appassionato*, *Presto Delirando*, *Largo Desolato* disent assez que cette Suite n'usurpe pas l'épithète « lyrique ». Les mouvements vifs et lents alternent. La série contribue à une poétique de l'étrangé, de l'inouï. Les enchaînements thématiques d'un morceau à l'autre sont d'un raffinement exceptionnel. Voilà sans doute le chef-d'œuvre de la musique instrumentale d'Alban Berg.

« *LULU* »

Dès 1928, le compositeuf pensait à un second opéra, qui devait être *Lulu*. Il en établit lui-même le livret d'après deux pièces de Frank Wedekind, le dramaturge excentrique de Munich. Il travaillait à l'instrumentation de *Lulu* quand il reçut commande au printemps 1935 d'un *Concerto pour violon,* qu'il dédia « à la mémoire d'un ange », Manon Gropius, fille d'un second mariage d'Alma Mahler, la veuve de Gustav, morte à dix-huit ans de la poliomyélite. Cet émouvant Concerto fut écrit en moins de trois mois, alors que Berg avait d'habitude le travail très lent. Une série particulièrement heureuse des douze sons le régit. Là encore voisinent les audaces formelles et les souvenirs de la tradition. Les cadences du violon, tout en restant sobres et personnelles, ne sont pas si loin du style classique. La tendresse attristée de l'inspiration estompe les aspérités du dodécaphonisme. La tonalité reparaît, hésitant entre le sol mineur et le si bémol majeur, et son mariage avec la série, grâce au tact, à la souplesse poétique de Berg, est mieux réalisé que chez Schœnberg. Si le principe rythmique s'efface, la mélodie affleure sans cesse, d'où la popularité assez rapide du Concerto.

Il s'achève par une citation d'un choral de Bach sur la mort chrétienne, dont les quatre premières notes sont identiques aux quatre dernières de la série. Alban Berg avait-il le pressentiment qu'il écrivait ainsi son Requiem ? Peu après, il se mit à souffrir d'un abcès dans le dos, que les médecins ne surent pas soigner, qui provoqua finalement une septicémie à laquelle Berg succomba le 24 décembre 1935. Quelques années plus tard, les antibiotiques l'auraient probablement sauvé.

Il n'avait pu terminer le troisième acte de sa *Lulu* (prononciation allemande : *Loulou*) dont la première représentation scénique n'eut lieu qu'en 1949 à la Biennale de Venise. On considère en général que *Wozzeck* l'emporte sur cet opéra. C'est en effet, dans sa puissante concision, une réussite plus accomplie. Mais à notre sens, on doit placer *Loulou* encore plus haut pour sa vertigineuse variété, sa richesse d'invention et d'émotion.

La Loulou d'Alban Berg est la personnification moderne de l'antique Lilith, le démon femelle. C'est un directeur de cirque en habit rouge — repris par Max Ophüls dans son film *Lola Montès* — qui nous la présente, comme le fauve le plus dangereux de sa ménagerie, « la ménagerie infâme de nos vices ». Panthère

dont la patte tue, mais dont les yeux gais et câlins, le sourire
amusé transforment entièrement le poncif de la femme fatale.

Petite fleuriste à l'origine, ayant eu pour premier amant un
vieux bohème qui se fait passer pour son père, elle a été découverte et éduquée par un magnat de la presse, le Dr Schoen, très
épris mais alarmé par ce qu'il devine de son caractère, et qui a
préféré lui faire épouser un vieux galantin, le médecin Gall. Ce
bonhomme tombe foudroyé d'une crise cardiaque, en surprenant
Loulou dans les bras du jeune peintre Schwarz qui était en train
de faire son portrait. Ce Schwarz, idéaliste naïf, épouse Loulou,
mais ne tarde pas à se suicider en découvrant la vérité sur sa
femme. Après quelques cris d'horreur, Loulou se repoudre, et
jouant de la hanche et de la prunelle, jette son dévolu sur Schoen,
veuf grisonnant mais encore bel homme. Ce troisième mari
apprend bientôt la liaison de son épouse avec son propre fils,
Alwa. Il somme la nouvelle Phèdre de se tuer en lui mettant un
pistolet dans les mains. Loulou considère ce cadeau avec effroi,
mais s'en sert fort bien, quelques instants plus tard, au paroxysme
de la dispute, pour abattre Schoen sous les yeux des trois autres
« possédés » qu'abritaient diverses cachettes de son appartement :
un acrobate aux muscles de fer, un collégien de quinze ans
éperdu d'amour, et une lesbienne militante, la comtesse Geschwitz.
Condamnée à dix ans de prison, Loulou toujours gaie et pimpante
s'évade grâce à l'abnégation de la comtesse et file le grand amour
avec Alwa. L'épilogue inachevé est très elliptique. Abandonnée
par son troupeau, n'ayant plus d'autre fidèle que la comtesse,
Loulou a fui à Londres où elle se prostitue misérablement. Elle
ramène un soir dans son taudis Jack l'Eventreur qui l'assassine et
poignarde aussi sa Delphine.

Les critiques musicaux, plus familiarisés avec les textes des
oratorios qu'avec la littérature « noire », restent en général
stupéfaits devant une telle accumulation de crimes et de stupres.
De bons mélomanes se demandent s'il n'y a pas un décalage
excessif entre cette action, frôlant d'abord le vaudeville à la
Feydeau pour se précipiter dans le mélodrame forcené, et la
partition d'Alban Berg, vibrante, savante, convaincue.

Nous sommes d'un tout autre sentiment. La musique transforme ici le vérisme du sujet en poème baudelairien. Ce n'est pas
là une impression subjective. Alban Berg, pour se préparer à son
opéra, avait écrit un grand air de soprano sur le cycle du Vin
des *Fleurs du mal*. Et l'on sait l'influence de Baudelaire, soit

directement, soit à travers les traductions de Stefan George, sur
tout l'expressionnisme allemand.

Relisons l'*Hymne à la Beauté* :

Sors-tu du gouffre noir ou descends-tu des astres ?
Le Destin charmé suit tes jupons comme un chien ;
Tu sèmes au hasard la joie et les désastres,
Et tu gouvernes tout et ne réponds de rien.

Tu marches sur des morts, Beauté, dont tu te moques ;
De tes bijoux l'Horreur n'est pas le moins charmant...

Voilà sans aucun doute le plus fidèle commentaire à *Loulou*,
dont on serait par conséquent assez mal venu de nous dire que
son esthétique est étrangère au goût français. Les derniers instants
de son troisième acte, décrits sur le papier, sont d'une sordidité à
peine soutenable. Une vieille lesbienne agonise, éventrée, entre un
seau de toilette et des torchons, en râlant un adieu à sa tribade
assassinée. Mais la transfiguration s'opère, et nous entendons,
bouleversés, un des grands cris d'amour de la musique.

Cette musique palpitante, passionnée, violemment pimentée
d'humour noir, est cependant celle où Alban Berg a mis en œuvre
le dodécaphonisme avec le plus de rigueur. Tout l'opéra dérive de
la série de douze sons attachée à Loulou, qui fournit les thèmes
accompagnant les événements et les autres personnages, lesquels
sont caractérisés aussi par des touches de couleur instrumentale,
basson et clarinette basse pour le vieux bohème Schigold, ou
particularités modales comme une figure pentatonique pour la
comtesse Geschwitz.

Bien plus encore que *Wozzeck*, *Loulou* use de toutes les
ressources de la voix, parlé de l'opéra-comique, *Sprechgesang*,
récitatif, arioso, grands airs à vocalises, ensembles (duos, trios,
et même un sextuor). Le rôle de Loulou fait songer parfois
à des effets wagnériens ou véristes, mais entièrement pliés à
un art original. Alban Berg réussit ce qu'a manqué Schœnberg
dans *Moïse et Aaron* grâce à la liberté avec laquelle il passe d'un
procédé à un autre selon ce que les personnages expriment. La
saturation musicale de l'œuvre y fait du parlé une détente naturelle,
nécessaire.

Les formes de la musique symphonique pénètrent le drame,
assurent son unité et sa continuité. Comme dans *Wozzeck*, mais

plus largement, les substructures à peu près indécryptables à l'audition, sonates, canons, rondos, servent de régulateur à l'écriture atonale, soutiennent et organisent la composition ainsi que les lignes de force invisibles chez les peintres de la Renaissance amoureux du Nombre d'Or. Quant à l'instrumentation, elle est constamment admirable, de clarté, de saveur, de logique, d'imprévu. Magnifique travail « fait à la main », dont on ne s'étonne pas qu'il ait demandé à l'auteur des années de persévérance, en déplorant qu'il n'ait pas eu la joie de le conduire jusqu'à la dernière mesure.

Des trois Viennois, Alban Berg était le tempéramment le plus généreux, le plus ouvert, ce qui lui a valu d'avoir le premier l'audience d'un grand public, mais en même temps d'inspirer une certaine méfiance aux jeunes musiciens férus d'ésotérisme. Sentiment assez injuste, et dont on revient de plus en plus. Schœnberg a eu le rôle glorieux des initiateurs, mais avec une œuvre mêlée. Celle d'Alban Berg, plus restreinte à cause des scrupules de l'artiste et de sa mort prématurée, ne compte pour ainsi dire pas une page inférieure. Mais surtout, la nature dramatique d'Alban Berg aurait pu, comme celle de Beethoven et celle de Schumann, s'exprimer uniquement par la musique instrumentale — ce qu'elle fit dans les *Trois Pièces pour orchestre*, la *Suite lyrique* — si elle n'avait été doublée de ce don du théâtre auquel nous devons les deux plus grands chefs-d'œuvre de l'opéra contemporain. Lorsqu'on sait combien ce don est rare chez les compositeurs, et la puissance qu'il a fallu pour faire servir à ses fins une musique et une technique entièrement réinventées, et cela jusque dans l'ordonnance secrète de cette musique, on peut parler, sans risque d'hyperbole, du génie d'Alban Berg l'auteur de *Wozzeck* et de *Loulou*.

WEBERN

Anton von Webern — il renonça ensuite à la particule — était né à Vienne, le 3 décembre 1883, dans un milieu plus intellectuel que Schœnberg et Alban Berg. Tout jeune, il poussa jusqu'au doctorat ses études d'histoire de la musique avec le très savant musicologue autrichien Guido Adler. Comme son cadet Alban Berg, il rencontra Schœnberg en 1904 et fut pendant six ans son élève.

En 1908, il débutait magistralement avec sa noble, poignante *Passacaille pour Orchestre op. 1*, sorte de prélude à un drame qui n'a jamais été écrit. Page typique de cette période post-wagnérienne et post-mahlérienne des futurs sérialistes autrichiens, plus personnelle déjà que la frénétique *Erwartung* de Schœnberg, mais non moins rattachée, quoique par des liens plus subtils au « Vater » Wagner, à *Tristan* qui fournit un des premiers accords de l'œuvre. Rien de plus « tristanien » que ces fonctions tonales sur le point de s'abolir, mais qui fixent encore la couleur générale de la Passacaille, ce ré mineur qui est en somme la dominante de ces frémissements et de ces glissements chromatiques. Mais au sein même de ce chromatisme, Webern réintroduit les formes contrapunctiques et pourchasse les répétitions sonores, par ce besoin de rareté et de concision qui gouvernera toute sa carrière.

Les traces dans la *Passacaille* du romantisme dont Schœnberg et Alban Berg ne se détacheront jamais, disparaîtront bientôt chez Webern ; ce qui ne l'empêchera pas de garder toute son admiration aux grands romantiques du XIXe siècle, et de diriger souvent, entre autres, les symphonies de Mahler.

Webern est devenu l'objet d'un culte tel qu'on se demande s'il n'y entre pas un aveuglement contre lequel l'historien aurait le devoir de réagir, puisque son rôle est de garder ses distances avec les modes et l'actuel. Mais à moins de rejeter en bloc cette œuvre au nom de principes périmés, ce qui serait absurde et rendrait inintelligible toute la musique d'aujourd'hui, on voit mal par où le temps l'atteindra, comme toutes les œuvres humaines. Nous savons qu'elle ne remportera jamais le succès de *Wozzeck*. Mais pour que nous puissions pousser plus avant son étude critique, elle est encore trop proche de nous, elle exerce encore surtout notre art une action trop vive, et sa connaissance, avouons-le, nous a coûté trop d'efforts, au cours desquels nous avons découvert les beautés de ce qui nous rebutait d'abord, elle garde encore trop de mystères pour que nous puissions nous autoriser à la juger de haut.

Sans doute, Webern a hérité la plupart des innovations de Schœnberg, l'usage de la « petite forme », des substructures classiques, la mélodie de timbres, l'athématisme, la variation continue. Mais Schœnberg agit capricieusement avec ces acquisitions, les traite parfois comme des expériences qu'il ne renouvellera pas ou se préoccupe surtout de les concilier avec le passé. Webern au contraire ne cesse de les approfondir, de s'avancer plus loin. Son œuvre entière est « projetée vers l'avenir ». Comme il était, dans son groupe de révolutionnaires, non pas peut-être l'homme le plus doué, mais l'esprit le plus radical, il devait tout naturellement servir plus qu'aucun autre de guide à la génération non moins révolutionnaire qui allait venir après lui.

On l'a souvent comparé à Mallarmé. Ils sont bien en effet de la même famille d'artistes joailliers, pesant, sertissant, taillant leurs sons et leurs mots. On peut appliquer au musicien presque chaque terme de cette excellente définition du poète par Kléber Haedens : « Le mot lui apparaît dans sa nudité et sa solitude, privé du sens coutumier que lui donne la continuité logique du discours, mais enrichi du sens enfermé dans sa couleur propre et sa forme. » Cependant Mallarmé, avec toute sa magie, était un successeur des précieux, des gongoristes, qui se plaisait aux rébus et aux masques : « Le sens trop précis rature Ta vague littérature. » Webern ignorait cet hermétisme et ces coquetteries. Dans ses œuvres aux apparences les plus absconses, les plus difficiles à déchiffrer, il ne recherchait que clarté et logique, mais par des itinéraires où il avait trente, quarante années d'avance sur ses auditeurs.

Il est assez malaisé de décrire les étapes de ce musicien d'une originalité immédiate, et dont tous les ouvrages, pour beaucoup de mélomanes, portent encore des caractères uniformément déroutants. Les analyses de Leibowitz et de Pierre Boulez nous y aideront. Mais on ne doit pas perdre de vue qu'il s'agit moins d'une évolution que de l'affinage d'une esthétique conçue très tôt, dans ses principaux éléments, par le musicien.

En 1908 et 1911, époque des lieder *op. 3* et 4, des *Cinq mouvements pour quatuor à cordes, op. 5*, transcrits plus tard pour orchestre à cordes, des *Six Pièces pour orchestre, op. 6*, des *Pièces pour piano et violon, op. 7*, Webern cultive une transparence et une délicatesse séduisantes. Sa sensibilité, fait très rare chez un compositeur germanique, s'apparente à celle de Debussy. Webern élimine déjà dans les *Cinq Mouvements* presque toutes les répétitions, auxquelles il substitue la variation continue. Déjà il abrège, moins par principe, comme le fait passagèrement Schœnberg, que par un besoin de concentration inné dans sa pensée, par une méfiance aristocratique des pléonasmes oratoires, des soulignements et des signaux que la musique croyait devoir à ses auditeurs. Alors que la *Passacaille* était de dimensions normales pour une sorte de prélude orchestral — une dizaine de minutes d'un seul tenant — les *Cinq Mouvements*, au total, ne durent pas plus de huit minutes, et le troisième, l'impalpable scherzo, trente-cinq secondes seulement. Les *Six Pièces* sont aussi courtes, une à deux minutes chacune. (L'œuvre entière de Webern peut tenir en trois microsillons.) Les fonctions tonales ont été abolies depuis les lieder précédents, à l'exemple de Schœnberg, et presque au même moment où Alban Berg les liquidait aussi. Mais on perçoit encore sans difficultés l'enchaînement des intervalles, à l'intérieur d'une polyphonie relativement simple au regard de ce qui suivra.

Entre 1910 et 1914, tandis que la musique occidentale s'enivre de couleurs et de rythmes toujours plus corsés, que Stravinsky fait danser les foules de *Petrouchka* et allume l'explosion du *Sacre,* Webern, très loin de ces tumultes et de ces fêtes, écrit les *Six Bagatelles pour Quatuor à cordes, op. 9,* les *Cinq Pièces pour orchestre de chambre, op. 10,* les *Trois Pièces pour piano et violoncelle, op. 11.* Il abrège de plus en plus, atteint de l'aphorisme musical. Les *Six Bagatelles* durent trois minutes et demie, telle pièce n'excède pas vingt secondes. La « mélodie de timbres » devient un des éléments constants du langage, avec une extraordinaire minutie, sept instruments différents pour émettre les sept notes de quatre mesures dans l'*op. 10,* avec les alternances les plus étudiées de « couleurs chaudes » (trompette bouchée) et de « couleurs froides » (célesta).

Arrêtons-nous un instant à cette *Klangfarbenmelodie.* Tandis qu'il en formulait la théorie — « successions, au moyen de timbres, dont les rapports internes produisent le même effet, semblable à celui d'un enchaînement logique de pensées, qu'une succession mélodique » — Schœnberg ajoutait : « Cela a l'air d'une vision d'avenir. Mais j'ai la ferme conviction qu'elle se réalisera, qu'elle sera capable d'intensifier de façon inouïe les joies des sens, de l'esprit et de l'âme que l'art nous offre... qu'elle nous rapprochera de ce que les songes nous laissent entrevoir, qu'elle élargira nos rapports avec cette vie au-delà de la vie à laquelle nous donnerons un peu de notre vie. » C'est à cette métaphysique du timbre, entrevue seulement par Schœnberg, à cet au-delà sonore qu'aspire Webern, nature très religieuse. Mais par le même penchant, il raréfie son art, qu'il veut de plus en plus immatériel. Il·égrène quelques notes solitaires, quelques accords séparés par des silences énigmatiques, dont nous ne savons plus s'ils nous angoissent ou nous exaspèrent. Il règle son échelle sonore sur des pianissimi infinitésimaux, aux limites de l'audible. Cette musique est à chaque instant sur le point de se dissoudre dans un idéal de pureté, de désincarnation qui rejoint l'ineffable des grands mystiques.

Mais pendant les treize années qui vont suivre, de 1914 à 1927, Webern n'écrira que des lieder, de l'*op. 12* à l'*op. 19*, comme pour reprendre pied dans le réel avec la voix humaine et le texte. Sauf ceux de l'*op. 12* simplement accompagnés par le piano, tous ces lieder sont assortis d'un ensemble instrumental variant avec chaque recueil, treize pupitres pour l'*op. 13*, trois seulement (clarinette, clarinette basse et violon) pour l'*op. 17*. Webern emprunte évidemment cette disposition au *Pierrot Lunaire* de Schœnberg alors dans toute sa nouveauté. Mais il n'adopte pas le *Sprechgesang* de son maître. Il est fidèle au « chanté », le traitant pour sa valeur sonore, sans lui demander une traduction expressive du texte. Il s'attache avant tout aux rapports contrapunctiques très serrés entre la voix et le groupe d'instruments qui l'enveloppe. Il use d'intervalles de plus en plus disjoints, très éprouvants pour l'auditeur qui ne parvient qu'à grand-peine à établir la relation entre ces sons écartelés, et plus encore pour l'interprète. Dans les *Cinq Chants spirituels*, op. 15, les *Six Mélodies* sur des poèmes de Trakl de l'*op. 14*, on ne perçoit guère, à moins d'une étude préliminaire très attentive de la partition, que les notes extrêmes de la voix dans le suraigu et le grave. Il s'ensuit, malgré la brièveté de chaque pièce, une impression de monotonie contradictoire avec le raffinement de la facture. Un certain souvenir d'Hugo Wolf flotte sur les *Quatre Chants* de l'*op. 13*, un peu moins distendus. La polyphonie est partout d'une égale complexité. La technique sérielle des douze sons fait son apparition, encore assez rudimentaire, dans les *Trois Mélodies populaires sacrées*, *op. 17*, datant de 1924, soit un an après ses premières applications par Schœnberg. Cette technique est déjà beaucoup plus avancée dans les *Trois Mélodies, op. 18*, avec petite clarinette et guitare, de l'année suivante. Webern ne s'en départira plus.

La période de 1927 à 1934 est celle du *Trio à cordes, op. 20*, de la *Symphonie pour orchestre de chambre, op. 21*, du *Quatuor pour violon, clarinette, saxophone ténor et piano, op. 22*, du *Concerto pour neuf instruments, op. 24*. Webern revient au style de la « grande forme », avec substructure classique — rondo et forme sonate du *Trio* — ce qui ne signifie pas du tout qu'il soit moins elliptique. Il prospecte les possibilités de la série, surtout dans son alliance avec le contrepoint et dans le contrôle qu'elle lui permet constamment de son écriture.

Dans la *Symphonie, op. 21*, l'une des œuvres avec la *Cantate, op. 31* qui ont le plus influé sur la nouvelle école, les intervalles sont plus disjoints encore que dans les mélodies, pour éviter toute rencontre tonale. Les silences se prolongent, de plus en plus inquiétants, bien qu'on les explique par la nécessité, dans les valeurs impondérables de cet art, de la « couleur zéro » qu'ils représentent. Tout devient variation. Le premier mouvement est écrit en canon, mais cette référence à un procédé classique est contredite par le croisement incessant des parties du contrepoint, que prohibe la tradition. La *Klangfarbenmelodie* ne joue plus aucun rôle ornemental. Avec tous ces éléments, Webern crée un espace sonore qui ajoute une dimension nouvelle à l'horizontalité et la verticalité de la perspective musicale, oppose au déroulement de la musique dans le temps une totalité de l'instant musical. Il achève de dépayser l'auditeur bousculé dans toutes ses habitudes d'écoute, et chez qui la variation perpétuelle finit par provoquer une sensation d'immobilité.

Après 1934, l'art déjà si austère de Webern devient encore plus ascétique. Dans le *Quatuor à cordes, op. 28*, achevé en 1938, la série des douze sons n'est édifiée que sur trois intervalles, seconde mineure, tierce mineure et tierce majeure. Webern réduit ainsi volontairement son « vocabulaire » pour pouvoir contrôler d'encore plus près chaque détail de ses figures harmoniques et contrapunctiques, qui sont elles-mêmes interdépendantes les unes des autres. Devant la nudité de ce quatuor, on ne peut s'empêcher de songer à l'objection du musicographe et philosophe Adorno, se demandant « pourquoi il faut une organisation excessive là où il n'y a pour ainsi dire rien à organiser ». Cependant, même à travers cette épure, subsiste une poésie mystérieusement et mélancoliquement spiritualisée. Mais il est évident aussi que Webern se préoccupe de moins en moins des résultats acoustiques de ce qu'il note, qu'il s'agisse des rencontres de son contrepoint ou de son emploi des instruments aux limites extrêmes de leur aigu et de leur grave.

Non moins dépouillées que le Quatuor, les *Variations pour piano, op. 27*, la seule composition pour le clavier de Webern, répondent aussi peu que possible à la forme qu'annonce leur dénomination, puisque l'athématisme y aboutit à des variations sans thème, ayant d'emblée pour sujet leur propre et incessant renouvellement. Ce qui est aussi, à notre sens, le caractère des *Variations pour orchestre, op. 30*, de 1940, bien que Webern en ait fourni une analyse classique, dont on déduira qu'il ne s'attribuait aucune vocation révolutionnaire.

Il était revenu à la composition vocale avec sa *Première Cantate pour soprano solo, chœur et orchestre, op. 29,* de 1939, et surtout la *Deuxième Cantate* pour soprano, basse, chœur mixte et orchestre, *op. 31,* sa dernière œuvre achevée, en 1943. Il y poursuit plus librement son organisation d'un nouvel espace musical, son travail sur des séries de formes symétriques. Les paroles, dues à une poétesse naïve, Hildegard Jone, sont traitées dans le contrepoint uniquement pour leur sonorité, sans égard pour leur signification littéraire d'ailleurs faible. La *Deuxième Cantate* est devenue depuis 1945 un des grands classiques de la musique sérielle.

Webern n'avait jamais connu aucun succès hors du petit cercle de Schœnberg et de ses amis, pas davantage le scandale. Quand par hasard elle était jouée, sa musique laissait indifférents le public et les critiques, qui n'y attachaient pas plus d'importance qu'aux ébauches avortées d'un vague maniaque. Il gagnait modestement sa vie dans des tâches pédagogiques, des fonctions de chef d'orchestre où il ne parvint jamais à la notoriété, malgré, dit-on, la qualité et l'originalité de ses exécutions. L'exil de Schœnberg, la mort d'Alban Berg aggravèrent sa solitude, que paracheva l'instauration en Autriche du régime hitlérien, qui l'inscrivait sur la liste noire des « décadents » exclus de toute activité artistique. Il ne subsistait plus, durant la guerre, que grâce à des besognes de lecteur et de traducteur aux éditions Universal, qui avaient publié ses œuvres. Il esquissait un *Concerto de chambre.* Quand les bombardements alliés ravagèrent Vienne, il chercha refuge à Mittersill, un petit village de ces Alpes salzbourgeoises où ses goûts paisibles et contemplatifs l'avaient déjà souvent conduit. C'est là qu'une sentinelle américaine l'abattit, sans doute à la suite d'une méprise stupide, le 15 septembre 1945. Son nom était tombé dans un oubli complet et sa mort passa inaperçue. Un an plus tard, il entrait dans la gloire posthume des grands maîtres.

Les trois Viennois avaient poursuivi leur œuvre dans un labeur immense et le plus souvent méconnu ou bafoué, dans un admirable refus des compromis et des concessions, soutenus avant tout par leur belle amitié. Ils vécurent et moururent pauvres. Avec eux, le XXᵉ siècle, malgré ses charlatans, sa grossière réclame, le brouhaha de ses fausses valeurs, laissera une des plus nobles leçons de dignité artistique.

CHAPITRE VI

LE NÉO-CLASSICISME EN FRANCE

COCTEAU ET SATIE

A la fin de 1918, tandis que Schœnberg dans sa retraite volontaire méditait l'invention de la série, qu'Alban Berg traçait les esquisses de *Wozzeck,* le Parisien Jean Cocteau publiait sa plaquette, *Le Coq et l'Arlequin,* dédiée à un jeune compositeur inconnu, Georges Auric. Nous avons déjà dit, à propos de Stravinsky, quelques mots de ce petit ouvrage. Il y avait beaucoup de talent dans ces phrases nerveuses, courtes, péremptoires, trop heureusement imaginées pour être sèches, et qui parlaient de musique en éludant toutes les précautions et tous les considérants habituels aux spécialistes.

Cocteau déboulonnait Beethoven, ce radoteur, Wagner, Debussy coupable « d'avoir joué en français mais en mettant la pédale russe», Stravinsky dont *Le Sacre* appartenait encore aux «musiques d'entrailles, ces pieuvres qu'il faut fuir ou qui vous mangent ». Comme il se devait de trancher sur toutes les nouveautés, mêmes les plus intimidantes, il faisait de Schœnberg « un musicien de tableau noir ». Opinion singulièrement courte et mal informée sur un compositeur que l'on ne pouvait guère connaître à ce moment que par son expressionnisme fiévreux.

Après ce massacre, le jeune pamphlétaire, tout en évitant les ridicules du chauvinisme, se réclamait des vertus du terroir dans le meilleur ton de cette année-là et demandait « une musique française de France ».

On attendait de la paix retrouvée des nouveautés surprenantes. Il était naturel qu'elles vinssent de la jeune génération muette pendant cinq ans. On savait que ces mutations ne vont jamais sans injustices, et que c'est à ce prix que l'art et les idées évoluent.

Mais à toutes les gloires qu'il jetait par terre, celles du siècle dernier et celles de la veille, Jean Cocteau substituait un seul nom, Érik Satie. Pour lui, le ballet de ce musicien, *Parade* (1917), dont il avait fait l'argument et Picasso les décors, supplantait désormais *Pelléas, Tristan* et *Le Sacre du printemps*.

Érik Satie avait alors plus de cinquante ans. Il était né en 1866 à Honfleur, d'un père normand et d'une mère écossaise. C'était un bohème invétéré, ancien pianiste dans les cabarets montmartrois, « Le Chat noir », « Le Clou », mais avec la barbiche, le haut faux col dur, le chapeau melon, le lorgnon d'un gratte-papier de Courteline. Pour meubler une vie pauvre et mesquine, il avait éprouvé le besoin de différentes excentricités, s'affiliant aux Rose-Croix, la confrérie de théosophes et d'esthètes du mage Péladan, posant trois fois à moins de trente ans sa candidature à l'Institut, fondant « l'Église Métropolitaine d'Art de Jésus conducteur » dont il publiait le « Cartulaire », un petit journal qui lui servait à traiter de « sordides mercenaires » et d'« excréments de l'esprit » les critiques et les gens de théâtre les plus estimables.

Debussy l'avait rencontré en 1891 pendant qu'il noctambulait à Montmartre, et entretint assez longtemps avec lui des relations de camaraderie dont l'autre tirerait astucieusement parti. Amusé par les rosseries du bohème et par quelques accords curieux de ses petits morceaux pour piano, il lui fit l'honneur d'instrumenter deux de ses *Gymnopédies*. Par copinerie, Maurice Ravel l'avait fait inscrire en 1911 à l'un des programmes de la S.M.I. (Société Musicale Indépendante) où se décidaient alors les réputations. L'éditeur Rouart-Lerolle acceptait de publier ses premières pages.

Cocteau ne découvrait donc pas un inconnu. La singularité était de s'adresser à ce vieux plaisantin pour une œuvre orchestrale de longue haleine, de lui sacrifier la plupart des grands maîtres, et plus particulièrement de le considérer comme l'initiateur de Debussy, qui aurait mal compris sa géniale leçon : « Debussy s'écarte du point de départ posé par Satie. » Cocteau reproduisait là une des fanfaronnades du bonhomme qu'il était incapable de vérifier. L'étonnant, c'est que l'on ait pu en discuter longuement avec sérieux, qu'un théoricien aussi grave que Charles Kœchlin, mais en coquetterie avec tous les snobismes, ait pu écrire que Satie avait « découvert à lui seul un nouveau monde ».

L'objet de ces singuliers jugements, c'étaient avant tout les accords de neuvième aux résolutions hétérodoxes que Satie avait écrits dans ses *Gymnopédies* et ses *Sarabandes* en 1887, donc à

vingt et un ans. On voulait que cette date fondât la géniale antériorité du débutant sur Debussy, encore aux prises avec sa
Damoiselle élue. Il n'y a plus lieu aujourd'hui, on l'espère du
moins, de s'attarder à une comparaison entre les petites trouvailles
de Satie, nées du hasard de ses pianotages, et l'art de Debussy qui
allait bientôt s'accomplir pour la première fois dans la mélodie
libérée, le chromatisme et l'orchestre exquisément réinventés du
Prélude à l'Après-midi d'un faune, dont une seule mesure remet
Satie à sa place de raté.

Nous avons toutes les preuves en main pour juger honnêtement
Satie, qui grâce au toupet de Cocteau – ah ! le prestige de la
littérature ! – bénéficie encore d'une extrême indulgence de la
postérité. Des virtuoses de grand talent ont enregistré presque
intégralement ses pages pour le clavier, de loin les plus nombreuses;
plusieurs chefs excellents ont prêté leur baguette à sa *Parade.* Ces
copieuses rétrospectives sont consternantes. Nous n'irons pas
jusqu'à dire avec Jean Barraqué que Satie était musicalement un
analphabète complet, puisque, beaucoup plus conscient de ses
ignorances que ses futurs apologistes, il s'inscrivit à l'âge de
trente-neuf ans aux cours de la Schola Cantorum, y bûcha le
contrepoint durant trois années, au bout desquelles Vincent
d'Indy et Albert Roussel lui décernèrent un diplôme. Mais il était
incapable d'utiliser ce qu'il avait appris autrement qu'à des lieux
communs dont il avait conscience, n'étant point sot. Il ne pouvait
fuir l'académisme que dans de grêles piécettes, piquetées des petits
bibelots harmoniques qui ont fait couler beaucoup trop d'encre,
mais sur des basses enfantines, sans aucune syntaxe, aucune
chance de développement, et dont l'audition est très vite d'une
décourageante monotonie. Il n'avait même pas la primeur de ses
titres, sous-titres et commentaires cocasses – *Affolements grani-
tiques, Obstacles venimeux, Croquis et agaceries d'un gros
bonhomme en bois* – puisqu'il y faisait suite à Couperin, au
vieux Rossini avec son *Prélude hygiénique pour usage matinal,* ses
Fausses couches d'une polka-mazurka. Et chez Rossini, la blague
se continuait dans la gaieté des ritournelles, le bagou des allegros.
Tandis qu'il n'y a pas trace chez Satie d'humour musical. Cela
encore, qui réclame un peu de verve dans l'écriture, était au-dessus
de ses moyens, et surtout de son indigence rythmique. Ce que l'on
peut à la rigueur goûter chez lui, mais à doses homéopathiques,
dans les *Morceaux en forme de poire* par exemple, c'est la mélancolie des petites mélodies frileuses, trébuchantes, se souvenant

parfois des vieux modes liturgiques et populaires, où s'exprimait la tristesse véridique du birbe décheux qui après les ronds de jambe chez quelque dame du monde écervelée et les hâbleries dans les cafés regagnait seul son lugubre gourbi d'Arcueil.

Le public eut le tort de siffler en 1917, au Châtelet, la création de *Parade*, à cause des costumes de Picasso et de quelques cliquetis de machines à écrire mélangés à l'orchestre. Cela permit à Cocteau d'en faire un événement, alors que le livret et le spectacle procédaient de *Petrouchka* avec quelques emprunts à Dada. La musique est aussi peu agressive que possible, mais au contraire falote, prudente — le ragtime à peine marqué, ressemblant plutôt à une ébauche de menuet — sans une once de talent ou de simple piquant dans l'instrumentation. C'est toujours le Satie des petites bribes pour piano, son écriture pauvrette et courte, son mince mirliton.

Cocteau décrivait une œuvre et un musicien qui n'existaient que dans son imagination et par ses ingénieuses métaphores. Mais le bonhomme, naturellement, prit tout pour argent comptant. Il se posa en chef d'école. On l'entendit prononcer des conférences où il faisait de Debussy — « J'avais une grande avance sur lui » — son modeste obligé, qu'il avait tiré des pièges de Wagner et de Moussorgski, fourni en idées et en modèles. L'auteur de *Pelléas* et Maurice Ravel, en remerciement de leur camaraderie, devenaient dans sa bouche « les périmés ». Encore une fois, tout cela était d'abord l'ouvrage de Cocteau. Satie voulut se hisser au grand art et commit sur la plus mauvaise traduction des *Dialogues* de Platon l'indigente et fastidieuse psalmodie de son *Socrate*.

Les amis de Cocteau, pour la plupart jeunes dandies bien argentés, s'amusaient de la présence paradoxale dans leur troupe de ce vieux traîne-patins à tournure bureaucratique, avec sa barbiche faunesque et son parapluie mal roulé. Ils s'esclaffaient à ses mots, dont deux ou trois sont bons — « L'essentiel n'est pas de refuser la Légion d'honneur. Encore faut-il ne pas l'avoir méritée. » — mais appartiennent le plus souvent aux pitreries d'un vieux potache : « *Embryons desséchés* : à jouer comme un rossignol qui a mal aux dents. » Puis Satie dérailla tout à fait. Sous prétexte de ballet surréaliste ou dadaïste, il perpétra deux inepties, des clowneries de mauvais cabaret, *Mercure et Relâche*. Il se fit excommunier d'un cénacle à l'autre. Ses jeunes amis lui tournèrent le dos. D'autres encore plus jeunes, Roger Désormière, Maxime Jacob, futur moine, Henri Sauguet, pris d'émulation dans le

canular, constituèrent autour du « maître » une funambulesque
« École d'Arcueil ». Mais dans ces péripéties et les excès de petits
verres consécutifs à sa célébrité, Satie, pilier de cafés depuis
toujours, avait ruiné sa santé. Il mourut assez misérablement à
l'hôpital le 1er juillet 1925.

Quelques étudiants américains lui consacrent encore de temps
en temps une thèse consciencieuse. Il serait charitable de les
éclairer sur leur candeur.

LES « SIX »

En même temps qu'il lançait Satie, Jean Cocteau s'était lié
avec une petite bande de jeunes musiciens qui lui semblaient
illustrer ses idées. Ils donnaient depuis le début de 1918 des
concerts au théâtre du Vieux-Colombier sous l'égide d'une cantatrice riche, Jeanne Bathori, et du poète Blaise Cendrars, grand
mutilé de la guerre qu'il venait de faire dans la Légion. Au printemps de 1919, la petite troupe grossie d'un camarade, Darius Milhaud, qui revenait du Brésil, se transportait salle Huyghens, un
atelier proche des cafés de Montparnasse. En janvier 1920, le critique Henri Collet, qui venait de dénombrer au cours d'un concert
intime les amis − Georges Auric, Louis Durey, Arthur Honegger,
Darius Milhaud, Francis Poulenc, Germaine Tailleferre − les bap-
tisait dans deux articles du journal *Comœdia* : « Après les "Cinq"
russes, les " Six" français. » Un *Album des Six* paraissait également
à l'enseigne de la Sirène, une jeune maison d'édition.

Cocteau se fit leur manager. Il inspira leur manifeste, où l'on
retrouve, assorties de quelques précisions techniques, les idées de
la brochure *Le Coq et l'Arlequin*. On lit dans ce manifeste que les
formes musicales du xxe siècle, trop lourdes et compliquées,
doivent être allégées, qu'il faut reprendre pour maîtres Haydn et
Rameau, éliminer tout romantisme, revenir à la vieille tradition
française ennemie de l'emphase, de la boursuflure sentimentale,
en suivant sur ce point la leçon de Satie. Il faut encore renoncer
au chromatisme, séquelle du romantisme, et de ce fait tourner le
dos à Schœnberg, rendre au contraire à l'harmonie diatonique la
place prépondérante qu'elle occupait autrefois. C'était bien le
programme le plus réactionnaire. Cocteau demanda encore à ses
amis la musique d'une farce-ballet de son cru, en costume 1900,
Les Mariés de la tour Eiffel. Ce fut, avec les croquis de l'*Album*,

leur seule contribution à une esthétique commune, d'ailleurs tout à fait superficielle, se résumant dans la prédilection pour le cirque, les fêtes foraines, le café-concert « qui est souvent pur, alors que le théâtre est toujours corrompu ». Ils mirent aussi à la mode un bar auquel Milhaud avait donné le nom d'un cabaret brésilien, *Le Bœuf sur le toit,* qui fut également le titre d'une pantomine musicale de sa confection, représentée en 1920 avec les clowns Fratellini. Cocteau patronna encore quelque peu les premiers ballets d'Auric et de Poulenc. Mais dès 1921, chacun des musiciens avait déjà tiré de son côté. Il n'y avait d'autre lien entre eux que l'amitié, qui leur resta. L'École des Six n'avait jamais existé, sauf pour quelques amusettes de jeunes gens. Cocteau ne devait plus jamais écrire sur la musique, à laquelle il était incapable de porter une suffisante attention, qu'il ne jugeait guère autrement que les boulevardiers du temps d'Auber.

Louis Durey (né en 1888), s'effaça aussitôt, ne se consacrant plus guère qu'à la propagande musicale dans le parti communiste. Après quelques *Ballades* et *Concertos* aussi anodins que jadis les aquarelles des demoiselles de pensionnats, Germaine Tailleferre (née en 1892), est tombée dans un tel oubli que les historiographes de ses camarades ne savent même plus écrire correctement son nom.

Georges Auric, né en 1899 à Lodève, élève du très classique pédagogue Caussade et de Vincent d'Indy, attacha d'abord son nom, en 1924 et 1925, à deux petits ballets, *Les Fâcheux, les Matelots,* secs, pointus, ne péchant certes pas par la complexité abusive de la forme, et qui répondaient en somme le plus fidèlement aux préceptes du *Coq et l'Arlequin.* Une commande de Cocteau pour son film *Le Sang d'un poète.* allait aiguiller Georges Auric sur une très fructueuse entreprise de « partition cinématographiques », salmigondis froidement commercial, où l'on trouve la chanson de route assez bien tournée d'*A nous la liberté* de René Clair, comme les grondements d'un grand orchestre tétralogique — que de chemin depuis l'antiwagnérisme de 1920 ! — pour accompagner Michèle Morgan descendant un escalier dans le mélodrame de Jean Delannoy, *Aux yeux du souvenir.* A elle seule, la valse de cinq mesures du méchant film *Moulin rouge* rapporta à Georges Auric une jolie fortune en 1953. C'étaient les conditions idéales pour créer, à côté de ces besognes si profitables, une œuvre personnelle. Or, pour une quarantaine d'années, cette œuvre se réduit à quelques pages tellement espacées et minces que les flatteurs les plus résolus n'y trouvent guère à citer qu'une *Partita* pour deux pianos, exercice plus ou moins sériel.

On s'élève de plusieurs échelons, ce qui signifie pas que l'on gravisse les cimes, avec FRANCIS POULENC (1899-1963). Il aura été le compositeur qui répondait le mieux aux vœux de Cocteau, c'est-à-dire d'un littérateur ne supportant, à petites doses, qu'une musique réduite à ses plus simples éléments. Aux Ballets russes de 1924 déjà, avec leur rag-mazurka pour le Casino de Paris, leurs gros cuivres entonnant « Ah ! vous dirai-je maman », masquant bien mal la futilité de la mélodie et de l'harmonie, alternant avec une imitation de Mozart dans le finale, *Les Biches* décontenançaient les mélomanes qui attendaient après Stravinsky l'entrée en scène d'une bande de jeunes fauves. Les penchants faubouriens du riche fils de famille Poulenc s'accordaient bien aussi avec l'esthétique foraine. Cet argot anodin passait dans les salons pour des audaces d'autant mieux accueillies qu'elles étaient tout à fait à la portée de l'inculture des écouteuses. On s'extasiait volontiers sur la charmante impertinence de l'auteur. Elle consistait surtout, chez ce garçons de vingt-cinq ans, très sociable et d'un abord symphatique, à écrire de la musique d'arrière-garde avec beaucoup d'aplomb.

Il a noté lui-même assez ingénument que, si de nombreux musiciens de son âge ont été subjugués par *Le Sacre du printemps*, il a pour sa part « fait son miel » de *Mavra*, d'*Apollon musagète*, du *Baiser de la fée*, autrement dit du néo-classicisme le plus conventionnel de Stravinsky.

Que l'on écoute son *Concerto champêtre* pour clavecin et orchestre, datant de 1929, l'une de ses œuvres qui reparaît le plus souvent dans les programmes. Le clavecin pignoche d'abord quelques imitations du XVIIIᵉ siècle. Il échange des bribes de motifs en écho avec le cor. La trompette s'autorise deux ou trois gamineries. L'adagio est d'une innocente vacuité. Suit un pastiche de danse et de refrain populaire toujours à la manière classique. Le finale débute par des pépiements du clavecin démarqués de Couperin. Puis le pastiche se détraque. La musique est désossée, avec quelques contrastes amusants. Ce n'est pas désagréable, mais en recul très net, quant à la maturité de la facture, sur les plus petits maîtres italiens du XVIIIᵉ siècle, qui savaient au moins le contrepoint.

L'*Aubade* pour piano et dix-huit instruments, de la même année 1929, a un peu plus de chair, mais guère plus d'invention; elle regarde du côté de Schubert. La *Sinfonietta* de 1947 ébauche des motifs doucereux à la Tchaïkovski. Au contraire de ce que veulent bien penser des musicographes pétris d'indulgence, Poulenc n'a rien acquis avec l'âge. Il régresse plutôt à de petits rythmes sautillants, à de grêles mélopées sur la guitare, des accords élémentaires de la base. N'importe qui, nanti des rudiments, peut écrire l'équivalent de cette musique.

Poulenc se disait mélodiste dans la lignée de Gounod et de Chabrier. Sur des poèmes de Ronsard, Apollinaire, Éluard, Max Jacob, Reverdy, il a composé une cinquantaine de mélodies bien prosodiées, qui ont fait le tour des salons et des petits concerts, grâce au numéro mis au point par l'intelligent baryton Pierre Bernac et l'auteur lui-même, pianiste adroit. Mais qu'est-ce qu'un mélodiste à la bonne franquette dont on a toutes les peines à se rappeler quatre mesures consécutives ?

Vers la cinquantaine, Poulenc, le bon vivant, qui s'était toujours affirmé catholique, tourna à la dévotion, écrivit une *Messe*, des motets, un *Stabat*, parsemés de familiarités, et qui malgré la sincérité de leur sentiments, n'ont pas beaucoup plus de consistance que ses musiques légères. Au théâtre, le succès de son *Dialogue des carmélites*, de *La Voix humaine*, le mélomonologue téléphonique de Cocteau, est surtout extra-musical. Plus chantante pour les *Carmélites*, plus proche du parlé pour *La Voix humaine*, la déclamation, dans le sillage tellement parcouru de Moussorgski et de Debussy, n'innove guère. Les chœurs des *Carmélites* comptent parmi les pages les plus fermes du musicien.

Poulenc se situe entre l'académisme et l'amateurisme agréable. Ses relations étendues dans le monde, ses amitiés chez les artistes et les poètes, ont eu plus de part dans sa renommée que ses ouvrages. Il continue sans doute la tradition française de la mesure. Mais elle était déjà très anémiée avant lui, et l'on ne saurait dire qu'il lui a rendu des forces.

Darius Milhaud, né en 1892 à Aix, « Français de Provence et de religion israélite », selon sa propre définition, avait passé un certain temps pour le révolutionnaire des « Six » auprès des vieux critiques conformistes qu'effrayaient quelques accidents râpeux de son harmonie. Il va de soi que ce jugement est incompréhensible pour les nouvelles générations d'auditeurs. Élève de Dukas et de Gédalge au Conservatoire, très intelligent, très doué, ayant toute la musique de cinq siècles dans la mémoire, Milhaud écrivit à dix-huit ans son premier opéra, *La Brebis égarée*, dont le lyrisme familier, sur un texte de Francis Jammes, est déjà caractéristique de toute une part de son inspiration.

Bien qu'il eût dirigé, en 1922, la première audition en France du *Pierrot Lunaire* de Schœnberg, Milhaud a toujours manifesté un éloignement pour le romantisme et l'expressionnisme germaniques, allant jusqu'à la répulsion devant Wagner. Il a professé d'ailleurs un dégoût presque aussi violent pour Debussy et l'impressionnisme français. Autant de condamnation à l'emporte-pièce qui troublèrent peut-être certains mélomanes vers 1925, mais apparaissent aujourd'hui puérilement démodées.

Il est bien inquiétant pour la réputation de ce compositeur qu'à tous ses ouvrages nouveaux, l'ensemble de la critique, depuis de longues années, avoue qu'ils ne peuvent lui faire oublier ceux de sa jeunesse, lors de la première après-guerre. Et l'on cite avec nostalgie les *Saudades do Brasil*, douze danses pour le piano d'un charmant exotisme, écrites en 1917 à Rio de Janeiro où Milhaud était le secrétaire du ministre de France Paul Claudel, le gai bariolage du *Carnaval d'Aix* pour piano et orchestre, la trilogie de *L'Orestie* traduite par Claudel (1913-1922) et surtout sa seconde partie, *Les Choéphores*, avec leur chœur qui parle le texte en mesure comme s'il le chantait, sur un accompagnement de percussion, les ballets, *L'Homme et son désir* (1918), *Salade*, *La Création du monde* (1923), *Le Train bleu*, chez Diaghilev en 1924. *La Création du monde*, sur un argument de Blaise Cendrars tiré d'une légende nègre, est encore assez souvent exécutée au concert, et fréquemment citée comme le plus heureux alliage du jazz et de la « grande musique ». Il conviendrait de s'entendre à ce sujet. Le culte du jazz faisait partie du catéchisme de Cocteau et des « Six ». En fait, les uns et les autres le connaissaient fort mal, ne savaient pas distinguer entre le vrai jazz des formations de Noirs américains et les amusettes de Wiener et Doucet, les pianistes du « Bœuf sur le toit » qui « jazzaient » Chopin, les fox-trot des opérettes de Broadway, ou le « jazz-band » avec grelots et trompe de motocyclette décrit par Cocteau comme une des merveilles du siècle. Pendant une trentaine de mesures tout au plus, les rythmes syncopés et les cuivres de *La Création du monde* ont un accent d'authenticité qui contraste avec les faux ragtimes et les faux blues de l'époque, et prouve en faveur d'un certain instinct de Milhaud dont ses camarades étaient dépourvus, mais qu'il ne cultiva pas. De toute manière, il s'agit d'une brève exception, on peut même dire d'un accident. A ce détail près, *La Création du monde* est d'une texture fort sage, et il fallait avoir l'émotion facile pour y découvrir, en 1923, le tam-tam d'une effrayante bamboula.

Darius Milhaud était alors presque un grand nom, parce que l'on faisait fond sur la nature généreuse qu'annonçaient toutes ces pages écrites entre sa vingtième et sa trentième année. Mais cette œuvre allait proliférer sans mûrir. Milhaud a été l'un des adeptes les plus assidus de la polytonalité, superposant des mélodies de tonalité différente. C'est le plus souvent à lui que pensent les dodécaphonistes quand ils dénoncent avec mépris ce compromis qui se dérobe à la franchise et à la logique radicale de l'atonalité, cet expédient qui ne pouvait conduire qu'à une impasse. La polytonalité n'est en effet qu'un épisode dans l'évolution de la musique contemporaine. Elle a pourtant permis à Richard Strauss quelques-unes de ses pages les plus brillantes et les plus denses. Mais Milhaud ne l'a jamais employée avec cette sûreté, pour des fins précises. Il semble bien y avoir été amené par des expériences empiriques, par dilettantisme pourrait-on dire. Comme cette polytonalité est constituée de mélodies au diatonisme plus ou moins évident, elle produit fréquemment l'impression d'une tonalité classique perturbée au hasard, brouillée ainsi qu'une vitre sale. Cette « propreté » douteuse est malheureusement une des caractéristiques de la musique de Milhaud.

Ces tares sont moins sensibles dans les œuvres de chambre. On connaît des quatuors à cordes, datant des années Trente, qui malgré le négligé de l'écriture, constant chez l'auteur, sont remplis d'idées séduisantes, très expressives. Au théâtre, *Christophe Colomb* (1930), sur un livret de Claudel, a été sans doute l'effort le plus soutenu et le plus intéressant de Milhaud, combinant l'opéra, l'oratorio, le film, les chœurs parlés et rythmés avec des moments d'une indiscutable puissance. Cet ouvrage, dont la représentation exige trop de moyens pour nos théâtres lyriques en perpétuelle crise, est presque ignoré en France. On y est mieux renseigné, et c'est regrettable, sur *Bolivar* (1943), le troisième opéra, après un *Maximilien,* de cette série sud-américaine, que l'on doit citer comme un catalogue des pires défauts de l'auteur. Le livret du poète Jules Supervielle, qui ne savait rien de ce métier, est déjà au-dessous du médiocre, rédigé dans le langage journalistique le plus plat, et à peu près aussi scénique qu'une motion de congrès radical. La partition est une rhapsodie décousue, où la flûte dialogue avec la grosse caisse, d'une décourageante monotonie de procédés. Ce n'est pas truculent, ni même incongru, mais seulement pataud et débraillé, ce débraillé auquel cède Milhaud, esprit pourtant élégant, dès qu'il compose. De temps à autre, une mélodie surgit, plus ou moins folklorique ou vériste, mais elle est pareille à une fleurette nageant dans du bouillon gras. Des rythmes de rumbas, des sambas flottent vaguement, mais sans oser s'affirmer. C'est toujours l'esthétique foraine chère aux petits cénacles de 1920, mais traitée sans verve, sans instinct populaire.

Une *Médée* de 1938 n'échappe que par des crudités peu originales à un pseudo-classicisme qui fait presque le pendant, pour notre époque, à celui de la *Médée* de Cherubini cent quarante ans plus tôt. Le *David* écrit pour l'État d'Israël (1954) est plutôt une imagerie, à la fois hétéroclite et monotone.

La plupart de ces ouvrages sont tellement bâclés qu'on les prendrait pour autant de pensums infligés à leur auteur. Il n'en est rien. Milhaud compose par plaisir. Nous sommes avec lui devant un cas de graphomanie musicale que s'est encore accélérée avec l'âge. Déjà volumineuse, l'œuvre s'est enflée invraisemblablement depuis la « période américaine » du compositeur qui trouva refuge aux États-Unis de 1940 à 1947 et y professa au Mills College, près de San Francisco. Elle compte plus de quatre cents numéros, dont dix-huit quatuors, une douzaine de symphonies, on ne sait combien de concertos, de sonates, de recueils mélodiques. D'une partition à l'autre, c'est la même absence de contrôle, la même indifférence aux redites, la même nonchalance dans une facilité qui aboutit à un débit informe de notes. Il est à craindre que personne n'ait plus la patience d'y faire le tri de ce qui vaudrait encore la peine d'être entendu ou réentendu.

Comme pour achever de noyer ses derniers défenseurs, Milhaud a éprouvé le besoin d'ajouter à son déversoir sa symphonie chrorale sur le texte latin de l'encyclique *Pacem in terris* du pape Jean XXIII, entreprise respectable peut-être pour son esprit œcuménique, mais musicalement absurde, interminable paraphrase sans la moindre note personnelle, sur un orchestre décousu, plongeant dans un ennui burlesque les auditoires d'officiels qui n'ont pu se dérober à cette accablante corvée. Milhaud valait tout de même mieux qu'un aussi affligeant couronnement à sa carrière.

ARTHUR HONEGGER (1892-1955) était né au Havre de parents zurichois et protestants, fixés dans le port normand par la profession du père, importateur de café. On avait été surpris, voire choqué, que ce Havrais, devenu habitant de Montmartre, l'un des

grands noms de la musique française pour le monde entier, eût
conservé sa vie durant le passeport suisse. Mais ce n'était pas chez
lui tellement une commodité qu'une fidélité à ses racines les plus
profondes de luthérien alémanique, compositeur de symphonies
et de grandes œuvres chorales, appartenant à la France par bien
des traits de son œuvre, mais ayant sans doute trop vécu à Paris.
Dès l'enfance, son germanisme originel se manifestait. Il avait
découvert la musique avec une audition des cantates de Bach. Dès
dix ou douze ans, il lisait passionnément *Les Maîtres chanteurs* et
devait toujours conserver à Wagner son admiration : « Je n'ai le
culte, écrivait-il plus tard, ni de la foire ni du music-hall, mais au
contraire de la musique de chambre et de la musique symphonique. » C'est assez dire qu'il n'avait avec le groupe des « Six »
d'autres liens que ceux du hasard et de l'amitié, en particulier
avec Darius Milhaud, son condisciple au Conservatoire de Paris
dans la classe de Gédalge.

Il faut sans doute rechercher le meilleur Honegger aux deux
extrémités de sa carrière, chez le jeune athlète musical des années
Vingt essayant ses muscles avec une calme assurance, et chez le
compositeur des derniers temps, au corps ruiné, guetté par la
mort, qui redécouvrait en pleurant les quatuors de Beethoven. On
aimerait réentendre moins rarement des pages symphoniques
comme *Le Chant de Nigamon* (1917) et surtout *Horace victorieux*
(1921), cette symphonie conduite d'une main virile et sûre, d'un
mouvement très dramatique, au bord de l'atonalité, la partition
française la plus audacieuse de cette époque, fort supérieure à la
fameuse *Pacific 231*, célébrant une locomotive, et qui n'échappe
pas aux facilités de l'imitation et de la description, bien qu'elle
soit construite dans la forme d'un choral varié.

En février 1921, sur les conseils de Stravinsky et du chef d'orchestre Ansermet, le poète suisse René Morax, fondateur du théâtre
populaire du Jorat, à Mézières, un village du canton de Vaud,
demandait à Honegger une partition pour son drame biblique, *Le
Roi David*. Il fallait que la musique fût achevée en deux mois.
Honegger parvint à respecter ce délai. Le 13 juin, *Le Roi David*
était créé devant un public émerveillé. Le 14 mars 1924, Paris
immédiatement conquis pouvait à son tour entendre au concert,
dans une orchestration plus étoffée, l'œuvre déjà entourée d'une
sorte de légende. Ravel et Florent Schmitt vieillissaient en se
répétant. Milhaud et Poulenc manquaient de poids. On ne savait
presque rien des derniers travaux de Schœnberg qui semblaient

encore relever de l'alchimie. On était en quête d'une valeur sûre, quoique neuve. Honegger arrivait à point.

Sa musique possédait cette fermeté, cette carrure fondées sur la vieille tradition du choral, plus naturelles chez lui que chez les franckistes. Sa couleur la distinguait nettement de l'académisme. On aimait que ce musicien, qui ne brisait pas étourdiment avec le passé fût bien planté dans son temps, ayant pratiqué tous les sports, épris de voitures rapides, portant cependant sur ses épaules râblées et sur le manteau de cuir de l'automobiliste un beau visage d'artiste, équilibré, bien dessiné, au grand front, et fidèle aux cheveux romantiques.

Le Roi David avait un air de chef-d'œuvre autant par les espérances qu'il semblait permettre que par son contenu. Il a perdu aujourd'hui cette auréole. Mais au concert, et non à la scène où il se délaie dans le texte verbeux de Morax, c'est toujours un excellent ouvrage, dont on voit beaucoup mieux qu'il suit la tradition des cantates et oratorios protestants à sujets bibliques. Il reste plein de vitalité, avec ses timbres dont les bois et les cuivres ont gardé la verdeur de l'orchestration primitive, sa franchise qui réconcilie de savoureuse façon le classicisme contrapunctique de l'Allemagne (le premier petit chœur si vigoureusement tourné, ses trompettes à la Bach, le bel étagement de l'*Alleluia* final) et l'*ostinato* stravinskien, la flexibilité fauréenne de presque tous les soli.

Mais les premiers admirateurs du *Roi David* allaient tomber de déception en déception, au point de se demander s'ils n'avaient pas subi quelque mirage. Le jeune vainqueur de 1924 devait s'enfoncer dans une production dont le volume est aussi copieux que minces les souvenirs qu'elle a laissés. Ce furent des ballets, des mélodrames, *Skating Ring, Les Noces de l'Amour et de Psyché, Amphion, Sémiramis, Le Cantique des cantiques, La Belle de Meudon, Sous-Marine, L'Appel de la montagne*. Des musiques de scène pour la *Phèdre* de D'Annunzio, le *Saül* de Gide, *Les Suppliantes, Sodome et Gomorrhe* de Giraudoux, *Hamlet, Charles le Téméraire, l'État de siège* de Camus, *Le Soulier de satin* de Claudel. Des oratorios tels que *Christophe Colomb, Saint François d'Assise*, des psaumes, un chant de Libération. Des opérettes, *Le Roi Pausole* qui était écoutable, mais aussi *Les Petites Cardinal*. Un grand opéra « pompier », *L'Aiglon*, en collaboration avec Jacques Ibert. Plus d'innombrables musiques de films, pour *L'Équipage, Napoléon, Mayerling, Regain, Mermoz*, une kyrielle de documentaires. Ces alignements de notes correctes mais indifférentes sur n'importe quel texte, n'importe quelle image n'étaient plus qu'un simulacre pénible de la fécondité, qui transformait Honegger en musicien à tout faire de Mᵐᵉ Ida Rubinstein et de la IIIᵉ République, aussi bien pour *La Prise de la Bastille* reconstituée par Romain Rolland que pour *Les Mille et Une Nuits* de l'Exposition de 1937. Travaux de circonstance; commandes alimentaires exécutées par un compositeur sans fortune, qui pratiquait ainsi son « second métier ». Jamais cependant un vrai grand musicien n'aurait laissé dans ces besognes aussi peu de lui-même.

Quatre ou cinq ouvrages seulement réhabilitent donc Honegger : une *Judith* éclipsée par *Le Roi David,* l'opéra *Antigone* (1927), presque inconnu en France auquel le musicien tenait beaucoup, bien qu'il ne crût pas à une rénovation possible du théâtre lyrique après Wagner et Debussy, *Les Cris du monde* (1931), oratorio laïque où il exprime pour la première fois son anxiété devant le machinisme et la condition moderne des hommes, *Jeanne au bûcher* (1935) sur un texte de Claudel, qu'Honegger commentait ainsi : « La musique doit changer de caractère, devenir droite, simple, de grande allure : le peuple se fiche de la technique et du fignolage. J'ai essayé de réaliser cela dans *Jeanne au bûcher.* Je me suis efforcé d'être accessible à l'homme de la rue, tout en intéressant le musicien. » Ce fut plus qu'un effort. Avec sa belle couleur orchestrale, apprise chez Stravinsky, mais d'une pâte toute différente et qui s'étale bien, avec l'étoffe solide et souple de ses chœurs, ses trouvailles de sensibilité, son apport folklorique réinventé sans être artificiellement trituré, *Jeanne au bûcher* remplit exactement les ambitions de son auteur. C'est une œuvre de large audience, mais qui ne sacrifie rien de sa dignité artistique. Moins répandu, à cause de son thème, l'oratorio de *La Danse des morts* (1938) est une autre réussite de la fresque aux larges masses chorales, aux grandes lignes simples.

Depuis le quatuor ou les sonates de sa jeunesse, et son *Concertino* pour piano et orchestre de 1925, tout à fait pseudo-classique, Honegger avait plutôt négligé la musique « pure ». Il y revint dans la dernière période de sa vie, dont il faut surtout retenir trois symphonies. Ne pouvant se tolérer dans une tour d'ivoire, il vivait douloureusement les drames contemporains. L'absurdité et les cruautés de la Seconde Guerre mondiale le scandalisaient. Sa *Deuxième Symphonie* pour cordes et trompette, écrite en 1941, exprime cette protestation. Son chromatisme germanique, très tourmenté, sa construction libre mais ferme lui impriment une vigueur et une éloquence à peu près inconnues des autres néo-classiques français. Elle frôle souvent l'atonalité que rompt dans les dernières mesures le beau choral de l'espoir sonné en ré majeur par la trompette. La guerre finie, le monde demeurait dans un chaos où se heurtaient toutes les idéologies. C'est le sens, qui n'a besoin d'aucun appui littéraire, de la *Troisième Symphonie*, la « Liturgique ». Les titres de ses trois parties, *« Dies irae, De profundis, Dona nobis pacem »*, sont uniquement destinés à suggérer des appels de détresse, et n'amènent aucune citation des mélodies ecclésiastiques. Honegger a surtout voulu faire entendre, selon ses propres mots, « le thème de la connerie humaine », que finit par dominer dans le dernier mouvement une calme et aérienne prière.

En 1947, durant une tournée aux États-Unis, Honegger fut frappé d'un grave infarctus qui le tint plusieurs mois entre la vie et la mort et le laissa très diminué. Son pessimisme s'en accrut et lui dicta sa *Cinquième Symphonie* (1950), dite *di tre re*, d'après le ré de la timbale qui termine chacun de ses trois mouvements, la plus dramatique, la plus monumentale, mais que n'éclaire cette fois aucune tonalité d'espérance. Dans ses loisirs de malade, Honegger écrivit deux livres de polémique, *Incarnation aux fossiles* et *Je suis compositeur*, qui ont le tort d'ignorer le bouillonnement de vie de la nouvelle école, mais tracent avec une amertume gouailleuse, aussi pittoresque que justifiée, le tableau de la condition du musicien et de la musique dans la société contemporaine.

Une nouvelle crise cardiaque, qui le menaçait depuis longtemps, emporta Honegger le 27 novembre 1955. On avait pris son *Roi David* pour un point de départ, alors qu'il ne devait jamais aller plus loin. Dans le classicisme contemporain, il y avait une très belle place à prendre pour un homme de sa maîtrise et de son envergure. Plus belle, plus vaste que celle qu'il y a occupée, et qu'il rétrécit par l'excès des besognes d'où il restait absent et jusque dans ses meilleures œuvres par le choix des solutions trop simplistes.

GROUPES ET INDEPENDANTS

Des historiographes qui n'ont pas l'air de soupçonner le comique de leur gravité, citent encore « l'École d'Arcueil », prétendument fondée par Satie, pour y ranger Henri Sauguet, né en 1901 à Bordeaux. Sauguet est en fait un surgeon de « l'École des Six », telle du moins que Cocteau la rêva, un amateur de petits dons lancés par les dîners en ville, confectionnant des musiques d'une mièvre inutilité, que l'on dit claires parce qu'on voit le jour à travers leur mince trame : un ballet à la Poulenc, *La Chatte*, un autre du genre forain et qui s'intitule tout simplement *Les Forains*, quelques opéras, *La Chartreuse de Parme*, *Les Caprices de Marianne*, qui tiendront dans l'inventaire de notre siècle à peu près la même place que les imitations de Gounod et de Massenet dans celui du XIXᵉ. Sauguet s'est livré, dit-on, à certaines expériences sérielles et « concrètes ». Nous confessons n'avoir pas jugé nécessaire de nous en informer davantage.

On se retrouva chez des gens beaucoup plus sérieux avec le groupe « Jeune France », formé en 1936 par Yves Baudrier (né en 1906), André Jolivet (1905), Daniel Lesur et Olivier Messiaen (nés en 1908). A vrai dire, leur réunion était elle aussi passablement artificielle, et bien vague leur manifeste « pour un nouvel humanisme musical ». Ils entendaient cependant implicitement réagir à la fois contre les frivolités prônées dans l'entourage de Cocteau et contre l'abstraction excessive qu'ils imputaient à Schœnberg sans le bien connaître. Mais il n'y avait entre eux aucune communauté de langage ni de buts. Fondateur et porte-parole du groupe, Yves Baudrier, autodidacte, ne se sentait guère attiré que par le poème symphonique et ses partitions allaient vite s'espacer. Daniel Lesur, qui avait remporté un succès assez vif avec l'une de ses premières œuvres, la *Suite française* pour orchestre, avait le goût de la musique de chambre et de la musique liturgique qui ne lui semblaient point appeler d'autres moyens que la tradition modale ou folklorique. On a loué de sa discrétion, de son équilibre, cet estimable professeur de contrepoint, pour ne pas avoir à dire qu'il représentait « une bonne moyenne ». Malheureusement, rien en musique n'est plus déprimant que la « moyenne », même très honorable, comme on l'a encore constaté tout récemment avec *Andrea del Sarto*, l'opéra consciencieusement suranné de l'honnête Lesur.

Le « Triton » n'était pas un groupe, mais un lieu de rencontre par ses concerts qui, bien qu'éclectiques offraient à peu près seuls dans le Paris du moment l'occasion d'entendre Bartók, Schœnberg, Edgar Varèse, parfois même Webern. Le « Triton » avait été fondé en 1932 par un élève de Florent Schmitt, Pierre-Octave Ferroud, qui devait se tuer quatre ans plus tard en voiture à trente-six ans. Intelligent, sans préjugés, né pour son rôle d'animateur, pressentant peut-être une évolution de la musique qui l'entraînerait très loin de Ravel et de Fauré, Ferroud poussait jusqu'à la brutalité ses œuvres dont il ne reste malheureusement pas grand-chose. Il avait accueilli en 1934 dans le comité du « Triton » son conscrit Henry Barraud, sur l'audition de son *Poème* qui semblait vouloir renouer avec un lyrisme devenu presque insolite.

On entendait toujours avec résignation les innombrables ouvrages, et dans tous les genres, de Georges Migot (1891), qui brassait des pensées encyclopédiques sur « le rythme universel », oscillait des polyphonistes médiévaux à Debussy sans parvenir à tracer une mesure de quelque relief. On savait qu'il n'y avait absolument plus rien à attendre de Jacques Ibert (1890-1962), auteur des *Escales* pour orchestre, d'un impressionnisme étriqué, de quelques opéras bouffes sans verve, mais ayant su conduire en politicien très avisé une carrière officielle qui le porta à la direction de la Villa Médicis. (Un cas analogue aura été celui d'Emmanuel Bondeville, nanti dans la direction des théâtres lyriques d'une sinécure à vie que ne lui méritait surtout pas sa ridicule *Madame Bovary*).

Marcel Delannoy (1892-1962), auteur d'un assez bon quatuor à cordes en mi, de deux symphonies et d'un *Concerto de mai* pour piano et orchestre, était surtout attiré par le théâtre, où il continuait les ouvrages français de demi-caractère, avec quelques souvenirs de Stravinsky et de Debussy. Les dissonances, les crudités du *Poirier de misère*, son début en 1927 à l'Opéra-Comique, l'avaient presque fait passer pour un « moderniste ». Il devait s'assagir dans son ballet-cantate *Le Fou de la dame,* dans *Ginevra,* opéra giocoso, *Puck,* opéra féerique (1949), ses ballets *La Pantoufle de vair, Les Noces fantastiques.* Il avait de la fraîcheur, une certaine imagination mélodique, un sentiment direct de la musique populaire. Mais ses œuvres étaient trop prévues pour les mélomanes, d'une écriture trop soignée pour le grand public. Et les chorégraphes préfèrent de plus en plus aux partitions articulées pour le ballet celle de Bach et de Berlioz, des dodécaphonistes, qui sont aux antipodes de la danse, mais leur permettent de jouer les penseurs.

Jean Rivier (1896) a tenté de se créer une personnalité, dans ses œuvres de chambre ou d'orchestre, par une rudesse appliquée, des conflits de thèmes qui se voudraient beethovéniens.

On ne connaît guère que dans les milieux pédagogiques les noms de Raymond Loucheur, symphoniste descriptif qui a dirigé le Conservatoire, d'Henri Martelli, davantage contrapunctiste, de Georges Hugon, ainsi que des femmes-compositeurs, Claude Arrieu, Elsa Barraine, Yvonne Desportes, Jeanne Leleu. Les uns et les autres font dans la musique des carrières de bons fonctionnaires.

Dans les années qui précédèrent la guerre, on porta plusieurs fois sur de nouveaux venus des espoirs qui répondaient à l'attente instinctive d'un changement d'horizon, mais qui ne tinrent pas au-delà de deux ou trois saisons. Ce fut le cas de Tony Aubin (1907), élève de Paul Dukas, qui n'alla jamais plus loin que ses premières symphonies, d'une solidité un peu lourde, mais avait l'intelligence de le reconnaître : « Je sais bien, disait-il philosophiquement, que je suis voué à écrire du pré-Chausson. » En 1929, un élève de Nadia Boulanger à peine âgé de dix-sept ans, Igor Markevitch, fils d'aristocrates russes émigrés, recevait de Diaghilev la commande d'un concerto pour piano, qui le lança très vite. A vingt et un ans il dirigeait salle Pleyel son poème symphonique *L'Envol d'Icare*, bientôt suivi d'un *Psaume*, d'un grand oratorio, *Le Paradis perdu* : musiques véhémentes, décousues, encore pleines de réminiscences fort pardonnables chez un débutant de Stravinsky ou d'Hindemith, portées aux nues par quelques coteries, démolies par d'autres avec une brutalité non moins imtempestive. Au lendemain de la guerre, passée en Italie, Markevitch s'est entièrement consacré à une seconde carrière d'excellent chef d'orchestre international. Il y apporte une lucidité dont on peut supposer qu'elle a joué aussi quelque rôle dans son renoncement à la composition.

Un autre élève de Nadia Boulanger, à peine moins précoce, Jean Françaix (1912), ne devait faire illusion que pendant fort peu de temps. Une étrange méconnaissance de ses possibilités lui a fait choisir des sujets titanesques, *L'Apocalypse*, *La Main de gloire*, opéra fantastique d'après Gérard de Nerval, alors que son orchestre grêle et sautillant produit des petits bruits d'insectes ou se complaît à ses cocasseries constamment répétées hors de propos.

Henry Barraud (1900), élève de Dukas, auteur de la cantate *Le Feu*, de l'opéra *Numance*, de plusieurs symphonies, ne parviendrait que rarement à dégager des accents personnels d'un éclectisme honorable, cherchant à concilier le romantisme, les souvenirs du *Sacre du printemps* et des recours épisodiques à l'atonalité. Il trouverait plus tard à la radio, dans la vulgarisation intelligente, l'usage de sa culture et de son jugement très sain.

Il ne fallait pas beaucoup de flair pour distinguer que parmi tous ces noms les deux vraies personnalités étaient Jolivet et Messiaen, en même temps habités par des idées extra-musicales et résolus à se munir de moyens d'expression neufs qui les écartait du classicisme ambiant. Messiaen ayant joué son plus grand rôle après la guerre, nous parlerons de lui dans l'avant-dernier chapitre de cette histoire. Il nous semble au contraire que le dessin de la carrière de Jolivet lui donne sa place ici.

ANDRE JOLIVET avait dans sa première œuvre importante, *Mana*, six pièces pour le piano (1935), devancé son ami Messiaen, qui s'est plu à reconnaître tout ce que la rythmique extrêmement mobile de cette partition lui avait appris. Chez ces deux hommes, le sentiment religieux a une égale importance, mais entièrement absorbé chez Messiaen par le catholicisme, tandis que chez Jolivet il s'agit d'une éthique, d'une aspiration spirituelle qui unit toutes les croyances. C'est ce que révèlent ses *Cinq Incantations* pour flûte seule (1936), écrites en même temps que la *Densité 21,5* de son maître Varèse, également pour flûte solo. Edgar Varèse n'a en vue qu'un exercice technique. Son élève, plus hardi nous semble-t-il, veut donner à son ouvrage tout le sens magique qu'indique le titre, et que précisent les sous-titres évocateurs des rites et des offrandes à des dieux de quelque tribu primitive.

Jolivet poursuit dans la même veine, à laquelle s'ajoute la couleur ardente des timbres, avec les *Cinq Danses Rituelles* pour orchestre, composées en 1939. Il est presque entièrement acquis à l'atonalité, il expérimente quelque peu le système sériel.

Mais la défaite de 1940 le bouleverse. Dans ce désastre, les subtilités formelles lui paraissent dérisoires. Il retrouve un langage très simple pour ses *Complaintes du soldat*, l'opéra bouffe *Dolorès*, le ballet *Guignol et Pandore*, musique de détente, un peu passe-partout.

L'immédiate après-guerre a vu naître les ouvrages sur lesquels s'est établie la réputation de Jolivet. Il fait retour à une écriture complexe, mais oppose aux nouvelles techniques sérielles un humanisme aux ambitions universelles assez naïves, puisque son art occidental reste indéchiffrable à un Oriental ignorant l'Europe.

Dans son *Concerto pour ondes Martenot et orchestre* (1947),
Jolivet cherche à dire que le son, qui part de la nature, est forgé par
l'artisan et s'élève jusqu'à la pensée. Les ondes sont l'expression
de l'invisible au-dessus de l'orchestre représentant le monde
matériel. Mais la traduction musicale de tout ce symbolisme est
assez pâle. Les ondes sont plutôt geignardes, l'on s'habitue très
vite à leur « magie ». La métrique ne diffère pas tellement de
celle d'Albert Roussel.

Dans le *Concerto pour harpe et orchestre* (1952), le phrasé
mélodieux de la harpe n'est dérangé que par quelques accidents
de « convenance ». Lorsque le finale s'anime, veut se faire « barbare », c'est encore sur l'inimitable *Sacre* qu'il se rabat.

Le *Concerto pour piano et orchestre* (1951) a plus de corps. Il
est imprégné de rythmes nègres, indonésiens, polynésiens, sans les
reproduire ni chercher les facilités des évocations exotiques. Mais
le piano débite aussi des cadences et des traits peu éloignés du
romantisme, ou des trilles et des arpèges impressionnistes. Le
finale est presque uniquement brillant.

Ces trois œuvres à peu près tonales ont certainement des qualités
de clarté, de bonne articulation, d'adresse et de fini artisanaux,
encore qu'il soit un peu excessif de faire un monument du
Concerto pour piano, dont le succès tient d'abord à sa vélocité.
Ce qui nous déconcerte aujourd'hui dans ces partitions, c'est leur
coupe traditionnelle. Elles ignorent l'immense effort accompli
depuis plus de trente ans pour renouveler des formes fatiguées.
Jolivet est devenu pour nous un bon musicien « resté en chemin ».
Pour s'être refusé à franchir le grand pas, il est retourné presque
fatalement, après son *Concerto pour piano*, à un néo-classicisme
attiédi avec symphonies, son oratorio de *La Vérité de Jeanne*. Ce
recul nous indique bien que Jolivet s'est trompé. Si quelque jour
cependant il fallait lui donner raison, ce serait alors l'effondrement
d'un demi-siècle des conquêtes musicales les plus passionnantes.

Bien que son nom ait été à peine connu avant la guerre, nous
placerons encore ici « l'inclassable » Henri Dutilleux (1916), le
seul prix de Rome ayant du talent depuis au moins un tiers de
siècle. Dutilleux, discret, solitaire, pourvu d'un métier sérieux,
est aussi de nos jours le seul musicien logique avec son classicisme
foncier, qui ne cherche point à l'habiller d'un faux modernisme,
qui exprime des idées mélodiques franches et bien à lui dans le
langage le plus consonant. C'est pourquoi, à son ballet *Le Loup*,
assez contraint par un livret très noir de Jean Anouilh, nous

préférons ses œuvres les plus régulières, comme sa *Sonate pour piano* et ses deux attachantes symphonies.

Enfin, Maurice Ohana (1914) échappe lui aussi volontairement à toute catégorie. Né à Casablanca de parents espagnols, il appartient autant à l'école ibérique qu'à la française, malgré ses études parisiennes. Son œuvre la plus souvent jouée et la plus expressive est sa *Plainte pour Ignacio Sanchez Mejias,* sur un poème de Lorca. Ses *Caprichos* pour piano, son *Concerto pour clavecin et orchestre* le situent dans la lignée de Manuel de Falla.

CHAPITRE VII

LE NÉO-CLASSICISME A L'ÉTRANGER

LES ITALIENS

Tandis que la vitalité de l'opéra italien s'épuisait, sauf chez Puccini, une nouvelle génération allait s'efforcer de démentir l'étrange opinion de Verdi, qui voulait que les compositeurs de son pays fussent inaptes à la musique instrumentale. On avait déjà vu apparaître avant ces jeunes gens un petit groupe assez timide de musiciens, Giovanni Sgambati (1841-1914), Giuseppe Martucci (1856-1909), Enrico Bossi (1861-1921), pianistes ou organistes à l'origine, qui se détournaient de la scène pour écrire des symphonies et des quatuors, mais ne dépassaient pas un académisme prudent, et dont le rôle devait rester surtout pédagogique.

CASELLA, MALIPIERO, RESPIGHI

Alfredo Casella (1883-1947), né à Turin où dès l'âge de onze ans il donnait son premier concert de piano, entrait en 1896 au Conservatoire de .Paris et y travaillait bientôt avec Gabriel Fauré. Jusqu'en 1914, il devait être presque uniquement parisien. Dans le grand brassage d'idées et d'œuvres nouvelles dont la capitale était le lieu, le jeune Piémontais s'assimilait tout, Debussy, Stravinsky éberlué par l'intelligence dévorante de ce garçon dont il avait fait un de ses confidents, et bien entendu Schœnberg que les Français épelaient à peine. Il écrivait des pastiches ébouriffants d'esprit et de perspicacité. Il rêvait, comme s'il eût pressenti Webern, d'une musique qui ne serait plus que timbres, où un seul accord contiendrait autant de substance, de force expressive que tout un développement. En 1915, dans ses mélodies sur des poèmes de Rabindranath Tagore traduits par André Gide, il échafaudait au milieu d'une harmonie violente et chargée, l'un des premiers accords de douze sons, sinon le premier.

Son œuvre la plus importante pour cette époque-là, *Notte di maggio* pour voix et orchestre, demeurait cependant en deçà de ces aventureuses expériences. Puis Casella se réinstalla en Italie. Il fut enthousiasmé par l'avènement du fascisme, l'air de jeunesse et de renaissance qu'il paraissait apporter. Il aurait voulu concilier l'accent italien avec la musique la plus neuve du XXe siècle. Ce fut le nationalisme qui l'emporta, sans que le régime mussolinien, qui pratiquait le libéralisme artistique, l'y eût vraiment engagé. Il gardait ses admirations de jeunesse, commentait la musique d'avant-garde dans ses cours au Conservatoire de Rome, dirigeait les premières auditions italiennes du *Pierrot Lunaire*. Mais dans ses œuvres il se tournait vers l'Italie du XVIIIe siècle, ses sonates et ses concertos. Le titre de ses *Scarlattina* est déjà suffisamment typique à cet égard. En 1944, dans sa *Misa solemnis pro pace,* un de ses derniers ouvrages, il semble par moments que la fin du mirage fasciste l'ait rendu aux inquiétudes et aux ambitions de ses années parisiennes. Il a laissé le souvenir d'un pédagogue convaincu, d'un propagandiste généreux de la bonne musique, mais chez qui l'intellect l'emportait trop sur l'invention pour qu'il eût pu marquer d'une véritable personnalité ses différents styles.

On doit noter, parmi les traits des particularismes italiens, que de même qu'à l'époque classique, presque tous les rénovateurs de la musique instrumentale ont été originaires des provinces du Nord. GIAN FRANCESCO MALIPIERO est né à Venise en 1882. Il fut imprégné de germanisme par sa première formation, au Conservatoire de Vienne. Mais dans les œuvres les plus connues de sa jeunesse, les deux séries des *Impressionni dal vero (Impressions d'après nature),* poèmes symphoniques de 1911 et 1915, les *Pause del silenzio* pour orchestre (1917), il est surtout redevable à Debussy, tout en réagissant contre le flou abusif, l'émiettement de ses imitateurs, bien qu'il multipliât les mouvements chromatiques divergents, les accords sans fonction harmonique définissable. On citait alors Malipiero en exemple des aptitudes du génie italien à rejoindre le grand courant de la musique moderne, on était curieux de ses efforts parfois déroutants pour rompre avec les développements thématiques du romantisme allemand. Mais il devait à son tour battre en retraite progressivement vers le classicisme, avec une prédilection pour les maîtres de la Renaissance plutôt que pour Vivaldi et Scarlatti. C'est ce qu'il exprime dans ses *Cantari alla madrigalesca,* de 1932. On a expliqué cette conversion par la nature tourmentée du musicien redécouvrant pour lui la nécessité de l'ordre, ce qui est sans doute trop psychologique et point assez technique. Malipiero a dans son catalogue sept quatuors à cordes, sept symphonies, quatre concertos pour piano, des oratorios, dont un *Saint François d'Assise.* Ses belles éditions de Monteverdi, auxquelles il a consacré beaucoup de temps, seront peut-être son meilleur titre devant la postérité.

Les Italiens de la nouvelle école, qui ont presque tous été les élèves de Malipiero, le traitent aujourd'hui d'ennuyeux bonze académique ayant assez bien su son métier. Ils sont encore plus sévères pour Ildebrando Pizzetti, natif de l'Emilie (1880), qu'ils rangent parmi les mauvais confiseurs. Presque inconnu en France, Pizzetti qui au contraire de Casella et de Malipiero a conservé un culte pour Verdi, est l'auteur, avec de la musique de chambre et des partitions religieuses, d'un assez grand nombre d'opéras (*Fedra, Debora e Jaele, La Figlia di Jorio*). Les musicographes de sa génération ont loué son goût, son élégance et son équilibre. Quelques-uns même ont parlé de sa noblesse.

Le Bolonais Ottorino Respighi (1879-1936) s'inspira lui aussi des vieilles musiques italiennes, remontant avec ses *Danses et airs anciens* jusqu'aux pièces pour luth. Mais toute sa carrière fut portée par le succès mondial de ses deux poèmes symphoniques, *Les Fontaines de Rome* (1917) et *Les Pins de Rome* (1924), chromos perfectionnés, souvenirs touristiques se distinguant de la pacotille par un dosage adroit des couleurs de Rimsky-Korsakov, de Richard Strauss — une des grandes admirations de cet Italien — et l'emploi superficiel de quelques procédés debussystes, le tout versé dans un moule aux formes traditionnelles. Lorsqu'ils étaient cuisinés par Toscanini, ces ingrédients prenaient un certain ragoût.

L'abondance des noms de ces symphonistes italiens ferait croire à un mouvement fécond. Mais les œuvres ont dissipé cette illusion. On peut citer Vicenzo Davico, Vittorio Rieti, dont un petit ballet, *Barabau,* mi-Scarlatti mi-Rossini, prit la suite du *Pulcinella* de Stravinsky dans les derniers temps des Ballets russes de Diaghilev, Mario Labroca, Guido Guerrini, Mario Castelnuovo-Tedesco (1895) qui s'efforçait avant 1940 de garder le contact avec le cosmopolitisme européen, Giorgo Federico Ghedini (1892), académique jusqu'aux approches de la cinquantaine, attiré ensuite par des jeux de timbres inédits — son *Concerto de l'albatros* d'après

Moby Dick de Melville — la polytonalité, la série, ce qui lui a valu l'estime de quelques musiciens de l'après-guerre.

Sauf Respighi avec ses *Pins* et ses *Fontaines*, aucun de ces compositeurs, malgré les titres officiels et les éloges d'une critique très bavarde, n'a pu acquérir en Italie une popularité comparable, par exemple, à celle d'un Ravel en France. Lorsqu'ils ont écrit pour le théâtre — *La Donna Serpente, La Favola d'Orféo* de Casella, la trilogie de *L'Orfeide, Torneo notturno* de Malipiero — ils ont pu remporter des succès de presse, mais sans ajouter un seul titre durablement au vieux fonds d'opéras du XIXᵉ siècle et de Puccini qui continue de représenter l'essentiel de la musique pour le grand public italien.

LES FUTURISTES

Peu avant la guerre de 1914, le groupe futuriste de Marinetti s'était adjoint quelques « bruitistes », entre autres le peintre Luigi Russolo, qui voulait substituer aux timbres restreints de l'orchestre les mille bruits de la vie moderne, proclamait dans son manifeste *L'Art du bruit* (1913) que ses amis et lui prenaient beaucoup plus de plaisir à combiner des bruits de tramways, d'autos, de chemins de fer, d'aéroplanes, d'usines, qu'à réentendre les symphonies de Beethoven. On fabriqua à cet effet un certain nombre d'instruments, siffleurs, hurleurs, ronfleurs, fracasseurs, glouglouteurs, qui furent produits dans deux ou trois concerts à scandales, où il y eut encore plus de boucan dans la salle que sur la scène. Russolo n'avait pas la moindre notion musicale, concernant par exemple la hauteur des sons, les rythmes. De toute manière, les puérilités des futuristes ne pouvaient les mener bien loin, et la Première Guerre mondiale enterra leur mouvement. Ils annonçaient cependant une quarantaine d'années à l'avance, les recherches sur la musique concrète.

BUSONI

On parlera encore ici de FERRUCCIO BUSONI, faute de pouvoir le situer avec plus d'exactitude, puisqu'il échappe à tout classement et à toute école. Il était né en 1866 à Empoli, d'un père italien et d'une mère allemande, hérédité en apparence idéale, mais qui

devait l'écarteler sans qu'il parvînt jamais à maîtriser ses contradictions. Pianiste génial, il était déjà professeur à vingt-trois ans.
A vingt-cinq, il était appelé aux États-Unis. Il en revenait trois ans
plus tard pour se fixer à Berlin, où son enseignement théorique
allait faire de lui un des maîtres les plus écoutés et admirés de
toute l'Europe. Sans cesse méditant sur la destinée de la musique,
il écrivait en 1906 dans son *Ébauche d'une nouvelle esthétique
musicale* : « La technique classique arrivera à épuisement au bout
d'une étape dont elle a déjà couvert la plus grande partie. Où va
nous mener l'étape suivante ? A mon avis, elle nous conduira aux
sonorités abstraites, à une technique sans entraves, à une liberté
tonale illimitée. Il faut tout reprendre à zéro en repartant d'une
virginité absolue. »

La *Berceuse élégiaque* de 1910 pour un orchestre de trente-huit
pupitres, avec sa tonalité presque impossible à déterminer, ses
accords de quartes sans résolution, surtout, la même année, la
Sonatina seconda pour piano allaient dans le sens de ces prophéties.
Dans la *Sonatina,* Busoni supprime armature et barres de mesure.
Il égrène une série de douze sons chromatiques, sans éviter
cependant complètement toute répétition. Mais en 1913, la
Fantaisie indienne pour piano et orchestre, parfois exécutée en
France, et qui représente bien mal Busoni, sacrifie abusivement
aux conventions du style concertant.

La guerre, où s'affrontaient ses deux patries, déchira Busoni.
Refusant de prendre parti, il la passa en exilé à Zürich, où il fré-
quentait volontiers le cercle « dada » de Tristan Tzara, Hans Arp,
Picabia, dont les manifestations terrifiaient les citoyens suisses. Il
pulvérisait le nationalisme, le militarisme, le droit international
sous la mascarade d'un divertissement scénique, *Arlecchino*, aux
personnages empruntés à la commedia dell'arte, mais avec un livret
en allemand de sa main. La sécheresse nerveuse de l'harmonie,
des rythmes, y vivifie les pastiches et citations du XVIIIᵉ siècle
presque aussi bien que dans les œuvres « italiennes » que ne tarderait
pas à écrire Stravinsky. Si l'on s'avisait de reprendre cet *Arlecchino,* on s'apercevrait peut-être que sa concision, sa vigueur de
« contestation » le rendent assez proche de nous.

Mais, rentré à Berlin dès la fin de la guerre, Busoni s'écartait de
Schœnberg, des bruyants pionniers dont il avait pourtant annoncé
la venue : « Je ne connais, disait-il, qu'une chose qui soit pire que
de vouloir s'opposer au progrès; c'est de s'y jeter tête baissée », un
aphorisme que l'on aimerait rappeler, à l'issue de certaines puériles

extravagances, aux auditeurs béants de snobisme progressiste.
Busoni préconisait maintenant un « jeune classicisme » qui
organiserait harmonieusement les conquêtes précédentes, mais
ressemblerait beaucoup à une retraite dans le syncrétisme. En
même temps du reste, il était ému jusqu'aux larmes par *L'Histoire
du soldat* de Stravinsky, qui le contredisait, mais dans laquelle il
voyait sans doute l'image de l'irréductible et jaillissante originalité
à laquelle il n'accéderait jamais. Car la force créatrice n'était pas
chez lui à la mesure de son esprit universel.

Il consacra les dernières années de sa vie à son opéra. *Le Docteur
Faustus*, que son élève Philip Jarnach acheva après sa mort en
1924. C'est le *Faust* le plus proche de la source légendaire, du
théâtre de marionnettes qui inspira Goethe. La magie y tient une
grande place, on y voit des spectres, une résurrection, Méphisto
change constamment d'aspect. Le « retour » à la mélodie explique
que les musicographes italiens se soient décidés à annexer Busoni,
en alléguant que dans sa dernière évolution, la latinité l'emporte
sur le germanisme. La musique de *Faustus* est une lutte constante
avec un intellectualisme presque forcené, mais elle a souvent le
dernier mot. Les épisodes purement symphoniques sont nombreux.
Chacun des tableaux est isolé dans son cadre propre. Ce dédain
des règles séculaires du théâtre a rendu problématique jusqu'ici
les réalisations scéniques de *Faustus*. Mais on admet mal qu'avec
nos moyens de diffusion sonore, disque, radio, télévision, une
œuvre de cet intérêt et par endroits de cette puissance, demeure
pour ainsi dire inconnue. Les paradoxes de sa carrière poursuivent
Busoni dans son existence posthume. Son nom reste quasi célèbre,
quoiqu'il apparaisse bien plus rarement sur les affiches que ceux
d'une foule d'obscures « inutilités » musicales.

MENOTTI

Quoique sa carrière se soit entièrement déroulée aux États-Unis
depuis que Toscanini le fit envoyer en 1928 à un institut musical
de Philadelphie, GIAN CARLO MENOTTI, né en 1911 à Cadegliano,
appartient bien plus sûrement à l'Italie que Busoni, dont il est
d'ailleurs l'antithèse.

C'est même le seul héritier direct des véristes – on l'appelle à
New York l'« American Puccini » – avec sur eux la supériorité
de combiner et d'écrire seul ses livrets. Il a le sens des scénarios

inédits à l'opéra, faits divers d'un pathétique à la lettre saisissant, puisqu'on ne peut lui échapper. Dans *Le Médium* (1946) qui l'a lancé, c'est une cartomancienne exploitant la crédulité de pauvres gens en machinant des apparitions de leurs enfants morts, et prise à ses propres subterfuges. Dans *Le Consul* (1950), c'est le drame des nouveaux apatrides, au milieu d'une atmosphère à la Kafka. *La Sainte de Bleecker Street,* son ouvrage préféré (1954), est l'effarante histoire d'une toute jeune fille stigmatisée dans un misérable quartier italien de New York, du fanatisme hystérique, des combats dont elle est l'objet, et qui meurt le jour de sa prise de voile, après que la foule ait mis en croix son frère qui tentait de l'arracher à la folie collective.

Menotti est un homme de spectacle complet. On l'a vu quand il a porté lui-même *Le Médium* au cinéma, et qu'il est parvenu, grâce à l'adresse de son découpage, à rendre tolérables des chanteurs vocalisant en gros plans sur l'écran. Ce virtuose du « suspense » écrit une musique constamment ajustée aux péripéties de la scène, et qui dans cette fonction est parfaitement défendable. Mais si l'on assiste deux fois à un de ses mélodrames, cette musique, séparée de l'action que l'on connaît, avoue ses ingrédients hétéroclites, allant de *Cavalleria Rusticana* à *Pelléas,* voire à *Wozzeck,* dans les parties vocales, du chromo à Stravinsky pour l'orchestre. Avec *Maria Golovine* (1958) qui descend au niveau d'un opéra-feuilleton larmoyant, aucune illusion n'est plus permise, même au premier contact.

Les vulgarités de Menotti sont toutefois beaucoup moins voyantes quand il quitte la tragédie populiste pour des sujets où l'humour a sa part, comme *Le Téléphone* (1947) et surtout *Au secours, les Globolinks* (1968) qui introduit l'esprit du vieil opéra bouffe dans la science-fiction. Les Globolinks sont des espèces de Martiens, redoutables monstres descendus sur notre planète, et qui en transformeraient rapidement les habitants à leur effrayante image si l'on ne s'apercevait que notre musique les met en fuite. Avec une très agréable facilité, Menotti fait un amusant pastiche de la musique électronique, infernale symphonie d'un autre monde, vaincue par les grands airs pucciniens de la musique terrestre. Menotti est encore l'auteur d'un charmant petit conte de Noël, pour lequel il a trouvé une écriture transparente, *Amahl et les visiteurs de la nuit,* histoire d'un petit berger infirme recevant dans sa grotte les Rois mages qui le guérissent.

On ne peut pas enlever à Menotti qu'il est un des cinq ou six compositeurs de ces cinquante dernières années ayant écrit pour le théâtre des œuvres viables, qui ont pu faire le tour du monde. Enfin, avec la fortune que lui ont valu ses premiers succès, il a créé à Spolète un des plus beaux festivals musicaux et théâtraux d'Europe. Nous pouvons mesurer nos applaudissements au compositeur, mais l'homme mérite notre sympathie.

LES ALLEMANDS

Au lendemain de l'armistice de 1918, après une brève stupeur, la défaite et la chute de l'Empire avaient provoqué en Allemagne une étonnante fermentation. A la suite d'un tel effondrement, il était naturel que le scepticisme, le sarcasme, l'anticonformisme reprissent droit de cité. En politique, en littérature, en philosophie, dans les arts, on voyait surgir comme d'une série de déflagrations tout ce que avait été comprimé, étouffé sous les orgueilleuses certitudes de l'ère wilhelmienne. L'intelligentsia se ruait à ce déménagement et ce concassage des valeurs avec la soudaineté aux volte-face qui surprendra toujours les voisins du peuple allemand. Elle adoptait pêle-mêle, avec plus de conviction que de sens critique, le cubisme, l'abstraction picturale, le dadaïsme, bientôt le surréalisme. Le « Bauhaus, la maison du bâtir », cénacle-phalanstère créé dès 1919 par l'architecte Gropius, lançait un style de mobilier et de construction, des peintres tels que Kandinsky, Klee, Mondrian, qui ne s'imposeraient chez nous que vingt-cinq ou trente ans plus tard, après une autre guerre. N'importe quel inconnu, écrivant une pièce de théâtre, un poème ou un scénario de film, se proposait sans sourciller de « changer le monde ».

Dans la musique, cette surenchère du renouveau était encore décuplées. Les oreilles s'ouvraient aux œuvres françaises, russes, espagnoles qui avaient été jusque-là plus ou moins frappées d'ostracisme. Le cosmopolitisme s'étalait avec la même outrance que le germanisme auparavant. Berlin ravissait à Paris le rôle de ville-phare qu'il avait tenu durant trente ans, devenait le creuset et le banc d'épreuves de toutes les expériences, le premier centre européen de la création musicale. Busoni, Schœnberg, Hermann Scherchen y enseigneraient. Aucune autre capitale ne possédait comme celle-ci trois opéras, l'Opéra de Berlin dirigé par Erich Kleiber, l'Opéra municipal de Charlottenburg où régnait Bruno

Walter, et à partir de 1927 le Kroll-Oper confié à Otto Klemperer et destiné surtout aux œuvres nouvelles en nombre inimaginable. Les mises en scènes révolutionnaires ou munificentes y étaient réalisées par Heinz Tietjen, Erwin Piscator, Meyerhold, Reinhardt, Franz Düllberg.

Grâce à la décentralisation allemande, cette activité et cette curiosité s'étendaient à tout le pays. Dès 1921, une petite ville d'eaux de la Forêt-Noire, Donaueschingen, abritait à la belle saison un festival où toute l'avant-garde européenne se rencontrait, et qui se transporterait plus tard à Baden-Baden. Francfort, Essen, Darmstadt, Leipzig disputaient à Berlin pour leurs théâtres les inédits les plus fracassants.

Il y avait cependant quelque chose de factice, de forcé dans l'animation de ces quatorze années très exactement délimitées par le « diktat » de Versailles et l'avènement de Hitler. Quand on recense les compositeurs qui en firent les grandes soirées — mis à part les Viennois Schœnberg et Alban Berg qui traçaient leur chemin solitaire même en participant à la vie berlinoise — on ne retrouve que peu de noms.

HINDEMITH

Paul Hindemith (1895-1963) fut de loin le plus important, jusqu'à représenter presque seul à l'étranger la nouvelle école allemande. Né à Hanau, sur le Main, il avait eu une formation encore plus artisanale que théorique, élève du Conservatoire de Francfort, mais ayant dès l'âge de onze ans gagné sa vie en jouant du violon dans les brasseries et les cabarets, à vingt ans violon solo de l'Opéra de Francfort dont il dirigerait l'orchestre en 1924, puis optant pour l'alto dont il tiendrait le pupitre durant cinq ans dans le célèbre quatuor Amar dont il était le fondateur.

Dès ses débuts d'auteur il s'affichait parmi les extrémistes, notamment avec son *Quatuor à cordes op. 16*, une des œuvres dont il devait être souvent l'interprète, et dont les ressauts, la turbulence semblaient inadmissibles dans une forme aussi sérieuse et consacrée. Il se nourrissait de Stravinsky, de Prokofiev, de Milhaud, de la musique des nègres américains avec une égale boulimie. Il pratiquait l'harmonie émancipée, s'essayait à l'atonalité dans ses sonates pour alto et ses sonates pour violon (1923-1924). Dans le *Finale 1921* de sa *Musique de chambre*, dans 1922, *Suite pour piano*, il insérait les danses des boîtes de nuit chauffées à blanc où s'écrasaient les Berlinois, fox-trot, shimmy, boston, ragtime, non sans intentions de caricatures sociales. Le tout avec le minimum de scrupules dans le choix de ses matériaux, une rapidité dans la composition qui simulait assez bien l'abondance du génie, le besoin de voir gros, de frapper fort, de s'associer par la brutalité des rythmes à l'ère du moteur devenu souverain. Pour son *1922*, Hindemith recommandait de « manœuvrer le piano comme une machine », de le traiter au besoin à coups de poing.

Comme presque toute l'avant-garde allemande du moment, il rejetait la rhétorique subjective du romantisme, les autobiographies musicales de Schumann, de Liszt, de Berlioz, Wagner à l'exception des *Maîtres chanteurs*, la majeure partie de Richard Strauss. Il voulait une musique « objective », froide dans sa violence, à l'image du cynisme, du scepticisme et de la dureté de l'époque.

C'était par le théâtre qu'Hindemith allait acquérir la plus bruyante notoriété, et d'abord avec ses trois opéras en un acte de 1921 et 1922. Le premier, *Mörder, Hoffnung der Frauen (L'Assassin, espoir des femmes)*, sur un livret du peintre Kokoschka évoquant l'opposition des sexes dès le début de l'humanité, abasourdit les spectateurs par l'outrance de son expressionnisme. Le second, *Nusch-Nuschi*, « pièce pour marionnettes birmanes » scandalisa par une citation volontairement grotesque de *Tristan*. Le troisième, *Sancta Susanna*, ne put être représenté qu'avec la protection de la police, expulsant par paquets les perturbateurs. Une nonne en pleine hystérie y chantait sa passion érotique pour le Christ.

En 1929, dans l'opéra-comique *Nouvelles du jour*, « oratorio pour café-concert » selon le mot du musicologue Stuckenschmidt, blaguant un ménage de la grande bourgeoisie berlinoise, c'était l'agrément des chauffe-bains au gaz que célébrait la cantatrice du fond de sa baignoire. En dehors de ces canulars, l'œuvre était d'ailleurs d'une écriture alerte, déliée, avec des parties vocales très enlevées, et son succès étouffa vite, et pour se maintenir long-temps, les sifflets des protestataires. Comme *Nusch-Nuschi*, *Nouvelles du jour*, par opposition au wagnérisme et à Strauss, épousait la coupe napolitaine par numéros.

Mais Hindemith ne se destinait pas uniquement à jouer les provocateurs et les boxeurs de pianos. On pouvait le pressentir dès 1924 dans un cycle de mélodies sur des textes de Rilke, *Das Marienleben (La Vie de Marie)*, d'une forme surveillée, châtiée, et en 1926 avec l'opéra *Cardillac,* mélodrame hoffmannesque d'un orfèvre devenant assassin pour récupérer les bijoux qu'il a créés, où une polyphonie touffue se développait dans un cadre rappelant Haendel.

D'année en année cependant, pour une grande partie de l'Allemagne, le progressisme artistique, dans ses audaces les plus heureuses comme dans ses fumisteries, se confondait avec les errements de la République bancale de Weimar, les désordres, chômages, grèves, spéculations, faillites, le relâchement des mœurs, l'extension du parti communiste. Israélites ou non, la plupart des écrivains, gens de théâtre, peintres et musiciens de l'avant-garde partageaient les idées de gauche. Le climat était mûr pour la thèse nationale-socialiste de « l'art dégénéré », accusé de complicité dans les malheurs du pays, et que l'on faisait remonter à Van Gogh... Hindemith, non juif, n'était pas visé par les lois raciales. Mais Hitler, qui avait sans doute entendu avec indignation un de ses opéras, le poursuivait d'une vindicte personnelle, et le cita nommément, en tête des décadents à proscrire. Interdit au concert, au théâtre, à la radio, le musicien s'exila, quelque temps d'abord en Suisse, puis aux États-Unis où il vécut près de quinze ans, professant à Yale et par la suite à Harvard.

La pire absurdité, dans ces mesures, c'est que les chefs du Troisième Reich, qui se piquaient de mélomanie, frappaient un compositeur en train de rejoindre leurs propres conceptions esthétiques. Leur censure avait sévi contre son opéra *Mathis der Maler (Mathis le peintre)* qui mettant en scène Grünewald, l'auteur du retable d'Isenheim, et son rôle supposé dans la cruelle guerre des Paysans (1523-1525), pouvait passer à la rigueur pour un symbole antinazi. Mais cette œuvre grave, remplie de singes religieux, contredisait la « désacralisation » de la musique que réclamait Hindemith en 1920. Son mouvement lyrique, la grande polychromie de son orchestre renouaient avec un romantisme étayé par les puissants arcs-boutants des chorals. Quelques années plus tard (1940), la *Symphonie en mi bémol* regardait du côté de Bruckner.

Hindemith devait remonter encore beaucoup plus haut dans la tradition. On a pu expliquer la majeure partie de sa carrière par son opposition catégorique à l'atonalité et au dodécaphonisme de Schœnberg, qu'il tenait bizarrement pour des solutions paresseuses. Comme il n'avait cependant point de doute sur la faillite du système tonal, il s'inventa un système personnel, fondé sur les donnéesnaturelles de l'acoustique et le degré de tension que chaque accord possède non plus par rapport à la tonique mais en soi. Il le codifia dans un *Traité de composition* en 1937.

Cette théorie était à bien des égards fragile, spécieuse, ne s'imposait ni à l'oreille ni au raisonnement. Hindemith en attendait pourtant une nouvelle ère musicale, à laquelle il donnait son *Clavecin bien tempéré* avec les vingt-quatre fugues et interludes de son *Ludus Tonalis* pour piano (1943). C'était l'aboutissement d'un « retour à Bach », d'une tentative en tout cas pour marier une polyphonie issue de Brahms, de Bruckner, et le style concertant de l'époque dite baroque.

Durant la suite de ses années américaines, puis après son retour en Europe, Hindemith conserva ce métier sérieux, très allemand, de polyphoniste et de contrapunctiste qui l'a toujours distingué d'un Darius Milhaud dont il rappelait la surabondance. Mais il tourna de plus en plus à un néo-classicisme mécanique, tout à fait académisé dans les derniers temps de sa vie. Au fait, était-ce une destinée tellement déroutante pour l'ancien extrémiste des années Vingt ? En somme, les plus gros scandales qu'il avait déclenchés alors tenaient surtout à ses livrets. Le bariolage, les violences, le dynamisme à haute pression, la veine parodique des œuvres de ce temps-là étaient le plus souvent des effets de surface qui ne touchaient guère au fond de la syntaxe classique, cette syntaxe que transformaient les minuscules, les discrètes *Bagatelles* et mélodies et Webern. Les symphonies extraites de *Mathis le peintre, de Nobilissima Visione,* un ballet d'après la légende franciscaine, comptent toujours parmi les grandes pages d'orchestre de notre époque. Mais Hindemith a échoué dans son ambition réformatrice. La musique a fait son évolution en dehors de la « paratonalité » et du « romantisme élargi » de ce compositeur marginal.

SCHREKER, KRENEK, KURT WEILL

Le Viennois Franz Schreker (1878-1934), attiré lui aussi par les lumières de Berlin, avait été mis sur la liste noire des « décadents » à cause de l'érotisme inusité de ses livrets d'opéras, *Der ferne Klang (Le Son lointain)* histoire d'une prostituée (1912), *Die Gezeichneten (Les Stigmatisés,* 1918), *Die Schatzgräber (Les Chercheurs de trésor,* 1920). Musicalement, il procédait du chromatisme wagnérien et straussien, pommadé par des émollients pucciniens. Professeur renommé, son élève le plus connu a été Ernst Krenek, né en 1900, Autrichien de souche tchèque. Entre sa vingtième et sa vingt-cinquième année, Krenek, d'une précocité où certains croyaient distinguer un génie à venir, rivalisait avec le jeune Hindemith en iconoclasie et en virulence. Il s'excitait à la destruction de la tonalité, à des dissonances barbares dans des formes sciemment chaotiques. Au milieu de ces « férocités », il écrivait tout à coup pour le piano une *Toccata et Chaconne* sur un choral fort religieux de son invention, avec une fermeté de facture assez rare chez un garçon de vingt-deux ans, mais terminait sur un fox-trot. En 1924, il composait une opérette, *Le Saut pardessus les ombres*, mélangeant les danses à la mode et une parodie d'Offenbach, avec sifflets de policiers, cornes d'autos, ce qui correspondait assez bien au style « Bœuf sur le toit » des Parisiens, mais en portant la marque grimaçante de toute caricature germanique. En 1927, il remportait son plus gros succès avec un opéra-jazz, *Johnny spielt auf (Johnny mène le jeu)*, dont le principal personnage était un Noir américain jouant du saxophone. Mais entre ces deux divertissements, il s'était essayé à l'expressionnisme grave avec l'opéra *Orphée et Eurydice*.

A *Johnny* succédait en 1927 un acte vériste, *Le Dictateur*, une féerie, *Le Royaume mystérieux*, une grosse farce, *Poids lourd*. *La Vie d'Oreste* (1930) faisait pendant à Cocteau et à ses transpositions teintées de surréalisme des tragédies antiques. Vers la même époque, Krenek se laissait tenter par un « retour à Schubert ». Mais il s'échappait bientôt de ce romantisme pour s'attaquer à la technique sérielle dont on relève des traces dans la musique de scène d'un *Charles Quint*. Émigré aux États-Unis depuis 1938, il y pratique le dodécaphonisme « académique », a tâté de l'électronique. La personnalité d'un musicien sujet à de telles transformations est évidemment problématique. En Europe, on lui dénie à peu près tout sérieux.

Elève imprévu de Busoni, Kurt Weill (1900-1950), révélé en 1924 par un cycle de mélodies, *Frauentanz*, devait connaître la célébrité en collaborant avec Bertolt Brecht pour *L'Opéra de quat'sous (Die Dreigroschenoper)*, représenté à Berlin en 1928 et *Grandeur et Décadence de la ville de Mahagonny* (1930).

L'Opéra de quat'sous était une adaptation du *Beggar's Opera* anglais du xvIIIᵉ siècle, alors presque entièrement oublié. Brecht en avait conservé les mendiants, les marlous, les putains, les assassins, le climat de satire sociale, mais en les transportant au début de notre siècle. Kurt Weill, très roué, avait composé pour le spectacle une musique équivoque, encanaillée avec raffinement.

Comme Stravinsky dans *Petrouchka* mais sans le pasticher, il faisait tourner un vieil orgue de Barbarie avec les cordes à vide et une mixture des « bois ». Il dévidait des mélopées lentes et mélodramatiques, « Complainte de Mackie, Chant des Canons », issues d'un répertoire berlinois analogue à celui de nos chanteuses réalistes. Il glissait sa marque de musicien « savant » dans les rythmes syncopés, les sautes d'harmonie, l'aigre polyphonie des accompagnements. Il recrutait ses interprètes au cabaret. Son accent était suffisamment personnel pour qu'aucun des innombrables imitateurs n'aient pu l'attraper.

Grâce au film que Pabst tira de la pièce de Brecht, cette musique fit le tour du monde, fredonnée par des milliers d'artistes, d'étudiants, d'intellectuels, mais trop élaborée pour devenir vraiment populaire. L'art de Brecht et de Weill, qui se voulait prolétarien, n'était pas communicable au-dessous d'un certain niveau de culture. Dans *Mahagonny,* Kurt Weill stylisa et outra sa manière sans retrouver la même saveur. Son talent était tributaire d'un milieu social, politique. Les lois raciales le contraignirent à émigrer aux États-Unis. L'industrie capitaliste des opérettes de Broadway fournit à ce marxiste l'occasion de produire enfin avec un grand succès une musique parfaitement démocratique, dont l'insignifiance ne laissait plus rien subsister de sa veine berlinoise.

ECLECTIQUES. CARL ORFF

En 1920, l'opéra *La Ville morte (Tote Stadt),* acclamé dans plusieurs grands théâtres allemands où il se mantiendrait assez longtemps au répertoire, révélait le nom d'un Viennois de 23 ans, Erich Wolfgang Korngold. *La Ville morte* s'apparentait aux impressionnistes français et à Richard Strauss. La carrière de Korngold ne devait pas confirmer cet heureux début.

Vladimir Vogel, né en Russie (1896), y avait été élevé dans le romantisme théosophique de son premier maître Scriabine. Après la Première Guerre mondiale, il vint travailler à Berlin avec Busoni, alors entièrement absorbé par son « jeune classicisme ». Vogel entreprit la conciliation de ces deux esthétiques dans ses *Études pour orchestre* (1931). Chassé par les hitlériens, réfugié en Suisse, il s'est rallié à un dodécaphonisme libre avec son Concerto pour violon (1937). Il écrit de grands oratorios où le passage entre le chanté et le parlé l'occupe beaucoup. Malgré ses liens avec les trois Viennois, la jeune génération ne le connaît guère.

Parmi les compositeurs demeurés en Allemagne sous le IIIᵉ Reich, Werner Egk (né en 1901) satisfit à l'esthétique rétrograde du régime avec des opéras italianisants et massénétiques tout à fait périmés, *Le Violon enchanté (Die Zaubergeige), Peer Gynt, Christophe Colomb.* Depuis 1945, dans son opéra-comique *Le Revizor,* dans ses ballets, il accommode des procédés empruntés à Ravel, Milhaud, Stravinsky, Schœnberg. Chez ce musicien, l'opportunisme l'emporte bien sur tout autre caractère.

Le Bavarois Carl Orff, né en 1895, autodidacte sauf son passage dans une des écoles rythmiques de la méthode Jaques-Dalcroze, a échappé pratiquement à toute discipline romantique ou classique. Il a considéré que les formes du XVIIIᵉ et du XIXᵉ siècles étaient mortes, tant dans la musique instrumentale qu'au théâtre, et a opté pour l'archaïsme. Dans ses « cantates scéniques », il a cherché à réinventer un théâtre primitif. Il a tout simplifié à l'extrême, rythmes élémentaires et obstinés qui veulent évoquer les danses rituelles des anciens âges, parties vocales où dominent les chœurs monodiques dont la psalmodie rappelle le plain-chant médiéval, harmonie naïve réduite à la tonique et à la dominante, refus des développements remplacés par les redites, orchestre où domine la percussion.

Carl Orff choisit des textes latins, français, en dialecte bavarois. Ses *Carmina Burana* (1937) sur des poèmes en latin populaire, suivis des *Catulli Carmina* et de *Trionfo di Afrodite* sur du latin classique, ont été un des grands succès de l'édition phonographique, dus avant tout à leur sensualité qu'accentue encore à la scène l'érotisme de la chorégraphie. Dans ses deux contes lyriques, déroulés comme les vieilles chantefables, *Der Mond (La Lune,* 1939), *Die Kluge (l'Epouse sage,* 1943), Carl Orff admettait encore quelques souvenirs de l'opéra bouffe. Mais ses principes, son goût des humanités gréco-latines devaient l'amener à tenter une restauration de la tragédie antique, dans une facture encore plus primitive que les *Carmina Burana,* avec quelques emprunts aux plus vieux opéras italiens, ceux qui précédèrent Monteverdi. Dans *Antigone* d'après l'adaptation d'Hölderlin (1949), les passages que l'on peut dire mélodiques sont de plus en plus fragmentés, la déclamation linéaire, à peine interrompue par de brefs ornements.

De longues séquences ne portent que sur une seule note. L'orchestre comprend une soixantaine d'instruments à percussion, certains imaginés par Orff. C'est avec cette percussion qu'il participe malgré tout à la musique contemporaine. Mais il la soumet à des rythmes inexorablement répétés. Nous ne connaissons *Antigone* que par le disque. Nous pensons avec un certain effroi que sa représentation scénique dure deux heures et demie d'affilée. Pour que le public allemand fasse un certain succès à ce spectacle réduisant la musique aux fonctions incantatoires les plus rudimentaires, il faut que sa patience soit illimitée. Dans *Œdipius der Tyrann* (1959), Carl Orff, avec une obstination toute germanique, a encore poussé plus loin son système, renchéri sur l'inflexible monotonie de sa déclamation, rétréci et même souvent supprimé son orchestre auquel pouvait encore se raccrocher un peu l'auditeur vacillant d'ennui.

Karl Amadeus Hartmann (1905-1965), autre Bavarois, s'était gagné l'estime générale en refusant de publier sous Hitler, puis en se dévouant intelligemment après la guerre à la diffusion des musiques les plus neuves. Lui-même, dans son œuvre surtout symphonique, dérogea peu aux traditions, bien qu'il eût travaillé avec Webern. Dans sa *VIe Symphonie* en deux mouvements, l'une des plus caractéristiques de sa manière, l'adagio polyphonique est moins « avancé » que Mahler, Strauss, *Tristan, Parsifal*, il fait plutôt songer au Wagner « tempéré », celui de *Siegfried-Idyll*. Le second mouvement est une combinaison fort classique de trois fugues. Cet honnête musicien, point dépourvu d'idées, trouverait sans peine un public en France si nos chefs d'orchestre daignaient ouvrir de temps en temps les partitions qu'ils ne connaissent pas.

Wolfgang Fortner (1907), parti de la vieille musique d'église de sa ville natale, Leipzig, a été séduit tour à tour par Hindemith, les Français, Stravinsky, la méthode sérielle, sans que ces diverses influences modifiassent beaucoup son néo-classicisme foncier. C'est un pédagogue très considéré.

PROKOFIEV ET L'ACADEMISME SOVIETIQUE

SERGE PROKOFIEV (1891-1953) a raconté lui-même dans son autobiographie sa naissance dans une grande propriété du bassin du Donetz où son père était ingénieur agronome, son enfance baignant dans la musique grâce au piano de sa mère, les opéras,

les sonates, les symphonies qu'il avait composés entre neuf et treize
ans, son entrée à cet âge au Conservatoire de Saint-Pétersbourg,
où très vite il fut rebuté par l'académisme de ses maîtres, Liadov,
Tchérepnine, Rimsky-Korsakov. En manière de protection contre
ces routines, il se mit à écrire, dès 1911, une suite d'ouvrages,
entre autres son premier concerto pour piano, qui firent crier les
conservateurs à l'anarchie mais lui valurent un commencement de
notoriété. En 1914, il remportait le premier prix du concours de
piano Rubinstein. Sa mère, pour le récompenser, lui offrait un
voyage à Londres, où il assista à la brillante saison de printemps.
Diaghilev qui en était le roi lui commanda un ballet. Il entendit
L'Oiseau de feu, Petrouchka, Daphnis et Chloé de Ravel. Rentré
en Russie, il fut épargné par la mobilisation, comme fils unique
de veuve. La guerre puis la révolution tiennent peu de place dans
ses souvenirs. Il était bien autrement occupé de ses partitions en
cours, de leur exécution dans les concerts toujours très suivis
— celle de la *Suite scythe* fit scandale à Petrograd en 1916 — de
ses démêlés avec les éditeurs, ses querelles avec Glazounov ou
Rachmaninov. En 1915, il était allé à Rome, par la Roumanie, la
Bulgarie et la Grèce, pour confabuler avec Diaghilev. Pendant les
premiers mois de la révolution bolcheviste, il séjournait au Caucase,
plongé passionnément dans la composition de sa cantate pour
chœur et grand orchestre, *Sept, ils sont sept.*

Prokofiev, en somme, devait quitter la Russie beaucoup moins
par hostilité à la révolution communiste que parce que ses désordres l'empêchaient de travailler et de se faire jouer. En 1918, il
s'embarquait à Vladivostok pour les États-Unis. Il y remporta des
succès de curiosité en tant que pianiste « bolchevik », mais dont
on déplorait qu'il jouât ses propres ouvrages. En 1923, après avoir
un peu tâté de l'Allemagne, il s'installait à Paris. On y fit le meilleur
accueil à ce grand Russe blond, presque inconnu jusque-là, mais
qui déballait un bagage imposant, une douzaine d'années de labeur.
La rudesse, les halètements, l'orchestre épais, violemment colorié,
aux cuivres déchirants de la *Suite scythe,* du ballet *Chout,* composés en 1915, le bouillonnement de la cantate des *Sept,* le mordant
des *Sarcasmes* pour piano lui composaient à souhait une excitante
physionomie de jeune sauvage échappé à l'état brut de sa steppe,
éclipsant en férocité son aîné et compatriote Stravinsky. La virtuosité de ses trois concertos pour piano était le gage de sa maîtrise,
démontrait à chaque audition son ascendant sur le public. Le
dessin pur et gracieux, l'instrumentation légère de la charmante

Symphonie classique posaient une énigme de la part de ce jeune homme cruel – on ne savait pas encore qu'il avait écrit en 1917 ces pages à titre d'exercice et pour confondre les académiciens de Petrograd – mais ils séduisaient, faisaient penser que l'on n'était pas au bout des surprises avec ce nouveau génie slave. Avec lui, la musique moderne pouvait devenir populaire sans déchoir, comme en témoignait le succès universel de la marche de son opéra *L'Amour des trois oranges*.

Dans son ballet du *Pas d'acier*, chez Diaghilev, il prêtait son tempérament aux rythmes martelés de l'époque industrielle. Durant l'hiver 1928-1929, aux concerts Straram, les Parisiens feraient une ovation à de larges fragments de son nouvel opéra, *L'Ange de feu*.

Cependant, les rares familiers de Prokofiev savaient qu'il s'acclimatait mal en Occident. Il restait étranger à son esprit, ses préoccupations, son remue-ménage, ses cénacles, ses snobismes. Il sentait diminuer sa sève, écrivait moins. L'exemple de Stravinsky, se desséchant dans le cosmopolitisme, devait le fournir aussi d'inquiétantes réflexions. En 1927, il était invité pour une tournée en U.R.S.S. où l'on n'ignorait pas ses sentiments. Il y fut magnifiquement reçu, retrouva avec joie d'anciens compagnons, fit la comparaison entre les largesses dont jouissaient les artistes « émérites » et son sort de musicien parisien, obligé trop souvent malgré sa notoriété de se produire comme virtuose pour arriver à vivre décemment, et auquel nos théâtres lyriques, encroûtés dans leur routine bureaucratique, restaient fermés. Ce voyage lui faisait surtout comprendre à quel point l'air de la patrie était vital pour son art.

Indifférent à la politique, il n'avait aucun grief contre un régime marxiste. En 1933, il regagnait la Russie soviétique pour ne plus la quitter jusqu'à sa mort à soixante-deux ans, dans tous les honneurs officiels, mais après avoir essuyé bien des avanies. La critique soviétique, avec la plus grossière mauvaise foi, nia et nie encore toute valeur à son œuvre occidentale. En 1948, les accusations de Comité central du Parti l'avaient forcé à sa consternante autocritique : « Bien que j'aie beaucoup de difficultés à comprendre pourquoi je figure parmi les compositeurs qui représentent la tendance formaliste, je suis convaincu que le peuple et le public mélomane soviétique m'aideront à supprimer cette tendance dans mon œuvre, et que mes futures créations seront dignes de mon peuple et de mon grand pays. »

On a beaucoup épilogué sur ce retour de Prokofiev en Russie. On a dit qu'il avait eu rapidement conscience d'être stoppé dans la marche de son art par la censure, les rescrits du « réalisme socialiste » auxquels il se heurtait. On a pensé que, pour étouffer ses regrets, oublier des problèmes lancinants, bref se fuir, il se jeta dans son énorme production soviétique, cet entassement d'opéras, de ballets, de concertos, de sonates, de symphonies. C'était une opinion ingénieuse, mais inexacte. On ne l'a jamais mieux compris qu'en réentendant à Paris il y a quelques années cet *Ange de feu* de la meilleure période occidentale de Prokofiev, tombé dans un complet oubli, et dont son auteur n'avait même pas le droit de citer le titre en Russie. C'est une histoire de sorcellerie dans l'Allemagne du xvɪᵉ siècle, avec des magiciens, des chaudrons diaboliques, un couvent de nonnes en folie, un Grand Inquisiteur qui expédie au bûcher une sorte de possédée. Faust et Méphisto viennent y faire un petit tour, Méphisto s'offrant le luxe de dévorer puis de ressusciter un petit garçon. Tous les éléments d'un spectacle grouillant et magnifique. Mais si la partition comporte quelques piments que l'esthétique stalinienne n'admettait pas, on n'y distingue aucune différence fondamentale avec le Prokofiev soviétique des opéras *Siméon Kotko*, *Guerre et Paix*, du ballet *Roméo et Juliette*, d'*Alexandre Newsky* au cinéma. C'est le même tissu harmonique, le même orchestre d'une vigueur parfois saisissante mais sans couleurs caractéristiques, la même nature de mélodiste qui sait être « chantant » mais sans parvenir à dépasser les lieux communs de la déclamation lyrique du xxᵉ siècle. C'est la même musique d'apparence puissante mais étalée plutôt que construite, décorative mais de peu de fond. A Moscou, Prokofiev se contenta d'assagir, d'arrondir ce modernisme mitigé qui pouvait faire encore illusion il y a quarante ans, mais n'a pas épousé l'évolution de la musique.

Sur cette évolution, Prokofiev ne chercha jamais à réfléchir, à se renseigner sérieusement, et ce fut sans doute un repos pour lui que de ne plus en entendre parler chez les Soviétiques. Sauf durant sa première jeunesse en Russie, de 1912 à 1918, où il s'insurgeait contre les règles des vieux académiciens et signa ses partitions non point les plus équilibrées mais les plus originales, il ne percevait pas l'usure de vocabulaire musical. Aussi le sien, tout en évitant les banalités flagrantes, est-il assez impersonnel.

Prokofiev avait un besoin physique de composer, qui se satisfaisait de n'importe quel prétexte. Il s'ennuyait dès qu'il n'était plus requis par une bonne grosse besogne. Sauf dans des tartines officielles comme *l'Hymne à Staline*, le très faible oratorio de *La Garde de la paix* (1950), sa musique conserve une qualité au moins honorable — l'ouvrier avait du goût et une extrême sûreté de main — mais elle n'est commandée ni par une nécessité intellectuelle — Prokofiev fut le moins intellectuel des compositeurs — ni par une nécessité affective. Il triturait toujours avec le même plaisir sa pâte sonore, dont il variait la densité et le débit selon le caractère dramatique, pompeux ou joyeux de ses sujets, mais qui restait d'une œuvre à l'autre à peu près identique dans ses éléments. On peut citer par exemple, sur la fin de sa période soviétique, l'opéra bouffe *Le Mariage au couvent*, et le volumineux opéra historique d'après Tolstoï, *Guerre et Paix*. Deux ouvrages soignés, que l'on entend sans désagrément, mais d'où tout imprévu a disparu le premier étant d'un entrain artificiellement entretenu, privé de ce sens du burlesque que l'auteur possédait si bien à vingt-cinq ans; tandis que le second apparaît en fin de compte non moins superflu que le film aux épisodes interminables de Bondartchouk sur le même roman. En sortant de ces auditions, nous constatons qu'il ne nous en reste pas une note, pas un timbre. Cependant, Prokofiev qui avait travaillé pendant près de dix ans à *Guerre et Paix*, tenait cet opéra pour son chef-d'œuvre. Il n'était donc plus capable, sur sa propre musique, que de jugements quantitatifs.

MUSIQUE ET POLICE

Le conformisme ne s'était pourtant pas abattu du jour au lendemain sur la Russie soviétique comme sur l'Allemagne de Hitler. Dans ses premiers temps, l'avant-garde musicale faisait au contraire bon ménage avec la révolution. A Leningrad, qui demeurait encore comme sous les tsars la capitale artistique, les élèves du Conservatoire larguaient les vieilles disciplines et se livraient fougueusement à des expériences détonantes. Des sociétés de musique contemporaine se consacraient à la diffusion de Stravinsky et de Schœnberg. On se rappelle que l'Opéra de Leningrad avait été l'une des premières scènes à représenter le *Wozzeck* d'Alban Berg. On se faisait alors de l'art « bolchevik », à Paris ou à Londres, l'image du futurisme le plus ravageur. Les fruits de cette liberté furent du reste médiocres. Faute d'un contact direct avec les maîtres occidentaux, leurs principes étaient mal compris. Nikolaï Miakovski, le camarade d'études de Prokofiev, ne parvenait pas à se dégager de l'imitation désordonnée. Dans sa *Fonderie d'acier* (1927), cette pièce symphonique qui eut un succès très vif mais passager hors des frontières de la Russie, Alexandre Mossolov pratiquait une sorte de lyrique du machinisme très superficielle. Reinhold Glière (1875-1956), qui avait encouragé les premières hardiesses de Prokofiev, barbotait dans de fades truismes.

Les premières tracasseries vinrent, dès 1925, d'organismes comme l'Association russe des musiciens prolétariens, officines de délation même pas déguisée. En 1926, un petit jeune homme fluet et myope, de vingt ans, Dimitri Chostakovitch, élève prodige du vieux Glazounov, donnait une *Première Symphonie* d'une maturité de métier si exceptionnelle chez un garçon de cet âge qu'à l'Ouest des chefs d'orchestre tels que Bruno Walter, Stokowski, Toscanini l'adoptaient immédiatement, et faisaient applaudir avec elle par les auditoires « capitalistes » les promesses d'une nouvelle école soviétique.

Mais l'année suivante, le jeune génie se faisait réprimander sévèrement pour son opéra *Le Nez*, d'après Gogol, dont la veine caricaturale était incommunicable aux oreilles de la police artistique. Suspect désormais, Chostakovitch devenait l'objet de critiques de plus en plus aigres, auxquelles il répliquait courageusement, jusqu'à ce que le couperet de Staline, c'est-à-dire un réquisitoire écrasant de la *Pravda*, tombât en 1936 sur son opéra *Lady Macbeth de Msensk*, joué pourtant avec succès depuis deux ans : « Formalisme pernicieux. Livret indécent, mensonger et pervers. Tendances démoralisantes... » Depuis les jours les plus stupides de l'Inquisition, on n'avait plus entendu pareil langage. *Lady Macbeth* et la plupart des œuvres antérieures du musicien étaient frappées d'un interdit qui ne serait jamais rapporté. Quelques mois plus tard, Chostakovitch publiait dans *La Revue musicale* de Moscou sa nouvelle profession de foi : « Je ne conçois pas mes progrès ultérieurs en dehors de notre construction socialiste. Et le but que j'assigne à mon œuvre, c'est d'aider en tout point à édifier notre remarquable pays. Il ne peut y avoir de plus grande joie pour un compositeur que d'avoir conscience de contribuer par sa création à l'essor de la culture musicale soviétique, appelée à jouer un rôle de premier ordre dans la refonte de la conscience humaine. » Texte pitoyable, mais qu'il faut replacer, avant d'accabler le signataire, dans son époque de terreur, celle où commençaient les grandes purges.

La vigilance des sbires culturels n'allait plus se relâcher. Elle devait paraître encore insuffisante, puisque au début de 1948 le Comité central du Parti fulminait une menaçante mise en garde contre les plus célèbres compositeurs soviétiques, accusés de « déviations antidémocratiques, étrangères au peuple de l'U.R.S.S. et malsaines ».

Quel est donc le programme assigné à ces compositeurs ? Leurs œuvres doivent s'adresser immédiatement à la plus grande masse possible d'auditeurs, car il n'est pas d'autre critère de la valeur artistique. En 1967, Vano Ilitch Muradeli, qui fut pourtant mis au pilori pour son opéra *La Grande Amitié,* mais récompensé depuis de sa soumission par la présidence de l'Union des compositeurs moscovites, rappelait encore dans les *Izvestia* ce commandement du catéchisme : « Il faut écrire afin d'être compris par le public d'aujourd'hui et non par celui des générations futures. » C'est nier puérilement toute évolution musicale, puisque Beethoven, Wagner, Debussy et tant d'autres ont été d'abord inintelligibles, n'ont fait que lentement leur chemin dans le public.

Règle corollaire de celle-ci : les musiciens ne doivent pas s'écarter de la tradition, user d'autres moyens que ceux consacrés par les œuvres anciennes, Tchaïkovski étant le modèle suprême. Toute recherche de langage neuf, de technique pure est taxée de formalisme, le péché inexpiable. S'il avait le malheur de se réincarner en U.R.S.S., le Bach de *L'Offrande musicale,* de *L'Art de la figure,* du *Clavecin bien tempéré,* des *Variations Goldberg,* subirait les plus cuisantes condamnations pour « ces jeux stériles et antipopulaires. »

Enfin, le compositeur doit donner un contenu politique à ses œuvres, servir par elles le régime, la patrie-russe, glorifier leurs réalisations.

Cette esthétique de petits-bourgeois a produit ce que l'on pouvait attendre d'elle. Le folklore, cette plaie quotidienne des pays communistes, où il sévit sans arrêt avec ses faux sourires et son faux entrain à la télévision, à la radio, au cinéma, au restaurant, est sa source obligatoire, indiquée par Staline lui-même. Les musiciens soviétiques n'étaient cependant pas voués fatalement à la médiocrité par cette inspiration folklorique que leurs confrères occidentaux ont épuisée depuis près de quarante ans. On peut imaginer un Géorgien, un Ukrainien qui auraient inventé une musique d'esprit populaire, mais dans leur style personnel, une quintessence de folklore comme Bartok, Stravinsky dans sa première manière et plus encore Falla. Mais il faut croire que les règlements, le niveau esthétique de l'U.R.S.S. ne permettent pas ces transpositions raffinées. Personne non plus, parmi les Russes soviétiques, n'a su faire dans le fonds national les précieuses découvertes rythmiques et harmoniques de Bartók dans le fonds roumain ou hongrois.

Tous les compositeurs occidentaux sont tombés d'accord sur la quasi-impossibilité technique d'écrire une musique de quelque envergure et de quelque complexité en y utilisant directement des thèmes populaires. Ils pourraient puiser, si le débat n'était clos depuis déjà longtemps, des exemples de ce qu'on ne doit jamais faire dans chaque page des Soviétiques. Ce n'est pas, tant s'en faut, que ceux-ci ne soient pas prodigues d'amplifications, mais rapsodiques, assorties de tirades tchaïkovskiennes dans le genre le plus creux. Bref, une trahison à peu près complète du riche folklore russe.

Chostakovitch, Khatchaturian, Miaskovski l'ancien étudiant révolutionnaire pondeur de vingt-sept symphonies officielles, sont des imitateurs d'imitateurs. En y ajoutant tout au plus quelques crudités harmoniques ou orchestrales tolérées par les censeurs de Moscou, ils sont à la suite de Glazounov, Liapounov, Gretchaninov, eux-mêmes les plats et intarissables suiveurs de Rimsky-Korsakov dans ses moins bons jours. Cinquante, soixante ans de retard, dans les principes aussi bien que la facture, sur l'Occident de Strauss, Debussy, Ravel, Mahler, Schœnberg, du Stravinsky russe, issu de la même école rimskyenne, mais pour en pulvériser les ponts-neufs dès 1910.

Cela correspond très précisément à tout ce que nous savons de l'U.R.S.S., le pays le plus attardé, le plus réactionnaire en littérature, en théâtre, en décoration, redoutant toute manifestation de la liberté créatrice comme une brèche dans l'orthodoxie policière, substituant à la véritable veine populaire la vulgarité, l'uniformité de ses chromos picturaux, musicaux ou cinématographiques.

Malgré le momumental budget consacré par l'État à l'enseignement musical — qui a formé d'excellents virtuoses dont les meilleurs vivent presque constamment à l'Ouest — aux concerts, aux opéras, le milieu artistique souffre d'une absence d'information dont témoigne cette réponse, à mettre sur le compte de sa duplicité ou de son ignorance, d'Aram Khatchaturian, l'une des plus grosses gloires de l'école, interrogé sur Schœnberg : « Schœnberg n'offre pas d'intérêt. Il n'a eu un peu de talent que dans sa jeunesse, quand il était sous l'influence de Tchaïkovski. » Le professorat étriqué des Conservatoires reste sans effet contre une des faiblesses congénitales des musiciens russes, leur difficulté à conduire un développement organique.

Chostakovitch, mué depuis trente ans en haut fonctionnaire de la double croche et du trombone, s'acquittant de sa charge en célébrant le reboisement avec l'oratorio du *Chant des forêts* ou la révolte de 1905 avec le colossal échafaudage de sa *Onzième Symphonie,* pratique une telle boursouflure que l'on voudrait y percevoir une secrète dérision, s'il n'était impossible que cet homme prolongeât un pareil jeu durant des décennies et dans une montagne de partitions. De toute façon, une œuvre de musique « pure » et relativement libre de cet auteur, le *Concerto op. 35* pour piano, trompette et cordes, à peu près contemporain de *Lady Macbeth*, reste à l'état d'une salade de lieux communs hétéroclites, trompette à la Petrouchka ou dans la manière foraine des Six, sentimentalité, épisode de galanterie xviiie au piano, immédiatement suivi par des galops romantiques. C'est un « bout à bout » musical sans la moindre tentative d'élaboration.

L'Arménien Khatchaturian, né en 1904 à Tiflis, entre autres titres vice-président de la Section des Chants de bataille pour l'Armée rouge, n'est pas tout à fait aussi ennuyeux grâce à une certaine faconde méridionale, à quelques thèmes d'un exotisme un peu moins délavé. Mais il compte, parmi ses forfaits, un *Chant de Staline* pour orchestre et chœurs (1937, en pleine terreur !), une *Bataille de Stalingrad,* catalogue des poncifs du « réalisme socialiste » dans sa variante sonore.

Dimitri Kabalevski, né en 1904, est peut-être le moins déplaisant des Soviétiques, parce qu'il est le plus discret, écrivant surtout pour le piano. Mais il est à peine connu en France, sans doute parce que les services culturels de Moscou ne le jugent pas assez « représentatif ».

En 1958, pendant la « déstalinisation », le Comité Central, tout en continuant à formuler des réserves académiques, a lavé les compositeurs en renom des accusations les plus grossières, reconnu que Joseph Vissarionovitch Staline était « subjectif » et « tendancieux » dans ses jugements, que Molotov, Malenkov et Béria, ces délicats esthètes, avaient eu sur lui une influence regrettable. Quelques artistes occidentaux ont pu être invités au titre des échanges culturels avec des programmes de musique nouvelle; mais la critique et les pouvoirs ont bien spécifié qu'il s'agissait là de curiosités décadentes qu'un bon compositeur socialiste se devait de mépriser. Les plus récentes œuvres soviétiques font usage d'une rhétorique aussi conventionnelle et attardée qu'au temps du dictateur géorgien. Quelques œuvrettes vaguement sérielles, d'André Volkonsky par exemple, ont pu franchir à la sauvette le rideau de fer, mais elles sont d'une insignifiante timidité, sans aucune audience à l'intérieur de l'U.R.S.S. où leurs auteurs sont surveillés de près. Quant à la nouvelle génération qui les suit, coupée de tout contact avec le monde ou la musique reste vivante, mieux vaut penser qu'elle n'a vu naître que des fonctionnaires dociles, car un artiste d'un vrai génie y serait condamné à un sort par trop cruel.

Le régime soviétique a stérilisé les dons admirables du peuple russe. Il étouffe aussi la plupart des satellites, en tout cas la Hongrie, la Tchécoslovaquie, l'Allemagne de l'Est. C'est un chapitre si triste que nous préférons le sauter. Le lecteur mélomane, hélas ! n'y perdra rien.

D'AUTRES PAYS

L'ANGLETERRE

Le XIXᵉ siècle anglais était un tel désert que les historiens les plus bienveillants n'ont guère trouvé à y nommer qu'un tiède disciple de Mendelssohn, William Sterndale Bennett, et un auteur d'opérettes, sir Arthur Sullivan, conciliant Offenbach et Johann Strauss pour le grand bonheur du public londonien. A partir de 1850, après les concerts dirigés par Wagner et Berlioz, grâce à l'action du musicologue Grove (1820-1900), l'auteur du célèbre dictionnaire, de sir Alexander Mackenzie, meilleur animateur et professeur que compositeur et de plusieurs chefs d'orchestre, la Grande-Bretagne s'ouvrit beaucoup plus largement à la musique continentale. Ses critiques font en général dater la renaissance anglaise — toute relative — du milieu de la carrière de sir Edward Elgar (1857-1934) qui débuta par des oratorios conventionnels et pompeux toujours très appréciés depuis Haendel, mais écrivit ensuite sous les influences conjuguées de Wagner et de Brahms des œuvres symphoniques davantage pensées et plus consistantes. Il se tut durant les quinze dernières années de sa vie. Joseph Holbrooks procédait de Richard Strauss, un Strauss policé et amorti. Frederick Delius (1863-1934), d'ascendance allemande et suédoise, était un solitaire, longtemps retiré près de Fontaine-bleau, qui reprenait à Strauss un de ses thèmes nietzschéens dans son oratorio *A Mass of Life*, d'après *Zarathoustra*, mais cherchait surtout à se composer un style impressionniste avec des procédés encore traditionnels. Un voyage aux États-Unis lui avait inspiré des *Variations sur un vieux chant d'esclaves américains* et une cantate, *Appalachia*.

La réaction contre le germanisme romantique se produisit à peu près dans le même temps qu'en France avec Ralf Vaughan Williams (1872-1958), fils d'un pasteur de campagne, ayant tra-vaillé à Berlin près de l'ennuyeux Max Bruch qui ne le marqua guère, pris ensuite à Paris les conseils de Maurice Ravel qu'il écouta beaucoup plus volontiers. Il composa neuf symphonies, s'échelonnant sur près de cinquante années – la dernière datant de l'année même de sa mort – ce qui explique ou excuse jusqu'à un certain point leur facture très disparate. Il s'était épris des vieux chants populaires anglais et en constitua des collections selon la méthode de Bartók. Il s'imprégna de leurs tournures modales, remonta aussi aux anciens maîtres de l'ère élisabéthaine avec sa *Fantaisie sur un thème de Tallis*, sa messe *a cappella* dans le style de William Byrd. Il appartint donc à la fois au folklorisme et au néo-classicisme, avec un sentiment de la nature et du terroir que les mélomanes anglais perçoivent mieux que nous.

Il faut citer le nom de Gustav Holst, d'origine scandinave (1874-1934), à cause de son poème symphonique *Les Planètes*, assez brillamment orchestré, mais avec des banalités mélodiques qui affaiblissent souvent son symbolisme cosmique. Le principal titre de Frank Bridge (1879-1941) est d'avoir eu pour élève Benjamin Britten. Sir Arnold Bax (1883-1953) méprisait les modernes et plaidait pour la musique « qui vient du cœur », ce qui ne suffisait pas à absoudre ses poncifs et ses remplissages. Lord Berners (1883-1950), diplomate de carrière, compositeur amateur, fit une réputation d'excentrique avec ses caricatures musicales, les *Valses bourgeoises* à quatre mains, les *Marches funèbres* pour un canari, une tante à héritage, son ballet *Luna Park*. Elles lui ont valu d'être appelé le Satie anglais, un Satie gentleman, peut-être bien plus divertissant que le nôtre.

De sir Eugène Goossens (1893-1962), bon chef d'orchestre et auteur de volumineux oratorios, nous ne connaissons que des pièces mineures, assez effacées. Sir Arthur Bliss, né en 1891, après avoir marché quelque temps dans les pas de Stravinsky et du premier Hindemith, a fait une carrière d'académicien adroit et musclé, mieux accordée à ses importantes fonctions officielles. Sir William Walton, né en 1902, avait importé en Angleterre durant sa jeunesse les goûts forains des « Six » français. On ne soupçonnerait guère ces anciennes impertinences à entendre son Concerto pour alto, son *Festin de Balthazar,* oratorio biblique passablement boursouflé, son opéra *Troïlus et Cressida.* Lennox Berkeley (1903) porte l'empreinte de ses années d'études en France avec Nadia Boulanger. Comme Francis Poulenc, à qui on a pu le comparer assez justement, il est passé de la veine légère, primesautière de sa *Sérénade,* ses concertos, son petit opéra humoristique *A Dinner Engagement (Invitation à dîner)* aux partitions religieuses, *Stabat Mater, Quatre Poèmes de Sainte Thérèse d'Avila* — Berkeley est catholique — dont l'écriture reste d'ailleurs cursive et coulante. Arthur Benjamin, né en Australie (1893-1960), a composé selon les normes éprouvées et avec une grande abondance de rondeurs mélodiques deux opéras, l'un joyeux, *Prima Donna,* l'autre dramatique, *A Tale of two Cities (Un conte de deux villes)* d'après Dickens. Alan Rawsthorne (1905), dont l'œuvre est presque uniquement instrumentale, peut être rangé parmi les adaptateurs élégants des innovations harmoniques aux oreilles du grand public. Michael Tippett (1905), homme d'éminente culture, a gâté son opéra *The Midsummer Marriage (Le Mariage d'une nuit d'été)* par les intentions compliquées du livret dont il est l'auteur. On le tient, dans ses œuvres concertantes, symphoniques, ses quatuors, pour l'un des techniciens britanniques les plus sérieux.

Tous ces musiciens ont au moins en commun la répugnance à l'abstraction qui est également dans le caractère de la littérature et de la philosophie anglaises. Ils aiment les supports pittoresques, romanesques, voire politiques, les musiques à programmes, la description. Il n'y a rien de déshonorant à se servir de telles sources. Mais les compositeurs anglais sont peu ouverts aux grandes formes intrinsèquement musicales. Haendel doit rester le classique de leurs prédilections secrètes, avec son académisme largement drapé, plutôt que Bach ou que le Beethoven des quatuors. Berenson l'historien de la peinture italienne, s'il s'était occupé de musique, les aurait placés parmi les « illustrateurs ». Aucun n'a été assez personnel pour ressentir le besoin d'une syntaxe et d'un vocabulaire profondément renouvelés sans lesquels il n'est plus pour nous de talent original. Ils ont reflété, assez souvent avec de l'habileté et de l'agrément, les diverses tendances de la musique du Continent, mais n'ont pas influé un seul instant sur son évolution. Leurs compatriotes reconnaissent chez eux un caractère britannique qui nous échappe plus ou moins. Il se définit sans doute par une certaine réserve, évitant les « excès », les éclats qui ont justement fait le génie de Strauss, de Debussy et de Stravinsky.

Les titres nobiliaires dont ces auteurs de symphonies, d'oratorios et d'opéras ont été gratifiés, leurs fonctions honorifiques de « master of the Quenn's music » ne peuvent guère tromper sur leur notoriété qui est surtout insulaire. Sauf Delius assez souvent joué en Amérique et en pays germaniques, leurs œuvres ont passé rarement la Manche.

Un seul compositeur anglais — le plus important peut-être depuis Purcell — BENJAMIN BRITTEN (1913), possède aujourd'hui une audience mondiale qui touche à la gloire.

Il a éveillé l'attention de la critique anglaise dès 1937 aves ses *Variations pour cordes* sur un thème de son maître Frank Bridge. Pourtant, l'œuvre instrumentale, *Variations sur un thème de Purcell* souvent jouées en France, *Simple Symphony*, quatuors, concertos, est secondaire chez ce musicien, qui comme la plupart de ses compatriotes du XIXe et du XXe siècle ne veut pas s'astreindre à des formes sévèrement construites.

Le succès immédiat de son premier opéra, *Peter Grimes* (1945) — fait divers tragique, un pêcheur des côtes du Suffolk accusé d'un crime sadique et acculé au suicide — a décidé de sa vocation. Avec plus de culture et de distinction, Britten, comme Menotti, est avant tout un musicien de théâtre. Il a dans ses bons jours le don le plus sûr de l'action. Il passe pour plus habile qu'original. Outre l'éclectisme très large de ses sujets, qui lui fait continuellement enjamber les siècles, il rappelle en effet bien des maîtres, de Purcell à Alban Berg, en passant par Verdi, le vérisme, Moussorgski, Debussy (l'impressionnisme du climat marin enveloppant le scénario naturaliste de *Peter Grimes*). Mais il a une façon assez personnelle de fondre ses emprunts, ou plutôt ses libres souvenirs. *Albert Herring* (1947), son vaudeville du puceau d'après *Le Rosier de Madame Husson* de Maupassant, étire un peu trop sur trois actes ses récitatifs sautillants. Dans *Billy Bund* (1951) d'après Melville, qui se rapproche trop du grand opéra XIXe, la mer a moins bien inspiré Britten que dans *Peter Grimes*. Son *Opéra des Gueux*, malgré l'adresse avec laquelle il a adapté les airs originaux du *Beggar's Opera* de John Gray ne fait pas oublier *L'Opéra de quat'sous* de Kurt Weill, infiniment plus savoureux et proche des personnages de truands que cette instrumentation, ces vocalistes un peu trop élégantes. Dans *Le Songe d'une nuit d'été* d'après Shakespeare, une monotonie distinguée l'emporte sur les joliesses de détail.

C'est lorsqu'il réduit ses moyens que ce musicien brillant, dispersé, parfois trop sûr de lui, est le plus heureux. Aussi mettra-t-on au premier rang de son œuvre ses « opéras de chambre » dont il est le véritable inventeur − on peut négliger les pochades brouillonnes de Milhaud − *Le Viol de Lucrèce* qui atteint avec une vingtaine d'exécutants à une telle puissance dramatique, *Le Tour d'écrou (The Turn of the Screw,* 1954) d'après la nouvelle d'Henry James, où l'instrumentation condense des effets si troublants de fantastique et d'horreur. Cette dernière œuvre est aussi l'une des réussistes vocales les plus attachantes de Britten, dans un style *arioso* qui ne doit plus rien à Puccini, et dont la couleur paraît très ingénieusement réinventée d'après l'ancienne musique anglaise. *Le Fournaise ardente,* admirablement représentée en 1968 au Mai de Versailles par l'English Opera Group a emporté toutes les réserves des mélomanes et des critiques français sur la facilité de Britten. L'épisode du Livre de Daniel, les trois Juifs sortant sains et saufs du brasier où Nabuchodonosor les a fait jeter, est représenté comme un « mistère » médiéval par des moines dont la procession ouvre et ferme le spectacle. Pour créer, sans le moindre pastiche, une atmosphère pieuse et ingénue, Britten n'a besoin que d'une seule citation grégorienne dont il tire ses récitatifs, ses airs, ses ensembles, si expressifs et variés dans leurs lignes mélodiques et leurs rythmes. Huit instruments lui suffisent pour enluminer le texte de couleurs délicieuses. Dépassant son talent de touche-à-tout, il ne recherche ni les archaïsmes ni les modernismes. Il est entièrement pris par son travail de poète, il y trouve ses accents à la fois les plus sincères, les plus ingénieux et les plus touchants, sans oublier les intermèdes de la truculence qui au Moyen Age accompagnait toujours le sacré. Et *La Rivière aux courlis,* une autre « parabole à représenter à l'église » est une réussite non moins émouvante.

Il faut encore dire que, lorsque la voix intervient dans ses œuvres de concert, *Sérénade, Nocturne* pour ténor et petit orchestre, cycles de mélodies, Britten est presque toujours heureux, grâce à son expérience du chant, à sa connaissance des ressources musicales de la langue anglaise, dont on ne se souvient plus guère depuis Purcell.

Benjamin Britten a tiré la musique britannique de son interminable académisme. S'il a redécouvert avec ses « mistères » qui ne réclament qu'une vingtaine d'interprètes une solution aux difficultés matérielles du speçtacle lyrique — *La Fournaise ardente* pourrait être représentée jusque dans les villages — il ne contribue pas au renouvellement des formes de l'opéra. Mais ceux qui ressentent la nécessité de ce renouvellement n'osent pas aborder la scène. Britten a ses défauts mais c'est un réalisateur, dans un temps où trop de musiciens n'arrivent pas à conduire au-delà de dix minutes, leurs expériences instrumentales ou électroniques. Et puis, il est bien agréable d'assister grâce à lui à quelques opéras contemporains dont on a la certitude qu'ils n'iront pas aux oubliettes après cinq représentations de complaisance.

LES ÉTATS-UNIS

Les États-Unis en sont encore à attendre leur grand compositeur. Ils ont pu décerner cette épithète à une douzaine au moins de leurs concitoyens. Mais jusqu'à présent l'étranger ne l'a point ratifiée.

Ce n'est pas faute d'une vie musicale intense et d'un luxe extraordinaire de l'Atlantique au Pacifique et du Nord-Dakota à la Floride. Grâce aux inépuisables largesses des fondations privées — l'État intervient fort peu — une trentaine de villes au moins possèdent des orchestres qui peuvent s'aligner tout près des Philharmoniques de Berlin ou de Vienne. Des chefs tels que Toscanini, Koussevitsky, Stokowski, Mitropoulos, Bruno Walter, Klemperer, Charles Münch les ont dirigés tour à tour. Les universités, les collèges, les simples écoles ont leurs formations instrumentales et chorales. Quelques-uns des meilleurs disques de Josquin des Prés, Janequin, Costeley ont été enregistrés par des étudiants américains s'appliquant d'une façon charmante à une bonne articulation du vieux français. Stravinsky a depuis près de trente ans la nationalité américaine. Schœnberg, Hindemith, Bartok, Martinu, Edgar Varèse, Ernest Bloch, Krenek, Darius Milhaud, Dallapiccola, Stockhausen, Xenakis ont enseigné ou enseignent dans les départements musicaux des universités, les institutions magnifiquement dotées comme la Juilliard School of Music. Le Metropolitan Opera, aux distributions vocales uniques dans le monde entier, mais dont le bâtiment paraissait trop modeste aux New-Yorkais, a été réédifié dans le temps que l'on met à Paris pour changer les fauteuils d'un cinéma. Les virtuoses sont entourés d'un culte extatique. Cependant, et ce n'est pas un signe très encourageant, à part quelques chanteurs, peu d'autochtones, pianistes, violonistes, chefs d'orchestre, sont parvenus au niveau international. Les pianistes d'éducation purement américaine sont d'excellents praticiens, mais d'une sensibilité assez courte.

Les compositeurs n'ont pas atteint non plus l'entière maturité artistique. L'un deux, Virgil Thomson, veut distinguer chez eux deux traits originaux, véridiquement nationaux, le crescendo sans accélération, et un sentiment particulier du rythme, très libre dans la mélodie, d'une stricte régularité dans l'accompagnement. Cette analyse, fondée plutôt sur le jazz, a rencontré fort peu de crédit. On pourrait peut-être dire que les Yankees, qui pas plus que leurs cousins britanniques ne portaient dans leurs veines anglo-saxonnes de grandes aptitudes musicales, n'ont pu proposer un accent national aux émigrés de toutes extractions; au contraire de ce qui est advenu en littérature, où sur le fonds de la puissante tradition britannique, a poussé un rameau américain vigoureux et original.

Le Tchèque Dvorák, directeur du Conservatoire de New York de 1892 à 1895, avait laissé quelques élèves, dont les noms, sauf celui de Rubin Goldmark, sont bien oubliés. On voudrait connaître mieux Charles Ives (1874-1954) dont le destin solitaire est attirant. En 1894, il avait adopté déjà la polytonalité dans sa pièce *Song for harvest season* pour voix, cornet à piston, trombone et orgue. Devant l'incompréhension de ses compatriotes, il entra dans les affaires, ne consacrant plus à la musique que ses loisirs, sans aucun souci d'être publié. La première audition de sa *Troisième Symphonie,* écrite en 1911, n'eut lieu qu'en 1945. Quant à sa *Seconde Symphonie*, elle dormit pendant près de cinquante ans dans ses cartons. Au milieu d'ingénuités et de défaillances de plume, les œuvres de ce Vinteuil américain étaient parsemées de singularités harmoniques et rythmiques qui leur conféraient la priorité sur Stravinsky. Mais trente ou quarante ans avaient amorti, quand on les entendit, ces audaces qu'il fallait replacer à leur date. Charles Ives, découvert à soixante-dix ans, quand il n'écrivait plus du tout, eut du moins la satisfaction de gagner l'estime et l'amitié de Schœnberg.

J.A. Carpenter (1876-1951) eut une notoriété passagère pour avoir introduit dès 1915 quelques éléments de jazz dans un

Concertino pour piano. Carl Ruggles (1876) étonna pendant une ou deux saisons des années Vingt les auditeurs des concerts d'avant-garde par l'aigreur de ses dissonances. Virgil Thomson classe Howard Hanson (1896) parmi les éclectiques post-romantiques et Walter Piston (1894) dans le néo-classicisme parisien, ce qui est un commentaire suffisant de leurs ouvrages. Roger Sessions (1896) passe pour germanisant. Virgil Thomson lui-même, né en 1896, de goûts francophiles, a essayé une évocation du Paris de Fitzgerald, du jeune Hemingway et des autres fêtards américains de Montparnasse. Norman Dello Joio, d'une famille d'émigrants italiens, va du classicisme menu de ses hommages à Scarlatti aux grands oratorios boursouflés sur des textes de Walt Whitman.

Aaron Copland (1900), ancien élève de Nadia Boulanger, le plus joué des compositeurs américains aux États-Unis, donne surtout dans un mimétisme bien douteux. A vingt-cinq ans, il scandalisait par l'agressivité de sa *Symphonie pour orgue et orchestre*, assez puérilement imitée de Stravinsky. Il tâtait ensuite des rythmes noirs apprivoisés et affadis dans son médiocre *Jazz Concerto*. Il confectionna ensuite des pièces pittoresques, *El Salon Mexico*, les ballets *Rodeo, Appalachian Spring,* de couleurs presque aussi vulgaires et banales que de la musique de film débitée au décamètre, mais qui lui valurent de gros succès. Comme pour se racheter de ces faiblesses, il est revenu dans ses symphonies ultérieures à une écriture d'aspect savant et même ingrat. De telles carrières ressemblent à une devinette sans solution : chercher le vrai visage du musicien, sans aucune chance de le découvrir.

William Schuman (1910) doit sans doute à une origine germanique le sérieux de son contrepoint, peu fréquent dans le Nouveau Monde, et sa prédilection pour les chorals. On le rapprochera d'Elliott Carter (1908), indifférent aux dollars, à la renommée, qui construit ses quatuors à cordes et ses sonates avec un souci de la forme inattendu chez un Anglo-Saxon.

Après avoir cité tant de noms, ce serait du snobisme étriqué que de passer sous silence celui de George Gershwin (1898-1937) qui reste hors de son pays le plus connu des auteurs américains, et que les musicologues des États-Unis analysent aussi consciencieusement qu'un Bartók ou un Hindemith. Gershwin était né dans une famille de petits juifs russes de New York. Il débuta parmi ses coreligionnaires d'Allemagne ou d'Europe orientale, Irving Berlin, Vincent Youmans, Frederick Lœwe, Kern, qui tenaient le monopole des couplets pour Broadway, et dont toute la technique se réduisait parfois à siffler devant un pianiste l'air qu'ils étaient incapables de noter. En 1924, sa *Rhapsody in blue* provoqua un éblouissement universel, même chez d'austères et pointilleux critiques, qui n'auraient pas beaucoup aimé qu'on leur rappelât leurs proses enflammées dix ans plus tard. A ce moment-là Gershwin était vilipendé à la fois par les musiciens « classiques » et par les amateurs du jazz authentique. Il est certain que la *Rhapsody*, écrite pour la formation symphonique de Paul Whiteman, qui « jazzait » Liszt et Schubert, n'a aucun rapport avec le jazz. D'autre part, elle ne prétend pas au moindre ordre thématique, et son instrumentation, pour laquelle Gershwin se fit aider, est trop chargée, trop pompeuse. Mais elle garde un ton de jeunesse, un entrain qui la rendent encore écoutable. Gershwin, comme dans *Un Américain à Paris,* s'y tient à la même distance de l'opérette que de la musique savante. La catastrophe se produisit quand il voulut s'appliquer au « grand genre » dans son soporifique *Concerto pour piano,* où un franckisme attardé et mal digéré voisine avec les plus plates sentimentalités à la Rachmaninov. Quant à l'opéra nègre *Porgy and Bess* (1935), s'il demeure à l'affiche après plus de trente ans, c'est d'abord grâce à un livret coloré, mouvementé, mêlant avec naturel le drame et l'humour. Mais la musique n'est que l'imitation d'un folklore noir-américain à la fois insuffisamment réinventé et insuffisamment véridique. Par un curieux avatar, les Noirs de Harlem se sont approprié certains thèmes de *Porgy and Bess* pour en faire du jazz pur. A propos de Gershwin, on aurait aimé savoir les raisons de l'intérêt que lui portait Schœnberg, qui alla jusqu'à instrumenter quelques-unes de ses pages pour piano.

Leonard Bernstein (1918) a sidéré les foules et une bonne partie de la critique par sa polyvalence : chef réputé du New York Philharmonic Orchestra, pianiste dirigeant de son clavier les concertos, compositeur en tous genres. Il entre beaucoup de jonglerie dans ses différents exercices. Dans la musique pour le film *West Side Story,* dont Bernstein est l'auteur, quelques danses réussies ne compensent pas l'écœurante sucrerie de la « sweet music » du ténorino. Dans le genre élevé, la *IIᵉ Symphonie* dite « L'Age de l'anxiété » n'est qu'un tissu de procédés grossiers recouvrant mal une pensée parfaitement indigente.

On se souvient encore un peu de Georges Antheil (1900-1959) à cause de ses fanfaronnades et de la crise de futurisme qu'il traversa vers 1925. Ce fut l'époque des concerts parisiens où il exécutait sa *Sonate sauvage* et sa *Sonate de l'aéroplane* en portant sous son frac un pistolet automatique pour se frayer au besoin un passage — c'est du moins ce qu'il affirmait — à travers l'émeute du public indigné par le traitement infernal qu'il infligeait à son piano. Il remporta un autre succès de stupeur avec son *Ballet mécanique* pour huit pianos, xylophone, batterie, et un accompagnement d'hélices vrombissantes, de sonneries électriques. Mais quand il eut jeté ainsi sa gourme, Antheil qui au milieu de tous ses vacarmes, n'avait jamais voulu entendre parler de Schœnberg, retourna au néo-classicisme qu'il n'avait fait que déguiser avec une demi-douzaine de symphonies qui ne récoltèrent qu'indifférence.

Antheil avait eu un précurseur en la personne d'Henry Cowell, écrivant des accords étendus sur deux octaves et que l'on frappait avec les avant-bras. Les États-Unis comptent quantité d'autres expérimentateurs ou excentriques. Mais ceux-là appartiennent à la musique qui est en train de se faire.

LA BELGIQUE, LA HOLLANDE, LA SUISSE

Depuis César Franck, qui émigra si vite à Paris, aucun musicien d'envergure européenne n'est né en Belgique. Peter Benoit demeure le plus grand nom de l'école flamande qu'il fonda dans le cours du XIXe siècle. (Il a vécu de 1834 à 1901.) L'écriture simplifiée de ses cantates, de ses oratorios tous destinés à une grande audience populaire, a beaucoup vieilli. Les Wallons sont impitoyables pour cette musique dont ils affirment qu'elle est à base de coups de canon et de grosse caisse. Ses successeurs, Jean Blocks (1851-1912), Auguste de Bœck (1865-1937), Lodewijk Mortelmans (1868-1952), Arthur Meulemans né en 1884, tous plus ou moins influencés soit par le post-romantisme allemand soit par l'impressionnisme français, tous abondants — quinze symphonies, une quarantaine de concertos, une trentaine de quatuors et sonates dans le seul catalogue de Meulemans — sont célèbres dans leur province, mais presque inconnus au-delà. Marcel Poot (1901), qui vit à Bruxelles, a une réputation de truculence un peu moins régionale, truculence qui s'exprime d'ailleurs dans le langage des musiciens français. Poot appartient au groupe des « synthétistes » à la fois flamands et wallons, dont le nom indique suffisamment les tendances, et pour la plupart disciples du grand professeur bruxellois Paul Gilson (1865-1942). L'influence du franckisme, passionnément répandu en Belgique par le génial violoniste liégeois Eugène Ysaye, s'est longtemps prolongée chez les Wallons, en particulier dans l'œuvre de Joseph Jongen (1873-1953) où il se teinte d'un impressionnisme atténué. Jean Absil (1893), élève de Gilson, animateur intelligent de revues et de concerts, orchestrateur adroit formé par l'exemple de Ravel, aurait mérité d'être davantage joué en France à l'époque de sa féconde maturité. Mais il est tard aujourd'hui pour découvrir sa polytonalité, ses goûts folkloriques qui portent leur date. Raymond Chevreuille (1901), un éclectique, René Bernier (1905) sont des compositeurs purement français, mais qui ont le désavantage d'habiter un pays où la vie musicale a beaucoup perdu de l'activité et de la hardiesse qu'on lui connut jusque vers 1930.

Le Hollande, qui entretient des institutions excellentes et très vivantes, à commencer par le Concertbouw d'Amsterdam, n'est pas plus que la Belgique parvenue à imposer au-delà de ses frontières les noms de ses compositeurs, sauf jusqu'à un certain point ceux d'Alphonse Diepenbrock (1862-1921), réanimateur de cette école, wagnérien converti sur le tard au debussysme, et de Willem Pijper (1894-1947). Dans ses trois symphonies, Pijper a cherché une conciliation assez paradoxale entre Mahler dont il reprend l'orchestre volumineux et Debussy. La critique étrangère a estimé le plus souvent que sa gloire nationale était assez surfaite. Mais la connaissance très fragmentaire que l'on a de cette œuvre ne permet guère de la juger avec une réelle objectivité. Henk Badings (1907), auteur très fécond — l'opéra *Rembrandt,* dix symphonies, douze concertos — de formation germanique, se livre volontiers à des expériences harmoniques assez neuves et s'est même essayé à la musique électronique, mais presque toujours dans une coupe classique. Sem Dresden (1881-1957), Matthijs Vermeulen (1888), Willem Landré et son fils Guillaume (né en 1905), Alex Voormolen (1895), Rudolf Escher (1912), ont tous pratiqué, dans l'orbite de Debussy, de Ravel ou de Roussel, une francophilie musicale à laquelle nous somme restés impitoyablement indifférents.

Vers 1930, en France, on connaissait surtout la musique de la Suisse alémanique par le Bâlois Conrad Beck (1901), installé depuis 1922 à Paris où il avait été l'élève de Nadia Boulanger. Il faisait jouer discrètement et régulièrement de courtes pièces d'un style concertant très « retour à Bach », d'un contrepoint dont l'austérité était tempérée par les influences françaises. Revenu à Bâle en 1933, il y a poursuivi une discrète carrière locale, illustrée par des oratorios, des cantates, des concertos et des symphonies dans la tradition alémanique. Grand alpiniste, il avait consacré naguère un poème symphonique, *Innominata,* à son ascension du Mont Blanc par une voie très difficile du versant italien.

ERNEST BLOCH (1880-1959) n'appartient à la Suisse que par sa naissance et sa jeunesse à Genève et les séjours de quelques années qu'il fit plus tard dans les Alpes pour y oublier le monde moderne. La majeure partie de sa vie s'écoula aux États-Unis où il s'était rendu en 1916.

Son ouvrage de théâtre, *Macbeth,* assez audacieux par ses perpétuels changements de mesures et ses libertés harmoniques, scandalisa en 1910 l'Opéra-Comique de Paris, où l'on n'y vit qu'un « rébus musical ». Mais le jeune compositeur avait déjà reçu, à vingt et un ans, les encouragements enthousiastes de Romain Rolland pour sa *Symphonie* en ut dièse mineur.

Alors qu'il est impossible de découvrir la moindre parenté raciale entre des musiciens juifs aussi différents que Mendelssohn, Meyerbeer, Mahler, Paul Dukas ou Milhaud, Ernest Bloch, dans ses nombreuses œuvres pour orchestre qui se succèdent entre 1912 et 1938, se définit par son judaïsme musical : judaïsme des arguments, des thèmes liturgiques ou folkloriques des *Trois Poème juifs,* des *Trois Psaumes* pour voix et orchestre, de la symphonie *Israël,* la rhapsodie pour violoncelle et orchestre *Schelomo, l'Avodath Hakodesh,* service religieux du Sabbat, le poème symphonique *Les Voix du Désert, le Baal Schem* pour violon et piano, et bien plus encore judaïsme d'un esprit messianique, d'une transe et d'une foi bibliques :« J'ai voulu exprimer, a-t-il dit lui-même, l'âme hébraïque, complexe, ardente, agitée que je sens vibrer à travers la Bible... C'est ce que je cherche à écouter en moi et à traduire dans ma musique : l'émotion sacrée de la race qui est assoupie dans notre âme. » C'est la couleur très particulière du romantisme qu'il prolonge, et qui n'échappe ni à la grandiloquence ni à la prolixité. Les rhapsodies pour orchestre, *Helvetia* et *America,* dédiées à ses deux patries temporelles, sont beaucoup plus conventionnelles.

Ernest Bloch souffrit moralement à un tel point de la Seconde Guerre mondiale qu'il cessa d'écrire pendant six ans. Ses derniers ouvrages, concertos pour piano, musique de chambre, ont trouvé peu d'auditeurs, trop savants pour le grand public, mais dépassés pour les mélomanes renseignés. Bien qu'Ernest Bloch ait eu de nombreux coreligionnaires parmi ses élèves américains, son hébraïsme musical n'a pas fait école.

FRANK MARTIN (1890), calviniste de Genève, fils de pasteur, dont le premier choc artistique fut à douze ans l'audition de la *Passion selon saint Matthieu,* a commencé sa carrière sous l'égide de César Franck par respect pour les goûts classiques de sa famille, s'est essayé un peu à la musique populaire, aux rythmes antiques, à la polymétrie d'Extrême-Orient, tout en ressentant qu'il ne pourrait ainsi que s'enfermer dans des imitations. Il s'est mis à l'étude du dodécaphonisme de Schœnberg vers 1932 : « Ma venue à une musique d'essence chromatique, a-t-il dit, était une victoire de ma sensualité sur mon austérité genevoise qui aurait bien aimé que j'en reste à un sévère diatonisme. » De cette période d'un dodécaphonisme surtout expérimental datent un concerto pour piano, une symphonie, de la musique de chambre.

C'est seulement à cinquante ans, avec sa cantate *Le Vin herbé,* d'après le *Tristan* de Joseph Bédier, écrite entre 1938-1941, que Frank Martin est parvenu à dégager son art personnel, un art du reste de synthèse entre l'impressionnisme français et l'école sérielle viennoise. Mais il n'a voulu appliquer la discipline sérielle « qu'à la condition de satisfaire en même temps aux exigences les plus sévères de sa propre sensibilité musicale ». Jugeant que l'influence de Schœnberg l'entraînait à une écriture trop exclusivement chromatique, il a réintroduit dans son vocabulaire des éléments diatoniques. A cet art très et même trop médité appartiennent la *Petite Symphonie concertante* pour piano, harpe, clavecin et orchestre à cordes, l'une de ses meilleures réussites par la finesse de l'instrumentation, les concertos pour sept instruments à vent, pour violon, pour clavecin. Il y a plus de spontanéité dans les lignes amples des oratorios, *In terra pax, Golgotha* (1948), *Le Mystère de la Nativité* (1959), *le Magnificat* (1968), où circule la vieille inspiration du choral protestant. Frank Martin, qui a enseigné à Amsterdam, à Cologne où il a eu Stockhausen pour élève, a de nombreux liens avec le monde germanique. Il a écrit son cycle de mélodies, *Le Cornette,* ses *Six Monologues de Jedermann* sur des textes de Rilke, d'Hofmannsthal, et son opéra *La Tempête* sur la traduction allemande de Shakespeare par Schlegel. Chez ce musicien grave et distingué, difficile avec lui-même, qui n'a jamais transigé avec l'accord entre sa nécessité intérieure et ses moyens d'expression, les dons innés ne sont pas toujours à la hauteur de la pensée.

CHAPITRE VIII

LA MUSIQUE D'AUJOURD'HUI.
SES PRINCIPES

En 1941, le gouvernement de Vichy confiait la direction du Conservatoire de Paris à Claude Delvincourt, inoffensif auteur d'un opéra bouffe, *La Femme à barbe*, et de quelques opéras « sacrés », recommandé surtout aux ministres du maréchal Pétain par ses attaches politiques avec la droite bien-pensante. Mais si ce réactionnaire, cet ancien prix de Rome était un musicien insignifiant, il avait mûri en matière d'enseignement des idées heureuses et hardies. Ainsi allait-il, en 1942, nommer à la classe d'harmonie un musicien de trente-quatre ans, OLIVIER MESSIAEN, rapatrié depuis peu d'un Stalag de Silésie.

UN GRAND PROFESSEUR

Né en 1908 à Avignon, mais Dauphinois par son enfance à Grenoble dont il assure qu'elle a marqué toute sa vie, élève de Jean et Noël Gallon, du grand organiste Marcel Dupré, de Maurice Emmanuel et de Paul Dukas, Messiaen, l'un des fondateurs du groupe « Jeune-France », était déjà relativement connu, mais plutôt comme l'objet d'une curiosité un peu ironique. On le savait d'un catholicisme ostentatoire dont il se flattait de célébrer « théologiquement » les mystères dans sa musique. Son orchestre très matériel, très empâté, aux couleurs crues lourdement étalées, jurait avec toutes les idées que l'on se faisait jusque-là d'un art de la spiritualité. Mais Messiaen répliquait en invoquant l'embrasement des vitraux gothiques. Les quatre méditations symphoniques sur *L'Ascension* (1934), d'harmonie encore traditionnelle, ainsi que l'instrumentation qui fait alterner les familles de timbres, déconcertait par l'insistance sur les effets systématiquement

répétés, que l'auteur prenait sans aucun doute pour l'expression
de la majesté.

A l'orgue — il était depuis 1931 et il est resté organiste de la
Trinité avec beaucoup de talent — il consacrait son *Diptyque* à
un « Essai sur la vie terrestre et l'éternité bienheureuse » ; il
chantait l'*Apparition de l'Église éternelle*, et dans *Les Corps Glorieux* « sept visions brèves de la vie des ressuscités ». Son *Quatuor
pour la fin du Temps* (Violon, clarinette, violoncelle et piano),
annonce de l'éternité, était dédié « en hommage à l'Ange de
l'Apocalypse qui lève la main vers le ciel en disant : « Il n'y aura
plus de Temps ». Ses *Visions de l'Amen* pour deux pianos (soixante
minutes de durée !) développaient les quatre sens jaculatoires du
mot hébreu. Depuis sa nomination rue de Madrid, Messiaen
travaillait aux *Trois Petites Liturgies de la Présence Divine*, avec
orchestre et chœur de femmes, pour lesquelles il avait lu « les
Évangiles, l'Apocalypse, saint Paul, saint Thomas, l'Imitation, le
Cantique des Cantiques, Paul Éluard, des traités de botaniques, de
médecine, de géologie et d'astronomie », et qui excitèrent hilarité
et sifflets lors de leur première auditïon en 1945. Il écrivait aussi
ses *Vingt regards sur l'Enfant Jésus* pour piano seul (exécution
intégrale : deux heures et demie !), construction extrêment élaborée, mais par un fol, pourrait-on dire devant maintes de ses
pages, et aboutissant à l'aspect rapsodique d'un Liszt détraqué,
accueillant une quantité de poncifs pianistiques dans une atmosphère tonale plus perturbée que transformée.

Messiaen accompagnait ces œuvres de commentaires d'un
verbalisme flamboyant, « épées de feu... coulées de lave bleu-
orange, planètes de turquoise, grenats d'arborescences chevelues,
tournoiements de sons et de couleurs en fouillis d'arc-en-ciel »,
qu'il tenait de sa mère, Cécile Sauvage, poétesse particulièrement
intempérante. Il se surpassait dans les textes destinées à ses partitions, comme ceux des *Poèmes pour Mi* (1936), exaltant le
sacrement du mariage et la félicité des étreintes conjugales qu'il
sanctifie. C'était bien la peine d'avoir condamné hautainement
les musiciens littérateurs et les symphonies à programme pour voir
resurgir d'aussi incontinentes logomachies érotico-métaphysiques,
nous ramenant à la Rose-Croix et au symbolisme le plus amphi-
gourique de 1890...

Déjà Messiaen présentait un mélange de bonhomie — ses cols
Danton, ses bérets de petit bourgeois pêcheur à la ligne, les
indescriptibles fracs qu'il revêt dans les grandes circonstances —

et d'orgueil, les méchantes langues disent même de suffisance, en tout cas de sereine satisfaction de soi. Jointe à l'impudeur, à l'ignorance de tout ridicule, à la naïveté d'une eschatologie qui laisse pantois les théologiens de métier, cette satisfaction touchait bien à la certitude sans troubles du musicien dans son génie. Et en dépit de l'impureté et des indécences de son œuvre, de son dédain pour la patience des auditeurs, de son emphase gravement comique, c'est bien d'un certain génie, même s'il est impossible de le prendre tout à fait au sérieux, que relèvent ses explorations, le mouvement et la chaleur qui dans les meilleurs moments animent sa musique.

De toute façon, le professeur était et demeure exceptionnel. Cet artiste entièrement privé de sens critique devant son propre papier réglé, possède pour les œuvres d'autrui une faculté d'analyse tenue au service de la gigantesque encyclopédie musicale qu'il a dans la tête et les doigts. Sa dissection, mesure par mesure, du *Sacre du printemps* est restée célèbre. Il a eu des grands maîtres le mépris de tout pédantisme, l'enseignement large, jamais contraignant par un dogmatisme quelconque pour les jeunes esprits qui lui étaient confiés, sachant éveiller, aiguiller dans les meilleurs sens leur curiosité. Son cours fit très vite le plein de toutes les fortes têtes, les tempéraments en rupture de routine, infiniment plus désireux de partir à la découverte, d'acquérir une culture neuve et vivante que de gravir les fatidiques barreaux menant à l'absurde cage du prix de Rome.

A côté des maîtres classiques, Messiaen révélait à ses étudiants les musiques de l'Inde et de Bali dont le Musée de l'Homme possédait une collection abondamment consultée, les partitions de Bartok, et surtout de Schœnberg et de Berg, alors complètement oubliées en France, si elles y avaient jamais été connues de façon suffisante. Très éclairé sur le total chromatique, Messiaen ne l'utilisait pas dans ses œuvres, qui échappaient aux règles de la tonalité, mais pour obéir à un nouveau système modal essentiellement formé de sept « modes à transposition limitée », ceux-ci constitués de groupes symétriques dont la dernière note est toujours commune avec la première du groupe suivant. Ces modes, entièrement différents des modes antiques, orientaux et médiévaux, se prêtent à toutes les modulations et peuvent également se superposer en polymodalité, créant par une équivoque auditive l'impression d'un mélange de tonalités.

Avec raison, Messiaen, tout en admirant les dodécaphonistes

viennois, constatait leur peu d'intérêt pour le rythme, qui restait traditionnel au milieu de toutes leurs innovations, (de parfaites réussites comme la *Sérénade* et la *Danse du Veau d'or* de Schœnberg relèvent encore des rythmes périodiques de l'ère classique). Guidé par l'étude des anciens rythmiciens de l'Inde, il voulait attribuer au rythme un rôle égal à celui de la mélodie et de l'harmonie. Il le libérait de la mesure qu'ignorent les rythmes naturels (Debussy amorçait déjà cette libération). Il lui appliquait la technique du contrepoint : canons rythmiques par mouvement rétrograde, rythmes augmentés ou diminués, superposition en polyrythmie de rythmes d'inégale valeur et de pédales rythmiques. Il usait fréquemment de rythmes « non rétrogradables » parce que renfermant déjà en eux-mêmes une petite rétrogradation (rythmes composés de trois cellules, dont la dernière est le renversement de la première). On notera d'ailleurs curieusement cette prédilection pour des procédés restrictifs chez un musicien « niagaresque », défense sans doute instinctive mais qui n'a jamais été suffisamment efficace contre sa démesure.

L'EXTENSION DE LA SÉRIE

A peine la guerre terminée, une fringale de nouveauté s'était emparée de la France. La peinture abstraite surgissait à toutes les vitrines des galeries d'art. Les revues de poésie ésotérique fleurissaient comme aux beaux jours du symbolisme. L'existentialisme prétendait enterrer toutes les philosophies, régir la pensée, la morale, la politique, la littérature. En musique, bien plus encore que Messiaen tantôt acclamé, tantôt hué, le pionnier le plus avancé était un inconnu, René Leibowitz (né en 1913 à Varsovie), théoricien, compositeur et ancien élève de Schœnberg. Il inaugurait à Paris, par des concerts qu'il dirigeait, par des cours, par une série de livres fougueusement écrits dans un français rocailleux le culte des trois dodécaphonistes viennois. Des critiques, des mélomanes s'étonnaient de cette réhabilitation tardive et passionnée. Les ouvrages de Schœnberg, dont il n'avait pour ainsi dire plus été question en Europe depuis près de dix ans, semblaient classés parmi les expériences intéressantes, respectables, mais révolues. La campagne de Leibowitz prouvait que l'on n'avait eu jusqu'alors de cette école qu'une connaissance très fragmentaire — on ignorait presque le terme « série » — et qu'elle n'avait encore jamais trouvé chez nous un exégète de cette compétence, de cette conviction, avec lequel on découvrait des richesses insoupçonnées. Leibowitz révélait d'ailleurs à la lettre Anton Webern, pratiquement inconnu en France, et la place prépondérante qui lui revenait. On s'apercevait aussi qu'un travail inconscient s'était accompli dans nos facultés d'écoute durant les années où ces musiques avaient disparu, et qu'au lieu du souvenir chaotique que nous en gardions, nous les retrouvions claires, décantées, parlantes, logiques.

Tous les élèves de Messiaen, Boulez, Jean Barraqué, Maurice Le Roux, Serge Nigg, Michel Fano, Olivier Alain, encouragés par leur maître, se précipitèrent à cet enseignement. Presque dans le même temps, l'Allemagne se hâtait de combler le retard que lui avaient infligé les douze années hitlériennes. Ses ruines n'étaient pas déblayées que le musicologue Heinrich Strobel ressuscitait à Donaueschingen le plus célèbre festival d'avant-garde de la République de Weimar. Wolfgang Steinecke fondait à Darmstadt des cours de musique moderne où Leibowitz venait bientôt professer.

Le plus souvent, les jeunes gens qui se massaient autour de ces professeurs avaient entendu parler de la musique de Schœnberg comme d'une impasse. Or, c'était elle qui les introduisait dans un monde sonore vraiment neuf, alors que les folkloristes, néoclassiques, stravinskystes, ravelisants tournaient en rond, malgré leur recours aux modes et l'étalage de leur polytonalité. A ces élèves qui avaient tous déjà constaté l'anachronisme des disciplines en usage dans les vieux Conservatoires, la méthode dodécaphonique offrait un principe insoupçonné de cohérence, d'unité, et d'une séduction immédiate pour l'esprit.

D'un côté et de l'autre du Rhin, en Italie et très vite un peu partout, des centaines de débutants se mirent à expérimenter la série en se réglant bientôt sur le plus rigoureux des trois maîtres viennois, le laconique et mystérieux Webern, en qui Leibowitz les invitait à voir le suprême héros de « la nouvelle conscience compositionnelle ».

Devant cette épidémie imprévue et subite, les traditionalistes crièrent à la chinoiserie, à l'arbitraire asservissant le compositeur pour un résultat aussi futile que l'acrostiche, les rimes léonines, les mots croisés. Le plus combatif et le plus intelligent d'entre eux, le médiéviste Jacques Chailley, démontrait qu'en soumettant la première série venue à quelques opérations du niveau de la première année de solfège et du certificat d'études, on obtenait sans se fouler quatre-vingt-dix pages de musique.

Mais ces hommes de tradition ignoraient, volontairement ou non, qu'un terrible casseur d'assiettes, leur pire ennemi en quelque sorte, dénonçait les tares et lacunes d'un certain dodéca-phonisme avec non moins de virulence qu'eux et des raisons bien plus fortes. C'était un garçon de vingt-trois ans, Pierre Boulez, né en 1925 à Montbrison — presque l'Auvergne — de taille moyenne, trapu, noiraud, les pieds tenant bien au sol, la tête ronde du Celte obstiné, le plus doué et le plus turbulent des élèves de Messiaen au Conservatoire où il était entré dès 1942 après une année de mathématiques spéciales.

Quelques mois passés sous la férule de Leibowitz avaient suffi à Boulez pour qu'il descernât dans l'enseignement de cet éminent doctrinaire, très satisfait de ses interdits portant sur toute répéti-tion, de son contrepoint strict, de son tableau des quarante-huit formes utilisables aussi bien verticalement qu'horizontalement, un académisme dodécaphonique encore plus rigide et nocif que l'académisme d'Institut. Boulez persiflait le fétichisme du chiffre 12, « croyance comique en l'efficacité de l'arithmétique ». Ce qui ne l'empêchait pas de proclamer ensuite avec la même intran-sigeance coupante, le même culot de jeune ours : « Tout musicien qui n'a pas ressenti — nous ne disons pas compris, mais bien ressenti — la nécessité du langage dodécaphonique est *inutile*. Car toute son œuvre se place en deçà des nécessités de son époque. »

La contradiction n'était qu'apparente, et ne pouvait être relevée que par des naïfs. Boulez voyait aussi bien que les profes-seurs officiels l'objection immédiate à la série : les commodités qu'elle offrait pour fabriquer de la musique à vide, à froid, déduite mécaniquement. Mais ce n'était point un motif pour la condamner. Elle avait été indispensable dans l'évolution de la musique, d'une irréfutable logique. Mais il fallait maintenant, en s'appuyant sur elle, la dépasser, ne plus se contenter de codifier Schœnberg comme on avait codifié Beethoven, se régler au contraire sur son attitude courageuse, sur le radicalisme dont il avait usé à l'égard du système tonal.

Tandis que les mélomanes les plus cultivés accédaient tout juste à une perception exacte de *Pierrot Lunaire* et de ses contre-points, qu'ils avouaient leur perplexité devant les ellipses de Webern, le jeune Boulez distinguait déjà chez Schœnberg des relents de vieilles orgues. Il s'étonnait que ce musicien et ses deux disciples, en découvrant ou adoptant une technique aussi révolutionnaire que le dodécaphonisme, l'eussent laissée au service des anciennes formes classiques et même préclassiques qui servaient toujours de substructures à leurs œuvres. Nous avons déjà dit qu'il était normal que les Viennois, en abordant les inconnues du total chromatique et de la série, eussent éprouvé la nécessité de s'appuyer du moins sur ces formes anciennes. Mais il appartenait également à leurs successeurs de refuser cet appui. Refus qui s'accompagnait sous la plume et dans les propos de Boulez d'un certain nombre d'injustices. Il était certainement abusif de parler d'un « hiatus inadmissible » chez Schœnberg entre le vocabulaire et les infrastructures rattachées au phéno-mène tonal, d'« incohérences », d'« incompatibilités », et de conclure à un échec du musicien. Mais ces excès de langage, que le jeune homme corrigerait d'ailleurs par la suite, étaient sans doute nécessaires eux aussi pour briser des conventions nouvelles, aller de l'avant.

Assez paradoxalement, ce fut une page de Messiaen, lequel n'avait jamais pratiqué la série, qui allait permettre aux jeunes musiciens de préciser et cristalliser leurs intentions. Il s'agit d'un bref morceau des *Quatre Études de rythmes* pour piano publiées en 1950, le *Mode de valeurs et d'intensités* combinant une mélodie modale de trente-six sons, vingt-quatre valeurs ryth-miques différentes, sept intensités et sept attaques différentes. Presque en même temps, Boulez formulait la nouvelle doctrine. Il importait d'étendre la série à tous les éléments du son : la hauteur — seule considérée par Schœnberg et Alban Berg — la durée (c'est-à-dire le rythme), l'intensité (du *pp* au *ff*), et le timbre, comme l'avait entrevu Webern. Cette organisation complète de l'espace sonore, régissant tous les phénomènes musicaux, permet-tait d'éviter le désordre de l'atonalité pure, et se substituait en même temps à la régulation trop étroite, mécanique et scholas-tique instaurée par les dodécaphonistes « classiques ».

En 1951, le *Mode de valeurs et d'intensités* de Messiaen allait justement révéler sa vocation à une nouvelle recrue de choix, un jeune Rhénan, grand gaillard d'allure sportive et joyeusement combative, Karlheinz Stockhausen, né à Modrath en 1928. Il avait travaillé assez sagement pendant quatre ans au Conserva-toire de Cologne avec Hermann Schrœder et le Genevois Frank Martin. Il s'émancipait tout d'un coup et venait à Paris suivre lui aussi les leçons de Messiaen.

L'extension de la technique sérielle effaçait l'objection des automatismes emprisonnant le musicien. Il devenait libre au contraire de choisir parmi des combinaisons multipliées, des formes de plus en plus complexes, d'en créer de nouvelles.

MUSIQUES CONCRÈTES ET ÉLECTRONIQUES

En même temps, un nouveau domaine sonore s'ouvrait à la musique. Déjà les microphones, en permettant d'approfondir l'étude morphologique du son, avaient apporté bien des révélations. Un Américain, John Cage (né en 1912), se livrait en 1948 à ses expériences sur « piano préparé », aux cordes assourdies par des éléments de verre, de bois, de caoutchouc, de métal, produisant des agrégations de timbres sans fonction harmonique, aux sonorités bizarres (Cage est surtout un bricoleur, qui n'est guère parvenu à organiser en compositions ses trouvailles.) La même année, à Paris, un ancien polytechnicien, Pierre Schaeffer, ingénieur acousticien de son métier, donnait ses premiers concerts avec les réalisations de son Groupe de musique concrète, travaillant dans un studio de la Radiodiffusion française. La musique concrète part de l'enregistrement de bruits naturels — le sonore expérimental » — sifflets, démarrages de locomotives, tôles frappées, vibrations de lames métalliques, de cristal, de cloches, mais manipulés grâce aux truquages de laboratoire, diffusés à l'envers, ralentis, accélérés, (lecture en trente-trois tours de ce qui a été enregistré en soixante-dix-huit, ou l'inverse), déformée par la suppression soit de leur attaque soit de leur résonance, ce qui les rend à peu près méconnaissables.

La musique concrète allait être rapidement concurrencée par la musique électronique. Certains auditeurs confondent encore plus ou moins « électricité » et « électronique ». Le vibraphone, dont on frappe les lames d'acier avec une baguette, utilise simplement l'électricité pour amplifier ses vibrations. Les monophoniques et gémissantes ondes Martenot, inventées en 1928 par un jeune ingénieur français, sont déjà un instrument électronique, mais adapté à la lutherie classique. Jean-Étienne Marie, compositeur et technicien à l'O.R.T.F., a fourni la définition la plus précise de l'électronique en musique : « C'est ce qui fait appel à une source électronique (par exemple une lampe triode) pour produire des oscillations électriques qui seront transformées en vibrations mécano-acoustiques par le truchement d'une membrane (haut-parleur) ». Le « matériau » sur lequel travaille le compositeur ne lui est plus fourni par la nature extérieure mais par un générateur électrique, qu'il commande lui-même. Les sons ainsi produits peuvent être retravaillés, transformés par des régulateurs temporels qui font varier la vitesse sans modifier la hauteur, des régulateurs de diapason qui n'agissent au contraire que sur la hauteur, des modulateurs, des filtres de fréquence et d'amplitude, des chambres d'écho. Ils sont inscrits ensuite sur une bande magnétique. Les magnétophones à pistes multiples permettront de les diffuser avec effets stéréophoniques. La « partition » devient un graphique représentant les intensités, les fréquences, les durées indiquées en centimètres de bande magnétique. Cette notation est encore très variable selon les studios et les compositeurs.

On a très vite distingué les affinités entre la précision que permet la musique électronique et celle à laquelle aspire la technique sérielle.

Le premier studio de musique électronique proprement dite avait été celui de la Radio Ouest-Allemande, ouvert à Cologne en 1951 et où le jeune Stockhausen allait bientôt travailler assidûment. Des studios analogues seraient installés dans les années suivantes à Tokyo, Utrecht (par la firme Philips), Gravesano en Suisse sous la direction d'Hermann Scherchen, Milan (Studio di Fonologia della R.A.I., avec Luciano Berio et Bruno Maderna), Darmstadt, Bruxelles, à l'Université de l'Illinois, à Baden-Baden, Berlin, Munich, à Paris (Studio Apsome, indépendant de l'O.R.T.F., fief de Pierre Henry), à Varsovie.

HOMMAGES A MESSIAEN ET VARESE

En 1954, avec le concours de quelques femmes du monde, de Jean-Louis Barrault et de Madeleine Renaud, Pierre Boulez fondait à Paris les concerts du « Domaine Musical ». Les deux premières saisons eurent lieu au Petit-Marigny, qui avec ses banquettes défoncées et ses tentures moisies ressemblait plus à un galetas qu'à une salle de spectacle. Boulez, qui n'avait pas trente ans, illustrait les séances de diatribes où il réglait leur compte aux innombrables ennemis, et plus spécialement aux dodécaphonistes « classiques » : « Ils peuvent se livrer, en groupe ou solitairement, à une frénétique masturbation arithmétique. Ne leur demandons pas autre chose : ils savent compter jusqu'à douze et par multiples de douze. Il n'en peut rien rester, sinon l'anecdote. » Puis il engueulait son public pour la lenteur de ses réactions ou la naïveté de ses enthousiasmes.

Très logiquement, au Domaine Musical comme dans les centres analogues d'Allemagne, pour initier l'auditoire, on a fait alterner les inédits avec les œuvres des maîtres reconnus de la jeune école : Schœnberg, Alban Berg qu'il fut de mode durant quelque temps de traiter d'assez haut dans le texte des programmes, Webern toujours présenté sans la moindre réserve, comme le plus pur des prophètes, le Debussy de *Jeux*, de la suite pour deux pianos *En Blanc et Noir*, des dernières sonates, Edgar Varèse, Olivier Messiaen, diverses pages de Stravinsky, à l'exclusion de tout son néo-classicisme.

Les hommages à Messiaen vont de soi dans des cénacles où il compte tant d'élèves. Mais les liens esthétiques entre ces disciples et l'auteur des *Petites Liturgies* sont de plus en plus relâchés. Messiaen ne désapprouve personne, tout en gardant, ce qui est fort bien, sa parfaite indépendance à l'égard des formes, des moyens d'expression qu'il a encouragés et parfois suscités. Mais d'autre part il n'est pas de ces artistes qui savent se corriger de leurs excès, dont le talent se décante avec le temps. Les travers de sa jeunesse n'ont fait que proliférer dans la partition capitale de son âge mûr, la *Turangalîla-Symphonie*, achevée à la fin de 1948, et dont le titre est emprunté à l'hindou. La confusion des idées règne plus que jamais dans les commentaires de l'auteur sur ce « poème de l'amour sacré et de l'amour profane ». Mais sous l'entassement instrumental, l'écriture de l'œuvre est assez simple. A cet égard, Messiaen est presque aussi éloigné que Berlioz de ses disciples sérialistes. Sa théologie et sa mystique contrastent de plus en plus cocassement avec l'épaisse sensualité de son orchestre pléthorique. Il assimile le bruit et la longueur — une heure et demie d'exécution — à la majesté, à la grandeur avec l'ingénuité d'un débutant. Il abonde en lieux communs, mais croit leur donner de la force en multipliant les majuscules. Il est absolument impossible de le suivre dans ses intentions exhaustives. Pourtant, avec sa redondance, son verbiage, ses redites, son mauvais goût, ses gros moyens — *Turangalîla* s'achève par un fortissimo de dix minutes ! — son romantisme qui a beaucoup servi, cette musique tient debout, impose son « être ». Elle a même des chances de survie.

Harawi, « chant d'amour et de mort » pour soprano dramatique et piano (1946), sur un poème d'Olivier Messiaen, fait grand usage de mots exotiques choisis pour leur seule sonorité et d'onomatopées – « pia, pia, pia, doundou tchil » – qu'imiteront dans leurs pages vocales presque tous les compositeurs plus jeunes.

Dans les *Couleurs de la cité céleste*, (1963) pour piano, orchestre de cuivres, trois clarinettes, trois xylophones et une importante percussion métallique, Messiaen annonce « Celui qui l'habite hors de tout temps et de tout lieu », « l'Abîme où la hauteur semble rentrer dans la profondeur ». Puis il déclenche l'énorme artillerie de ses trombones, trompettes, gongs, xylorimbas, marimbas. Mais le résultat demeure pesant, criard, trivial. Le compositeur déguise des idées très courtes sous l'accumulation des timbres bizarres, des crudités, des références exotiques. Il y trouve d'ailleurs son parfait accomplissement, et tout épanoui, à chaque coup de ses cymbales, voit Dieu le Père dans une gloire d'or et de pourpre.

Dans cette *Cité céleste*, la série compacte des chorals est coupée au piano par les cris et chants d'oiseaux que Messiaen a commencé de noter, de malaxer, de contrepointer en 1953 avec son *Réveil des oiseaux* pour piano et orchestre. Depuis une douzaine d'années, il ne semble plus vouloir connaître d'autre source : *Catalogue d'oiseaux* (européens), *Catalogue d'oiseaux exotiques*, l'un et l'autre pour piano, *Haï-Kaï* (des haï-kaï interminables bien entendu) avec oiseaux japonais, *Chronochromie* avec d'autres volatiles. Apparemment, il est parvenu à une véritable science dans cette spécialité. Mais cette quête se traduit pour l'auditeur par des exercices harmoniques très limités, non dans le temps, car ils peuvent s'étendre sur une heure entière d'un piano qui finit par devenir exaspérant. On se demande si cette passion ornithologique, dégénérant en manie, et bien révélatrice elle aussi du déséquilibre mental et affectif de ce musicien, ne va pas l'obnubiler pour le reste de sa carrière.

EDGAR VARÈSE (1885-1965), né à Paris, d'ascendance italienne et bourguignonne, avait été à la Schola l'élève de Vincent d'Indy dont il haïssait le dogmatisme et au Conservatoire de l'organiste Widor auquel il garda une grande amitié malgré son académisme. En 1916, réformé, il partit pour les États-Unis où toute sa vie devait s'écouler, bien qu'il n'y eût connu ni la fortune ni le succès. Il avait été naturalisé américain en 1926. Il n'était pas tout à fait, entre les deux guerres, aussi inconnu qu'on l'a dit. Cocteau, Claudel, Picasso, Saint-John Perse s'intéressaient ou prétendaient s'intéresser à ses travaux. Un franckiste comme Paul Le Flem, qui le fit connaître à son élève Jolivet, l'avait en grande estime. Les journalistes musicaux citaient son nom parmi les excentriques assez inoffensifs.

Varèse a pu faire figure de précurseur par son attachement au phénomène acoustique en soi, son aversion pour la gamme tempérée. Mais on a parlé un peu trop et beaucoup trop gravement de son génie. Il y avait une bonne part de bluff et d'exploitation du pédantisme candide à intituler *Densité 21, 5* — celle du platine dont était fait l'instrument du premier exécutant — un solo de flûte qui ne se distingue de n'importe quelle monodie traditionnelle que par les stridences arbitraires de l'aigu. Varèse pouvait apporter à ses expériences une tout autre pratique musicale que les dilettantes du futurisme italien. Il n'empêche que les sirènes, les enclumes, les sifflets, les cuivres grinçant comme des tramways, les timbales trépidantes comme des pistons ou des marteaux-piqueurs des *Intégrales* (1926), d'*Ionisation* (1931) pour trente-cinq instruments à percussion, d'*Hyperprisme* ou même d'*Ecuatorial* (1934) prolongent ni plus ni moins la mode de 1920, où l'on s'excitait au lyrisme du moteur, de l'acier, de la « symphonie industrielle », de toute la machinerie que l'on utilise ou subit aujourd'hui le plus prosaïquement du monde, à moins que ces mécaniques dépassées ne soient allées depuis assez longtemps à la casse. Ce sont des pochades — rien de plus, car elles ne supportent aucun développement — qui restent savoureuses, compte tenu de leur innombrables réminiscences du *Sacre* et des tambours hindous, mais surtout attendrissantes comme une vieille Bugatti-sport. Est-il besoin de dire que le bagou de leur auteur n'a pas peu contribué à l'importance qu'on leur attribue encore ?

L'électro-acoustique était naturellement faite pour tenter Varèse. En 1954, on donnait au Théâtre des Champs-Élysées l'audition de sa dernière œuvre, *Déserts*, où pour la première fois les instruments de l'orchestre, quatre bois, dix cuivres, un piano, la percussion, étaient associés à une bande magnétique. Mais si le procédé était encore inédit, l'esthétique ne l'était guère, dérivée du même machinisme que trente ans auparavant. La bande magnétique est composée d'après des sons enregistrés en usine, limes, compresseurs, démarrages de moteurs, chocs de ferrailles. Il n'y a pratiquement aucune tentative d'amalgame de la bande et des instruments. L'œuvre est bâtie sur des symétries très primitives. Les effets de timbres se succèdent groupe par groupe, se juxtaposent rarement. Ces *Déserts* ne méritaient pas l'honneur du chahut qui les accueillit.

Varèse a fourni ses suiveurs de quelques procédés qui se sont rapidement banalisés parce qu'ils étaient superficiels. Pierre Boulez, tout en rendant hommage à son tempérament de « franctireur » et à son hétérodoxie, lui reproche avec raison la gratuité de ses rythmes : « Il escamote le problème en escamotant l'écriture elle-même pour ne se consacrer qu'au rythme. C'est une solution de facilité qui ne résout rien. » Notamment, ajouterons-nous, dans *Déserts* où à force de rythmes raccourcis, brisés, la musique paraît étale.

EXCLUSIVES

A côté de ses fétiches vénérés parfois à l'excès comme Varèse, l'avant-garde a ses phobies, ses exclusives visant beaucoup moins les pompiers qu'elle laisse végéter en paix que des artistes assez proches d'elle mais tenus pour des traîtres. Parmi les Français, André Casanova (1919) mérite évidemment mieux que de brèves citations dédaigneuses ou injurieuses parce qu'il veut cultiver à la fois la technique sérielle apprise chez Leibowitz et le style « arioso ». Son élégante *Ballade* pour clarinette et orchestre, son *Notturno* et ses *Anamorphoses* pour orchestre, ou mieux encore, d'une écriture plus serrée, sa Ballade pour baryton et quatuor à cordes, *Cavalier Seul*, sur un texte surréaliste du poète Jean Moal, prouvent suffisamment qu'il a trouvé ainsi son langage naturel.

Un autre « ennemi », plus célèbre, est l'Allemand HANS WERNER HENZE, né à Gütersloh (Westphalie) en 1926, élève d'abord de Wolfgang Fortner, puis lui aussi de René Leibowitz à Paris. Sa carrière jusqu'à présent est gouvernée par des sautes d'humeur qui ne lui sont pas toujours favorables. Il est dodécaphoniste assez rigoureusement, comme Leibowitz le lui a enseigné, dans sa seconde Symphonie et dans la troisième, dans son opéra radiophonique *Un médecin de campagne*, d'après Kafka (1951), son ballet *L'Idiot* et surtout son œuvre la plus importante de cette première période, l'opéra *Boulevard Solitude* (1952), transposition plus ou moins surréaliste et en costumes modernes de *Manon Lescaut*. En 1953, il s'est installé en Italie du Sud. Ses premiers commentateurs attribuent à ce changement de cadre et de ciel, à la gaieté méditerranéenne la transformation de son esthétique. C'est sans doute une vue un peu trop littéraire. Henze s'est surtout éloigné des jeunes cénacles dont l'orientation le laisse sceptique. Il n'éprouve pas du tout la nécessité de pousser à fond et d'étendre la technique sérielle. Elle n'est pour lui qu'un moyen dont il entend s'affranchir quand il lui plaira. Les uns l'en loueront comme du besoin de liberté d'un grand tempérament, les autres y verront la faiblesse d'une pensée musicale insuffisamment mûrie.

Les *Cinq chants napolitains* de Henze, pour baryton et petit orchestre, témoignent certainement d'un désir de lyrisme vocal, inspiré par le Sud, et assez insolite chez un Allemand de sa génération.

La série a presque entièrement disparu de l'opéra *Le Roi Cerf* (1955), œuvre énorme, fort éloignée de la mesure latine : sept cents pages de partition, cinq heures pour l'audition intégrale qu'aucun théâtre n'a encore osé risquer. On retrouve les douze sons, mais épisodiquement, dans le ballet *Ondine*, d'après le conte de La Motte-Fouqué, commandé par le Royal-Ballet de Londres (1958). L'épaisseur de la satire et du comique − de stupides petits bourgeois prenant un singe pour un aristocrate anglais d'une suprême distinction − ont lourdement compromis le sort de l'opéra *Le Jeune Lord*. Avec *Le Prince de Hombourg* (1961), Henze prétend faire de la pièce de Kleist, cette pathétique apologie de la discipline prussienne des armes, un poème antimilitariste, antihéroïque, humanitaire. Cet insoutenable paradoxe fausse entièrement l'œuvre, qui prend un aspect tronqué et mesquin. Bien qu'elles soient traitées dans les formes classiques de l'opéra, par airs, ensembles, récitatifs, les parties vocales systématiquement tendues dans l'aigu sont aussi laides que monotones. Il reste l'instrumentation, très fouillée − Henze est en toutes circonstances un habile orchestrateur − mais qui sonne grêle, et dont la subtilité gratuite ajoute encore un contresens à ceux de tout l'ouvrage.

La même année au contraire, un autre opéra *Élégie pour de jeunes amants*, est une réussite dramatique et lyrique. Le chromatisme romantique de la 5ᵉ symphonie semble directement issu d'une relecture du troisième acte de *Tristan*. Il n'y manque même pas le cor anglais...

L'une des dernières œuvres de Henze fait augurer pour lui d'un avenir beaucoup plus riche qu'on ne pouvait le penser jusque-là. Il s'agit des *Bassarides* (1967), d'après *Les Bacchantes* d'Euripide, un opéra de deux heures et demie se jouant sans interruption. Les personnages en vêtements antiques, y côtoient des policiers portant des armures médiévales, des pages du Quattrocento, des musiciens de fêtes galantes, des cocottes de la belle époque qui sont les filles du vieux roi thébain. Le devin Tirésias porte redingote. Bacchus, qui va jeter dans un délire sanglant les femmes de Thèbes coupables de ne pas croire à sa naissance divine, apparaît en prince hindou puis en gandin de 1830. Penthée, le jeune roi que les bacchantes mettront en pièces, porte le costume de Charles le Téméraire. A la fin de l'œuvre, Bacchus et sa mère Sémélé sont transformés en statues de dieux africains. La musique est un mélange non moins surprenant de tous les styles : double série dodécaphonique engendrant les thèmes principaux, chorals de Bach, consonances dignes de Gounod et séquences rigoureusement atonales, pièces concertantes du XVIIIᵉ siècle, percussion d'une brutalité archi-moderne, « parlando » obstiné et longues phrases mélodiques, chansons légères et fugues impeccables. Les scènes d'une tragique atrocité ou d'une grandiose barbarie alternent sans aucune transition avec des épisodes burlesques ou désinvoltes. Un intermezzo à la façon des Napolitains, sur un texte grivois sans aucun rapport avec l'ouvrage, parodie en style bouffe et en rythmes américains l'opéra classique. Pour ahurissant qu'il soit, ce mélange de tout n'est cependant pas hétéroclite grâce à la sûreté des combinaisons de Henze, à son imagination orchestrale et à la construction de l'ensemble sous la forme d'une symphonie en quatre mouvements. Ce syncrétisme musical n'est plus la faiblesse d'un éclectique; il rejoint la faconde d'un baroque torrentiel. En tout cas, depuis ses débuts, Henze a pour lui sa fécondité. Et il est avec Benjamin Britten l'un des deux compositeurs qui nous permettent de croire encore à la vitalité du théâtre lyrique.

RECOURS AU HASARD

En 1955, tandis que se multipliaient les écrits théoriques sur l'extension de la série, on entendait surtout aux concerts l'école post-webernienne, qui se prévalait de l'Autrichien solitaire pour sécréter au compte-gouttes entre des pauses exaspérantes une

douzaine de notes par minute, déambuler sur les échasses des
« grands intervalles » en enjambant des zones de silence avec une
inexorable lenteur. A travers ces sons raréfiés, on percevait le
souffle du néant qui rôde si souvent autour de l'art d'aujourd'hui.
Jamais encore la musique ne s'était égarée dans un pareil désert.

Mais en même temps, on commençait à parler du *hasard*, de
l'urgence qu'il y avait à le convoquer. Étrange et inquiétant souci
dans un art qui des romantiques à Stravinsky et de Stravinsky
aux praticiens de la série n'avait cessé de réclamer toujours plus
de précision. A y réfléchir, on comprenait pourtant ce besoin
d'une échappatoire chez des compositeurs astreints par les
nouvelles formes de la série au contrôle d'éléments sans cesse plus
nombreux, dont la multiplicité était sans doute un gage de
liberté, mais d'une liberté harassante.

Après les premiers et discrets essais (3ᵉ Sonate pour piano de
Pierre Boulez) sur ce terrain de *l'aléatoire*, on voyait déjà surgir
les caricatures. Sur l'estrade, les exécutants tiraient d'abord au
sort pour savoir qui allait ouvrir le feu. C'était le violoniste, qui
émettait ses premiers sons pendant que tout le monde se retirait
en coulisses. Puis rentraient la harpe, le violoncelliste se joignant
vaille que vaille au violon. Celui-ci s'esbignait à son tour, remplacé par la flûte. Après une dizaine de minutes de ces va-et-vient,
on ouvrait sur le plateau un grand échiquier à cases rouges.
Chacun y cueillait un morceau de papier qui fixait « la hiérarchie
de la formation ». Invités à broder d'après quelque schéma, les
archets montaient des gammes avortées, la flûte trillait distrai-
tement. Résultat que l'on aurait pu prévoir. Les musiciens
d'orchestre ne peuvent improviser qu'avec des souvenirs scolaires.
Ils sont encore moins habitués à mimer des facéties, et leur
gaucherie ou leur dégoût dans ces exercices aurait dû rapidement
décourager toutes les tentatives d'« action scénique » au concert.

Mais la musique aléatoire ne consiste pas qu'en ces manifestations saugrenues. Dans les cas les plus simples, les latitudes
laissées à l'interprète rappellent en somme les vieilles cadences
des concertos classiques. Ailleurs, les différentes pièces d'une
œuvre peuvent être jouées soit séparément soit dans tel ou tel
ordre. Plus subtilement, on cherche à multiplier les « angles » de
perception de l'œuvre en élaborant des formes « qui bien que très
mobiles, bien que permettant un grand nombre de réalisations
différentes, soient tout de même très bien définies, tant dans
leurs possibilités de connexion et d'interaction que dans la nature

des matériaux musicaux eux-mêmes ». (Henri Pousseur.) Le but, autrement dit, est de créer « un objet pluridimensionnel que l'oreille explorerait d'une façon successive comme l'œil parcourt un tableau ou enregistre les perspectives multiples d'un *mobile* caldérien ». (O. Alain.) Pierre Boulez écrit : « Fonction de la durée, de son temps physique de déroulement, le développement musical peut faire intervenir des « chances » à plusieurs stades, plusieurs niveaux de la composition. Somme toute, la résultante en serait un enchaînement de plus grande probabilité, d'événements aléatoires à l'intérieur d'une certaine durée, elle-même indéterminée. » Étendant son propos aux structures de l'œuvre, le compositeur poursuit : « On ira de l'indéfini au défini, de l'amorphe au directionnel, du divergent au convergent selon le degré plus ou moins grand d'automatisme qu'on laisse aux facteurs de développement, suivant les négations que l'on oppose, en plus ou moins grand nombre, au foisonnement illimité de leurs possibilités; on va donc du libre jeu au choix le plus strict, opposition classique qui a toujours régi le style sévère par rapport au style libre. »

Il va de soi qu'un tel mode de composition, ménageant au « hasard » des possibilités qui doivent être fécondes, tout en gardant le contrôle de l'œuvre dans son ensemble, suppose, pour avoir un intérêt artistique, une lucidité exceptionnelle. La série multiple, en opposition complète avec les formes préexistantes du classicisme, représentait déjà une sorte d'existentialisme musical. Ce caractère s'accentue encore avec la musique aléatoire, avec ses « champs d'indétermination ». Elle laisse également, comme le sont maints romans modernes, l'œuvre ouverte à d'autres conséquences. Il y a des partitions « en devenir », dont les auteurs nous proposent, à des intervalles plus ou moins longs, les états successifs; d'autres sont les noyaux d'œuvres nouvelles.

GÉNÉRALITÉS

La musique nouvelle — disons plutôt la musique vivante par opposition avec celle qui ne parle plus qu'une langue morte — présente plusieurs caractères généraux, dont on parle habituellement trop peu.

Elle est internationale, beaucoup plus encore que celle du XVIIIe siècle. Sans doute, chez de fortes personnalités, on distingue des traits nationaux. Lorsque Boulez, Stockhausen et Berio figurent au même programme, on perçoit vite ce qu'ils doivent respectivement à leurs origines française, allemande, italienne. Mais ce n'est qu'une différence d'accents dans un langage commun, rien de comparable à ce qui séparait Moussorgski du romantisme allemand, Gounod de Wagner, et tout près de nous Falla de Bartók. Les Japonais Ioshiro Mayuzumi et Yori-Aki Matsudaira — car on cultive furieusement au Japon la série et l'électronique — le Canadien Serge Garant, les Français Jean-Claude Éloy ou Gilbert Amy, le Berlinois Stiebler, l'Argentin Mauricio Kagel, le Hollandais Van Vlijmen, le Yougoslave Vinko Globokar, le Sicilien Girolamo Arrigo et cent autres ont été formés aux mêmes principes, usent du même vocabulaire, travaillent dans les mêmes formes, suivent presque la même évolution. Baden-Baden, Darmstadt, Paris sont des foyers universels, comme Venise au temps de Willaert et des Gabrieli. Cette supranationalité n'a rien qui nous inquiète. Au xviiiᵉ siècle, elle a bien donné Mozart ! Elle est conforme à la marche de notre temps, qu'essaie de freiner la politique.

La musique vivante attribue une grande importance à son matériel. Elle cherche constamment à l'enrichir, le diversifier, à y introduire l'inouï ou du moins l'insolite. Elle divise souvent les timbres en groupes apparemment hétérogènes mais d'une composition très étudiée; elle détermine rigoureusement la place des exécutants, par souci de la « répartition spatiale » des sons. Elle emploie les instruments traditionnels dans leur « mauvais registre », comme Stravinsky le faisait déjà, mais avec beaucoup plus d'insistance et de virulence, et en étirant toujours davantage l'échelle sonore dans l'aigu et le grave. Elle les soumet aux modes d'exécution les plus paradoxaux : pizzicati sur les cordes du piano, coups frappés sur la caisse des instruments; elle généralise des procédés qui n'étaient auparavant qu'occasionnels, batterie des cordes avec le bois de l'archet — *col legno* — glissandi, trémolos de la langue pour les instruments à vent. Elle accueille les instruments du jazz, en nombre de plus en plus grand les instruments exotiques, marimbas, maracas (qui sont à l'origine des calebasses remplies de cailloux faisant office de grelots), woodblocks ou blocs de bois, temple-blocks des prêtres boudhistes appelés aussi tambours de bois, cymbales chinoises, tambours des Indes etc. Ce penchant pour les percussions et les rythmes primitifs rejoint la tendance archaïsante de maints peintres et sculpteurs de notre époque, mais en musique il est moins artificiel.

La voix humaine est constamment soumise à une cruelle gymnastique sur des intervalles distendus à l'extrême. Les textes chantés sont systématiquement rendus inintelligibles, jeux de sonorités syllabiques comme les pratiquait Webern à la fin de sa vie.

Il y a dans les phénomènes musicaux une accélération semblable à celle de notre siècle dans tous les ordres. Vingt-cinq ans après la mort de Wagner, Schœnberg suspend la tonalité. Cette révolution aurait pu suffire à toute une vie. Mais quinze ans plus tard, il en accomplit une autre avec l'invention de la technique sérielle, que le solitaire Webern va porter à son point suprême de raffinement. Aussitôt après la pause de la guerre, les jeunes musiciens qui se sont assimilé avec une étonnante rapidité les œuvres les plus complexes des Viennois, inaugurent la composition multisérielle dont les applications paraissent infinies. Sera-ce une halte ? Point du tout. Bientôt le principe sériel est abandonné, balayé au profit de l'électronique, des considérations mathématiques. Les esprits chagrins ont beau jeu pour parler d'une désintégration en chaîne. Mais à chacune des étapes, si courte soit-elle, les « atomistes » manifestent avant tout leur besoin d'organisation. Et les autres musiciens nous paraissent figés dans des formules désormais stériles, hors du temps et de la vie.

On reproche fort à la musique vivante son ésotérisme. Il est vrai qu'elle se préoccupe bien peu de savoir à quel degré elle est communicable (ce qui n'inquiétait pas beaucoup plus, du reste, Beethoven en train d'écrire sa Grande Fugue en si bémol majeur). Mais il faut penser à ce qui l'entoure, à l'effarante consommation musicale de notre société. La musique ou les sons musiqués nous submergent. Ouvrons notre téléviseur pour les informations. En les attendant, un piano égrène des préludes de Chopin. L'indicatif les coupe net. A peine est-il achevé que le haut-parleur sécrète un lamento lugubre : un vieux politicien vient de trépasser. Après une durée suffisante de marche funèbre, voilà un allegro militaire pour saluer un exercice de pontonniers. Retour à un adagio plaintif pour les accidents de la route ou les inondations du Pakistan. La radio, pour trois mots, diffuse trente mesures. Les voix sucrées des bonimenteuses ne peuvent vanter une lotion capillaire ou une lessive sans le secours de tout un orchestre.

Nous pénétrons dans un magasin pour y acheter du dentifrice. Cet endroit est voué neuf heures par jour aux batteries de jazz, aux xylophones, quand ce n'est pas à Rossini, à Chabrier, que l'on reconnaît avec consternation à travers le chuintement, le ferraillement des appareils esquintés. Nous entrons au cinéma. Le moindre documentaire sur la natation ou la poterie se veut poème symphonique. Tout générique est une ouverture tonitruante. Les films les plus intelligents n'osent se priver du trémolo de mélodrame. Inanité confondante de ces musiques de films ! « illustrations sonores », « liaisons », intermèdes, partitions entières, tout cela usiné au mètre, à coups de clichés, de réminiscences élémentaires. Dans les milliards de notes écrites souvent par des plumes célèbres pour le cinéma depuis qu'il s'est approprié le son, on repêcherait difficilement quatre heures de musiques qui méritassent d'être réentendues. On regrette, tout en le comprenant, qu'un homme d'esprit comme Georges Van Parys, musicien habile, bon mélomane, l'un de ceux qui avaient le mieux adapté leur talent à l'écran, compose de moins en moins pour celui-ci.

Notre dette envers le disque est immense. Mais en contrepartie de ses inestimables bienfaits, il répand à des centaines de milliers d'exemplaires les chansonnettes qui naguère ne seraient jamais allées plus loin que les cafés-concerts de quartiers; encore avaient-elles dans ce temps-là infiniment plus de saveur qu'aujourd'hui.

Jamais on n'a écrit autant de musique qui retourne aussitôt au néant ou n'est plus destinée qu'à des usages misérablement utilitaires. On comprend que devant cette déchéance des musiques de facture plus ou moins traditionnelle, réduites à de basses fonctions de bouche-trous, de fonds sonores, et qui peuvent aussi bien être produites par des machines, les compositeurs les plus intelligents et les plus indépendants aient pris le parti d'écrire *contre* toutes ces musiques-là.

Ce phénomène est analogue à celui qu'a provoqué la photographie, puisque c'est bien elle qui a tué toute une peinture, que cette explication paraisse ou non trop sommaire aux esthéticiens devenus aveugles à l'évidence. L'enregistrement électrique, avec la gigantesque diffusion qu'il a entraînée, a eu les mêmes résultats dans le domaine des sons.

Il est normal, il est sain qu'un art réservé se fonde hors de cette vulgarisation, que l'on voie en lui le salut de la musique créatrice et son avenir. Qu'il soit d'un accès difficile, c'est dans sa nature, sa mission. Mais déjà l'on ne peut plus parler de son isolement. Parti en effet de quelques chapelles, il est en train de s'acquérir un public aussi nombreux et fidèle que celui de Berlioz, de Wagner, de Debussy au temps où ils n'avaient pas encore reçu l'universelle consécration. Quant à son mépris de l'hédonisme, il ne le justifie que trop bien par la fadeur, l'impersonnalité des honnêtes gens qui prétendent écrire de la musique « plaisante » et ne font guère dans les meilleurs cas que démarquer Ravel, *Pelléas*, Richard Strauss ou le Stravinsky « russe ». On ne saurait lui demander les voluptés mélodiques d'un temps plus ingénu, plus heureux que le nôtre, qui n'était pas encore arrivé au bout du langage modal ou tempéré, mais semble bien révolu, ou dont le retour ne pourrait s'opérer que par des itinéraires absolument imprévisibles. Cela ne signifie point cependant que cet art ne dispense pas lui aussi des plaisirs d'une nouvelle sorte, âpres, émouvants à leur manière, rudes jusqu'à nous violenter, dans le ton de notre siècle.

CHAPITRE IX

LA MUSIQUE D'AUJOURD'HUI
SES CRÉATEURS
LES ÉPIGONES

Nous sommes venus à la nouvelle musique parce que ses adversaires ne nous proposaient que leur médiocrité attardée sur laquelle nous aurons la charité de faire silence, parce qu'elle maintient au milieu de la dégradation publicitaire et des entreprises de « massification » le goût du rare et de la recherche.

Mais nous avons appris en même temps à l'écouter et à la juger. La période a été assez brève où il suffisait qu'un débutant, pour retenir notre intérêt, nous forçât à découvrir, comme dans une devinette, sa série naïvement dissimulée. Nous avons vite perçu, dans maintes œuvres, des routines aussi scolaires derrière leurs procédés modernistes que celles des anciens Conservatoires, la monotonie des épigones travaillant tous sur le même formulaire, les tics, les plagiats, l'agressivité inutile déguisant mal de faibles clichés, les théorèmes avortés des croque-notes du nouveau style qui promènent des airs d'alchimistes parce qu'ils ont emprunté cinq ou six vocables aux mathématiciens.

Nous avons assisté à nombre de canulars que ne relevait même pas un brin d'humour, aux prospections du hasard qui dégénéraient en cafouillages. Nous avons constaté que l'accumulation du matériau allait souvent avec la pauvreté de la pensée, phénomène d'ailleurs permanent depuis le début du XXe siècle. Nous savons à quel point peut être ridicule, insupportable, chez les truqueurs maladroits, l'emploi systématique des instruments au rebours de leurs moyens, et à quels errements la volonté de l'inouï à tout prix et du paradoxe peut entraîner même un auteur de talent comme Luciano Berio s'acharnant à unir dans l'aigu une flûte et un violon qui s'annihilent mutuellement, et prétendant avec sa *Séquence* pour flûte seule « élaborer une polyphonie au moyen d'un instrument monodique par excellence en cherchant à rendre évidente la verticalité latente dans la structure ». (On peut aussi jouer l'ouverture des *Maîtres chanteurs* avec un doigt pour en dégager l'horizontalité secrète !) Nous avons vu l'école de Webern copier jusqu'à la nausée les procédés de son maître posthume sans soupçonner quoi que ce fût de la spiritualité qui était l'essence de son art.

Les imitateurs pouvaient avoir leur agrément dans la musique classique. Dans celle de notre temps, ils ne sont plus tolérables.

DÉSERTIONS ET ÉCHECS

Les défections et les démissions ont été nombreuses dans les jeunes pelotons qui sous la direction de Messiaen ou de Leibowitz prenaient en 1945 un départ enthousiaste. Maurice Le Roux (1923), l'Italien Bruno Maderna (1920), élève de Scherchen, ont assez rapidement opté pour la carrière de chef d'orchestre où leur talent et leur culture rendent de précieux services. Serge Nigg (1924) avait poussé plus loin que personne en France l'analyse des œuvres de Webern, qui l'amenait à ses *Variations pour piano et dix instruments*. Mais sa conversion au communisme devait lui faire renier toute la musique sérielle et adopter un académisme d'intentions populaires, de sources françaises — Vincent d'Indy notamment — aussi vieilli et stérile dans son *Concerto pour piano* que le « réalisme socialiste » des compositeurs soviétiques. Michel Fano (1929) que ses camarades de classe tenaient pour un des plus doués d'entre eux, mais dont les œuvres se sont vite espacées, semble avoir été victime des spéculations intellectuelles dans lesquelles il s'est enfoncé. Marius Constant (1925), auteur discret du ballet *Cyrano* et du petit opéra radiophonique *Pygmalion* n'a guère été qu'effleuré par l'atonalité. Maurice Jarre (1924), après être passé pour un chercheur ingénieux et avoir doctement péroré sur l'inspiration et le renouveau de l'opéra, est entré dans la plus fructueuse des industries sonores, celle de la musique de film, et gagne une fortune à Hollywood en répandant des flots de sirop sur *Le Docteur Jivago* et d'autres superproductions. Jacques Bondon (1927), dodécaphoniste « libre », auteur de l'opéra-poème *La Nuit foudroyée* est décevant à la manière de ces peintres figuratifs que l'on voudrait opposer à la vacuité de tant d'abstraits. Dans sa musique de science-fiction — *La Coupole*, symphonie sur une expédition astronautique vers Jupiter, *Les*

Taillis ensorcelés, Les Chants de feu et de lune — il cherche à
reproduire avec les instruments classiques ou les ondes Martenot
les effets les plus faciles de l'électronique, ces gémissements
supposés des espaces stellaires qui sont déjà passés dans les
poncifs des films de publicité. Le modernisme très superficiel des
ballets et musiques de films de Georges Delerue (1925) ne supporte pas l'épreuve du concert. Jean-Louis Martinet (1912),
ancien disciple de Messiaen bien qu'il ne soit son cadet que de
quatre ans, a répudié avec véhémence la musique sérielle, dont il
estime bizarrement qu'elle ne peut « exprimer que l'angoisse ». Il
veut rendre à la musique « son sens humain ». Beau programme,
mais qui ne se traduit que par un catalogue des recettes les plus
éventées, des plus candides conventions. Il ne manque pas un
cliché au long poème symphonique *Orphée* de Martinet, flûte
dédiée à la plaintive Eurydice, trompettes mordant comme les
Ménades, *ostinato* des trombones pour accompagner la descente
aux Enfers. Jean-Louis Martinet, qui est un brave homme très
sincère, ne comprend pas que ce sont justement les truismes
fourbus de sa musique qui constituent l'acte de décès de la
pseudo-tradition dont il se réclame.

Parmi les musiciens qui participent réellement à l'aventure
moderne, on peut déjà dénombrer ceux dont la contribution, en
fin de compte, sera faible, vite oubliée. En tout cas, nous n'avons
jamais pu prendre même un bref divertissement aux clowneries
doctorales du Germano-Argentin Mauricio Kagel (1931), *Sonant*
pour guitare, harpe (absurde mariage de cordes pincées !), contrebasse, percussion, précédé d'un commentaire en jargon grotesque,
Phonophonie pour un « chanteur » tour à tour ventriloque et
aphasique, *Match* entre deux violoncellistes qui sifflent, rigolent,
s'endorment, et un percussionniste qui joue aux dés sur le xylophone. Kagel souhaite que leur gesticulation détourne le public
des sons et bruits qu'ils produisent, et qui lui paraissent en effet
négligeables : en quoi l'on est parfaitement d'accord avec lui.
Lorsqu'il cesse ses pitreries, Kagel peine sur des équations d'algèbre élémentaire. Roman Haubenstock-Ramati (1919), né en
Pologne, émigré en Israël puis à Vienne, est de ceux qui ont
besoin d'un déploiement intrumental aussi complexe qu'imposant
pour un résultat d'une anodine sagesse. Il n'est pas plus heureux
dans les truquages aux intentions agressives de son opéra *Amerika*
d'après Kafka. L'Américain Earle Brown (1926) travaille sur des
formules complètement démodées, même quand il fait appel à un

« mobile » de Calder dont les mouvements déterminent les *tempi* et les nuances de l'ouvrage au cours de son exécution. On peut en dire autant du Français Michel Philippot (1925), rigoureux mais morne dans ses applications de la série, du Polonais Wladimierz Kotonski (1925), pratiquant le goutte-à-goutte. Une partition conventionnelle, attardée, d'un pittoresque bon marché comme l'interminable *Concerto audio-visuel* de Pierre Jansen — sa *Suite Concertante* n'est pas moins désuète — ne s'immisce quelquefois dans les programmes d'avant-garde que parce qu'elle s'accompagne de projections en couleurs sur écran qui nous ramènent tout bonnement à l'essai de Scriabine pour son *Prométhée*.

Dans les échecs à peu près indiscutables, il faut compter encore celui de Pierre Schaeffer (1910) et de la musique concrète, du moins telle qu'il la pratique depuis vingt ans. Schaeffer, polytechnicien et acousticien de métier, rappelons-le, a eu le mérite d'être un des premiers à étudier les composantes du son, attaque, régime permanent, résonance, son « profil », ainsi que les ont révélés les micros et le magnétophone. Mais les jeunes musiciens, Boulez, Barraqué, Fano qu'il a invités dès 1947 dans son laboratoire ont été très vite déçus par ses travaux (tandis, ce qui est assez significatif, que des « conservateurs », Honegger, Dutilleux, Jolivet, Sauguet s'y intéressaient plus longuement). La jeune école a reproché aux « concrets », qui ont pour matière première des sons naturels, leur vérisme, leur travers « anecdotique » — trop de bruits bruts, « figuratifs », rappelant, en moins ingénieux, les essais de « symphonies » de tramways, de chaudières, de treuils déroulés, de coups de pistons au début du cinéma « parlant » — ou bien leur inutilité : à quoi bon enregistrer les bruits d'une locomotive, d'une scie mécanique, si l'on doit les manipuler, les rendre méconnaissables ? Schaeffer a répondu à cette dernière objection que pour sa part il manipule le moins possible, en faisant porter son travail sur le montage des sons plutôt que sur leurs déformations. On s'en est bien rendu compte à ses nombreuses *Études* — *Études aux chemins de fer, aux casseroles, aux allures, aux objets*, exercices primaires, dépourvus de toute variété même quand ils sont naïvement descriptifs, mais accomplis dans la gravité des rites scientifico-philosophiques dont notre époque fait un usage si désarmant. Il est clair que la musique électronique, produisant elle-même son matériau et pouvant se livrer sur lui aux opérations les plus précises, a un domaine autrement large et constitue un outil autrement sûr que la musique concrète.

Pierre Schaeffer a été handicapé, sans le savoir ou sans l'admettre, par l'insuffisance de sa formation musicale. Il a pu
collectionner des milliers de sons, les classer sur fiches perforées.
Mais il n'a pas senti la nécessité de les organiser en formes cohé-
rentes. Malgré les mises en garde et les critiques, il ne paraît pas
avoir pris conscience de cette lacune probablement rédhibitoire,
puisque dans son volumineux *Traité des objets musicaux*, somme
de ses expériences, il ne dit à peu près rien de la composition proprement dite. Son « Groupe de recherches de musique concrète »
a changé de nom. La plupart de ses collaborateurs n'ont plus fait
parler d'eux, ou ont adopté d'autres méthodes, tel Luc Ferrari.

Pierre Boulez accuse les « concrets » de ne produire que des
sons « exécrables », et il ajoute : « Quant aux « œuvres »...
dénudées jusqu'à l'os de toute intention de composition, elles se
limitent à des montages peu ingénieux, tablant toujours sur les
mêmes effets. Travail de dilettantes écarquillés, la musique
concrète ne peut même pas sur le terrain du « gadget » concurrencer les fabricants d'effets sonores qui travaillent dans l'industrie
du film. » La part faite de la polémique, c'est assez ce que nous
avons conclu de nos auditions de Schaeffer.

PANORAMA INTERNATIONAL

Mais si certains jugements peuvent être sans appel, il est encore
trop tôt pour se prononcer définitivement sur de nombreux
musiciens, soit qu'ils n'aient accompli qu'une partie de leur carrière
où les promesses compensent les erreurs, soit que l'on ait à se
familiariser davantage avec leurs œuvres ou qu'elles continuent à
poser des points d'interrogation.

On citera d'abord leur aîné, LUIGI DALLAPICCOLA (1904),
Italien de l'Istrie, formé au Conservatoire de Florence, attiré
très tôt par Debussy, Schœnberg et Alban Berg. Bien qu'il ait
écrit de la musique de chambre et plusieurs partitions pour voix
solistes, chœurs et orchestre, on le connaît surtout par son théâtre.
Antifasciste passionné, encore que le régime mussolinien ne lui
eût pas été défavorable, il garde la hantise de l'univers concentra-
tionnaire, il veut lier sa musique aux angoisses, aux menaces et
aux souffrances de son époque.

Ces préoccupations, cependant, étaient encore assez loin de lui
quand il composa son premier opéra, *Vol de nuit*, d'après le

roman de Saint-Exupéry qui exalte le rôle et l'autorité du chef, vrai dictateur de sa ligne aérienne. Représenté pour la première fois à Florence en mai 1940, au milieu d'événements qui l'éclipsaient, *Vol de nuit* après la guerre a fait la célébrité de Dallapiccola et le tour du monde occidental, avec un succès tenant beaucoup à l'imprévu du sujet. A vrai dire, l'auteur n'a pas entièrement surmonté le paradoxe d'un livret d'opéra où l'aventure aux nombreuses péripéties qui se déroule dans les coulisses l'oblige à de longs passages explicatifs, d'une matière musicale fatalement pauvre. Avec les années, l'intérêt de *Vol de nuit* s'est passablement émoussé. Dallapiccola use dans cette œuvre, de façon discontinue, de la série dodécaphonique, (trois séries principales) mais procédant des modes anciens, selon la remarque d'Antoine Goléa : une libre conception qui explique la froideur à son endroit des chapelles d'avant-garde.

Son second ouvrage de théâtre, *Le Prisonnier* (1949), d'après *La Torture par l'espérance* de Villiers de l'Isle-Adam, un acte de quarante-cinq minutes que l'on exécute aussi au concert, est mieux conduit dramatiquement, et d'une technique sérielle mieux appr-onfondie. Mais plus encore que dans *Vol de nuit* il y apparaît que Dallapiccola, loin de s'engager dans la voie ouverte par Alban Berg, s'emploie surtout à éviter un « puccinisme » qui serait sans doute son expression naturelle. Il s'en tient à ce récitatif inspiré des moins bons moments de *Boris Godounov* et de *Pelléas*, dont les musiciens de la génération précédant la sienne ont tellement abusé quand ils abordaient la scène. Pas une note qui ne soit attendue, comme par exemple tout le rôle de l'hypocrite confié évidemment à un ténor chantant dans le registre et le style du traître Chouisky de *Boris*. Seul l'orchestre laisse percer une certaine personnalité.

Le dernier opéra de Dallapiccola et son ouvrage le plus considérable, un prologue et deux longs actes, est son *Ulisse* représenté à Berlin en 1967. Après les épisodes de Calypso, de Nausicaa, des récits chez le roi Alcinos, remplis d'une symbolique bien intellectuelle, le héros homérique retrouve Pénélope, mais pour la quitter de nouveau et découvrir Dieu dans la solitude de la mer. Une série dodécaphonique commande toute la partition, où Dallapiccola s'est mis à l'école de ses cadets et a chassé ses tentations véristes. Mais son sens atavique de l'*orecchiabile*, de ce qui flatte l'oreille, lui fait adoucir les stridences, les cruelles aspérités que les modernes imposent aux chanteurs. Pourtant, ce n'est pas encore lui qui réconciliera les nouveaux procédés d'écriture et le chant. La déclamation d'*Ulisse*, sans rythme, plutôt pompeuse mais sans aucune tournure saillante, d'une lenteur uniforme, décourage vite l'auditeur. L'orchestre est presque constamment réduit à un rôle de ponctuation. Dallapiccola libère un lyrisme que la scène semble étrangler dans ses pages pour chœur mixte et orchestre, les *Canti di Liberazione* (1955) et surtout les *Canti di Prigionia, Chants de Captivité* (1941) que plusieurs de ses amis considèrent comme son chef-d'œuvre. Mais on regrette qu'ayant en bon Italien consacré les trois quarts de sa carrière à la musique vocale, il lui ait apporté si peu d'idées et de solutions originales.

Né la même année que lui (1904) près de Rome, Goffredo Petrassi, qui a une importante situation officielle, serait mieux à sa place parmi les néo-classiques. Il n'emploie les procédés sériels qu'épisodiquement et comme par dilettantisme. Il a pratiqué également Stravinsky. Mais il se plaît avant tout à ranimer et rajeunir la musique instrumentale italienne des XVIIᵉ et XVIIIᵉ siècles ou les grandes compositions chorales de Palestrina, dans son *Psaume IX*, son *Magnificat*, son *Coro di Morti (Chant des trépassés)* qui le rapproche des oratorios d'Honegger. Cet éclectique habile a une écriture plus large et ferme que ses pareils de la génération précédente. Il a également travaillé pour la scène *(Il Cordovano, La Morte dell'Aria)*, sans parvenir lui non plus à trouver une solution originale aux difficultés de l'opéra contemporain.

Luigi Nono (1924), Vénitien, marié à la fille de Schœnberg, militant communiste, élève de Malipiero chez qui, dit-il, il n'apprit rien, puis de Scherchen et de Maderna, a passé pendant quelques années pour l'extrémiste le plus indomptable de la nouvelle école italienne. Nous n'avons rien découvert qui justifiât cette réputation dans ses *Incontri* pour vingt-quatre instruments, d'une austérité sérielle ressemblant beaucoup à un exercice grammatical, encore moins dans ses *Épitaphes à Garcia Lorca*, très assagies avec leurs marches d'harmonie traditionnelles, leurs consonances, une flûte élégiaque. Le scandale déclenché en 1961 à la Fenice de Venise par son opéra *Intolleranza 1960* provenait plus du livret violemment politisé que du contenu de la partition. Luigi Nono pâtit peut-être de la surenchère toujours plus pressée dans l'inouï et l'excentrique. Il faudra le réentendre avec un recul suffisant.

Girolamo Arrigo (1930), Sicilien de Palerme mais vivant à Paris depuis 1954, dans son *Trio à cordes*, piétine encore derrière

Schœnberg sans avoir bien entendu sa leçon, car pour un dodécaphoniste son écriture demeure trop rapsodique. Il a sacrifié à la
vogue des « correspondances » plus ou moins teintées de scien-
tisme dans son *Infrarosso*, qui voudrait reproduire par le son les
phénomènes des rayons infrarouges, transposition dont on ne
peut guère apprécier le degré de réussite, car le morceau est
surtout insignifiant. Ce compositeur est sans doute de ceux qui
font des complexes dans l'atmosphère des cénacles, alors que
c'est dans la spontanéité et l'oubli des modes saisonnières qu'ils
découvriraient leur accent propre.

Hormis Henze et Stockhausen, l'un des talents majeurs avec
qui nous terminerons cette *Histoire*, l'école moderne allemande
compte encore assez peu de noms, malgré le nombre, l'activité et
la hardiesse de ses foyers musicaux. Bernd Aloys Zimmermann est
né en 1918 près de Cologne où il enseigne depuis d'assez longues
années déjà la composition. Il a écrit un opéra, *Les Soldats*
(1960), des ballets dont une *Musique pour les soupers du Roi
Ubu*, des concertos. Nous le connaissons surtout par sa musique de
chambre, qui selon la critique allemande renferme ses meilleures
pages. Dans sa *Sonate pour violoncelle seul*, dont il sait animer
l'austérité, dans ses *Perspectives* pour deux pianos, composées
pour un ballet imaginaire et qui font un usage assez heureux d'un
brio à la Liszt, on décèle sans peine sous un modernisme plus
acquis que spontané les fermes assises de la tradition musicale
d'Allemagne. Zimmermann est certainement, quant au métier, un
bon musicien. Pour sa personnalité, elle demeure problématique.

Le germanisme l'emporte également sur le cosmopolitisme
sériel chez le Bâlois Jacques Wildberger (1922), élève de Wladimir
Vogel, né trop tard pour s'avouer franchement romantique, mais
qui regarde autant du côté de Mahler et de Richard Strauss que
du côté d'Alban Berg. La dichotomie de l'orchestre est bien révélatrice de sa nature partagée dans une de ses œuvres les plus jouées,
Intensio, Centrum, Remissio : « Klangfarbenmelodie » d'une
systématique crudité aux bois et aux cuivres, mais cordes le plus
souvent traitées d'une façon classique, allant parfois jusqu'à
l'unisson. L'ensemble est hétérogène, et cependant point indifférent, semblant écrit pour un drame inconnu, un peu trop
statique, dont le héros s'irriterait et s'enfiévrerait sur place.

Le Berlinois Ernst-Albrecht Stiebler (1934), qui a travaillé avec
Stockhausen, ne manque pas de technique. Mais il aurait grand
besoin de s'évader des abstractions, d'oublier la mode, qui date
déjà tant, de la discontinuité laborieuse.

György Ligeti, Hongrois émigré, auteur d'*Artikulation* pour musique électronique, d'une œuvre chorale, *Lux Aeterna*, d'*Atmosphère*, de *Volumina*, possède des dons de coloriste, mais jusqu'à présent leur sacrifie trop.

Le Suédois Bo Nilsson (1937) avait étonné à vingt ans par sa précocité d'autodidacte, mais n'a plus guère fait parler de lui ensuite.

La Pologne est le seul pays derrière le rideau de fer où la musique de notre temps n'ait pas été frappée d'interdits. Les jeunes compositeurs sériels y ont surgi en 1956. Pour se former à la nouvelle écriture, ils n'avaient guère trouvé de guides parmi leurs aînés, encore attachés au folklore et au néo-classicisme, à l'exception de Josef Koffler, mort prématurément en 1943, et de Boleslaw Szabelski, professeur à Katowice, et connaissant bien l'œuvre des trois Viennois. Nous avons dit que parmi ces nouveaux venus Kotonski nous paraissait d'un médiocre intérêt. Tadeusz Baird (1928) peu connu en France, et qui passe pour très doué, concilie le dodécaphonisme avec son admiration pour Bartók et des souvenirs du romantisme éclectique de Szymanowski. Au contraire, Henryk Gorecki (1933) cultive l'ascèse à la Webern, avec plus de sincérité, semble-t-il, que les suiveurs occidentaux.

Un seul nom jusqu'à présent s'est imposé au-delà des frontières polonaises et atteint même à la célébrité, celui de KRZYSZTOF PENDERECKI (1933), venu à la technique sérielle après une brève période de debussysme. Avec un *Stabat Mater*, son œuvre la plus importante à ce jour est la *Passion selon saint Luc*, écrite par ce catholique « pour toutes les croyances » (1960). Les lettres B. A. C. H. fournissent le thème de base. La coupe est d'ailleurs identique à celle des *Passions* de Bach, alternance du récitant, des soli, des chœurs, avec de brefs épisodes instrumentaux. Les premiers chœurs féminins, imitent les « signaux » de la musique électronique, un effet que l'on retrouve aussi dans les *Polymorphia*, le *Thrène aux victimes d'Hiroshima* pour orchestre à cordes de ce compositeur. Certains soli par succession de grands intervalles, s'achevant chez le soprano sur un cri suraigu, émanent directement du répertoire d'avant-garde italien et parisien. Mais le phrasé du baryton est souvent classique et très tonal. Les souvenirs de la psalmodie catholique sont fréquents, alors que l'orchestre a des interventions d'un chromatisme très romantique. Malgré cette diversité de procédés, Penderecki maintient difficilement l'intérêt jusqu'à la fin de cette grande partition d'une heure et demie, qui dans son ensemble s'écarte tout à fait des courants révolutionnaires. Aussi bien, le Polonais n'a pas bonne presse chez les jeunes compositeurs d'Occident, pour qui sa liberté n'est qu'instabilité, disparate. On lui reproche encore un idéal de suavité que l'on tient pour suranné, et qui transparaît en effet sous le masque des crudités épisodiques. Ses admirateurs répondent qu'il est un poète indifférent à la mode. Mais on peut craindre qu'en défendant la musique expressive, il ne cède à des facilités sentimentales.

Le Yougoslave Vinko Globokar (1934), élève des Conservatoires de Ljubljana et de Paris, puis de Leibowitz et de Berio, est sans doute le premier trombone qui soit aussi compositeur. Sa bizarre virtuosité sur son instrument, qui intervient en soliste dans presque tous ses ouvrages − *Plan*, *Voix*, *Discours*, *Fluides*, *Accord* − lui a ouvert tous les concerts. Mais ses petits morceaux, sous leurs titres abstraits, ne vont guère jusqu'à présent au-delà des excentricités acrobatiques ayant un air de fausse improvisation.

Luis de Pablo (1930) est le principal représentant d'une nouvelle école espagnole dont on soupçonnait à peine l'existence à Paris jusqu'à ces dernières années. Il a découvert sa voie à vingt ans en lisant un traité de Messiaen et *Le Docteur Faustus* de Thomas Mann, le seul grand roman inspiré par la musique, et dont le personnage principal a maintes affinités avec Schœnberg. Il a d'abord accumulé les brouillons dodécaphoniques, en ayant le bon goût de ne pas les publier. Il a suivi les cours de Darmstadt. L'un des premiers parmi les compositeurs de son pays, il a compris qu'à moins de se barrer tout avenir on ne peut plus rien fonder sur le folklore, lié à une civilisation rurale qui disparaît même en Espagne. De Falla, il ne retient que les dernières innovations harmoniques. Cependant, la vie qui circule dans ses œuvres, le *Choral pour sept instruments*, le *Quintette pour cordes et clarinette, Modulos*, et surtout le crépitant *Imaginario II*, imprime bien à son vocabulaire et sa syntaxe cosmopolites un accent indéniablement national. Elle suffirait à elle seule à contredire l'opinion saugrenue que la musique sérielle ne peut exprimer que l'angoisse. Luis de Pablo peut devenir l'un des musiciens les plus séduisants et les plus originaux de sa génération. Il est moins isolé en Espagne qu'on ne le pensait. Ses compatriotes Cristobal Halffter et Carmelo Bernaola ont choisi le même chemin que lui.

Le groupe hollandais, formé par l'enseignement du dodécaphoniste Kees Van Baren (1906) est mal connu à l'étranger, où la

musique assez terne des Pays-Bas n'a jamais trouvé grande audience. Jan Van Vlijmen (1935) qui cherche à créer un nouveau
style concertant, Ton de Leeuw (1926) plongé dans les études
rythmiques auxquelles Messiaen l'a initié, Peter Schat (1935),
Otto Ketting (1935) apparaissent plutôt comme des provinciaux
aptes à des travaux honnêtes et sans grand relief, qui s'appliquent
un peu gauchement à se mettre au goût du jour.

Disparu prématurément, le Belge Pierre Froidebise (1914-1962),
était l'un des rares organistes de métier qui fût venu à l'écriture
sérielle. L'oubli s'est fait sans doute trop vite sur lui. Un autre
Belge, Henri Pousseur, né à Malmédy en 1929, a été mêlé très tôt
aux cénacles parisiens, aux chercheurs des studios de Cologne et
de Milan. Ses écrits théoriques, intelligemment pensés, mais dans
une langue lourde, lui ont valu rapidement d'enseigner à l'Université de Buffalo. Compositeur, il a mené dans de multiples
directions, mais toujours derrière les chefs de file, des expériences
dont aucune n'a réellement abouti. Le *Mobile* pour deux pianos,
tentant d'associer les « variants » — libertés plus ou moins dirigées
laissées à l'interprète — et les passages fixés, n'est qu'un jeu intellectuel dénué de tout intérêt à l'audition. Les *Rimes*, qui
interviennent entre les sonorités directes de trois groupes instrumentaux et une bande électronique comportant des bruits
synthétiques et des timbres musicaux manipulés, n'obvient guère
à la disparité de ces sources sonores. Les « synthèses » à base de
siphons de lavabos et de démarrages de motocyclettes sont d'une
invention bien courte, que ne compense pas l'assemblage pseudo-
scientifique de tous ces éléments. *Répons*, qui mélange l'aléatoire
avec une pantomime des instrumentistes, n'est qu'une fastidieuse
blague que l'auteur du reste a peut-être montée avec de fort
graves intentions. *Votre Faust*, essai d'opéra en collaboration
avec le romancier mélomane Michel Butor (on y voit un jeune
compositeur essayant en vain d'écrire un *Faust*) a reçu un accueil
justement décourageant. Les *Caractères* pour piano sont correctement bâtis, mais sans le moindre accent personnel, et il y traîne
presque autant de résidus du debussysme, voire de Milhaud, que
chez un suiveur de la génération précédente.

Le Français Gilbert Amy (1936), a débuté à vingt et un ans,
trop jeune pour ce qu'il avait alors à dire, et qui se réduisait aux
clichés plus ou moins corrosifs de ses *Mouvements* pour dix-sept
instruments solistes, de sa *Sonate* pour piano, où le « noir et
blanc » du clavier révèle encore plus inexorablement les nouvelles

conventions, aux imitations du pointillisme de Webern mêlées à des bribes de Debussy dans les *Epigrammes* en forme « ouverte », également pour piano. Mais le compositeur est sorti de cet âge ingrat avec ses *Trajectoires* pour violon et orchestre, qui renouvellent le dialogue du soliste et des autres instruments, parviennent à innover dans la percussion avec leurs tambours de bois africains. Après ce succès, on peut placer dans la maturité de Gilbert Amy des espoirs inattendus. En outre, ce garçon est d'esprit délié, cultivé, il sait très bien parler des musiciens qu'il admire, que ce soient les polyphonistes de la Renaissance, Wagner ou Webern, c'est un chef d'orchestre de qualité, qui a pu prendre la succession de Boulez à la tête du Domaine Musical.

Jean-Claude Eloy, né à Rouen en 1938, cherche non sans talent à concilier des influences assez contradictoires dans son *Phénix* pour soli et orchestre d'après Paul Éluard, ses *Études* pour orchestre, ses *Équivalences* pour dix-huit instruments. Ses *Polychronies*, pour orchestre à vent, piano, harpe et percussion, se lisent comme le carnet scolaire d'un élève d'ailleurs très doué de Darius Milhaud puis de Pierre Boulez. On peut rapporter certaines nonchalances d'écriture, les bigarrures de la palette instrumentale au premier de ces maîtres. Au second, le besoin de reconstruction, l'aspiration à un style mordant dont les formules se plaquent ici et là sur une matière un peu molle. Mais ce qui compte, c'est que l'on a vu Jean-Claude Éloy, doué dès ses débuts d'un métier sérieux, progresser de saison en saison. L'échec relatif d'un de ses derniers ouvrages, les *Macles* pour orchestre qui s'effritent après un prologue séduisant, devrait n'être qu'accidentel.

Le Genevois Jacques Guyonnet (1933), auteur de la *Stèle* pour orchestre de chambre et sons électroniques, des *Monades* pour orchestre de chambe, des *Polyphonies* pour flûte, alto et deux pianos, paraît bien n'avoir écouté d'autres conseils que ceux de son maître Boulez, qui lui ont permis de se libérer des autres influences, parce qu'ils l'ont aiguillé vers la musique « réactivée », où s'exprime avec le plus de naturel son vigoureux tempérament. Guyonnet est un compositeur qui se répand peu. On souhaite pour lui qu'il continue dans la veine heureuse de ses *Polyphonies*, où si déduite que se veuille la musique elle est entraînée par la vivacité, le jaillissement de l'écriture.

On regrette de n'avoir trouvé jusqu'ici qu'un faible intérêt aux essais électroniques et aux petite œuvres instrumentales d'André Boucourechliev (1925), Bulgare d'origine formé en France et en

Italie. On veut lui faire encore crédit, à cause de ses intelligents travaux sur Beethoven et Schumann.

Pierre Henry (1927), élève de Messiaen et de Nadia Boulanger, a d'abord travaillé dans les premières années de la musique concrète avec Pierre Schaeffer, réalisé en collaboration avec lui la *Symphonie pour un homme seul* (1950), qui passe pour l'ouvrage le plus accompli de cette période d'essais, et lui doit apparemment beaucoup. Il a ensuite poursuivi seul ses recherches, dans un esprit beaucoup moins systématique que Schaeffer, en mêlant aux sons concrets les sons de source musicale, et certainement avec un meilleur instinct de musicien. On reconnaît volontiers sa persévérance dans un grand labeur. Son œuvre est considérable en nombre et en durée. Les grincements des *Variations pour une porte et un soupir*, les éructations et borborygmes de *La Noire à 60*, de *Granulométrie* sont d'un naturalisme bien gros et qu'il aurait fallu destiner à des usages bouffons. Avec *Le Voile d'Orphée*, Pierre Henry a épuré son esthétique, mais en montrant ses limites, bientôt atteintes, dans un registre qui se veut spiritualisé. La *Messe de Liverpool*, composée en 1966-67 pour l'inauguration de la cathédrale de cette ville, quoiqu'elle puisse se prévaloir des motets hétéroclites du Moyen Age, pèche par un traitement aberrant du texte liturgique, aux syllabes malaxées, hachées, avec des voix aux bégaiements, aux hoquets, au « creux » et aux gargouillis parodiques. Les intentions de l'auteur sont pourtant fort sérieuses, comme on le constate à quelques fragments d'une violence dramatique, mais qui rendent tout le reste encore plus dérisoire et irritant.

Les deux œuvres les plus saillantes de Pierre Henry sont *Le Voyage*, et la dernière en date, *L'Apocalypse de Jean*, dont la première audition a eu lieu en 1968. *Le Voyage*, d'après le *Livre des Morts* tibétain, comporte sept épisodes, dont les mieux venus sont ceux qui font emploi de sons musicaux. Ailleurs, une sorte de rossignol mécanique alterne avec des pétarades assourdies de motocyclette. Les miaulements, craquements, sifflements d'avions supersoniques, bruits de siphons de lavabos engorgés, se succèdent ou se mélangent. Ces « figures sonores » se répètent jusqu'à satiété. Leur réalisme souvent puéril détruit l'impression de mystère funèbre, de croisière surnaturelle que l'auteur a recherchée et qu'il crée parfois fugacement. Ce *Voyage*, dont le dernier épisode est le « Retour sur terre », se termine par le descrescendo d'un train qui passe et s'éloigne : symbolisme journalistique !

Dans *L'Apocalypse de Jean*, dont l'audition dure deux heures, Pierre Henry fait un effort méritoire pour varier, enrichir sa matière. Les douze pistes, les quarante haut-parleurs de l'audition qui nous a été proposée permettent des effets saisissants, comme le crescendo qui représente les solennelles et terribles trompettes des anges. L'auteur croit certainement au sens métaphysique et tragique du texte déclamé par un récitant. On s'explique mal, dès lors, qu'il continue, pour l'illustrer, à collectionner les démarrages de moteurs, les échappements libres, les débouchages de bouteilles, les chasses d'eau, les sifflets de locomotives, l'avertisseur des voitures de pompiers. Avec une expérience de vingt années, il devrait savoir que les interminables tenues sont à reléguer déjà parmi les poncifs de l'électronique, que les bruits obsessionnels, comme l'espèce de claquoir en bois qui retentit tout au long de l'épisode du « déversement des coupes » sont simplement fastidieux dans une musique dépourvue de tout rythme. On reconnaît encore, chemin faisant, l'équivalent de la guitare hawaïenne, de la machine à faire le vent qui accompagne les tempêtes de sable dans les documentaires. Le chœur, psalmodiant le plus souvent *recto tono*, est soudain frappé de l'enrouement que les cinéastes prêtent à la voix de leurs robots dans la science-fiction. Cela n'est guère inventif, rapidement monotone. Toute cette substance sonore aurait encore grand besoin d'être travaillée, stylisée. Elle se réduit, à mesure que l'on avance dans l'œuvre, jusqu'à ne plus laisser la place qu'au récitant, comme si Pierre Henry succombait à la même fatigue que ses auditeurs. Pourtant, en dépit des lacunes, des manies, des grossièretés et naïvetés de ce chercheur, on doit tenir compte de ses progrès, si lents et laborieux soient-ils, dans un domaine encore très ingrat.

CINQ PORTRAITS

Nous terminerons enfin ce livre par les brefs portraits de cinq compositeurs qui sont encore loin d'avoir accompli toute leur œuvre, mais dominent, à notre sentiment, la musique actuelle. Si l'avenir ne ratifie pas entièrement ce choix, nous nous serons en tout cas trompé avec la majorité des mélomanes et des critiques d'aujourd'hui. Et nous serons resté fidèle à notre programme, qui était de refléter la sensibilité musicale d'une époque. Les cinq artistes dont nous voulons parler sont

Pierre Boulez, Karlheinz Stockhausen, Luciano Berio, Jean Barraqué et Iannis Xenakis.

PIERRE BOULEZ

Nous avons déjà dit la formation de Pierre Boulez (1925), élève de Messiaen qui le qualifia de génial, puis de René Leibowitz, juste le temps de dénoncer un nouvel académisme dans l'enseignement dodécaphonique de cet excellent musicographe. Débutant en 1946 comme musicien de la Compagnie Jean-Louis Barrault-Madeleine Renaud, Boulez stupéfiait dès ce moment-là ou scandalisait son entourage et bientôt les milieux musicaux de Paris par son irascibilité, ses sarcasmes, la roideur, le tranchant de ses opinions exprimées tout à trac dans des articles retentissants.

On imputait à sa jeunesse, à un besoin de scandale et de paradoxes cette humeur insolemment massacrante. On a compris depuis — du moins ceux qui ont été capables de le comprendre — qu'elle était le signe d'un grand tempérament, d'une intelligence sans cesse en mouvement. De tous les compositeurs de sa génération, c'est la tête la plus solide et la plus lucide. Il a été à l'origine des principales phases de l'évolution musicale depuis vingt ans, séries multipliées, partitions aléatoires dont il ne perd toutefois jamais le contrôle; il a énoncé sur l'électronique les principes les plus judicieux. Tempêtant contre la mauvaise organisation de la vie musicale en France, il s'est fixé depuis 1959 en Allemagne où ses dons ont été reconnus bien plus vite que chez nous. Il a enseigné à Darmstadt, à Bâle. On reconnaît ses élèves à leur démarche plus vive, plus nette; ils savent éviter aussi les tics saisonniers.

Les deux grands modèles de Boulez sont Webern et Debussy. Mais il est leur disciple le plus original. Il s'est toujours refusé à cet évidement de la musique auquel se sont acharnés les imitateurs du premier de ces maîtres. Du second, il a retenu la prédilection pour « l'alchimie sonore » et le refus des formes données à priori. Il a su se garder de la tendance au morcellement par laquelle ont péché avant lui tous les debussystes. Il est passionné par le rythme, comme les autres élèves de Messiaen. Mais il n'admet pas que ce rythme n'existe plus qu'à l'état de calculs sur le papier. En le traitant plus subtilement que personne, il le dessine pour l'oreille, ce qui aurait passé naguère pour une fonction naturelle du musicien, mais est redevenu audacieux dans un temps et un art où fourmillent les abstracteurs, et l'engeance des demi-intellectuels, qu'il a rudement crossés. Il a beaucoup étudié les rythmes d'Asie et d'Afrique, mais n'admet pas que l'on s'en serve pour d'inutiles « reconstitutions ethnographiques » qui ne relèvent ni de la science ni de la création musicale.

Son œuvre est la plus cohérente de toute l'école moderne, celle où l'on sent le mieux la *nécessité* organique de chaque élément et qui nous paraît de ce fait la plus solidement armée contre l'épreuve du temps. La *Sonatine* pour flûte et piano (1946, Boulez a vingt et un ans), amorçant la rupture avec le dodéca-phonisme strict, est déjà très personnelle, d'un métier entièrement dominé. La 2e Sonate pour piano (1950), la rugueuse et rigide *Polyphonie X* pour dix-huit instruments solistes, le Ier Livre des *Structures* pour deux pianos sont surtout des partitions démons-tratives, soit d'un nouveau contrepoint de cellules rythmiques indépendantes – la Sonate – soit des possibilités de la série multiple, encore que la Sonate, avec son dynamisme impatient et entêté malgré les coups de frein brutaux qu'il subit, laisse percer une nature d'artiste qui ne se satisfera pas de travaux spéculatifs.

Les deux *Études* sur des sons réalisés au studio de musique concrète de Schaeffer, *Poésie pour pouvoir*, sur un poème d'Henri Michaux, mêlant l'électronique, les instruments et la voix, consti-tuent des expériences assez réticentes dans une technique dont le matériel, au jugement de Boulez, est encore trop primitif.

Mais dans *Le Marteau sans maître* (1950), pour contralto, cinq instruments et percussion, *Le Visage nuptial* (1957, entrepris en 1951) pour soprano, contralto, chœur de femmes et orchestre, l'un et l'autre ouvrages sur des poèmes de René Char auxquels Boulez voue une prédilection très contestable, l'extrême précision des agencements rythmiques et sériels ne nuit jamais à la séduction sonore des ensembles. L'écriture vocale est plus heureuse dans *Le Marteau sans maître* que dans *Le Visage nuptial* où l'on relève trop souvent ces procédés faciles de va-et-vient, de cris suraigus suivis de chutes brusques que nous avons déjà décrits. Mais l'or-chestre de ce *Visage* est des plus attachants, avec ses cordes très divisées, ses bois, ses cuivres si ingénieusement combinés, sa percussion intervenant par brèves séquences, la délicatesse du finale en douceur après des épisodes exaltés. La dernière pièce du *Marteau sans maître*, avec sa flûte souple et loquace, s'alliant si bien à la voix, est une réussite poétique, par des moyens très simples mais que renouvelle entièrement la sensibilité du compositeur.

Le second livre des Structures pour deux pianos (1961) est un remarquable exemple du « debussysme organisé », en même temps qu'il réintroduit l'antagonisme entre les éléments musicaux et nous prouve que sa vertu n'a pas été épuisée, malgré tant d'abus romantiques. Les grands écarts, tic si agaçant de la jeune école quand elle s'empare du clavier, ont presque entièrement disparu. Le mouvement final, qui ne quitte pas la basse du premier piano, paraphe l'œuvre avec une virilité saisissante.

Pli selon Pli, portrait de Mallarmé, pour piano, soprano et orchestre (1958-60) est typique de cette « réactivation » de la musique que Boulez prêchait depuis plusieurs années contre les froides équations sévissant dans son entourage. Les cinq poèmes de Mallarmé, indiqués dans l'analytique de l'œuvre plutôt comme repères que comme sources d'inspiration, ne sont guère que des prétextes à quelques vocalises. Mais faudrait-il exiger des musiciens de notre temps qu'ils reproduisent inlassablement le lied accompagné des romantiques et de Fauré ? Même si l'on discerne mal le rapport entre ce *Portrait* et son modèle, on en retient dix minutes d'un paroxysme sonore, d'une exubérance instrumentale où pour la première fois Boulez rappellerait son professeur Messiaen, s'il n'était pas infiniment plus que lui racé, maître d'un art savamment organisé jusque dans cet état de fureur presque sacrée. Boulez a dit que « la musique doit être hystérie et envoûtement collectifs ». Après les tiédeurs des néo-classiques, la frigidité des mauvais héritiers de Webern, c'est un programme qui nous rapproche heureusement des origines profondes de la musique et de tant de ses chefs-d'œuvre. Boulez, par sa lucidité en écarte les dangers. Et il y exprime à la fois sa pugnacité naturelle et les violences, les inquiétudes, les bouillonnements de son époque.

Éclat (1965) pour quinze solistes, que Boulez définit comme « un concerto pour chef d'orchestre, les musiciens étant utilisés de la même façon que les touches d'un instrument », est un petit poème sur les timbres dont l'énumération suggère un peu le raffinement : piano, célesta, harpe, glockenspiel, vibraphone, mandoline, guitare, cymbalum, cloches, flûte, cor anglais, trompette, trombone, alto et violoncelle. L'improvisation y a sa part, mais en manière de réaction contre les fantaisies stériles elle est réservée au chef. *Figures, Doubles, Prismes,* est une œuvre

« en croissance », dont le premier élément *Doubles*, date de 1958. C'est aussi la première partition où Boulez emploie le grand orchestre sans y adjoindre la voix humaine. Il explique que les *Figures* peuvent être considérées comme le matériau de base, les *Doubles* en étant les applications transformantes et les *Prismes* les procédés de combinaison. Mais sous la nudité technique de ces termes, on découvre un lyrisme neuf, fait d'une merveilleuse vitalité rythmique, de détails d'une fluidité et d'une transparence exquises, l'habit soyeux et scintillant que le debussysme a posé sur les muscles et les nerfs vibrants de cette musique. Dans cet ouvrage comme dans tous ceux qui ont suivi les premiers essais de Boulez, on savoure la variété de chaque instant, tout en discernant bien la forte unité de l'ensemble.

Certains cadets de Boulez, impatients de brûler les étapes, le jugent déjà trop classique. C'est un hommage involontaire qu'ils lui rendent. Hommage quelque peu prématuré. Mais il y a toutes les chances pour que le compositeur du *Marteau sans maître* en soit pleinement digne un jour. Avec l'immense mérite d'avoir construit une œuvre faite pour durer dans les années les plus instables de la musique.

Pierre Boulez est encore devenu tout seul, en inventant et perfectionnant au jour le jour sa méthode de direction à poings nus, un chef d'orchestre d'envergure internationale, le seul des grands compositeurs français — puisque Berlioz, semble-t-il, ne dirigeait bien que ses œuvres, — qui à l'exemple des grands Allemands ait aussi ce don. Comme dans sa musique, il a d'abord été un peu sec au pupitre, mais pour s'affiner, s'assouplir ensuite, en joignant à une infaillible précision la poésie, le sentiment dramatique, dans d'admirables interprétations du *Wozzeck* d'Alban Berg, de Stravinsky, de Webern, de Wagner, Berlioz, Debussy. Mais il ne faut pas que ses succès de chef d'orchestre, que la joie qu'il y prend l'écartent de sa table de travail. On est un peu inquiet de constater qu'au cours de ces dernières années il ne nous a donné qu'une version orchestrale du *Livre pour quatuor à cordes* de sa jeunesse, et qu'un divertissement assez anodin, *Domaines*, pour clarinette et six petits groupes d'instrumentistes. Nous avons d'abord besoin de Boulez compositeur, dont le talent est irremplaçable, alors que les bons directeurs d'orchestre sont légion.

STOCKHAUSEN

Auprès de l'unité, de la logique de Boulez, l'œuvre plus importante en nombre de l'Allemand KARLHEINZ STOCKHAUSEN (1928) apparaît inégale. Avec son esprit de système, plus audacieux peut-être mais moins clairvoyant que les méditations de Boulez et poussé selon une roideur germanique, Stockhausen semble assez souvent lutter contre ses propres dons. La cruelle sécheresse des *Klavierstücke I à IV* (Pièces pour piano) composés en 1952-53 à Paris dans la classe de Messiaen, est un attentat farouchement prémédité et exécuté contre les séductions du clavier romantique. Le *Kreuzspiel (Jeu en croix)* pour hautbois, clarinette basse, piano et percussion de 1951, écrit aussitôt après une lecture du *Mode de valeurs et d'intensités* de Messiaen, les *Zeitmasse (Mesures du Temps)* de 1956 pour flûte, hautbois, cor anglais, clarinette et basson sont les applications de calculs d'une subtilité où l'oreille trouve assez difficilement son compte. On aurait bien de la peine à convaincre un auditeur ingénu que sous la monotonie linéaire des *Zeitmasse* se cachent de savantes combinaisons des rythmes et des tempi, chacun des instrumentistes pouvant avoir sa propre « mesure du temps ». Il faut encore ranger parmi les œuvres strictement expérimentales, portant sur la recherche de nouveaux matériaux sonores, les *Kontakte* (1960) pour piano, percussion et bande magnétique, travail de laboratoire sur les rapports entre l'électronique et les instruments, dont les trente-cinq minutes mettent à l'épreuve la patience du mélomane même bien entraîné, le *Solo pour trombone et bande magnétique* (timbres déformés par manipulation de l'enregistrement des vrais timbres), exécuté à Royan en 1968, haché de silences inexplicables, sans la moindre ébauche de rythme perceptible : paradoxe, soulignons-le encore, d'un des rythmiciens les plus quintessenciés qui finit par écrire la musique la plus étale.

Dans le *Klavierstück VI* (1954) Stockhausen doit être, pensons-nous, en fureur contre son propre lyrisme, auquel il inflige de sauvages traitements. Le *Klavierstück XI* est une étude sur l'aléatoire, avec les permutations compliquées de dix-neuf séquences. Dans le *Klavierstück X*, la dernière composée de ces pièces pour piano, c'est de nouveau au clavier que Stockhausen s'en prend, lui assenant des coups formidables avec le tranchant de la main, plaquant sur lui de féroces accords avec les avant-bras, ce qui n'est pas d'ailleurs tellement nouveau. Les petites plaisanteries de

Refrain, où les brutalités du pianiste se mêlent aux joliesses sucrées du vibraphone, ne sont guère dignes du renom de leur auteur.

Mais le même Stockhausen a réussi le premier, avec autant d'adresse que d'invention, à fondre la musique électronique et la voix humaine avec son *Gesang der Jünglinge in Feuerofen, Le Chant des adolescents dans la fournaise* (1956), qui semble bien, selon le mot de Stravinsky, descendre de limbes insoupçonnés jusqu'alors. *Zyklus* (1959), pièce pour un seul percussionniste se démenant entre quatre tambours, un vibraphone, un xylophone, un gong, des wood-blocks etc., est une irrésistible démonstration de virtuosité. Dans les « galaxies de sons » que nous proposent les *Punkte, Points* (remaniés en 1964), la matière tour à tour translucide, chatoyante, ou brute comme un minéral, est d'une étonnante variété. S'il y a une certaine dispersion dans les *Momente* (1965), cela n'empêche pas de reconnaître la vigueur de leur jaillissement.

Quant aux *Gruppen, Groupes* (de 1957), c'est une des partitions capitales de la musique contemporaine, probablement le chef-d'œuvre de Stockhausen à ce jour. Sous le titre neutre, il s'agit d'une sorte de concerto pour trois orchestres indépendants de formation à peu près identique, chacun avec une trentaine de pupitres et son propre chef. Ces orchestres réclament une salle vaste, où l'on puisse les disposer en triangle, à une quarantaine de mètres les uns des autres.

Ce n'est évidemment pas la première fois qu'un musicien divise ainsi ses troupes. Rappelons-nous Gabrieli, Willaert, les fêtes musicales de la Révolution française, le *Requiem* de Berlioz. Mais on ne visait alors qu'à des effets décoratifs. Tandis que Stockhausen crée un véritable contrepoint entre ses trois masses instrumentales, dont chacune a sa propre organisation de timbres, de rythmes, d'harmonie, tantôt indépendante, tantôt en conflit ou en symbiose avec les deux autres. C'est dire le prodigieux enrichissement qu'il apporte à cette polyphonie cernant de toutes parts l'auditeur qui a soudain l'impression que son système auriculaire se démultiplie, dans une activité incessante et des plus excitantes, qui se trouve projeté dans ce nouvel espace sonore dont on a tant parlé, pour n'en donner le plus souvent que de faibles approximations.

Stockhausen a pu multiplier les professions de foi antiromantiques, partiales mais compréhensibles chez un jeune créateur

voulant secouer le poids du passé. Il n'empêche que les surprenantes mélodies de timbres, les réseaux rythmiques et contrapunctiques des *Gruppen*, leurs raffinements, leurs violences
développent bien un lyrisme qui dans sa nature virilement musicale rejoint celui de tous les grands arts.

Dans la dernière partie des *Gruppen*, le grave d'un piano à
découvert donne le départ à un gigantesque crescendo des contrebasses et des batteries, puis du *tutti* des trois orchestres. Le
procédé en soi est assez simple, mais entièrement renouvelé par
l'écriture instrumentale, l'élan qui emporte tout. Le résultat est
à la lettre inouï, l'adjectif dont on doit cependant user avec le
plus de circonspection en musique. Jamais l'auditeur n'a été
déraciné par une onde sonore d'une aussi formidable puissance,
mais qui au sommet de son intensité reste savoureusement
musicale, ne se détimbre absolument pas. Devant *Gruppen*,
les critiques ont retrouvé la plume de Berlioz écrivain pour
parler d'un volcan. Mais les volcans berlioziens explosent à
l'horizon. Ici, nous sommes au centre du cratère, et ce qui en
jaillit, y bouillonne, ce n'est pas une lave élémentaire, mais une
matière organisée, animée d'une vie multiforme. Après ce paroxysme, les trois orchestres se dissocient de nouveau, dans des
jeux de timbres, des contrastes toujours imprévus, de la facture
la plus ferme et la plus savante. Puis l'œuvre se termine très
rapidement, *piano*. Depuis sa première mesure, elle n'a pas eu un
fléchissement. On notera encore, ce qui s'accorde sans doute
avec la robustesse de sa sève et l'assurance de Stockhausen,
qu'elle n'évite pas systématiquement les rencontres tonales,
qu'elle accepte même certaines consonances « accidentelles ». Et
pourquoi pas, si ces consonances, qui laissent pantois maints
naïfs apprentis, sont à telle place plus naturelles, mieux liées au
contexte que des distorsions élaborées pour le principe ?

Durent ces dernières années, Stockhausen a beaucoup travaillé
l'électronique, mêlée ou non aux instruments, et avec des fortunes
très variables. Il semble cultiver une aridité en contradiction avec
sa nature dans la bande magnétique de *Télémusique* (sons réels
déformés et sons artificiels de l'électronique) dont les éléments
ont été recueillis au Japon, en Chine, à Bali, en Amazonie, en
Espagne, et où la phobie du folklore lui fait malaxer une pâte
indifférenciée; dans *Procession* (1967), pour alto, piano, électro-
nium et tam-tam, que l'auteur déforme ou amplifie lui-même au
moyen d'un microphone de contact, de filtres, de régulateurs.

Quelles que soient leurs sources, ces musiques se confondent du reste dans une lente distillation de leurs sonorités.

Ce sont les *Hymnen* (1967) qui constituent l'ouvrage capital de ces dernières saisons, gigantesque symphonie électronique de deux heures, dans laquelle peuvent s'insérer des parties instrumentales exécutées sur scène et mixées avec la bande dans les haut-parleurs. La technique d'avant-garde s'y nourrit de la matière la plus traditionnelle, les hymnes nationaux d'une quinzaine de pays, tantôt tronçonnés, réduits à quelques accords, tantôt largement développés, promenés du plus grave au plus aigu, ralentis ou précipités, ridiculisés ou exaltés. Des facilités, comme le baragouin cosmopolite, les brouillages, les parasites des ondes courtes de la radio, voisinent avec des épisodes fulgurants. L'ennui menace l'auditeur durant de lourdes séquences — les interminables points d'orgue sont particulièrement éprouvants — mais il en est soudain tiré par des saillies humoristiques, de dramatiques trouvailles. On croit être à l'écoute d'une immense rumeur planétaire, tour à tour ou en même temps épique, burlesque, menaçante. Voilà une musique qui est bien de l'âge des satellites de télécommunications, des avions supersoniques, qui paraît vraiment ouverte sur l'avenir.

Mais aussitôt après *Hymnen*, Stockhausen a produit *Stimmung* (ce mot allemand signifie « accord » ou bien « disposition de l'âme »). Trois garçons et trois filles reliés à des haut-parleurs, sans accompagnement, psalmodient inlassablement sur une note unique, à laquelle s'ajoutent tout au plus quelques accords de dominante, des onomatopées de nourrice à son bébé, « guiguigui, yoyoyo, zipzip ». De temps à autre, une voix rauque et théâtrale lance le nom d'une divinité égyptienne, hindoue, hittite, polynésienne, aztèque, en tout soixante-douze dieux. Stockhausen, hiératique à sa console, accroît ou diminue l'intensité des haut-parleurs. Par deux fois, tout s'interrompt pour laisser place à un poème érotique et invertébré, farci dans le texte original de crudités céliniennes. La cérémonie, sans aucune autre variante, se prolonge durant cinq quarts d'heure, Stockhausen veut sans doute donner des gages au « happening », à la « pop-music ». Ce qui nous chiffonne, c'est la gravité quasi-sacerdotale qu'il y met. Il s'inquiète avec raison de l'absence d'élévation spirituelle dans la musique présente. Il voudrait « une musique qui fût un centre de méditation, pour nous catapulter dans une région suprarationnelle ». Croit-il y parvenir avec *Stimmung* ? Ce n'était point la peine de condamner les magies romantiques pour tenter d'imposer à l'auditeur une sorte d'envoûtement aussi primitif, qui ne sera jamais qu'une abrutissante et dérisoire parodie des rites africains, avec leurs sorcelleries et leur sexualité vécues. Ce n'est peut-être qu'un épisode dans la carrière de Stockhausen, mais qui indique que cet artiste intelligent et fougueux manque un peu de boussole.

BERIO

L'Italien Luciano Berio, né en 1925, près d'Imperia sur la Riviera, a fait ses études au Conservatoire de Milan, puis avec Dallapiccola aux États-Unis. Il a pu écrire, par exemple avec les variations sur son oratorio *Nones*, des œuvres très calculées, dans une stricte technique sérielle. Mais c'est un musicien bien plus instinctif qu'intellectuel quand il obéit à sa vraie nature. Dans *Allelujah* (1956) pour grand orchestre divisé en cinq groupements, si les jeux des timbres prennent une place excessive, ils n'en créent pas moins une sensation de richesse, de plénitude sonore traversée de belles violences. Dans les *Tempi Concertati* (1960), largement développés, pour orchestre scindé lui aussi en divers groupes, Berio rompt tout à fait avec l'uniformité de l'abstraction internationale. On y oublie vite la part de l'aléatoire pour se laisser emporter par le mouvement de l'œuvre où le « libre arbitre » des solistes tient à peu près le rôle des anciennes cadences de virtuosité. Voilà une musique où enfin « il se passe quelque chose », difficile à définir du reste en l'absence salutaire de toute littérature; mais ce sentiment par lui-même est déjà revigorant. Une musique qui ne vise pas à la pureté, s'accommode de ces inconséquences dans l'instrumentation que nous avons déjà signalées, mais ouvertement, lumineusement italienne par son animation, sa véhémence, voire son emphase, affirmant jusqu'à la brutalité son énergie vitale.

Chemin III (1968) pour alto, neuf instruments et orchestre — *work in progress*, œuvre « en croissance » — issu d'une partition d'alto solo, est d'un abord plus séduisant, d'une facture plus affinée que les *Tempi Concertati*. L'alto garde parmi les autres solistes son rôle de conducteur, sans cesse rapide, volubile, une délivrance pour l'oreille après tant de musiques aux ralentis sentencieux. On perçoit de délicates ciselures dans sa partie de virtuosité. Plus aucune « plage » de silence, plus aucun blanc. L'orchestre est complexe, mais sans opacité. Ce *Chemin* si bien « réactivé » aboutit avec une spontanéité inventive à ce renouvellement du style concertant – un Vivaldi moderne, sans bavardage ? – où ont échoué tous les néo-classiques et bien des sérialistes depuis un demi-siècle.

Fidèle à son sang italien, Luciano Berio cherche aussi à réhabiliter le chant dans l'écriture contemporaine, comme son compatriote Dallapiccola, mais avec plus de décision et d'originalité que lui. Il s'en est occupé déjà dans son essai électronique de 1958, *Omaggio a Joyce*, où il travaillait sur des sons fournis par la voix humaine. Dans une de ses œuvres les plus accomplies, *Épiphanie* (1961), cycle de pièces instrumentales et vocales se succédant librement, la voix féminine ajoute aux grands intervalles devenus traditionnels des broderies, elle passe d'un rapide *parlando* sur fond d'orchestre à des élans expressifs, *cantabile* pourrait-on presque dire. Les parties instrumentales sont très nourries, remplies d'innovations polyphoniques. Malgré sa diversité, l'ouvrage est très construit. On reconnaît dans *Laborintus* les mêmes dons de Berio, dont l'art se décante sans aucunement s'appauvrir, la même inclination à un lyrisme qui se teinterait d'une sorte de néo-vérisme – mais bien différent des tentations pucciniennes de Dallapiccola – et qui devrait, semble-t-il, trouver sa voie naturelle au théâtre. Luciano Berio ne serait-il pas le mieux désigné pour rompre l'espèce de maléfice qui écarte l'école moderne de l'opéra ?

BARRAQUÉ

Rien n'est plus éloigné du langage direct de Berio que l'intellectualisme effréné de JEAN BARRAQUÉ (1928). Cet ancien élève de Messiaen est aussi le plus mystérieux des compositeurs d'aujourd'hui. Il a des partisans qui, s'ils sont peu nombreux, voient en lui le musicien capital du XXᵉ siècle. Son excellent petit livre sur Debussy témoigne du jugement le plus ferme, d'une intelligence et d'une sensibilité ouvertes à toute vraie musique, de Bach et de Wagner à Webern. Mais ses premières partitions, *Sonate* pour piano, *Séquence* pour voix, batterie et divers instruments, qui sont pour les admirateurs l'accomplissement le plus parfait de l'esthétique webernienne, n'ont eu qu'une audience confidentielle.

Depuis 1956, Jean Barraqué travaille, d'après le roman de
l'Autrichien Hermann Broch, *La Mort de Virgile*, à une œuvre
immense du même titre, qui une fois terminée, selon son commentateur exalté André Hodeir, dépassera peut-être en étendue la
Passion selon saint Matthieu et *Parsifal* réunis, et qui serait dès à
présent l'événement musical le plus important depuis Debussy.
Deux parties seulement, chacune de près de trois quarts d'heure,
en ont été exécutées, à de longs intervalles, *Le Temps restitué*,
premier épisode composé en 1956-57, et le dernier, ... *Au-delà du
Hasard*.

Le Temps restitué, pour voix et orchestre, est inspiré « de
l'angoisse nocturne qui décide un créateur au seuil de la mort à
détruire son œuvre ». Le roman-poème de Broch, où s'entrecroisent avec une complexité à laquelle Barraqué superpose celle
de sa musique la religion de la littérature et la vanité de la littérature, les phantasmes de la fièvre, le flot du monologue intérieur,
la pathologie de l'agonie, ce livre a en effet pour thème les
dernières heures de Virgile, qui sur le point de mourir à Brindisi,
veut brûler le manuscrit de *L'Énéide* inachevée.

... *Au delà du Hasard* oppose cinq groupes d'exécutants. C'est
un commentaire des parties précédentes, mais « extérieur à
l'œuvre même »; selon l'analyse d'André Hodeir « ni une œuvre
en soi ni un fragment d'œuvre, mais une sorte de phénomène
onirique, traversé de citations ou plutôt de rappels où la musique
de *La Mort de Virgile* cherche obscurément à retrouver son visage
comme dans le rêve, sans jamais y parvenir tout à fait ». L'auteur
a lui-même expliqué qu'il a voulu que le cours de cette œuvre fût
« titubant et chaotique » et qu'elle s'arrêtât « dans un souffle
d'épuisement, spasmodique et désordonnée », à l'instant où selon
les normes habituelles elle devrait commencer.

Devant ce vertige psychique, on a un mouvement de recul
assez naturel. Cependant, l'ouvrage est bien moins hermétique
que ne pourrait le faire craindre sa glose. Il serait fort présomp-
tueux, après une ou deux auditions, de vouloir trancher de sa
valeur, se faire notamment une opinion sur la teneur dramatique
de ses parties vocales, des interjections, assonances, allitérations
qu'elles roulent et prolongent. Ce qui apparaît du moins évident,
c'est que son auteur attribue une importance assez illusoire à
certaines dispositions instrumentales, qu'elle est dévorée de cérébralité, de littérature, de tout ce que l'art musical, depuis la
réaction anti-wagnérienne rejetait avec le plus d'horreur. Mais

enfin, cette musique existe, bien qu'elle semble s'acharner à démentir son existence. Le néant la hante, ce néant qui n'est plus seulement symbolique, puisqu'il menace l'art de toute notre époque, mais qu'elle nie elle-même, par son propre effroi panique. On y devine des richesses profuses, on y entend battre une intense vie rythmique. Dans ... *Au-delà du Hasard,* malgré une surcharge initiale d'effets qui devrait exclure toute velléité de progression, elle se soutient presque de bout en bout dans un singulier paroxysme de véhémence et de brutalité dirigée.

Jean Barraqué débouche sur un romantisme qui est bien, en fin de compte, l'expression irrésistible de notre temps. On voudrait le voir, lui aussi, jouer sa grande partie dans le théâtre lyrique qui lui donnerait du champ, tout en freinant, en redressant par des exigences précises sa « titubante » intellectualité. Mais il lui faudrait d'abord terminer *La Mort de Virgile.* Cette œuvre aux apparences monstrueuses s'effondrera-t-elle sous ses contradictions, dans la frénésie mentale qui risque de la miner ? Jean Barraqué avec le grand orgueil qui seul a pu l'engager dans une telle entreprise, avec sa science et son souffle, devrait être capable de l'édifier. Ce pourrait bien être alors un des plus étonnants monuments de notre musique.

XENAKIS

On regrette que le terme d'« homme de la Renaissance » soit tellement usé. C'est celui qui conviendrait le mieux pour définir le Grec IANNIS XENAKIS, né à Athènes en 1922. Par sa première formation, il est mathématicien, et des plus doués. Militant d'extrême-gauche, il a combattu durement dans les maquis de son pays et il a été condamné à mort. En 1950, il est venu étudier la musique auprès de Messiaen à Paris. Architecte, il a mené cette carrière de front avec celle de compositeur, travaillant pendant une douzaine d'années avec Le Corbusier, participant à la création de la nouvelle ville indienne de Chandigarh dans le Pendjab, édifiant le pavillon Philips à l'Exposition Internationale de Bruxelles. Il a une chaire d'enseignement musical aux États-Unis, mais vit surtout en France.

Sa théorie de la *musique stochastique* a provoqué en 1956 remous, sarcasmes et inquiétudes. Cette application à l'art musical des mathématiques supérieures, avec emploi des ordinatrices, apparaissait comme le comble de l'abstraction et de la mécanisation. Les esprits sérieux honnêtes devaient s'apercevoir un peu plus tard qu'ils s'étaient alarmés trop vite au lieu de se documenter.

Naturellement, il ne peut être question ici de suivre dans ses calculs un mathématicien de haut vol. Mais dans ses principes de base, le système stochastique est accessible à n'importe quel mélomane suffisamment renseigné sur la musique de son temps. Xenakis considère que dans ses dernières formes la musique sérielle a échoué, puisque la multiplicité des lignes de sa polyphonie n'est plus perceptible à l'audition que comme un magma sonore. (Loin d'être un abstracteur, il prend donc position contre les compositeurs pour qui la musique n'existe que sur le papier.) La solution n'est pas dans l'aléatoire, mais dans l'indépendance totale des sons, dont on isole les composantes dans leurs états de transformation. Pour Xenakis, le recours aveugle au hasard est une démission ou un jeu frivole. Il faut interpréter, solliciter le hasard par la connaissance de ses lois. On le peut, grâce au calcul des probabilités, dont fait partie la stochastique, étude des lois dites des grands nombres, et duquel relève l'analyse statistique des phénomènes sonores. Les cerveaux électroniques déchargent aujourd'hui le musicien de ces très longs calculs, presque inconcevables sans leur aide. Xenakis souligne bien que les lois des probabilités ne sont pas un but, mais « de merveilleux outils de confection, des garde-fous logiques, d'une logique plus générale que celle binaire d'Aristote ».

Dans la pratique, il soumet un élément musical de son choix à une ordinatrice 7090 I.B.M. C'est sur les réponses fournies par cette ordinatrice et concernant les différentes éventualités en matière de durées, d'intensités, d'intervalles, etc., que le compositeur aiguillera son travail : « Ainsi libéré, dit Xenakis, des calculs fastidieux, il peut davantage se consacrer aux problèmes généraux que pose la nouvelle forme musicale et explorer les plis et les recoins de cette forme en modifiant les valeurs des données initiales. Par exemple, il peut tester toutes les combinaisons instrumentales allant des instruments solistes jusqu'aux plus grands orchestres. » Ailleurs, le compositeur dit encore plus clairement : « Il y a plus dans l'homme et la musique que dans les mathématiques, mais la musique comprend tout ce qui est dans les mathématiques. Celles-ci m'ont servi à mieux formuler mes pensées et mes intuitions et à maîtriser les données techniques. Les données mathématiques en elles-mêmes ne peuvent exprimer quelque chose, mais elles peuvent être utilisées pour exprimer, à condition que l'artiste discerne dans leur mécanisme une « téléologie », disons une « promesse » artistique[1]. »

Le plus inattendu, dans les œuvres de Xénakis qui ont fait crier inconsidérément à la robotisation avant qu'on les connût, c'est qu'elles apparaissent bien plus « humaines » et accessibles que la majeure partie des musiques contemporaines. La disparition de la série leur rend un aspect quasi tonal. Elles seraient souvent réductibles dans le détail à des tonalités. Les discordances qu'impose la mode sont relativement rares dans leur instrumentation.

Volontiers on conseillerait à ceux qui n'ont pas encore entendu Xenakis de l'aborder par ses *Eonta, Les Étants* (1964), écrits pour piano, quatre trompettes et six trombones. On dira qu'il suffisait de penser à cette alliance inaccoutumée du clavier et de ses cuivres. Mais dans le catalogue des innombrables combinaisons instrumentales d'aujourd'hui, celle-ci n'a pas seulement le mérite de son inédit. Elle est remarquablement équilibrée. Elle appartient à cette sorte d'audaces heureuses qui ont un air naturel. Cet ensemble sonne plein parce que Xenakis en utilise toutes les ressources sonores, au lieu de collectionner puérilement les notes exceptionnelles des instruments. Ces *Eonta* sont animés d'une activité incessante, sur des rythmes vigoureux et originaux. La partie de piano rajeunit le lyrisme de la virtuosité. L'écriture harmonique des cuivres est très riche. Le conflit mouvementé, violent même entre ces cuivres et le piano, ne veut avoir d'autre sens que musical, mais cela ne l'empêche pas de posséder des accents dramatiques. C'est la preuve que l'invention peut très bien prendre appui sur une matière théorique.

Sans être vraiment exceptionnelle, une réussite aussi bien bouclée n'est pas très fréquente jusqu'ici chez Xenakis. La complexité de *Metastasis* (1953), où soixante et un instruments exécutent chacun une partie différente, ne nuit aucunement à sa lisibilité, prouesse qui démontre bien que l'architecte Xenakis est

---

1. Dans la musique *algorithmique* (du bas-latin *algorismus*, procédé de calcul), telle que la pratiquent Pierre Barbaud et son groupe, on obéit à l'ordinateur, à qui l'on a soumis un programme préalable, non seulement pour les combinaisons qu'il a calculées, mais pour le choix de celles que l'on retiendra. Selon les termes de Pierre Barbaud, « le compositeur se refuse à faire intervenir son goût, sa science ou son expérience... il recherche un enseignement dans l'œuvre que lui rendra la machine... Il se propose de déduire d'un arrangement initial purement aléatoire d'autres arrangements suivant des procédés algébriques rigoureux, dont il se propose *a priori* de ne jamais changer les résultats. » Jusqu'à présent, cette rigide méthode s'est révélée plutôt stérile.

aussi un musicien armé de la plus sérieuse formation. On a déjà peine à imaginer que *Pithoprakta* pour orchestre, où la stochastique a fourni des propositions quasi traditionnelles, ait pu faire scandale lors de sa création à Munich en 1957. L'intérêt de *ST 48* pour quarante-huit instruments (1968) est surtout dans son emploi des cordes, curieux mais nullement irrationnel comme chez tant d'autres auteurs. Les travaux sur l'*Orestie* d'Eschyle sont plus contestables. La tragédie antique réussit mal aux compositeurs du XXe siècle. Elle les guinde, ils s'y croient obligés à une austérité qui devient vite synonyme d'uniformité. Malgré son origine, ses références à Aristoxène de Tarente, « l'harmonie par oreille », Xenakis n'évite pas plus l'écueil que Stravinsky ou Carl Orff. Dans *Nuits* (1968) pour un chœur mixte *a cappella*, dédiées à des communistes grecs prisonniers, les voix sont traitées comme des instruments avec ces glissandi typiques dont Xenakis calcule les pentes avec les ordinateurs. Mais cette œuvre comporte des effets d'un naturalisme facile, et son triomphe à chaque audition est assez suspect.

Enfin, il y a *Bohor* (1968), musique électronique qui fait pendant vingt-cinq minutes tourner le même bruit synthétique (foule, « friture » de radio, orage ?), mugi par les haut-parleurs à des niveaux assourdissants d'intensité. Xenakis n'est pas un homme à canulars. *Bohor* est-il le produit de l'entêtement d'un mathématicien qui pousse une formule jusqu'à ses dernières conséquences malgré son évidente absurdité ? Xenakis aboutirait-il à la même négation que les peintres recouvrant leurs « tableaux » d'une couche, unie de noir ou de blanc, à un « degré zéro » de la musique ? Ce serait la déroute inexplicable d'un artiste qui manifeste parfois tant de dons, et un exemple désastreux. On attend du compositeur des œuvres qui fassent vite oublier l'abrutissante énigme de *Bohor*.

La stochastique représente, par son principe plus que par ses résultats, la dernière étape d'une évolution de vingt-cinq années inaugurée au lendemain de la guerre par la réaction contre les dodécaphonistes figés. Une période agitée, heurtée, bourrée de logomachies, qui a provoqué bien des inquiétudes et bien des refus, fait crier à la décadence irrémédiable, et qui n'est pas, en fin de compte, plus pauvre que beaucoup d'autres quarts de siècles en œuvres bâties pour durer.

L'afflux des nouveaux noms de jeunes compositeurs qu'amène chaque festival, chaque saison de concerts, indique au moins l'extrême vitalité d'une corporation qu'Honegger estimait condamnée à mort par son anachronisme. Il est naturellement beaucoup trop tôt pour juger la qualité de ces dernières recrues. On citera pêle-mêle les Français Jean-Pierre Guézec (*Suite pour Mondrian*) élève de Messiaen, Paul Méfano, Didier Denis (un benjamin né en 1947), Claude Ballif, auteur d'un bon petit livre sur Berlioz, Betsy Jolas, Robert Cohen-Salvador (1943), l'Austro-Hongrois Robert Wittinger, l'Anglais Bernard Rands, disciple de Berio, l'Argentin Carlos Roque Alsina, le Portugais Peixinho, élève de Nono et Boulez, le Suisse Hans-Ulrich Lehmann, l'Allemande Tona Scherchen, fille du grand chef d'orchestre, le Yougoslave Milko Kelemen, les Italiens Lombardi (1945), Marcello Panni.

On verra certainement dans cette nouvelle génération, comme dans toutes celles qui l'ont précédée, fourmiller les suiveurs, les fumistes et les pillards. Ils seront remis tôt ou tard à leur juste place, s'étant d'ailleurs condamnés d'eux-mêmes.

Ce qui nous inquiète le plus, c'est le risque de l'anarchie, toujours menaçante depuis l'effondrement du système tonal. La musique y a échappé par le corset de la série viennoise, ensuite par les rudes disciplines de la série intégrale. Mais l'unanimité dans les recherches, qui nous rassurait il y a encore cinq ou six ans, se relâche indéniablement. On tâtonne et l'on se fourvoie dans trop de directions. Les nouveaux venus ne semblent pas pressés de posséder le métier à toute épreuve que les meilleurs de leurs aînés avaient acquis dans les techniques sérielles. On les voit trop souvent aller aux plus superficielles des dernières modes, aux exhibitions para-musicales dont l'Italien Sylvano Bussotti s'est fait avec son *Sade* le sarcastique spécialiste, à ces « concerts scéniques », « théâtres instrumentaux » qui peuvent plus ou moins masquer, pour la durée d'une soirée, mais pas davantage, l'inanité d'une partition. Pour un ou deux jeunes gens qui paraissent avoir un certain sens de l'humour, de la caricature, on assiste à trop de fastidieuses jocrisseries, destructions de pianos, cors qui ressuscitent les pétomanes de 1900, « happenings » avortés, simulacres de répétitions d'un morceau qui n'existe pas. Le pis est quand ces « antimusiques », dérivant de la même manie autodestructrice que l'antiroman, l'antithéâtre, quand ces piètres défoulements prétendent à un sens politique, à une participation aux remous de la société. La jobardise intense de notre époque peut alors favoriser leurs auteurs dont le poids mort et les errements seront autant de freins aux vrais progrès.

Nous n'apercevons au contraire aucun sujet d'alarme dans les nouvelles ressources fournies par la physique et les mathématiques. De la quarantaine de signes musicaux dont se contentait l'écriture traditionnelle, on est passé à sept cents au moins, sans parler des partitions où le compositeur use de graphiques strictement personnels. Par la machine, on dispose entre le *la* et le *si* d'au moins treize niveaux audibles de hauteurs différentes. A notre sens, les musiciens n'ont encore fait de ces fantastiques enrichissements qu'un très timide usage. Si une œuvre comme les *Gruppen* de Stockhausen représente pour l'orchestre classique une somme, un aboutissement extrême, les musiques électroniques, y compris celles de cet homme de grand talent, nous déçoivent par leur pauvreté rythmique, par la monotonie de leurs effets d'autant plus décourageants que l'on attend d'elles la révélation d'un monde sonore inconnu. La presque totalité des œuvres électroniques parues depuis vingt ans deviendra rapidement inécoutable. Est-ce à dire qu'il faille condamner l'emploi de ces source sonores ? Nullement. Mais il faut bien nous convaincre que nous ne sommes qu'aux premiers jours d'un art nouveau, réclamant des musiciens toujours plus de savoir, de concentration, d'imagination.

Comme Pierre Boulez reprenant le mot de Baudelaire, c'est dans cette imagination, « la reine des facultés », que nous plaçons nos espoirs. Et rien ne nous interdit de penser que tout en magnifiant la fantastique sorcellerie de la science, ce sera aussi dans le chant d'un simple quatuor à cordes qu'elle nous fera entendre quelque jour une voix géniale et neuve.

NOTE SUR LE JAZZ

Différents lecteurs auront sans doute été surpris de ne point trouver dans ce livre un chapitre sur le jazz. Ce n'est pas du tout que nous méconnaissions ce grand apport des Noirs américains à notre siècle. Il faut être atteint d'une étrange surdité pour nier le magnifique tempérament musical d'artistes tels que Duke Ellington, Louis Armstrong, Fats Waller, Coleman Hawkins, Benny Carter, Bessie Smith, Ella Fitzgerald, Lester Young, Willie Smith « le Lion », Lionel Hampton, Count Basie, Ray Charles, et de quantité d'autres dont on pourrait aligner les noms sur toute une page.

On dira qu'avec leurs soli ils continuent à leur manière dans notre époque les fioritures du bel canto, les cadences du style concertant, et que c'est une des raisons de la fascination qu'ils ont exercée ou exercent encore sur un immense public. Mais soit dans leurs compositions ou arrangements notés, soit surtout dans leurs improvisations, ils ont apporté à ce thème varié qu'est en somme le jazz une fantaisie, une invention dont on ne voit pas d'autres exemples dans la musique de virtuosité. Les instrumentistes, en particulier les trompettes et les trombones, ont une fermeté dans l'attaque et les articulations, une plénitude de son, une aisance dans l'aigu dont leurs confrères « classiques » devraient bien chercher à surprendre les secrets. Ils ont su plier leurs instruments à toutes les inflexions de la voix humaine, si expressives chez leurs chanteurs et leurs chanteuses de blues. Ils ont associé les timbres de la façon la plus imprévue et avec une merveilleuse sûreté d'oreille aussi bien dans leurs grandes que leurs petites formations. Nous parlons ici, naturellement, du jazz véridique, dont on a si souvent raconté la pittoresque histoire, né chez les Noirs de La Nouvelle-Orléans, ayant passé par les

*célèbres étapes de Chicago, de Kansas-City, de Harlem, et n'ayant
jamais dérogé au swing, sa pulsation fondamentale.*

*Mais il nous a paru que ce chapitre ne pouvait trouver sa place
dans la courbe de notre livre. Le jazz est bien une vraie musique,
mais irréductible à « l'autre » musique, ayant ses règles et son
évolution propres. On a cru qu'il existait des points de contact
entre les deux arts. C'était un leurre. Nous avons vu au cours de
nos études sur Stravinsky, sur Ravel, sur Darius Milhaud, que
ces compositeurs n'ont utilisé le jazz que très superficiellement,
et en se référant le plus souvent à des modèles très douteux,
comme les gros orchestres blancs de « jazz symphonique » — Paul
Whiteman et autres — qui connurent entre les deux guerres un
insupportable succès. Le scat d'Armstrong et de certains chanteurs
noirs, chant sur des syllabes sans signification, a précédé les onomatopées, interjections, textes hachés de Luciano Berio, Boulez et
leurs élèves, mais il ne semble pas que ni les uns ni les autres se
soient doutés de ces ressemblances dans une innovation d'ailleurs
fort discutable. Des emprunts de détail de la musique actuelle
au jazz, comme le* growl, *grincement des cuivres et clarinettes,
le* shake, *vibrato brutal des trompettes et trombones sont au
contraire évidents, mais les jazzmen produisent ces effets avec
beaucoup plus de talent et de naturel que les instrumentistes
« classiques ».*

*De son côté, le jazz n'a jamais eu intérêt à s'inspirer des
procédés, de l'écriture des « autres » musiques. Sur ce terrain, il a
toujours été vite distancé, l'émancipation de son harmonie a paru
bien prudente, limitée, plus ou moins démarquée de tel ou tel
maître contemporain. C'est à notre sens la tare principale du
« nouveau jazz » dans ses différentes formes,* bop, free jazz,
Modern Jazz Quartet. *Quelle que soit la souplesse que le* swing
*a apportée aux quatre temps du jazz — moins monotone grâce à
ce* swing *que la basse continue qui a régné sur un siècle et demi
de musique — on comprend que des jeunes gens aient éprouvé le
besoin d'échapper à ce rythme battu depuis cinquante ans. Mais
ils sont sortis du même coup du genre instrumental, rythmique
et mélodique répondant à la définition du jazz, pour ne lui substituer jusqu'ici qu'une faible vulgarisation de l'avant-garde
musicale, ou des adaptations plutôt bâtardes du classicisme,
comme le Modern Jazz Quartet lorsqu'il essaie à la fugue.*

*Ajoutons que nous comptons personnellement des amis parmi
les fanatiques du jazz pur, mais qu'aucun ne s'intéresse vraiment*

aux « *autres* » *musiciens. A notre connaissance, seul est « bivalent »
André Hodeir, écrivant à la fois sur le jazz et sur des compositeurs
comme Jean Barraqué. Mais justement, les puristes du jazz considèrent qu'il est hérétique...*

*Nous ne faisons qu'esquisser ainsi quelques-unes des singularités
du jazz noir authentique, qui appartient bien à l'Occident, mais
s'est occidentalisé par ses propres moyens, en pliant les vieux
chants yankees et les instruments européens à sa sensibilité, à
sa verve, en ne conservant des rythmes africains que leur élément
vital, mais non leurs formes incontestablement plus variées. C'est
un art autonome, collectif, dans lequel cependant de vigoureuses
personnalités ont pu s'exprimer entièrement et influer sur sa destinée. Il appelle la danse, et c'est le plus souvent un contresens
que de l'écouter au concert. C'est dans des jam-sessions, entre
affiliés, dans l'excitation des fins de nuits, au milieu des salles de
« night clubs » abreuvées, surchauffées, avec des danseurs électri-
sés, qui a probablement atteint à ses chefs-d'œuvre.*

*Nous n'irons pas plus loin. Nous n'avons pas l'intention de
nous mesurer avec les passionnés qui sont à la tête de douze,
quinze mille disques, peuvent énoncer par cœur des centaines de
formations, identifier instantanément l'exécutant d'un chorus
dans un disque vieux de trente-cinq ans qu'ils datent avec la
même assurance. Il faut choisir. On ne peut pas à la fois s'enfoncer dans une telle érudition et tenter d'embrasser la musique,
du grégorien à Xenakis. Le jazz mérite d'avoir ses historiens
exclusifs. Ils sont nombreux et très compétents. C'est à eux que
nous renverrons le lecteur, particulièrement aux ouvrages de
Hugues Panassié, à l'Histoire du Jazz de Michel Perrin en collaboration avec le prodigieux collectionneur André Doutart, et pour
entendre toutes les opinions, aux travaux d'André Hodeir et de
Lucien Malson.*

*Quant à l'avenir artistique du jazz, dans le flot toujours gran-
dissant du commerce de l'infra-musique, il nous paraît bien
incertain.*

INDEX

878

888

890

Z

ZACHOW (Friedrich-Wilhelm) : 202, 204, 251, 258.
ZAMBONI, baryton : 385.
ZANDONAI (Riccardo) : 625.
ZANGARINI, librettiste : 623.
ZAREMBA : 610-11.
ZARLINO (Giuseppe) : 111, 239.
ZELENSKI (J.E.) : 679.
ZELTER (Carl-Friedrich) : 276, 368.

ZEMLINSKY (Alexandre von) : 727.
ZIMMERMANN (Bernd-Aloys) : 841.
ZIMMERMANN (Pierre) : 555.
ZINGARELLI (Niccolo) : 228, 381, 383.
ZIPOLI (Domenico) : 231.
ZOLA (Émile) : 562, 618.
ZORZI, troubadour : 62.
ZUMSTEEG (J.R.) : 309, 368.
ZWEIG (Stefan) : 539.
ZWINGLI : 143.
ZYWNY (Adalbert) : 430.

TABLE

DANS LA MÊME COLLECTION

HISTOIRE ET ESSAIS

BENOIST-MÉCHIN, Jacques
Soixante jours qui ébranlèrent l'Occident (10 mai – 10 juillet 1940)
Histoire de l'armée allemande *(2 volumes)* : Tome 1, 1918-1937 – Tome 2, 1937-1939

FRAZER, James George
Le Rameau d'Or – Tome 1 : Le roi magicien dans la société primitive – Tabou ou les périls de l'âme
Le Rameau d'Or – Tome 2 : Le dieu qui meurt, Adonis, Atys et Osiris
Le Rameau d'Or – Tome 3 : Esprits des blés et des bois, Le bouc émissaire
Le Rameau d'Or – Tome 4 : Balder le Magnifique, Bibliographie générale

GIBBON, Edward
Histoire du déclin et de la chute de l'Empire romain *(2 volumes)* : Tome 1, Rome (de 96 à 582) – Tome 2, Byzance (de 455 à 1 500)

LE MONDE ET SON HISTOIRE, collection dirigée par Maurice Meuleau
Le monde antique et les débuts du Moyen Age par Maurice Meuleau et Luce Pietri *(1 volume)*
La fin du Moyen Age et les débuts du monde moderne par Luce Pietri et Marc Venard *(1 volume)*
Les révolutions européennes et le partage du monde ; le monde contemporain de 1914 à 1938 par Louis Bergeron et Marcel Roncayolo *(1 volume)*
Le monde contemporain de la Seconde Guerre mondiale à nos jours par Marcel Roncayolo *(1 volume)*

LE VOYAGE EN ORIENT de Jean-Claude Berchet
Anthologie des voyageurs français dans le Levant au XIXᵉ siècle

MICHELET, Jules
Histoire de la Révolution française *(2 volumes)*
Le Moyen Age *(1 volume)*
Renaissance et Réforme : Histoire de France au XVIᵉ siècle *(1 volume)*

MOMMSEN, Theodor
Histoire romaine *(2 volumes)* : Tome 1, Des commencements de Rome jusqu'aux guerres civiles – Tome 2, La Monarchie militaire

NAPOLÉON A SAINTE-HÉLÈNE
Par les quatre Évangélistes : Las Cases, Gourgaud, Montholon, Bertrand. Textes préfacés, choisis et commentés par Jean Tulard

THOMAS, Hugh
La guerre d'Espagne (juillet 1936-mars 1939)

TOLAND, John
Adolf Hitler

VIANSSON-PONTÉ, Pierre
Histoire de la République gaullienne (mai 1958-avril 1969)

WILSON, Arthur M.
Diderot – Sa vie et son œuvre

LITTÉRATURE

BALZAC, Honoré de
Le Père Goriot - Les Illusions perdues - Splendeurs et misères des courtisanes

BARBEY D'AUREVILLY, Jules
Une Vieille Maîtresse -- Un prêtre marié - L'Ensorcelée - Les Diaboliques -- Une page d'histoire

CESBRON, Gilbert
Chiens perdus sans collier - Les Saints vont en enfer -- Il est plus tard que tu ne penses -- Notre prison est un royaume

DICKENS, Charles
Les Grandes Espérances -- Le Mystère d'Edwin Drood - Récits pour Noël

DOYLE, Conan
Sherlock Holmes *(2 volumes)*

DUMAS, Alexandre
Les Trois Mousquetaires - Vingt ans après

FLAUBERT, Gustave
Madame Bovary - L'Éducation sentimentale - Bouvard et Pécuchet suivi du Dictionnaire des idées reçues - Trois Contes

FONTANE, Theodor
Errements et tourments - Jours disparus - Frau Jenny Treibel - Effi Briest

GREENE, Graham
La Puissance et la Gloire - Le Fond du problème - La Fin d'une liaison *(1 volume)*
Un Américain bien tranquille - Notre agent à la Havane - Le Facteur humain *(1 volume)*

JAMES, Henry
Daisy Miller -- Les Ailes de la Colombe - Les Ambassadeurs

LE CARRÉ, John
La Taupe - Comme un collégien - Les Gens de Smiley

LEROUX, Gaston
Le Fantôme de l'Opéra - La Reine du sabbat - Les Ténébreuses - La Mansarde en Or

LES MILLE ET UNE NUITS
Dans la traduction du Dr J.-C. Mardrus *(2 volumes)*

LONDON, Jack
Romans, récits et nouvelles du Grand Nord : L'Appel de la forêt -- Le Fils du loup -- Croc-Blanc - Construire un feu - Histoires du pays de l'or -- Les Enfants du froid – La Fin de Morganson - Souvenirs et aventures du pays de l'or - Radieuse Aurore *(1 volume)*
Romans maritimes et exotiques : Le Loup des mers - Histoires des îles - L'Île des lépreux - Jerry, chien des îles - Contes des mers du Sud -- Fils du soleil – Histoires de la mer - Les Mutinés de l'« Elseneur » *(1 volume)*

MALET, Léo
Les Enquêtes de Nestor Burma et les nouveaux mystères de Paris : 120, rue de la Gare - Nestor Burma contre C.Q.F.D. -- Le Cinquième Procédé - Faux-Frère - Pas de veine avec le pendu - Poste restante - Le Soleil se lève derrière le Louvre – Des kilomètres de linceuls - Fièvre au marais - La Nuit de Saint-Germain-des-Près - Les Rats de Montsouris - M'as-tu vu en cadavre ? *(1 volume)*

RENAN, Ernest
Histoire et parole : Œuvres diverses

RIDER HAGGARD, Henry
Elle qui doit être obéie : Elle ou la Source du feu - Le Retour d'Elle -- La Fille de la sagesse - Les Mines du roi Salomon - Elle et Allan Quatermain *(1 volume)*

POÉSIE

BAUDELAIRE, Charles
Œuvres complètes

UNE ANTHOLOGIE DE LA POÉSIE FRANÇAISE de Jean-François Revel

RIMBAUD - CHARLES CROS - TRISTAN CORBIÈRE - LAUTRÉAMONT
Œuvres complètes

VICTOR HUGO : ŒUVRES COMPLÈTES

ROMAN I
Han d'Islande – Bug-Jargal – Le Dernier jour d'un condamné – Notre-Dame de Paris – Claude Gueux *(1 volume)*

ROMAN II
Les Misérables *(1 volume)*

ROMAN III
L'Archipel de la Manche – Les Travailleurs de la mer – L'Homme qui rit – Quatrevingt-treize *(1 volume)*

POÉSIE I
Premières Publications – Odes et Ballades – Les Orientales – Les Feuilles d'automne – Les Chants du crépuscule – Les Voix intérieures – Les Rayons et les Ombres *(1 volume)*

POÉSIE II
Châtiments – Les Contemplations – La Légende des siècles, première série – Les Chansons des rues et des bois – La Voix de Guernesey *(1 volume)*

POÉSIE III
L'Année terrible – La Légende des siècles, nouvelle série – La Légende des siècles, dernière série – L'Art d'être grand-père – Le Pape – La Pitié suprême – Religions et Religion – L'Ane – Les Quatre Vents de l'esprit *(1 volume)*

POÉSIE IV
La Fin de Satan – Dieu – Le Verso de la page – Toute la Lyre – Les Années funestes – Dernière Gerbe *(à paraître)*

THÉÂTRE I
Cromwell – Amy Robsart – Hernani – Marion de Lorme – Le Roi s'amuse – Lucrèce Borgia – Marie Tudor – Angelo, tyran de Padoue – La Esmeralda *(1 volume)*

THÉÂTRE II
Ruy Blas – Les Burgraves – Torquemada – Théâtre en liberté – Les Jumeaux – Mille francs de récompense – L'Intervention *(1 volume)*

POLITIQUE
Paris – Mes Fils – Actes et Paroles I – Actes et Paroles II – Actes et Paroles III – Actes et Paroles IV – Testament littéraire – Préface à l'édition *ne varietur (1 volume)*

CRITIQUE
La Préface de Cromwell – Littérature et philosophie mêlées – William Shakespeare – Proses philosophiques des années 60-66 *(1 volume)*

HISTOIRE
Napoléon le Petit – Histoire d'un crime – Choses vues *(à paraître)*

VOYAGES
Le Rhin – France et Belgique – Alpes et Pyrénnées – Carnets et Albums *(à paraître)*

CHANTIER
Fragments, notes, brouillons et documents *(à paraître)*

INDEX GÉNÉRAL *(à paraître)*

ACHEVÉ D'IMPRIMER POUR
LES ÉDITIONS ROBERT LAFFONT
SUR LES PRESSES DE
BPCC HAZELLS LTD
AYLESBURY (GRANDE-BRETAGNE)
Printed in Great Britain

DÉPÔT LÉGAL : AOÛT 1992
N° ÉDITEUR : S 1288